Le Routard

Malaisie, Singapour

FOPER LABPO

Cofondateurs : Philippe GLOAGUEN et Michel DUVAL

Directeur de collection et auteur
Philippe GLOAGUEN

Rédacteurs en chef adjoints
Amanda KERAVEL
et Benoît LUCCHINI

Directrice de la coordination
Florence CHARMETANT

Directrice administrative
Bénédicte GLOAGUEN

Directeur du développement
Gavin's CLEMENTE-RUIZ

Conseiller à la rédaction
Pierre JOSSE

Direction éditoriale
Hélène FIRQUET

Rédaction
Isabelle AL SUBAIHI
Emmanuelle BAUQUIS
Mathilde de BOISGROLLIER
Thierry BROUARD
Marie BURIN des ROZIERS
Véronique de CHARDON
Fiona DEBRABANDER
Anne-Caroline DUMAS
Éléonore FRIESS
Géraldine LEMAUF-BEAUVOIS
Olivier PAGE
Alain PALLIER
Anne POINSOT

D1219755

2019/20

hachette

TABLE DES MATIÈRES

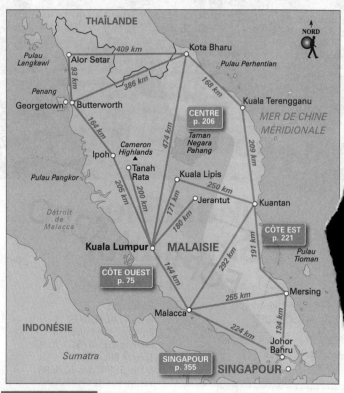

LA MALAISIE

LA CÔTE OUEST DE LA MALAISIE 75

AU SUD DE KUALA LUMPUR 107

AU NORD DE KUALA LUMPUR 129

LE CENTRE DE LA MALAISIE 206

LA CÔTE EST DE LA MALAISIE 221

MALAISIE : HOMMES, CULTURE, ENVIRONNEMENT 312

Malaisie, baguettes de restaurant

© Degas Jean-Pierre/hemis.fr

LA RÉDACTION DU ROUTARD

(sans oublier nos 50 enquêteurs, aussi sur le terrain)

Thierry, Anne-Caroline, Éléonore, Olivier, Alizée, Pierre, Benoît, Alain, Fiona, Emmanuelle, Gavin's, André, Véronique, Bénédicte, Jean-Sébastien, Mathilde, Aman, Isabelle, Géraldine, Marie, Carole, Philippe, Florence, Anne.

La saga du *Routard* : en 1971, deux étudiants, Philippe et Michel, avaient un furieuse envie de découvrir le monde. De retour du Népal germe l'idée d'un guide différent qui regrouperait tuyaux malins et itinéraires sympas, destiné au jeunes fauchés en quête de liberté. 1973. Après 19 refus d'éditeurs et la faillit de leur première maison d'édition, l'aventure commence vraiment avec Hachette Aujourd'hui, le *Routard*, c'est plus d'une cinquantaine d'enquêteurs impliqués e sincères. Ils parcourent le monde toute l'année dans l'anonymat et s'acharnent restituer leurs coups de cœur avec passion.

Merci à tous les Routards qui partagent nos convictions : liberté et indépe dance d'esprit ; découverte et partage ; sincérité, tolérance et respect des autres

NOS SPÉCIALISTES MALAISIE, SINGAPOUR

Isabelle Al Subaihi : une émigration outre-Manche à l'âge de 4 mois, forcéme ça laisse des traces : un goût prononcé pour l'exotisme ! Depuis, elle cherch transmettre sa passion du voyage. Ce qu'elle aime partager : un bon plat, des éc de rire, l'émotion d'un paysage qui bouleverse. Et surtout une vision décalée gr à des rencontres surprenantes.

Emmnanuel Juste : sa première passion fut la géographie. Petit déjà, il dévo les atlas qui le faisaient rêver plus que tout ! Aujourd'hui, après une maîtrise langues et un peu d'enseignement, sa fascination pour les cartes est intacte c'est sur le terrain qu'il découvre la surface du monde. Un ravissement qu'il par depuis 15 ans, en tant qu'enquêteur, sans modération !

André Poncelet : bruxellois, biberonné aux aventures de Tintin et de Bob Mo il trace la route dès ses 17 ans. Après une carrière dans le livre, il participe au mier *Routard* consacré à son pays. Ciseleur de mots et arpenteur de mérid il n'a de cesse de communiquer ses coups de cœur tant pour les cités au patrimoine que pour les grands espaces.

UN GRAND MERCI À NOS AMI(E)S SUR PLACE ET EN FRANCE

Pour cette nouvelle édition, nous remercions particulièrement :

- **Serge Jardin,** pour sa profonde et inestimable connaissance de Malacca ;
- **Jérôme Bouchaud,** pour sa disponibilité et ses conseils ;
- **Claire Pison** d'Interface Tourism à Paris ;
- **Hélène Foliguet** pour ses bonnes adresses à Singapour ;
- ainsi que **Gaël Grilhot** et **Daniel** de Reporters Sans Frontières.

Pictogrammes du Routard

Établissements

⌂	Hôtel, auberge, chambre d'hôtes
⋏	Camping
⏃⏃	Restaurant
	Terrasse
	Pizzeria
	Boulangerie, sandwicherie
	Pâtisserie
	Glacier
	Café, salon de thé
	Café, bar
♪	Bar musical
	Club, boîte de nuit
	Salle de spectacle
	Boutique, magasin, marché

Infos pratiques

	Office de tourisme
⊠	Poste
@	Accès Internet
	Hôpital, urgences
	Adapté aux personnes handicapées

Sites

	Présente un intérêt touristique
	Point de vue
	Plage
	Spot de surf
	Site de plongée
	Recommandé pour les enfants
⊚	Inscrit au Patrimoine mondial de l'Unesco

Transports

✈	Aéroport
	Gare ferroviaire
	Gare routière, arrêt de bus
Ⓜ	Station de métro
Ⓣ	Station de tramway
Ⓟ	Parking
	Taxi
	Taxi collectif
	Bateau
	Bateau fluvial
	Piste cyclable, parcours à vélo

Tout au long de ce guide, découvrez toutes les photos de la destination sur • *routard.com* • Attention au coût de connexion à l'étranger, assurez-vous d'être en wifi !

© HACHETTE LIVRE (Hachette Tourisme), 2018
Le *Routard* est imprimé sur un papier issu de forêts gérées.

I.S.B.N. 978-2-01-626752-3

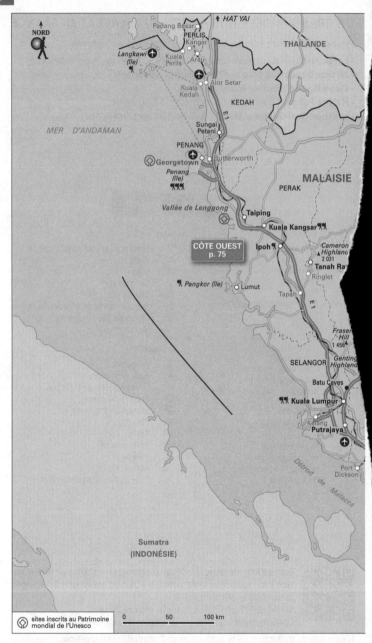

NORD

↑ HAT YAI

Padang Besar
PERLIS
Kangar
THAÏLANDE

Langkawi
(île)
Kuala
Perlis
Arau

Kuala
Kedah
Alor Setar

KEDAH

MER D'ANDAMAN

Sungai
Petani

PENANG

Georgetown
Butterworth

Penang
(île)

MALAISIE

PERAK

Vallée de Lenggong
Taiping

Kuala Kangsar

CÔTE OUEST
p. 75
Ipoh

Cameron
Highland
2 031
Tanah Ra

Ringlet

Pangkor (île)
Lumut
Tapah

Fraser
Hill
1 456

SELANGOR
Genting
Highland

Batu Caves

Kuala Lumpur

Kelang
Putrajaya

Détroit de Malacca
Port
Dickson

Sumatra
(INDONÉSIE)

sites inscrits au Patrimoine
mondial de l'Unesco

0   50   100 km

Pour les cartes détaillées des régions,
voir les chapitres concernés.

Sungai Kolok

Tumpat

Kota Bharu 🏹🏹

Pasir Mas

**Rantau
Panjang**

**Kuala
Besut**

Perhentian (îles) 🏹🏹🏹

Jerteh

▷ _Redang (île)_ 🏹🏹

MER DE CHINE MÉRIDIONALE

○ **Merang**

**Kuala
Terengganu** 🏹🏹

Kapas (île) 🏹🏹

Marang

KELANTAN

○ Rantau Abang

○ Gua Musang

2 187 ▲

_Gunung
Tahan_

Kuala Dungun

**CENTRE
p. 206**

_Taman Negara
Pahang_
🏹🏹🏹

TERENGGANU

Kuala Tahan

**CÔTE EST
p. 221**

Kuala Lipis

○ Chukai

Cherating 🏹🏹

○ **Kuala Tembeling**

PAHANG

Jerantut

Sungai
Lembing

○ Beserah

Panching

Kuantan 🏹

E 8

Kampong
Chini

Temerloh

Lac Chini
🏹🏹

○ **Pekan** 🏹

○ Muadzam Shah

**NEGERI
SEMBILAN**

Seremban

_Parc
d'Endau
Rompin_

Tioman (île) 🏹🏹🏹

Gemas

Segamat 🏹🏹

Endau

Pulau Rawa 🏹🏹

MALACCA

Bekok

Mersing

Besar (île)

Aur (île)

Ayer Keroh

Tinggi (île)

Malacca
◈ 🏹🏹🏹

Pagoh

Sibu (île)

○ Muar

E 2

Keluang

JOHOR

Batu Pahat

Kota
Tinggi

**Johor
Bahru**

_Pulau
Kutupi_

SINGAPOUR

Kukup

Singapour
🏹🏹🏹

**SINGAPOUR
p. 355**

LA PÉNINSULE MALAISE

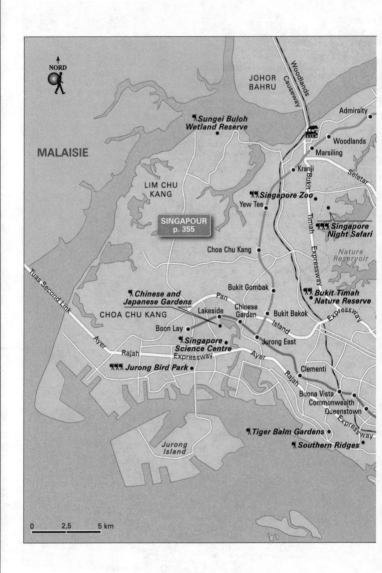

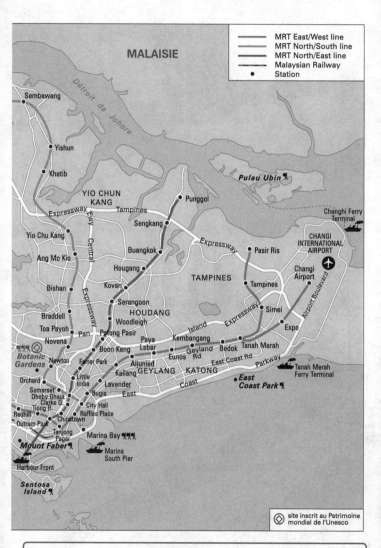

SINGAPOUR

Singapour, vue sur le CBD et Marina Bay

© Jon Arnold Images/hemis.fr

« *Apprenant que les Malais étaient mahométans,
je m'étais embarqué pour une espèce d'Algérie
mais j'avais débarqué dans une ville chinoise.
Depuis mon arrivée, je vivais dans l'Inde.
Et soudain, je découvre que je suis en Polynésie.* »

Henri Fauconnier, Malaisie *(1930)*

La Malaisie est un pays aux multiples facettes, tant sur le plan politique, religieux, humain que géographique. Elle dessine une mosaïque qui, mis à part les aborigènes orang asli, installés là depuis l'aube de l'humanité, révèle les origines des colons de jadis (Portugais, Hollandais, Anglais) et d'une main-d'œuvre venue de tout l'Orient : Chinois et Indiens en particulier. Du coup, si l'islam est religion d'État, le bouddhisme, le christianisme et l'hindouisme sont largement représentés. Une Malaisie plurielle, dans la continuité de sa propre histoire. Il suffit d'ailleurs d'arpenter **les anciennes villes marchandes** de Georgetown et de Malacca pour toucher du doigt toute sa diversité.

Le pays ne manque pas non plus de contrastes sur le plan géographique : **la forêt primaire** (l'une des plus vieilles de notre planète) couvre encore une partie du pays, et **la beauté des fonds marins** des îles de la côte est n'a d'égale que leur fragilité. Car si la Malaisie regorge de trésors, son plus grand défi est de parvenir à concilier croissance économique et protection de ses immenses ressources naturelles.

Une île, un État, une ville : Singapour, quasi de la taille de New York, ordonnée et propre comme une petite Suisse d'Asie du Sud-Est. Particulièrement dynamique, elle mène une politique d'expansion tous azimuts, avide de gagner du temps et de rester **à la pointe de la modernité,** mais **sans renier son passé.** Les vieux quartiers restaurés abritent des ateliers d'artistes et de petits restos pour **gourmets,** tandis que les nouvelles constructions rivalisent d'audace et de gigantisme. Réputée pour accueillir autant la jet-set que les milieux d'affaires, la riche Singapour investit également dans la **culture**… à faire pâlir d'envie les plus grands musées.

En même temps, son multiculturalisme et sa tolérance religieuse, sa modernité et sa volonté de rayonnement sur l'Asie contrastent avec la nature d'un régime pour le moins ferme. Singapour est en effet connue pour ses nombreuses interdictions et sanctions plus ou moins graves. L'opposition gagne du terrain (parfois une élection) et révèle le pan d'une société moins nantie et souvent ignorée. **Une ville complexe, unique et passionnante.**

NOS COUPS DE CŒUR

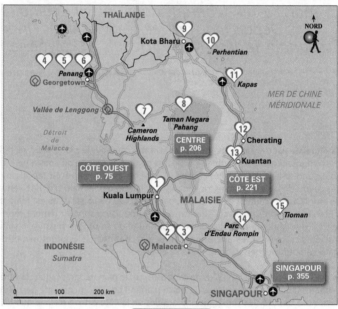

EN MALAISIE

① À Kuala Lumpur, accéder comme une fusée au 86ᵉ étage des *Petronas Towers*, **tours jumelles les plus hautes du monde (451,90 m).**

À Kuala Lumpur, on les voit de partout. Ces tours jumelles de verre et d'acier sont l'emblème d'une capitale en pleine ébullition. Leur architecture illustre à merveille l'imbrication entre symbolique musulmane, tradition malaise et influence occidentale à l'œuvre dans les constructions contemporaines. Obtenir le sésame pour atteindre l'*Observation Deck,* avec son panorama à 360°, vous permettra de prendre la capitale de haut. *p. 100*

Bon à savoir : 1 400 billets disponibles par jour ; on n'est même pas toujours sûr d'en obtenir un !

© Jon Arnold Images/hemis.fr

© Gardel.Bertrand/hemis.fr

② À Malacca, se promener le nez en l'air **pour admirer les vieilles maisons restaurées du centre historique.**

Ancienne ville carrefour des routes maritimes entre océan Indien et mer de Chine, Malacca a vu se succéder les colonisations portugaise, hollandaise et anglaise, métissage dont elle garde un héritage architectural pittoresque. Restaurée au gré de son classement au Patrimoine mondial de l'Unesco, la vieille cité de Malacca est assurément un temps fort d'un voyage en Malaisie. *p. 107*

Bon à savoir : le centre historique se découvre aisément à pied ou à bord d'un trishaw *enguirlandé de fleurs artificielles…*

© André Poncelet

③ Dans le Chinatown de Malacca, s'amuser à compter les dragons **et les phénix ornant le toit du temple Cheng Hoon Teng.**

Construit au XVIIᵉ s, le « temple des nuages verts », le plus vieux temple chinois de la région, affiche une forme architecturale typique des provinces méridionales de la Chine. Ses toits, très inclinés (à causes des pluies abondantes), sont couverts de dragons, phénix, animaux, fleurs et personnages en tesson de porcelaine, tandis que l'intérieur révèle des panneaux de bois laqué richement ciselés évoquant la vie du Bouddha. Splendide ! *p. 123*

Bon à savoir : ne pas rater les peintures extérieures, elles illustrent Les Trois Royaumes, *un des 4 livres extraordinaires de la littérature chinoise.*

④ **Visiter l'une des magnifiques demeures ancestrales chinoises de Penang.**

Ancienne colonie anglaise, Penang fut longtemps l'un des ports privilégiés sur la route de l'Asie. Sa capitale historique, Georgetown, préserve un patrimoine au charme singulier, mélange d'architectures coloniale et chinoise. Au fil des rues, on découvre quantité de vieilles maisons patinées par le temps, notamment de superbes demeures chinoises aux intérieurs raffinés, meublés dans le style bourgeois du XIXe s : mobilier incrusté de nacre, panneaux en bois sculpté, etc. *p. 160*
Bon à savoir : ne pas manquer la visite de la Pinang Peranakan Mansion *et de la* Blue Mansion.

© Jon Arnold Images/hemis.fr

⑤ **Picorer au coin des rues le meilleur des spécialités culinaires de Penang, capitale gastronomique de la Malaisie.**

Tradition penangite par excellence, les *stalls* (stands de rue) offrent une incroyable variété de spécialités. Toute la population se retrouve dans ces lieux très fréquentés. De plats malais en spécialités chinoises, de curries indiens en curieux desserts, c'est là qu'on mange le mieux, et le moins cher. *p. 174*
Bon à savoir : certains n'ouvrent que le midi, d'autres seulement le soir, ceux-là sont parfois gratifié d'une animation musicale. Ambiance garantie !

© Dave Stamboulis/Alamy/Hemis

© Reinhard Schmid/Sime/Photononstop

♡ **6** **Prendre un whisky au bar de l'*Eastern and Oriental Hotel* de Penang, établissement de légende, hanté par les fantômes de Somerset Maugham et Joseph Conrad.**

Construit en 1885, ce palace mythique occupe un bel édifice colonial face à la mer. De nombreux aventuriers, écrivains et artistes le fréquentèrent : Hermann Hesse, Kipling, Chaplin, Orson Welles, Rita Hayworth… L'hôtel est évidemment hors de prix. À défaut d'y dormir, passez donc boire un verre au bar histoire de rencontrer, l'espace d'un instant, les fantômes du passé ou allez y prendre le *high tea* dans l'après-midi : très chic ! *p. 178*

Bon à savoir : high tea proposé de 14h à 17h.

© Cintract Romain/hemis.fr

♡ **7** **S'émerveiller devant le vert intense des plantations de thé couvrant les collines des Cameron Highlands.**

À 1 500 m d'altitude, les Cameron Highlands offrent à la vue des collines couvertes de plantations de thé, formant un immense et magnifique tapis vert aux géométriques sinuosités, fantastiques paysages ordonnés par la main de l'homme. Plus loin, dans la forêt, un réseau de sentiers promet des incursions passionnantes, au cours desquelles vous croiserez peut-être la mythique rafflésie (la plus grande fleur du monde). *p. 129*

Bon à savoir : du fait de l'altitude, il peut faire presque frais dans les Cameron Highlands (16 °C la nuit en moyenne), petite laine recommandée.

8 **Explorer le parc national de Taman Negara Pahang, dernier grand pan de forêt tropicale primaire et plus ancienne que la jungle d'Amazonie.**
Au cœur du pays, sur plus de 4 300 km², s'étend le Taman Negara Pahang, immense jungle vieille de 130 millions d'années ! Il renferme un patrimoine exceptionnel : 10 000 espèces de plantes, des arbres hauts de 70 m, 350 espèces d'oiseaux, des animaux et papillons en tout genre… Aventurez-vous sur les sentiers sauvages et sur les passerelles suspendues à hauteur de canopée pour découvrir ses paysages époustouflants, ou laissez-vous bercer par les sons de la jungle au cours d'une balade nocturne. *p. 210*
Bon à savoir : pour vraiment profiter du parc, 2 ou 3 jours sur place sont nécessaires. Meilleure période : d'avril à septembre (éviter la période de mousson, de novembre à mi-janvier).

© Westend 61/hemis.fr

9 **Au marché central de Kota Bharu, observer les allées et venues des Malaisiennes.**
Sous des dehors un peu rudes, Kota Bharu est une ville pleine de vie. Son *Central Market* est une véritable Babel de couleurs et d'odeurs. Sur trois niveaux, un pot-pourri d'objets du quotidien, idéal pour prendre le pouls d'un foyer malais, voir ses habitudes de consommation, ses choix vestimentaires, toujours conformes à la religion musulmane, dans cet État du Kelantan, garant du dogme islamique. *p. 223*
Bon à savoir : le marché a lieu tous les jours, de 7h à 18h. Au 1er niveau se trouve un ensemble de petits restos. Mais attention, ici les hommes ne mangent pas avec les femmes, sachez-le !

© Gavin Hellier/Alamy/Hemis

© robertharding/Alamy/Hemis

⑩ **Dans les îles Perhentian, jouer les Robinson Crusoé sur une plage déserte.**
Un peu à l'instar des Seychelles, les îles Perhentian sont constituées d'un chaos d'arènes granitiques (gros rochers ronds) qui, après s'être désagrégé au fil du temps, a donné de magnifiques plages de sable blond. Isolées les unes des autres par une épaisse forêt primaire, la plupart ne sont accessibles que par la mer. Sur certaines d'entre elles, sont construits de petits chalets en bois sur pilotis. Un univers idéal pour une robinsonnade, avec la mer et la plage rien que pour soi ! *p. 235*
Bon à savoir : c'est sur l'île de Kecil que l'on trouve le plus de petites criques isolées. Besar, elle, offre un choix de logements plus varié mais, hormis Turtle Beach, ses plages ne sont pas aussi sauvages.

© Naki Kouyioumtzis/Design Pics/Photononstop

⑪ **En route pour l'île de Kapas, sauter les vagues à bord d'une barcasse propulsée par deux moteurs de 150 CV !**
Frisson garanti ! Kapas, c'est la bande de terre que l'on aperçoit au large de Marang. Elle fait partie de ses îles « tapies comme des jaguars » comme l'écrivait Cendrars dans son poème « Îles ». Dépourvue de route, de village, de commerces et d'infrastructures, Kapas est idéale pour laisser couler le temps un bouquin à la main ! Mais l'île fera aussi le bonheur des commandants Cousteau en herbe puisque ses fonds marins sont d'une étonnante diversité. *p. 264*
Bon à savoir : comme toutes les îles de la côte orientale de la péninsule malaise, la meilleure période pour y aller court de mi-mars à mi-octobre.

12 **À Cherating, la nuit dans la mangrove, attirer vers soi des milliers de lucioles et ressembler à un sapin de Noël.**

L'ancien repère baba de Cherating vit désormais du surf et d'un tourisme écolo. En dehors de sa belle et grande plage, c'est la mangrove qui fascine le plus, avec ses oiseaux et ses singes qui occupent le site. Mais le grand spectacle de Cherating, c'est la nuit, quand des milliers de lucioles se mettent à clignoter à l'appel d'Hafiz, le maître « ès lucioles » de la station ! *p. 268*

Bon à savoir : si on vient pendant la saison sèche pour observer les lucioles, les surfeurs préféreront la période entre mi-novembre et mi-février, avec un pic en décembre pour les vagues.

© CSP_shanin/Fotosearch_LBRF/Age fotostock

© Authentic travel/shutterstock

13 **Un samedi soir à Kuantan, faire comme les Malaisiens en allant dévorer un mémorable barbecue de poissons et de fruits de mer !**
Kuantan est une ville moderne, pluriethnique et vivante. La jeunesse locale se retrouve sur la plage de Teluk Champedak au nord-est du centre, tandis que les aînés prennent la direction de Tanjung Lumpur, de l'autre côté de la rivière qui borde la ville par le sud. Là, ils s'attablent en famille chez *Ana Ikan Bakar Petai* pour dévorer poissons, crabes et clams avec les doigts, comme le veut la tradition du Prophète. *p. 272*
Bon à savoir : venir tôt, choisir sa table avant d'aller faire peser son poisson. Si vous mangez avec les mains, n'utilisez que la droite (ok, on l'avoue, c'est pas facile d'ouvrir les palourdes d'une seule main !).

© Michal Sikorski/Alamy/Hemis

14 **Dans le parc d'Endau Rompin, partir pour un trek de nuit à la recherche de feuillages et de champignons phosphorescents.**
Le parc national d'Endau Rompin est, à l'instar du Taman Negara Pahang, l'un des derniers sanctuaires de la vie animale primitive en Malaisie péninsulaire. Surtout connu pour abriter des insectes rares, il offre plusieurs possibilités de randos vers des cascades où il est très agréable de se baigner. Chaque nuit, à partir de Selai (entrée ouest), un court trek est organisé par les guides du parc pour écouter les bruits de la jungle. *p. 282*
Bon à savoir : l'entrée ouest du parc (Bekok-Selai) est plus économique pour les indivi-duels. Il suffit de s'adresser au bureau du parc à Bekok, qui se chargera de tout.

(15) **Dans l'île de Tioman, faire des ronds dans l'eau avec les requins.**

Tioman figure parmi les plus belles îles de Malaisie et même de la planète selon certains ! Rien d'étonnant quand on découvre la beauté de ses paysages (encore mieux, vus de la mer). Tioman, c'est une sorte de petit éden fait de montagnes coiffées d'une jungle épaisse et de plages discrètes ourlées d'une mer d'une incroyable limpidité. D'ailleurs, à Tioman, les amateurs de *snorkelling* et de plongée sous-marine seront aux anges, car l'île a su préserver son patrimoine, quand bien même elle est actuellement soumise à une pression touristique énorme. *p. 288*

Bon à savoir : éviter d'y aller le week-end et pendant les vacances scolaires des Singapouriens.

© Jon Arnold Images/hemis.fr

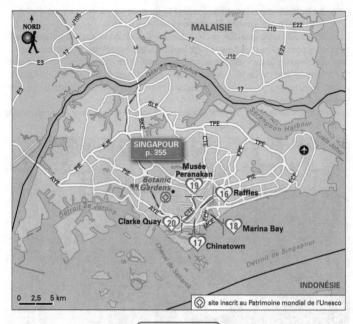

À SINGAPOUR

(16) **Siroter un *Singapore Sling* au bar mythique du *Raffles,* en ne se privant surtout pas de jeter les cosses de cacahuètes par terre comme l'exige la tradition…**

C'est au bar du *Raffles,* somptueux hôtel fondé en 1878, que fut inventé le *Singapore Sling,* dont on vous laisse découvrir le savant mélange. Dans un décor d'une élégance rare, sirotez ce cocktail comme le firent Hemingway ou Kipling par le passé, et sacrifiez au rite en jetant vos cosses de cacahuètes par terre, comme les colons britanniques jadis : les serveurs font de même quand elles traînent sur les tables ! Enchaînez avec un billard à la *Billiard Room, and enjoy* ! *p. 388*

© Slick Shoots/Alamy/Hemis

17 **Se balader dans les ruelles animées du quartier chinois avant d'aller visiter le passionnant** *Chinatown Heritage Centre.*

Chinatown est notre quartier préféré. Les vieilles maisons aux ornements traditionnels y coexistent sans heurts avec les buildings modernes. Le *Chinatown Heritage Centre* se visite avec émotion : consacré à l'histoire de l'immigration chinoise, les différents aspects de leur vie quotidienne sont illustrés de façon remarquable, et on mesure bien le chemin parcouru par cette population en deux ou trois générations. *p. 403*

Bon à savoir : animation garantie dans Smith Street, le soir, lorsque les échoppes de cuisine s'installent à même la rue.

© Jon Arnold Images/hemis.fr

18 **Être épaté par** le vaisseau futuriste de verre et d'acier coiffant le *Marina Bay Sands Hotel.*

À l'image de sa population, l'architecture à Singapour est multiple et variée. Dans le genre avant-gardiste, comment ne pas mentionner le *Marina Bay Sands* ? Ces trois tours de 55 étages abritent un hôtel de plus de 2 500 chambres, 37 restaurants, un *food court*, un casino, et, flottant à 200 m dans les airs, un long navire toit-terrasse doté d'une piscine à débordement ! Un monumental mirage… *p. 401*

Bon à savoir : à son sommet, la vue sur l'Art Science Museum, en forme de fleur de lotus, et sur la ville y est époustouflante !

© Wilf Doyle/Alamy/Hemis

© Pietro Scozzari/Age fotostock

(19) **S'imprégner de la culture peranakan au musée du même nom, reflet du pluriethnisme de la ville.**

Dans cet État aux allures bien souvent occidentales, les musées thématiques permettent aux Singapouriens de renouer avec leurs origines. Le *Peranakan Museum* relate l'histoire mêlée des commerçants chinois et des Malais à travers de magnifiques objets et témoignages. Tout comme l'*Asian Civilisations Museum* permet de mieux comprendre l'influence des pays d'Asie du Sud-Est dans la fondation et l'évolution de Singapour. *p. 396*

Bon à savoir : au Peranakan Museum, *billet à moitié prix le vendredi de 19h à 21h.*

⟨20⟩ Se poser le soir sur une terrasse de Clarke Quay et admirer les immeubles illuminés se refléter dans les eaux de la Singapore River.
Quelque 190 millions de dollars ont été nécessaires pour restaurer les anciennes petites maisons de pêcheurs de Clarke Quay et les transformer en restos, pubs ou magasins. La rive a également été aménagée en une agréable promenade garnie de sculptures rappelant l'activité ancestrale qui régnait sur les quais. Une jolie carte postale, le soir venu, avec le reflet des buildings du quartier des affaires dans la rivière. *p. 400*
Bon à savoir : c'est un des rares quartiers de Singapour où l'on peut se poser en terrasse et au bord de l'eau.

© Eurasia Press/Photononstop

AIRFRANCE
FRANCE IS IN THE AIR

AU DÉPART DE PARIS
SINGAPOUR   1 VOL
PAR JOUR

ITINÉRAIRES CONSEILLÉS

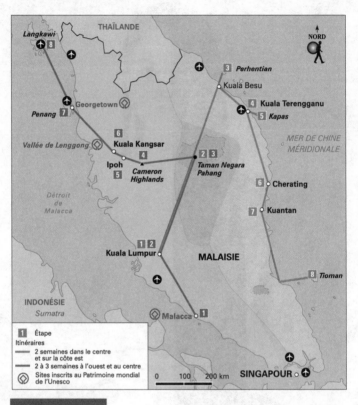

EN MALAISIE

2 semaines dans le centre et sur la côte est

Un itinéraire à réaliser de préférence entre avril et septembre.

– **Kuala Lumpur (1) :** les Petronas Towers (les plus grandes tours jumelles au monde), le petit cœur colonial à l'étonnante architecture néomoghole, quelques musées intéressants et la vie chaotique de Chinatown et de Little India justifient une visite de 2 jours minimum. Les amateurs de sorties fileront vers le quartier du Triangle d'Or.

– De Kuala Lumpur, on peut facilement rejoindre le centre et le **Taman Negara Pahang (2) :** 4 300 km² de jungle, des arbres splendides hauts de 70 m, la rivière Tembeling, des grottes mystérieuses et la rencontre avec les Orang Asli. Rester au minimum 3 nuits.

– Des minibus permettent de relier ensuite Kuala Besut, avant d'embarquer pour **les îles Perhentian (3)** pour alterner crapahutage dans la jungle, bronzette et découverte des fonds marins, tout en logeant dans une cahute en bois sur une plage isolée du reste du monde.

– Retour sur le continent, le temps de visiter le Musée national et le quartier chinois de **Kuala Terengganu (4)**, puis descendre à Marang pour cingler vers **Kapas (5)** et jouer les Robinsons sur l'une des petites criques de l'île. De nouveau sur le continent, gagner **Cherating (6)** et partir à l'aventure en bateau dans la mangrove, parmi les singes et les oiseaux (le jour) et servir d'arbre de Noël aux lucioles (la nuit). Ensuite, consacrer la journée à **Kuantan (7)** pour faire une cure de poissons et de fruits de mer après avoir écumé le marché. Avant de pousser jusqu'à Mersing et gagner **l'île de Tioman (8)**, où on termine le séjour par de la rando, du *snorkelling* et beaucoup de farniente. Retour par Singapour ou Kuala Lumpur.

2 à 3 semaines à l'ouest et au centre

Itinéraire idéal entre février et octobre pour éviter la mousson sur le Taman Negara Pahang de novembre à janvier. Attention toutefois aux précipitations sur l'île de Langkawi à partir du mois de juin.

Depuis l'aéroport de Kuala Lumpur, se rendre directement à **Malacca (1)** et passer au moins 2 jours dans cette ville-carrefour multiculturelle, au riche passé colonial, plus facile à apprivoiser que la frénétique **Kuala Lumpur (2)**. Reprendre ensuite les étapes (1) et (2) de l'itinéraire précédent (« 2 semaines dans le centre et sur la côte est »).

Des minibus permettent de relier ensuite le **Taman Negara Pahang (3)** aux incontournables **Cameron Highlands (4)**. Là encore, 3 nuits sont nécessaires si on veut admirer les plantations de thé, très zen, et patauger dans la boue en quête de la mythique rafflésie (la plus grande fleur du monde) le temps d'un trek.

Si on dispose de plus de 2 semaines, revenir vers la côte en s'arrêtant une journée à **Ipoh (5)** et une autre à **Kuala Kangsar (6)**. Ipoh constitue une halte intéressante grâce à un quartier chinois bien vivant, tourné vers l'art, notamment de rue. Tandis que l'ancienne ville royale de Kuala Kangsar a su conserver des palais et une incroyable mosquée, façon *Mille et Une Nuits*.

Sinon filer directement vers les îles : **Penang (7)**, reliée au continent par un pont. Georgetown, la ville principale, est classée au Patrimoine mondial de l'Unesco. Ses temples, petits métiers et maisons chinoises centenaires entretiennent le souvenir de celle qui fut capitale au début de la colonie anglaise. On peut y rester facilement 3 jours en incluant une petite virée dans le reste de l'île, avant de naviguer vers **Langkawi (8)**, entourée d'une flottille de 99 îlots. Les plages et les (très nombreuses) possibilités d'hébergement incitent au farniente pour une durée seulement limitée par le vol retour.

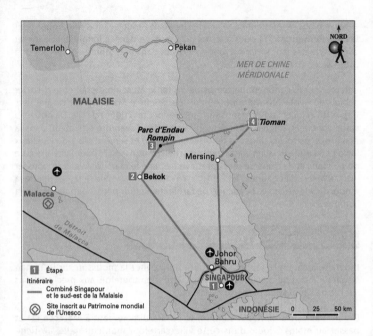

EN MALAISIE ET À SINGAPOUR

Une semaine à Singapour

Sans tarder, direction **Chinatown,** puis Little India et Arab Street. Descendre vers la marina par le vieux quartier colonial et faire une halte au *Raffles,* palace mythique. Finir la journée au milieu des lumières de Clarke Quay et de Boat Quay, face à l'*Esplanade,* cette salle de spectacle qui ressemble à un gros hanneton de verre et d'acier.

Ne pas manquer la visite de **musées,** comme le Singapore Art Museum, l'Asian Civilisations Museum, la National Gallery, si on ne devait en citer que quelques-uns, mais aussi le superbe petit musée Peranakan, qui valent le coup d'œil pour comprendre la multiplicité et la richesse socioculturelle de Singapour.

La ville est aussi réputée pour ses **parcs,** comme le Singapore Zoological Gardens (le Night Safari au zoo comblera petits et grands le temps d'une soirée) ou le Bukit Timah Nature Reserve, pour les bébêtes sauvages. Les fans d'orchidées ne loupe-ront sous aucun prétexte les merveilleux Botanic Gardens. Les Gardens by the Bay, au pied de l'imposante silhouette du *Marina Bay Sands,* méritent aussi le détour. Ce complexe à trois tours est surmonté d'un *sky park* à 200 m d'altitude et doté d'un immense casino.

Un peu plus loin, on peut prendre l'air dans les South Ridges, un parc verdoyant situé au sud de la ville, et, enfin, dilapider ce qui reste de son budget sur l'île de Sentosa, le grand parc d'attractions à ciel ouvert.

Singapour et le sud-est de la Malaisie : 10 j. (… ou plus)

Singapour (1) : après avoir traîné dans le quartier chinois et s'être requinqué à l'ombre d'un banyan du jardin botanique, cap en train vers la Malaisie et la petite ville de **Bekok (2)**, porte d'entrée du **Taman Negara Endau Rompin (3)** où l'on peut résider au camp de base de l'expédition scientifique de 2002. C'est alors l'occasion d'un véritable corps à corps avec la nature, dans une jungle peuplée de cris d'animaux où, accompagné d'un guide, on peut rejoindre, par de petits sentiers, plusieurs cascades et s'y baigner.

Retour ensuite vers Mersing pour prendre un bateau pour **l'île de Tioman (4)** et découvrir l'une des plus belles îles de la péninsule malaisienne, partir à l'assaut de ses forêts millénaires, zieuter le fond de la mer ou simplement buller sur ses plages en se prenant pour Robinson Crusoé, comme à Nipah Beach, par exemple. Retour sur **Singapour (1)** par Mersing et Johor Bahru pour celles et ceux qui réussiraient à s'arracher du paradis…

SI VOUS ÊTES…

Plutôt culture : Kota Bharu, ses musées d'art islamique, ses kampungs où l'on fabrique marionnettes et cerfs-volants, Kuala Lumpur, Penang (le centre historique classé au Patrimoine mondial de l'Unesco), Malacca, Kuala Kangsar, tous les musées de Singapour.

En famille : Cherating et ses lucioles, la forêt vierge du parc d'Endau Rompin, Tioman et ses petits poissons, le Canopy Walkway du Taman Negara Pahang, Kuala Lumpur, le Zoological Garden et le Night Safari de Singapour et les parcs d'attractions.

En amoureux : Tioman pour un coucher de soleil, Redang et ses plages de rêve, les îles Perhentian pour une robinsonnade à deux, sans oublier une balade en trishaw dans les ruelles de Malacca.

Plutôt nature : parc de Taman Negara Cherating, sa rivière et sa mangrove, Tioman et ses îles satellites, le parc d'Endau Rompin et son arboretum, une rando aux abords du lac Chini, les Cameron Highlands et un trek de plusieurs jours dans le Taman Negara Pahang.

Plutôt plage : toutes les îles de la côte est de la Malaisie de mi-mars à mi-octobre, et celles (moins nombreuses) de la côte ouest le reste de l'année.

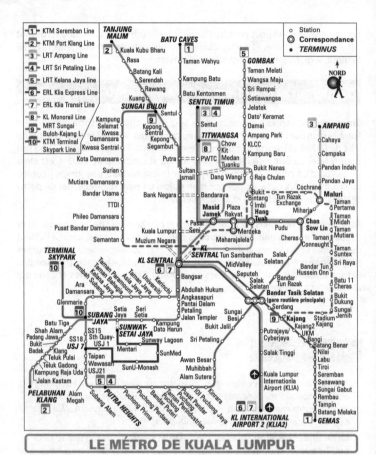

LE MÉTRO DE KUALA LUMPUR

Important : dernière minute

Sauf rares exceptions, *le Routard* bénéficie d'une parution annuelle à date fixe. Entre deux dates, des événements fortuits (formalités, taux de change, catastrophes naturelles, conditions d'accès aux sites, fermetures inopinées, etc.) peuvent modifier vos projets de voyage. Pour éviter les déconvenues, nous vous recommandons de consulter la rubrique « Guide » par pays de notre site • routard.com • et plus particulièrement les dernières *Actus voyageurs*.

LU SUR routard.com

La clameur gonfle en quelques instants, gommant le bruit de fond de *Jalan Tokong Emas.* Le groupe surgit à l'angle de la rue, au son de deux gongs frappés en cadence. Deux porteurs de lanternes emboîtent le pas des musiciens, suivis d'autres hommes. Certains soutiennent des banderoles, d'autres de grands panneaux rouges, peints de caractères chinois honorant Kuan Yin, déesse taoïste de la miséricorde et de la fertilité. C'est aujourd'hui son anniversaire.

Quatre hommes, transportant un autel rouge laqué de noir, forment autour d'eux une petite cohue. Parvenus devant le *temple Cheng Hoon Teng,* ils se lancent dans une danse qui fait tinter les clochettes des toits de la minipagode. Quelques instants plus tard, ils pénètrent dans l'enceinte, et extraient de leur brancard une tablette gravée d'une inscription rehaussée à la feuille d'or.

Face à nous, se dressent sept bâtons d'encens hauts de deux mètres environ. Les plus gros s'ornent de dragons célestes multicolores. Étranges montures pour la déesse Kuan Yin. Leur queue déjà se consume, en d'acres volutes de fumée. Les fidèles se pressent au pied de l'autel, devant lequel trône un cochon écartelé.

L'air est lourd de cendres. Une orange, deux pommes, côtoient des offrandes de nourriture disposées dans des bols de céramique. Sur le rebord, six coupelles s'alignent, trois remplies d'eau pure, trois de thé de Kuan Yin – l'empereur, dit la légende, buvait cet *oolong* miraculeux offert par la déesse à un paysan pauvre pour le remercier d'avoir voulu restaurer son temple. Un peu plus loin trônent deux canards laqués, une chèvre grillée.

Quelques incantations à la *déesse de la bonne fortune* pour un business prospère, et chacun se retire. Des femmes déposent dans le four à prières de la cour, des feuilles rouges et dorées. Vœux de protection, de santé et de longue vie s'envolent ainsi vers les cieux, résidence de l'Immortelle.

LES QUESTIONS QU'ON SE POSE AVANT LE DÉPART

➤ Quels sont les documents nécessaires pour entrer en Malaisie et à Singapour ?

Passeport valable 6 mois après la date de retour et être en possession d'un billet aller-retour ou de continuation (et de suffisamment d'argent pour entrer à Singapour). Pas besoin de visa dans les 2 cas pour les ressortissants français, belges, suisses ou canadiens qui effectuent un séjour de moins de 3 mois.

➤ Quelle est la meilleure période pour aller...

... en Malaisie ? Incontestablement de mars à mai, puis en septembre et octobre : on évite ainsi à la fois les vacances malaisiennes et singapouriennes, plus la mousson qui s'étire de novembre à janvier. En été (mai-novembre), mieux vaut privilégier la côte est et en hiver (décembre-avril), les îles de la côte ouest (Pangkor et Langkawi).
... à Singapour ? Entre mai et septembre, c'est la saison la moins humide. La mousson sévit entre octobre-novembre et janvier.

➤ Quel budget prévoir ?

En Malaisie, on se déplace, on se loge et on mange à prix raisonnables par rapport à chez nous. En revanche, certains sites et grands musées pratiquent des tarifs occidentaux. Attention, les prix des hôtels augmentent pendant le week-end, les jours fériés et les vacances scolaires.
Rappelons que Singapour a été classée en 2018, pour la 5e année consécutive, ville la plus chère du monde. Certes, on peut y manger pour pas cher, dans les *food courts,* comme en Malaisie, et les musées demeurent abordables, en revanche mieux vaut avoir un portefeuille bien garni pour l'hébergement et la visite de certains sites, comme les parcs.

➤ Est-il facile de se déplacer en Malaisie et à Singapour ?

Pas de problème en Malaisie : les trains et bus sont nombreux, fréquents et simples à utiliser. On peut même réserver son billet en ligne. En voiture, les routes sont excellentes, mais mieux vaut être équipé d'un GPS car les cartes sont vite dépassées et la signalisation est souvent insuffisante. À Kuala Lumpur, mieux vaut privilégier les transports en commun ou le taxi...
Enfin, à Singapour, on circule surtout en métro, facile d'utilisation et pas cher, et en bus. Il existe des *pass* de 1 à 3 jours.

➤ Y-a-t-il des problèmes de sécurité ?

La Malaisie n'est pas un pays dangereux, mais, comme partout, il convient de faire preuve de vigilance, surtout lors d'éventuels rassemblements. Plus d'infos sur le site : ● *diplomatie.gouv.fr* ●, rubrique « Conseils aux voyageurs ».

➤ Quel est le décalage horaire ?

Quand il est 12h en France, il est 18h en été ou 19h en hiver aussi bien en Malaisie qu'à Singapour. Un conseil : si vous atterrissez dans la journée, ne vous couchez surtout pas. Tenez bon jusqu'au soir et, alors, offrez-vous un bon gros dodo.

➤ Quel est le temps de vol ?

Compter 12h-13h en vol direct entre Paris et Singapour. En revanche, à l'heure où nous imprimons, il n'existait plus de vol direct entre Kuala Lumpur et Paris. Du coup, il faut compter au moins 14h de voyage, plus selon les escales.

➤ Côté santé quelles précautions ?

Aucun vaccin n'est exigé et, de fait, la Malaisie comme Singapour font partie des pays d'Asie du Sud-Est les plus sûrs du point de vue sanitaire ; cela dit, être à jour des vaccins les plus courants est fortement recommandé.

Par ailleurs, il n'y a pas besoin de traitement antipaludéen en Malaisie, surtout pour un séjour de courte durée. Le paludisme a été éradiqué des zones urbanisées et touristiques. Attention cependant aux régions reculées du Centre et sur certaines îles comme les Perhentian, où la dengue est endémique. Pas de problème à Singapour, urbanisée à 100 %.

➤ Peut-on y aller avec des enfants ?

Sans problème. Les 2 pays sont sûrs sur le plan sanitaire. Et puis, entre baignade, *snorkelling* et marche dans la jungle, les enfants auront de quoi satisfaire leur appétit. De plus, il est facile de trouver des chambres familiales en Malaisie. À Singapour, les enfants adoreront les parcs animaliers. Repérez nos meilleurs sites grâce au symbole 👫.

➤ Quel est le taux de change ?

– En Malaisie, 1 € équivalait à 4,50 Rm (ringgits) en 2018.

– À Singapour, on obtenait environ 1,50 $S (dollar Singapour) contre 1 €.

➤ Est-il facile de communiquer ?

En Malaisie, l'anglais est largement pratiqué, surtout par ceux qui travaillent dans le tourisme. Pas ou peu de francophones en revanche.

À Singapour, on peut avoir du mal avec le singlais (langue parlée dans la rue), mais rassurez-vous, tout le monde parle l'anglais, obligatoirement enseigné à l'école.

➤ Peut-on se baigner ?

Les côtes malaisiennes sont belles, mais les plages sont parfois sales en dehors des sites aménagés pour les touristes. Renseignez-vous localement pour savoir s'il y a des dangers particuliers (courants forts, récifs, etc.). Pour la plongée ou le *snorkelling* (nage avec palmes, masque et tuba), on conseille la côte est, aux eaux particulièrement limpides. Savoir cependant que, de ce côté, les femmes pourront être gênées de se mettre en maillot deux-pièces, religion oblige !

ARRIVER – QUITTER

EN PROVENANCE D'EUROPE

▲ AIR FRANCE
Rens et résas au ☎ *36-54 (service 0,35 €/mn – tlj 6h30-22h), sur* ● *air france.fr* ●*, dans les agences Air France et dans ttes les agences de voyages. Fermées dim.*
➤ Au départ de Paris-Roissy-Charles-de-Gaulle, Air France propose 1 vol direct/j. à destination de Singapour.
Air France propose à tous des tarifs attractifs toute l'année. Pour consulter les meilleures offres du moment, allez directement sur la page « Nos meilleures offres » sur ● *airfrance.fr* ● *Flying Blue*, le programme de fidélité gratuit d'Air France-KLM, permet de gagner des *miles* en voyageant sur les vols Air France, KLM, Hop! et les compagnies membres de *Skyteam*, mais aussi auprès des nombreux partenaires non aériens *Flying Blue...* Les *miles* peuvent ensuite être échangés contre des billets d'avion ou des services (surclassement, bagage supplémentaire, accès salon...) ainsi qu'auprès des partenaires. Pour en savoir plus, rendez-vous sur ● *flyingblue.com* ●

▲ KLM
Rens et résas : ☎ *0892-70-26-08 (service 0,35 €/mn + prix appel).* ● *klm.fr* ● *Résas par tél, Internet, dans les agences Air France ou les agences de voyages.*
➤ KLM propose 1 vol/j. sur Kuala Lumpur, ainsi qu'1 vol/j. sur Singapour au départ d'Amsterdam-Schipol. L'aéroport d'Amsterdam est connecté à Paris et de nombreuses villes de province.

▲ EMIRATES AIRLINES
– Paris : 69, bd Haussmann, 75008. ☎ *01-57-32-49-99.* ● *emirates.fr* ● Ⓜ *Saint-Lazare ; RER A : Auber. Au 3e étage. Lun-ven 10h-17h30. Accueil téléphonique tlj 8h30-21h30.*
➤ La compagnie assure 4 vols/j. vers Singapour et 3 vols/j. à destination de Kuala Lumpur via Dubaï depuis Paris-Roissy-Charles-de-Gaulle, terminal 2C, Lyon et Nice. Accord de partage de codes avec Malaysia Airlines permettant de réserver de nombreuses destinations en Malaisie. Grand confort en classe économique, cuisine du monde avec 3 plats au choix, 3 500 chaînes de divertissement complet. Wifi gratuit à bord.

▲ ROYAL JORDANIAN AIRLINES
– Paris : 23, rue d'Antin, 75002. ☎ *01-42-65-99-83/84.* ● *rj.com* ● Ⓜ *Opéra ou Quatre-Septembre. Lun-jeu 9h-17h ; ven 9h-16h30.*
➤ La Royal Jordanian assure 3 vols/sem à destination de Kuala Lumpur via Amman au départ de Roissy-Charles-de-Gaulle, terminal 2A. Retour possible depuis Bangkok. Fréquentes promotions sur l'Asie. La compagnie est membre de *One World*.

▲ CATHAY PACIFIC
☎ *0805-542-941.* ● *cathaypacific.com/fr* ●
➤ Cathay Pacific propose 10 vols directs/sem Paris-Hong Kong, puis correspondance pour Singapour à raison de 9 vols/j. Sa filiale *Cathay Dragon* permet de rejoindre Kuala Lumpur avec 4 vols/j., mais aussi Penang grâce à 12 vols/sem (enregistrement de bout en bout).
Cathay Pacific permet de programmer son voyage dans la région en arrivant par l'une des villes mentionnées et en repartant d'une autre (par exemple, entrée Kuala Lumpur et sortie Penang), sans supplément. À noter aussi, selon le billet, la possibilité de visiter sans frais Hong Kong lors du transit aller ou retour (« *stopover* gratuit »).

▲ ETIHAD AIRWAYS
Rens et résas au ☎ *01-57-32-43-43.* ● *etihad.com/fr-fr* ● *Lun-sam 9h-18h.*
➤ Propose des vols tlj vers Kuala Lumpur et Singapour au départ de Roissy-Charles-de-Gaulle, terminal 2C, avec escale à Abu Dhabi.

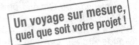

NAPLES

Naples est une ville inouïe avec ses rues grouillantes et colorées, sa population joyeuse et bruyante, son linge suspendu aux fenêtres, ses concerts de klaxons incessants, ses quartiers populaires et labyrinthiques… Mais Naples, c'est aussi un front de mer interminable où les Napolitains se retrouvent à l'heure de la *passeggiata* (promenade en fin de journée). Naples, regorge de richesses culturelles cachées : églises baroques, de palais aux façades décaties, de cloîtres secrets, de musées aux trésors insoupçonnés. Amateurs de vieilles pierres foncez jusqu'à Herculanum et surtout Pompéi, sites archéologiques les plus visités d'Italie (et les mieux conservés), facilement accessibles en 20 mn de train du centre-ville… Enfin, comment ne pas parler de Naples sans évoquer sa cuisine savoureuse et sa célébrissime… pizza ! Et si l'envie vous prend de prendre le large, rien de mieux que d'aller découvrir la beauté de Capri, à une petite heure en bateau, ou à Ischia profiter de ses stations thermales, à moins que vous ne préfériez la minuscule île de Procida… la plus secrète.

▲ **THAI**
– *Paris : Tour Opus 12, La Défense 9 ;
77, esplanade du Général-de-Gaulle,
92914 La Défense Cedex.* ☎ *01-55-68-
80-70.* ● *thaiairways.fr* ● Ⓜ *La Défense
(Grande-Arche). Lun-ven 9h-12h30,
13h30-17h30 (17h ven).*
➢ THAI propose 7 liaisons/sem sans
escale Paris-Bangkok en 11h avec un
Airbus 380. Depuis Bangkok, THAI
assure plus de 6 vols/j. vers Kuala Lumpur sous pavillon THAI ou en partage de
code, ainsi que 5 vols/j. vers Singapour.

▲ **QATAR AIRWAYS**
– *Paris : 19, rue de Ponthieu, 75008.*
☎ *01-43-12-84-40 (centre d'appel).*
● *qatarairways.fr* ● *Résa et enregistrement en ligne possibles.*
➢ À destination de Singapour et Kuala

Lumpur via Doha, Qatar Airways assure
3 vols/j. au départ de Roissy-Charles-
de-Gaulle, et 5 vols/sem depuis Nice.
Départs également possibles de 18 villes en France grâce à l'accord TGV AIR
avec la SNCF.

▲ **SINGAPORE AIRLINES**
Rens et résa : ☎ *0821-230-380 (service 0,12 €/mn + prix appel).* ● *singa
poreair.com* ●
➢ Singapore Airlines et ses filiales
régionales SilkAir et Scoot proposent
depuis Paris via Singapour plusieurs
vols quotidiens vers Kuala Lumpur,
Penang et Kota Kinabalu (Bornéo),
ainsi que plusieurs correspondances
hebdomadaires vers Langkawi et
Kuching (Bornéo).

LES ORGANISMES DE VOYAGES

En France

▲ **ASIA**
– *Paris : Asia, 1, rue Dante, 75005.*
☎ *01-44-41-50-10.* ● *asia.fr* ●
Ⓜ *Maubert-Mutualité. Lun-ven
9h-18h30 ; sam 10h-13h, 14h-17h.*
– *Agences également à Lyon, Nice,
Marseille et Toulouse.*
Asia est leader des voyages en Asie et
propose des voyages personnalisés
en individuel ou en petits groupes en
Malaisie. Dans chaque pays, Asia met
son expertise au service de ses clients
pour réaliser le voyage de leurs envies.
Connaissance du terrain et du patrimoine culturel, respect de l'environnement et authenticité, c'est au plus
près des populations et toujours dans
l'esprit des lieux qu'Asia fait partager
ses créations « maison ». Sur les rivages paradisiaques de l'océan Indien à
la mer de Chine, Asia a sélectionné des
adresses idylliques et des spas raffinés
pour des séjours bien-être.

▲ **MALAISIE AUTHENTIQUE**
– *Paris : 5, rue Thorel, 75002.*
☎ *01-53-34-92-71.* ● *malaisie-authen
tique.com* ● Ⓜ *Bonne-Nouvelle. Lun-
ven 9h30-19h, sam sur rdv ou à domi-
cile sur Paris-région parisienne (moyennant participation).*

Spécialiste reconnu de la destination
depuis 2003, Malaisie Authentique
compose votre voyage sur mesure
selon vos goûts et votre budget. Ses
conseillers experts de la destination
attachent une importance particulière
à vos envies pour vous proposer des
itinéraires hors des sentiers battus et
vous conseiller les hébergements de
charme adaptés à chacun.

▲ **NOMADE AVENTURE**
☎ *0825-701-702 (service 0,15 €/mn
+ prix appel).* ● *nomade-aventure.
com* ●
– *Paris : 40, rue de la Montagne-Sainte-
Geneviève, 75005.* ☎ *01-46-33-71-
71.* Ⓜ *Maubert-Mutualité. Lun-sam
9h30-18h30.*
– *Lyon : 10, quai Tilsitt, 69002.*
☎ *04-72-44-13-50. Lun-sam
9h30-18h30.*
– *Marseille : 12, rue Breteuil, 13001.*
☎ *04-84-25-21-86. Lun-sam
9h30-18h30.*
– *Toulouse : 43, rue Peyrolières,
31000.* ☎ *05-62-30-10-77. Lun-sam
9h30-18h30.*
Nomade Aventure propose des circuits
inédits partout dans le monde, à réaliser en famille, entre amis, avec ou sans
guide. Également la possibilité d'organiser, hors de groupes constitués,

Votre voyage de A à Z !

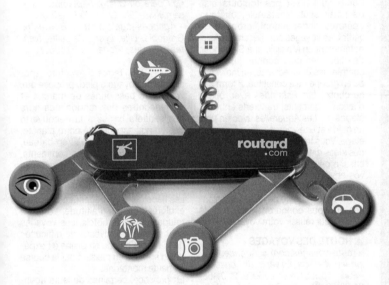

S'INSPIRER

Où et quand partir ?
Trouvez la destination
de vos rêves.

S'ORGANISER

Plus de 250 destinations
couvertes pour préparer
votre voyage.

RÉSERVER

Tout pour vos vols,
hébergements,
activités, voitures
au meilleur prix.

PARTAGER

Echangez et partagez
vos expériences avec
notre communauté
de voyageurs.

750 000 membres et 6 millions d'internautes chaque mois sur Routard.com ! *

* Source : Google Analytics

un séjour libre en toute autonomie et sur mesure. Spécialiste de l'aventure avec plus de 600 itinéraires (de niveau tranquille, dynamique, sportif ou sportif +) faits d'échanges et de rencontres avec les habitants, Nomade Aventure donne la priorité aux expériences authentiques à pied, à VTT, à cheval, à dos de chameau, en bateau ou en 4x4.

▲ NOSTALASIE

– Paris : 19, rue Damesme, 75013. ☎ 01-43-13-29-29. • ann.fr • Ⓜ Tolbiac. Permanence : lun-ven 10h-13h, 15h-18h.

Parce qu'il n'est pas toujours aisé de partir seul, NostalAsie, un touropérateur indépendant, propose de véritables voyages sur mesure en Asie, notamment en Malaisie et à Singapour, des lieux les plus connus jusqu'aux contrées les plus reculées, en individuel ou en groupe déjà constitué. 2 formules au choix : Les Estampes avec billets d'avion, logements, transferts entre les étapes, ou Les Aquarelles avec en plus un guide et une voiture privée à chaque étape. Vous trouverez sur le site internet des idées d'itinéraires que vous pourrez ensuite personnaliser et adapter selon vos envies avec Ylinh, la chaleureuse directrice, grande connaisseuse de l'Asie, et son équipe de jeunes passionnés qui vous donneront des conseils avisés pour réussir votre voyage.

▲ ROUTE DES VOYAGES

• route-voyages.com • Agences ouv lun-jeu 9h-19h (18h ven), rdv conseillé.
– Paris : 10, rue Choron, 75009. ☎ 01-31-98-80. Ⓜ Notre-Dame-de-Lorette.
– Angers : 6, rue Corneille, 49000. ☎ 02-41-43-26-65.
– Annecy : 4 bis, av. d'Aléry, 74000. ☎ 04-50-45-60-20.
– Bordeaux : 19, rue des Frères-Bonie, 33000. ☎ 05-56-90-11-20.
– Lyon : 59, rue Franklin, 69002. ☎ 04-78-42-53-58.
– Toulouse : 9, rue Saint-Antoine-du-T, 31000. ☎ 05-62-27-00-68.

23 ans d'expérience de voyage sur mesure sur les 5 continents ! Cette équipe de voyageurs passionnée a développé un vrai savoir-faire du voyage personnalisé : écoute, conseils, voyages de repérage réguliers et des correspondants sur place soigneusement sélectionnés avec qui ils travaillent en direct. Son engagement à promouvoir un tourisme responsable se traduit par des possibilités de séjours solidaires à insérer dans les itinéraires de découverte individuelle. Elle a aussi créé un programme de compensation solidaire qui permet de financer des projets de développement locaux.

▲ TERRES D'AVENTURE

Nº Indigo : ☎ 0825-700-825 (service 0,15 €/mn + prix appel). • terdav.com •
– Paris : 30, rue Saint-Augustin, 75002. Ⓜ Opéra ou Quatre-Septembre. Lun-sam 9h30-19h. ☎ 01-70-82-90-00.
– Agences également à Bordeaux, Grenoble, Lille, Lyon, Marseille, Nantes, Rennes, Rouen, Strasbourg et Toulouse.

Depuis 1976, Terres d'Aventure, spécialiste du voyage à pied, propose aux voyageurs passionnés de marche et de rencontres des randonnées hors des sentiers battus à la découverte des grands espaces de notre planète. Voyages à pied, à cheval, en bateau, à raquettes... Sur tous les continents, des aventures en petits groupes ou en individuel encadrés par des professionnels expérimentés sont proposés. Les hébergements dépendent des sites explorés : camps d'altitude, bivouac, refuges ou petits hôtels. Les voyages sont conçus par niveaux de difficulté : de la simple balade en plaine à l'expédition sportive en passant par la course en haute montagne.

En province, certaines de leurs agences sont de véritables Cités des Voyageurs dédiées au voyage. Consultez le programme des manifestations sur leur site internet.

▲ TERRES VOYAGES

– Paris : 28, bd de la Bastille, 75012. ☎ 01-44-32-12-81. • terre-voyages. com • Ⓜ Bastille. Lun-ven 8h-18h30, sam 10h-18h.

Les créateurs de voyages de Terre Voyages sont des fins connaisseurs, des experts des pays proposés, car tous natifs ou passionnés de leur destination. Ils sauront écouter vos attentes pour créer une offre de voyages sur mesure qui réponde à vos envies de découverte et vous proposeront une approche authentique des cultures et des peuples dans le respect de leur environnement naturel et au juste prix. Pour tous les voyageurs qui attendent d'une échappée lointaine plus qu'une simple visite mais, au contraire, une véritable connaissance et un apprentissage responsable des différentes cultures de la Malaisie, Terre Voyages est le spécialiste qu'il leur faut.

▲ VOYAGEURS DU MONDE
Voyageurs en Asie du Sud-Est

● *voyageursdumonde.fr* ●
– *Paris : La Cité des Voyageurs, 55, rue Sainte-Anne, 75002.* ☎ *01-42-86-16-88.* Ⓜ *Opéra ou Pyramides. Lun-sam 9h30-19h. Avec une librairie spécialisée sur les voyages.*
– *Également des agences à Bordeaux, Grenoble, Lille, Lyon, Marseille, Montpellier, Nantes, Nice, Rennes, Rouen, Strasbourg et Toulouse, ainsi qu'à Bruxelles et Genève.*
Parce que chaque voyageur est différent, que chacun a ses rêves et ses idées pour les réaliser, Voyageurs du Monde conçoit, depuis plus de 30 ans, des projets sur mesure. Les séjours proposés sur 120 destinations sont élaborés par leurs 180 conseillers voyageurs. Spécialistes par pays et même par région, ils vous aideront à personnaliser les voyages présentés à travers une trentaine de brochures d'un nouveau type et sur le site internet où vous pourrez également découvrir les hébergements exclusifs et consulter votre espace personnalisé. Au cours de votre séjour, vous bénéficiez des services personnalisés Voyageurs du Monde, dont la possibilité de modifier à tout moment votre voyage, l'assistance d'un concierge local, la mise en place de rencontres et de visites privées, et l'accès à votre carnet de voyage via une application iPhone et Androïd.
Voyageurs du Monde est membre de l'association ATR (Agir pour un tourisme responsable) et a obtenu sa certification Tourisme responsable AFAQ AFNOR.

> Voir aussi au sein de chaque ville les agences locales que nous avons sélectionnées.

Comment aller à Roissy et à Orly ?

> Conservez dans votre bagage cabine vos médicaments, vos divers chargeurs et appareils ainsi que vos objets de valeur (clés et bijoux). Et on ne sait jamais, ajoutez-y de quoi vous changer si vos bagages n'arrivaient pas à bon port avec vous.

Toutes les infos sur notre site ● *routard.com* ● à l'adresse suivante : ● *bit.ly/aeroports-routard* ●

En Belgique

▲ CONNECTIONS
Rens et résas : ☎ *070-233-313.*
● *connections.be* ●
Fort d'une expérience de plus de 20 ans dans le domaine du voyage, Connections dispose d'un réseau de 32 *travel shops,* dont un à l'aéroport de Bruxelles. Connections propose des vols dans le monde entier à des tarifs avantageux et des voyages destinés à des voyageurs désireux de découvrir la planète de façon autonome. Connections propose également une gamme complète de produits : vols, hébergements, location de voitures, autotours, vacances sportives, excursions...

▲ CONTINENTS INSOLITES
– *Bruxelles : rue César-Franck, 44 A, 1050.* ☎ *02-218-24-84.* ● *continents-insolites.com* ● *Lun-ven 10h-18h, sam 10h-16h30 sur rdv.*
Continents Insolites, organisateur de voyages lointains sans intermédiaire, propose une gamme étendue de formules de voyages détaillées sur leur site Internet.
– *Voyages découverte sur mesure :* à partir de 2 personnes. Un grand choix d'hébergements soigneusement sélectionnés : du petit hôtel simple à l'établissement luxueux et de charme.
– *Circuits découverte en minigroupes :* de la grande expédition au circuit accessible à tous. Des circuits à dates fixes dans plus de 60 pays en petits groupes francophones de 7 à 12 personnes. Avant chaque départ,

une réunion est organisée. Voyages encadrés par des guides francophones, spécialistes des régions visitées.

▲ TERRES D'AVENTURE
– *Bruxelles : 23, chaussée de Charleroi, 1060.* ☎ *02-543-95-60.* ● *terdav.com* ● *Lun-sam 10h-19h.*
Voir le texte dans la partie « En France ».

▲ VOYAGEURS DU MONDE
– *Bruxelles : 23, chaussée de Charleroi, 1060.* ☎ *02-543-95-50.* ● *voyageurs dumonde.com* ●
Le spécialiste du voyage en individuel sur mesure. Voir le texte dans la partie « En France ».

En Suisse

▲ ASIA
– *C/o Fert et Cie Voyages : rue Barton, 7 Case postale 2364, CH-1211 Genève 2.* ☎ *022-839-43-92.*
Voir le texte dans la partie « En France ».

▲ JERRYCAN VOYAGES
– *Genève : 11, rue Sautter, 1205.* ☎ *022-346-92-82.* ● *jerrycan-voyages.ch* ● *Lun-ven 9h-12h30, 13h30-18h.*

Tour-opérateur de la Suisse francophone spécialisé sur l'Afrique, l'Asie et l'Amérique latine. 3 belles brochures proposent des circuits individuels et sur mesure. L'équipe connaît bien son sujet et peut construire un voyage à la carte.

▲ ROUTE DES VOYAGES
☎ *022-552-34-46.* ● *geneve@route-voyages.com* ● *ch.route-voyages. com* ●
Voir texte dans la partie « En France ».

▲ TERRES D'AVENTURE
– *Genève : 19, rue de la Rôtisserie, 1204.* ☎ *022-518-05-13.* ● *geneve@ terdav.com* ● *Lun-ven 10h-19h, sam 9h30-18h30.*
Voir le texte dans la partie « En France ».

Au Québec

▲ EXOTIK TOURS
Rens sur ● *exotiktours.com* ● *ou auprès de votre agence de voyages.*
Exotik Tours offre une importante programmation et notamment la Malaisie et Singapour.

Voir aussi au sein de chaque ville les agences locales que nous avons sélectionnées.

LIAISONS AVEC L'ASIE

EN AVION

En Malaisie, les aéroports internationaux de Kuala Lumpur (KLIA et KLIA 2), Kota Bharu, Kuantan, Kuala Terengganu, Johor Bahru, Penang et Langkawi desservent les pays voisins grâce à *Malaysian Airlines, Firefly, Air Asia* et *Malindo Air :* ● *malaysia-airlines.com* ● *airasia.com* ● *fireflyz.com.my* ● *mal indoair.com* ●
Depuis Singapour, Air Asia (● *airasia. com* ●) assure plusieurs vols/sem pour Bangkok (Thaïlande), Hanoi (Vietnam), Kuala Lumpur (Malaisie), Siem Reap et Phnom Penh (Cambodge), etc.
■ D'autres compagnies, comme *Singapore Airlines* (● *singaporeair.com* ●), proposent également des vols vers

les capitales de l'Asie du Sud-Est et à l'international. *Firefly* opère des vols vers différentes villes de Malaisie (● *fireflyz.com.my* ●).

EN TRAIN, BUS ET BATEAU

Malaisie-Thaïlande

Notez que le ministère français des Affaires étrangères déconseille, sauf raison impérative, la région frontalière entre la Thaïlande et la Malaisie. Plus d'infos sur : ● *diplo matie.gouv.fr* ●, onglet « Conseil aux voyageurs ».

Formalités d'entrée en Thaïlande : les ressortissants français, belges, suisses et canadiens sont exemptés de visa en cas d'entrée en Thaïlande par voie terrestre ou aérienne pour les séjours de moins de 30 jours. Cette disposition pouvant changer à tous moments, se renseigner avant de partir. Pour un séjour de plus de 30 jours, un visa est nécessaire.

➢ *En train : de Hat Yai,* la ville de Thaïlande où se séparent 2 voies ferrées (l'une allant vers la côte ouest et l'autre vers la côte est de la Malaisie).

– À l'est, il y a 2 trains express/j. entre *Sungai Kolok* (*Sungaï Golok* en malais), ville frontière du sud-est de la Thaïlande (terminus des trains) et le nord de la Thaïlande (*Hat Yai, Surat Thani* et *Bangkok...* ; compter env 20h pour *Bangkok*). De Sungai Kolok, on rejoint la ville malaisienne de *Rantau Pajang.*

– À l'ouest, depuis la ville-frontière de Padang Besar, en principe 1 express/j. pour Kuala Lumpur, via Butterworth, Ipoh.

➢ *En bus :* de la *Central Bus Station* de Kota Bharu, bus nº 29 ttes les 45 mn 5h45-18h30 en théorie ou taxi collectif. Partir tôt, car il y a environ 1h30 de trajet jusqu'à Rantau Panjang, où se trouve le poste-frontière. Le bus vous laisse au bureau d'immigration, au niveau du pont, qu'on traverse à pied pour se retrouver en Thaïlande. La frontière est ouverte tlj 10h-22h.

– Une fois en Thaïlande, 3 bus/j. assurent aussi la liaison Sungai Kolok-Bangkok. Compter 15h de trajet. Pour Phuket, se rendre d'abord à Hat Yai.
De Sungai Kolok, un minivan part ttes les heures 6h-16h vers la gare ferroviaire de Hat Yai.

Malaisie-Indonésie (Sumatra)

– *En bateau :* ferries de Malacca pour Dumai et Bengkalis. Ou de Port Klang (le port de Kuala Lumpur) vers Tanjung Balai (mais, là, pas de visa à l'arrivée). Mais aussi de Johor Bahru pour Tanung Pinang et Batam. Également entre Kukup (à 50 km de Johor Bahru) et Tanjung Balai, et entre Georgetown (Penang) et Medan (Sumatra).

Singapour-Malaisie

En train

➢ *De/vers Kuala Lumpur :* env 3 départs/j. (le midi et de nuit) ; changer à Gemas. Trajet : env 7h. Le gouvernement de Mohamad Mahathir a annoncé, au lendemain de son élection en 2018, la suspension du projet de train à grande vitesse entre Kuala Lumpur et Singapour. À suivre...

➢ *De/vers Ipoh, Kuala Kangsar, Taiping et Butterworth (Penang) :* 2 départs/j. changer à Gemas ; durée : env 12h de Butterworth.

➢ *De/vers Jerantut et Kuala Lipis :* 1 train/j. Durée : env 9h15 pour Jerantut, 10h30 pour Kuala Lipis.

➢ *De/vers Johor Bahru :* pour aller de l'autre côté de la frontière, juste en face, env 5 mn. Le trajet ne dure que 5 mn. Bien moins cher : le bus nº 170 qui part devant la gare ttes les 10-15 min, 24h/24, mais attention aux embouteillages...

➢ *De/vers Wakaf Bahru* (gare la plus proche de Kota Bharu) *:* 2 trains/j. (1 départ le mat et 1 de nuit), changer à Gemas ; trajet : env 15h.

– L'*Orient-Express* en provenance de Singapour passe également à *Padang Besar.*

🚊 *Woodlands Railway Station de Singapour* (plan I) : *au nord-ouest de la ville, à quelques encablures de Johor Bahru.* ● *train36.com* ● Dans le sens Malaisie-Singapour, les trains s'arrêtent à la *Johor Bahru Train Station.* Les formalités d'immigration s'effectuent à ce stade : ● *customs.gov.sg* ● Cela permet de gagner du temps par rapport au passage par le *causeway.* Un train-navette assure ensuite la liaison avec Singapour (5h-22h30). Durée : 5 min jusqu'à la *Woodlands Railway Station.* Coût : 5 Rm. De là, le réseau MRT de Singapour vous mène au centre via la station *Dhoby Ghaut.*

En bus, liaisons entre Singapour et...

➢ *Kuala Lumpur :* nombreux bus quotidiens. Trajet : env 4h30-5h. Notez que certaines compagnies, comme *Star Mart,* proposent des bus luxueux (donc plus chers) avec sièges massant... ● *starmart.com* ●

➢ *Malacca (Malaisie) :* départ ts les mat avec les 3 compagnies. Trajet : env 4h.

➢ Liaisons quotidiennes également avec *Ipoh* et *Butterworth (Penang), Tanah Rata (Cameron Highlands), Kuantan, Jerteh (îles Perhentian), Mersing, Genting, Kuala Kangsar, Taiping.*

🚌 *Gare routière de Singapour (plan II, D2) : Beach Rd,* au *Golden Mile Complex.* Ⓜ *Lavender. La gare routière est à plus de 500 m du métro : si vous êtes chargé, prenez un taxi.* C'est l'endroit où se situent regroupées les principales compagnies, notamment *Star Mart Express* (☎ 6396-56-81 ; ● starmartonbus.com ●), *Konsortium* (☎ 6392-39-11 ; ● konsortiumbus. com ●) et *Grassland Express & Tour* (☎ 6292-11-66 ; ● grasslandsg.com ●). *Konsortium* et *Grassland Express & Tour* ont également un bureau au *People's Park Centre* (101, Upper Cross Street ; *plan III, E8*), au nord de Chinatown. *Résa en ligne.*
Attention, les bus ne partent pas forcément du *Golden Mile Complex,* chaque agence vous dira où prendre votre bus. Si vous prenez un bus grandes lignes, pas de souci pour passer la frontière : le bus attendra la fin des formalités. En revanche, avec un bus local qui rejoint Johor Bahru, ne laissez jamais vos bagages à l'intérieur pendant les formalités : les bus n'attendent pas forcément et il faut prendre le prochain bus qui passe.

Singapour-Indonésie

⛴ *Port d'embarquement des ferries (Singapour) :* au *Harbour Front (plan I).* ● singaporecruise.com.sg ● Ⓜ *Harbour Front.* Les comptoirs de départ des compagnies de bateaux sont au niveau supérieur du *Harbour Front Center.* 3 principales compagnies : *Batam Fast* (☎ 6270-0311 ; ● batamfast.com ●), *Sindo Ferry* (☎ 6331-4123 ; ● sindoferry.com ●) et *Indo Falcon* (☎ 6278-31-67 ; ● indo falcon.com.sg ●).

➢ *Pour l'île de Batam :* une quinzaine de liaisons/j. 7h40-21h40 pour le port de Batam Center ; 9 liaisons/j. 7h50-21h45 pour le port de Sekupang avec *Batam Fast.*

➢ *Pour Tanjung Balai (île de Karimun) :* 2 départs/j., le mat, en milieu de journée et le soir, avec *Indo Falcon.* Durée : 2h.

➢ *Pour Pekanbaru (Sumatra) :* la solution la plus utilisée au départ de Singapour consiste à emprunter des bateaux en faisant une escale sur l'*île de Batam,* avant de gagner la côte orientale de Sumatra. Prévoir une bonne journée. Prendre le 1er bateau de 7h40 pour attraper la correspondance à Batam. À Batam, prendre un autre bateau pour *Batun ;* liaisons rapides tlj à partir de 9h. Durée : env 5h. Une fois à Batun, prendre un bus pour Pekanbaru (durée : 4h). Billet bateau-bus vendu par de nombreuses agences à Batam (sur le port, à l'embarcadère). Ces agences pratiquent à peu près les mêmes tarifs.

Site utile pour les liaisons par ferry dans la région ● *directferries.fr* ●

Singapour-Thaïlande

➢ *En train :* pas de train direct pour *Bangkok,* il faut être motivé : changer à Butterworth et Gemas (Malaisie). Départ de Bangkok dans l'ap-m, arrivée à Butterworth 22h plus tard.

Enfin, si vous avez gagné au Loto ou fait un héritage subit, il existe l'*Eastern & Oriental Express,* déclinaison asiatique du mythique *Orient-Express. Rens et résas pour l'*E & O Express à Singapour : ☎ 6395-0678 ; ● belmond. fr ● : 1-2 départs/mois (mars-déc dans le sens Singapour-Bangkok ; fév-déc dans l'autre sens). 1 930 km parcourus en 3 jours et 2 nuits de Singapour à Bangkok, 4 j./ 3 nuits du sud au nord. Possibilité de prendre 1 jour seulement entre Singapour et Kuala Lumpur. Luxueuse déco rococo-kitsch et confort ultramoderne. Prix évidemment à l'avenant !

MALAISIE UTILE

● Carte La Péninsule malaise *p. 8-9*

ABC de la Malaisie

❑ *Superficie :* 330 803 km² (avec Sabah et Sarawak).
❑ *Capitale :* Kuala Lumpur.
❑ *Régime :* monarchie fédérale constitutionnelle (9 sultanats héréditaires, 4 États non monarchiques et le district fédéral de Kuala Lumpur).
❑ *Roi de Malaisie :* élu tous les 5 ans : Muhamad Faris Petra, sultan de Kelantan (depuis 2016).
❑ *Chef du gouvernement :* Mahathir Mohamad (depuis mai 2018).
❑ *Population :* env 32 millions d'habitants.
❑ *Espérance de vie :* 72,7 ans pour les hommes et 77,4 ans pour les femmes.
❑ *Indice de développement humain :* 59ᵉ rang (0,789).
❑ *Religions :* musulmans (61,3 % ; religion officielle), bouddhistes (19,8 %), chrétiens (9,2 %), hindouïstes (6,3 %), autres (3,4 %).
❑ *Densité :* 97 hab./km².
❑ *Monnaie :* le ringgit (Rm).
❑ *Langues :* malais (langue officielle), chinois (dialecte hokkien et cantonais), anglais, tamoul.
❑ *Salaire minimum :* env 1 000 Rm (soit env 220 €) ; salaire moyen autour de 3 000 Rm (666 €).

AVANT LE DÉPART

Adresses utiles

En France

🛈 *Office national de tourisme de Malaisie :* 29, rue des Pyramides, 75001 Paris. ☎ 01-42-97-41-71. ● tourism.gov.my ● malaysia.travel/fr-fr/fr ● Ⓜ Pyramides. Lun-ven 9h-17h. Bien documenté et équipe efficace. Nombreuses brochures à disposition sur les différentes régions de Malaisie (y compris Bornéo) ou sur des thèmes (plages, plongée, îles, golf, etc.).
■ *Ambassade de Malaisie :* 2 bis, rue de Bénouville, 75116 Paris. ☎ 01-45-53-11-85. ● mwparis@kln.gov.my ● kln.gov.my/web/fra_paris/home ●

Ⓜ Porte-Dauphine. Service consulaire : lun-ven 9h30-12h30.

En Belgique

■ *Ambassade de Malaisie :* av. de Tervueren, 414 A, Bruxelles 1150. ☎ 02-776-03-40. ● consularinfomy@gmail.com ● kln.gov.my/web/bel_brussels ● Lun-ven 9h-12h (service consulaire).

En Suisse

■ *Ambassade de Malaisie :* 1, Jungfraustrasse, CH-3005, Berne. ☎ 031-350-47-00. ● mwberne@kln.gov.my ●

kln.gov.my/web/che_berne ● *Lun-ven 10h-13h, 14h-16h (service consulaire).*
■ *Consulat de Malaisie :* 20, route de Pré-Bois, CP 1834, 1215, Genève 15. ☎ 022-710-75-00. ● *mwgeneva@ kln.gov.my* ● *kln.gov.my/web/che_ geneva* ● *Lun-ven 9h-13h, 14h-17h.*

Au Canada

■ *High Commission of Malaysia :* 60 Boteler St, Ottawa, Ontario K1N-8Y7. ☎ (613) 241-51-82. ● *mwottawa@ kln.gov.my* ● *kln.gov.my/web/can_ ottawa* ● *Lun-ven 9h-17h.*

Formalités

– Les ressortissants français, belges, suisses et canadiens n'ont pas besoin de visa pour un séjour touristique inférieur ou égal à 3 mois. En revanche, le *passeport* doit être valable 6 mois après la date de retour et vous devez être en possession d'un *billet d'avion prouvant votre intention de quitter le pays dans les 3 mois* (billet aller-retour ou de continuation).

Les *mineurs* doivent être munis de leur propre pièce d'identité (carte d'identité ou passeport). Pour l'autorisation de sortie de territoire lorsque les enfants ne sont pas accompagnés par un de leurs parents, chaque pays a mis en place sa propre régulation. Ainsi, pour *les mineurs français,* une loi entrée en vigueur en janvier 2017 a *rétabli l'autorisation de sortie du territoire.* Pour voyager à l'étranger, ils doivent être munis d'une pièce d'identité (carte d'identité ou passeport), d'un formulaire signé par l'un des parents titulaire de l'autorité parentale et de la photocopie de la pièce d'identité du parent signataire. Renseignements auprès des services de votre commune et sur ● *service-public.fr* ●

Pensez à scanner passeport, carte de paiement et vouchers d'hôtel. Ensuite, adressez-les-vous par e-mail, en pièces jointes. En cas de perte ou de vol, rien de plus facile pour les récupérer sur votre smartphone. Les démarches administratives en seront bien plus rapides.

– *Ariane : pour votre sécurité, restez connectés.*
Ariane est un service gratuit mis à disposition par le centre de crise et de soutien du ministère français des Affaires étrangères pour vous alerter en cas de risque sécuritaire lors de vos déplacements à l'étranger. Créez votre compte et inscrivez vos voyages personnels ou professionnels. Les informations renseignées sur Ariane seront utilisées uniquement en cas de crise pendant votre séjour et permettent notamment de contacter les proches lors des situations d'urgence. Pour en savoir plus : ● *diplomatie.gouv.fr* ●

Note concernant Bornéo

L'île de Bornéo n'est pas traitée dans ce guide. Sachez toutefois que les côtes nord et est de l'État du Sabah sont formellement déconseillées par le ministère français des Affaires étrangères, ainsi que les îles environnantes (actes de piraterie et de terrorisme). Consulter le site : ● *diplomatie.gouv.fr* ● rubrique « Conseils aux voyageurs ».

Assurances voyages

■ *Assurance Routard par AVI International :* 40, rue Washington 75008 Paris. ☎ 01-44-63-51-00. ● *avi-international.com* ● Ⓜ *George V.* Enrichie année après année par les retours des lecteurs, *Routard Assurance* est devenue une assurance voyage incontournable. Tout est compris : frais

PORTO

Établie sur des rives escarpées à l'embouchure du Douro, cette jolie ville était la « belle endormie » du nord du pays. Elle donna son nom à l'antique Lusitanie. Portugal ! Tout a commencé ici. Les épopées maritimes l'ont ouverte sur le monde. L'or du Brésil l'a enrichie et les fameux vins de Porto de la vallée du Douro assurent encore sa renommée. Le quartier historique de la Ribeira, autrefois délabré, a été classé par l'Unesco. Sous l'effet d'un nouveau souffle urbain, Porto se métamorphose. La 2e ville du Portugal retrouve l'éclat de sa splendeur passée. Vieilles demeures blasonnées sortant de leur décrépitude, façades splendides ornées d'azulejos, églises baroques gardiennes de l'esprit des lieux, tramways jaunes et échoppes anciennes, restaurants et bars branchés, hôtels design ! Déambuler dans ces ruelles tortueuses et populaires est un enchantement. Une virée à Porto passe toujours par Vila Nova de Gaia, le faubourg de la rive gauche du Douro où s'alignent les chais et magasins des grands domaines viticoles (Graham's, Taylor's, Sandeman, Ferreira...). Ici, les grandes épopées se dégustent dans un verre.

médicaux, assistance rapatriement, bagages, responsabilité civile... Vous avez besoin d'un médecin, d'un conseil médical ou d'une prise en charge dans un hôpital ? Appelez simplement le plateau *AVI Assistance* disponible 24h/24, leur réseau est l'un des plus complets actuellement. Vous avez eu des frais de santé en voyage ? Envoyez les factures à votre retour, *AVI* vous rembourse sous une semaine. Avant votre départ, n'hésitez pas à les appeler pour des conseils personnalisés. Et téléchargez l'appli mobile pour garder le contact avec l'assistance 24h/24 et disposer de l'un des meilleurs réseaux médicaux à travers le monde.

■ *AVA :* 25, rue de Maubeuge, 75009 Paris. ☎ 01-53-20-44-20. ● ava.fr ● Ⓜ *Cadet.* Un autre courtier fiable pour ceux qui souhaitent s'assurer en cas de décès-invalidité-accident lors d'un voyage à l'étranger, mais surtout pour bénéficier d'une assistance rapatriement, perte de bagages et annulation. Attention, franchises pour leurs contrats d'assurance voyage.

■ *Pixel Assur :* 18, rue des Plantes, BP 35, 78601 Maisons-Laffitte. ☎ 01-39-62-28-63. ● pixel-assur. com ● RER A : Maisons-Laffitte. Assurance de matériel photo et vidéo tous risques (casse, vol, immersion) dans le monde entier. Devis en ligne basé sur le prix d'achat de votre matériel. Avantage : garantie à l'année.

Carte internationale d'étudiant (ISIC)

Elle prouve le statut d'étudiant dans le monde entier et permet de bénéficier de tous les avantages, services et réductions dans les domaines du transport, de l'hébergement, de la culture, des loisirs, du shopping...

La carte ISIC permet aussi d'accéder à des avantages exclusifs (billets d'avion spécial étudiants, hôtels et auberges de jeunesse, assurances, cartes SIM internationales, location de voitures...).

Renseignements et inscriptions
– *En France :* ● isic.fr ● 13 € pour 1 année scolaire.
– *En Belgique :* ● isic.be ●
– *En Suisse :* ● isic.ch ●
– *Au Canada :* ● isiccanada.com ●

Carte internationale des auberges de jeunesse (carte FUAJ)

Cette carte vous ouvre les portes des 4 000 auberges de jeunesse du réseau *HI-Hostelling International* en France et dans le monde. Vous pouvez ainsi parcourir 90 pays à des prix avantageux et bénéficier de tarifs préférentiels avec les partenaires des auberges de jeunesse *HI*. Enfin, vous intégrez une communauté mondiale de voyageurs partageant les mêmes valeurs : plaisir de la rencontre, respect des différences et échange dans un esprit convivial. Il n'y a pas de limite d'âge pour séjourner en AJ. Il faut simplement être adhérent.

Renseignements et inscriptions
– *En France :* ● hifrance.org ●
– *En Belgique :* ● lesaubergesdejeunesse.be ●
– *En Suisse :* ● youthhostel.ch ●
– *Au Canada :* ● hihostels.ca ●

Si vous prévoyez un séjour itinérant, vous pouvez réserver plusieurs auberges en une seule fois en France et dans le monde : ● hihostels.com ●

ARGENT, BANQUES, CHANGE

L'unité monétaire est le *ringgit* (Rm), divisé en 100 *sen*. On parle fréquemment de « dollar » malaisien. En 2018, un ringgit valait environ 0,22 €, on avait donc environ *4,50 Rm pour 1 €.*

Change

On vous conseille les bureaux de change plutôt que les banques, d'autant que toutes les banques (ou agences bancaires) ne font pas le change. On trouve ces *money changers* (autorisés) dans tous les endroits touristiques, et bien sûr à Kuala Lumpur (dans les quartiers chinois et indien notamment). La plupart sont ouverts tous les jours. Pas de commission, mais un taux de change qui varie un peu d'un endroit à l'autre, et d'une ville à l'autre. Il n'est donc pas inutile de comparer. Au retour, mieux vaut racheter des euros en ville qu'à l'aéroport...
– Vous pouvez choisir de changer vos euros avant votre départ. La bonne astuce est de commander vos devises sans commission en ligne comme le propose *Travelex*. Il vous suffit de commander et payer vos devises sur le site ● *travelex.fr* ● et de passer les récupérer directement dans l'une des agences *Travelex* présentes dans la plupart des grands aéroports et gares en France.

Cartes de paiement

> *Avertissement*
>
> Si vous comptez effectuer des retraits d'argent aux distributeurs, il est *très vivement conseillé d'avertir votre banque* avant votre départ (pays visités et dates). En effet, *votre carte peut être bloquée dès le premier retrait* pour suspicion de fraude. C'est de plus en plus fréquent. Bonjour les tracasseries administratives pour faire rentrer les choses dans l'ordre, et on se retrouve vite dans l'embarras ! Utile aussi pour qu'on ne vous attribue pas un débit postérieur à votre retour, au cas où votre carte aurait été piratée.

Pensez à téléphoner à votre banque pour relever le plafond de votre carte, quitte à le faire rebaisser à votre retour. Utile surtout pour les cautions des locations de voiture et les garanties dans les hôtels.
Pour le *retrait d'espèces,* on trouve partout des distributeurs automatiques acceptant les cartes de crédit internationales *(Visa, MaterCard...),* y compris dans les petites villes. Aucun problème donc pour se procurer de l'argent liquide, même si le montant du retrait est généralement limité à 1 000 ou 1 500 Rm (environ 220-330 €). Bien sûr, il y a des frais à chaque opération, mais comme le taux de change est en principe meilleur que celui appliqué dans les *money changers,* cela revient à peu près au même. Sinon, on peut *payer par carte* dans bon nombre d'hôtels, parfois même petits, mais aussi de restos et de boutiques, ainsi que dans la plupart des stations-service. Pour les *guesthouses* et les gargotes, cash seulement, sauf (rares) exceptions.

Bon à savoir

Avant de partir, notez donc bien le numéro d'opposition propre à votre banque (il figure souvent au dos des tickets de retrait, sur votre contrat ou à côté des distributeurs de billets), ainsi que le numéro à 16 chiffres de votre carte. Bien entendu, conservez ces informations en lieu sûr et séparément de votre carte.
Par ailleurs, l'assistance médicale se limite aux 90 premiers jours du voyage, et l'assistance véhicule aux cartes haut de gamme (renseignez-vous auprès de votre banque). N'oubliez pas aussi de VÉRIFIER LA DATE D'EXPIRATION DE VOTRE CARTE BANCAIRE avant votre départ !

Petite mesure de précaution

– Si vous retirez de l'argent dans un distributeur, utilisez de préférence les distributeurs attenants à une agence bancaire. En cas de pépin avec votre carte (carte avalée, erreur de numéro...), vous aurez un interlocuteur dans l'agence, pendant les heures ouvrables du moins.

ACHATS

Artisanat

Attention, l'exportation d'objets artisanaux est sérieusement contrôlée en Malaisie. Les objets en ivoire, les coraux, les étoiles de mer et autres oursins sont strictement interdits à l'exportation.

Le moins que l'on puisse dire, c'est que l'artisanat n'a pas profité du caractère pluriethnique du pays. Seule exception : les antiquités peranakan de Malacca (voir plus loin). Quelques boutiques proposent toutefois de beaux objets traditionnels, fortement influencés par l'art indonésien. Dans certaines villes (Kota Bharu, par exemple), on trouve cependant quelques antiquaires qui vendent des kriss, les célèbres poignards malais (lire plus loin).

– **Batiks :** tissus imprimés. On en trouve un peu partout, principalement sur la côte est. Motifs fleuris et colorés. À l'origine, le batik traditionnel est une forme d'art qui avait cours au sein de la famille royale javanaise. Un savoir-faire qu'on retrouve aujourd'hui autant en Afrique de l'Ouest qu'en Asie. Les motifs sont d'abord peints sur le tissu, à la main ou par impression au tampon de bois sculpté ou de cuivre (plus fréquent en Malaisie) ; ensuite l'artisan crée des « réserves » avec de la cire, avant de plonger le tissu dans la teinture, et ce, autant de fois qu'il y a de couleurs différentes en allant du plus clair au plus foncé, évidemment. Un beau batik (de fabrication traditionnelle) doit être imprimé sur l'endroit comme sur l'envers. Aujourd'hui, le terme « batik » désignant les tissus imprimés en général, on vend souvent du tout-venant industriel dans les *batik-shops*.

– **Sarong :** tissu uni ou imprimé de 1 m de large, cousu comme un cylindre et porté à la taille comme une grande serviette de plage. Attention ! Les hommes et les femmes le portent différemment.

– **Étain :** avec près de 60 % de la production mondiale au début des années 1940, la Malaisie avait enflammé l'étain. Dans les années 1980, la production a périclité, mais la tradition demeure. Plusieurs compagnies se partagent aujourd'hui le marché : *Royal Selangor* (l'usine au nord de Kuala Lumpur, qui peut faire l'objet d'une intéressante visite) – la référence, peu de marchandage possible –, *Penang pewter, Temasek pewter, Pewter Art, JS Pewter...* – là, marchandage possible (et même très conseillé). On y trouve de la vaisselle et toutes sortes d'objets finement travaillées.

– **Cerfs-volants :** en Malaisie, un cerf-volant flottant dans l'air au-dessus d'une maison a le pouvoir de chasser les mauvais esprits. Répondant au terme de *Wau*, ils sont magnifiques et des concours sont régulièrement organisés, notamment dans la région de Kota Bharu. Traditionnellement, leur structure est en bambou entoilé de couches de papier de couleurs différentes, découpées et superposées de manière à former des motifs, un peu comme de la marqueterie. Ils peuvent prendre différentes formes, tel un oiseau ou un chat ; l'un des plus caractéristiques est le *wau-bulan* ou cerf-volant lune. Il est souvent de grande envergure, peut faire jusqu'à 3 m de long et voler jusqu'à plus de 150 m de hauteur ! Le problème, c'est donc que les plus beaux, qui sont aussi les plus rares, sont surtout très encombrants ! Aujourd'hui cependant, la plupart des cerfs-volants sont fabriqués en Chine...

– **Objets aborigènes :** dans le centre du pays. Ça va de la

KRISS DE FOI

On attribue aux kriss de nombreux pouvoirs magiques. Ces poignards sont transmis de père en fils : nul autre que son propriétaire ne peut sortir la lame de son fourreau, car cette dernière est supposée renfermer non seulement l'âme de son possesseur, mais aussi celles de ses ancêtres. L'identification est tellement forte qu'un marié peut se faire représenter à son propre mariage par son kriss ! L'écrivain Frank Herbert en a fait un symbole de foi dans Dune, *l'arme se désintégrant si elle n'est plus en contact avec son propriétaire !*

sarbacane de 2 m de long (bon courage pour les contrôles au moment de prendre l'avion) à de curieux masques ou à de jolies statuettes en bois. D'ailleurs, les sculptures sur bois des Mah Meri qui vivent dans les mangroves du Selangor ont reçu le sceau de l'excellence de l'Unesco.

– **Kriss :** c'est une dague allongée, dont la lame, sinueuse, possède une signification particulière. Toujours impair, le nombre d'ondulations symbolise le feu de la passion (3 vagues pour les amoureux) ou évoque la caste de son propriétaire (13 vagues pour les guerriers). Il faut toujours 2 métaux différents au minimum pour en fabriquer un, et 14 en tout (comme les 14 régions du pays) s'il est destiné à un roi... Les vrais kriss sont bien sûr des pièces de collection, donc hors de prix.

– *Et aussi :* les **poteries malaises de Sayong,** à Kuala Kangsar, les **songkets,** tissages de coton ou de soie, surtissés de fils d'or ou d'argent, que l'on trouve dans l'État du Terengganu, au nord-est de la péninsule ; les **marionnettes en cuir** du théâtre d'ombre du Kelantan ; les **chaussures brodées de perles** des Nyonyas, à Malacca.

Antiquités

À Malacca principalement. Il reste encore quelques belles pièces à dénicher, mais on vous prévient tout de suite, les prix sont exorbitants. Il s'agit d'une partie de l'héritage culturel des Chinois du Détroit (les Baba Nyonya). Ce patrimoine a suscité des vocations d'antiquaires lorsque la Grande Dépression des années 1930 ruina des familles entières ayant fait fortune dans le caoutchouc. On peut trouver quelques belles pièces de l'époque coloniale. Mais là encore, ayez en votre possession le certificat autorisant son exportation. Et songez à l'expédition...

Magasins

– Beaucoup de **centres commerciaux** géants, appelés *Complex* ou *Parade,* notamment à Kuala Lumpur, ainsi que dans les villes des États islamiques de la côte est (Kelantan, Terengganu). Quelques bonnes affaires... à faire ! Attention toutefois aux contrefaçons, interdites en Europe et susceptibles d'une amende sévère (2 fois le prix de l'original).

– Si vous voulez à tout prix rapporter quelque chose à tante Catherine, piochez ailleurs : sur les **marchés,** dans les **petites boutiques,** sur les **étals des rues** animées... Encens (côte ouest), thé des Cameron Highlands (région Centre). À Malacca, bijoux en argent, beaux masques et bibelots asiatiques très kitsch.

Marchandage

Ne jamais trop pousser le marchandage avec les Malais (surtout s'ils sont âgés), vous les vexeriez. Ce n'est pas dans les mœurs. En pays musulman, les échanges se font toujours sous la haute surveillance et la bénédiction d'Allah, et même si la conso a quelque peu perverti la manière de commercer, les transactions demeurent encore assez honnêtes à l'endroit des touristes. Quant aux autres communautés, pas la peine de discuter avec les Indiens, quasiment tous désintéressés. En revanche, avec les Chinois, négociez toujours avec une pointe d'humour ! En ce qui concerne le matériel électronique, parfois moins cher qu'en France, faites jouer la concurrence ! Le truc du *Routard* : définissez précisément le modèle qui vous intéresse et faites inscrire sur votre carte de visite la proposition du premier magasin. Passez au suivant en montrant la première proposition et demandez-lui de faire mieux. Renouvelez l'opération. Vous pouvez espérer jusqu'à 20 % de rabais, surtout si vous payez en liquide. Attention aux garanties, pas toujours internationales.

BUDGET

Par rapport à chez nous, le coût de la vie reste raisonnable en Malaisie. Voici nos catégories de prix pour l'hébergement et les restaurants.

Hébergement

Les prix indiqués valent pour **2 personnes en chambre double** (ou par personne en dortoir dans la rubrique « bon marché »). Notez qu'ils augmentent le week-end dans les zones les plus touristiques, et plus encore pendant les jours fériés, les vacances scolaires et les grandes manifestations religieuses. À titre d'exemple, ils peuvent doubler pendant une quinzaine de jours à l'occasion du Nouvel An chinois !

– **Bon marché :** jusqu'à 100 Rm (environ 22 €), ou 50 Rm (11 €) par personne en dortoir.
– **Prix moyens :** de 100 à 180 Rm (22 à 40 €).
– **Chic :** de 180 à 300 Rm (40 à 66,50 €).
– **Très chic :** plus de 300 Rm (66,50 €).

Restaurants

Ici, les prix se rapportent à un plat, avec accompagnement ou non selon le type de cuisine.
– **Bon marché :** jusqu'à 20 Rm (4,50 €).
– **Prix moyens :** de 20 à 50 Rm (4,50 à 11 €).
– **Chic :** de 50 à 80 Rm (11 à 17,50 €).
– **Très chic :** plus de 80 Rm (17,50 €).

Pourboires et taxes

Il est carrément mal vu de laisser des pièces de monnaie sur la table en guise de pourboire. Certaines notes, dans les établissements luxueux, précisent d'ailleurs qu'il est interdit de donner de l'argent au personnel ! De toute façon, le service (10 %) ainsi que les taxes gouvernementales (d'environ 6 %) sont toujours ajoutés aux factures d'hôtels et de restos, sauf dans les *stalls* et les gargotes bon marché.

CLIMAT

La péninsule malaise possède un climat équatorial marqué par la chaleur et l'humidité constantes. On distingue néanmoins les côtes, plus ensoleillées et rafraîchies par les influences océaniques (eau de mer à 26-29 °C), des terres basses de l'hinterland, plus étouffantes. Ajoutons à cela, au nord de Kuala Lumpur, les terres hautes épousant les flancs de la grande chaîne de Titiwangsa. Là, il peut faire presque frais : 16 °C la nuit en moyenne dans les Cameron Highlands. Les précipitations sont partout abondantes (2 500 mm de moyenne annuelle, soit 4 fois plus qu'à Paris !), mais, là encore, avec des variations notables. En raison du relief de la principale chaîne de montagnes, les villes situées à ses pieds, comme Kuala Lumpur ou Taiping, sont nettement plus humides que les sites côtiers comme Malacca ou Pangkor...
Le pays connaît 2 périodes de mousson, avec des intersaisons paradoxalement plus humides sur la côte ouest. Les moussons sont avant tout des vents qui apportent avec eux des pluies, d'où l'importance de la direction qu'ils prennent...
– **La mousson du nord-est** *(mousson d'hiver) :* la plus intense des 2, elle s'impose **de novembre-décembre à mars.** Les vents du nord-est apportent des pluies particulièrement soutenues sur la côte est de la péninsule et dans les régions littorales du Sabah et du Sarawak (Bornéo). Ce n'est donc vraiment pas la bonne saison pour voyager dans l'Est. La côte ouest, protégée par le relief, est relativement épargnée.

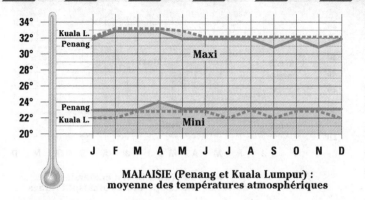

MALAISIE (Penang et Kuala Lumpur) :
moyenne des températures atmosphériques

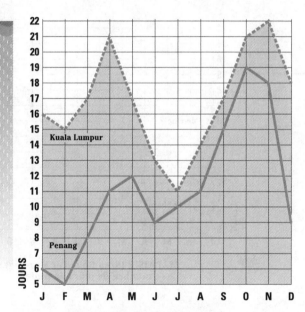

MALAISIE (Penang et Kuala Lumpur) :
nombre de jours de pluie

– *La mousson du sud-ouest* (mousson d'été) *:* elle domine *de fin mai à septembre.* Cela dit, Sumatra agit en protectrice de la côte ouest, donc cette mousson apporte des pluies nettement moins abondantes que celles de la mousson d'hiver. Seule exception, l'île de Langkawi (voir plus bas). Sur la côte est, protégée par le relief, encore moins de pluies que sur la côte ouest... La mousson du sud-ouest s'accompagne souvent de « coups de Sumatra » (vents violents).

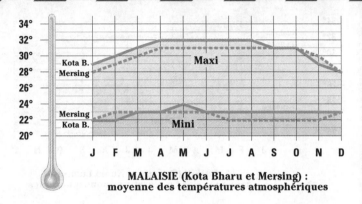

MALAISIE (Kota Bharu et Mersing) :
moyenne des températures atmosphériques

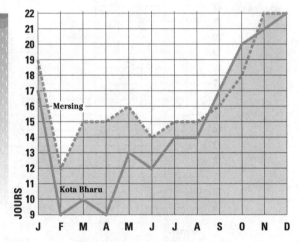

MALAISIE (Kota Bharu et Mersing) :
nombre de jours de pluie

– *Intersaisons :* ou « intermoussons », si vous préférez ! *De mi-mars à mi-mai et en octobre-novembre,* ce sont les périodes les plus humides sur la côte ouest, incluant les 2 plus hauts pics de précipitations.

Les saisons à éviter

Plusieurs périodes à éviter :
– novembre-mars sur la côte est. Il y pleut beaucoup et les liaisons en bateau vers les îles sont très aléatoires, voire inexistantes ;
– les mois de novembre à mi-janvier pour le parc national de Taman Negara. Pluies et vacances scolaires au programme ;

– juin à novembre sur l'île de Langkawi, qui est protégée par le relief de la péninsule l'hiver mais, à cette période, n'est pas protégée par Sumatra comme le reste de la côte ouest ;
– le Nouvel An chinois dans tout le pays (voir la rubrique « Fêtes et jours fériés » dans « Malaisie : hommes, culture, environnement »), car tous les hôtels sont très chers et complets ;
– le ramadan sur la côte est, dont la date change chaque année. Les activités tournent au ralenti, beaucoup de restos sont fermés et l'atmosphère se révèle peu propice aux échanges ; il est toutefois peu perceptible sur la côte ouest.
– enfin, sachez que les Malaisiens prennent leurs grandes vacances fin novembre (mi-novembre pour les Singapouriens) jusqu'à début janvier. Il est préférable de réserver son hébergement à l'avance pendant ces périodes.

Vêtements à emporter

Il peut pleuvoir n'importe quand mais les averses, si elles sont violentes, sont généralement brèves. Prévoir tout de même un imper genre poncho, surtout si vous allez dans la jungle. Petite laine recommandée pour les Cameron Highlands et autres stations. Sinon, vêtements légers, en coton ou en lin, pour tout le pays. Bonnes chaussures de marche pour les treks dans la jungle. Mesdames et mesdemoiselles, rien de trop aguicheur dans ce pays musulman : bras et jambes nus sont inconvenants pour visiter les mosquées – et cela vaut aussi pour les hommes, qui se verront refuser l'entrée s'ils sont en short. Cela dit, on prête le plus souvent des vêtements couvrants à l'entrée.

DANGERS ET ENQUIQUINEMENTS

> Notez que le ministère français des Affaires étrangères déconseille, sauf raison impérative, la région frontalière au nord, entre la Thaïlande et la Malaisie. Plus d'infos sur : ● *diplomatie.gouv.fr* ●, onglet « Conseil aux voyageurs ».

La Malaisie occidentale (ou péninsulaire) n'a pas la réputation d'être un pays dangereux. Néanmoins, voici la liste des pépins qui (on l'espère) ne vous arriveront pas une fois que vous aurez lu ces lignes ! De plus, un petit tour par les « Conseils aux voyageurs » du ministère des Affaires étrangères reste indispensable, surtout si vous envisagez un voyage à Bornéo (non traité dans ce guide) : ● *diplomatie.gouv.fr* ●

Drogue

Dès l'aéroport, des panneaux d'affichage aux dépliants touristiques, on peut lire : **« *En Malaisie, tout transport de drogue entraîne la peine de mort.* »** Et c'est comme ça dans tout le pays. Alors impossible de dire « Je ne savais pas ». Et sachez que la fumette est considérée comme une consommation de drogue à part entière. Vu ?

Taxis, bus et autres considérations relatives au transport...

En débarquant dans le pays, éconduisez gentiment tous les rabatteurs qui pourraient vous accueillir dès votre arrivée : c'est rarement un bon plan, et surtout, *n'acceptez jamais de vous faire embarquer pour une destination inconnue.* Préférez toujours les taxis officiels.
Lorsque vous débarquez de nuit (mais ça arrive aussi le jour, dans les îles, par exemple), méfiez-vous des gogos qui prétendent que l'hébergement où vous voulez vous rendre a fermé ou n'a plus de chambre dispo ce soir-là ; tout ça pour vous

emmener chez l'hôtelier voisin (peut-être même dans le *Routard* d'ailleurs...), qui lui offrira évidemment une commission pour ses bons services...

Attention aussi aux rabatteurs chargés de remplir les « *budget bus* » dans les gares routières. Ne vous précipitez pas. Mieux vaut perdre 10 mn à trouver un bus rapide que de perdre 4h dans un bus qui lambine jusqu'à la même destination parce qu'il s'arrête tout le temps.

D'une manière générale, dans les transports en commun, la vigilance est de mise : *ne mettez jamais d'objets de valeur dans les bagages que vous ne gardez pas près de vous.*

Vol

Le vol et le brigandage ne sont ni plus ni moins présents en Malaisie qu'ailleurs, cela dit, il convient de rester vigilant, comme à Kuala Lumpur où la criminalité progresse et où l'on constate de nombreux vols à l'arraché, notamment par des individus circulant à moto. Évitez les rues désertes, surtout à la tombée de la nuit. De plus, il est judicieux de ne prendre sur soi que ce dont on a besoin et avec un sac en bandoulière, de le laisser pendre du côté opposé à la rue. Évidemment, ne laissez rien de valeur dans un bungalow de bambou tressé, fermé par un simple cadenas. Conservez aussi toujours votre passeport sur vous, tout en laissant des photocopies dans un sac à votre hébergement, ou en l'ayant au préalable scanné et envoyé à votre adresse e-mail, consultable à distance.

Tenue vestimentaire et us...

La Malaisie est un pays où l'islam est très présent. Encore plus présent dans les États islamiques du nord-est de la péninsule comme le Kelantan et le Terengganu. Dans ces États, les routardes doivent porter une tenue assez couvrante : pas de décolleté, pas de short ou de jupe courte, pas de maillot deux-pièces sur la plage. Au resto (surtout dans les lieux populaires et peu touristiques), veillez à bien respecter les tables réservées aux femmes, à la limite aux familles.

Spécial routardes

Dans les États islamiques de Kelantan et de Terengganu, au nord-est de la péninsule, évitez le pantalon qui vous serre un peu, et le maillot de bain deux-pièces, sinon vous risquez de vous faire apostropher sans arrêt. Préférez les vêtements un peu amples. Dans ces régions, les interdits ont entraîné de sacrées frustrations. Ne vous étonnez pas non plus, quand vous êtes accompagnée d'un homme, si les locaux s'adressent à lui en priorité.

Ailleurs, Malaisiennes et touristes, qui ne sont pas de confession musulmane, s'habillent comme bon leur semble.

Argent

IMPORTANT : CONSERVEZ TOUJOURS VOTRE CARTE DE PAIEMENT AVEC VOUS. Ne la laissez pas dans le coffre à l'hôtel quand vous partez en rando. Trop de lecteurs se retrouvent en France avec d'énormes découverts bancaires. En cas de doute, vérifiez votre compte, mais attention à Internet...

Virus et compagnies...

En Malaisie, de nombreux sites, parfois officiels sont piratés. Ayez un antivirus costaud sur votre smartphone ou votre tablette et faites très attention lorsque vous vous connectez, notamment avec les sites les plus couramment utilisés en voyage.

ÉLECTRICITÉ

Les prises sont du modèle UK, avec 3 broches rectangulaires. Un adaptateur est nécessaire. Le courant est du 240 volts (pas de risque pour les équipements).

FÊTES ET JOURS FÉRIÉS

La Malaisie cumule les fêtes malaises, chinoises, indiennes et même occidentales. En tout, 13 jours fériés fédéraux, auxquels les États ajoutent 5 jours, soit 18 jours au total. Résultat, la Malaisie compte, avec l'Inde et la Colombie, le plus grand nombre de jours fériés au monde ! De plus, les *public holidays* (jours fériés) qui tombent un jour chômé (dimanche ou vendredi, selon les États) sont décalés au jour suivant, histoire d'en profiter !

La religion dominante étant l'islam, la plupart de ces fêtes suivent le calendrier lunaire, les dates avancent donc d'autant d'une année sur l'autre et peuvent fluctuer de 1 ou 2 jours par rapport à ceux indiqués ci-dessous. Les fêtes chinoises et hindoues tombent, quant à elles, toujours aux mêmes périodes.

Attention, les jours fériés dépendent aussi des États !

Fêtes musulmanes

– *Hari Raya Puasa :* c'est l'*Aïd el-Fitr* ou *Aïd es-seghir* (la petite fête). En 2019, la fin du ramadan se déroulera autour du 5 juin, et en 2020 autour du 24 mai. À cette occasion, les musulmans retournent au village dans leur famille, passent à la caisse pour payer le *zakat al-Fitr* (l'aumône de rupture du jeûne censée les purifier), prient et s'en mettent plein la panse. Le dernier jour, les fidèles invitent leurs amis (musulmans ou non) à la maison. Attention, beaucoup de monde dans les transports en commun en vue de cet événement !

– *Hari Raya Hadji* (ou *Hari Raya Aïd el-Adha*) *:* c'est l'équivalent de l'*Aïd-el Adha* ou *Aïd el-kebir* (la grande fête). Elle a lieu le 10e jour du mois de *Dhou al-Hijja* (soit le 11 août 2019 et le 30 juillet 2020) et commémore le sacrifice d'Abraham. Ce jour-là, un mouton est égorgé selon le rite, comme dans tous les foyers musulmans du monde.

– *Awal Muharram :* c'est le Nouvel An musulman, le 10e jour du mois de *Muharram* (soit le 1er septembre 2019 et le 20 août 2020), qui célèbre l'Hégire, en 622, quand Mahomet et ses compagnons quittent La Mecque pour Médine, afin d'y fonder la *Umma* (la communauté des croyants).

– *Maulidur Rasul :* c'est le *Mawlid* (ou *Maouloud*), la fête qui célèbre la naissance du prophète Mahomet. Elle a lieu le 12 du mois de *Rabia al-awal,* le 3e mois du calendrier musulman, soit le 9 novembre 2019 et le 28 octobre 2020.

Fêtes chinoises, hindoues et bouddhiques

On vous précise si ces fêtes correspondent ou pas à des jours fériés.

– *Nouvel An chinois :* la religion pratiquée par les Chinois est relativement discrète, sauf le jour du Nouvel An, où ça pétarade de tous les côtés ! Le calendrier chinois mêlant les cycles lunaire et solaire, la date des fêtes varie également par rapport à notre calendrier. Ainsi, le Nouvel An tombe chaque année entre fin janvier et fin février : en 2019, il tombe autour du 5 février, en 2020 autour du 25 janvier. Il s'ensuit une fiesta de 2 jours, prolongée par une semaine de congés. Attention, à cette période, les hôtels sont pleins, et les prix doublent.

– *Thaipusam :* c'est la fête qui se déroule le jour de la pleine lune du mois tamoul de Thai (le 21 janvier 2019 et le 8 février 2020). On y célèbre la naissance de Murugan, un fiston de Shiva et de Parvati, petit frère de Ganesh. Dans la région de Kuala Lumpur, d'impressionnantes processions aux Batu Caves (voir la description dans la rubrique « À voir » à Kuala Lumpur), ainsi qu'aux chutes d'eau de Penang. Férié sur toute la côte ouest, de Johor Bahru à Penang (sauf Malacca).

– *Hari Wesak :* le 19 mai 2019 et le 7 mai 2020, c'est le Vesak (ou Vesakha), une fête relativement récente qui est censée célébrer l'anniversaire, l'illumination et la mort du Bouddha. À cette occasion, les fidèles observent une diète végétarienne, prient, méditent et libèrent des colombes... À voir, notamment à Kuala Lumpur.

– *Courses des bateaux-dragons :* elles se déroulent le 5e, du 5e mois chinois, soit en mai ou juin. Grandes courses de pirogues rythmées par des tambours en mémoire d'un saint chinois qui s'est noyé, malgré les efforts des pêcheurs pour le sauver des poissons affamés. À Penang et à Malacca, mais aussi dans d'autres villes de la péninsule.

– *Fête des Gâteaux de lune :* appelée aussi « 15 août chinois », cette fête populaire se déroule le 15e jour du 8e mois lunaire, lorsque la lune, censée symboliser l'unité de la famille, est la plus belle et la plus lumineuse de l'année (septembre-octobre). Un paquet de légendes y est attaché. C'est un prétexte pour s'échanger des *moon cakes,* ces gâteaux ronds fourrés avec une pâte de pois verts sucrée, des haricots rouges ou des rhizomes de lotus. C'est la fête des lampions.

– *Fête des Fantômes affamés :* le 15e jour du 7e mois (août ou septembre), les Chinois se tiennent sur leur garde, car les damnés de l'Enfer chinois (prostituées, voleurs, opiomanes, meurtriers...) ont droit à un petit mois de vacances sur terre. La communauté vit alors dans l'inquiétude et en profite pour ne rien faire. C'est aussi l'occasion d'un banquet rituel, le *pudu,* où l'on propose aux démons de passage quelques victuailles pour les satisfaire (beaucoup de viande). Autant dire que les humains en profitent largement...

– *Fête des Neuf Empereurs célestes :* le 1er jour du 9e mois, soit en septembre-octobre. C'est le retour temporaire sur terre de 9 divinités chinoises. Processions, dévotions et prières...

– *Deepavali :* c'est *Diwali,* la fête hindoue des Lumières, en octobre-novembre. Les hindous célèbrent la Lumière, symbolisant la victoire sur le Mal et l'Obscur (ou celle du roi Rama sur le roi Ravana). Plein de petites lampes à huile illuminées. Férié partout, sauf à Bornéo.

Jours fériés à date fixe

– *Nouvel An :* comme chez nous, le 1er janvier.

– *Fête du Travail :* le 1er mai, mais sans le muguet.

– *Fête nationale (Merdeka Day) :* le 31 août, jour de l'Indépendance. Parades, spectacles, etc.

– *Noël :* eh oui, ici aussi ! Toutes les religions de Malaisie se retrouvent pour participer à cette grande tradition chrétienne.

– *Agong's Birthday :* célébration de l'anniversaire du *yang di-pertuan agong,* le roi de Malaisie. La date dépend de la date de naissance du sultan choisi par ses pairs tous les 5 ans... donc pas vraiment fixe !

HÉBERGEMENT

Il y en a pour tous les goûts et à tous les prix ! C'est la bonne nouvelle de la Malaisie : on peut y trouver un toit décent et même des hôtels de bon confort à prix tout à fait abordables. Lire à ce sujet la rubrique « Budget » plus haut. Les tarifs sont souvent plus élevés le week-end mais aussi les jours fériés et pendant les vacances scolaires. Inversement, ils se négocient en basse saison et plus encore si vous restez un petit moment (jusqu'à 50 %). Enfin, un conseil : avant de passer par un central de réservation sur Internet, vérifiez directement les tarifs de l'hôtel sur son site, ça vous évitera parfois de payer une commission en plus alors que vous pensiez bénéficier d'une remise...

Auberges de jeunesse, *hostels* et *guesthouses*

Vous trouverez un large éventail d'hébergements pour petits budgets. Le terme *guesthouse* désigne en général un petit hôtel façon pension de famille, aux tarifs le plus souvent fort abordables (genre 80-120 Rm pour 2). Dans cette même catégorie, il y a aussi de plus en plus d'auberges de jeunesse ou *hostels* (surtout à Kuala Lumpur) proposant, comme ailleurs dans le monde, des dortoirs mais aussi des chambres privées, ces dernières n'étant en réalité pas toujours moins chères (ni moins bien d'ailleurs) que leur équivalent dans les petits hôtels. Elles offrent aussi, bien sûr, des espaces communs avec cuisine (rarement très fonctionnelle, cela dit), divers services (wifi, ordis, laverie, activités, infos, etc.) et l'ambiance relax – propice aux rencontres – propre à ce genre d'endroits. Aucune limite d'âge pour y séjourner. Rares sont celles (cela est vrai aussi pour les *guesthouses*) qui offrent le petit déjeuner.

Hôtels

Beaucoup d'hôtels en Malaisie sont tenus par des Chinois. Sans surprise, il y a un peu de tout à tous les prix, du plus simple au plus sophistiqué, mais en général, le standing est bon pour les tarifs pratiqués : à Kuala Lumpur par exemple, on trouve déjà des chambres très convenables, avec tout le confort de base (salle de bains, clim et TV), pour 100-150 Rm (environ 25-30 €), pour 2 personnes. En dessous de ce prix, les piaules sont plutôt basiques, souvent sans fenêtre et parfois sans sanitaires privés. En revanche, au-delà de 200 Rm (environ 45 €), on peut commencer à espérer trouver, outre un vrai petit luxe, du charme dans la déco et de très bonnes finitions. Certains établissements proposent aussi le petit déjeuner, en supplément ou inclus dans le prix de la chambre.

Resthouses

En malais : *Ruma Rehat*. Ce sont des sortes d'auberges pour voyageurs, implantées dans le pays par les colons anglais. Certaines sont gérées par l'État, d'autres sont devenues privées. Elles gardent un côté traditionnel plaisant, voire désuet, mais l'entretien peut être aléatoire et le rapport qualité-prix, n'est pas toujours au rendez-vous. Elles sont souvent un peu excentrées et conviennent donc mieux aux routards véhiculés. Bien, parfois, si on voyage en famille, car les chambres sont en général spacieuses et l'environnement relativement verdoyant...

Chalets, bungalows, *resorts*

Vous rencontrerez ces établissements dans les zones côtières. Les nuances entre ces termes sont subtiles, ou plus exactement fonction des fantasmes du propriétaire... Les *chalets* (prononcez « chalette » !) se différencient peu des bungalows. Ils peuvent être en bois (plus agréables) ou en dur, et désignent même parfois des chambres d'hôtel tout à fait classiques alignées les unes à côté des autres... remplaçant d'anciens bungalows en bois. On trouve parfois aussi des *A-frame chalets*, minuscules abris en bois à la forme triangulaire (en forme de A) : juste un toit sur la tête et des sanitaires communs à partager. Pour tous ces hébergements, les prix varient du simple au... décuple, en fonction du confort.

Quant au *resort*, c'est une sorte de minivillage de vacances, plus cher que la moyenne. Il en existe de super sur les îles, dans des cadres paradisiaques. On y trouve souvent des bungalows, un resto proposant des buffets et plein de services divers qui peuvent faire grimper l'addition. C'est le lieu idéal, si on en a les moyens, pour profiter des plus beaux endroits du pays.

Campings

Ils sont rares en Malaisie. Le camping sauvage est possible dans certaines zones isolées (îles, jungle) mais, sinon, il y a peu de terrains en tant que tels, hormis dans

les parcs nationaux de Taman Negara Pahang et d'Endau Rompin. Les quelques autres qui existent sont souvent basiques et mal entretenus. Du coup, les inconvénients sont nombreux : bestioles désagréables, singes chapardeurs, chaleur, risque de se retrouver trempé après une grosse pluie, boue omniprésente...
À part ça, il arrive que des établissements hôteliers complets autorisent à camper dans leur jardin moyennant quelques ringgits pour l'accès à une douche commune.

HORAIRES ET JOURS D'OUVERTURE

Dans la plus grande partie du pays, les administrations et les banques sont fermées le samedi et le dimanche, à quelques exceptions près. Dans les États de Kedah, Kelantan, Terengganu et Johor, à forte influence islamique, les jours de congés officiels sont le jeudi après-midi, le vendredi et le samedi dans les administrations, le jeudi et le vendredi dans les banques.
– **Les administrations,** comme certains musées et commerces, observent une pause déjeuner entre 12h45 et 14h. Elle est un peu plus longue le jour de la prière du vendredi (de 12h15 à 14h45 environ).
– **Les banques** sont ouvertes du lundi au vendredi de 9h30 à 15h ou 16h (voire 16h30), le samedi de 9h30 à 11h30 pour certaines aussi. Pour les États islamiques, appliquer les mêmes horaires du samedi au mercredi (parfois aussi le jeudi matin).
– **Les centres commerciaux** et les commerces chinois des villes importantes ouvrent généralement tous les jours de 10h à 21h (ou 22h).

LANGUE

La langue nationale est le *bahasa malaysia*. Elle est très proche du *bahasa indonesia*. Depuis 1972, les 2 pays ont adopté un système orthographique commun. Assez simple et facile à comprendre, le malais s'écrit en caractères latins – ce qui ne vous empêchera pas de trouver parfois des textes en malais classique (ou *jawi*). Parmi les autres langues, il y a bien sûr les dialectes chinois (de plus en plus éclipsés par le mandarin) et le tamoul chez les Indiens. Sans oublier bien sûr l'anglais, davantage parlé par la population que dans la plupart des pays asiatiques voisins, en particulier à Kuala Lumpur et dans les villes importantes ou les spots touristiques. Attention cependant, certains panneaux indicateurs ne sont pas en anglais mais en malaisien seulement. Essayez de retenir les mots-clés relatifs aux transports et à la topologie pour ne pas vous retrouver dans une grotte alors que vous cherchez une île ou aux w-c alors que vous cherchez la sortie !

Prononciation

Pas trop compliquée. Bien prononcer les voyelles séparément. Le *e* est souvent muet dans une 1ʳᵉ syllabe (*Setar* = « Star »). Le *c* se prononce « tch » ; le *g*, « gueu » ; le *j*, « dj » ; le *s*, « seu » et le *u*, « ou ». Le *r* est roulé. Donc, *Johor Bahru* se prononce : « djo-hor bar-rou »...
Vous devrez parfois demander votre chemin en nommant des lieux chinois. Juste une précision : le *k* en fin de mot ne se prononce pas. Exemple : le *Kek Lok Si Temple* à Penang se prononce « ké lo si temple ». Vous dérouterez plus d'un Chinois si vous le prononcez à la française.

Petite grammaire

Il n'y a ni temps grammatical, ni articles, ni genre, ni pluriel ! Exemple : « Demain, je voudrai manger des bananes » se traduit par : *Esok, saya mau makan pisang,* ce qui signifie littéralement « Demain, je vouloir manger banane ». Les profs de malais sont vite au chômage.

En principe, le pluriel s'exprime en répétant le mot une fois. Mais attention, si par exemple on prononce mal *pisang pisang* en demandant des bananes, l'interlocuteur se méprendra peut-être et vous indiquera plutôt les w-c !

Il n'y a pas non plus de conjugaison. Pour situer une action dans le temps par exemple, on ajoute simplement un adverbe comme *sudah* (déjà) pour le passé, ou *nanti* (plus tard) pour le futur...

L'orthographe des noms nous a, en revanche, posé quelques problèmes lors de la rédaction de ce guide. Il semble qu'aucune orthographe précise ne s'applique aux noms propres, notamment pour les lieux (villes, rues, etc.). On trouve invariablement, selon les cartes, les brochures, les panneaux ou les guides : Johore ou Johor, Bahru ou Baharu, Setar ou Star, Penang ou Pinang, *kampung* ou *kampong*, etc. Ne vous formalisez donc pas trop si nous ne respectons pas toujours une règle précise, on s'est déjà assez arraché les cheveux. De même, les Malaisiens ont adapté à leur manière de nombreux mots anglais. « Taxi » devient *teksi, bas* signifie « bus », *jetty* (la jetée) se transforme en *jeti, counter* devient *kaunter,* etc.

Vocabulaire

Termes de politesse

bonjour (jusqu'à 10h)	*selamat pagi*
bonjour (de 10h à 15h)	*selamat tengahari*
bonjour (de 15h à 18h)	*selamat petang*
bonsoir	*selamat malam*
bienvenue	*selamat datang*
bon voyage	*selamat jalan*
au revoir	*selamat tinggal*
s'il vous plaît	*sila*
merci beaucoup	*terima kasih*
de rien, je vous en prie	*sama sama*
excusez-moi, pardon	*ma'af (maafkan saya)*
comment allez-vous ?	*apa khabar ?*
ça va (bien)	*khabar baik*
comment vous appelez-vous ?	*apa nama awak ?*
je m'appelle...	*nama saya*

Quelques phrases et mots utiles

oui	*ya*
non	*tidak ou tak*
pouvez-vous m'aider ?	*boleh tolong saya ?*
qu'est-ce que c'est ?	*apa ini ?*
quelle route ?	*jalan kemana ?*
combien de temps cela prend-il ?	*berapa lama ?*
quand ?	*bila ?*
hier	*semalam*
aujourd'hui	*hari ini*
demain	*esok*
où ?	*di mana ?*
comment ?	*bagaimana ?*
je, moi	*saya, aku* (avec un proche)
tu	*awak, kau* (avec un proche)
il, elle	*dia*
nous	*kami, kita*
ils, elles	*mereka*
aimer	*suka*
louer	*menyewa*

je veux aller rue X...	*saya mau (pergi) ke jalan X...*
je veux aller à la poste	*saya mau ke pejabat pos*
téléphone international	*talipon antarabangsa*
je ne comprends pas	*saya tidak mengerti*
arrêter	*berhenti*
Ici	*di sini*
là-bas	*di sana*

Pour dormir

quel est le prix d'une nuit ?	*berapa harga semalam ?*
chambre	*bilik tidur*
lit	*katil*
salle de bains	*bilik mandi*
toilettes, w-c	*bilik air* ou *tandas*
serviette	*tuala*
savon	*sabun*
cher	*mahal*
bon marché	*murah*

Pour survivre

magasin	*kedai*
combien (cela coûte) ?	*berapa* (prononcer « brapa »)
argent	*harganya wang* ou *duit*
distributeur d'argent	*mesin pengeluar wang*
carte de crédit	*kad kredit*
ouvert	*buka*
fermé	*tutup*
bon, beau	*bagus*
manger	*makan*
boire	*minum*
petit déjeuner	*makan pagi*
avoir faim	*lapar*
avoir soif	*haus*
chaud	*panas*
froid	*sejuk*
épicé	*pedas*
riz frit	*nasi goreng*
riz blanc mélangé avec ce que vous voulez	*nasi campur*
riz blanc	*nasi putih*
nouilles frites	*mee goreng*
brochette	*sate* ou *satay*
soupe	*sup, soto*
légumes frits	*sayur goreng*
poisson	*ikan*
poulet	*ayam*
porc	*babi*
bœuf	*daging lembu*
chèvre	*kambing*
œuf	*telur*
crabe	*ketam*
crevettes	*udang*
pain	*roti*
sel	*garam*
sucre	*gula*
pommes de terre	*kentang*

viande	daging
piment	cili
fruit	buah

À boire

café (noir)	kopi (o)
café au lait	kopi susu
thé	teh
thé au lait	teh susu
glaçon	air batu ou ais
crème glacée	ais krim
eau	air
jus d'orange	air oren
eau de coco	air kelapa

Chiffres

un	satu	dix	sepuluh
deux	dua	onze	sebelas
trois	tiga	douze	dua belas
quatre	empat	vingt	dua puluh
cinq	lima	vingt et un	dua puluh satu
six	enam	trente	tiga puluh
sept	tujuh	cent	seratus
huit	lapan	mille	seribu
neuf	sembilan	million	juta

Jours de la semaine

lundi	isnin
mardi	selasa
mercredi	rabu
jeudi	khamis
vendredi	jumaat
samedi	sabtu
dimanche	ahad

Orientation

carte	peta
route ou rue	jalan
rue principale	jalan bandar
autoroute	leboh raya
(centre-) ville	(pusat) bandar ou bandaraya
pont	jambatan
sortie	keluar
entrée	masuk
marché	pasar
palais	istana
mosquée	masjid
attention	awas
grand(e)	besar
petit(e)	kecil
île	pulau
lac	tasek
grotte	gua
village	kampung ou kampong
plage	pantai

rivière	*sungai*
colline	*bukit*
mont et montagne	*gunung*
en haut	*turun*
tournez	*belok* ou *pusing*
à gauche	*kiri*
à droite	*kanan*
devant	*hadapan*
derrière	*belakang*
au nord	*utara*
au sud	*selatan*
à l'ouest	*barat*
en face	*depan*
tout droit	*terus*
loin	*jauh*
près	*dehat*

Transports

gare	*stesen*
bus	*bas*
train	*keretapi, tren*
bateau	*kapal*
aéroport	*lapangan terbang*
taxi	*teksi*
ticket	*tiket*
acheter	*beli*
réserver	*reservasi*
quelle distance ?	*berapa kilometer ?*

Apprenez au moins un proverbe malais, très connu, et qui vous vaudra une sympathie immédiate et un large sourire : *Siki, siki, lama, lama, jadi bukit, la* (prononcer : « tsiki » et « djadi »), ce qui équivaut à peu près à : « Petit à petit, l'oiseau fait son nid. » Vous pourrez le sortir plus ou moins à toutes les occasions !

LIVRES DE ROUTE

– **Dictionnaire insolite de la Malaisie,** d'Antonio Guerreiro (Cosmopole, 2015). Un abécédaire insolite de la Malaisie réalisé par un ethnologue, expert en environnement, spécialiste de la destination. Il propose un voyage au cœur de cette société multiculturelle, de l'effervescence des centres-villes en *kampungs* indolents, des plats harmonieusement teintés d'épices aux fragrances les plus subtiles... Une découverte faites de surprises pour un format de poche complémentaire à votre guide préféré.
– **La Ligne noire** (2004), de J.-C. Grangé (Livre de Poche, 2006). Jacques Reverdi, plongeur et recordman en apnée, Khadidja, un jeune mannequin, et Marc Dupeyrat, journaliste avide de scoops : 3 destinées qui se nouent sous le soleil malais (entre autres pays d'Asie). Diabolique, avec une belle description de la région d'Ipoh et des Cameron Highlands. Un excellent thriller basé sur une enquête de terrain – l'auteur a voyagé en Malaisie !
– **Le Tristement Célèbre Johnny Lim,** de Tash Aw (Éd. 10/18, 2012). L'histoire de Johnny, un Chinois vivant en Malaisie dans les années 1940, vue à travers le regard de 3 de ses proches : son fils, sa femme et son meilleur ami. Un roman tissé dans un décor de couleurs, de scènes de vie et d'odeurs du bout du monde. Un avant-goût de voyage... ou une façon de le prolonger.
– **Lord Jim** (1900), de Joseph Conrad (Livre de Poche, 2007). L'archipel malais sert de cadre à ce roman d'aventures maritimes. Et pour cause, Conrad s'est

inspiré de la vie de James Brooke (voir encadré). Jim, ancien marin hanté par le souvenir de l'abandon de son navire en perdition, est dans la lignée des personnages de Conrad, qui souffrent toujours de leurs zones d'ombre. Agréable et facile à lire, le roman vaut mieux que le film. Pour les bourlingueurs des mers de Chine.

– **Un paria des îles** (1896), de Joseph Conrad (Gallimard, 1999). Ce roman d'amour et d'aventures se passe à la fin du XIXe s à Bornéo. Il conte l'histoire d'un aventurier embarqué dans des trafics

LES RAJAHS BLANCS DU SARAWAK

Fils d'un fonctionnaire anglais de la Compagnie des Indes orientales, le jeune James Brooke, engagé à 16 ans dans l'armée du Bengale, blessé, rapatrié, renvoyé aux Indes, finit par hériter de son père en 1835. Il aide le sultan de Brunei à mater la rébellion des Dayak et devient vice-roi. Il gouverne ensuite tout le Sarawak, devenant ainsi le premier rajah blanc du pays. Et à sa mort, en 1868, c'est son neveu qui prend le relais !

un peu louches et celle d'une liaison sensuelle, plutôt orageuse, avec une belle Malaise. La folie tropicale est omniprésente et forme la toile de fond somptueuse et dangereuse de ce roman de Conrad, célèbre baroudeur.

– **L'Équipée malaise** (1986), de Jean Échenoz (Éd. de Minuit, 1999). Roman d'amour, roman d'aventures, le troisième livre d'Échenoz (après le remarqué *Cherokee*) joue constamment sur l'ambiguïté – y compris dans le titre – avec sa double signification. L'amour de 2 amis pour la même femme constitue la trame psychologique du roman.

– **Les Sacrifiés** (2012), de Juliette Morillot (Éd. Belfond, 2012). L'auteur reprend un fait divers relaté par Somerset Maugham dans sa nouvelle *La Lettre,* celui du meurtre qu'aurait commis une Anglaise de Malaisie au début du XXe s. Un voyage au cœur de la société coloniale, de la manipulation et de la folie.

– **Le Jardin des brumes du soir** (2012), de Tan Twan Eng (éd. Flammarion, 2016). Après la Seconde Guerre mondiale, une juge veut honorer la mémoire de sa sœur morte dans un camp japonais et se rend dans les Cameron Highlands où vit l'ancien jardinier de l'empereur du Japon. Les 2 survivants vont apprendre à se connaître.

– **Malaisie, un certain regard** (2013), de Sylvie Gradeler et Serge Jardin (éd. Gope, 2015). Une approche culturelle et artistique de la Malaisie pour une mise en valeur de la richesse de ce pays méconnu.

– **Sept sultans et un rajah** (2017), d'Eric Olmedo et Tangi Calvez (éd. Transboréal). Ces chercheurs et enseignants basés à Kuala Lumpur offrent les clés historiques, mais également sociales et anthropologiques pour mieux cerner ce pays façonné en partie par les colonisations successives. Un ouvrage facile de lecture grâce à son format, ses cartes et surtout ses encadrés qui apportent un éclairage sur un thème ou personage particuliers.

– **Exploration dans la presqu'île malaise par Jacques de Morgan, 1884,** d'Andrée Jaunay (Éd. du CNRS, 2003). C'est le carnet de voyage illustré de Jacques de Morgan, archéologue et naturaliste de la fin du XIXe s. En observateur de la nature, il aborde des sujets aussi variés que la géologie, la paléontologie ou l'ethnologie. Ses observations sont encore une référence pour les chercheurs d'aujourd'hui.

– **Trois autres Malaisie,** de Robert Raymer, traduit de l'américain par Jérôme Bouchaud (Éd. Gope, 2011). Une série de petites nouvelles qui nous invitent à découvrir le quotidien des communautés malaise, chinoise et indienne, qui, depuis des siècles, tissent la trame d'un pays à vocation multiculturelle. Une excellente introduction à la culture du pays.

– **La Dame de Malacca,** de Francis de Croisset, 1935 (Éd. Kailash, 2008). L'histoire d'Audrey, une jeune Irlandaise mariée avec un major anglais. Nous sommes en 1930, la Malaisie est sous domination britannique. Audrey débarque dans la bonne société victorienne, étouffée par ses codes moraux et sociaux. Un roman à la fois drôle, acerbe et romantique, qui reflète à merveille la Malaisie de l'époque. Ce roman sera porté à l'écran en 1937 par Yves Allégret.

PHOTO

– Précaution élémentaire : demandez toujours la permission avant de prendre quelqu'un en photo. Certains Malaisiens sont plus susceptibles que d'autres sur le sujet, traditions islamiques obligent.
– La chaleur et l'humidité peuvent poser problème si vous partez longtemps ; glissez des sachets de silicate, qui absorbent l'humidité, dans votre sac photo. Laissez bien votre matériel à l'ombre et attendez-vous à trouver de la buée sur l'objectif en passant de l'AC à la touffeur de l'extérieur. Patientez jusqu'à ce qu'elle disparaisse d'elle-même.
– On trouve à peu près tous les types de carte mémoire dans les grandes villes.
– La lumière du matin est généralement meilleure, le ciel ayant tendance à s'assombrir assez tôt dans le pays, surtout en période de pluie. Cela dit, on découvre parfois une belle lumière en fin de journée également. Évitez de toute façon la pleine journée car « le soleil mange les couleurs », comme l'écrivit Jean Cocteau dans son *Tour du monde en 80 jours,* en passant par Malacca...

POSTE

En principe, les bureaux de poste *(Pos Malaysia)* sont ouverts de 8h à 17h du lundi au samedi (sauf le 1er samedi du mois). En revanche, dans les États de Kedah, Kelantan et Terengganu, le principal jour chômé n'est pas le dimanche mais le vendredi. Si vous avez des affaires à renvoyer, profitez-en : la poste malaisienne est sûre et les tarifs par bateau sont bon marché (comptez environ 2 mois).

SANTÉ

La Malaisie est un pays assez sûr sur le plan sanitaire. De plus, les soins y sont généralement de bonne qualité, prodigués dans des hôpitaux bien équipés, et les médicaments facilement disponibles. Autre avantage, les médecins, en plus d'être compétents, parlent bien l'anglais !

Vaccinations

Officiellement, rien n'est exigé. En pratique, mieux vaut être à jour pour les vaccinations « universelles » et indispensables : **diphtérie, tétanos, poliomyélite, coqueluche, hépatite B.**
Comme dans tous les pays tropicaux, **hépatite A** indispensable et, si possible, **fièvre typhoïde** (d'autant plus que le séjour sera long et/ou précaire). **La rage** est assez rare, mais le vaccin est indispensable pour les séjours ruraux prolongés, pour les trekkeurs et les expatriés.
– **L'encéphalite japonaise :** elle sévit en permanence. C'est une maladie grave. La vaccination est d'autant plus recommandée que les séjours ruraux seront longs, en particulier dans les zones de rizières. Le vaccin (Ixiaro®) consiste en 2 injections (J0, J28), en centre de vaccinations internationales et en pharmacie (sur prescription) : environ 105 € chaque dose ! Plus d'infos sur ● *astrium.com/ encephalite-japonaise.html* ●
– Pour les **centres de vaccinations** partout en France, dans les DOM-TOM, en Belgique et en Suisse, consulter le site internet : ● *astrium.com/espace-voyageurs/centres-de-vaccinations-internationales.html* ●

Risques et précautions

Les moustiques sont très présents. En Malaisie occidentale (sans Bornéo), le paludisme est en diminution constante depuis plusieurs années, aujourd'hui limité à des zones peu fréquentées par les touristes. Cependant, il y a de la **dengue** (beaucoup), également transmise par les moustiques mais de jour. Les symptômes sont sensiblement les mêmes que pour le paludisme (fièvre, migraines, douleurs musculaires, fatigue intense, et en prime, parfois une éruption cutanée), à cette différence près que cette maladie n'est généralement pas mortelle. Heureusement, car on ne lui connaît pas de traitement. La protection contre les piqûres de moustiques est donc prioritaire.

Pour ce faire, il faut toujours utiliser des répulsifs antimoustiques efficaces (à base de DEET 50 %). Il est conseillé de s'enduire les parties découvertes du corps et de renouveler l'application toutes les 4h. Autres recommandations :

– Se protéger du soleil avec chapeau, lunettes et crème solaire adaptée est très recommandé, même lorsque le temps paraît brumeux et peu lumineux.

– Respecter les précautions alimentaires universelles dès que l'on quitte les restaurants chic qui répondent aux normes internationales. Attention aux plats locaux souvent très épicés.

– Penser dans tous les cas à se munir de papier toilette (ou de mouchoirs en papier) en dehors des hôtels et restaurants internationaux.

– Avant de vous baigner, renseignez-vous sur la présence – ou non – de méduses (*jellyfish*) et autres nuisances de bord de mer.

– Les sangsues, espèce en quasi voie de disparition, sont encore présentes dans la jungle malaisienne, notamment celle du Taman Negara Pahang. Toutefois, elles ne représentent aucun danger pour l'homme.

– La qualité de l'eau est en général très acceptable dans la capitale ; ailleurs, ne boire aucune eau non contrôlée sauf si elle est consommée via une paille d'ultrafiltration de poche à 0,01 micron, qui, à travers 5 étages de filtration, piège absolument tous les parasites, virus et bactéries avec une capacité de 2 000 l d'eau purifiée. Grande autonomie, donc. Ni pile, ni substance chimique et un embout qui permet de fixer la paille à une bouteille en plastique (type « cola ») transformée alors en gourde, pratique !

– Les produits et matériels utiles aux voyageurs, assez difficiles à trouver, peuvent être achetés par correspondance sur le site de *Santé Voyages* ● astrium.com ● Infos complètes toutes destinations, boutique web, paiement sécurisé, expéditions Colissimo Expert ou Chronopost. ☎ *01-45-86-41-91 (lun-ven 14h-19h).*

Faux médicaments

La contrefaçon de médicaments touche tous les pays et toutes les classes thérapeutiques. Un faux médicament est au mieux inefficace et au pire mortel. Mais, parce qu'il ne soigne jamais convenablement et qu'il est fabriqué dans la clandestinité sans aucun contrôle sanitaire, le faux médicament est toujours dangereux. L'IRACM, l'Institut International de Recherche Anti-Contrefaçon de Médicaments, vous donne des conseils pratiques et les précautions à suivre en prévision de votre séjour, durant les formalités d'embarquement, pendant le vol, une fois à destination et, enfin, si vous êtes contraints d'acheter des médicaments sur place. Pour plus d'informations, rendez-vous sur ● iracm.com ●

Avant votre voyage

– Prenez suffisamment de médicaments pour toute la durée de votre séjour.
– Voyagez avec votre ordonnance rédigée en « Dénomination commune internationale » (DCI).

Lors des formalités d'embarquement et pendant le vol

– Conservez au moins une partie de vos médicaments en cabine (utile en cas de perte ou de retard de votre valise).
– Gardez vos médicaments dans leurs emballages d'origine.

En cas d'achat de médicament à l'étranger

– Pas de médicaments sans consultation.

– Soyez vigilant face aux contrefaçons.

– N'achetez vos médicaments qu'auprès de revendeurs officiels (pharmacies).

– En cas de doute, appelez votre ambassade pour obtenir la liste des pharmacies officielles.

– Vérifiez attentivement vos médicaments et leur conditionnement.

– Attention aux effets indésirables inhabituels. Consultez un médecin dans les plus brefs délais et apportez-lui les médicaments suspects.

Ce texte a été réalisé en collaboration avec l'IRACM. L'Institut International de Recherche Anti-Contrefaçon de Médicaments est une association internationale indépendante à but non lucratif dont la mission principale est de promouvoir et développer la lutte contre le trafic de faux médicaments à travers le monde.

SITES INTERNET

Infos pratiques

● *routard.com* ● Le site de voyage n° 1, avec plus de 800 000 membres et plusieurs millions d'internautes chaque mois. Pour s'inspirer et s'organiser, près de 300 guides destinations actualisés, avec les infos pratiques, les incontournables et les dernières actus, ainsi que les reportages terrain et idées week-end de la rédaction. Partagez vos expériences avec la communauté de voyageurs : forums de discussion avec avis et bons plans, carnets de route et photos de voyage. Enfin, vous trouverez tout pour vos vols, hébergements, voitures et activités, sans oublier notre sélection de bons plans, pour réserver votre voyage au meilleur prix.

● *tourism.gov.my* ● Site officiel de l'office malaisien du tourisme. Il permet notamment d'avoir accès à la version numérique de toutes les brochures qu'il publie sur le pays, par région. Pour ce faire, aller dans l'onglet « promotional kit », puis cliquer sur « E-brochures ».

● *kuala-lumpur.ws* ● Site en anglais axé sur le tourisme, très riche en infos, qui passe en revue de façon détaillée ce qu'il y a à voir et à faire à Kuala Lumpur mais aussi dans les autres régions du pays, avec en prime des sélections des « meilleurs » restos, hôtels, boutiques, lieux de sortie, etc.

● *timeoutkl.com* ● Actualité culturelle et bons plans de sorties, restos, spectacles, festivals, etc., à Kuala Lumpur et dans ses environs. En anglais.

● *nre.gov.my* ● Site du ministère des Ressources naturelles et de l'Environnement, consacré aux parcs nationaux marins du pays. Version anglaise disponible.

Culture

● *lettresdemalaisie.com* ● Un blog et site d'informations littéraires très intéressant, présentant des auteurs malaisiens et singapouriens contemporains, dont certains traduits en français ou destinés à l'être prochainement. Bibliographie complète des œuvres par thèmes, présentation des traducteurs et des maisons d'édition et, en prime, les librairies où l'on peut acheter les livres.

TÉLÉPHONE, INTERNET

– **France → Malaisie :** composez le 00 (tonalité) + 60 + indicatif de la ville (sans le 0) + n° de votre correspondant (0,30 à 0,34 €/mn selon votre opérateur).

– **Malaisie → France :** composez le 00 + 33 + n° de votre correspondant sans le 0 initial.

– **Malaisie → Malaisie :** d'un État à l'autre, composez l'indicatif de l'État + n° de votre correspondant. À l'intérieur du même État, composez seulement

le n° de votre correspondant depuis un fixe mais le code de l'État + n° de votre correspondant depuis un portable.
– Pour obtenir le *service international* (opérateur), composez le ☎ *108,* pour les *renseignements nationaux,* le ☎ *103.*
– En cas d'urgence, pour appeler une ambulance ou la police, composez le ☎ *999.*
– *Les indicatifs téléphoniques* des villes sont précisés dans le guide en introduction de chaque chapitre.

Téléphone portable

On peut utiliser son propre téléphone portable en Malaisie, avec l'option « International ». Renseignez-vous auprès de votre opérateur sur les conditions d'utilisation de votre portable à l'étranger.
– *Le « roaming » ou itinérance :* c'est un système d'accords internationaux entre opérateurs. Concrètement, cela signifie que lorsque vous arrivez dans un pays, le nouveau réseau local s'affiche automatiquement. Vous recevez rapidement un SMS de votre opérateur vous proposant un *pack voyageurs* plus ou moins avantageux, incluant un forfait limité de consommations téléphoniques et de connexion internet.
– *Forfaits étranger inclus :* certains opérateurs proposent des forfaits où *35 jours de roaming par an sont offerts* dans le monde entier. On peut donc cumuler plusieurs voyages à l'étranger sans se soucier de la facture au retour. Attention, si SMS, MMS et appels sont souvent illimités, la connexion internet est, elle, limitée. D'autres opérateurs offrent carrément le *roaming toute l'année vers certaines destinations.* Renseignez-vous auprès de votre opérateur.
– *Tarifs :* ils sont propres à chaque opérateur et varient en fonction des pays (le globe est découpé en plusieurs zones tarifaires). *N'oubliez pas qu'à l'international, vous êtes facturé aussi bien pour les appels sortants que les appels entrants, idem pour les SMS.* Donc quand quelqu'un vous appelle à l'étranger, vous payez aussi. Soyez bref !
– *Acheter une carte SIM/puce sur place :* une option très avantageuse en Malaisie. Il suffit d'acheter à l'arrivée une carte SIM dans n'importe quelle boutique de téléphonie (et même dans certaines supérettes type *7/Eleven*), qu'on trouve partout en ville et dans les aéroports. On vous attribue alors un numéro de téléphone local. Plusieurs opérateurs *(DiGi, Maxis, Celcom, U Mobile...)*, le mieux est de demander conseil au vendeur pour la meilleure formule selon vos besoins et les offres du moment mais, en gros, on trouve déjà des forfaits intéressants (téléphone et Internet) autour de 10 € (carte SIM incluse)... Bref, pour pouvoir téléphoner facilement dans le pays (et être connecté à Internet avec son smartphone, ce qui évite au passage de dépendre du wifi parfois capricieux des hôtels...), c'est vraiment la solution à privilégier ! Avant de payer, essayez quand même la carte SIM dans votre téléphone – préalablement débloqué – afin de vérifier si celui-ci est compatible (et demandez au vendeur, tant qu'à faire, de vous aider à activer la puce...). Ensuite, les recharges de crédit téléphonique, ou de *gigabytes* pour Internet, s'achètent dans ces mêmes boutiques, supérettes, stations-service, etc.

La connexion internet en voyage

– *Se connecter au wifi* à l'étranger est le seul moyen d'avoir accès au web gratuitement si vous ne disposez pas d'un forfait avec *roaming* offert.
Le plus sage consiste à *désactiver la connexion* « données à l'étranger » (dans « Réseau cellulaire »). On peut aussi mettre le portable *en mode « Avion »* et activer ensuite le wifi. Attention, le mode « Avion » empêche, en revanche, de recevoir appels et messages.
De plus en plus d'hôtels, restos, bars et mêmes certains espaces publics disposent d'un réseau, le plus souvent gratuit.

– Une fois connecté (grâce au wifi ou à votre carte SIM locale), à vous les joies de la **téléphonie par Internet** ! Les logiciels **Skype, Whatsapp** ou **Viber,** pour ne citer qu'eux, permettent d'appeler, d'envoyer des messages, des photos et des vidéos aux 4 coins de la planète, sans frais. Il suffit de télécharger – gratuitement – l'une de ces applis sur son smartphone. Elle détecte automatiquement dans votre liste de contacts ceux qui utilisent la même appli.

Attention piratage !

Les wifi publics sont de véritables passoires ! Il est devenu très facile, même pour un débutant, de s'introduire sur un réseau. La seule parade véritablement fiable est de ne fréquenter que des sites « certifiés ». Ils commencent par « https:// » et affichent souvent un petit cadenas à côté de l'adresse. Dans ce cas, vos transmissions sont cryptées et donc sécurisées. Les sites les plus sensibles et populaires, comme les banques, ont tous une connexion certifiée.

Enfin, si vous utilisez un ordinateur en libre-service, évitez, dans la mesure du possible, d'entrer un mot de passe ou toute information sensible ! Une quantité phénoménale de ces postes est infectée par des « enregistreurs de frappes », qui peuvent transmettre vos données à un destinataire mal intentionné. Et si malgré tout, vous utilisez ces postes, pensez à bien vous déconnecter et à ne pas cliquer sur l'option « enregistrer mon mot de passe ».

TRANSPORTS

En train

Il existe 2 lignes principales. La plus importante dessert la côte ouest, depuis la Thaïlande jusqu'à Singapour, via Butterworth (Penang), Ipoh et Kuala Lumpur. L'autre traverse le centre en diagonale depuis Tumpat et Wakaf Bharu (gare de Kota Bharu), au nord-est du pays, jusqu'à Gemas, où elle rejoint la première. Visualisation sur ● train36.com/ktm-route.html ● Ce train dessert entre autres les gares de Jerantut, porte d'accès au Taman Negara Pahang, ainsi que Bekok, porte d'accès au parc d'Endau Rompin.

Les tarifs sont invariablement bas et pourtant, les trains sont assez rapides et confortables (en particulier les trains *ETS,* à la forme aérodynamique), avec la clim toutefois souvent poussée à fond (prévoir un gilet !)... N'hésitez pas non plus à vous offrir des couchettes : elles sont à un prix très raisonnable.

L'essentiel des trains appartient à la compagnie nationale *KTM* (● ktmb.com.my ●). Réservation (obligatoire, à partir de 30 jours à l'avance) possible sur le site internet ou, plus facile, sur d'autres sites de réservation tels que ● easybook.com ●, ou encore dans les gares.

En bus

Un réseau très dense relie toutes les grandes villes par des bus express, plusieurs fois par jour et même toutes les 30 mn à 1h pour les liaisons les plus demandées (comme Kuala Lumpur-Malacca). Les bus, climatisés et généralement confortables, sont un peu moins chers que les trains mais un peu plus lents sur certaines lignes. En revanche, la fréquence est plus élevée et, pour certaines destinations, c'est l'unique solution. Certains bus régionaux se feront un plaisir de vous arrêter où vous voulez, pourvu que ce soit sur leur chemin. Pour les destinations courues, mieux vaut réserver à l'avance, surtout pendant les vacances scolaires (en juin et décembre, notamment). Vous pouvez réserver vos tickets de bus en ligne sur les sites internet suivants : ● expressbusmalaysia.com ● ; ● busonlineticket.com ● ; ● eticketing.my ● ou encore ● easybook.com ●

En taxi longue distance

Ils transportent au maximum 4 passagers, soit sur des itinéraires fixes, soit à la carte (plus chers). Bien plus coûteux que le bus et le train, ils ne présentent d'intérêt que si l'on a raté le dernier bus et/ou qu'une correspondance vous attend. Les tarifs sont généralement affichés pour les principales destinations (mais pas toujours à jour).

En avion

La compétition est rude entre *Malaysia Airlines* et les compagnies *low-cost Firefly* (une de ses filiales), *Malindo Air* et *Air Asia,* entre autres. Conclusion : on se déplace en avion pour 3 fois rien en Malaisie et vers les pays voisins ! *Malaysia Airlines* propose exclusivement des vols au départ de l'aéroport de KLIA (Kuala Lumpur) vers toutes les villes importantes du pays comme Johor Bahru, Kota Bharu, Langkawi, Alors Setar, Kuala Terengganu, etc. Les compagnies low-cost telles que *Firefly, Air Asia* et *Malindo Air* relient, elles, aussi bien la capitale (KLIA 2) aux autres villes du pays que certaines de ces autres villes aux pays voisins. Consultez les sites : ● *malaysia-airlines.com* ● *airasia.com* ● *fireflyz.com.my* ● *malindoair.com* ●

En voiture

C'est évidemment comme ça que vous aurez le plus d'autonomie. On conduit à gauche (avec le volant à droite) mais rassurez-vous, on s'y habitue très vite, d'autant que la plupart des voitures sont automatiques et que la conduite n'a rien d'infernal dans ce pays plutôt bien organisé. On peut louer une voiture auprès des grandes compagnies habituelles, dans les principales villes et les aéroports, ou auprès d'agences locales, parfois un peu moins chères. Un modèle de base (catégorie A) revient à 150-200 Rm (35-45 €) par jour, assurance comprise. Aux îles Langkawi, zone franche, c'est jusqu'à moitié moins en basse saison. Attention, le *permis international* est généralement exigé.

Avant de partir, assurez-vous que votre véhicule est équipé d'un essuie-glace arrière, parce que quand il pleut, il pleut ! L'état général du réseau routier est bon, et les trajets se font assez rapidement grâce aux autoroutes et aux routes rapides à 4 voies. Si vous envisagez d'emprunter ces dernières d'ailleurs, le plus simple est d'acheter au premier péage (ou dans les stations-service) la carte *Touch'n'Go*, que l'on recharge en fonction de son trajet (le préposé au guichet vous conseillera). Sinon, il est toujours possible de prendre un ticket, comme en France. Bonne nouvelle : le carburant est vraiment bon marché (environ 3 fois moins cher que chez nous !).

Quelques spécificités locales

– La signalisation est plutôt en malaisien qu'en anglais. Pas inutile donc d'apprendre quelques mots-clés, comme « keluar » (sortie) ou « pusat bandar » (centre-ville)...

– Si vous avez un accident, restez sur place et attendez l'arrivée de la police, c'est l'usage ici. Pas de formulaire de constat à l'amiable, c'est la police qui rédige le rapport.

– En ville, le stationnement est fréquemment payant ; renseignez-vous parce que ça n'est pas toujours évident à savoir. Les méthodes de paiement varient d'un lieu à l'autre. On a généralement le choix entre les parcmètres à l'ancienne (prévoir de la monnaie), les horodateurs qui délivrent des tickets de stationnement, les tickets à gratter genre *Tacotac,* ou encore les agents qui patrouillent et se contentent de glisser la facture sous l'essuie-glace. Dans ce cas, il faudra demander aux commerçants où trouver le préposé pour s'acquitter de la somme.

– Lorsqu'il pleut, la circulation est considérablement ralentie, et il est recommandé d'allumer ses phares.

– Le développement rapide – et un tantinet anarchique – des centres urbains malaisiens désoriente parfois en ville, rendant vite caduque toute carte... Un conseil : utilisez un GPS, idéalement une application pour smartphone, souvent plus efficace (et moins chère !) que les GPS des loueurs. Toutefois, ne vous étonnez pas si, lui aussi parfois, a du mal à s'orienter, en particulier à Kuala Lumpur, où la topographie est plutôt complexe !

Les applis de cartes embarquées

Sans connexion mais à télécharger avant le départ :
– *Maps.me :* itinéraire sur plan (silencieux). Bien aussi pour les randos. Une précieuse aide.
Avec connexion et à télécharger avant le départ :
– *Google Maps / Waze :* indique en temps réel la qualité du réseau, les points radar, limitations de vitesse, et autres incidents sur le réseau routier.

À moto et à scooter

On trouve dans tous les lieux touristiques (balnéaires surtout) des petites motos ou, mieux, des scooters (automatiques) à louer. Très pratique pour se déplacer et pas cher (30-50 Rm/j.), mais faites gaffe quand même, surtout si vous n'avez jamais conduit ce genre d'engin auparavant. Voir aussi ce qui est assuré et ce qui ne l'est pas. Un *permis de conduire* (celui pour voitures convient) est souvent exigé.
Inspectez minutieusement l'état de la bête avant de l'enfourcher et signalez la moindre égratignure (vous pouvez aussi prendre des photos), ça vous évitera des discussions compliquées lors de sa restitution.

Transports urbains

– *Taxis :* à Kuala Lumpur, les compteurs fonctionnent... avec les « teksi eksekutif » (les plus chers). Les « budget taxis », en revanche, rechignent souvent à l'enclencher, et il faut alors se mettre d'accord sur le prix de la course avant de monter. Dans la plupart des autres coins du pays, les tarifs se négocient aussi, ou alors sont fixes, comme à Langkawi ou Pangkor. Dans la majorité des villes cela dit, une course intra-muros revient entre 10 et 20 Rm, voire moins. Dans les îles, c'est un peu plus cher.
– *Bus :* réseaux dans toutes les villes principales, mais ils sont souvent bondés et difficiles à utiliser car les arrêts ne sont pas toujours indiqués ! Prix dérisoire. Concernant les transports urbains de Kula Lumpur, Penang, Kuantan, un site utile : ● *myrapid.com.my* ●
– *Trishaws :* on en trouve principalement à Malacca (le conducteur pédale à côté de vous), à Penang (vous êtes devant) et dans les États de Kelantan et de Terengganu. On peut se sentir un peu gêné au début, surtout si on est à 2 à bord et avec des bagages. Si un marchandage s'impose, il ne faut pas oublier que c'est un métier assez dur. Bon, de plus en plus, les *trishaws* sont un mode de visite touristique...

URGENCES

Urgences médicales et policières
■ ***Police et ambulance :*** ☎ *999.*
■ ***Pompiers :*** ☎ *994.*
■ ***Depuis un téléphone portable :*** ☎ *112.*

Distances en km	ALOR SETAR	BUTTERWORTH	CAMERON HIGHLANDS	IPOH	JOHOR BHARU	KOTA BHARU	KUALA KANGSAR	KUALA LIPIS	KUALA LUMPUR	KUALA TERENGGANU	KUANTAN	LUMUT	MALACCA	MERSING	TEMERLOH
ALOR SETAR		93	378	257	830	409	207	530	462	521	684	278	606	815	558
BUTTERWORTH	93		285	164	737	386	114	437	369	498	591	170	513	722	465
CAMERON HIGHLANDS	378	289		121	582	512	171	282	214	633	436	204	358	567	310
IPOH	257	164	121		573	391	50	273	205	503	427	83	349	558	301
JOHOR BHARU	830	737	582	573		689	623	468	368	521	325	656	224	134	342
KOTA BHARU	409	386	512	391	689		341	303	474	168	371	453	607	568	481
KUALA KANGSAR	207	114	171	50	623	341		323	255	453	477	120	399	608	351
KUALA LIPIS	530	437	282	273	468	303	323		171	446	250	356	304	429	178
KUALA LUMPUR	462	369	214	205	368	474	255	171		455	259	288	144	353	133
KUALA TERENGGANU	521	498	633	503	521	168	453	446	455		209	586	508	401	322
KUANTAN	684	591	436	427	325	371	477	250	259	209		510	292	191	126
LUMUT	278	170	204	83	656	453	120	356	288	586	510		432	641	384
MALACCA	606	513	358	349	224	607	399	304	144	508	292	432		255	186
MERSING	815	722	567	558	134	568	608	429	353	401	191	641	255		305
TEMERLOH	558	465	310	301	342	481	351	178	133	322	126	384	186	305	

DISTANCE ENTRE LES VILLES (EN KM)

Perte/vol de la carte de paiement

Quelle que soit la carte que vous possédez, chaque banque gère elle-même le processus d'opposition et le numéro de téléphone correspondant. Par ailleurs, l'assistance médicale se limite aux 90 premiers jours du voyage et l'assistance véhicule aux cartes haut de gamme (renseignez-vous auprès de votre banque).

– **Carte bleue Visa :** n° d'urgence (Europ Assistance) : ☎ (00-33) 1-41-85-85-85 (24h/24). ● visa.fr ●
– **Carte MasterCard :** n° d'urgence : ☎ (00-33) 1-45-16-65-65. ● master cardfrance.com ●
– **Carte American Express :** n° d'urgence : ☎ (00-33) 1-47-77-72-00. ● americanexpress.fr ●

Il existe aussi un serveur interbancaire d'opposition qui, en cas de perte ou de vol, vous met en contact avec le centre d'opposition de votre banque. En France : 0892-705-705 (service 0,35 €/mn + prix d'un appel) ; depuis l'étranger : + 33-442-605-303.

Perte/vol du téléphone portable

En cas de perte ou de vol de votre téléphone portable, **suspendre aussitôt sa ligne** permet d'éviter de douloureuses surprises au retour du voyage ! Voici les numéros des 4 opérateurs français, accessibles depuis la France et l'étranger.

– **Free :** depuis la France : ☎ 3244 ; depuis l'étranger : ☎ + 33-1-78-56-95-60.
– **Orange :** depuis la France : ☎ 0800-100-740 ; depuis l'étranger : ☎ + 33-969-39-39-00.
– **SFR :** depuis la France : ☎ 1023 ; depuis l'étranger : 📱 + 33-6-1000-1023.
– **Bouygues Télécom :** depuis la France comme depuis l'étranger : ☎ + 33-800-29-1000.

Vous pouvez aussi demander la suspension de votre ligne depuis le site internet de votre opérateur.

Besoin urgent d'argent liquide

Vous pouvez être dépanné en quelques minutes grâce au système **Western Union Money Transfer.** L'argent vous est transféré en moins de 1h. La commission, assez élevée, est payée par l'expéditeur. Possibilité d'effectuer un transfert auprès d'un des bureaux Western Union ou, plus rapide, en ligne, 24h/24 par carte de paiement (Visa ou MasterCard) : on trouve des bureaux affiliés un peu partout en Malaisie, y compris dans des villes de moyenne importance.

Même principe avec d'autres organismes de transfert d'argent liquide, comme **MoneyGram, PayTop** ou **Azimo.** Transfert sécurisé en ligne en moins de 1h.

Dans tous les cas, se munir d'une pièce d'identité. Toutefois, en cas de perte/vol de papiers, certains organismes permettent de convenir d'une question/réponse-type pour pouvoir récupérer votre argent. Chacun de ces organismes possède aussi des applications disponibles sur téléphone portable. Consulter les sites internet pour connaître les pays concernés, les conditions tarifaires et trouver le correspondant local le plus proche :

● westernunion.com ● moneygram.fr ● paytop.com ● azimo.com/fr ●

LA MALAISIE

LA CÔTE OUEST DE LA MALAISIE

KUALA LUMPUR

1,75 million d'hab. (plus de 7 millions pour l'agglomération)   IND. TÉL. : 03

● Plan d'ensemble *p. 78-79* ● Le métro *p. 32* ● Centre historique (zoom I) *p. 85* ● Le Triangle d'or et KLCC (zoom II) *p. 87*

Élancées dans le ciel tropical comme deux fusées de verre et d'acier, les Petronas Towers, les plus hautes tours jumelles du monde, représentent bel et bien la fulgurante réussite économique de la Malaisie. On les voit de partout. Inspirées dans leur architecture par la tradition de l'islam asiatique, elles dominent fièrement le quartier des affaires. Au-delà de cet îlot de prospérité s'étend une immense agglomération nourrie par l'idée de développement. Les gratte-ciel y poussent comme des champignons. D'une saison à l'autre, des quartiers entiers surgissent de terre, des chemins se muent en avenues, des avenues en autoroutes – au point que les GPS y perdent fréquemment leur latin... KL (comme on la surnomme) est une capitale en expansion permanente.

Malgré cela, le centre-ville conserve quelques îlots à taille humaine. On y croise encore de grandiloquents monuments de l'époque coloniale, magnifiés par une touche moghole ou mauresque. À deux pas, Chinatown et Little India, cœurs vibrants de la cité, alignent leurs devantures un peu désuètes, tandis que souffle sur la ville l'appel du muezzin et un vent chargé de l'encens des temples chinois. Voilà bien un des charmes de KL, cité multiraciale, où cohabitent relativement bien des ethnies très différentes. Les Chinois prospèrent grâce au commerce, les Malais administrent et grognent, parfois, de voir les premiers s'imposer économiquement, et les Indiens regardent le match. Cette mosaïque ethnique est des plus surprenantes.

UN PEU D'HISTOIRE

Avant d'être promu capitale de la Malaisie, ce « confluent boueux » n'est qu'un poste commercial situé au carrefour des voies fluviales et terrestres. Les pionniers y découvrent de l'étain en 1860, attirant des centaines de colons – chinois en particulier. Les premiers temps sont incontestablement difficiles : aux conflits opposant les exploitants et les mineurs s'ajoutent la présence de gangs, de fumeries d'opium et une délinquance qu'aucune institution ne réprime. D'où ce surnom, des années plus tard, de « Kuala l'impure » attribué par Jean Cocteau !

L'opposition entre sultans pour le contrôle du Selangor, devenu l'un des premiers producteurs mondiaux d'étain, précipite la guerre civile. Les factions chinoises s'en mêlent, suivies par les Britanniques, soucieux de leur approvisionnement en minerai. C'est alors que s'affirme Yap Ah Loy, 3e *Kapitan Cina* (leader de la communauté chinoise) de Kuala Lumpur, qui parvient à soumettre les rebelles et à ramener la paix. Il participera ensuite largement au développement de la ville.

En 1890, la première ligne de chemin de fer du pays est inaugurée à l'initiative des Anglais, entre KL et Port Klang, pour faciliter l'exportation de l'étain. Kuala Lumpur sort la tête de la boue. Après l'établissement formel du protectorat des États fédérés de Malaisie en 1895, le gouverneur britannique, sir Frank Swettenham, lance un vaste programme de construction. Briques et tuiles remplacent le bois, tandis que se dressent des édifices monumentaux aux lignes coloniales mâtinées d'architecture de l'Inde musulmane. Dans la foulée, en 1896, KL est désignée capitale du protectorat.

KL, L'AMBITIEUSE !

Aujourd'hui, dans le quartier des affaires – le Kuala Lumpur City Center –, les Petronas Towers s'élèvent à 451,90 m… mais ont été détrônées par la tour *Exchange 106,* qui culmine à 492 m… et qui sera elle-même dépassée à l'horizon 2020 par la tour *KL 118,* dont la hauteur prévue est de 630 m. La plate-forme aéroportuaire du KLIA (Kuala Lumpur International Airport), l'une des plus modernes au monde, est reliée en 28 mn au centre-ville par le *KLIA Ekspres ;* elle est secondée par le KLIA 2 pour les compagnies *low-cost.* Enfin, la nouvelle capitale administrative, Putrajaya, sortie de terre miraculeusement avec ses ponts aux architectures éclectiques et sa grande mosquée, est un exemple étonnant de ville nouvelle pour l'Occidental habitué aux vieilles pierres. Ça va vite, très vite, à Kuala Lumpur !

Arriver – Quitter

EN AVION

L'aéroport international (KLIA)

✈ Les vols internationaux réguliers, hors *Air Asia,* et la plupart des vols nationaux arrivent au **KLIA** (Kuala Lumpur International Airport), situé à 60 km au sud de la ville, à Sepang (hors plan d'ensemble par B6). ☎ 8777-88-88. ● klia.com.my ● On y trouve tout ce que l'on est en droit d'attendre d'un grand aéroport international : train automatisé pour relier les terminaux, guichets d'information, wifi gratuit, bureaux de change (taux pas terrible), distributeurs d'argent, vente de cartes SIM, loueurs de voitures et même une gare routière intégrée (voir ci-dessous).

🛈 *Office de tourisme : dans le hall d'arrivée, sur la gauche. Tlj 7h-23h.* Infos et brochure bien faite sur KL avec plan des lignes de métro, KTM (RER) et du monorail. Pas de résas d'hôtels.

■ *Consigne : au level 3. Ouv 24h/24.* Assez cher (prix en fonction de la taille du bagage).

Liaisons KLIA - centre-ville

– En bus : la gare routière, intégrée à l'aéroport, se trouve 2 étages au-dessous du niveau « Arrivées », sous le parking.

➢ *Pour Kuala Lumpur (centre) :* le meilleur rapport qualité-prix consiste à prendre l'*Airport Coach* pour *KL Sentral* (la gare centrale de Kuala), non loin du centre-ville, d'où partent les lignes de métro et de monorail. Idem en sens inverse. ☎ 8787-38-94. ● *air portcoach.com.my* ● Départ ttes les 30 mn 5h30-22h30, ainsi qu'à 23h30 et 0h30. Depuis *KL Sentral*, 1er départ à 5h et dernier à 23h. Compter env 1h de trajet. Billet : 10 Rm.

➢ Notez qu'il existe aussi des *bus directs pour Ipoh* : env 15/j. avec *Yoyo Travel* (● *yoyo.my* ●) et une dizaine avec *Star Shuttle* (● *starwira.com* ●). Trajet en 3h30. Et des bus pour *Malacca* avec *Star Mart Express* (● *starmartbus.com* ●) et *Transnasional*. Env 2h de route.

– En train : la solution la plus rapide (mais pas la moins chère !). Le *KLIA Ekspres* relie l'aéroport à *KL Sentral* (la gare centrale de KL) en 28 mn chrono, sans risque d'embouteillage. Départ ttes les 15-20 mn 5h-1h (0h40 depuis *KL Sentral*). Tarifs : 55 Rm (100 Rm l'A/R valable 1 mois) ; réduc. ● *kliaekspres.com* ●

– En taxi : intéressant si l'on est plusieurs. La course s'achète aux comptoirs situés aux arrivées : env 90 Rm pour le centre-ville en « budget taxi ». Plus économique que le *KLIA Ekspres* au-delà de 2 personnes, donc. Attention, il existe également des services « premier », plus chers (environ 120-150 Rm), ces derniers en Mercedes. Majoration des tarifs minuit-6h.

L'aéroport KLIA 2

✈ Le *KLIA 2* (● *klia2.info* ●) accueille les compagnies *low-cost Air Asia, Jet Star, Tiger Air...* On y trouve aussi les principaux services (change, distributeurs, wifi, consigne...).

Liaisons KLIA 2 - centre-ville

Les guichets des compagnies de bus, de taxi et du KLIA Ekspres sont situés juste après les arrivées.

– En bus :

➢ *Pour Kuala Lumpur (KL Sentral) :* départ ttes les 20 mn, 4h-1h30, avec *Aerobus* (● *skybus.com.my* ●) et ttes les 30-60 mn, 5h-2h30, avec *Skybus* (● *skybus.com.my* ●). Compter 10 Rm et 1h15 de trajet.

➢ *Pour Ipoh :* les bus *Yoyo Travel* et *Star Shuttle* (voir plus haut) partent d'ici avant de faire halte au KLIA.

– En train : le KLIA Ekspres (voir plus haut) relie l'aéroport à la gare de *KL Sentral* en 33 mn. Prix : 55 Rm. Pas donné, mais rapide et pratique.

– En taxi : comme au départ du KLIA, pour gagner le centre-ville, compter env 90 Rm en taxi « budget ».

Liaisons entre KLIA et KLIA 2

Le *KLIA Ekspres* relie les 2 aéroports ttes les 15-20 mn en 3 mn. Coût : 2 Rm. Également, pour ceux qui ont une correspondance domestique ou internationale, une *navette de bus gratuite.* Départ du *level 1* aux 2 aéroports, au *Transportation Hub* (Bay A10) à KLIA 2 et à la *Door 4* au KLIA.

L'aéroport de Subang

✈ *Subang SkyPark Airport : à Subang, à 25 km à l'ouest de Kuala.* ☎ *(03) 7845-17-17.* ● *subangskypark. com* ● C'est l'ancien aéroport international de KL. Les compagnies *Firefly* et *Malindo Air*, notamment, opèrent des vols réguliers sur de petits appareils.

– Pour quitter l'aéroport ou s'y rendre : liaison en *Shuttle bus* ttes les heures (environ), 9h-21h, avec *KL Sentral*. Également, ttes les heures ou ttes les 2h (5h-23h), avec KLIA et KLIA 2.

LA CÔTE OUEST DE LA MALAISIE

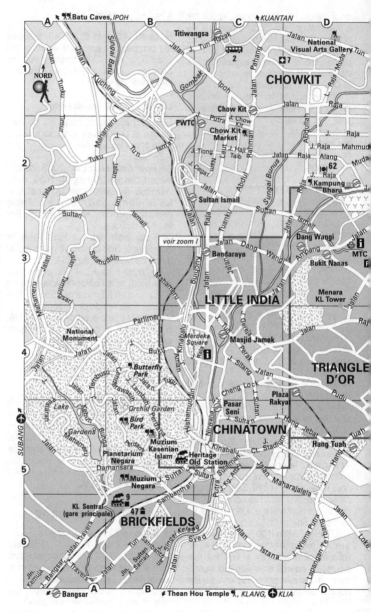

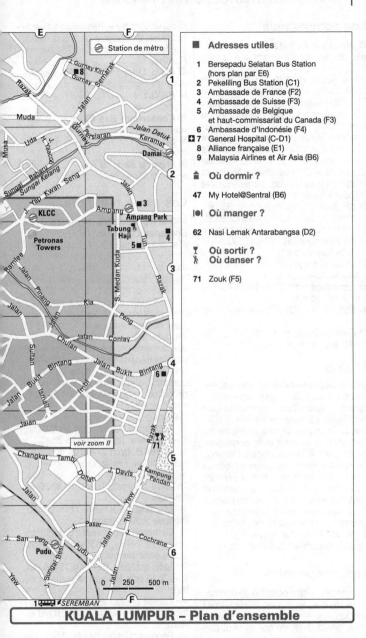

■ **Adresses utiles**

1 Bersepadu Selatan Bus Station (hors plan par E6)
2 Pekeliling Bus Station (C1)
3 Ambassade de France (F2)
4 Ambassade de Suisse (F3)
5 Ambassade de Belgique et haut-commissariat du Canada (F3)
6 Ambassade d'Indonésie (F4)
7 General Hospital (C-D1)
8 Alliance française (E1)
9 Malaysia Airlines et Air Asia (B6)

🏠 **Où dormir ?**

47 My Hotel@Sentral (B6)

🍽 **Où manger ?**

62 Nasi Lemak Antarabangsa (D2)

🍸 **Où sortir ?**
🕺 **Où danser ?**

71 Zouk (F5)

LA CÔTE OUEST DE LA MALAISIE

KUALA LUMPUR – Plan d'ensemble

Les compagnies

■ **Malaysia Airlines** (plan d'ensemble, B6, **9**) : bureau principal à la gare KL Sentral (sous-sol). ☎ 1300-88-30-00 (appel gratuit 24h/24) ou (03) 7843-30-00. ● malaysiaairlines.com ● Tlj 4h30-minuit. Très pratique : ceux qui voyagent avec Malaysia Airlines ou avec Cathay Pacific et Emirates peuvent enregistrer leurs bagages juste à côté, sans avoir à les charrier jusqu'à l'aéroport. Il ne reste plus qu'à sauter dans le KLIA Ekspres ensuite. Minimum 90 mn avt pour les vols domestiques et 2h pour les vols internationaux.
■ **Air Asia** (plan d'ensemble, B6, **9**) : bureau à la gare KL Sentral. ☎ 1600-85-88-88 (appel payant). ● airasia.com ●
■ **Air France-KLM :** ☎ (03) 7724-81-81. ● airfrance.com ●
■ **Qatar Airways :** ☎ (03) 2118-61-00. ● qatarairways.com ●
■ **Emirates :** ☎ (03) 6207-49-99. ● emirates.com ●
■ **Etihad :** ☎ (03) 7724-43-40. ● etihad.com ●
■ **Garuda Indonesia :** ☎ (03) 2162-28-11. ● garuda-indonesia.com ●

EN BUS

La plupart des destinations sont desservies au départ de la gare routière Bersepadu Selatan (TBS), devenue la gare principale. La gare de Pekeliling (Titiwangsa) continue de desservir le centre (Temerloh et Jerantut avec correspondance pour le Taman Negara Pahang). Pensez à acheter vos billets à l'avance pour un départ un jour férié et pendant les vacances. Il y a foule ces jours-là et vous risquez de ne pas avoir de place.
Pour réserver votre billet sur une grande ligne : ● busonlineticket.com ● expressbusmalaysia.com ● eticketing.my ● ou encore ● easybook.com ●

Les compagnies

Il existe plus d'une centaine de compagnies de bus, tous avec la clim. Voici les plus réputées en termes de confort et de ponctualité, ce qui ne veut pas dire que les autres sont à éviter.

■ **Transnasional** et **Plusliner :** ☎ (03) 4047-78-78. ● transnasional.com.my ● plusliner.com.my ● Transnasional est la principale compagnie de bus du pays. Elle fait partie du groupe KTB, comme Plusliner.
■ **Mara Liner :** ☎ (03) 269-797-97. ● maralinergroup.my ●
■ **KKKL :** ▤ 012-708-29-99. ● kkklexpress.com ●
■ **Konsortium Bas Ekspres Semenanjung :** ● kbes.com.my ●
■ **Sri Maju :** ▤ 016-559-58-82. ● srimaju.com ●
■ **Mayang Sari :** ☎ (03) 7728-47-89. ● mayangsariexpress.com.my ●

Les gares routières

🚌 **Gare routière principale de Bersepadu Selatan** (TBS ; hors plan d'ensemble par E6, **1**) : au sud-est de la ville. On s'y rend en métro, station Bandar Tasik Selatan (sur la ligne de Sri Petaling) ou avec le KLIA Transit (ttes les 20 mn ; durée : 10 mn). ☎ 9051-2000 ou 2001. ● tbsbts.com.my ● Inutile de faire tous les guichets pour comparer horaires et tarifs : ils vendent toutes les compagnies. On trouve même des bornes tactiles listant tous les départs et délivrant les billets. Ultra-pratique. Sur place (level 3) : comptoir d'info, distributeurs, poste de police, consignes (casiers 24h/24), mini-épiceries.
Liaisons avec :
➢ **Malacca :** départ ttes les 30 mn, 7h-21h30 env. Trajet en 2h15-2h30.
➢ **Johor Bahru :** bus très fréquents quasi 24h/24. Env 4h30 de trajet.
➢ **Singapour :** nombreux bus, 7h15-1h du mat. Trajet en 4h30-5h (380 km).
➢ **Mersing :** 8-9 bus/j., 11h-23h45. Presque 5h30 de trajet.
➢ **Cameron Highlands :** 8 départs/j. pour Tanah Rata, 8h30-16h. Un peu moins de 5h de route.
➢ **Ipoh :** départ ttes les 15-30 mn, 7h-23h30 env. Un peu plus de 3h de trajet.
➢ **Lumut (Pulau Pangkor) :** départ ttes les 30-60 mn, 8h-22h30. Trajet en 4h15.
➢ **Penang :** départ ttes les 15-30 mn env, 6h30-1h30. Env 5h de trajet.
➢ **Alor Setar :** nombreux départs, 9h-23h30. Env 6h15 de route.

➤ **Kuala Perlis (Langkawi) :** env 15 départs/j., 10h-23h30. Un peu plus de 7h de route.

➤ **Kuantan :** bus ttes les 30-60 mn env, 7h45-minuit. Env 4h de trajet.

➤ **Hat Yai (Thaïlande) :** plusieurs départs, le mat et en fin de soirée seulement. Durée : 7h-8h30.

🚌 **Gare routière de Pekeliling** (plan d'ensemble, C1, 2) : au nord du centre. Métro ou monorail Titiwangsa. Dessert l'État du Pahang et le Taman Negara. Un guichet par compagnie. Liaisons avec :

➤ **Temerloh :** 4 départs/j. avec Transnasional, 8h-20h. Env 2h15 de route.

➤ **Jerantut et Kuala Tahan (Taman Negara Pahang) :** 8-9 bus/j. avec Transnasional et Trans Malaya Express, 8h-20h pour Jerantut. Durée : 3h. De Jerantut, bus pour Kuala Tahan. Compter 1h30.

➤ Pour le **Taman Negara Pahang,** des agences assurent des liaisons en minibus au départ de la capitale soit avec Kuala Tembeling, d'où on prend une pirogue pour Kuala Tahan, soit directement jusqu'à Kuala Tahan. Bien plus pratique. Plus de détails dans la partie consacrée au parc national.

➤ **Pour Kuala Lipis :** env 10 bus/j., 7h-19h30 avec Pahang Lin Siong Motor. Trajet : env 3h.

➤ **Pour Tanah Rata :** 3 bus/j., à 9h, 13h30 et 15h30, avec Pahang Lin Siong Motor. Durée : 4h.

EN TRAIN

🚃 **Gare ferroviaire KL Sentral** (plan d'ensemble, B6) : ☎ 2267-12-00. ● ktmb.com.my ● Dans un écrin de métal et de verre, la gare regroupe le terminus des lignes ferroviaires nationales (trains rapides ETS), du KLIA Ekspres desservant l'aéroport (domestique et international), des stations de métro et de monorail. On y trouve un comptoir de Tourism Malaysia (level 1 ; tlj 9h-18h) à côté du Subway (connexion wifi), des points infos pour les transports locaux,

des consignes (level 1 et 2), un poste de police (level 2), des changeurs et distributeurs de billets, et les principaux bureaux en ville d'Air Asia (level 2) et de Malaysia Airlines (level 1, voir plus haut, les compagnies aériennes). Pour rejoindre le centre, mieux vaut prendre le métro ; la queue est souvent longue aux taxis (jusqu'à 45 mn-1h lorsqu'il pleut !). Enfin, pour acheter les tickets de train, allez au guichet KTM Intercity-Kaunter Ticket (level 2).

➤ **Port Klang** (port de Kuala Lumpur) : de là, ferries pour l'Indonésie.

➤ **Pour le Nord :** 7-8 trains ETS/j. (6h45-23h) à destination d'Ipoh, Kuala Kangsar, Taiping et Butterworth, d'où l'on rejoint facilement Penang en ferry. Durée : 2h15-2h30 pour Ipoh. Pour la Thaïlande, 5 trains/j. pour Padang Besar, correspondance pour Hat Yai et Bangkok.

➤ **Pour le Sud :** 4 trains/j. vers Tampin (à 38 km de Malacca), ainsi que vers Johor Bahru et Singapour avec changement à Gemas. Compter env 6h pour Johor Bahru.

➤ **Pour le Centre et Kota Bharu :** il faut changer à Gemas (direction Johor Bahru).

🚃 Notez que la gare **Heritage Old Station** (zoom I, B-C5) n'accueille que les trains lents (pas les ETS), et notamment l'Eastern & Oriental Express entre Bangkok et Singapour (voir « Arriver – Quitter la Malaisie et Singapour », en début de guide).

EN BATEAU

➤ **Pour Sumatra (Indonésie) :** le plus agréable est de rejoindre Malacca, d'où partent des ferries pour Dumai et Bengkalis. On peut aussi s'y rendre de Port Klang, le port de Kuala Lumpur, où des bateaux assurent aussi une traversée quotidienne vers Tanjung Balai (mais, là, pas de visa à l'arrivée). Pour se rendre à Port Klang, le plus simple est de prendre le KTM (train de banlieue) depuis KL Sentral.

LA CÔTE OUEST DE LA MALAISIE

Comment s'orienter et se déplacer ?

Le centre de KL, délimité par Jalan Tun Razak (à l'est) et Lebuhraya Mahameru (à l'ouest) – qui font office de boulevard périphérique –, regroupe plus de 1 million d'habitants. Au-delà, la grande ceinture des villes attenantes (ou Klang Valley) abrite plus de 7 millions d'âmes, mais il y a peu de raisons pour que vous vous y aventuriez.

Le *cœur historique* se situe surtout autour de Merdeka Square (place de l'Indépendance), de Chinatown et de Little India, où l'on trouve pas mal d'animation, de possibilités de logement assez bon marché et de petits restos.

À l'est de cette zone s'étend la partie plus moderne de la ville, qui va du *Triangle d'Or* au *KLCC* (Kuala Lumpur City Centre), avec des centres commerciaux rutilants et des gratte-ciel à foison, dont bien sûr les emblématiques tours Petronas. C'est aussi de ce côté que l'on trouve l'épicentre de la vie nocturne, le long de Bukit Bintang, qui regorge aussi de restos et d'hôtels plus ou moins chic.

Enfin, côté ouest du centre s'étend le secteur « vert » des *Lake Gardens* (ou « Perdana Botanical gardens »), qui regroupe parcs, Musée national, Mosquée nationale, musée des Arts islamiques, Bird et Butterfly Parks. On peut s'y rendre à pied depuis Chinatown mais le taxi est plus pratique.

Sinon, le métro et le monorail assurent de bonnes dessertes du cœur historique et des tours Petronas. Heureusement d'ailleurs, car de nombreuses 4-voies et autoroutes cisaillent la ville, obligeant les piétons à emprunter des passerelles ou même à faire de larges détours.

En métro, monorail et train de banlieue

KL dispose d'un bon réseau de transports en commun (● myrapid.com.my ●) regroupant, outre les bus, 4 lignes de métro (LRT), une ligne de monorail et plusieurs lignes de trains de banlieue (KTM) desservant les quartiers périphériques. La plupart passent par la gare ferroviaire de KL Sentral, desservie aussi par un train spécial (le KLIA Ekspres) depuis l'aéroport.

– *Métro et monorail :* le réseau fonctionne de 6h à 23h environ. Les lignes de métro se croisent au niveau de la mosquée Masjid Jamek, à côté de la place Merdeka. Quelques escales bien utiles : station Pasar Seni pour Chinatown et Central Market, KL Sentral pour la gare ferroviaire principale, KLCC pour les Petronas Towers, etc. Le monorail relie les abords de la gare de Sentral à la station Titiwangsa où se trouve la gare routière de Pekeliling, complétant le réseau en desservant surtout le secteur de Bukit Bintang (Triangle d'Or).

Coût : de 1,20 à 6,10 Rm, selon la distance parcourue. On achète les tickets (en fait des jetons) à l'unité aux machines (simples d'utilisation, explication en anglais).

– Si vous restez plusieurs jours, vous pouvez aussi acheter une **carte Myrapid** pour 5,50 Rm (non remboursable), qu'on charge du montant désiré et qui est ensuite débitée au passage de chaque portique. Attention, cette carte ne permet pas d'emprunter les lignes KTM (RER) ni le KLIA Transit et Ekspres.

– Le **KTM** (● ktmb.com.my ●) vous sera utile pour rejoindre les grottes de Batu.

En bus

Ils sont rassemblés sous l'ombrelle de *RapidKL* (● myrapid.com.my ●) et fonctionnent aussi, grosso modo, de 6h à 23h. Axés sur la desserte des banlieues pour acheminer les travailleurs au centre-ville le matin et les rapatrier le soir, ils ne vous seront pas très utiles, d'autant que les arrêts ne sont pas toujours bien identifiables et les rotations plutôt espacées (ttes les 15-30 mn env). Les bus circulant au centre-ville sont connus sous l'appellation *Bandar*.

■ *GOKL Citybus :* tlj 6h-23h, ttes les 15-30 mn selon le trafic. GRATUIT. Les 4 lignes de ce bus municipal desservent les principaux centres d'intérêt de KL (se procurer le plan dans les offices de tourisme) avec un terminus à Titiwangsa pour 2 lignes, KLCC (tours Petronas) et Pasar Seni (près du Central Market) pour les 2 autres.

■ *Bus Hop On Hop Off :* ☎ 1-800-88-55-46. ● myhoponhopoff.com ● Tlj 9h-20h, ttes les 30 mn env. Prix : 55 Rm pour 24h ou 85 Rm pour 48h ; réduc. Comme dans bien d'autres capitales du monde, une formule qui permet de découvrir la ville assez rapidement pour pas trop cher. On peut monter et descendre du bus où l'on veut et quand on veut pendant la durée de validité du billet. Ceux-ci s'achètent à bord, aux offices de tourisme ou à la gare centrale. À noter tout de même que les bus, qui desservent 23 arrêts, sont parfois pris dans les embouteillages du centre-ville et que le système audio (pour les commentaires) laisse parfois à désirer.

En taxi

Un bon moyen de se déplacer car il en passe beaucoup et les tarifs ne sont pas très élevés. Attention néanmoins, les « budget taxis » (rouge et blanc le plus souvent) n'acceptent pas toujours de mettre le compteur (surtout aux heures de pointe, en cas de grosses pluies et le soir ou la nuit), ce qui oblige à négocier la course au départ (dans ce cas, mieux vaut déjà avoir une idée du prix). Du coup, on peut parfois préférer les « teksi eksekutif », de couleur bleue : certes, ils sont un peu plus chers, mais ils sont climatisés, plus fiables et, surtout, ils mettent le compteur. Forfait de départ à environ 3 Rm pour un « budget taxi » (6 Rm pour les « eksekutif »). Les prix sont majorés de 50 % entre minuit et 6h. Une course réservée par téléphone coûte 2 Rm de plus. Ces généralités exposées, vous vous en tirerez rarement à moins de 10 Rm pour une course en centre-ville. Infos complémentaires sur ● *mypublictransport.com* ●

Quelques compagnies de « budget taxis »

🚕 **Comfort Taxi :** ☎ 8024-27-27 (ou 05-07). ● *comforttaxi.com.my* ●
🚕 **Public Cab :** ☎ 6259-20-20. ● *publiccab.com* ●
🚕 **Sunlight :** ☎ 1300-800-222. ● *sunlighttaxi.com* ●

En voiture de location

Si vous conduisez vous-même, ne vous fiez pas trop aux réseaux routiers indiqués sur les cartes, vite obsolètes en ce qui concerne les voies rapides, les passerelles, les ponts, les échangeurs et les carrefours ! Là où vous ne devriez voir qu'un seul pont, vous en découvrez 3, et bien souvent 3 embranchements se présentent alors que la carte n'indique qu'une gentille route sans détour. Même les GPS perdent la boussole ici, c'est tout dire... Alors, vous l'aurez compris, mettez votre voiture au parking et préférez le métro, le bus ou le taxi !

■ *Avis :* 128, Jln Ampang. ☎ 7803-75-55 ou 1800-88-28-47 (appel gratuit). ● *avis.com.my* ●
■ *Hertz :* Unit G 1 & 2 Soho Suite KLCC, block B 20, Jln Perak. ☎ 2181-06-58. ● *hertz.com* ●
■ D'autres compagnies locales peuvent être un peu plus intéressantes, comme *Insas* (● *iprac.com* ●), *Mayflower* (● *mayflowercarrental.com.my* ●) ou *Orix* (● *orixcarrentals.com.my* ●).

LA CÔTE OUEST DE LA MALAISIE

Adresses et infos utiles

Infos touristiques

🛈 **Malaysia Tourism Centre** (MaTiC ; zoom II, D-E3) **:** 109, Jln Ampang. ☎ 92-35-48-48. ● *matic.gov.my* ● Ⓜ Bukit Nanas. Tlj 8h-22h. Installé dans un bel édifice colonial de 1935, QG de l'armée britannique (puis japonaise) durant la Seconde Guerre mondiale, vous y trouverez infos sur la ville ou le pays, brochures et plan de KL, et même le wifi et l'accès gratuit à Internet (30 mn). Également, dans une salle prévue à cet effet, des **spectacles gratuits de danse traditionnelle** (tlj, sauf dim, 15h-16h).
– **Autres bureaux** (tlj 9h-18h) à KL Sentral, aux aéroports et sur Merdeka Square (pl. de l'Indépendance ; zoom I, C4), dans le Sultan Abdul Ahmad Building. Mêmes infos et documentation.

Argent, change

Où que vous soyez en ville, vous n'aurez généralement pas à aller loin pour trouver un distributeur. Pour le change, il y a des *money changers* dans presque tous les centres commerciaux et, par exemple, à Little India, autour de Lebuh Pudu *(zoom I, C4)* et Petaling *(zoom I, C4-5)*, ainsi que dans Chinatown. Pas de commission mais taux un peu variable, n'hésitez pas à comparer.

Représentations diplomatiques

En dehors des heures ouvrables, appelez quand même : certains répondeurs donnent des numéros d'urgence.

■ **Ambassade de France** *(plan d'ensemble, F2, 3)* **:** *level 31 Integra Tower, 348, Jln Tun Razak.* ☎ *2053-55-00 (répondeur 24h/24). Urgences consulaires :* ☎ *012-201-35-40.* ● *my. ambafrance.org* ● Ⓜ *Ampang Park. Section consulaire lun-ven 9h-12h30.*

■ **Ambassade de Suisse** *(plan d'ensemble, F3, 4)* **:** *16, Persiaran Madge.* ☎ *2148-06-22.* ● *eda.admin. ch/kualalumpur* ● Ⓜ *Ampang Park. Lun-ven 9h-12h30.* **Attention :** les services consulaires de l'ambassade sont désormais situés à l'ambassade de Suisse à Bangkok.

■ **Ambassade de Belgique** *(plan d'ensemble, F3, 5)* **:** *suite 10-02, 10e étage, Menara Tan & Tan, 207, Jln Tun Razak.* ☎ *2162-00-25. N° d'urgence :* 📱 *012-267-31-12.* ● *ma laysia.diplomatie.belgium.be* ● *Section*

consulaire lun-ven 9h-12h30, l'ap-m sur rdv seulement.

■ **Haut-commissariat du Canada** *(plan d'ensemble, F3, 5)* **:** *au 17e étage du Menara Tan & Tan, 207, Jln Tun Razak.* ☎ *2718-33-33.* ● *canadainter national.gc.ca/malaysia-malaisie* ● *Lun-jeu 8h-12h, 13h-16h30 ; ven 8h-12h30.*

■ **Ambassade de Thaïlande** *(hors plan d'ensemble par F2)* **:** *206, Jln Ampang.* ☎ *2145-80-04 ou 2148-82-22 pour la section consulaire.* ● *thaiem bassy.org/kualalumpur* ● *Env 200 m à l'est de l'ambassade de France. Lun-ven 9h30-11h30 pour les demandes de visa (nécessaire pour ceux qui veulent rester plus de 1 mois si l'arrivée se fait par avion, sinon 15 j. par voie terrestre), 14h30-16h30 pour récupérer son passeport (le lendemain à priori). Possibilité de faire émettre facilement son visa à Penang aussi.*

■ **Ambassade d'Indonésie** *(plan d'ensemble, F4, 6)* **:** *233, Jln Tun Razak.* ☎ *2116-40-00.* ● *kbrikualalumpur. org* ● *Lun-jeu 9h-13h, 14h-17h ; ven 9h-12h30, 14h30-17h. Pas d'accès en short ni sandales.* Vous devriez pouvoir obtenir le visa à l'arrivée.

Urgences

■ **Tourist Police Unit** *(police touristique ; zoom II, D-E3)* **:** *109, Jln Ampang.* ☎ *2163-44-22. Dans le complexe du MaTiC (office de tourisme de KL). Ouv 24h/24.* En cas de plainte, de vol ou de perte de passeport.

■	Adresse utile	|●|	Où manger ?
	🅑 Malaysia Tourism Centre (C4)		**50** Restos de rue (C5)
			51 Yusoof Dan Zakhir (C4)
🛏	**Où dormir ?**		**53** Soong Kee Beef Noodles (C4)
			54 Ali, Muthu & Ah Hock Kopitiam
	20 Agosto Guesthouse (C5)		et Old China Café (C4)
	21 Bird Nest (C5)		**55** Ginger (C4)
	22 Hotel Rain Forest (C5)		**56** Betel Leaf (C4)
	23 Hotels Soho Town 1 et 2 (C4)		**57** Sangeetha (C4)
	24 Mingle Hostel (C5)		**58** Coliseum (C3)
	25 Hotel A-One (C4)		
	26 Tianjing Hotel (C5)	🍸	**Où boire un verre ?**
	27 Back Home Kuala		
	Lumpur (C4)		**54** Old China Café (C5)
	28 A Thousand Miles (C4)		**58** Coliseum (C3)
	29 Hotel 1915 (C4)		**74** Reggae Bar (C4-5)
	30 Ahyu Hotel (C4)		
	31 BIG M Hotel (C4)	🛍	**Achats**
	32 Frenz Hotel (C3)		
	33 Lotus Hotel (C4)		**110** Coook (C5)
			111 Culture Street Arts & Gallery (C5)

LA CÔTE OUEST DE LA MALAISIE

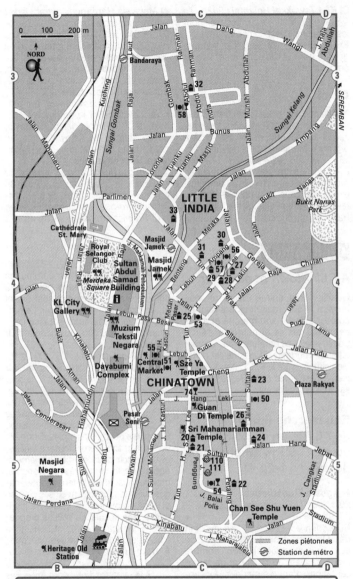

KUALA LUMPUR – Centre historique (Zoom I)

General Hospital (plan d'ensemble, C-D1, **7**) : Jln Pahang, au nord du centre-ville. ☎ 2615-55-55. L'hôpital public.

Sime Darby Medical Centre : 1, Jln SS 12/1A, à Subang Jaya, à 15 km au sud-ouest. ☎ 5639-12-12. Hôpital moderne.

✚ **KPJ Tawakkal Hospital :** *202A, Jln Pahang.* ☎ *4023-35-99.* Très bien pour les urgences. C'est un hôpital privé.

■ **Urgences :** ☎ *999.* Ce numéro gratuit permet de joindre police et ambulances.

Divers

■ **Alliance française** *(plan d'ensemble, E1, 8) :* *15, Lorong Gurney, off Jln Semarak.* ☎ *2694-78-80.* ● *alliancefrancaise. org.my* ● *Médiathèque (mar-ven 10h-13h, 14h-18h ; sam 9h-13h, 14h-17h)* avec revues françaises à consulter, programmation culturelle riche (films, expos, musique...) et un petit café en terrasse très agréable. Autre Alliance à Bangsar *(14, Jln Telawi 2).*

■ **Malaysia Heritage** *(Central Market Annex, Jln Hang Kasturi ;* ☎ *2032-10-31 ;* 📱 *017-989-10-31 ;* ● *malaysiahe ritage.net* ●) organise d'intéressantes visites guidées à thème, payantes, sur l'histoire, le patrimoine, la cuisine, etc. Durée : 4h. Tout de même pas donné. Également **Simply Enak** (📱 *017-287-89-29 ;* ● *simplyenak.com* ●), qui propose de découvrir le patrimoine culinaire de Jln Petaling, dans Chinatown, ou au marché de Chowkit, plus au nord. Même durée et prix un peu similaires. Résa obligatoire.

■ **Immigration Office :** *Kompleks Kementerian Dalam Negeri, 69 Jln Sri Hartamas 1, off Jln Duta.* ☎ *6205-74-00. Au nord-ouest du centre (y aller en taxi).* Pour les prolongations de visas.

Où dormir ?

À Chinatown et alentour

Quartier très animé, voire un peu bruyant le soir, mais toujours haut en couleur grâce à son marché et à ses nombreux restos et gargotes... On y trouve quelques bonnes adresses pour différents budgets. Et la zone est plutôt bien située, entre le *KLCC* (tours Petronas) à l'est et les *Lake Gardens* (avec ses musées) à l'ouest.

Bon marché (moins de 50 Rm en dortoir ou de 100 Rm en chambre double / 11-22 €)

🏠 **Agosto Guesthouse** *(zoom I, C5, 20) :* *208, Jln Tun H. S. Lee.* ☎ *2022-27-96.* ● *agostoinn@gmail.com* ● *Réception au 1er étage. Pas de petit déj.* On aime bien cette *guesthouse* aux couloirs tout en bois sombre ornés de filets de pêche et de représentations d'ancres marines. Au programme, des dortoirs (de 8 lits surtout) bien agréables, avec leurs rideaux et grosses échelles métalliques, ainsi que des chambrettes privées avec (bons) matelas posés sur des socles en bois, façon japonaise. Pas de clim, mais des extracteurs (silencieux) permettant à l'air réfrigéré des parties communes de circuler. Sanitaires à partager à chaque étage. L'ensemble est nickel et, en plus, vraiment pas cher. Le proprio possède une autre adresse *(Irsia Guesthouse)* du côté du Triangle d'Or (lire plus loin).

🏠 **Bird Nest** *(zoom I, C5, 21) :* *210, Jln Tun H.S. Lee (l'entrée se fait sur le côté).* 📱 *012-694-73-66.* ● *bird nestghouse.com* ● *Petit déj inclus.* Réception à l'étage, avec des parties communes très agréables, décorées de dessins et de peintures d'oiseaux. Chambres doubles ou triples avec salle de bains et clim, certaines sans fenêtre, et un dortoir pour femmes seulement, équipé de la clim. Très convenable, mais le must, c'est la terrasse aménagée sur le toit, géniale avec ses plantes et cages à oiseaux en guise de luminaires. Bon accueil de Willi, le propriétaire. Échange de livres et consignes à bagages. Une adresse sympathique.

🏠 **Hotel Rain Forest** *(zoom I, C5, 22) :* *122, Jln Petaling.* ☎ *2022-15-76 ou 77.* ● *rainforesthotel.com.my* ● *Pas de petit déj, mais un petit espace cafét.* Pas de jungle, évidemment, ni même de jardin, mais une grande photo de forêt à la réception. Un peu kitsch, mais l'hôtel s'avère très bien tenu et l'accueil sympa. Au choix, des chambres vraiment petites, avec sanitaires à partager

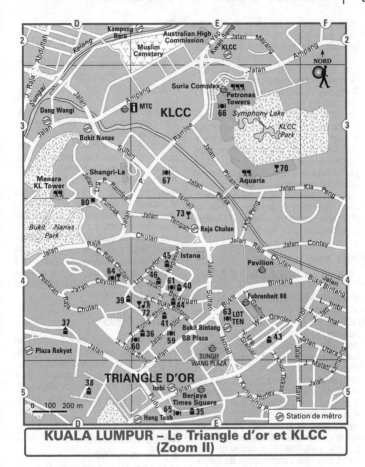

LA CÔTE OUEST DE LA MALAISIE

KUALA LUMPUR – Le Triangle d'or et KLCC (Zoom II)

■ **Adresses utiles**

🛈 Malaysia Tourism Centre et Tourist Police Unit (D-E3)
80 Départ des navettes pour la Menara KL Tower (D3-4)

🏠 **Où dormir ?**

35 Irsia Guesthouse (E5)
36 KL Dorms et Anggun Boutique Hotel (E4)
37 Step Inn Too (D4)
38 Paper Plane Hostel (D5)
39 Sahabat Guesthouse (D4)
40 Orange Pekoe Guesthouse (E4)
41 Dream Villa (E4)
43 Nana's Inn (E4)
44 MOV Hotel (E4)
45 Park Royal Serviced Suites (E4)
46 Hotel Twenty 8B (E4)

|●| **Où manger ?**

59 Stalls de Jalan Alor (E4)
60 Nasi Kandar (E4)
61 Nagasari Curry House (E4)
63 Hutong Food Court et restos japonais du Lot 10 (E4)
64 Bijan (D4)
65 Burger on 16 (E5)
66 Madam Kwan's (E3)
67 Naughty Nuri's (E3)

🍸♪ **Où sortir ?**
🕺 **Où danser ?**

70 Sky Bar (E3)
72 Changkat Bukit Bintang (E4)
73 Heli Lounge Bar (E4)

mais pas chères du tout, ou d'autres avec salle bains et TV, avec ou sans fenêtre, à prix très correct pour la qualité. Toutes ont la clim. Terrasse bienvenue, agrémentée d'une petite fontaine. Bon choix dans cette catégorie.

🏠 *Hotels Soho Town 1 et 2 (zoom I, C4, 23)* : 113 et 119A, Jln Sultan. ☎ 2026-31-33. ● sohotownhotel. com ● Pas de petit déj. Rien d'exceptionnel, loin de là, juste 2 hôtels presque côte à côte, modernes et propres, gérés par des Chinois. Le n° 1 est un poil plus cher que le n° 2 mais offre, en plus d'un ascenseur, des chambres un peu plus grandes (et moins confinées), ainsi que des chambres familiales d'un bon rapport qualité-prix. Douche chaude, clim et TV partout.

Prix moyens (100-120 Rm / 22-26,50 €)

🏠 *Mingle Hostel (zoom I, C5, 24)* : 53, Jln Sultan. ☎ 2022-20-78. ● mingle hostels.com ● Petit déj compris. Un de ces *hostels* nouvelle génération de Kuala Lumpur, avec son architecture et aménagement intérieur bruts tout en béton, murs de brique et tuyaux en alu. Très agréable, mais on recommande surtout le lieu pour ses dortoirs, confortables et frais, de 2 à 4 lits seulement. Les chambres privées, avec leur lit posé en hauteur sur une structure métallique, nous ont paru un peu chères, d'autant qu'elles n'ont pas leur propre salle de bains. Petite cuisine, coin livres et bar sur le *rooftop*. On prend le petit déj dans le café attenant au rez-de-chaussée, fort plaisant.

🏠 *Hotel A-One (zoom I, C4, 25)* : 17, Jln Medan Pasar. ☎ 2070-73-08 ou 09. ● aonehotel.com.my ● Pas de petit déj. Pour ceux qui veulent éviter la partie plus touristique de Chinatown. Juste à côté d'une jolie façade à arcades blanche, cet hôtel est situé sur une esplanade piétonne, à 2 pas de la Masjid Jamek et de sa station de métro. Emplacement central et aéré donc, c'est sa principale qualité. Propose de petites chambres confortables et bien équipées (clim, TV). Également des triples. Bon accueil.

Chic (180-300 Rm / 40-66,50 €)

🏠 *Tianjing Hotel (zoom I, C5, 26)* : 66-68, Jln Sultan. ☎ 2022-11-31. ● tianjinghotel.com ● Petit déj (asiatique) compris. Fourchette hte. Un hôtel de charme au cœur de Chinatown, et pourquoi pas ? Déjà la façade, qui abrite aussi un joli café au rez-de-chaussée, se distingue par son élégance. Sur 2 niveaux, des chambres pleines de cachet (préférez celles du 1er étage), avec leurs lits à baldaquin, mobilier ancien, vieux téléphones et service en porcelaine (à côté de la bouilloire). On adore aussi les douches installées dehors, sur une terrasse en bois. Salle de petit déj du même tonneau. Sans oublier le charmant café de l'hôtel, où vous aurez droit à une boisson gratuite par nuitée passée dans l'établissement. Excellent confort général. Bon accueil.

À Little India

À 2 pas du quartier chinois, coin très vivant aussi, avec plein de restos, de gargotes et de marchands de tissus. Du coup, c'est un peu bruyant par endroits, mais rien de dissuasif, d'autant qu'il y a de bonnes adresses où loger.

De bon marché à prix moyens (90-180 Rm / 20-40 €)

🏠 *Back Home Kuala Lumpur (zoom I, C4, 27)* : 30, Jln Tun H. S. Lee. ☎ 2022-07-88. ● backhome.com.my ● Petit déj (léger) inclus. L'une de nos AJ préférées ! Ce bel *hostel* occupe un vieil immeuble restauré avec une façade ancienne cachant un intérieur contemporain, aux murs de brique et sols en béton brut. Tout est très agréable, spacieux et impeccable. Les dortoirs de luxe (de 4 à 8 lits, dont un avec 4 grands lits pour couples !) et les chambres partagent des sanitaires communs mais disposent tous de la clim, d'un lavabo et d'une très bonne literie (en plus, une carte géographique au mur des chambres). Excellent accueil, réception équipée d'ordinateurs, salon TV, petite cuisine (pas vraiment pour cuisiner), infos, tours guidés en ville et *cooking classes*. Juste à côté, le *Lokl*, un *coffee-shop* très plaisant proposant petit déj, salades, sandwichs, etc.

A Thousand Miles *(zoom I, C4, 28)* : 17-19, Jln Tun H. S. Lee. ☎ 2022-33-33. ● *1000mileskl.com* ● En face du *Back Home Kuala Lumpur,* un hôtel-AJ qu'on aime bien aussi, avec 3 dortoirs de 4 à 8 lits et des chambres doubles ou *twin* équipées ou non de fenêtre donnant sur la rue ou l'arrière. Le tout fonctionnel et très bien tenu, avec salle de bains privée et la clim partout (TV dans les chambres privées). Petit déj léger à prendre dans l'unique mais agréable espace commun. Thé et café offert toute la journée, coin ordinateurs. Accueil très affable de la gérante.

Hotel 1915 *(zoom I, C4, 29)* : 49, Jln Lebuh Ampang. ☎ 2026-00-43. ● *hotel1915kl.com.my* ● *Pas de petit déj.* Un autre charmant hôtel de ce secteur. Passé la jolie façade coloniale à colonnes (dont on ne vous dira pas l'année de construction...), on est séduit par le lobby, agréablement contemporain avec ses murs de brique blanche, vieux objets et photos noir et blanc. Chambres bien nettes et bien équipées (clim, TV, etc.), les *deluxe* ayant en prime une fenêtre. Une bonne option.

Ahyu Hotel *(zoom I, C4, 30)* : 34, Jln Lebuh Ampang. ☎ 2022-20-40. ● *imran@ahyukl.com* ● *Pas de petit déj.* Récent, il abrite des chambres sur 3 niveaux, le long de couloirs en brique vernissée. La plupart sont sans fenêtre et, pourtant, elles ne sont pas du tout étouffantes, en plus d'être bien calmes, confortables et plaisantes avec leur literie douillette, parquet, petit mobilier en bois et salle de bains moderne. Petit *rooftop*. Rien à redire.

BIG M Hotel *(zoom I, C4, 31)* : 38, Jln Tun Perak. ☎ 2022-22-86. ● *info@bigmhotel.com.my* ● *Pas de petit déj.* Dans un bâtiment tout en hauteur bordant une artère assez passante, une petite centaine de chambres impeccables et fonctionnelles, avec parquet et équipement récent. Éviter juste, si

possible, celles côté rue aux étages inférieurs, à cause du bruit. Pas de petit déj mais espace commun sympa pour prendre un café. Réception minimaliste et terrasse aménagée au 7e étage.

Lotus Hotel *(zoom I, C4, 33)* : 45, Jln Melayu. ☎ 2692-18-81. ● *lotus hotel.com.my* ● *Fourchette hte. Pas de petit déj, seulement des biscuits et du thé/café.* Bien situé, à 2 pas de la station de métro Masjid Jamek. Un hôtel parfaitement tenu là encore, avec des chambres carrelées presque coquettes et tout confort. Pour la petite différence de prix, préférer les *superior,* avec fenêtre (bien insonorisées). On est ici au cœur de *Little India,* non loin de ses marchés vivants et colorés.

Frenz Hotel *(zoom I, C3, 32)* : 135, Jln Tuanku Abdul Rahman. ☎ 2693-78-78. ● *frenzhotel.com.my* ● *Fourchette hte. Petit déj malaisien inclus, à prendre à la cafét d'à côté.* Un peu à l'écart des autres, sur une artère passante, cet hôtel moderne, plutôt destiné à une clientèle d'affaires, demeure assez calme et offre un maximum de confort : grand écran, frigo, coffre, cafetière et bonne literie dans les chambres, au demeurant sympas avec leur parquet et peintures sur les murs.

Le Triangle d'Or
(autour de Jalan Bukit Bintang)

Situé en plein centre-ville, le Triangle d'Or, facilement accessible par le monorail (station Bukit Bintang), est à bonne distance des principaux centres d'intérêt de la ville et offre une belle animation (nocturne notamment !). C'est aussi le quartier des gratte-ciel et des *shopping malls* étincelants, que les Malaisiens affectionnent tant. Voici quelques bonnes adresses où poser son sac.

Bon marché
(moins de 80 Rm / 17,50 €)

Irsia Guesthouse *(zoom II, E5, 35)* : 34, Lorong 1/77A, Jln Changkat Thambi Dollah, off Jln Pudu. ☎ 9224-69-78. ● *irsiabnb.com* ● *Pas de petit* *déj.* Même propriétaire que l'*Agosto Inn* à Chinatown. Mais on préfère encore celle-ci ! Très agréable *guesthouse* en effet, avec ses chambrettes et petits dortoirs (de 4 lits) tout mignons situés de part et d'autres de couloirs couverts de bambou et de bois aggloméré. Sanitaires communs impeccables. Et comme à l'*Agosto Inn,* pas de clim dans les chambres mais des extracteurs d'air efficaces et silencieux. Cerise sur le gâteau, le bar sur le toit, tout en bois il est encore, avec baby-foot et fausse végétation au plafond. Thé ou café à dispo. *Tours* au parc national de Taman Negara Pahang.

🛏 *KL Dorms (zoom II, E4, 36) :* 5, Tengkat Tong Shin. ☎ 2110-12-21. *Petit déj inclus.* Situé au cœur du Triangle d'Or. La réception, avec son planisphère peint sur un mur, apparaît un peu bordélique mais les dortoirs et chambres privées (avec grand lit ou 2 lits superposés) sont en fait très convenables, avec clim et bons matelas (sanitaires communs). Le tout proposé à des tarifs très honnêtes. Bar à l'étage et terrasse sur la rue. Ambiance animée.

🛏 *Step Inn Too (zoom II, D4, 37) :* 64 & 67 Jln Pudu Lama. ☎ 2022-44-46. ● stepinntoo.kualalumpur@gmail.com ● *Dans une ruelle en retrait de Jln Pudu. Pas de petit déj.* Une adresse simple mais pas chère et à l'ambiance relax, qui abrite 4 chambres *twin* et des dortoirs. Préférez celui, en sous-sol, de... 22 lits : en fait un espace tranquille et climatisé où les lits, superposés, sont installés dans de petites pièces séparées les unes des autres par un rideau. Café et thé à dispo, canapés et TV à côté de la réception. Pour les *backpackers* peu fortunés.

Prix moyens (90-160 Rm / 20-35,50 €)

🛏 *Paper Plane Hostel (zoom II, D5, 38) :* 15, Jln Sin Chew Kee. ☎ 2110-16-76. ● paperplanehostel.com ● *Pas de petit déj.* Parmi les *hostels* « luxueux » de KL, c'est un de nos préférés. Situé dans une rue très calme, à l'écart de l'agitation du Triangle d'Or, une structure métallique et de verre dans les tons noir et blanc où tout est bien arrangé et parfaitement tenu. Au choix, des chambres privées charmantes (sanitaires partagés) aux murs de brique couleur saumon, ou des dortoirs nickel et bien conçus, avec des lits très hauts perchés pour certains ! Beaux planchers, petit coin cuisine, laverie, café et biscuits le matin à la réception, installée dans une agréable véranda. Sans oublier la terrasse de poche donnant sur les tours d'habitations tout autour. Vraiment une belle adresse !

🛏 *Orange Pekoe Guesthouse (zoom II, E4, 40) :* 1-1, Jln Angsoka. ☎ 2110-20-00. ● orangepekoe.com.my ● *Petit déj léger inclus.* Une mignonne petite *guesthouse* au goût du jour, presque une maison d'hôtes. On découvre avec plaisir le salon de la réception à l'étage, avec ses moelleux canapés et son petit coin cuisine (bouilloire et grille-pain seulement). Chambres rénovées bien agréables, toutes climatisées (mais sans la TV), certaines avec un coffre. Les salles de bains sont étroites, en revanche, avec la douche au-dessus des toilettes. Bonne sécurité (entrée vidéo-surveillée). Laverie à proximité. Bon accueil.

🛏 *Dream Villa (zoom II, E4, 41) :* 51, Tengkat Tong Shin. 📱 012-412-85-95. ● dreamvillasuite@gmail.com ● *Pas de petit déj.* Dans une sorte d'îlot urbain, des chambres disposées autour d'une petite cour surmontée d'un grand saule, au milieu des immeubles du secteur. Elles sont plaisantes et très propres, à la déco contemporaine sobre, avec sol en béton, clim, écran plat, coffre et frigo. Calme et pourtant à 2 pas de l'animation de Jalan Alor, envahie de petits restos le soir.

🛏 *Sahabat Guesthouse (zoom II, D-4, 39) :* 39-41, Jln Sahabat, off Tengkat Tong Shin. ☎ 2142-06-89. ● sahabatguesthouse.com ● Bon, on ne va pas vous refaire le coup de la maison bleue adossée à la colline, et des gens qui vivent là mais ont jeté la clé... Cela dit, on pourrait presque, tant l'accueil est gentil et parce que ce petit immeuble bleu de chez bleu semble adossé contre, voire écrasé par les tours que l'on aperçoit en toile de fond. Presque une petite pension de famille, en fait, avec un salon TV-réception accueillant, et des chambres propres, avec clim et douche chaude. Quelques familiales. Toutes ont une fenêtre, mais certaines donnent sur une courette. Évitez quand même de dormir à côté de l'entrée, ça peut être bruyant. Petit déj léger compris dans le prix. Bonne situation, à proximité des restos et de la vie nocturne.

🛏 *Nana's Inn (zoom II, E4, 43)* : 30, Jln Padang Walter Grenier. ☎ 2144-77-88. ● nanasinn.com ● Petit déj inclus. Un peu à l'écart du Triangle d'Or mais non loin du grand *shopping mall Farenheit 88,* cet hôtel à taille très humaine propose de petites chambres immaculées et presque coquettes, avec fenêtre et tout le confort. De plus, elles sont bien calmes. En ajoutant quelques ringgits, vous aurez droit à un peu plus d'espace. Également des appartements, pratiques pour les familles ou les petits groupes d'amis.

Chic
(180-300 Rm / 40-66,50 €)

🛏 *Anggun Boutique Hotel (zoom II, E4, 36)* : 7-9, Tengkat Tong Shin. ☎ 2145-80-03. ● anggunkl.com ● À côté de KL Dorms. Possibilité de remise sur place, parfois meilleure que sur Internet. Petit déj compris ou non. Un des rares hôtels « de charme » (*anggun* signifie « élégant ») du Triangle d'Or, dans une rue animée. La porte d'entrée en bois sculpté annonce la suite : des chambres de caractère, de taille variable, avec mobilier choisi, carrelage ou plancher, décoration raffinée, plus tout le confort habituel (dont TV avec accès internet). Petit bémol : la plupart sont intérieures et donc un poil confinées. Café *Birdnest* à l'étage, en terrasse. Salon de massage sur le toit. Excellent accueil.

🛏 *MOV Hotel (zoom II, E4, 44)* : 43, Jln Berangan, Bukit Bintang. ☎ 2781-98-88. ● movhotel.com ● Petit déj compris ou non. Ici aussi, le lobby, avec sa sculpture cubiste de félin, donne le ton : on est dans un hôtel récent, abritant près de 150 chambres impeccables, parfaitement finies et bien arrangées, dans les tons gris. Tout le luxe est là : coffre-fort, pantoufles, bouilloire, grand écran plat, mobilier

design et, excusez du peu, un éclairage qui change de couleur à intervalles réguliers dans les salles de bains ! Autre attrait du lieu : la petite piscine sur le toit, avec ses sièges-balançoires et sa vue frontale sur les immeubles de KLCC ! Salle de gym. Tarifs raisonnables pour la qualité. Excellente situation au cœur du Triangle d'Or.

🛏 *Hotel Twenty 8B (zoom II, E4, 46)* : 28, Jln Berangan, en retrait de Bukit Bintang. ☎ 2110-48-38. ● twenty8b.com ● Petit déj en sus (pas cher). Non loin du *MOV Hotel,* et donc très bien situé aussi, à quelques enjambées de la vie nocturne. Un hôtel récent proposant des chambres d'un très bon niveau, avec literie super douillette, dans les tons blanc-brun-noir. Les tarifs varient un peu selon la taille et la présence ou non d'une fenêtre. Modeste petit déj-buffet contre petit supplément, à prendre dans le beau lobby à la déco contemporaine agrémenté de quelques loufoqueries, comme ce siège en forme de main.

Très chic
(plus de 300 Rm / 66,50 €)

🛏 *Park Royal Serviced Suites (zoom II, E4, 45)* : 1, Jln Nagasari, off Jln Raja Chulan. ☎ 2084-10-00. ● parkroyalhotels.com ● Une sorte d'appart-hôtel installé dans une haute tour moderne. Il abrite près de 300 studios, suites et appartements 1 ou 2 chambres, vraiment impeccables et luxueux, en plus d'être lumineux et bien arrangés ! Piscine. Parfait pour ceux qui cherchent un hébergement haut de gamme au cœur de la ville !

Près de la gare KL Sentral (Brickfields)

Prix moyens
(100-150 Rm / 22-33,50 €)

🛏 *My Hotel@Sentral (plan d'ensemble, B6, 47)* : 1, Jln Tun Sambanthan 4. ☎ 2273-80-00. ● myhotels.com.my ● À 5 mn à pied de la gare. Toujours des promos sur Internet. Si vous avez

LA CÔTE OUEST DE LA MALAISIE

un train à prendre tôt le matin ou si vous arrivez tard, cet hôtel moderne, certes sans charme particulier, offre un bon rapport qualité-prix-accueil. Chambres très propres et fonctionnelles, avec clim, salle de bains, TV et bouilloire. Également des familiales intéressantes. Pas de petit déj (juste du café ou du thé), mais on trouve à côté l'*Old Town White Coffee,* ouvert dès 7h, qui propose de nombreuses formules. Consigne gratuite. Si l'hôtel est complet, allez à l'hôtel *Metro* dans la rue derrière (un peu plus cher) ou à l'annexe, *My Hotel@KLSentral,* un peu plus loin dans la même rue.

Où manger ?

FOOD COURTS, FOODSTALLS ET MARCHÉS DE NUIT

KL est un bon endroit pour faire le tour des différentes cuisines du pays et même d'Asie ! La ville regorge de **marchés de nuit** (*pasar malam*), **food courts** (zones de restauration, dans les centres commerciaux notamment) et **food stalls** (stands de rue), qui sont autant d'occasions de goûter aux cuisines malaise, chinoise, indienne, japonaise ou coréenne, souvent pour pas cher et dans de bonnes conditions d'hygiène. De plus, on y côtoie toutes les couches de la population, des prolétaires aux hommes d'affaires. Attention, les marchés de nuit changent tous les jours d'endroit, il faut donc se renseigner. Par exemple, celui de Bangsar, au sud-ouest du centre-ville, après la gare de *KL Sentral,* attire du monde le dimanche soir. Si vous n'avez pas envie de chercher par vous-même, il existe des balades guidées en ville sur le thème culinaire. Voir plus haut, la rubrique « Adresses et infos utiles. Divers ».

À Chinatown et alentour

De bon marché à prix moyens (jusqu'à 40 Rm / 9 €)

|●| Le soir (dès 18h), une portion de *Jalan Sultan* (*zoom I, C5, 50*) accueille des **petits restos de rue.** On vous conseille par exemple *Hong Kee,* qui propose des *claypot chicken rice* et des *portuguese grill fish,* sortes de ragoût de poisson et fruits de mer cuits au grill en papillote. Délicieux mais, sauf indication contraire, très piquant ! Sinon, le resto voisin fait dans les brochettes, de viande, fruits de mer,

légumes ou les raviolis, à faire griller ou à cuire soi-même à table dans un bouillon. Super bon aussi et peu ruineux !

|●| **Yusoof Dan Zakhir** (*zoom I, C4, 51*) **:** 42-46, *Jln Hang Kasturi, sur le côté droit du* Central Market. *Tlj 6h-23h.* Cette vaste salle située juste à côté du touristique *Central Market* n'est pas un attrape-gogos : on y sert même l'un des meilleurs poulets tandoori de la ville ! Cuisses bien rouges, parfumées et pimentées comme il faut partent à prix riquiqui. Également tout un choix de viandes, poissons et fruits de mer en sauce pour à peine plus cher. Pas d'alcool, mais du jus de noix de coco. Super adresse.

|●| **Ali, Muthu & Ah Hock Kopitiam** (*zoom I, C5, 54*) **:** 13, *Jln Balai Polis. Tlj 8h-16h30.* À côté du *Old China Cafe,* une petite cantine prise d'assaut à midi par les étudiants et travailleurs du coin, pour ses excellents *nasi lemak ayam, mee rebus* et autres *nyonya laksa.* Il faut certes se pousser un peu aux grandes tables métalliques, dans une salle style entrepôt à peine reconverti, mais l'ambiance n'en est que plus conviviale ! Sympa, savoureux et bon marché !

|●| **Soong Kee Beef Noodles** (*zoom I, C4, 53*) **:** 86, *Jln Tun H. S. Lee. Tlj sauf dim 11h-22h30.* Sans surprise, on y vient pour ses nouilles au bœuf, servi en tranches ou en boulettes dans un bouillon. C'est bon, et ça coûte 3 francs 6 sous. Salle informelle sous ventilos. Existe depuis... 1945 !

De prix moyens à un peu plus chic (20-60 Rm / 4,50-13,50 €)

|●| **Old China Café** (*zoom I, C5, 54*) **:** 11, *Jln Balai Polis, à la lisière de*

Chinatown. ☎ 2072-59-15. Tlj 11h-23h. Ne manquez pas cette ancienne demeure de la *Guild of the Selangor & Federal Territory Laundry Association*, superbement reconvertie en un *kedai kopi* chinois. Maison d'avant la Première Guerre mondiale avec un décor des années 1930. Vieux mobilier traditionnel, miroirs face à face selon la disposition porte-bonheur du feng shui, photos de vieilles figures de la *Guild* (dont une de 1917 !) et murs patinés... Pour un peu, on se croirait dans *Le Lotus bleu* de Tintin ! Le cadre idéal pour goûter, sous les ventilos, à une bonne cuisine peranakan (nyonya), mélange d'influences malaises et chinoises originaire de Malacca. Pour l'anecdote, le patron, un anglophone jovial, est un admirateur de la Nouvelle Vague, a produit en France un film de Tsai Ming Liang (voir « Personnages » dans « Malaisie. Hommes, culture, environnement »). La famille possède un autre resto, le *Precious Old China*, au 1ᵉʳ étage du Central Market, avec quasi la même carte.

|●| *Ginger* (zoom I, C4, **55**) : au 1ᵉʳ étage du Central Market. ☎ 2273-73-71. Tlj 9h30-21h30 (dernière commande). Dans l'ambiance touristique du *Central Market*. Décoré d'artisanat, ce resto thaï au cadre assez sombre mais rustique et élégant s'ouvre en fait aussi à la cuisine du reste de l'Asie. Dans l'assiette, *pad thai* aux fruits de mer, rouleaux de printemps à la vapeur, *pattaya omelette*, *crispy butter prawns* (crevettes croustillantes) et, bien sûr, *ginger beef* (bœuf au gingembre), le tout copieux et bien présenté.

À Little India

De bon marché à prix moyens (moins de 30 Rm / 6,50 €)

Dans cette catégorie, les restaurants de ce quartier, indiens pour la plupart, ne servent pas d'alcool.

|●| Autour de Jalan Masjid India (zoom I, C3-4), plein de **gargotes** et de petits **restaurants mamaks** (tamouls) proposent *murtabak*, currys et *roti canai*.

|●| *Betel Leaf* (zoom I, C4, **56**) : 77A-79A, Lebuh Ampang. ☎ 2032-59-32. Tlj 11h-23h. Un de nos meilleurs rapports qualité-prix. À l'étage, dans un cadre frais et reposant, on y déguste une cuisine du Chettinad (Sud de l'Inde), végétarienne ou non, à base d'excellents produits : *vaalai poo vadai* (fleurs de bananiers et lentilles frites), *raita, thali, dhal, dosai, roti, paratha...* mais aussi poulet tandoori, *betel leaf chicken* (poulet mariné au curry) et plein de viandes. Plats servis dans des assiettes en inox recouvertes d'une feuille de bananier. Très bonne qualité et service efficace.

|●| *Sangeetha* (zoom I, C4, **57**) : 65, Lebuh Ampang. ☎ 2032-33-33. Tlj 8h-23h. Ven, lunch buffet env 20 Rm. Pas de musique (ni vraiment d'ambiance) dans ce petit resto indien au cadre propret et climatisé. Cela dit, on y trouve un grand choix de bons plats végétariens à prix très raisonnables, surtout originaires du sud de l'Inde, parfumés notamment à la cardamome et à la pistache. *Naan* et *roti* tout chauds à partir de 11h30. Sans oublier le coin pâtisserie avec pâte d'amandes, *halwa* et autres *laddu* (boulettes à base de farine de pois chiches et de fruits confits). Bon café au lait indien. Bien pour les amateurs du genre.

De prix moyens à chic (de 20 à 60 Rm / 4,50-13,50 €)

|●| *Coliseum* (zoom I, C3, **58**) : 98-100, Jln Tuanku Abdul Rahman. ☎ 2692-62-70. Ⓜ Bandaraya. À côté du Coliseum, cinéma rococo de 1921 ne diffusant que des films indiens. Tlj 10h-22h. L'ancien *Watering Hole of the Britishers* fut avant tout un hôtel, où Somerset Maugham aurait élu domicile dans les années 1920. Le restaurant conserve son ambiance hors du temps, très fin de règne colonial, façonnée par une décoration inchangée depuis des lustres. Incontestablement, c'est le bar qui a le plus de caractère. On a l'impression d'entrer dans un vieux saloon. Dans la salle, plus dépouillée, on vous servira par exemple un *sizzling*

LA CÔTE OUEST DE LA MALAISIE

steak sur une plaque brûlante, celui-là même qui a fait – à juste titre – la réputation des lieux (viande d'origine australienne et néo-zélandaise). Pour une addition plus sage (et en phase avec le lieu), optez plutôt pour des plats locaux.

Le Triangle d'Or
(autour de Jalan Bukit Bintang) et plus au nord

De bon marché
à prix moyens
(de 10 à 50 Rm / 2-11 €)

|●| Alignés comme à la bataille, les célèbres **restos de Jalan Alor** *(zoom II, E4, 59)*, qui s'animent surtout en soirée, proposent un très grand choix de cuisines chinoises. On y trouve vraiment de tout (et à tous les prix) : poissons entiers grillés, brochettes en veux-tu en voilà, rouleaux de tout type, bouillons (de boulettes de poisson notamment), *hot pots* (fondues), bouchées à la vapeur, crevettes aux vermicelles... On a même vu des grenouilles et du poulet au café ! Ambiance très populaire et bon enfant, un des hauts lieux de la capitale pour la cuisine de rue !

|●| *Nasi Kandar (zoom II, E4, 60) :* 5, Tengkat Tong Shin. Attenant au KL Dorms. Ouv 24h/24. Petit restaurant ou grande cantine ? Les 2 à la fois. Dans un espace ouvert sur une rue animée, on y sert à toute heure des plats indiens, malaisiens et thaïs à des prix très sages. C'est frais, c'est simple et c'est bon. Grands jus frais et *roti tissue* (en forme de mouchoir !) pour le petit déj.

|●| *Nagasari Curry House (zoom II, E4, 61) :* Jln Nagasari. Ouv 24h/24. C'est à midi, en particulier, qu'il faut venir profiter des currys (indiens et malaisiens) et des excellents *banana leaf rices*. De nombreux autres plats, végétariens ou non, sont servis aussi sur feuille de bananier. Cadre sans chichi aucun, en revanche.

|●| *Nasi Lemak Antarabangsa (plan d'ensemble, D2, 62) :* Jln Raja Muda Musa. Tlj 18h-midi (oui, midi !).

À Kampung Bahru. Pour ceux qui s'aventureraient dans le secteur, c'est l'un des restos les plus populaires du quartier (qui ne manque pas d'adresses de ce genre), ouvert toute la nuit pour avaler un authentique *nasi lemak* sur une poignée de tables dehors. Prix plancher.

|●| **Hutong Food Court du Lot 10** *(zoom II, E4, 63) :* au sous-sol du centre commercial Lot 10, entrées sur Jln Bukit Bintang et Jln Ismail. Tlj 10h-22h. Pas d'alcool. Une vingtaine de comptoirs servant une cuisine sino-malaisienne, photos à l'appui. En vedette, les nouilles au porc (ou porc aux nouilles !), déclinées de maintes façons, mais il y a aussi les *beef ball noodles* de Soong Kee, les *wantan soups* de Ho Weng Kee, les *popiah* (sortes de rouleaux de printemps aigres-doux servis chauds et tranchés) de Campbell, les *dumplings* (bouchées vapeur) de Layumcha... et encore du poulet, canard, ragoûts de bœuf, etc. Si vous êtes aventureux du palais, terminez chez *Oriental Dessert...* avec un *ice kacang*, une glace pilée nappée de sirop de palme, de haricots, maïs, *jelly* et autres cacahuètes ! Une vraie gourmandise pour les Chinois. L'ensemble bourdonne aux heures de tables, l'hygiène est au rendez-vous et les prix restent très raisonnables pour la qualité.

|●| **Restos japonais du Lot 10** *(zoom II, E4, 63) :* au 4e étage du centre commercial Lot 10 *(entrées sur Jln Bukit Bintang et Jln Ismail).* Tlj 11h-22h. Alcool servi. Décidément, ce *Lot 10* a beaucoup à offrir en matière de cuisine ! Là aussi, on y fait son marché, même si on a un faible pour *Izakaya Hanazen,* qui propose de délicieux plateaux déjeuner (essayez le *charcoal grilled pork bowl rice set,* à tomber !). Sinon, *shabu shabu* (fondues nipponnes), soba, ramen, udon et sushi à gogo...

|●| **Burger on 16** *(zoom II, E5, 65) :* 16, Lorong 1/77a, Imbi. ☎ 9227-21-17. Tlj 10h-1h. Pas d'alcool. Changement complet de registre avec ce petit resto de quartier, pas très couleur locale mais où l'on sert des burgers de bœuf australien au goût inimitable ! À arroser de thé froid maison ou d'un bon jus

frais dans une salle climatisée et reposante. Également des burgers de poulet (teriyaki notamment) et végétariens.
|●| *Madam Kwan's (zoom II, E3, 66)* : au 4ᵉ étage du centre commercial Suria KLCC *(attenant aux tours Petronas)*. ☎ 1026-22-97. Tlj 10h30-22h30. Un classique à KL, né du travail et de la détermination de madame Kwan qui ouvrit son premier restaurant en 1977. Depuis, elle a essaimé à travers le pays. Au programme : une bonne cuisine malaisienne à prix accessibles, avec en vedettes le *nasi lemak*, le bœuf *rendang* et le curry *laksa*. Toujours du monde, qui attend souvent (mais jamais très longtemps) son tour pour pouvoir prendre place dans la grande salle aux allures de bistrot. Service décontracté et souriant malgré l'affluence.

De prix moyens à chic (20- 90 Rm / 4,50-20 €)

|●| � *Bijan (zoom II, D4, 64)* : 3, Jln Ceylon. ☎ 2031-35-75. Tlj 16h30-23h. Installé aux marges de Bukit Bintang, dans une maison moderne inspirée de l'architecture traditionnelle, *Bijan* met en valeur le meilleur des produits locaux (certains bio) et des saveurs traditionnelles (épicées), revisitées façon moderne. On y goûte par exemple les excellents *daging bungkus kukus*. Non, ce n'est pas une formule magique (quoique...) mais de succulents petits ballotins de viande hachée aux herbes cuits à la vapeur. Sinon, on peut piocher parmi les plats aux fougères sauvages, les *rendang* (plats mijotés), les salades de fruits du jacquier grillés ou encore de mangue verte au gingembre, citron vert, piment et cacahuètes. La liste des desserts est également alléchante : si la glace au durian ne plaît pas à tous, la crème brûlée... au maïs aura peut-être plus de succès !
|●| *Naughty Nuri's (zoom II, E3, 67)* : 20, Jln Sultan Ismail, au rdc du Life Centre. ▤ 019-300-72-21. Tlj 11h-23h30. Il s'agit d'une enseigne indonésienne, connue notamment pour ses *killer ribs*, ou travers de porc qui tuent ! On confirme : marinés aux épices balinaises et cuits très lentement, ils fondent littéralement dans la bouche ! Un délice avec une salade bien fraîche ou des frites à la truffe... Sinon, *nasi* ou *mee goreng* (riz ou nouilles frits), poulet « betutu » et autres *naughty* tapas. À engloutir à des tables en bois dans une salle agréable et aérée face à la rue. Service souriant et attentif.

Où boire un verre ?

À Chinatown

☖ *Old China Café (zoom I, C5, 54)* : 11, Jln Balai Polis. Tlj 11h30-22h. Décor de café chinois des années 1930. Quelle patine, quel charme, il n'y en a pas 2 comme ça à KL ! Sur fond de musique chinoise rétro, on sirote un *fresh lemongrass*, un café de Malacca, un café glacé, un *sour plum* (sirop de palme avec prunes, très sucré !) ou encore un verre de vin. On peut aussi y manger (voir la rubrique concernée).
☖ *Reggae Bar (zoom I, C4-5, 74)* : 156, Jln Tun H. S. Lee. À l'angle de Jln Hang Lekir. Tlj 11h-2h (min). Happy hours tlj midi-21h. Avec une telle enseigne, rien d'étonnant à ce que les voyageurs de tout poil y traquent de bonnes bières bien fraîches... au coude à coude avec de jeunes Malais. Et ça fraternise aux rythmes de Bob Marley, dans une salle tout en longueur au mur de brique couvert de photos de l'illustre Jamaïcain. Un DJ vient, en prime, animer, voire faire danser, tout ça en fin de soirée, surtout le week-end ! On peut aussi y manger.

À Little India

☖ *Coliseum (zoom I, C3, 58)* : 98-100, Jln Tuanku Abdul Rahman. Tlj 10h-22h. Hôtel-restaurant datant de 1921 dont on parle dans la rubrique « Où manger ? ». Somerset Maugham est passé par là du temps où il était espion... Et l'ambiance n'a pas changé, ou si peu ! Commandez votre bière au comptoir.

LA CÔTE OUEST DE LA MALAISIE

Au Kuala Lumpur City Centre (KLCC)

♟ Côté jardin, l'*Esplanade (zoom II, E3),* au pied des tours jumelles Petronas, offre une succession de restaurants et de bars qui sont l'occasion d'une pause bien agréable. Le tout agrémenté d'un son et lumière le soir autour du lac.

Où sortir ? Où danser ?

Profitez-en, car les lieux de sortie sont rares sur la côte ouest et quasiment inexistants sur la côte est ! Chaque boîte a son style et sa clientèle : Malais, Chinois, Indiens, expatriés ou mixte. À vous de choisir ! Les adresses changent, mais les pôles de la vie nocturne sont plutôt stables. Le plus animé et le plus fréquenté par les étrangers (touristes et expats confondus) est sans conteste la rue *Changkat Bukit Bintang (zoom II, E4),* dans le Triangle d'Or, qui a vu se multiplier les restos-bars (saupoudrés de quelques clubs) dans sa partie ouest. Très courus aussi, les *bars en hauteur,* disséminés dans *KLCC,* qui offrent pour la plupart une vue imprenable sur la ville. Sans oublier le quartier de *Bangsar* (un peu excentré, vers le sud-ouest) et, dans une moindre mesure, *The Row KL,* au nord de *Little India.* Pour connaître les derniers lieux en vogue, on vous conseille de consulter le site de *Time Out :* ● timeoutkl.com ●

L'entrée est généralement payante pour les boîtes en fin de semaine. Ces jours-là, compter environ 30-50 Rm par personne, incluant la première boisson. Âge légal : 21 ans ! Ne pas arriver avant 23h. Question drague, messieurs, ne rêvez pas trop. Les filles particulièrement « charmantes » sont souvent tarifées... Le *Beach Club Café,* près des Tours Petronas, est d'ailleurs connu pour cela, mais aussi pour son ambiance survoltée grâce à ses bons groupes de musique live.

De Bukit Bintang au KLCC

♟ ♪ ✕ *Changkat Bukit Bintang (zoom II, E4, 72) :* la rue la plus vivante de la ville après la tombée de la nuit ! DJ et musique live se côtoient dans ses nombreux bars-restos... parmi lesquels on peut épingler le *Healy Mac's* (installé de longue date et toujours très animé) et le *Havana Bar,* très agréable avec sa terrasse abritée, ses salles colorées, son menu cigares et ses soirées salsa (dimanche et mardi) ou DJ (les autres soirs)... Côté boîtes, la plus en vue (et celle qui ferme le plus tard !) est le *Zion,* tendance hip-hop et blindée en fin de semaine.

♟ *Sky Bar (zoom II, E3, 70) :* au 33e étage du Traders Hotel. ☎ 2332-98-88. *Tlj 11h-1h (3h ven-sam et j. fériés).* Happy hours *17h-21h. Trendy* en diable, le *Sky Bar* s'agence autour de la piscine intérieure de l'hôtel, face aux tours Petronas : panorama imprenable garanti. Les apéros du monde entier y côtoient tapas et autre *fingerfood.* Plutôt *chill-out* avant 21h et électro-club après. Prix assez élevés.

♟ ↗ *Heli Lounge Bar (zoom II, E4, 73) :* au 34e étage de la tour Menara KH, Jln Sultan Ismail. ☎ 2110-50-34. *Tlj 18h-minuit (3h w-e).* Difficile de faire plus « *rooftop bar* » que l'*Heli Lounge :* celui-ci est installé sur le toit qui sert d'héliport en journée ! De là, vue à 360° sur tout KLCC et sa petite forêt de gratte-ciel ! Le mode d'emploi est simple, on passe commande au *lounge* (qui fait disco à partir de 21h) du 34e étage, puis on monte 2 volées d'escalier pour atteindre la plateforme, aménagée en soirée avec des tables et des chaises (résa conseillée). Attention, ni short, ni sandales, ni marcel après 21h !

♟ ✕ ↗ *Zouk (plan d'ensemble, F5, 71) :* 436, Jln Tun Razak. ☎ 2110-38-88. La plus grande discothèque du pays (d'Asie selon certains), un vaste complexe regroupant une dizaine d'espaces baignant dans des musiques et ambiances différentes, du *Zouk Cafe Bar* et sa terrasse aux divers coins VIP en passant, bien sûr, par la piste de danse principale, éclairée par un million d'ampoules LED (!), où officient les DJs internationaux. Pour un max de *vibes,* venir de préférence le vendredi ou samedi à partir de minuit.

Achats

À Chinatown

⊕ **Central Market** (zoom I, C4) : Jln Hang Kasturi. Tlj 10h-22h. En plein cœur de Chinatown, on jettera un œil à cette belle façade bleue Art déco de 1936. À l'intérieur, des boutiques plutôt aseptisées et touristiques. Néanmoins, la balade est agréable et on n'est jamais à l'abri d'un petit coup de cœur (prix parfois négociables).

⊕ **Coook** (zoom I, C5, 110) : 11, Jln Sultan. À l'angle avec Jln Panggong. Tlj 10h-19h. Une élégante et chic boutique où les galettes de *puer* et autres thés chinois, les tasses en céramique et les théières aux formes originales s'alignent comme à la parade sur les rayonnages. Prix élevés, en revanche. Et comme pour le vin, le prix du thé dépend des années et des crus. Également un espace dégustation.

⊕ **Culture Street Arts & Gallery** (zoom I, C5, 111) : 10C, Jln Panggong, tt près de Coook. Tlj 10h-19h (17h le w-e). Pour les amateurs de calligraphie chinoise, une petite boutique avec des pinceaux de toutes les tailles et tout le matériel nécessaire.

À Little India

⊕ **Tissus et vêtements traditionnels** (zoom I, C3) : à l'est de Jln Tuanku Abdul Rahman et dans les rues adjacentes. De longues séries de boutiques de tissus et de vêtements occupent les trottoirs. Si les fringues bon marché usinées ont un peu tout envahi, on trouve encore quelques artisans prêts à jouer de la machine à coudre. Messieurs, vous pourrez vous acheter des *bajus melayus*, ces chemises blanches à col malais. Pas de 100 % coton cependant ni de grands gabarits... Sinon, allez vous-même acheter votre tissu au *Globe* (n° 185) ou chez *Harrison* (n°s 229-235) sur Jalan Tuanku Abdul Rahman, et faites-vous tailler chemises ou costumes sur mesure. Quant à vous, mesdames, c'est l'occasion ou jamais de vous offrir la robe en batik de vos rêves, en soie (mais aussi en polyester, faites attention !).

Au KLCC

⊕ **Harriston Boutique** (zoom II, D-3) : 139, Jln Ampang. ☎ 2162-20-08. Ⓜ Kampung Baru. À côté du Malaysia Tourism Centre. Tlj 9h-20h. Le plus grand magasin de chocolats de Malaisie. On y fabrique et on y vend toutes sortes de chocolats (assez chers), élaborés à partir du cacao *made in Malaysia*, provenant des plantations du Sabah (Bornéo). Il y en a à la mangue, à la papaye, à l'ananas, au piment et même au curry, au durian et au gingembre ! Demandez, on vous fera goûter. Jovial et communicatif, le chef chocolatier Ong, qui tient l'atelier de fabrication et de démonstration, a longtemps vécu en France, a travaillé chez Le Nôtre et parle bien le français. C'est lui qui a confectionné les 2 grands dragons en chocolat qui décorent cette partie du magasin.

Centres commerciaux... partout en ville !

La grande passion des Malaisiens ! Outre dépenser son argent, on y vient pour prendre le frais, s'y restaurer (toujours au moins un *food court*), y flâner comme on flâne dans les centres-villes de chez nous... Il n'y a que l'embarras du choix : boutiques ultrachic du *KLCC Suria Complex*, au pied des tours Petronas (zoom II, E3) ; antres fashion du *Pavilion* ou du *Farenheit 88* voisin (zoom II, E4) ; excellents petits restos sino-malaisiens ou japonais du *Lot 10* (zoom II, E4) ; le sympathique *Sungei Wang Plaza* (zoom II, E4-5), qui date de 1977 ; ou encore le *Berjaya Times Square* (zoom II, E5), genre paquebot de croisière avec ses 2 tours de 200 m de haut, qui regroupe 13 étages de boutiques (plus d'un millier en tout !), cinémas en 2 et 3D et même un... parc d'attractions avec un grand huit ! On ira manger après, hein ?

LA CÔTE OUEST DE LA MALAISIE

À voir

....

Kuala Lumpur possède peu de monuments d'une beauté remarquable, en dehors des quelques édifices d'inspiration moghole des abords de Merdeka Square et des quartiers les plus anciens. En revanche, elle affiche un « métissage » intéressant entre architecture coloniale, gratte-ciel clinquants et petits temples de quartier, où règnent une ferveur et une animation constantes.

Il existe un *pass* (● klpass.com ●), qui inclut notamment *Aquaria, Butterfly Park, KL City Gallery, KL Tower* et le *Hop-on Hop-off bus*. *Prix : 175 Rm pour 1 j., réduc. Également pour 2, 3 et 6 j.* Ça vaut le coup de faire ses comptes en fonction des sites qu'on veut visiter. Il s'achète en ligne ou à la *KL City Gallery (zoom I, B4)*, sur Merdeka Square.

Le centre colonial (zoom I, B-C4-5)

🏃🏃 **Merdeka Square** *(pl. de l'Indépendance ; zoom I, B-C4) :* les Anglais parlaient du *green,* les Malais du *padang.* Au cœur de la ville, cette immense place rectangulaire accueillait jadis les compétitions de cricket des membres du *Selangor Club,* sur la pelouse qui d'ailleurs est encore là... C'est ici que, le 31 août 1957, l'Union Jack fut abaissé et le drapeau malais hissé jusqu'au ciel. Il flotte toujours au sommet d'un mât haut de 100 m, réputé parmi les plus hauts du monde. À côté, une fontaine victorienne (1897), apportée d'Angleterre !

À la toute fin du XIXe s, le résident britannique, sir Frank Swettenham, présida à la construction d'impressionnants bâtiments gouvernementaux en brique. Le plus beau, côté est, est le **Sultan Abdul Samad Building** *(zoom I, C4).* Inspiré de l'architecture moghole indienne, il est coiffé de bulbes cuivrés et dominé par une tour d'horloge haute de 41 m – qui a résonné pour la première fois à l'occasion de la parade organisée pour l'anniversaire de la reine Victoria, en 1897. Conçu pour abriter le QG de l'administration coloniale, puis le palais de justice, il est aujourd'hui occupé par le ministère de l'Information et de la Culture. En vis-à-vis, le **Royal Selangor Club** est toujours là, dans ses bâtiments de style Tudor. Seuls les membres peuvent accéder aux belles terrasses ouvertes face au gazon ! Les femmes y sont désormais aussi admises, sauf au *Long Bar* – pour éviter, paraît-il, qu'elles ne voient les hommes s'exciter lors des matchs de cricket...

Au nord de la place, la **Saint Mary's Cathedral**, toute basse, au toit de tuile rouge souvenir d'une époque révolue, date de 1894. Côté sud enfin, on trouve, côte à côte, la bibliothèque, la *KL City Gallery* (voir ci-dessous) et le beau musée des Textiles (idem), installé dans un ancien édifice des chemins de fer, de style moghol lui aussi.

🏃🏃 **KL City Gallery** *(zoom I, B4) :* 27, Jln Raja, Merdeka Square. ☎ 2698-33-33. ● klcitygallery.com ● *Tlj 9h-18h30. Entrée : 10 Rm (donnant droit à un bon d'achat dans la boutique).*

Sise dans l'ancien Government Printing Office, de style moghol, très élégant. Au rez-de-chaussée, on découvre l'histoire de la ville depuis 1857, principalement à travers des panneaux explicatifs, des plans anciens, de vieilles photos et une maquette détaillée de Merdeka Square, où l'on distingue notamment Chinatown et la mosquée Masjid Jamek. Mais le plus intéressant se situe à l'étage, qui accueille une maquette de 15 m sur 12 de la ville d'aujourd'hui... et à venir. Installée dans un petit auditorium, elle est présentée avec un jeu de lumières et des images légendées à la gloire de la capitale.

Retour au rez-de-chaussée pour voir, à travers une vitre, l'atelier où l'on fabrique les objets en bois vendus à la boutique. En sortant, ne pas oublier de se faire prendre en photo devant l'immense *I Love KL,* avec un cœur gros comme ça ! I●I Agréable petite cafét sur place.

🏃🏃 **Muzium Tekstil Negara** *(musée des Textiles ; zoom I, C4) :* 265, Jln Sultan Hishamuddin. ☎ 2694-34-57. ● muziumtekstilnegara.gov.my ● *Entrée sur Lebuh Pasar*

Belar. Tlj 9h-18h. GRATUIT. L'édifice, de style moghol, est presque aussi beau que celui du Sultan Abdul Samad ! Il est consacré à la tradition textile en Malaisie au gré de 4 espaces thématiques. Toutes les techniques sont explorées, de la minutieuse broderie au fil d'or jusqu'à l'impression des batiks – un savoir-faire parvenu ici avant le XIVe s, sous le royaume de Srivijaya. On découvre aussi les superbes étoffes et tissus brodés des différentes ethnies et minorités, chinoise et de Bornéo en particulier, comme ces surprenants vêtements réalisés en écorce de jacquier par les peuples de la forêt. L'étage est consacré à la broderie et aux ornements : bijoux, broches, colliers, couvre-chef, lourds bracelets de cheville, coiffes, etc.

✿✿ Masjid Jamek *(mosquée du Vendredi ; zoom I, C4) : près de Jln Tun Perak. Accessible aux visiteurs lun-mer 14h30-15h30 et, pour des visites guidées (gratuites), sam-dim 10h-12h30, 14h30-16h. Tenue vestimentaire décente et chevelure couverte exigées pour les femmes ; blouses et foulards fournis à l'entrée. Pas de shorts.* C'est la plus ancienne mosquée de la ville, principal lieu de culte musulman de Kuala Lumpur jusqu'à l'inauguration de la Mosquée nationale en 1965. Conçue par un architecte anglais en 1909, agrandie en 1984, elle se dresse au « confluent boueux » *(kuala lumpur en malais)* des rivières Klang et Gombak – là où les premiers explorateurs posèrent le pied. Un certain charme avec ses minarets et ses coupoles qui se reflètent dans le bassin, au milieu des palmiers. Fontaine musicale avec jeu de lumières tous les soirs de 21h15 à 23h.

✿ Dayabumi Complex *(zoom I, C4) :* ce gratte-ciel, haut de 157 m, construit entre 1982 et 1984, est l'un des plus originaux de la ville avec ses façades recouvertes de paravents aux motifs d'étoiles à 8 branches. L'inspiration islamique se retrouve aussi au pied de la tour, avec d'immenses baies vitrées miroitantes en ogive, façon cathédrale moderne.

✿ Masjid Negara *(Mosquée nationale ; zoom I, B5) : Jln Perdana. Visites tlj 9h-12h (sauf ven), 15h-16h, 17h30-18h30. Pour les femmes comme pour les hommes, les jambes doivent être couvertes ; foulards et blouses disponibles à l'entrée.* D'allure moderniste, la Mosquée nationale a été achevée en 1965 pour un coût alors astronomique de 10 millions de dollars. Les habitants de KL la boudèrent jusqu'à ce que ses concepteurs repeignent son toit rose en un bleu plus orthodoxe... On peut accéder à la grande salle de prière, aux piliers richement ornés de motifs islamiques. Pas de dôme, mais un toit en forme d'ombrelle, pour rappeler celles qui protégeaient fidèlement les sultans de jadis... La mosquée peut accueillir 15 000 fidèles et est veillée par un minaret haut de 71,60 m.

✿ Heritage Old Station *(ancienne gare ; zoom I, B-C5) :* construction d'inspiration indienne mâtinée de styles victorien et mauresque, datant de 1910, avec ses dômes, volutes, minarets, arches, etc. Hélas, l'extérieur est assez délabré.

Chinatown *(zoom I, C4-5)*

De Merdeka Square, vous n'aurez qu'à franchir la rivière pour gagner le quartier. Sans être extraordinaire, il grouille d'une plaisante activité, entre marchés, temples et rues commerçantes. Les abords du *Central Market* sont désormais très policés, mais on croise encore quelques perles nostalgiques – des vendeurs de fruits et de snacks inconnus, des oiseleurs près de l'angle de Jalan Petaling et Jalan Hang Jebat, et, au cœur du *pasar malam* (marché de nuit), une foule de stands s'éveillant au crépuscule dans une joyeuse ambiance. Là, près du confluent de Jalan Petaling et Jalan Hang Lekir, seuls les piétons ont le droit de cité, se frayant toutefois difficilement un passage au cœur de la foule et des étals. Les guirlandes lumineuses scintillent, les midinettes se promènent avec leur Travolta, œil tourné vers les montres et les fringues ; le marchandage (obligatoire) bat son plein. La ville chinoise continue de vivre jusqu'à 23h, minuit même le week-end.

🍴 *Central Market* (Pasar Seni ; zoom I, C4) : Jln H. Kasturi. Dites « CM » pour les taxis. Tlj 10h-22h. On ne ferait pas trop la fine bouche si la « réhabilitation » de cette bâtisse Art déco de 1936 n'avait sonné le glas du *wet market* (« marché mouillé ») qui, lui, datait de 1888. Vendeurs de fruits, légumes et poissons ont été chassés pour laisser place à des tee-shirts, des souvenirs et de l'artisanat plutôt « aseptisé »... Un chapelet de vendeurs ambulants aligne encore ses étals contre les flancs de la bâtisse, mais, là encore, tout est assez formaté.
– Le samedi à 20h30, on peut assister à un spectacle de danse traditionnelle à l'extérieur du marché, côté sud.

🍴 *Sze Ya Temple* (zoom I, C4) : Jln Tun H. S. Lee. Tlj 7h-17h. Ce temple taoïste, parmi les plus anciens de Kuala Lumpur, a été fondé au XIXᵉ s par le célèbre *Kapitan Cina* Yap Ah Loy, qui contribua au premier essor de la ville. Il se cache derrière des boutiques : un choix sans doute dicté par les règles de la géomancie.

🍴 *Sri Mahamariamman Temple* (zoom I, C5) : 163, Jln Tun H. S. Lee. En principe, tlj 6h-20h30. Le plus ancien temple hindou de Kuala Lumpur a été érigé en 1873 mais largement remanié un siècle plus tard. Sa porte principale est surmontée d'un *gopuram*, une sorte de grosse pièce montée typique de l'Inde du Sud, haute de 22 m, où apparaît une foule de divinités multicolores (il y en aurait 228, mais on n'a pas vérifié !). C'est de là que part le char d'argent tiré par des bœufs qui se rend aux grottes de Batu la veille du Thaipusam (voir les Batu Caves plus loin).

🍴 *Guan Di Temple* (zoom I, C5) : 149, Jln Tun H. S. Lee. Ouv 7h-17h. Un autre temple chinois taoïste, construit en 1888 et dédié à Guan Di (ou Kuan Ti), le dieu de la Guerre. 2 lions de pierre gardent la grande porte d'entrée donnant sur une cour où flotte la fumée d'innombrables spirales d'encens. À l'intérieur, que de couleurs : des murs rouge vif, la statue dorée du dieu revêtue de vert, des rouleaux de prières et des offrandes multicolores... Un temple empreint d'une grande sérénité.

🍴 *Chan See Shu Yuen Temple* (zoom I, C5) : 172, Jln Petaling. Tlj 8h-18h. Datant de 1906, c'est l'un des plus vieux temples bouddhistes chinois de Malaisie. On notera en particulier, à l'extérieur, ses frises en terre cuite vertes évoquant des scènes historiques et mythologiques. De là, traversez Jalan Stadium et visitez, par la même occasion, le *temple de Kuan Yin* (tlj 9h-17h), dans lequel on pénètre par une porte ronde, symbole du ciel et du paradis.

Kuala Lumpur City Centre (KLCC) et environs

Pour info, il existe un système de passerelles (pedestrian skybridge) reliant le *Pavilion,* grand centre commercial (168, Jalan Bukit Bintang ; zoom II, E4) à l'*Aquaria* et aux Tours Petronas.

🎎🎎🎎 ← *Petronas Towers* (zoom II, E3) : érigées par la compagnie pétrolière *Petronas* en 1996, ces tours jumelles de verre et d'acier, hautes de 451,90 m, font la fierté du pays. Elles ressemblent à des épis de maïs fuselés, dressés comme pour bénir et protéger la prospérité du pays. Inspirées de la tradition

DÉTRÔNÉES, LES TOURS PETRONAS ?

Numéro 1 : Burj Khalifa (Dubai), 828 m ! Numéro 2 : Shanghai Tower (Chine), 632 m. Numéro 3 : Abraj Al Bait Towers (Arabie Saoudite), 601 m. Numéro 4 : Pingan International Finance Center (Chine), 599 m. Les tours Petronas de Kuala Lumpur n'arrivent en fait qu'au 17ᵉ rang, avec 451,90 m quand même ! Mais elles restent les plus hautes tours jumelles au monde. S'ils avaient pensé à les superposer, elles seraient numéro 1 !

islamique, elles ont été dessinées par l'architecte argentin Cesar Pelli et ont coûté la bagatelle de 2 milliards de dollars ! Ce furent les plus hautes tours de la ville durant 2 décennies mais elles ont perdu ce titre en 2018 au profit de la tour *Exchange 106,* qui culmine à 492 m... et qui sera elle-même détrônée à l'horizon 2020 par la tour *KL 118,* dont la hauteur prévue est de 630 m. Chacune des 2 tours comprend 88 étages (chiffre porte-chance) et est prolongée par un mât-antenne de 73,50 m. Elles sont reliées, au niveau du 41e étage, par le Skybridge. Une tour est occupée par les bureaux de la compagnie pétrolière *Petronas,* l'autre par des sièges d'entreprise. – **Pour la visite :** ☎ 2331-80-80. ● petronastwintowers.com.my ● Tlj sauf lun 9h-21h (fermé ven 13h-14h30) mais le guichet, situé au sous-sol de la tour n° 2, ouvre à 8h30. Entrée : 85 Rm ; réduc moins de 13 ans. Attention, le nombre de billets disponibles/j. étant limité à 1 400, on vous conseille de les acheter en ligne, au moins 48h à l'avance. Sinon, il faut se rendre au guichet de préférence avt 8h les j. chargés (w-e et congés) et avt 9h les autres j. (en sem, hors vacances)... pour être sûr d'avoir des tickets pour le j. même. Les visites, dont l'heure est indiquée sur le billet, sont réparties sur tte la journée, la dernière débutant en principe à 20h30.
Avec le précieux sésame, vous atteindrez d'abord la passerelle située au 41e étage (le *Sky Bridge,* long de 58,4 m). Puis, 10 mn plus tard, autre ascenseur vers le 83e étage, puis un autre encore jusqu'au 86e, à 370 m de hauteur. C'est là que domine le poste d'observation, avec un panorama à 360° sur la ville. On y reste près de 20 mn avant de redescendre directement, toujours sous bonne escorte (compter 45 mn de visite en tout).
Si vous avez une heure à tuer avant l'ascension de la tour, vous pouvez toujours aller faire un tour au centre commercial *Suria KLCC,* qui abrite les plus grandes marques du luxe internationales. On y trouve aussi une salle de concerts philharmonique, un musée dédié à l'industrie pétrolière *(Petrosains)* et une galerie d'art abstrait, tout ça sponsorisé par *Petronas.* De l'autre côté s'ouvrent une agréable esplanade et un vaste parc avec lac et jeux d'eau, très appréciés des familles le dimanche.
|●| **Food Court :** dans le Suria Complex, aux 2e et 4e étages. Bonne sélection de cuisines asiatiques.

🐾🐾 🧍 *Aquaria* **(zoom II, E3) :** KL Convention Centre Complex, *KLCC.* ☎ 2333-18-88. ● aquariaklcc.com ● Une longue passerelle ou des couloirs y mènent depuis les centres commerciaux Pavilion et Suria. Tlj 10h-20h (dernière entrée à 19h). Tarif : 69 Rm ; réduc. Les w-e et j. fériés, on conseille d'acheter le billet en ligne pour éviter la queue ! Logé sous le *Convention Centre* du *KLCC,* ce grand aquarium ne décevra pas les adeptes du genre (même si l'entrée n'est pas donnée). Il s'articule autour d'un tunnel de 90 m de long permettant d'observer 6 sortes de requins, des tortues marines, raies, murènes, mérous géants ou encore un arapaïma, l'un des plus grands poissons d'eau douce au monde. Également, dans d'autres aquariums, des piranhas et plein d'autres poissons tropicaux, un crabe-araignée japonais, une pieuvre du Pacifique, etc. Possibilité aussi, dans les *touch pools,* de toucher concombres de mer et autres créatures insolites. Autre clou de la visite : les repas des requins (attention, lundi, mercredi et samedi à 15h seulement), à ne pas manquer !
Enfin, la visite se termine par quelques bestioles plus terrestres, notamment des insectes géants et des serpents (dont un étonnant *oriental whip snake* !), et surtout une section qui permet d'assister au cycle de croissance de requins bambou, de méduses et d'hippocampes... Fascinant !

🐾 Du *KLCC* en allant vers l'est, *Jalan Ampang* (zoom II, E-F2-3) est bordée de très belles maisons coloniales fin XIXe s, érigées à l'époque du boom de l'étain. Plus avant, Jalan Ampang croise la grande Jalan Tun Razak. À moins de 200 m vers le sud, la tour-monument ronde et incurvée du *Tabung Haji* (plan d'ensemble, F3), le fonds destiné à faciliter le pèlerinage à La Mecque, reprend les codes de l'architecture musulmane en les adaptant au modernisme. Quelques centaines de mètres plus à l'est, le *quartier des ambassades* est assez remarquable.

🎭🎭 ⊰ **Menara KL Tower** *(zoom II, D3-4, 80)* **:** *au sud-ouest du KLCC.* ☎ 2020-54-44. ● *menarakl.com.my* ● *Navette gratuite (zoom II, D3-4, 80) ttes les 15 mn, 8h-22h30, du bas de la colline jusqu'au pied de la tour. Tour ouv tlj 9h-21h30 (dernier ticket). Accès : 52 Rm pour l'*Observation Deck *et 105 Rm pour le* Sky Deck *; réduc.* Inauguré en 1996, ce relais de télévision de 100 000 t et 421 m de haut offre de fait un point de vue qui rivalise avec celui des tours Petronas, même si la plateforme d'observation ne se trouve qu'à 276 m. On peut toutefois, pour le double du prix (!), accéder aussi au *Sky Deck*, à 300 m, qui permet d'admirer le panorama sur la ville à l'air libre et, surtout, de faire l'expérience du vide sous ses pieds dans de nouveaux « box » en verre ! Ou encore, 3e option, se contenter d'aller prendre l'*afternoon tea* (en semaine) ou le *high tea* (le week-end), entre 15h30 et 17h30, au resto tournant *Atmosphere 360°*, situé au-dessus de l'*Observation Deck*. Pour à peine 13 Rm (en semaine) ou 25 Rm (le week-end) de plus que pour accéder à la plateforme d'observation, vous aurez droit à du thé, des pâtisseries et même des sandwichs, à déguster tranquillement assis avec la ville à vos pieds ! Bien sûr, on peut aussi y déjeuner ou dîner, mais c'est plus cher (buffet à 100 Rm le midi et 220 Rm le soir, résa nécessaire le week-end). Enfin, on peut aussi acheter un billet combinant l'*Observation Deck* et diverses attractions secondaires : à éviter, aucun intérêt !

Autour des Lake Gardens
(Perdana Botanical Gardens ; plan d'ensemble, A-B4-5)

Dès son installation à Kuala Lumpur, sir Frank Swettenham repéra cette grosse colline boisée dominant le centre à l'ouest : c'est là qu'il fit construire sa résidence. Le parc, bien entretenu, englobe aujourd'hui plusieurs attractions, des jardins, de vastes pelouses où viennent pique-niquer les familles le week-end, des pistes de jogging, des jeux pour les enfants et un plan d'eau où l'on peut canoter.

➤ *Pour s'y rendre :* on peut rejoindre à pied le parc depuis les abords de la Mosquée nationale, mais le plus simple est de se faire déposer en taxi à l'*Orchid and Hibiscus Garden (tlj 9h-18h ; entrée 1 Rm le w-e)* et de descendre progressivement la colline vers le KL Butterfly Park, le KL Bird Park et le Deer Park (peuplé de daims de Hollande). Attention, au retour, les taxis demandent souvent le double !

🎭🎭 🐾 **KL Bird Park** *(plan d'ensemble, B5)* **:** ☎ 2272-10-10. ● *klbirdpark. com* ● ♿ *Tlj 9h-18h. Entrée : 67 Rm ; réduc.* La publicité est aguicheuse : elle annonce « la plus grande volière au monde dans laquelle on peut se promener ». Quelque 3 000 oiseaux de 200 espèces, en majorité asiatiques, s'ébattent sous le grand filet tendu au-dessus de la canopée et dans une série de cages. Les plus nombreux sont les attachants calaos *(hornbills)*, dont l'envergure peut atteindre 2 m ! Si vous trouvez (à juste titre) l'entrée un peu chère, vous pouvez vous contenter de boire un verre au *Hornbill Restaurant (tlj 9h-20h)*. De sa terrasse intégrée à la volière, on a une vue partielle sur celle-ci et très souvent droit à la visite de calaos et aigrettes en quête de gourmandises...

🎭 🐾 **Butterfly Park** *(plan d'ensemble, B4)* **:** *Jln Cenderawasih.* ☎ 2693-47-99. *Tlj 9h-18h. Entrée : env 25 Rm ; vidéo payante.* Après les oiseaux, les papillons... Pas moins de 3 000 spécimens de 60 espèces évoluent librement dans un jardin tropical fleuri. Le plus impressionnant est sans doute le Raja Brooke, un papillon à la tête rouge dont les ailes noir et vert électrique effilées peuvent atteindre la taille d'une main ! Une charmante balade (quoique un peu chère payée). Pour compléter la visite, petit musée recélant des coléoptères et mille-pattes (vivants) géants, ainsi que d'impressionnantes collections d'insectes et de papillons (morts).

🎭🎭 **Muzium Kesenian Islam** *(musée d'Art islamique ; plan d'ensemble, B5)* **:** *Jln Lembah Perdana.* ☎ 2274-20-20. ● *iamm.org.my* ● *Tlj 10h-18h. Entrée : 15 Rm ; réduc.*

Dans un bel édifice moderne et lumineux situé entre la Mosquée nationale et les Lake Gardens, ce musée est entièrement consacré à l'art islamique. Sa coupole aux céramiques turquoise, ses vastes espaces fluides, son étonnant dôme inversé persan (encore plus beau vu du 1er étage !) et son patio avec fontaine aux motifs coufiques offrent un splendide écrin aux riches collections et aux expos temporaires de haute volée, ces dernières se tenant au rez-de-chaussée et au sous-sol.

Au 1er étage, on explore les grandes régions du monde musulman à travers leur artisanat ou patrimoine artistico-religieux : la Chine, avec des porcelaines, des brûle-parfums, de beaux aspersoirs d'eau de rose au col d'argent. Dans la section consacrée à l'Inde, de nombreux objets évoquent l'art de la guerre, comme ces beaux poignards moghols au manche en jade et lame damassée d'or. Sublime ! Notez aussi les aiguières et vases de type « bidri » (XVIIIe-XIXe s), surincrustés d'argent. La Malaisie et l'Indonésie ne sont pas en reste, avec de beaux tissus et les fameux kriss, ces poignards qui auraient une âme, en bois, en ivoire, en métal, parfois sertis de pierres précieuses. Au même étage, on verra des corans, dont certains très anciens, les outils du calligraphe, un intérieur syrien reconstitué et un grand fragment de la *kiswa,* le voile de soie noire brodé de versets aux fils d'or et d'argent, utilisé pour recouvrir la Kaabah, à La Mecque. Et, bien sûr, l'un des clous du musée : une vingtaine de maquettes de mosquées et de mausolées emblématiques du monde islamique, offrant un panorama complet des différentes architectures du genre (outre le Taj Mahal et les grandes mosquées de Perse, d'Ouzbékistan ou d'Arabie Saoudite, ne pas rater celle, moins attendue, d'Abiquiu, au Nouveau Mexique !). Le parcours se poursuit au 2e étage, qui abrite bien d'autres objets rassemblés par genres : armes (mousquet ottoman à crosse en forme de fauve, poudrière perse...), mobilier (coffres marquetés), céramique, textiles (tapis de prière égyptien) et vêtements, bijoux (boucles d'oreille marocaines) et coiffes (d'Asie centrale), cuivres (gigantesques bougeoirs ottomans calligraphiés), monnaies (des différentes dynasties), sceaux... et un tas d'objets européens réalisés à l'époque où l'orientalisme battait son plein. Une très riche visite.
🍴 ⊛ Resto et boutique.

🍴 *Muzium Negara (Musée national ; plan d'ensemble, B5) :* Jln Damansara, au sud des Lake Gardens. ☎ 2267-11-11. • muziumnegara.gov.my • Accès facile par la ligne n° 9 du métro, station « Muzium Negara ». Tlj 9h-18h. Entrée : env 5 Rm ; réduc. Visite guidée gratuite en anglais sam à 10h.
L'autre grand musée de la ville, avec le musée d'Art islamique. Il retrace l'histoire du pays à travers 4 grandes sections, selon un ordre chronologique.

Galerie A
On commence naturellement avec la préhistoire et les premières traces de présence humaine dans la région (qui remonteraient à 300 000 ans) : ossements, silex, armes, poteries. Voir notamment les écorces qui servaient d'habits et les pierres pour les « tanner » et la grotte reconstituée avec la réplique du squelette d'un homme de Perak, vieux de 10 000 ans. Petit passage par l'âge du bronze avec des tambours et cloches, avant d'aborder la protohistoire, qui ne démarre en Malaisie qu'au début de notre ère avec les sépultures de pierre, cercueils en bois, urnes funéraires. Plus proche de nous déjà, la *Buddha Gupta Stone,* rédigée en sanskrit, puis les vestiges des premiers échanges commerciaux avec la Chine, l'Inde et le monde arabe.

Galerie B
Cette galerie aborde les royaumes malais qui apparaissent dès le IIe s dans tout l'archipel (y compris indonésien), la période indo-bouddhiste, l'apogée de Malacca et l'islamisation du pays vers le XVe s. L'accent est mis sur l'importance du bateau dans les échanges commerciaux, culturels et religieux. Parmi les nombreux objets, statue de Makara, un éléphant-poisson et la réplique en bronze d'Avalokitesvara, un bodhisattva très populaire qui refusa d'atteindre le Nirvana (toute une vie de sacrifices pour louper le meilleur !). Belles vitrines de kriss, le poignard malais, dont un aussi grand qu'une épée à 2 mains, armes blanches diverses et variées, sceaux royaux, cartes anciennes, marionnettes du théâtre d'ombre et belle maquette d'un *majapahit bahtera* (bateau

LA CÔTE OUEST DE LA MALAISIE

local utilisé au XIIIe s). Notez également le diorama montrant la conversion à l'islam du cacique de Malacca, puis l'influence de l'islam sur l'artisanat et les arts décoratifs, le trône du sultan de Perak, orné de motifs floraux et décoré de jaune (la couleur royale), les boucles de ceinturons hyper raffinées et les objets issus de la communauté baba nyonya, avec vaisselle, souliers, set à bétel, mouchoirs de cérémonie, etc.

Galerie C
Elle retrace la colonisation du pays, par les Portugais d'abord, les Hollandais puis les Anglais. Maquette d'une caravelle portugaise *(Flor de la Mar)*, réplique d'une porte du fort de Kuala Kedah et une curiosité : les « fleurs d'or » *(bunga mas),* que 4 royaumes (Kedah, Kelantan, Terengganu et Patani) envoyèrent pendant 5 siècles au souverain du royaume de Siam, actuelle Thaïlande, en signe d'amitié. Sections intéressantes aussi sur les aventuriers anglais devenus très puissants, comme James Brooke, qui finira sa vie rajah du Sarawak, ou encore Francis Light, qui roulera dans la farine le sultan du Kedah

> ## UN HYMNE À L'IMPROVISATION
>
> *En 1901, au couronnement de la reine d'Angleterre, on demanda au sultan malais quel était l'hymne que l'orchestre royal devait jouer en son honneur. Or, il n'en existait pas ! Pris au dépourvu, le sultan se souvint d'un air... et le fredonna au chef d'orchestre. C'était une chanson très populaire... aux Seychelles. Le plus drôle, c'est que cet air, The Bright Moon était inspiré d'une chanson signée du chansonnier français Béranger, La Rosalie. Finalement, l'air fut conservé et devint Negaraku, l'hymne national actuel.*

en échange de Penang. Au XIXe s, le traité de Pangkor laisse les Anglais exploiter les mines d'étain en échange d'une plus grande tolérance concernant les us et coutumes locales. Voir les lingots d'étain et la reproduction de la machine à draguer... l'étain. Topo sur l'exploitation du caoutchouc, le riz, la noix de coco, le café ou encore le gambier (la teinture kaki des uniformes). Puis arrive la guerre : en 1941, les Japonais prennent le pays en 3 mois, quasi à vélo ! Pour la première fois, les envahisseurs sont asiatiques et non européens. Souvenir terrible de cette occupation, avec les privations, les brimades et les rationnements qui renforcèrent le (res-)sentiment national malais.

Galerie D
Tout sur le processus d'indépendance, amorcé dès la fin de la guerre mais qui n'aboutira qu'en 1957. En vedette, le drapeau dont l'étoile symbolise l'unité, le croissant l'islam, et les 14 lignes les 13 sultanats et États du pays, plus le district fédéral. Admirez la jolie collection de *tengkolok,* couronnes-coiffes brodées de soie et de fils d'or, portées par les gouverneurs des États lors des cérémonies officielles. Voir aussi la section consacrée à l'hymne national, né de façon insolite (voir encadré) ! On termine le parcours par les costumes traditionnels des différentes communautés du pays, des Orang Asli aux Indiens en passant par les sikhs.

En périphérie

🎋 **Kampung Bharu** *(plan d'ensemble, D2) : juste au nord de KLCC, facilement accessible en métro (station Kampung Baru).* Des 7 villages construits à la fin du XIXe s par l'administration britannique pour accompagner l'exode rural, celui-ci fait figure de place forte. Bien qu'il soit aujourd'hui complètement intégré, encerclé par la tentaculaire capitale, ses gratte-ciel et son urbanisation frénétique, les habitants résistent. Les générations successives continuent de vivre dans les maisons traditionnelles, souvent en bois, qui contrastent avec la verticalité environnante. On y trouve un tas de petits restos populaires proposant une cuisine malaise pas chère du tout et, le mardi soir (vers 17h), un marché de fruits et légumes anime la rue Raja Mahmud. Une balade à la fois vivante et un peu hors du temps.

🍴 Chow Kit Market *(plan d'ensemble, C2)* : *469-473, Jln Tuanku Abdul Rahman, au nord du centre.* Ⓜ *Chow Kit (monorail). Situé en face du* Plaza Tar *et à droite du supermarché* UO. Venir le matin. Il faut s'enfoncer entre les stands des vendeurs abrités sous des tôles ou des bâches pour découvrir ce vrai marché aux fruits et aux légumes, tenu essentiellement par des Indonésiens. Rien d'inouï, mais les étals sont vraiment beaux et colorés. En saison (d'août à mars surtout), on peut y goûter au fameux durian. Bien sûr, on y trouve aussi viandes, poissons et épices. Ainsi qu'un bazar avec fringues, gadgets et vaisselle.

🍴 National Visual Arts Gallery *(Balai Seni Visual Negara ; plan d'ensemble, D1) : 2, Jln Temerloh, en quittant Jln Tun Razak, au nord du centre.* ☎ *4025-49-90. Tlj 9h-18h (17h30 dim). GRATUIT.* Bâtiment moderne avec de beaux volumes bien adaptés aux expos d'art contemporain. Artistes essentiellement malais.

🍴 Thean Hou Temple *(temple de la Déesse du Paradis ; hors plan d'ensemble par B6) : 65, Persiaran Indah, off Jln Syed Putra. Au sud-ouest de la ville, au lieu-dit Robson Heights. Accès par Jln Tun Sambanthan.* Au sommet d'une colline, ce grand et beau temple chinois, bâti en 1987, est placé sous la double protection de Thean Hou, la déesse de la Mer, et de Kuan Yin, la déesse de la Compassion. Ses toits dorés superposés, ornés de dragons, ses myriades de lanternes suspendues et son activité constante font leur petit effet, même si l'ensemble manque de patine. S'y rendre pour le Nouvel An chinois : théâtre, chant et danse du lion.

🍴🍴 Batu Caves *(hors plan d'ensemble par A1) : à 13 km au nord de la ville. On peut y aller en KTM depuis KL Sentral mais la ligne étant coupée (jusqu'en 2019 au moins), le tronçon KL Sentral-Sentul se fait pour l'instant en bus (et seulement 8 fois/j., 8h-20h) ; puis, de la station Sentul, train KTM jusqu'à Batu Caves. Compter 30-45 mn de trajet. Éviter d'y aller en voiture lors du Thaipusam, tout est alors monstrueusement embouteillé. Si vous souhaitez vraiment approcher la foi des pénitents, venez tôt, vers 5h ; après 10h, on vient un peu là comme on va à la foire. GRATUIT. À noter, de nombreux macaques chapardeurs hantent le coin, méfiance !* Ces immenses grottes aux roches déchiquetées sont particulièrement intéressantes à visiter lors de la spectaculaire fête hindoue de Thaipusam. Le reste du temps, on peut s'y rendre pour voir les temples aménagés dans les grottes calcaires et la colossale statue dorée (42,7 m) de Murugan, dieu tutélaire des Tamouls, qui les veille. De son pied, un long escalier de 272 marches grimpe à la principale grotte, dite « du Temple », dont la voûte s'élève à plus de 100 m de haut. D'autres sanctuaires sont accessibles à la base de la montagne. De temps en temps, notamment le week-end, des baptêmes (hindous) ont lieu. Les enfants baptisés sont facilement reconnaissables : ils ont la tête rasée et enduite d'une crème jaune.

Le Thaipusam

Cette cérémonie se déroule tous les ans, entre mi-janvier et début février, au 10e mois du calendrier hindou (les dates changent, se renseigner avant). Des milliers d'Indiens, tamouls en particulier, femmes, hommes et enfants, expient leurs fautes par la flagellation et implorent le pardon de Murugan, le fils de Shiva (créateur de l'Univers), venu sur Terre pour combattre le Mal. Ses emblèmes sont la lance et la plume de paon. L'aspect spectaculaire et les transes parfois très démonstratives semblent privilégier le côté événementiel à la contemplation méditative. Reste que la cérémonie est grandiose. Des centaines d'hommes et de femmes se purifient dans la rivière au petit matin, après avoir jeûné pendant un ou plusieurs jours. Les offrandes sont préparées (les fruits sont placés dans le *kavadi*, une sorte de panier très ornementé), et des prières sont dites. Après la purification, les fidèles entrent en transe. La fatigue, le jeûne, les danses et les prières les placent dans un état d'insensibilité physique, ce qui leur permet de s'imposer des tortures volontaires sans douleur. Les pénitents purs et durs s'enfoncent de longues lances à travers les joues, des aiguilles dans la langue ou encore se plantent d'innombrables crochets dans le torse et le dos, au bout desquels des citrons verts (symbole de pureté) sont fixés. D'autres

LA CÔTE OUEST DE LA MALAISIE

portent le *kavadi* soutenu par de longues tiges métalliques, décorées de guirlandes multicolores et de photos de Murugan, qui s'enfoncent dans le corps. Puis vient la longue procession, agrémentée de danses et de chants, qui conduit les fidèles au pied des 272 marches qu'ils gravissent une à une, péniblement, soutenu par parents et amis, pour parvenir enfin à l'intérieur de la grotte, où les offrandes sont déposées au pied de l'autel de Murugan, après une ultime danse. On délivre alors le fidèle de sa lance et de ses crochets. Dans la grotte, la lumière qui jaillit du sommet par une étroite faille crée une ambiance encore plus saisissante, plus mystique.

DANS LES ENVIRONS DE KUALA LUMPUR

🏹🏹 *La mosquée Sultan Salahuddin Abdul Aziz Shah* (Blue Mosque) *:* à *Shah Alam,* la capitale du Selangor, à 25 km au sud-ouest de Kuala Lumpur. Accès depuis KL Sentral avec le KTM (ligne n° 2), arrêt Batu Tiga ou Shah Alam ; puis taxi (max 20 Rm). Pour les non-musulmans, possibilité de visiter tlj sauf ven 9h-16h (18h w-e et j. fériés). Jupes et shorts interdits, foulard obligatoire pour les femmes. À ne pas manquer : une vision digne des *Mille et Une Nuits* ! Finie en 1988, elle se compose de 4 minarets en forme de fusée *Ariane* culminant à 142 m (les plus hauts du monde après celui de la mosquée Hassan II de Casablanca), un dôme bleu venu d'ailleurs (de 50 m de diamètre et 106 m de hauteur) et des salles de prière climatisées pouvant recevoir jusqu'à 24 000 fidèles ! Surface totale : 14 ha. Tout cela en fait la plus grande mosquée du pays et la 2ᵉ du Sud-Est asiatique, après la mosquée Istiqlal de Jakarta.

PUTRAJAYA

À 25 km au sud de Kuala Lumpur. C'est la capitale administrative de la Malaisie, créée de toutes pièces en 1995 dans le cadre des projets futuristes de l'ancien Premier ministre Mahathir. Un vrai miracle surgi des eaux – ou plus exactement d'une ancienne plantation d'huile de palme de près de 5 000 ha... Peuplée surtout de fonctionnaires, la ville compterait 68 000 habitants – sans compter ceux de la petite voisine, Cyberjaya, la Silicon Valley malaisienne ! Seuls ceux qui ont du temps à revendre pousseront jusqu'ici pour se rendre compte de la démesure du projet (plus de 8 milliards de dollars)... Une escale de quelques heures suffit pour un bon aperçu.

Comment y aller ?

➤ *En train :* direct avec le *KLIA Transit* au départ de *KL Sentral* ou de l'aéroport international. De la gare, bus n° 300.

Où manger ?

🍴 *Souq :* un complexe commercial, derrière la mosquée. On y trouve toutes sortes de restos et vendeurs d'« *ais krim* ».

À voir. À faire

➤ La ville se disperse sur les flancs d'un vaste lac artificiel (400 ha), avec une grosse île au centre. 7 ponts franchissent le plan d'eau de part et d'autre ; ils sont tous de composition architecturale différente : à haubans, suspendu, dans le style d'Ispahan, etc. Le plus étonnant, à l'extrémité ouest de l'immense Persiaran Perdana, une avenue rectiligne traversant l'île sur 4,2 km, est une pâle imitation du pont Alexandre-III parisien ! À l'est, l'immense *Putra Square,* circulaire, est veillée par une grande mosquée, ***Masjid Putra*** *(tlj 9h-12h30 – sauf ven –, 14h-16h, 17h30-18h ; Jubah – abayas – disponibles pour la visite).* Vous remarquerez la coupole d'influence iranienne (rose !), les clochetons moghols et le minaret haut de 116 m, inspiré de celui d'une mosquée bagdadie. L'autre bâtiment impressionnant (pas de visite), le *Perdana Putra,* une massive bâtisse couleur brique, surmontée de bulbes turquoise, assez surréaliste en cet endroit, abrite les bureaux du Premier ministre. On trouve aussi des centres commerciaux, le « Monument du Millénaire », un jardin botanique *(tlj 9h-19h)* et les *Wetlands (tlj 9h-18h),* un parc « naturel » artificiel avec plein de bébêtes...

➤ ***Promenades sur le lac :*** *avec* Cruise Tasik Putrajaya. *Bureau d'infos après la grande mosquée, traverser le* food court Souq, *sur les quais, sous le pont à gauche. Plusieurs options, soit dans une petite barque traditionnelle perahu, façon gondole (40 Rm pour 25 mn ; réduc), soit dans un bateau climatisé (50 Rm pour 45 mn ; réduc). Fonctionne tlj, en gros 10h-19h.* ● cruisetasikputrajaya.com ●

AU SUD DE KUALA LUMPUR

MALACCA (MELAKA)　　　455 000 hab.　　　IND. TÉL. : 06

● Plan d'ensemble *p. 111* ● Zoom *p. 113*

◎ L'escale dans la vieille cité de Malacca, restaurée grâce à son classement au Patrimoine mondial de l'Unesco en 2008, est un temps fort du voyage en Malaisie. Ancien carrefour des routes maritimes reliant l'océan Indien à la mer de Chine, la ville a gardé son caractère multiculturel. Fréquentée par des marchands et explorateurs chinois dès le XVe s, érigée en sultanat par des princes indonésiens, Malacca a vu débarquer Indiens et Arabes, avant d'être successivement conquise par les Portugais, les Hollandais, les Anglais puis les Japonais. Du XVIe au XVIIe s, le port fut le verrou de l'Orient et de la route des épices. Quelques édifices bien restaurés évoquent encore cette époque. Mais c'est à travers le sang mêlé de ses habitants que l'ancienne Malacca survit le mieux. La minorité *kristang,* d'origine portugaise, a conservé sa foi chrétienne, tandis que les *Baba Nyonya* (Peranakan), issus du métissage ancien sino-malais, ont imprégné à la fois l'architecture, le mode de vie et la cuisine locale. Chinatown est le quartier le plus représentatif de ce melting-pot culturel, avec les élégantes façades garnies de lanternes et lampions, les porches soutenus par des piliers gravés d'idéogrammes chinois, les patios propices à la méditation, les toitures en forme d'ailes recourbées, les temples enfumés d'encens, la cohorte de boutiques et les restaurants de *chicken rice balls.* Un lieu à découvrir à pied de préférence ou, pour le *fun,* à bord de l'un de ces kitschissimes *trishaws* enguirlandés de fleurs artificielles et crachant force décibels...

UN PEU D'HISTOIRE

Un vénérable royaume

Malacca est sans doute la plus vieille ville de Malaisie. Plusieurs légendes font référence à de lointains royaumes, mais le 1er à être bien connu est celui de Parameswara, fondé vers 1390-1400 par ce prince de Sumatra en exil, probable descendant du grand royaume de ***Srivijaya.***

Le lieu est stratégique : situé dans un détroit, à l'embouchure de la rivière du même nom, il se trouve également au point de convergence des moussons. Les bateaux sont poussés vers l'ouest par les vents du nord-est et une fois les cales déchargées, ils pouvaient partir vers l'est, poussés par les vents du sud-ouest, phénomène saisonnier d'une importance capitale aux temps de la navigation à voile. Cerise sur le gâteau, l'île de Sumatra protège Malacca de la mousson du sud-ouest et la péninsule la met à l'abri de celle du nord-est. Cette situation privilégiée favorise rapidement la prospérité de Malacca.

Pour contenir l'expansionnisme siamois (thaï), **Parameswara** place son royaume sous la protection de l'empereur Ming, auquel il rend visite, vers 1411, avec une cour de 540 personnes !

Le port est alors l'escale favorite du **grand amiral de la flotte,** l'eunuque chinois musulman Cheng Ho (Zheng He), qui sillonnera de longues années l'océan Indien, jusqu'à la côte est-africaine.

Même si certains affirment que le grand roi aurait lui-même adopté la foi musulmane, c'est probablement l'un de ses descendants qui convertit la dynastie à l'islam. Après une période trouble, le 6e sultan, **Mansur Shah** (1459-1477), étend le territoire de Malacca à la région tout entière et jusqu'à la côte est de Sumatra ! La boucle est bouclée. Adoptant une intelligente politique d'alliances, il marie ses enfants aux familles régnantes des territoires conquis et épouse lui-même princesses et filles de marchands étrangers pour raffermir les liens politiques et commerciaux. Parmi ses concubines, **Hang Li Po.** La légende la décrit comme une princesse ming et affirme que, venue avec sa cour de 500 suivantes, elle aurait donné naissance à la communauté **peranakan** (les *Baba Nyonya*).

La légende des 5 guerriers

Toujours vivaces, les mythes, évoquent les prouesses de 5 amis d'enfance et compagnons d'armes, fidèles protecteurs du sultan Mansur Shah : *Hang Tuah, Hang Jebat, Hang Kasturi, Hang Lekir* et *Hang Lekiu* (qui ont tous donné leur nom à des rues de la ville !). Leur plus grand exploit fut de sauver la vie du Premier ministre du sultan. En remerciement, Mansur Shah les intégra dans son armée. Il s'attacha plus particulièrement les services de Hang Tuah, qu'il nomma amiral des Forces navales. Une conspiration d'officiers jaloux fut montée pour le faire tomber, accusant le héros d'entretenir une relation amoureuse avec l'une des femmes du palais. À regret, le sultan ordonna l'exécution de Hang Tuah... Mais le bourreau, au courant de l'injustice, choisit d'épargner le malheureux.

L'histoire connaît ensuite plusieurs versions : la plus commune fait état de la colère de Hang Jebat qui, persuadé d'avoir perdu son ami et désireux de venger sa mort, se serait retourné contre le sultan en attaquant le palais. Hang Tuah se trouva alors contraint de reparaître. Reprochant à Hang Jebat son manque de fidélité au sultan, vertu suprême, il le provoqua en duel... Le combat dura 3 jours et 3 nuits et fut impitoyable. Au final, Hang Tuah tua (!) Hang Jebat d'un coup de kriss sacré ! On peut encore voir dans les rues de Chinatown les tombeaux supposés du second et de son compagnon Hang Kasturi...

(Longue) parenthèse occidentale

En 1477, le sultan **Mansur Shah** disparaît. Malacca est alors le port le plus prospère de la région. Attirant des marchands du monde entier, il accueille chaque année près de 2 000 bateaux ; 84 langues y sont parlées ! Parfums, verres et tapis arrivent de Perse, thé, porcelaine et soie de Chine, broderies et opium d'Inde, épices des Moluques... Appâtés par la manne et soucieux de s'accaparer le contrôle de la route menant aux îles (où poussent le clou de girofle et la noix de muscade), les Portugais, venant de Goa avec 19 bateaux et 1 400 soldats dirigés par **Afonso de Albuquerque,** assiègent la ville et s'en emparent en août 1511. L'année suivante, avant de quitter Malacca, le conquérant fait bâtir en 6 mois une forteresse de 40 m de côté, avec 4 tours d'angle et un donjon, qu'il baptise *A Famosa* (La Fameuse). Les Portugais mettront en revanche un siècle à clôturer la ville d'une fortification longue de 1,3 km. Las, leur conquête ne débouche pas, comme ils l'espéraient, sur la prise de contrôle de tout le réseau commercial asiatique… Les cités-États de la région s'émancipent, et se perdent en querelles intestines néfastes au trafic des marchandises

Finalement, en 1641, après 130 ans d'occupation, les Portugais en plein déclin sont chassés par les **Hollandais,** aidés par le sultan de Johore. Basés à **Batavia** (Jakarta) depuis 1619, ils n'accordent à Malacca qu'un intérêt secondaire – au point de laisser le port aux Anglais, en 1824, en échange de *Bencoolen* (Sumatra) et de la confirmation de leur suprématie au sud du détroit de Singapour.

LA V.O.C, AUX ORIGINES DU CAPITALISME

La Compagnie néerlandaise des Indes orientales, conçue en société anonyme émettant des actions et des obligations, fut pendant près de 2 siècles l'un des piliers de l'impérialisme des Provinces-Unies (les Pays-Bas de l'époque). Dissoute par Napoléon en 1799, elle est connue pour avoir été l'une des entreprises les plus puissantes du monde, contribuant fortement à l'histoire des bourses de valeurs.

Arriver – Quitter

En bus

Ttes les infos sur ● expressbusmalay sia.com ●

🚌 **Gare routière (Sentral Melaka ;** *hors plan d'ensemble par A1) :* à 6 km au nord du centre. ☎ 288-13-21. *Bureau de change et infos touristiques.* Le bus n° 17 *(tlj 6h-21h, ttes les 20 mn),* mène au cœur de la ville (Ujong Pasir). Taxi : 20 Rm env. Liaisons avec :

➢ **Kuala Lumpur** *(terminal Bersepadu Selatan) :* départs hyper fréquents (ttes les 30 mn) avec la plupart des compagnies, dont *KKL Express. Transnasional* assure le départ le plus matinal (5h), *Delima* le plus tardif à minuit. Durée : 2h-2h30 par l'autoroute.

➢ **Aéroport KLIA 1 et 2 :** env 10 liaisons/j. 5h-22h, plus une à 0h15 avec KLIA2 par *Transnasional* (☎ 281-10-70). *Star Mart Express* (☎ 281-28-24) opère env 15 départs/j., 7h30-21h. Très nombreux vans et minibus (plus chers).

➢ **Johor Bahru puis Singapour :** là encore, le choix est vaste. Une cinquantaine de bus directs/j. (7h30-23h), départ ttes les heures. Pour Singapour (avec passage des formalités d'immigration à la frontière). Certaines compagnies s'arrêtent à Johor Bahru (d'où prendre un autre bus pour

Singapour). Durée : env 3-4h pour Johor Bahru, 4-5h pour Singapour.

➢ **Pour Lumut *(île de Pangkor)* :** avec *Transnasional* et *Kesatuanexpress* : 2 départs le mat, 1 en début de soirée. Durée : 6h30.

➢ **Pour Ipoh et Butterworth (Penang) :** 4-5 départs/j., 6h45-22h30. La plupart passent par Ipoh. Compter 3-4h de trajet pour Ipoh et au moins 7h pour Penang.

➢ **Pour Alor Setar (Langkawi) :** env 10 bus/j., 6 le mat, le reste le soir à partir de 20h30.

➢ **Pour Kuantan :** avec *Transnasional* (3 bus/j. 9h-20h30). Durée : 4h.

➢ **Pour Mersing :** 2 bus directs/j., le plus facile à 8h du mat avec *S & S International* (durée : 4h20), sinon 3 départs/j. 8h-14h30 pour Kluang, avec changement rapide pour Mersing.

En train

🚆 Pas de gare à Malacca ! La plus proche, Tampin, se trouve à 38 km au nord dans le Negeri Sembilan… Le bus est donc bien plus pratique. Si néanmoins vous y tenez, vous pourrez vous y rendre en bus depuis la gare routière et sauter dans un train pour Johor Bahru et Singapour, ou pour Kuala Lumpur et le Nord (avec changement possible à Gemas).

En bateau

⚓ Les bateaux partent du **Terminal Feri Antarabangsa** *(plan d'ensemble, A3)*, dans l'*ICQS Complex. Immigration Office* sur place. Pour Dumai, contacter *Indomal Express :* ☎ 283-25-06 ou *Tunas Rupat :* ☎ 281-61-07, ● *tunasrupat.com* ● ; pour Bengkalis, contacter *Anta Service :* ☎ 282-08-33.

➢ **Pour Dumai, à Sumatra (Indonésie) :** 1 bateau/j. tlj vers 10h. Durée : 2h30.

➢ **Pour Bengkalis, à Sumatra (Indonésie) :** 4 bateaux/sem, en principe, les mar, jeu, sam et dim, le mat. Durée : 2h30.

En avion

✈ **Aéroport international** de Malacca : à 9 km au nord. ☎ 317-58-60. Très peu de vols réguliers. Comptoir d'infos et distributeur sur place. Liaisons avec :

➢ **Penang :** 1 vol/j. avec *Malindo Air,* ☎ 317-01-18. ● *malindoair.com* ●

➢ **Pour l'île de Sumatra (Indonésie) :** plusieurs liaisons/sem vers Pekanbaru, pratiquement à mi-chemin entre Dumai et Padang, sur l'île de Sumatra avec *Malindo Air.*

Comment se déplacer ?

Si vous devez vous rendre à un endroit précis et non pointé sur notre carte, on vous conseille de bien vous renseigner sur le nom exact de la rue, sachant qu'on trouve parfois jusqu'à une vingtaine de rues portant le même nom, seulement différenciées par le chiffre qui suit... (par exemple : Jln Melaka Raya 1, 2... 23...). Ne cherchez pas de logique !

Autre subtilité locale : les numéros de rues se succèdent parfois en respectant l'ordre croissant des chiffres (pairs et impairs mélangés d'un même côté), tandis que, d'autres fois, on trouve les numéros pairs d'un côté et impairs de l'autre. Ouvrez l'œil donc, sur les grands axes notamment, et vous économiserez de la semelle de tong !

➢ **À pied :** la marche à pied est le meilleur moyen pour visiter la vieille ville.

➢ **En taxi :** avec (plus rare) ou sans compteur. Sans compteur, négociez au cas par cas selon la distance et l'heure de la journée (jour ou nuit). Un exemple : la course de la gare routière *(Melaka Sentral)* à l'office de tourisme tourne autour de 20 Rm.

➢ **En trishaw :** pas vraiment un moyen de locomotion, mais plutôt une attraction. Compter au moins 40 Rm de l'heure. Les cyclo-pousses sont d'un kitsch consommé : décorés de guirlandes de fleurs artificielles, parfois même à l'effigie de la très subversive Hello Kitty, ils proposent leurs petits carrosses pour jeunes filles en fleur au son de décibels hurlants...

➢ **À vélo :** plusieurs *guesthouses* et petites échoppes louent des vélos dans le centre, mais souvent en petite quantité. Ce peut être une bonne option pour pousser jusqu'au quartier portugais ou les quartiers périphériques.

■ **Location de vélos :** à l'*AJ Sayang Sayang (zoom A1, 8),* au 16, Jalan Kampung Hulu. 🛎 019-607-90-789. Ouv 10h-22h. **Jinfu Shin Trading** *(plan d'ensemble B3, 4)* : 55-57, Jln Parameswara, juste après l'hôtel Equatorial. 🛎 012-390-48-98. Tlj sauf dim 11h-21h *(pour une loc le dim, téléphoner la veille).* Env 10 Rm/24h : c'est le moins cher de tous ! Vélos classiques, et même des tandems (plus chers), en assez bon état.

Adresses utiles

🅸 **Tourist Information Centre** *(TIC ; plan d'ensemble et zoom B2)* : Jln Kota. ☎ 283-62-20. N° gratuit : ☎ 1-800-889-483. ● *melaka.gov.my/tourism* ● En plein centre, à côté des monuments hollandais. Tlj 9h-17h. Personnel aimable et fort serviable. Plan de la ville gratuit et quelques brochures.

■ **Police** *(zoom A2, 3)* : Jln Tun Tan Cheng Lock. ☎ 288-37-32. Ouv 24h/24.

■ **Bureau de l'immigration :** 15 km au nord, à **Ayer Keroh.** Kompleks

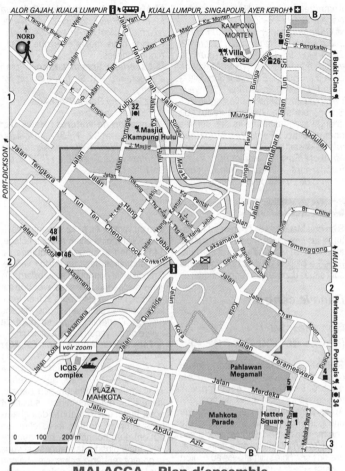

MALACCA – Plan d'ensemble

■ Adresses utiles	🏠 Où dormir ?
🛈 Tourist Information Centre (B2)	26 Majestic Hotel (B1)
1 Maybank (B3)	
4 Jinfu Shin Trading (location de vélos ; B3)	🍴 Où manger ?
5 Pahlawan Megamall (bureau de change ; B3)	32 Xian-Ji Satay House (A1)
6 Splash Laundry (laverie ; B1)	34 Restos du Portuguese Settlement Village (hors plan par B3)
	46 Pak Putra (A2)
	48 Hakka Zhan (A2)

Kementerian Dalam Negeri, *Jln Seri Negeri.* ☎ 232-26-55.

■ *Change :* money changer *Jln Hang Jebat (angle Jln Hang Kasturi ; zoom A2, 2),* lun-jeu 9h-19h (20h ven-dim) ou encore à l'arrivée des bus et *Maybank (plan d'ensemble, B3, 1)* sur Jln Melaka Raya 1. Lun-ven 9h15-16h30 (16h ven). Distributeurs accessibles 6h-minuit.

Sinon, bons taux aux bureaux de change avec distributeurs des centres commerciaux : *Pahlawan Megamall (plan d'ensemble, B3, 5),* tlj 10h-22h, et *Mahkota Parade,* en face. Dans Chinatown aussi : *Jln Laksamana,* un peu au nord de l'office de tourisme.

✚ *Malacca General Hospital :* Jln Mufti Haji. Khalil. ☎ 289-23-44. ● *hme laka.moh.gov.my* ● *Au nord de la ville.* Payant, mais moins cher que les cliniques privées.

■ *Laveries : Splash Laundry (plan d'ensemble, B1, 6),* 5D, Jln Tun Sri Lanang. Lun-sam 9h-17h30. Également chez *Laundry Room 24h/24 (zoom B2, 9),* 68, Jln Hang Kasturi.

■ *Location de voitures : Hawk Car Rental (zoom B2, 7),* 34, Jln Laksamana. ☎ 283-78-78. ● *hawkrentacar. com.my* ● *Lun-ven 8h-17h30, sam 8h-13h.*

Où dormir ?

Bien que Malacca soit hautement touristique, les prix y sont encore raisonnables et chacun est assuré d'y trouver son bonheur. La plupart de nos hébergements sont situés dans le quartier historique.

Dans le centre

Bon marché
(moins de 100 Rm / 22 €)

🏠 *Roof-top Guesthouse and Hostel (zoom B2, 10) :* 39, Jln Kampong Pantai. ☏ 019-655-11-31. ● *rooftopgues thouse@yahoo.com* ● *Pas de petit déj.* Après s'être déchaussé, on découvre une *guesthouse* très agréable, gérée comme une maison d'hôtes, avec grand salon (et TV) à l'entrée, offrant sur 2 étages des chambres climatisées au confort correct, mais une seule possède sa propre salle d'eau. Les familles à petits budgets opteront pour la triple. Beaux espaces communs, cuisine à dispo, terrasse sur le toit et 2 petits patios fleuris disposant d'une douche extérieure pour celui situé à l'avant. Location de vélos.

🏠 *Voyage Home et Voyage Guesthouse (zoom B2, 14) :* 4 et 12, Jln Besi. ☎ 281-52-16. ● *facebook.com/voya gemalacca* ● *Petit déj copieux compris.* 2 *guesthouses* en une : au n° 4, *Voyage Home* propose un grand espace commun avec, au rez-de-chaussée, sanitaires à partager et cuisine bien équipée utilisable par les 2 établissements, ainsi que 5 chambres avec

clim ou ventilo. Au n° 12, *Voyage Guesthouse* est moins chère avec, à l'étage, 14 lits (non superposés) équipés de moustiquaires dans un dortoir ventilé. Grande salle commune avec billard, TV, livres à échanger. Terrasse avec vue sur les toits. Le tout est propre et bien tenu. Le proprio exploite aussi une pizzeria *(Voyage Cottage Lodge)* en bord de rivière où les yaourts sont délicieux.

🏠 *Tony's Guesthouse (zoom B2, 16) :* 24, Lorong Banda Kaba, off Lorong Bukit Cina. ● *cobia43@hotmail.com* ● ☏ 012-68-80-119. *Petit déj possible.* Tony, artiste peintre un peu décalé, veille d'un œil paternel sur son petit hôtel fantasque qui abrite des chambres simples, toutes avec clim (en option) et un honnête rapport qualité-prix, mais plus toutes jeunes ; si vous le pouvez, préférez celles avec balcon sur la ruelle, plus agréables. Douche chaude et w-c communs, frigo, bouilloire à chaque étage et nombreux conseils du maître des lieux... Pièce commune-cuisine américaine très chaleureuse, une vraie caverne d'Ali Baba (cool, bien sûr...). Son défaut principal : le bruit de la rue et des climatisations alentour. Location de vélos.

De prix moyens à chic
(100-300 Rm / 22-66,50 €)

🏠 *Layang Layang Guesthouse (zoom B2, 21) :* 26, Jln Tukang Besi (Black-Smith St). ☎ 292-27-22.

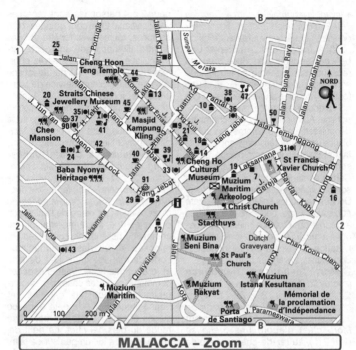

MALACCA – Zoom

■ Adresses utiles

ℹ Tourist Information Centre (B2)
- **2** Money Changer (A2)
- **3** Police (A2)
- **7** Hawk Car Rental
  (location de voitures ; B2)
- **8** AJ Sayang Sayang
  (location de vélos ; A1)
- **9** Laundry Room 24h/24
  (laverie ; B2)

â Où dormir ?
- **10** Roof-top Guesthouse and
  Hostel (B2)
- **12** Quay Side Hotel (A2)
- **13** Da Som Inn (A2)
- **14** Voyage Home et Voyage
  Guesthouse (B2)
- **16** Tony's Guesthouse (B2)
- **18** Mori Teahouse & Residence (B2)
- **19** The Rucksack Caratel Jonker
  Wing (B2)
- **20** Hotel Puri (A2)
- **21** Layang Layang
  Guesthouse (B2)
- **24** Courtyard@Heeren Boutique
  Hotel (A2)
- **25** Jonker Boutique Hotel (A1)
- **29** Ginger Flower Boutique
  Hotel (A2)

|●| Où manger ?
- **24** Baboon House (A2)
- **31** Selvam (B2)
- **33** Hoe Kee Chicken Rice Ball
  (A-B2)
- **35** Our Kitchen (A2)
- **36** Sin Yin Hoe (B2)
- **37** Kocik Kitchen (A2)
- **38** Wild Coriander (B2)
- **41** Geographér Café (A2)
- **43** Jonker Street Hawker Centre (A2)

☕ ▾ Où prendre le petit déj ?
♩ Où boire un verre ?
Où écouter de la musique ?
- **24** Baboon House (A2)
- **39** Bistro 1673 (A2)
- **40** Calanthe Art Cafe (A2)
- **41** Geographér Café (A2)
- **42** Café 1511 (A2)
- **44** Mods Cafe (A2)
- **45** Limau Limau Cafe (A2)
- **47** Cafés le long de la rivière (B2)
- **50** Discovery Café
  & Guesthouse (B2)

⊛ Achats
- **90** Wah Aik Shoemaker (A2)
- **91** Joe's Design (A2)

● *layanglayangmelaka.com* ● *Doubles 100-200 Rm selon confort. Également des familiales à prix intéressant. Pas de petit déj, mais de quoi se sustenter.* Une belle bâtisse aérée, bien située, avec une réception sur le thème de la musique agrémenté d'un frangipanier et d'une fontaine, doublée d'un sol en béton ciré qui lui donne une petite touche contemporaine. Autour du patio, des chambres dépouillées, un peu comme des cubes blancs, toutes dotées de plancher flottant et cloisons en contreplaqué, assez sommaires mais pas désagréable. Certaines sont sans fenêtre et toutes sont équipées de la clim et/ou ventilo. Douches chaudes collectives. Thé, café et biscuits. Frigo, bouilloire et eau filtrée à disposition. Cloisons minces et mosquée à proximité pour un réveil matinal. Location de vélos à prix raisonnables. Bon accueil. Laverie en face.

🛏 *Mori Teahouse & Residence* (zoom B2, *18*) : 3, Jln Kampung Kuli. ☎ 292-27-22 ou 292-28-22. ● *resi dence.malaccahotel.org* ● *À partir de 120 Rm pour une double.* Seulement *Mori*, c'est d'abord d'une *teahouse* (11h-21h), au rez-de-chaussée, toute de bois sombre manufacturée ; évitez la chambre qui s'y trouve, on s'y sent un peu à l'étroit et grimpez plutôt à l'étage où un décor zen, un peu japonais, abrite 4 belles chambres à la déco tout aussi minimaliste mais au confort garanti (clim, salle de bains, brasseurs d'air, fontaine à boire, frigo, etc.). Planchers de bois exotique, murs blancs, et un mobilier de style colonial en rotin pour certaines. La quadruple nous a plu avec son éclairage zénithal et sa grande hauteur sous plafond. Quant au duplex (jusqu'à 6 personnes) avec échelle de meunier pour accéder à la mezzanine, il est extra quand on voyage en groupe, même si on trouve quand même sa salle de bains un peu riquiqui. Resto végétarien sur place.

🛏 *Da Som Inn* (zoom A2, *13*) : 28, Jln Tukang Emas (Harmony St). ☎ 286-65-77. ● *dasominnmelaka.com* ● *Doubles standard à prix moyens, petit déj compris. + 40 % le w-e et pdt les vac scol.* Petit hôtel arrangé avec beaucoup de goût. Les chambres

pour 2 à 4 personnes sont reparties sur 2 niveaux. Elles sont grandes, bien équipées, toutes avec fenêtre et l'une d'entre elles possède une déco personnalisée. Les budgets serrés opteront pour l'une des 4 qui partagent une salle de bains. Sinon, service de blanchisserie, location de vélos. Accueil très attentionné. Notez que le muezzin de la mosquée Kampung Kling, juste en face, vous tirera des bras de Morphée 1h avant le lever du soleil.

🛏 *The Rucksack Caratel Jonker Wing* (zoom B2, *19*) : 16, Jln Laksamana. ☎ 281-17-51 ● *the rucksack-group.com/caratel/jonker* ● *Prix fluctuants, avec promos sur les sites de résas.* À un jet de pierre de l'animation centrale, une ancienne maison de commerce hollandaise complètement relookée en un design audacieux, sorte de mariage entre l'AJ de luxe et le boutique-hôtel. Vastes espaces communs, pour des chambres confortables avec douches carrelées et bonne literie. Salle de petit déj avec sièges chromés vêtus de moleskine rouge du plus bel effet. Le petit déj laisse, quant à lui, un peu sur sa faim. Conviendra à ceux à qui un peu de modernité ne fait pas mal aux yeux... Également un *Rucksack Caratel Garden Wing* (zoom B2), 107 Jln Kaba, sur l'autre versant de la colline Saint-Paul, dans le même esprit que le 1er.

🛏 *Quay Side Hotel* (zoom A2, *12*) : 1, Jln Merdeka. ☎ 286-10-01. ● *quaysi dehotel.com.my* ● *Doubles superior et premium à prix chic, petit déj compris.* En bordure de la rivière, non loin du Musée maritime, un grand hangar transformé en hôtel aux chambres bien aménagées, spacieuses et lumineuses, mais plutôt fonctionnelles. Préférez celles avec vue sur la rivière. Intéressant surtout pour sa situation et ses prix abordables, mais pas un coup de cœur.

Très chic
(plus de 300 Rm / plus de 66,50 €)

🛏 *Hotel Puri* (zoom A2, *20*) : 118, Jln Tun Tan Cheng Lock. ☎ 282-55-88. ● *hotelpuri.com* ● *Doubles*

190-590 Rm, petit déj (moyen) inclus ; également des chambres familiales. + 30 % pdt les vac scol. Parking gratuit à 100 m à gauche. CB acceptées. La description tient de l'inventaire à la Prévert... Magnifique façade, très belle entrée, sol en marbre, piano à queue, mobilier peranakan et, derrière la réception, un minimusée et une cour intérieure verdoyante avec un mur aquatique qui se déverse dans un bassin peuplé de kois (carpes japonaises) et d'élégantes chaises en fer forgé où se niche un bar-resto. Les chambres sont un peu standard, mais de bon confort. Également un spa. Une bien belle adresse.

🛏 **Ginger Flower Boutique Hotel** (zoom A2, **29**) : 13, Jln Tun Tan Cheng Lock. ☎ 288-13-31. ● gingerflo werboutiquehotel.com ● Doubles 210-420 Rm selon taille et jour de la sem, plus quelques chambres de grand confort, catégorie « Très chic ». Petit déj inclus (buffet continental). CB acceptées. Parking gratuit. Un hôtel récent et charmant à la belle façade, typiquement chinoise, certes dans un coin passant, mais les chambres sont en retrait. Pas mal de marbre. Chambres très bien tenues avec queen ou king size bed. Évitez la junior deluxe (n° 204), la seule sans fenêtre. Les plus chères possèdent un grand balcon avec vue sur la rivière. Une bonne adresse.

🛏 **Courtyard@Heeren Boutique Hotel** (zoom A2, **24**) : 91, Jln Tun Tan Cheng Lock. ☎ 281-00-88. ● courtyar datheeren.com ● Doubles 200-300 Rm, plus cher pour les suites et + 30 % le w-e et pdt les vac scol, petit déj-buffet inclus. Idéalement placé au cœur de la vieille ville. Avant de se muer en hôtel chic, c'était un magasin chinois, dont on retrouve encore quelques détails – pans de sols anciens et vieilles poutres. Tout le reste a été modernisé sur des notes design très réussies. Les chambres sont tantôt plus contemporaines, un peu banales pour les moins chères, tantôt plus traditionnelles dans le style peranakan, et d'un excellent niveau de confort, avec souvent un lit à baldaquin (king dans les deluxe) et des portes coulissantes ouvrant sur la salle de bains. Attention, pas de fenêtres

donnant sur l'extérieur pour celles au centre. Le personnel est généralement aux petits soins.

🛏 **Jonker Boutique Hotel** (zoom A1, **25**) : 82-86, Jln Tokong. ☎ 282-51-51. ● jonkerboutiquehotel.com ● Doubles 240-440 Rm selon le j., sem ou w-e, j. fériés et vac scol. Parking. Pas de petit déj. Au premier coup d'œil, sa localisation à l'extrémité animée de la Jalan Hang Jebat et sa façade grise des années 1930 ne plaident pas en sa faveur. L'hôtel abrite pourtant des chambres fort agréables, très hautes de plafond, climatisées, dotées de jolies salles de bains carrelées de noir et de blanc, de beaux parquets en bois, tout à fait dans le ton de l'entre-deux-guerres. Elles sont d'un excellent niveau de confort. Bon accueil.

Au nord du centre

Très chic
(plus de 300 Rm / 66,50 €)

🛏 **Majestic Hotel** (plan d'ensemble, B1, **26**) : 188, Jln Bunga Raya. ☎ 289-80-00. ● majesticmalacca.com ● À 20 mn à pied au nord du centre. Doubles env 530-950 Rm, petit déj compris. Réduc sur Internet. Malgré un environnement de tours qui le dessert franchement, c'est à coup sûr la plus charmante des adresses chic de Malacca. La réception, le restaurant et les salons occupent une superbe demeure coloniale de 1927, bâtie pour un magnat chinois des affaires. Transformé en hôtel en 1955, il devint le lieu de rendez-vous des planteurs British, le temps de trinquer au gin tonic et de jouer les jolis cœurs auprès des dames dans les chambres de l'étage (raison pour laquelle l'entrée de l'escalier était dissimulée !)... Le lieu a été merveilleusement restauré. Les chambres se trouvent toutefois dans un bâtiment moderne de 7 étages, construit à l'arrière. Elles n'ont donc pas le charme de l'ancien, mais affichent un raffinement un peu ostentatoire, avec baignoire à pattes, salle de bains aux portes en bois coulissantes, marbre, porcelaines, parquets en teck et tapis persans. Piscine à débordement. Si vous n'y logez pas, venez tout de même participer au rituel de *l'afternoon tea.* Le personnel est aux petits soins

Où manger ?

Le cœur historique de Malacca abonde en **stalls** (petits stands), gargotes et restaurants, populaires ou franchement touristiques. Certains d'entre eux se regroupent dans la section de **Jalan Hang Jebat** la plus proche du pont *(zoom A2),* l'un des coins de Chinatown qui demeure un peu animé le soir.

Également une série de restos bon marché et populaires, le cadre en moins, au sud-ouest du centre, sur **Jalan Kota Laksamana** *(zoom A2),* derrière le gros hôtel *La Casa del Rio.* On trouve aussi pas mal de restos à tendance plus fourre-tout ou occidentale le long des berges de la rivière. Le cadre y est agréable (on joue là-dessus), quoique parfois terni par des odeurs d'égouts et des nuées de moustiques...

Bref, on vient ici pour goûter l'incontournable *chicken rice ball,* un plat simple de poulet à la vapeur servi avec des boulettes de riz et du concombre, originaire de Hainan (Chine). Mais surtout à la **cuisine baba nyonya,** nulle part mieux représentée qu'à Malacca. Fort épicée mais délicieuse !

À noter qu'en semaine, beaucoup de restos ferment tôt et ne servent plus après 20h30.

Quelques spécialités baba nyonya

– **Laksa (nyonya laksa) :** soupe épaisse aux nouilles de riz et lait de coco, dans laquelle baignent de l'œuf, des pousses de soja, du poisson, des crevettes et parfois des coques, relevée de pâte de *sambal* (piment) et de coriandre. On peut aussi trouver des *laksa* au poulet.

– **Assam laksa :** une variante du *laksa,* au goût plus aigre, où le tamarin remplace le lait de coco. Le poisson émietté est généralement du maquereau et s'accompagne d'oignons et de concombres émincés. Surtout populaire du côté de Penang, tout comme le suivant.

et, chose unique, la maison propose chaque jour (sauf mercredi) 2 visites guidées gratuites de Malacca, conduites par une guide experte anglophone.

– **Perut ikan :** pour les aventuriers... Il s'agit d'un ragoût d'estomacs de poissons marinés dans des herbes, préparé avec des feuilles de bétel et des boutons de fleurs de *bunga kantan* (fleurs de gingembre). L'aventure est dans l'assiette.

– **Otak otak :** pâté de poisson aux herbes cuit à la vapeur dans une feuille de cocotier (dans sa version malaise) ; sinon, de bananier. Son nom signifie « cervelle » en raison de sa consistance... Le plat désigne aussi parfois du poisson grillé emballé dans sa *banana leaf.*

– **Ayam buah keluak :** un ragoût de poulet en sauce (plus rarement, du porc), agrémenté de noix noires aussi grosses que des escargots, qui poussent dans la mangrove et que l'on racle avec une petite cuillère.

– **Rendang :** un plat malais plus que *baba nonya* à base de viande de bœuf, gingembre, ail, piment, citronnelle et autre échalote, frits dans le lait de coco et la sauce de soja, avant d'être recuits à feu doux dans plus de lait de coco.

Dans le centre

Bon marché (moins de 20 Rm / 4,50 €)

|●| **Selvam** *(zoom B2,* **31***) :* 3, Jln Temenggong. ☎ 281-92-23. À l'angle de Jln Bendahara. Tlj 7h-22h. Fermé 1 mardi sur 2. Cantine tamoul populaire. Courte carte, prix plancher. On s'encanaille en mangeant avec les doigts dans une feuille de bananier un excellent *murtabak* et ses... *roti canai* ! Bons *roti banana* ou fourré à l'œuf et à l'oignon et café au lait indien pour le petit déj aussi, sans oublier le poulet *biryani* du week-end. Quelques plats végétariens. Peu de touristes, beaucoup d'habitués. Propre.

|●| **Xiang-Ji Satay House** *(plan d'ensemble, A1,* **32***) :* 50 Jln Portugis.

Tlj sauf jeu 10h-20h. Grande salle carrelée style hangar, sans déco. Tabourets et vaisselle en plastique. Le seul endroit pour découvrir les fameuses brochettes de porc ou de poulet où s'ajoutent l'ananas et la sauce à la cacahuète, le tout accompagné de riz compressé, de concombre et d'oignon, ce qui constitue un plat complet. On peut varier les plaisirs avec du foie ou des intestins... Une vraie expérience !

I●I *Jonker Street Hawker Centre* (zoom A2, **43**) : à l'angle de Jalan Kota Laksamana 12 et 13, derrière La Casa del Rio. *Tlj sauf jeu 18h-1h.* Une salle flanquée d'une terrasse légèrement hors de la vieille ville. Bien pour boire une bière comme pour picorer dans les différentes spécialités des petits stands : *satay*, poulet, *popiah*, etc. Le tout pour pas cher dans une ambiance populaire.

I●I ↑ *Pak Putra* (plan d'ensemble, A2, **46**) : 56-58, Jln Kota Laksamana. ▦ 012-601-58-76. *Après le* Jonker Street Hawker Centre, *sur la droite, avt le* 7-Eleven. *Tlj sauf lun 17h-1h.* Ce resto indo-pakistanais, à l'écart du quartier touristique est repérable à sa grande enseigne bleue lumineuse qui surplombe une vaste terrasse animée. On y mange un succulent poulet tandoori, un ragoût de mouton ou un *butter chicken,* accompagné de *naan* fondants (préparés à la commande et servis chauds) et d'un *lassi* salé ou à la mangue. Le tout pour 3 fois rien ! Service efficace : chacun à son poste. Délicieux et bon enfant.

I●I *Hoe Kee Chicken Rice Ball* (zoom B2, **33**) : 4, Jln Hang Jebat. *Tlj 9h-15h ou 16h max. Prix indiqués à majorer de 6 % de taxes.* L'adresse est incontournable pour son poulet vapeur aux boulettes de riz, variante du fameux *chicken rice* d'Hainan. C'est un peu l'usine, la queue est souvent longue à l'heure du déjeuner, mais c'est bon, pas épicé du tout (les enfants apprécieront), très bon marché, et vous aurez peut-être même droit à un sourire ! On peut aussi commander le poulet en quart, demi ou entier.

I●I *Sin Yin Hoe* (zoom B2, **36**) : 135, Lorong Hang Jebat. ▦ 012-906-12-99. *À l'angle de Jln Kampung Pantai. Tlj 10h-22h30 (plus tard le w-e).* Ce petit resto populaire, à l'extrémité du quartier chinois, attire une clientèle d'habitués. À midi, c'est la formule *economy rice* qui fait l'unanimité : assiette de riz et bol de bouillon ; après, à vous de jouer des coudes pour atteindre le buffet... On pioche parmi la friture, les *wonton* à l'ananas, les coques en sauce, ou de tâter du crabe à la carapace molle, avant de prendre place dans la salle ouverte. Le soir, c'est à la carte, donc plus cher (catégorie « Prix moyens »). Peu de tables.

De prix moyens à chic (20-80 Rm / 4,50-17,50 €)

I●I *Our Kitchen* (zoom A2, **35**) : 15, Jln Hang Lekir. *Tlj pour déj, dîner ven-sam seulement.* ☎ 264-41-85. Petit resto à la simple salle spécialisé dans la cuisine baba nyonya authentique et délicieuse. Comme les babas ne se sont pas convertis à l'islam, on y sert du porc. Essayez le *ngo hiang,* la saucisse de porc aux herbes, le *babi ruah keluak,* du porc aux noix de Keluak (toxiques si elles ne sont pas traitées au préalable) ou les crevettes au lait de coco.

I●I *Kocik Kitchen* (zoom A2, **37**) : 100, Jln Tun Tan Cheng Lock. ▦ 016-929-66-05. *Lun, mar, jeu 11h-18h30 ; ven-sam : 11h-17h, 18h-21h ; dim : 11h-19h30. Fermé mer.* Ce petit resto de cuisine *nyonya* est niché en plein Chinatown, dans une vieille maison aux murs rouge et vert, avec l'autel familial au beau milieu de la salle. Malgré la clim et la musique d'ascenseur, on apprécie la simplicité du décor, un peu passéiste... Prix modérés, si l'on évite poissons et crevettes. Cuisine simple, surtout le très bon marché *laksa,* du porc aux oignons à la sauce soja sucrée *(ayam tempra)* ou encore les crevettes cuites dans le lait de coco à l'ananas *(udang lemak nanas).*

I●I ↑ *Wild Coriander* (zoom B2, **38**) : 40, Kampung Pantai. ▦ 012-327-77-46 ou 380-72-11. *Tlj sauf mer 12h-23h.* Une ancienne *shophouse* chinoise aux volumes généreux avec un patio au calme, arboré, à l'air brassé par les ventilos. Une petite terrasse donnant à l'arrière sur la rivière complète l'ensemble. Beaucoup de charme et de nostalgie dans l'ambiance et des saveurs subtiles dans la cuisine typiquement *nyonya*, à la présentation soignée. Accueil particulièrement aimable et sympathique.

|●| *Baboon House* (zoom A2, **24**) : 89, Jln Tun Tan Cheng Lock (à côté du Courtyard at Heeren Hotel). ▤ 012-617-61-65. Tlj sauf mar 10h-17h. Sonnez, puis vous découvrirez une magnifique maison peranakan qui fait à la fois café, galerie d'art et résidence. Adorable petit patio-jardin à la végétation abondante. Spécialité de... hamburgers, fort honnêtes, histoire de changer un peu du régime habituel. Bien aussi pour boire un jus de fruits frais maison en jetant un œil aux expos en cours. Et s'il est là, discutez donc avec Roger Soong le patron, fort sympathique...

|●| *Geographér Café* (zoom A2, **41**) : 83, Jln Hang Jebat. ☎ 281-68-13. Tlj 10h (8h dim)-minuit. C'est un peu le club des géographes, si on l'entend par « voyageurs ». Un rendez-vous animé aux murs colorés avec tables en terrasse ouverte sur la rue. Touristique, certes, mais on y mange très bien, qui plus est avec pas mal de produits bio. Excellents *laksa, curry ramen* (végétarien), *mango thaï chicken, jokker fried rice* servi avec des *satay*. Très plaisant en soirée quand les musiciens rappliquent. Voir aussi « Où prendre le petit déj ? Où boire un verre ? Où écouter de la musique ? ».

Chic
(50-80 Rm / 11-17,50 €)

|●| *Hakka Zhan* (plan d'ensemble, A2, **48**) : 76, Jln Taman Kota Laksamana 5. ☎ 225-83-73. Tlj sauf lun 11h-14h30, 17h30-21h. Une adresse originale, peu connue des touristes. Délicieuses spécialités *hakka* (communauté han du sud de la Chine). Alternative à la cuisine nyonya, à déguster dans un décor moderne, mais typiquement chinois. La soupe de mouton fait l'unanimité,

mais les spécialités sont nombreuses : œufs frits dans l'alcool de riz, poulet au miel et poivre noir, poitrine de porc aux champignons noirs et aux légumes confits, ou encore feuilles de patate douce et poireau chinois. Tout est bon. Et pour faire descendre le tout, un jus de citron vert au miel noir, ça vous dit ?

Dans le quartier portugais

De bon marché
à prix moyens
(moins de 50 Rm / 11 €)

|●| ↑ *Les restos du Portuguese Settlement Village* (*Perkampungan Portugis* ; hors plan d'ensemble par B3, 34) : à env 3 km au sud-est du centre, direction Padang Temu. Bus n° 17 devant l'office de tourisme ou le centre commercial Mahkota Parade. C'est au bout de Jln Albuquerque, au bord de l'eau. Ouv seulement le soir, et jusqu'à minuit env le w-e. Dernier bus vers 21h ; après, il ne reste que le taxi. Une dizaine de petits restos en rang d'oignons étalent leurs tables sur une esplanade, qui autrefois bordait la mer. C'est plutôt une sorte de *food court,* avec malheureusement, parfois, des effluves d'eaux usées... Poisson et fruits de mer sont accommodés bien épicés, à la manière des anciens colons portugais. C'est très bon, très populaire, mais quelquefois pas donné, méfiez-vous ! Allez, par exemple, sauf le lundi au *J & J Corner* (stand n° 10), où l'accueil est sympa. Goûtez au *baked fish,* aux excellents poissons grillés ou en papillote au four, vendus au poids, aux calamars frits *(sotong),* crevettes en sauce, crabe à l'ail... et le redoutable *cari du diable.* Le riz et les légumes sont en sus.

Où prendre le petit déj ? Où boire un verre ?
Où écouter de la musique ?

☞ *Limau Limau Cafe* (zoom A2, **45**) : 9, Jln Hang Lekiu. ☎ 609-90-88. Tlj sauf mar-mer 9h-17h. Ce bar aux

meubles dépareillés, grand comme un mouchoir de poche, avec une petite salle à l'étage sert l'un des meilleurs petits déj de la ville. Également un grand choix de jus de fruits frais, *fruit freezes* (attention les dents !), milk-shakes et autres lassis – à gober avec une paille large comme une sarbacane. Un peu chers certes, mais tellement rafraîchissants. Même les *sundaes*, ici, s'habillent de fruits. On peut aussi y prendre un sandwich ou une *focaccia*, commander un plat de pâtes ou des lasagnes, en regardant la collection de lustres au-dessus du bar et les toiles parfois un peu osées pour la Malaisie musulmane...

🥤 🍴 ♪ ⬆ **Geographér Café** *(zoom A2, 41) :* 83, Jln Hang Jebat. ☎ 281-68-13. *Tlj 10h-1h (dès 8h dim pour le petit déj).* La bonne adresse pour prendre un petit déj, manger un morceau (voir « Où manger ? »), mais surtout boire un verre en écoutant la musique live à partir de 20h30 du vendredi au dimanche. Jazz le lundi de 20h30 à minuit. Bonne ambiance, même si elle est plus occidentale que réellement malaise.

🥤 **Mods Cafe** *(zoom A2, 44) :* 14, Jln Tokong. ☎ 756-44-41. *Tlj 10h-18h.* Minicafé décoré de cocardes, emblème du groupe rock les Who à leurs débuts. Un combi VW-bar *peace & love* avec de grandes fleurs blanches ajoute une touche seventies. On y sert un excellent café torréfié sur place à accompagner d'un *affogato,* d'un tiramisù ou d'un *cheesecake.*

🥤 **Calanthe Art Cafe** *(zoom A2, 40) :* 11, Jln Hang Kasturi. ☎ 292-29-60. *Dim-mer 9h-23h (minuit ven-sam).* Le cadre est chaleureux, le service sympa et la musique moderne. Si on y trouve de quoi manger un morceau (un *laksa,* par exemple), on vient ici surtout pour profiter de la carte des cafés, chauds, froids ou glacés. Des robustas principalement, mais surtout du *liberica,* une variété cultivée dans l'État de Johor (voir « Boissons » dans « Malaisie. Hommes, culture, environnement »). Panneau mural didactique avec toute l'histoire du café. Les locaux le dégustent 70 % café, 30 % margarine plus sel et sucre ! Vous pourrez accompagner votre breuvage d'une tarte ou d'un gâteau maison. Mignon petit patio sur l'arrière.

🥤 **Café 1511** *(zoom A2, 42) :* 52, Jln Tun Tan Cheng Lock. ☎ 286-01-50. *Tlj (sauf 1 mar sur 2) 9h-19h.* C'est le café-resto de la maison-musée baba nyonya, que nous vous conseillons vivement de visiter : tout juste quelques tables rondes en marbre dans une antichambre et sur un terrasson dominant la rue. La cuisine est parfois excellente, parfois beaucoup moins ; le service parfois sympa, parfois invisible, alors nous vous conseillons plutôt d'y boire un verre. Le jus de melon et le thé n'ont plus tout à fait le même goût dans ce cadre vénérable !

🍴 ♪ **Bistro 1673** *(zoom A2, 39) :* 18, Jln Hang Jebat (Jonker St). ☎ 288-16-73. *Tlj 10h-minuit (1h ven-sam).* On y vient pour son cadre, une maison hollandaise. Cour intérieure avec lampions : de nuit, le lieu est charmant. En revanche, la cuisine ne nous a pas convaincus. Musique (live) le soir à 20h30 (sauf lundi), même si tout cela, évidemment, est fort touristique.

🍴 Voir aussi la **Baboon House** *(zoom A2, 24 ; ouv seulement en journée jusqu'à 17h)* dans « Où manger ? », pour son très beau cadre et ses expos en cours.

🍴 ♪ Une dizaine de *cafés (zoom B2, 47)* occupent aussi le quai de la **rive gauche de la rivière,** entre les 2 ponts ; surtout animés en fin de journée par de petites formations musicales. Enfin, signalons les soirées *roots* du **Discovery Café & Guesthouse** *(zoom B2, 50 ; 3, Jln Bunga Raya),* avec *live music.*

Achats

🔹 **Wah Aik Shoemaker** *(zoom A2, 90) :* 92, Jln Tun Tan Cheng Lock. ☎ 284-97-26. *Tlj 9h-17h30.* Dans cette modeste boutique survit l'un des plus anciens métiers chinois. Un cordonnier continue de confectionner des chaussures miniatures pour femmes... aux pieds bandés ! Il est le dernier en Asie à conserver ce savoir-faire. Des photos sur place laissent deviner les souffrances que devaient endurer celles qui les portaient. Les touristes sont friands de ces chaussures de soie, longues de 7 cm, qui constituent un souvenir plutôt insolite. Une paire demande 4 à 5 jours de travail.

– **Bijoux :** dans le bas de Jalan Kuli *(zoom B2),* vous trouverez un artisan qui fabrique des bijoux en argent. Pour des bijoux plus fantaisie, originaux quoique un peu bricolés (mais pas chers), allez donc voir la boutique **Joe's Design** *(zoom A2, 91 ; 6, Jln Tun Tan Cheng Lock ; tlj 9h-17h30).*

– **Objets de brocante :** ne pas se faire d'illusions, il n'est plus possible de faire de bonnes affaires à Malacca. Certes, les magasins d'antiquités coloniales et chinoises de la *Jalan Hang Jebat* de Chinatown renferment quelques beaux objets, mais à des tarifs prohibitifs. Pour le plaisir des yeux !

– **Les boutiques de Chinatown :** des magasins un peu branchés, comme l'incontournable et multiple **Orangutan House,** situé derrière le *Hard Rock Café,* proposent des souvenirs du style « tee-shirt d'artiste » ou des sandales en bois peint appelées *kasuts kayu* (« chaussures en bois ») ou *terompahs,* dont Chinatown s'est fait une spécialité. Plus joli à voir que pratique à porter ! Quelques artisans se sont spécialisés dans les batiks ou les céramiques (mais ce n'est pas donné).

À voir

De l'époque portugaise, il ne reste que quelques ruines. Les vestiges de la période hollandaise sont plus visibles, avec une série de beaux édifices publics, des habitations et une église. Les Asiatiques ne sont pas en reste : temples, mosquées et l'un des plus charmants quartiers chinois du pays. À Malacca, on compte pas moins d'une cinquantaine de galeries et musées appartenant à l'État et plus d'une vingtaine de galeries et musées privés ! Il ne nous a pas semblé utile de décrire ceux qui présentent un intérêt secondaire, parmi lesquels les musées de l'Islam, de la Démocratie, de la Jeunesse, de la Philatélie ou du Parti politique UMNO !
Retrouvez toutes les expos temporaires des musées de Malacca sur le site ● *jmm.gov.my* ● Noter également que le vendredi, les musées sont fermés entre 12h15 et 14h45 pendant la grande prière hebdomadaire.

Le quartier colonial de Bukit Saint-Paul (colline Saint-Paul)

Commençons cette balade sur la « place Rouge », ainsi nommée à cause de ses nombreux bâtiments repeints en couleur lie de vin, Christ Church et Stadthuys hollandais en tête. Là, autour de la fontaine de la reine Victoria, érigée en 1904 peu après sa mort, se donnent rendez-vous touristes et conducteurs de *trishaws* enguirlandés de fleurs artificielles ou à l'effigie de la célèbre **Hello Kitty.**

🐾 **Christ Church** *(zoom B2) : sur la place. En principe, tlj 9h-17h, mais souvent fermée...* Tout un symbole : cette église de couleur rouge fut construite par les Néerlandais en 1741 pour commémorer le centenaire de leur occupation de la Malaisie... Plus ancienne église protestante du pays, elle fut presbytérienne jusqu'en 1838, puis anglicane et dirigée par un prélat anglais venu de Calcutta. L'intérieur, aux poutres d'un seul tenant, est dépouillé. Vous y verrez, à gauche en entrant, une plaque en marbre portant la liste des pasteurs, des origines à nos jours. Aujourd'hui, les messes du dimanche sont dites en anglais, en mandarin et en tamoul.

🐾🐾 **Stadthuys** *(zoom B2) : sur « la place rouge ».* Ce fier édifice, construit par les Hollandais vers 1650 et récemment restauré, servait de résidence aux gouverneurs de l'époque et de siège local de la V.O.C., la Compagnie néerlandaise des Indes orientales, la 1re multinationale du monde. Il est aujourd'hui considéré comme le plus vieux bâtiment néerlandais du Sud-Est asiatique. On y trouve un **Musée historique, un musée ethnographique (Muzium Serajah Dan Ethnografi) et la galerie de l'amiral Cheng Ho** (☎ 282-65-26 ; tlj 9h-17h30-21h le w-e ; entrée : 10 Rm). Au rez-de-chaussée, commencez par le fond pour suivre un ordre chronologique qui débute par un film. Vous y verrez des céra-

LE 1ER HOMME À FAIRE LE TOUR DE LA TERRE ÉTAIT ASIATIQUE

Henrique de Malacca, né vers 1495 à Sumatra, était l'esclave et l'interprète de Magellan. Embarqué avec son maître au Portugal, puis l'accompagnant pour le tour du monde par l'ouest, il rencontra après la traversée du Pacifique, des pêcheurs philippins avec lesquels il put communiquer en malais, sa langue maternelle. Il avait donc accompli le tour de la terre. Magellan lui, était mort.

miques, des porcelaines des armes, du mobilier, des reconstitutions de mariages traditionnels malais et baba nyonya, des costumes des différentes minorités. À l'étage, la galerie historique expose peintures, maquettes et dioramas retraçant l'histoire de la ville, de son émergence au début du XVe s jusqu'à l'indépendance. Intéressant. La galerie supérieure est consacrée à l'amiral chinois Cheng Ho. Pour en savoir plus sur ce fascinant personnage, voir plus loin le **Cheng Ho Cultural Museum.**

– Inutile, en revanche, de perdre votre temps en visitant ceux de la Littérature et de l'Éducation. Face à la place, au bord de la rivière (juste derrière l'office de tourisme), un ancien demi-bastion d'angle (*Middelburg Bulwark*), adossé au mur d'enceinte édifié par les Portugais, et qui fut construit en 1660 par les Hollandais pour défendre l'accès à la rivière. Quelques canons y pointent vers la grande noria voisine (roue à aubes) reconstruite, de 13 m de diamètre.

🎥 **Muzium Maritim Arkeologi** (*musée d'Archéologie maritime ; zoom B2*) **:** Jln Laksamana. ☎ 282-65-26. Dans un renfoncement, à droite de la Melaka Art Gallery et du Youth Museum. Tlj 11h-18h. GRATUIT. Minuscule, en fait une seule pièce et pourtant intéressant. Il présente quelques objets découverts dans la rivière de Malacca et en mer sur des épaves de navires. Pièces portugaises, céramiques, vases, assiettes...

🎥 **Muzium Seni Bina Malaysia** (*musée de l'Architecture ; zoom B2*) **:** à côté de l'accès à l'église Saint-Paul, face à l'immeuble de la Police. Tlj 9h-17h. GRATUIT. Installé dans une jolie demeure datant de l'époque hollandaise. On admire à l'entrée la porte en bois sculptée âgée de plus d'un siècle. Puis on découvre l'habitat traditionnel, soit par ethnies (du Sarawak, de Sabah), soit par communautés (indienne, chinoise). Également des panneaux didactiques, un peu fastidieux, sur l'architecture des palais et sur l'architecture coloniale. Mais ce que l'on préfère, ce sont ces portes anciennes sculptées, par exemple la *Orang Ulu House Door,* ornée de ses 2 dragons. Sympa mais vite vu.

🎥🎥 **Saint Paul's Church** (*zoom B2*) **:** nichées au sommet d'une colline verdoyante, ses ruines passablement mises en scène attirent les visiteurs pour la vue panoramique sur la ville et le détroit où circulent des dizaines de navires. Pour cela, il vous faudra grimper un des escaliers qui y mènent ! À l'origine, une chapelle bâtie en 1521 par un capitaine portugais très reconnaissant envers la Vierge Marie de lui avoir permis d'échapper à des pirates en mer de Chine. Après le 3e séjour de saint François Xavier à Malacca, la chapelle fut offerte aux jésuites, qui la reconstruisent entre 1567 et 1590. L'église de la Mère-de-Dieu devint ensuite le temple protestant Saint-Paul, sous les Hollandais,

LA CÔTE OUEST DE LA MALAISIE

puis accueillit les dépouilles des notables portugais et hollandais du XVIe au XVIIIe s. Les grandes pierres tombales alignées par la suite le long des murs en témoignent.

🍴 *Muzium Rakyat* *(musée du Peuple ; zoom B2)* : Jln Kota. Tlj 9h-17h. Entrée : 3 Rm. Un musée un peu fourre-tout qui abrite, au rez-de-chaussée, une collection de coiffes et instruments de musique traditionnels, une maquette kitsch de Malacca et la réplique de... la plus grande sandale en cuir du monde !

Au 1er étage, le *People's Museum* est l'occasion de comprendre le fonctionnement et l'importance du sport populaire que constitue le *gasing* : un jeu qui oppose 2 équipes autour de lancers de toupies en bois, une sorte de pétanque locale. Pour les concours de durée, on utilise des toupies cerclées d'étain d'environ 5 kg ! Les meilleurs lancers peuvent durer... 2h !

Une section très colorée est consacrée à l'*art du cerf-volant,* encore plus populaire. Introduit au XVe s par les Chinois, cet art est aujourd'hui l'un des passe-temps préférés des Malaisiens. On en fait souvent à la saison des récoltes du riz, sous forme de concours. Le gagnant est celui dont le cerf-volant vole le plus haut, ou bien les concurrents s'amusent à se faufiler à travers les cordes du cerf-volant du rival avec le leur.

Au 2e étage, le *musée de la Beauté* présente un panorama des codes et critères de beauté en vigueur au travers des époques et des différents continents. Voir notamment la section consacrée aux « femmes-girafes » de Birmanie, aux cous déformés par leurs colliers, et celle dédiée aux femmes chinoises dites « aux pieds bandés », qui devaient porter des chaussons miniatures. Une tradition ancestrale, heureusement disparue.

PETITS PIEDS DE LOTUS

La coutume des pieds bandés fut pratiquée en Chine pendant plus de 1 000 ans. Au Xe s, à la fin des Tang, l'empereur demanda à sa jeune concubine de se bander les pieds pour exécuter la traditionnelle danse du lotus et ainsi accroître son désir. La coutume entra dans les mœurs devenant ainsi une tradition familiale symbolisant la richesse et la distinction. La pratique cruelle fut abolie en 1902.

🍴🍴 *Porta de Santiago* *(zoom B2)* : on vous dira que c'est le seul vestige de la fameuse forteresse d'*A Famosa* (« la Fameuse »), construite par les Portugais en 1512 pour consolider leur conquête de la ville. Elle ne freina pas les Hollandais, qui chassèrent les Portugais en 1641, puis agrandirent la bâtisse. Les Anglais en firent moins cas et en ordonnèrent la destruction. *Sir Stamford Raffles,* le père spirituel de Singapour, demanda et obtint que l'on sauve au moins une porte. Maigre consolation.

🍴 *Le mémorial de la proclamation d'Indépendance* *(zoom B2)* : au début de la Jln Parameswara, face à la Porta de Santiago. Mar-dim (et lun pdt vac scol) 9h-17h. GRATUIT. Ce fier édifice colonial de 1911 abritait jadis le *Malacca Club,* siège de la vie sociale des planteurs anglais. L'écrivain *Somerset Maugham* s'en inspira dans l'une de ses nouvelles *(Les Empreintes dans la jungle),* pour avoir un temps fréquenté ses salons. Il n'en reste malheureusement rien... Le bâtiment abrite aujourd'hui une exposition sur l'histoire de l'indépendance – ou, plus exactement, du combat des Malaisiens pour parvenir à chasser leurs divers colonisateurs. Surtout des panneaux fastidieux à lire. On y apprend notamment que c'est à Malacca, le 20 février 1956, que Tunku Abdul Rahman annonça la date de la future indépendance du pays, soit le 31 août 1957. Bof !

🍴🍴 *Muzium Istana Kesultanan* *(musée du Palais du sultanat ; zoom B2)* : au pied de la colline Saint-Paul, après la Porta de Santiago. ☎ 282-74-64. Tlj 9h-17h (dernière entrée). Entrée : 5 Rm. Ce superbe édifice en bois, à la lisière d'un jardin agréable à parcourir, hérissé de petits ponts et de bancs ombragés, est la réplique plus ou moins exacte de la demeure du sultan Mansur Shah, reconstituée en 1985... d'après *Les annales malaises*, un livre de cour du XVIe s ! Le palais abrite un beau *Musée culturel* centré sur la région de Malacca. Vous y découvrirez sur 2 étages des dioramas sur l'histoire du sultanat, de nombreuses maquettes de palais et des mannequins vêtus d'habits traditionnels. Notez les différentes façons de porter le *tanjak*, le fameux couvre-chef malais, qui correspondent à autant de catégories sociales.

🕉 *Saint Francis Xavier Church* (zoom B2) : *en face d'une petite place, au carrefour de Jln Bandar Kaba et Laksamana.* Veillée par 2 tours crénelées, cette église a été construite en 1849 par un père français, dans un style néo-gothique inspiré de celui de la cathédrale Saint-Pierre de Montpellier ; elle est bien sûr dédiée à saint François Xavier, qui tenta d'évangéliser le Sud-Est asiatique au XVIe s.

🕉 🦀 *Muzium Maritim* (Musée maritime ; zoom A2) : *sur la rive gauche de la rivière Malacca, à côté du départ des promenades en bateau.* ☎ 284-70-90. *Tlj 9h-17h (20h30 ven-dim). Le billet (10 Rm) donne accès à 3 sections. Audioguide en anglais : 3 Rm.* Aménagée dans une réplique grandeur nature un peu kitsch de la *Flor de la Mar,* la caravelle à bord de laquelle Afonso d'Albuquerque gagna Malacca en 1511. La principale section du musée, précédée d'un film, couvre l'histoire maritime (et donc politique et économique) du port, entre 1400 et l'indépendance. Là encore, plus de panneaux que de choses à voir, mais l'effort de lecture (en anglais) n'est pas sans intérêt.

Juste à côté, le *Muzium Samudera* est complètement dépassé. Son seul intérêt : la climatisation ! Le *musée de la Marine royale,* de l'autre côté de la rue, présente uniformes, décorations, bâtiments de guerre. Et puis il y a aussi, à côté, le *musée des Douanes...*

LA CROIX DU CRABE

Une légende affirme qu'un jour, lors d'une tempête en mer, saint François Xavier plongea son crucifix dans l'eau en priant, afin d'apaiser les éléments. Les eaux se calmèrent, mais le maladroit laissa malencontreusement tomber son talisman. Le lendemain, se promenant sur la plage, miracle... ! Un crabe tenait dans ses pinces ledit crucifix. Fou de joie, saint François Xavier bénit l'animal. Depuis, on dit que tous les crabes de cette espèce portent la marque d'une croix sur leur carapace... Les Kristang (chrétiens) du quartier portugais vous les cuisineront au beurre et à l'ail.

Chinatown

La colonne vertébrale de Chinatown est formée par 2 longues rues parallèles : au centre, *Jalan Hang Jebat* (l'ancienne *Jonker Street*), la plus animée, et à l'ouest de celle-ci, *Jalan Tun Tan Cheng Lock* (ex-*Heeren Street*) la rue des riches marchands. Bordées de boutiques et de restaurants, ces 2 artères et les petites rues adjacentes révèlent tout un ensemble de jolies façades colorées. Beaucoup sont chinoises, d'autres datent de la colonisation hollandaise et de l'époque florissante du boom du caoutchouc (XIXe s). Bien plus profondes que larges, elles portent souvent, au fronton, de superbes tableaux laqués de noir sur lesquels sont gravés, en lettres dorées, le nom ou la devise de la famille. Essentiel pour trouver une adresse à l'époque où il n'y avait pas de numéros ! Les plus aisés accrochaient aussi de grands lampions peints de leur patronyme. Le quartier est le bastion des *Peranakan* (ou *Baba Nyonya*) de Malacca, cette communauté issue du métissage sino-malais.

Malheureusement, le coin a tendance à perdre de sa personnalité. Il renferme indéniablement de superbes rues, parmi les plus belles de Malaisie, mais elles sont en partie vidées de cette animation bourdonnante qui contribuait jadis à leur charme.

Reste, du vendredi au dimanche soir, de 18h à minuit, un **marché nocturne** très animé mais où les marchandises proposées n'intéresseront que peu le voyageur. Reste les gargotes où on peut goûter à toutes les spécialités locales pour une poignée de ringgits.

🏯 *Jalan Hang Jebat* *(zoom A2)* **:** la rue principale de Chinatown est la seule qui, le soir, conserve une certaine animation (côté est). Ne manquez pas, au n° 97, la façade à la colonnade classique ornée de stucs fleuris peints et, au n° 23, le siège de l'association *Hokkien Huay Kuan* aux piliers décorés de dragons. À proximité, la tombe présumée de *Hang Kasturi*. Celle de *Hang Jebat,* tué lors de son légendaire duel avec *Hang Tuah,* se trouverait dans Jalan Tokong Kuli (voir plus haut la rubrique « Un peu d'histoire, la légende des 5 guerriers »).

🏯🏯 Juste au sud, la *Jalan Tun Tan Cheng Lock* : moins de boutiques mais davantage de circulation... On y trouve la splendide maison-musée *baba nyonya* (voir ci-dessous) et, un peu plus loin, au n° 111, la demeure ancestrale (anonyme) de la famille de... *Tun Tan Cheng Lock,* justement ! Businessman et politicien de renom, l'homme fonda la *Malaysia Chinese Association,* tandis que son fils, *Tun Tan Siew Sin,* fut le second ministre des Finances du jeune pays.

Juste à côté, au n° 117 (face à l'hôtel *Puri*), se dresse la **Chee Mansion** *(zoom A2),* une énorme pâtisserie blanche d'architecture néo-hollandaise ! Cette étonnante bâtisse abrite le *Chee Yam Chuan Temple,* l'autel ancestral de la famille Chee. Jetez aussi un coup d'œil, face à l'hôtel *Baba House,* à la superbe entrée de l'*Eng Choon Association* (1875), une de ces nombreuses associations culturelles regroupant les Chinois originaires des mêmes provinces. Les 2 colonnes proches de l'autel sont entremêlées de dragons et de nombreux personnages en haut relief. Superbe.

À noter que, dans cette artère, pas mal de maisons à la façade bien entretenue servent d'« incubateurs » à la confection des fameux nids d'hirondelles, produits de luxe de la cuisine asiatique, coûteux et délicats, élaboré par certaines espèces de martinets qui secrètent un mucus comestible pour construire leurs nids. Ces maisons « fantômes » servent également à abriter les portraits des ancêtres.

🏯🏯🏯 *Baba Nyonya Heritage* *(zoom A2) :* 48-50, Jln Tun Tan Cheng Lock. ☎ 283-12-73. Tlj 10h-12h30, 14h-16h30. Fermé pdt les fêtes chinoises. Entrée : env 16 Rm ; réduc. Visite guidée incluse, en anglais, ttes les heures env, bien faite mais menée au pas de course. Il est possible de se balader seul, un document (en français) très intéressant à la main. Photos interdites.

MARIAGE SUCRÉ, MARIAGE COLLANT

La tradition chinoise s'appuie sur d'innombrables symboles, et le mariage ne fait pas exception à la règle. Ainsi, lors des noces, les jeunes époux dégustent beaucoup de mets sucrés (symboles d'amour) et collants (union), et se voient offrir œufs (fertilité) et bougies (cette lumière qui mène sur le droit chemin).

Ce musée privé occupe une très belle demeure *peranakan* de 1896, à la façade dotée de boiseries finement sculptées. Elle appartenait à un riche exploitant de caoutchouc répondant au nom de *Chang Cheng Siew* et elle regroupe en fait 3 maisons attenantes, où 3 générations de la même famille cohabitaient.

La visite permet de découvrir des intérieurs conservés en l'état, où se croisent des influences chinoises, anglaises et hollandaises. Le mobilier est ici victorien, là en bois sombre incrusté de nacre, typiquement chinois – tout comme les panneaux en bois sculpté et les meubles laqués. Ne manquez pas, dans la pièce en front de rue, les superbes panneaux de soie brodée avec des motifs évoquant la nature.

La vraie fierté de la maison, c'est néanmoins son grand escalier en bois cheville et non cloué, orné à la feuille d'or (même sous les marches !). Le seul du genre à avoir été conservé à Malacca, il possède des portes à l'étage, jadis fermées pour empêcher les voleurs de pénétrer dans le sanctuaire familial... Là-haut, on verra le salon de musique (phono, violon, photos noir et blanc) et une intéressante collection de costumes et ustensiles liés au mariage traditionnel. Les rites, symboles et croyances sont aussi intéressants que bien expliqués. Bref, une très belle visite, pleine de surprises. La maison abrite aussi le *Café 1511* (voir « Où prendre le petit déj ? Où boire un verre ? Où écouter de la musique ? ») et une *guesthouse* aux petites chambres mignonnes mais un peu trop chères pour le confort, nous a-t-il semblé.

🏮🏮 *Straits Chinese Jewellery Museum* (zoom A1) : 108, Jln Tun Tan Cheng Lock. ☎ 281-97-63. Visite guidée de 30-40 mn, lun-jeu 9h30-17h, ven-dim 10h-18h. Entrée : env 15 Rm ; réduc étudiants ; gratuit moins de 6 ans.

Certes, on racole le touriste au micro à même le trottoir et les détracteurs du musée affirment que tous les bijoux exposés sont neufs. De l'aveu même des guides, la collection est en effet un mélange d'objets authentiques et de copies de bijoux anciens, tous rassemblés par **Peter Soon,** grand collectionneur d'objets chinois et peranakan. Néanmoins, la visite (obligatoirement guidée) est intéressante. D'abord, le propriétaire a restauré cette belle maison qui tombait en ruine. Le guide vous expliquera que le fameux eunuque et amiral Cheng Ho (lire plus bas) navigua jusqu'à Malacca en 1405 avec 27 000 hommes et que, bloqués par la mousson, la moitié d'entre eux se marièrent à des femmes de la région, donnant un sacré essor à la communauté *baba nyonya*. Les objets exposés sont donc censés être issus de ce mariage à grande échelle, même s'ils viennent en fait de la collection éparse de Peter Soon.

La *galerie A* couvre la période XVe-XIXe s. Voir, entre autres, la couronne de mariage et le chapeau ornés d'un phénix, le service à thé en or, les montres, les parures d'influence indienne ou encore le poisson d'or et de jade en pendentif (symbole de bonheur pour les enfants). Les chauves-souris sculptées sur les cabinets sont un particularisme local et singapourien. La chauve-souris est symbole de chance... pour les hommes. Pour les femmes, ce sont le phénix, les oiseaux et les fleurs ! Du côté des influences étrangères, signalons l'aigle britannique ou ces bijoux constitués de pièces de monnaie hollandaises.

La *galerie B* parcourt le XXe s. Boutons de vêtements fabriqués comme des pièces de monnaie. À ce propos, la coutume voulait qu'on cache des pièces d'or sous l'oreiller pour éviter les cauchemars. On évoque ici le deuil. Il durait... 3 ans ! Les femmes s'habillaient en blanc, les hommes en noir. On découvre ensuite la maison elle-même. Chambre à coucher de *Joséphine Tan Pin Neo*, une Nyonya singapourienne décédée à l'âge de 96 ans. Mobilier sculpté, bureau et coffre-fort anglais, porcelaine de Limoges et d'Angleterre, vaste lit à opium vieux d'un siècle, autel sculpté avec lions et coquillages en nacre, chaises à accoudoirs en forme de lions-dragons... Enfin, jetez un œil à la belle frise dorée de raisins et de... souris (symbole de fécondation), entourée de petites scènes édifiantes.

🏮🏮 *Cheng Ho Cultural Museum* (zoom B2) : 51, Lorong Hang Jebat. ☎ 283-11-35. ● chengho.org/museum ● Tlj 9h-18h (17h dernière entrée). Entrée : env 10 Rm. Panneaux en anglais.

Occupant 2 niveaux d'une belle maison chinoise, ce musée privé et un peu brouillon se consacre plus particulièrement aux aventures maritimes du grand navigateur chinois *Cheng Ho,* mais aussi à l'histoire de la ville et, plus brièvement, de la Malaisie. Au fil des innombrables salles, dotées de dioramas, on découvre quelques beaux objets : brûle-parfum en bronze de la vieille dynastie *cham*, instruments de navigation, cartes marines, palanquin, très étonnantes monnaies et lingots d'étain en forme d'animaux (croco, tortue), collection de jarres superbement présentée...

Stupéfiant destin pour cet eunuque musulman de l'ethnie cham, **Cheng Ho** (ou Zheng He), né en 1371 dans le Yunnan, au sud-ouest de la Chine. À 13 ans, ce fils de gouverneur de province voit son père tué par l'armée impériale. Il est fait prisonnier, puis castré comme tout descendant de chef de guerre. Eunuque à la cour impériale, il se lie avec *Yong Le,* le 3e empereur ming, qui fera transférer la capitale de Nankin à Pékin en souhaitant étendre son empire. Cheng Ho est fait amiral de la flotte chinoise à l'âge de 33 ans, alors qu'il n'a jamais navigué. Il fait

LA CHINE A-T-ELLE DÉCOUVERT L'AMÉRIQUE ?

S'il n'est pas acquis que l'amiral Cheng Ho ait franchi le détroit de Magellan 70 ans avant l'explorateur portugais, Gavin Menzies, ancien commandant de la Royal Navy, soutient dans son livre 1421, l'année où la Chine a découvert l'Amérique, qu'il aurait aussi devancé Christophe Colomb. Son argument : seule la Chine disposait des moyens nécessaires. Mais les experts affirment qu'après les expéditions de Cheng Ho la Chine se replia subitement sur elle-même, détruisant tous ses précieux documents !

construire des centaines de navires à Nankin. Il s'embarque alors dans une incroyable série de 7 expéditions destinées à développer des liens politiques et commerciaux entre les contrées éloignées et l'empire du Milieu. Il quitte la Chine en 1405 à la tête d'une flotte composée de 208 jonques, dont 4 navires amiraux et 12 « bateaux-trésor » chargés à ras bord de soieries, porcelaines et autres précieuses marchandises chinoises. De vraies villes flottantes, totalisant 28 000 hommes, marins, soldats, cuisiniers, géographes et autres astronomes. Certains affirment que ses navires faisaient 138 m de long sur 55 m de large et comptaient 9 mâts ! Au fil de ses pérégrinations, Cheng Ho atteint l'Indochine, la péninsule malaise, il explore Java, Bornéo, l'Inde, le golfe Persique, se rend à La Mecque et jusqu'à Malindi (actuel Kenya), d'où il rapporte une girafe ! Certains vont jusqu'à prétendre qu'il aurait découvert l'Amérique avant Christophe Colomb (voir encadré), ce qui remplit les Chinois de fierté, même si on sait maintenant que les Vikings ont précédé tout le monde. Cheng Ho est déifié dans certains pays du Sud-Est asiatique... En fin de carrière, il reçoit le titre bouddhique de « Grand Eunuque aux Trois Joyaux » ! Il meurt en 1433.

🏹 Au nord de Jalan Hang Jebat, *Jalan Tokong Emas* (zoom A2) est bordée d'un ensemble de boutiques de « bondieuseries » et d'encens, pavant le chemin vers le splendide temple *Cheng Hoon Teng*. À l'époque de la *fête des Fantômes affamés,* vous remarquerez dans les boutiques de nombreux objets miniatures en carton peint : maisons, voitures, TV... Dans la tradition chinoise, on achète ces symboles pour les brûler en offrande aux disparus, pour qu'ils ne manquent de rien dans l'autre vie.

🏹🏹🏹 *Cheng Hoon Teng Temple* (zoom A2) : *Jln Tokong.* Construit au XVIIe s et rebâti en 1801 selon les principes du *feng shui,* le plus vieux temple chinois de la région affiche une forme architecturale typique des provinces méridionales du Guangdong (Canton) et du Fujian, à la différence près, que les pentes sont plus prononcées (à cause des pluies abondantes qui s'abattent régulièrement sur Malacca). Il réunit les préceptes de 3 systèmes doctrinaux différents mais pas antinomiques : taoïsme (la religion), confucianisme (la morale) et bouddhisme (la vie de l'âme). Ses toits se couvrent de dragons, phénix, animaux, fleurs et personnages en tessons de porcelaine, inspirés de la mythologie chinoise, tandis que l'intérieur recèle des panneaux de bois laqué richement ciselés racontant la vie du Bouddha et des tablettes en bois des ancêtres que l'on vénère chaque année en leur offrant un énorme festin... que l'on est autorisé à partager lorsque les défunts sont rassasiés. Tous les matériaux utilisés ont été importés de Chine. Ne manquez pas non plus les splendides dragons dorés décorant les 2 portes d'entrée.

🎥🎥 *Masjid Kampung Kling* (mosquée Kampung Kling ; zoom A2) : *Jln Tukang Emas. Visite autorisée aux non-musulmans, sauf pdt la prière (blouses en prêt).* Cette étonnante mosquée au toit vert, fondée en 1748, rebâtie en 1872 et restaurée récemment, a la particularité de mêler plusieurs influences, à mi-chemin de Sumatra et du style indien musulman. Le minaret et le toit font, eux, songer aux tours des pagodes bouddhiques, tandis que les colonnes corinthiennes du porche dénotent une influence européenne. Remarquer aussi le lourd chandelier victorien de la salle de prière, sa chaire dorée mi-chinoise, mi-indienne, et le bassin aux ablutions. Charmant petit cimetière, aux tombes anarchiquement disposées. La forme de la stèle est fonction du sexe et de l'âge du défunt. L'éclairage de l'ensemble donne une atmosphère assez particulière à la nuit tombée.
– À côté, le **Sri Poyyatha Vinayaga Moorthy Temple** est le plus vieux temple hindou de Malaisie (1781).

🎥 *Masjid Kampung Hulu* (mosquée Kampung Hulu ; plan d'ensemble, A1) : *Jln Kampung Hulu, à l'angle de Jln Masjid, un peu à l'écart de Chinatown.* C'est l'une des plus vieilles mosquées de Malaisie, bâtie en 1728, quelques années après l'adoption de la liberté de culte par les Hollandais. Comme Kampung Kling, son toit pyramidal montre des influences chinoises. Elle aussi a été récemment restaurée.

Kampung Morten (au nord du centre)

🎥🎥 *Villa Sentosa* (plan d'ensemble, B1) : *138, Kampung Morten.* ☎ *282-39-88. À pied : prendre Jln Bunga Raya jusqu'à l'hôtel Majestic. Là, une passerelle enjambe la rivière ; la villa Sentosa est presque en face, à gauche (c'est indiqué). En principe, tlj 9h30-18h ; en réalité, horaires pas toujours respectés... GRATUIT, mais il est d'usage de laisser un peu d'argent avt de partir, dans une grande coupe métallique à côté du fameux gong malais (voir plus bas).*
On peut rejoindre la villa Sentosa en longeant à pied la promenade aménagée le long de la rivière pendant env 40 mn. C'est l'occasion de découvrir les multiples œuvres de *street art* peintes sur les murs des maisons qui la bordent. On peut aussi accomplir le trajet à vélo.
Cette authentique maison malaise en bois sur pilotis, datant des années 1920, se dresse au creux d'une boucle de la rivière Malacca environnée de hautes tours. À ses côtés, quelques autres demeures traditionnelles aux toits pointus, forment comme un îlot hors du temps, protégé du bruit et de l'agitation. *Sentosa* signifie d'ailleurs en malais « paix et prospérité ».
Les actuels propriétaires – un frère et une sœur – habitent encore la demeure et prennent plaisir à la faire visiter (le frère parle très bien l'anglais). Héritiers d'une très vieille famille noble originaire de Sumatra, ils conservent avec le plus grand soin les souvenirs de leurs aïeux. Parmi ces touchants témoins du passé présentés au fil des chambres : des *kriss* (dont un kriss impérial), des vêtements, des chaussures de femme aux bouts recourbés, des objets ayant appartenu au grand-père, des appareils photo, de la porcelaine chinoise, anglaise, des miroirs italiens... Autant de souvenirs témoignant d'une réussite sociale. La chambre nuptiale est superbe avec ses tissus de satin jaune, la couleur royale. La visite se termine face à un gong malais vieux de 200 ans. La légende dit qu'il porte chance à celui qui l'entend retentir 3 fois après avoir fait un vœu. Jadis, seuls le maire de Malacca et le petit-fils de Churchill eurent droit à cet honneur... désormais offert à tous ceux qui veulent bien contribuer un peu (financièrement) à l'entretien des lieux.

À voir encore

🗡 Bukit Cina (Colline chinoise ; hors plan d'ensemble par B1) : au nord-est du centre, entre Jln Tun Tan Siew Si et Jln Puteri Hang Li Po. Ce cimetière chinois, recouvrant l'ensemble de la colline, serait le plus grand hors de Chine ! C'est ici qu'auraient résidé Hang Li Po et sa cour. Les plus anciennes tombes datent en effet de l'époque ming, mais le lieu est peu entretenu. Au sommet, vue dominante sur la ville.

🗡 Perkampungan Portugis (quartier portugais ; hors plan d'ensemble par B3) : à 3 km au sud-est. Pour y aller : bus n° 17 ; attention, dernier retour vers 21h ; taxi obligatoire ensuite. Ce quartier, aussi parfois baptisé mini-Lisbonne, rassemble les descendants des Portugais d'hier. À la fin des années 1920, 2 prêtres français et portugais obtiennent de l'administration anglaise la jouissance d'un terrain marécageux en bord de mer pour reloger les pauvres de la communauté portugaise. Les premiers s'installent en 1935. Aujourd'hui, on y dénombre plus de 100 familles, représentant quelque 1 500 personnes. Dans leurs veines, un peu de sang portugais, certes, mais aussi beaucoup de sang malais, hollandais, anglais, chinois sans doute et peut-être même indien... Depuis l'intégration des enfants dans le système scolaire malaisien, dans les années 1960, seuls quelques-uns des plus âgés parlent encore le *kristang*, ce vieux créole portugais né dans le melting-pot local. La religion catholique, en revanche, conserve une place importante, et la communauté se rassemble toujours le dimanche pour la messe de 8h. Certains habitants vivent encore de la mer et vendent leur pêche aux restaurants portugais. C'est d'ailleurs la principale raison de venir ici, le soir (tout est fermé à midi). On y déguste, de bien belle façon, des recettes matinées de traditions portugaises.

À faire

➤ Excursion sur la rivière Malacca (zoom A2) : départs réguliers depuis l'embarcadère situé rive gauche, un peu au nord du Muzium Maritim. Infos au ☎ 281-43-22. ● melakarivercruise.my ● Tlj 9h-23h, ttes les 30 mn env lorsque la marée le permet. Compter en sem env 20 Rm/pers pour une balade de 40 mn, et env 25 Rm le w-e et pdt les vac scol. Même prix pour un aller ou un A/R. Chaque jour, les petites embarcations remontent la rivière sur 3 km, traversant le cœur de la vieille ville. Certes, l'animation y est quasi inexistante depuis l'abandon du vieux port, mais l'approche a le mérite de présenter la ville sous un autre aspect. On quitte les rues policées de Chinatown pour découvrir « l'arrière-cour » de Malacca, les berges de la rivière ayant été aménagées en agréable promenade.

Fêtes et manifestations

Voir aussi la rubrique « Fêtes et jours fériés » dans le chapitre « Malaisie. Hommes, culture, environnement », ou s'adresser à l'office de tourisme pour plus de détails.
– **Courses de bateaux-dragons :** en mai ou juin. Courses internationales de pirogues rythmées par des tambours.
– **Fête de San Pedro :** le dernier w-e de juin, pdt 2 j. Fête de la communauté portugaise en l'honneur du saint patron des pêcheurs.
– **Célébration de l'inscription de la ville au Patrimoine mondial de l'Unesco :** le 7 juil.
– **Melaka World Heritage Music Festival :** mi-sept.
– **Melaka Art & Performance Festival :** fin nov.
– **Baba Nyonya Festival :** fin nov. Attention, ce festival est parfois annulé, faute de moyens...

AU NORD DE KUALA LUMPUR

LES CAMERON HIGHLANDS

IND. TÉL. : 05

● Carte Les Cameron Highlands et Tanah Rata *p. 133*

Perchée au cœur de la grande chaîne des Titiwangsa, à une altitude moyenne de 1 500 m, cette station d'altitude fondée par les Anglais attire tous ceux qui rêvent d'une bouffée d'air frais après la chaleur tropicale. Passé le manteau impénétrable de la forêt, on y découvre des paysages travaillés et ordonnés par la main de l'homme, très différents de ceux de la plaine. Fini les plantations de palmiers à huile à perte de vue, voici des collines vertes et des montagnes de fraîcheur (16 °C la nuit au plus bas), couvertes de plantations de thé formant un immense et magnifique tapis vert aux géométriques sinuosités, des exploitations d'arbres fruitiers et de légumes, des serres horticoles. Les Malaisiens accourent, attirés par la nouvelle reine des Cameron Highlands : la fraise. On l'accommode à toutes les sauces, ici... Y compris sous la forme de petits coussins et de sacs totalement kitsch. Les étrangers, eux, se laissent porter par la nostalgie de l'ère coloniale, butinant de plantations en vieilles demeures *British* de style Tudor, où l'on sert encore le thé avec des *homemade scones*, de la *clotted cream* et de la confiture (de fraises, naturellement). Plus haut, sur les montagnes, la forêt reprend ses droits : nourrie par les nuées, elle entretient une flore exceptionnelle. Les mousses tapissent les troncs, desquels pendent de grosses plantes carnivores. Au plus profond pousse aussi la spectaculaire rafflésie, qui se laisse surprendre au gré de randonnées ardues et boueuses. Un vrai réseau de sentiers promet autant d'explorations passionnantes.

UNE RÉGION SUREXPLOITÉE

Malgré leurs nombreux atouts, les Cameron Highlands souffrent de leur succès. Dans certains secteurs, les serres ont foisonné, couvrant les pentes de plastique et de déchets. Chacun y va de ses infrastructures, et engrais et pesticides font la pluie et le beau temps. Profitant de la manne touristique, une horde d'attractions plus ou moins bidon ont vu le jour : serres à papillon et « fermes » en tout genre aux airs de boutiques ou de hangars (fraises hors sol en quantité industrielle, roses, cactus, miel). La population et les activités se concentrent dans 4 villages devenus de vraies petites villes. Dans l'ordre de montée : Ringlet, Tanah Rata, Brinchang, puis Kea Farm. Peu d'espace pour respirer, désormais, le long de cette chaîne continue de développement. Un peu partout, les groupes immobiliers ont dressé immeubles d'habitations, hôtels et ensembles d'appartements en multipropriété de plus de 10 étages, écrasant les perspectives... Le week-end et pendant les vacances scolaires (décembre en particulier), tout est plein, et les prix grimpent... Toutefois, les Cameron Highlands restent une destination pour marcheurs, qui pourront facilement fuir ces grands ensembles bétonnés en visitant les plantations de thé ou, mieux encore, en s'enfonçant dans la jungle.

UN PEU D'HISTOIRE

La région doit son nom au géomètre anglais William Cameron, qui y mena une expédition en 1885. Un siècle plus tard, tout juste, les autorités britanniques décidèrent de tirer parti des formidables conditions climatiques des Cameron

LA CÔTE OUEST DE LA MALAISIE

Highlands. On y planta rapidement du thé (pardi !), des légumes encore inconnus dans ce pays tropical, et les riches Anglais y firent construire de superbes résidences de vacances avec toutes les distractions indispensables : golf, tennis, clubs de jeu et... chasse aux papillons (on trouve ici de très rares spécimens) ! Les Anglais partis, ce sont aujourd'hui les Malaisiens, les Chinois et les touristes occidentaux qui débarquent par grappes entières en quête d'exotisme.

OSS 117 NE RÉPOND PLUS

En 1967, les Cameron Highlands furent le théâtre de l'un des plus grands mystères du pays. Jim Thompson, « l'empereur de la soie thaïlandaise », disparut sans laisser de trace pendant que ses amis faisaient la sieste dans leur maison de vacances. Il ne fut jamais retrouvé, malgré la mobilisation de 1 500 personnes. Les hypothèses sont des plus surprenantes : a-t-il été mangé par un tigre ? Étouffé par un python ? Enlevé par sa maîtresse thaïlandaise ? Il faut doute chercher ailleurs, Jim Thompson ayant été un des piliers des services secrets américains en Asie, le célèbre OSS, ancêtre de la CIA... Exciting !

Arriver – Quitter

Si on arrive de Tapah, la route jusqu'aux Cameron Highlands est éprouvante pour l'estomac, mais le paysage est superbe : forêt, montagne, habitations orang asli dispersées, puis plantations de thé... À cette altitude, il y a souvent des nuages qui s'accrochent à la montagne, donnant aux paysages un charme indéfinissable. Trajet en 2h pour monter et 1h30 pour descendre.

En bus

Ils desservent tous Tanah Rata. En raison du nombre important de visiteurs, il est conseillé de réserver son billet la veille, voire plusieurs jours à l'avance, à la gare routière ou auprès de l'une des agences locales (voir plus loin à Tanah Rata).

▷ **Gare routière** (zoom) : sur Jln Besar, la rue principale.
▷ **Pour Brinchang, Kea Farm et Sungei Palas Junction :** des bus locaux (et vieillots) de la compagnie *Regal* desservent les communes voisines à partir de 6h30, puis à raison de 1 bus/h 7h30-18h30.
▷ **Pour Bharat Tea et Ringlet :** 4 bus/j. (vers 8h, 11h, 13h30 et 17h) avec *Regal*.
▷ **Pour Kuala Lumpur** (TBS) : 1 bus ttes les 2h env, 8h-17h30.
▷ **Pour Butterworth (Penang) :** en général, 3 bus directs/j., le mat et en début d'ap-m. Trajet : env 5h.

▷ **Pour Ipoh :** env ttes les 2h, 8h-18h. Trajet : env 2h.
▷ **Pour Johor Bahru et Singapour :** 1 bus/j. le mat. Résa conseillée.

En minibus

La quasi-totalité des agences locales affrètent ou vendent des billets de minibus pour KL, Penang, et surtout pour le **Taman Negara Pahang** et **Kuala Besut** (les îles Perhentian), 2 destinations pour lesquelles il n'y a pas d'autres choix. Pour le Taman Negara Pahang, départ le mat, arrivée dans l'ap-m, avec arrêt à Kuala Tembeling pour ceux qui veulent rejoindre Kuala Tahan en bateau. La plupart exigent un minimum de 4 participants. Voir plus loin la rubrique « Agences » à Tanah Rata.

En taxi

Ils partent de la gare routière de Tanah Rata. Moyen de locomotion bien pratique pour rayonner dans le coin (les bus locaux ne desservant pas toutes les plantations de thé) et pas si cher si l'on est plusieurs. Compter env 8-10 Rm pour Brinchang, 16 Rm pour Kea Farm, 60 Rm l'aller-retour vers la *Sungei Palas Boh Tea Plantation* (avec 1h sur place), 70 Rm dans les mêmes conditions pour la *Boh Estate Tea House* (vers Habu et

Ringlet) et 90 Rm pour le mont Brinchang (100 Rm avec arrêt de 20 mn à la *Mossy Forest* en plus).

🚕 *Taxi Station :* ☎ 491-23-55.

En voiture

Attention, pas de station essence à Tanah Rata. Faire le plein à Ringlet ou à Brinchang (2 stations dans chacun des bourgs).

➢ *Pour le parc de Taman Negara Pahang :* signalons qu'il existe une bonne route entre Ringlet et Kuala Tembeling, d'où on peut soit prendre le bateau pour le parc, soit continuer par la route jusqu'à Kuala Tahan, via Jerantut.

TANAH RATA

Le village est concentré autour d'une unique rue tout en longueur. Malgré le bétonnage généralisé, on est tout de suite frappé par la douce fraîcheur qui se dégage à cette altitude (1 400 m). Le soir, on sort volontiers une petite laine, parfois un vêtement de pluie. Tanah Rata est la meilleure base des Cameron Highlands pour partir en randonnée et visiter les plantations de thé. On y trouve tous les services utiles aux visiteurs (hôtels, agences, bus, etc.).

Adresses et info utiles

■ *Change et banques :* on trouve plusieurs distributeurs dans le centre, en particulier sur Jalan Besar. L'*AmBank* (zoom, **3**) représente aussi *Western Union*. Un *money changer* se trouve près de la pharmacie (zoom, **6**). *Ouv tlj 9h-19h (ven 9h30-13h, 14h-19h).*
■ *Dr Ayoub :* 50, *Jln Besar (rue principale).* ☎ 491-16-54. *Lun-sam 9h-13h, 14h30-17h, 20h30-22h, dim 11h-13h, 15h-16h30, 20h30-21h30. Fermé jeu soir.* Généraliste anglophone compétent.
■ *Police Station* (zoom, **1**) *:* ☎ 491-54-43 ou 491-12-22.

■ *Pharmacie : Cameron Pharmacy* (zoom, **6**), *Jln Besar. Tlj 9h-22h.*
■ *Laveries* (zoom, **5**) *:* une sur Jln Besar *(lun-sam 10h-19h30, dim 12h-19h),* mais on en trouve aussi d'autres dans les ruelles situées entre les HLM au-delà du *Cameronian Inn.*
– *Regional Environmental Awareness Cameron Highlands (REACH) :* ● *reach.org.my* ● Cette association mène des actions pour sensibiliser public et autorités aux questions environnementales. Pour les rencontrer à Brinchang, prendre rendez-vous par mail sur leur site.

Agences à Tanah Rata et dans les environs

Voici quelques agences à priori recommandables, dans l'ordre de nos préférences, mais on vous conseille fortement de consulter les sites et forums avant de vous adresser à elles pour connaître les dernières expériences des internautes. Car la qualité peut changer assez vite d'une année sur l'autre, d'un guide ou d'un chauffeur à l'autre... Attention, il arrive que certains chauffeurs aient une conduite dangereuse. Sinon, les agences proposent quasiment les mêmes excursions : Mossy Forrest, gunung Brinchang, fermes du coin, Sam Poh Buddhist Temple, chasse à la rafflésia, etc.

■ *Cameron Secrets* (zoom, **13**) *:* à la Father's Guest House *(voir « Où dormir ? »).* ☎ 491-28-88. ● *cameron secrets.com* ● Très bonne réputation. Appartient à Gerard et Jay, les propriétaires de la *Father's Guest House* et du *Gerard's Place* (voir « Où dormir ? »). Ils organisent les sorties habituelles et peuvent aussi faire appel à des guides nature, spécialisés dans la flore et notamment les orchidées. Se chargent aussi de la résa des billets pour le Taman Negara Pahang.
■ *Eco Cameron* (zoom, **7**) *:* 72A, Persiaran Camellia 4. ☎ 491-53-88. 📱 019-480-23-88. Une agence ayant bonne

LA CÔTE OUEST DE LA MALAISIE

réputation pour son sérieux et la qualité de ses guides. En plus des excursions classiques, ils proposent parfois des balades axées sur la nature.

■ *Titiwangsa Tours* (carte, 8) : 36, Jln Besar, à **Brinchang**. ☎ 491-14-52. ● titiwangsatours.com ● Basée à Brinchang, mais on peut aussi s'adresser au petit bureau *Unititi* de la gare routière de Tanah Rata. La qualité dépend du guide...

■ *Hill Top Travel & Tours* (zoom, 9) : 24, Main Rd, à droite des restos Kumar et Sri Brinchang. ▯ 017-594-11-92. ● hilltoptours.com ● Qualité aléatoire, là encore ; pour tous les budgets.

Où dormir ?

Bon à savoir : déjà plus élevés à la base que dans le reste du pays, les tarifs augmentent (très) sensiblement le week-end et plus encore les jours fériés. Venez en semaine !

De bon marché à prix moyens (moins de 180 Rm / 40 €)

▲ |●| *Father's Guest House* (zoom, 13) : 4, Jln Mentigi. ▯ 017-584-88-83 ou 016-566-11-11. ● fathers.cameron highlands.com ● Derrière la Maybank et la Twin Pines Guesthouse. *Resto ouv aux non-résidents (petit déj et dîner).* Dans ce quartier en cours de rénovation, la *guesthouse* propose un dortoir de 10 lits avec ventilo et des chambres carrelées avec ou sans salle de bains. Le tout est impeccable et la literie de qualité (enfin des proprios qui pensent aux dos fatigués des routards !). Agréable terrasse et plusieurs coins sympas pour discuter de sa prochaine excursion. Accueil chaleureux et excellentes infos sur la région. Il faut dire que Gerard, le proprio, tient aussi l'agence *Cameron Secrets* (voir plus haut). Resto très agréable, sous une pergola, qui sert un bon curry du chef. Une très bonne adresse.

▲ *Kang Travellers Lodge* (Daniel's Lodge ; zoom, 12) : 9, Lorong Perdah. ☎ 491-58-23. ● kangholiday.com ● *Prendre la rue en face de l'Agro Bank, c'est au fond à gauche. Fourchette basse. Plus cher les j. fériés !* Uniquement pour les routards fauchés. Grande maison de bric et de broc en retrait de la rue principale, au pied d'une colline boisée, dans un environnement assez bordélique, il faut bien le dire. C'est une vraie auberge espagnole : jeunes, moins jeunes, randonneurs et fêtards passent tous par ici. On opte pour les dortoirs très bon marché ou les petites chambres hyper basiques avec ou sans salle de bains. Éviter celles donnant sur le corridor interne, très sombres, et préférer l'une des 3 (avec bains partagés, eau chaude) ouvrant sur un coin de jardin. Ce sont les plus lumineuses et les

---

■	**Adresses utiles**			**15** Arundina (zoom)
	1 Police Station (zoom)			**16** The Smokehouse (carte)
	3 AmBank (zoom)			
	5 Laveries (zoom)		|●| **Où manger ?**
	6 Cameron Pharmacy et money changer (zoom)			**20** Zainab Sam (zoom)
	7 Eco Cameron (zoom)			**21** Ferm Nyonya (zoom)
	8 Titiwangsa Tours (carte)			**22** Sri Brinchang et Kumar (zoom)
	9 Hill Top Travel & Tours (zoom)			**23** Kou Gen (zoom)
	13 Cameron Secrets (zoom)			**24** Singh Chapati (zoom)
				25 Jasmine (zoom)
▲	**Où dormir ?**			**26** Barrack's Cafe (zoom)
	7 CH Travellers Inn (zoom)			**30** Bunga Suria (zoom)
	10 Gerard's Place (zoom)			
	11 Cameronian Inn (zoom)		☕ ▼	**Où prendre le thé ?** **Où boire un verre ?**
	12 Kang Travellers Lodge (zoom)			
	13 Father's Guest House (zoom)			**12** Jungle Bar (zoom)
	14 Eight Mentigi Guesthouse (zoom)			**16** The Smokehouse (zoom)
				30 Travellers Bistro & Pub (zoom)

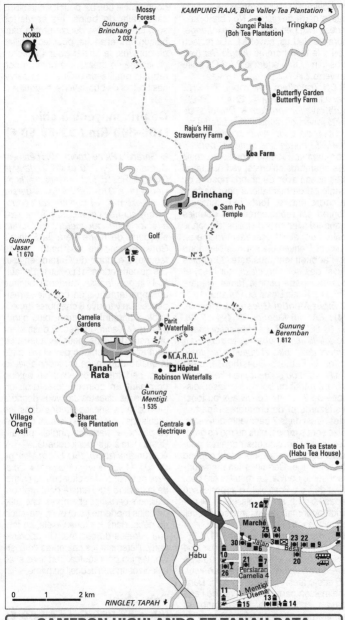

NORD

KAMPUNG RAJA, Blue Valley Tea Plantation

Mossy Forest

Gunung Brinchang 2 032

Sungei Palas (Boh Tea Plantation)

Tringkap

N° 1

Butterfly Garden Butterfly Farm

Raju's Hill Strawberry Farm

Kea Farm

Brinchang

8

Sam Poh Temple

Golf

N° 2

Gunung Jasar 1 670

16

N° 3

N° 10

N° 3

Camelia Gardens

N° 4

Parit Waterfalls

N° 5

N° 7

N° 8

Gunung Beremban 1 812

Tanah Rata

M.A.R.D.I.

Hôpital

Robinson Waterfalls

Gunung Mentigi 1 535

Village Orang Asli

Bharat Tea Plantation

Centrale électrique

Boh Tea Estate (Habu Tea House)

Habu

0   1   2 km

RINGLET, TAPAH

12

Marché

25 **24**

5

30

3

Jalan

6

Besar

23 **22**

1

9

10

7

21

Persiaran Camelia 4

26

20

11

J. Mentigi Utama

13

15

14

CAMERON HIGHLANDS ET TANAH RATA

plus calmes... si un campeur ne squatte pas le carré de gazon ! Nombreux services : DVD en prêt, *book exchange,* horaires de bus, navettes... La maison abrite le bien-nommé *Jungle Bar* (voir plus loin « Où prendre le thé ? Où boire un verre ? »).

🛏 *CH Travellers Inn (zoom, 7) :* 71C, Persiaran Camellia 4. ☎ 491-20-02. ● chtravellersinn.com ☎ *Dortoirs de 6 lits avec ou sans sdb et fenêtre ; doubles avec sdb, avec ou sans fenêtre et TV. Et même une familiale (pour 4). Non-fumeur.* Rien de morose ici, mais des chambres colorées, vert nature ou bleu océan avec de grands posters de jungle ou de plantations pour parfaire le cadre nature. Toute la gamme de confort est représentée : les doubles standard avec salle de bains (de bonne taille, rare) et TV possèdent même un balcon. L'ensemble est très bien tenu et l'accueil enthousiaste. Organise aussi des *cooking class,* sur résa, et des transports pour le Taman Negara Pahang, Kuala Besut ou Penang.

🛏 *Eight Mentigi Guesthouse (zoom, 14) :* 8A, Jln Mentigi. ☎ 491-59-88. 🖥 016-566-19-88. ● eightmentigi.com ● *Dortoir (6 lits); doubles avec sdb. Également des triples et quadruples. Juste après la* Father's Guesthouse, *c'est d'ailleurs là qu'on peut prendre le petit déj.* En retrait du bourg, la maison dispose de 2 salons conviviaux où jouer les lézards et de chambres réparties elles aussi dans 2 bâtiments différents. Elles sont simples, plus ou moins grandes, avec des cloisons parfaites pour rouler des cigarettes, donc tout dépend du voisinage. Certaines fenêtres donnent sur le couloir. Le matelas est bon, c'est déjà ça. Possibilité d'apporter son repas et d'utiliser la vaisselle à disposition pour manger en terrasse. Accueil correct, sans plus.

🛏 *Cameronian Inn (zoom, 11) :* 16, Jln Mentigi. ☎ 491-13-27. ● thecameronianinn.com ● *Un peu en retrait de la rue principale, à droite en arrivant. CB acceptées. Petit déj en plus.* Dans une maison particulière retirée de l'animation, entourée par la végétation et transformée en petit hôtel. Dortoir de 4 lits très bon marché. Confort et prestations variables selon la chambre : dans certaines doubles, la fenêtre donne sur le couloir, pour les chambres sans salle de bains, les serviettes sont payantes, les *deluxe* profite d'un balcon. En revanche, pour les familles ou copains, le chalet pour 4 avec un couchage en mezzanine offre un bon rapport qualité-prix. Quelques services : billets de bus, laverie, bouquins...

De prix moyens à chic (100-300 Rm / 22-66,50 €)

🛏 *Gerard's Place (zoom, 10) :* bâtiment Carnation (C9, C10 et C17), dans le Greenhill Resort, *juste en face de l'hôtel Heritage.* 🖥 012-588-54-54. ● gerardsplace.com ● *À 1 bon km du centre, perché sur une colline. De prix moyens à chic. Petit déj inclus.* Si Gerard s'occupe de Notre Père (la *Father's Guest House ;* lire plus haut), Jay, sa femme, s'occupe de Gerard, en tout cas de cette adresse ! Le lieu est inhabituel : la *guesthouse,* moderne, occupe un appartement d'un complexe résidentiel. On y trouve 8 chambres impeccables, agréables, offrant plus d'intimité qu'à l'accoutumée. 2 possèdent une salle de bains, pour les autres, on peut trouver le prix un peu élevé, mais la qualité du service est indéniable. Et puis, certaines profitent d'un balcon dominant un coin de forêt d'où on observe les oiseaux. Jay vous donnera plein d'infos sur les randos dans les Highlands : elle connaît le coin comme sa poche et parle un anglais parfait. Reste juste à grimper jusque-là...

🛏 *Arundina (zoom, 15) :* 17, Jln Mentigi. ☎ 491-11-29. ● arundina.com ● *Chic. Petit déj inclus.* Une situation au calme, de la verdure sur l'arrière dont profitent d'ailleurs certaines chambres, une salle de bains moderne (rare) et un vrai effort de déco, dans les tons violets, en font une adresse de charme. On apprécie particulièrement les chambres côté jardin. Ventilo pour toutes, certaines avec balcon et un bon accueil en prime.

Très chic (plus de 300 Rm / 66,50 €)

🛏 *The Smokehouse (carte, 16) :* ☎ 491-12-15. ● smokehousehotel.

com • À env 2,5 km de Tanah Rata, direction Brinchang (au niveau du golf). Doubles env 550-750 Rm, bungalows encore plus chers, petit déj traditionnel anglais compris. Le décor est magnifique et l'atmosphère unique aux Cameron Highlands. Noyé sous les fleurs, ce vénérable *cottage* de style Tudor de 1937 abrite des chambres pleines de charme. Lits à baldaquin, tapis au sol, parquets, murs lambrissés, coins salons, mobilier à l'ancienne, cheminée même parfois, on s'immerge dans une ambiance d'auberge de campagne anglaise, entre *English breakfast*, *dining room* servant *roast* et *steak pie*, et salon de thé 100 % nostalgique (voir plus loin). Les chambres les moins chères ont moins de caractère. Attention, à cadre européen, tarifs européens...

Où manger ?

Bon marché (moins de 20 Rm / 4,50 €)

|●| Faisant face aux restos *Kumar* et *Sri Brinchang* et aux boutiques de la rue principale (Jalan Besar), les *stalls* du petit *food court* **Zainab Sam** (zoom, **20**) présentent le meilleur rapport qualité-prix (très bon marché). Cuisine malaise classique, mais épicée, on vous le rappelle : *mee goreng, nasi goreng, kari, nasi campu (mixed rice)*, accompagnée de légumes crus ou de viande. Bon, ne vous attendez pas à des effusions...

|●| **Sri Brinchang** (zoom, **22**) : 24, Jln Besar. ☎ 491-59-82. Tlj 8h-21h30. Bon marché. Sert de l'alcool. Avec *Kumar* (voir ci-après), le meilleur resto indien de la ville (évitez en revanche les plats chinois et occidentaux). Vous y trouverez d'excellents *dosai* (grandes crêpes), *murtabak* (galette fourrée au mouton, à l'œuf, etc.), *roti (chapati), naan* (pain plat cuit au four) et autres *puri* (pains frits), toujours très frais, à accompagner de divers currys plus ou moins – surtout plus – épicés... Autres bons choix : le poulet *thali*, servi sur une feuille de bananier, et le poulet grillé *tikka*, préalablement mariné dans le yaourt, le paprika et le curcuma. Bon et pas cher.

|●| **Bunga Suria** (zoom, **30**) : au début de Jln Besar, près du Travellers Bistro. Ouv 24h/24. Cantine indienne qui sert des plats peu chers et très corrects. Plats à la carte ou au buffet. Bons *naans*. Quelques tables en terrasse.

|●| **Kumar** (zoom, **22**) : 26, Jln Besar. ☎ 491-26-24. Tlj 7h-22h. Bon marché. Sert de l'alcool. Juste à côté de *Sri Brinchang*, cet autre resto indien est réputé pour ses *murtabak*, dont on peut assister à la préparation. Excellent *banana leaf* de poisson, mouton ou poulet accompagné de 3 légumes différents. Très grand choix de *roti* pour le petit déj. Dommage toutefois que le service soit parfois négligé au profit de l'alpagage de clients dans la rue.

De prix moyens à chic (20-80 Rm / 5-17,50 €)

|●| **Kou Gen** (zoom, **23**) : 35, Jln Besar. ▤ 012-377-03-87. Tlj 11h30-21h30. Résa conseillée. Pas d'alcool. Un authentique petit restaurant japonais où tout est préparé dans la cuisine ouverte, à la commande, d'où souvent un peu d'attente. Au programme : sandwichs au poulet *katsu*, yakitoris (brochettes), *sushi set, tempura set* (beignets de légumes et crevettes)... en petites portions, toutefois.

|●| **Singh Chapati** (zoom, **24**) : 1, Bangunan Brij Court. ▤ 017-578-64-54. Tlj jusqu'à 21h. Cuisine sikh de Malaisie, dont on peut choisir le degré d'épices... pas mal ! Service un peu lent, car tout est fait à la commande. Accueil aimable.

|●| **Ferm Nyonya** (zoom, **21**) : 78A-D, Persiaran Carnellia 4. ☎ 491-58-91. Tlj 11h-21h45. Alcool servi. Situé à l'arrière du petit complexe commercial à l'entrée du bled, ce resto au cadre banal propose de tout : malais, nyonya et plats occidentaux, mais c'est surtout pour la cuisine chinoise qu'il faut venir ici, et notamment pour les *steamboats* (fondues). Excellents jus de fruits frais pas chers (de fraise, bien sûr !).

|●| ☙ **Barrack's Cafe** (zoom, **26**) : 1, Jln Gereja. ▤ 011-1464-88-83. Tlj sauf lun

14h (12h sam-dim)-22h. Pas d'alcool. Non-fumeur. Cadre pour le moins original, puisqu'il s'agit d'anciens baraquements militaires britanniques (voir à l'intérieur les photos de l'époque coloniale), flanqué d'un jardin verdoyant, plutôt rare dans la ville. Vraiment sympa pour avaler *pastas, burgers* et autres plats indiens, sans oublier les différentes recettes de scones à déguster à l'heure du thé. Service jeune et souriant.
I●I *Jasmine* (zoom, 25) : 45, Main Rd. ☎ 491-17-03. En face de l'Agro

Bank. *Tlj 12h-21h. Prix chic. Sert de l'alcool.* Facile à repérer, le bistrot est totalement orange, clin d'œil appuyé de Foong, le proprio, à son ex-patrie d'adoption, les Pays-Bas, où il a vécu 16 ans. On vient ici pour changer un peu du régime malais et indien. Dans un décor de bistrot classique, les carnivores avalent une bonne viande, par exemple le filet mignon ou le canard, servie avec des frites. Service sans fioritures, un peu comme dans un *sports bar.*

Où prendre le thé ? Où boire un verre ?

Notez que de nombreux hébergements proposent le sacro-saint *English tea,* servi en général avec scones maison et confiture de fraises. Renseignez-vous là où vous logez.

Ÿ *Jungle Bar* (zoom, 12) : au Kang Travellers Lodge, 9, Lorong Perdah. ☎ 491-58-23. Tlj 19h-1h. Le rendez-vous des routards sacs à dos. Tout en planches et troncs de fortune, adossé à la forêt, le bar est rigolo et marrant pour descendre une bière en faisant un billard. On se réchauffe autour du feu de bois et on partage des histoires de voyageurs.

Ÿ *Travellers Bistro & Pub* (zoom, 30) : au début de la rue Jln Besar, côté droit,

face au marché. Bar à l'occidentale avec une terrasse couverte. Cocktails, bière pas donnée.

🍺 *The Smokehouse* (carte, 16) : ☎ 491-12-15. À env 2,5 km de Tanah Rata, sur la route de Brinchang (à droite juste avt le golf). On vous en parle déjà dans la rubrique « Où dormir ? ». Il est très chic de venir y prendre le thé, servi avec la classe et la rigueur anglo-saxonnes qui ont fait sa réputation. Les moineaux vous accompagneront. Dans les salons décorés à l'ancienne, il ne manque que les peaux de tigre et un gentleman en kilt sirotant son thé au whisky !

À voir. À faire dans les Cameron Highlands

Ceux qui manquent de temps peuvent choisir la solution pratique du circuit organisé. La plupart des hébergements et des agences (voir plus haut) proposent une formule comprenant la visite d'une plantation de thé, d'une ferme aux papillons et de différentes attractions touristiques – dont nous ne pensons pas forcément que du bien. Compter environ 50 Rm pour une balade de 4h. Départ dans la matinée ou l'après-midi. Pour plus d'intimité, on peut aussi louer les services d'un taxi (environ 80 Rm pour 3h). Il existe aussi des excursions plus complètes, à la journée, à la découverte de la forêt tropicale ou à la recherche de la rafflésia, par exemple ; là, tablez plutôt sur une fourchette de 80-100 Rm, hors entrées. Chaque agence édite un programme avec les tarifs.

Les plantations de thé

Les excellentes conditions climatiques des Cameron Highlands n'ont pas échappé à la sagacité des Anglais, qui y ont développé de magnifiques plantations de thé dans les années 1930. La plupart appartiennent à la compagnie *Boh,* leader incontes-*thé* du pays, si l'on ose dire. Attention, vous ne serez pas tout seul... Les *Boh* les plus belles (on a osé !) sont la *Boh Estate Tea House* et celle de *Sungei Palas* (ou *Boh Tea Plantation*). Attention à la confusion des noms, fréquente entre les 2 sites, car il y en a un au nord et un au sud !

LA CÔTE OUEST DE LA MALAISIE

🎥🎥🎥 *Sungei Palas* (ou *Boh Tea Plantation*) : *au nord de Kea Farm, par la petite route montant au sommet du gunung Brinchang.* ☎ 496-20-96. ● boh.com.my ● *Si l'on n'est pas véhiculé, mieux vaut prendre un taxi ou un tour auprès d'une agence de Tanah Rata. Tlj sauf lun 9h-16h30. GRATUIT. Visites guidées gratuites ttes les 30 mn.*

BEAU THÉ, FATAL ET UNIVERSEL

Au fil des siècles, le thé a rapproché Orient et Occident. S'il fut aussi à l'origine d'heures sombres pour les hommes et les femmes contraints de l'exploiter, il a contribué à la diminution de la propagation des maladies liées à la pollution de l'eau (par le simple fait qu'on est obligé de la faire bouillir !). En fournissant à ses acteurs une vraie boisson stimulante, le thé a aussi dopé la révolution industrielle. Enfin, en s'imposant dans le monde musulman comme un substitut de l'alcool, il a produit de la sociabilité à travers une foultitude de rites et de traditions.

C'est ici, à notre avis, que les paysages sont les plus beaux : dévalant les pentes raides, sur fond de montagnes et de forêt, les buissons de thé méticuleusement entretenus dessinent des motifs géométriques d'un vert intense, piquetés de palmiers, rochers et autres bananiers. Au petit matin, lorsqu'il ne pleut pas, des bataillons de cueilleurs y avancent à petits pas, hotte sur le dos, maniant avec dextérité une sorte de sécateur à réservoir ! Un métier qui n'est pas de tout repos : il faut beaucoup d'allers et retours, à raison de 25 sen le kilo, pour gagner sa vie...

À la plantation même, un documentaire permet de se familiariser avec la culture du thé, avant d'embrayer sur la petite visite gratuite de la fabrique. On y découvre de grosses machines occupées à broyer, assécher, déchiqueter les feuilles de thé. La petite exploitation, étendue sur 19 ha à sa création dans les années 1930, est la propriété de *Boh,* le leader malais, à la tête d'un domaine de quelque 1 200 ha au total (mais ici seulement 250 ha). Le thé est exporté en Indonésie, au Japon et à Singapour principalement. Environ 5 000 kg de feuilles sont récoltés quotidiennement ; sachant que 5 g sont nécessaires à la préparation d'une tasse de thé, on vous laisse faire le calcul... Les feuilles de certains pieds sont récoltées à la main : on ne cueille alors que les plus jeunes, vert tendre, ce qui permet d'obtenir un thé plus fin... et plus cher, bien sûr *(Palace supreme).*

🍵 Le salon de thé vitré surplombe magnifiquement les plantations.

🎥🎥 *Bharat Tea Plantation :* *une autre belle plantation, située entre Tanah Rata (à 5 km) et Ringlet, en contrebas de la route.* ☎ 491-57-42. *Tlj 8h30-18h. Accès : 2 Rm. Anytime is tea time !* La devise de la maison, 2e producteur local, s'étale en grosses lettres, invitant à faire halte et à admirer les splendides étendues moutonnantes de la plantation. On peut descendre (un peu) dans les champs, rencontrer les ouvriers s'ils ont la bonne idée de travailler dans le secteur, ou se contenter de boire a cuppa à la maison de thé panoramique perchée sur le bord de la route. Le paysage est splendide, mais le cadre manque singulièrement de charme.

🎥🎥🎥 *Boh Tea Estate* (ou *Habu Tea House*) : *à env 15 km au sud de Tanah Rata et 6 km de la route principale, en montée.* ☎ 493-13-24. ● boh.com.my ● *Tlj sauf lun 9h-16h30. Du parking, marcher sur env 1 km, ça grimpe (navette pdt les vac scol). Courte visite (10 mn) de la fabrique, ttes les 15 mn 9h-16h45. Quand la production est basse, les ouvriers terminent plus tôt, il est donc conseillé de venir le matin. GRATUIT.* La petite route d'accès, tortueuse et escarpée, mérite à elle seule le détour. Passé le navrant spectacle des serres envahissantes et polluantes, chaque virage dévoile un nouveau paysage de rêve, où les théiers recouvrent les collines. À leur pied, le village des ouvriers indiens serre les rangs. La plantation la plus touristique des Cameron Highlands. Même si la mécanisation s'est largement imposée, on y utilise encore les machines d'origine, entretenant

une certaine nostalgie... La plantation dispose bien sûr d'un salon de thé, flanqué d'une terrasse surplombant les collines émeraude. Quelques scones et pâtisseries pour aller avec.
– Derrière l'usine, des escaliers mènent en 10 mn environ à un *View Point* offrant une belle vue sur la plantation.

Les fermes (fleurs, fraises, abeilles, papillons...)

D'innombrables « fermes » et « jardins », à Brinchang et le long de la route au-delà, en direction de Kea Farm, sont ouverts à la visite. En fait, il s'agit surtout de jardineries et plantations aux habitudes fort peu écologiques que l'on n'aurait même pas l'idée de visiter par chez nous... Vous pouvez éventuellement faire escale dans une *strawberry farm*, comme tous les Malaisiens venus en masse, voir quelques papillons et filer vers des lieux plus intéressants.

🍴 **Kea Farm :** *à 3 km au nord de Brinchang. Accès : prendre un bus, un taxi, ou l'intégrer dans un tour d'agence ; compter env 4h A/R à pied depuis Tanah Rata.* Immeubles de 15 étages, serres plus ou moins délabrées et autres exploitations horticoles dessinent un paysage composite d'un intérêt très relatif. Vous pouvez faire escale au petit marché local et boire un milk-shake à la fraise à la *Raaju's Hill Strawberry Farm (au niveau de l'hôtel* Copthorne) – en gardant quand même à l'esprit qu'une fraise est douchée en moyenne par 14 produits phytosanitaires différents (des pesticides, quoi !) pour paraître plus belle...

🚶 🚶 Juste après, on trouve côte à côte 2 minifermes aux papillons assez délabrées, dont la seconde, **Butterfly Garden** *(tlj 8h-18h ; entrée : env 7 Rm)*, est la plus intéressante. On se balade dans une sorte de volière, où batifolent des papillons, mais finalement de peu de variétés. Le plus beau et le plus courant est le Rajah Brooke, aux grandes ailes noires striées de vert. Une section présente des serpents, des insectes et autres spécimens hallucinants, comme ces phasmes géants imitant une branche ou des mantes religieuses ressemblant à s'y méprendre à des feuilles (leurs carapaces sont tachées et abîmées comme de vrais végétaux !). Des fleurs aussi. Bref un endroit un peu fourre-tout, pas désagréable pour autant et parfois animé par un employé qui donne quelques infos.

Balades dans les Cameron Highlands

Ces balades s'adressent en priorité à ceux qui se promènent en voiture ou en taxi. En dehors du temple bouddhique de Sam Poh, à Brinchang, ne comptez pas sur les transports en commun.

🍴 **Le temple bouddhique Sam Poh :** *à Brinchang, à 1 km de la route.* Ce grand temple chinois doublé d'un monastère est veillé par d'impressionnantes statues dorées du Bouddha, rieur ou méditatif, et des gardiens célestes. Rien d'ancien, mais une atmosphère agréable.

🍴🍴🍴 **Mossy Forest :** *il existe plusieurs endroits dans la forêt recouverts de mousse ; le plus connu, le plus facilement accessible et donc le plus fréquenté se trouve à moins de 1 km du sommet du gunung Brinchang. On peut se garer sur le bas-côté (plus simple à repérer en redescendant). On traverse une superbe forêt de nuages en 30 à 45 mn. Attention aux planches du boardwalk, une passerelle très glissante en cas de pluie. Si vous n'êtes pas motorisé, prenez un taxi (env 100 Rm) ou l'inclure dans une excursion avec agence.*
Rien ne l'indique, mais c'est tout simplement magique. Nourries par les nuées enveloppant presque constamment le sommet, les mousses recouvrent entièrement les troncs des arbres. Un court sentier, chaotique et boueux à souhait, permet de se glisser entre les troncs et les branches fantomatiques, au bout desquels pendent les calices mortels des népenthès, de grosses plantes carnivores bordeaux tacheté de vert. Chacune est protégée par une sorte de feuille opercule !

– Noter que certaines agences (telle que *Cameron Secrets*) peuvent vous conduire vers d'autres secteurs « moussus » plus loin dans la forêt où vous serez seul. Prévoir dans ce cas la journée.

– Voir aussi plus loin le **gunung Brinchang** accessible par une route de 6 km, étroite et sinueuse, qui monte jusqu'au sommet.

Randonnées dans les Cameron Highlands

On répertorie une petite quinzaine de sentiers plus ou moins bien balisés autour de Tanah Rata et dans les Cameron Highlands. Certains mènent à des sites sans grand intérêt (chutes de Parit et Robinson, par exemple) et pollués, d'autres, au contraire, s'aventurent plus loin dans la montagne, offrant l'occasion d'incursions passionnantes dans la forêt tropicale. Dans tous les cas, *avant de partir, renseignez-vous sur l'état des sentiers* (des éboulements de terrain détruisent parfois quelques passages) *et leur sécurité.*

Infos et conseils utiles

– ATTENTION, la boue est partout, et certains secteurs sont très accidentés. Toujours se renseigner (auprès de son hébergement ou d'une agence) sur l'état des sentiers et les conditions d'accès avant de s'y engager, pour éviter les déconvenues... Partir le matin : moins de risques de pluie.

– Évitez d'embarquer des enfants dans une randonnée qui pourrait tourner à la galère.

– On trouve parfois des cartes des sentiers (très approximatives) à Tanah Rata, mais les guides leur font la chasse pour pousser les touristes à recourir à leurs services ! Ce n'est pas inutile, de toute façon, car le réseau est mal entretenu, les panneaux ont souvent été arrachés et la végétation a reconquis des sections entières.

– À propos des guides, si vous faites appel à eux sans passer par une agence, méfiez-vous des faux guides et demandez toujours à voir leur *green badge*. Consultez les forums Internet pour connaître les meilleurs, et demandez conseil autour de vous.

– Des cas d'agressions se produisent dans certains secteurs, bien se renseigner avant. Les voyageuses éviteront d'autant plus de s'aventurer seules en forêt.

➤ *Vers le gunung Beremban (1 812 m) :* situé à l'est de Tanah Rata. 3 sentiers différents grimpent vers le sommet. Le plus facile à suivre, le n° 3, est aussi le moins ardu (2h30). Il démarre près du terrain de golf, mais on peut aussi le rejoindre en poursuivant au-delà des Parit Falls. Les aventuriers redescendront par le n° 7 (raide et difficile à suivre) jusqu'à la station de recherche agricole M.A.R.D.I., ou par le n° 8, qui rejoint les abords des Robinson Waterfalls. Attention, risques de s'égarer...

➤ *Vers le gunung Brinchang (2 032 m) :* au nord de Brinchang. Une petite route monte jusqu'au sommet depuis la Kea Farm (face à la Honey Bee Farm). Sinon les randonneurs s'y rendront par le sentier n° 1 (3 km). Il débute à la sortie nord de Brinchang. Face au bureau de police, une petite route mène à l'Army Camp (jardins et maison abandonnés), d'où débute le chemin proprement dit, balisé par une pierre blanche (marquée 1/48), puis par des marques rouges éparses. Compter 2h de marche aller. Escarpé et mal entretenu, l'itinéraire est à éviter un jour de pluie ou s'il a beaucoup plu la veille. Au sommet, une tour d'observation rouillée, coiffée d'antennes télé et radio, offre un panorama imprenable sur la forêt des nuages et certains jours jusqu'au détroit de Malacca. Impressionnant, mais n'y restez pas trop, les appareils émettent des radiations... Brrrrr ! On peut redescendre par la petite route qui passe par la plantation de thé de *Sungei Palas*... pour l'heure du thé, bien sûr !

➤ *Vers le gunung Jasar (1 670 m) :* au nord-ouest de Tanah Rata. Un des plus jolis treks, avec celui du gunung Brinchang. Vue dégagée et pas besoin de guide si vous revenez par le même chemin, aucune difficulté. Prendre le chemin n° 10 depuis les Camelia Gardens, derrière *Oly Apartments*. Compter environ 2h de marche. Pour le retour, même chemin qu'à l'aller.

➢ **À la recherche de la rafflésie :** voilà une aventure pas courante ! Certaines agences proposent de partir en mini-expédition en quête de la plus grosse fleur du monde. Il y en aurait une petite dizaine dans la région, accessibles au terme d'une randonnée de 3h aller-retour en moyenne. Ne venez pas en tongs et n'emmenez surtout pas de jeunes enfants, sinon galère assurée... Pour y parvenir, on crapahute en pleine forêt tropicale et vous aurez tôt fait d'être épuisé et repeint de boue de la tête aux pieds ! Même en étant motivé, reste à avoir un peu de chance : la rafflésie ne fleurit pas si souvent et se désintègre moins d'une semaine plus tard. D'ailleurs, certains guides vous emmènent parfois voir les vestiges plus que la fleur elle-même... Renseignez-vous bien auparavant ! Avant, on disait que c'est vers décembre-janvier ou mai-juin qu'on a le plus de chances d'en voir. Mais maintenant y a plus de saisons, comme chacun sait...

LA FLEUR CADAVRE

On l'appelle « la plus grande fleur du monde ». Nommée en l'honneur de sir Thomas Raffles par le botaniste anglais qui la découvrit en 1818, la rafflésie peut mesurer près de 1 m de diamètre et peser jusqu'à 10 kg ! Pourtant, elle reste invisible la plupart du temps, vivant à l'intérieur d'autres plantes sous forme de filaments, tel un parasite : on ne distingue alors ni tige, ni feuilles, ni racines. En revanche, quand elle finit par s'épanouir tel un champignon, soit tous les 6 à 9 mois, elle se dote soudain de 5 énormes pétales couleur de chair sanguinolente (tachetée de blanc), dégageant une délicieuse odeur de durian ou de viande en décomposition, qui attire les insectes responsables de sa pollinisation. Quatre ou cinq jours plus tard, elle fond littéralement dans des relents pestilentiels !

Les Orang Asli des Cameron Highlands en péril

Inutile de fantasmer sur les aborigènes malais comme sur les Punans de Bornéo ou les Tassadays des Philippines. Les Orang Asli, les « gens naturels » (*orang :* « personnes, gens » ; *asli :* « sol », donc « naturels »), sont connus depuis toujours, et leur dernière tribu fut découverte au début du XXe s. Bien qu'ils aient conservé longtemps leurs coutumes et que le processus d'intégration à la communauté malaise soit relativement récent, ne vous attendez pas à rencontrer des primitifs à l'air farouche, seulement revêtus d'un pagne. Tous les enfants orang asli sont scolarisés et, même au fin fond de la jungle, vont à l'école avec le petit uniforme des écoliers du pays. Les autorités malaises ont déployé beaucoup d'efforts pour que les Orang Asli bénéficient des mêmes droits et facilités en matière sociale que le reste de la population malaisienne.

Cette orientation ne fut sans doute pas sans arrière-pensée. Pendant toute la période d'insurrection du parti communiste malais, de 1948 à 1960, les aborigènes représentaient un enjeu politique important dans la bataille d'influence entre les forces qui se combattaient. Les intégrer, c'était couper les maquis de leurs sources de ravitaillement.

Aujourd'hui, on trouve des Orang Asli vivant sur le bord de la route qui mène de Tapah aux Cameron Highlands. Ceux-là sont tout à fait intégrés. Les premiers villages « authentiques » se situent en fait, au grand minimum, à 3h de marche du dernier point accessible en voiture. Mais le problème, c'est que les Orang Asli des Highlands sombrent peu à peu dans la misère et dans l'alcoolisme pour certains. Logiquement, les agences locales un tantinet responsables ne veulent plus, et à juste titre, emmener leurs touristes dans les villages de la région, par refus du voyeurisme.

Lire plus loin les paragraphes consacrés aux Orang Asli dans « Le parc national de Taman Negara » et « Le lac Chini ».

Mode de vie

Les Orang Asli de la région des Cameron Highlands appartiennent à la famille des *Senois* et au sous-groupe des *Semais*. Ils vivent dans des *kampung* de 80 à 200 habitants bâtis en général le long d'une rivière, sur une colline découverte. Le village se compose de longues maisons sur pilotis, auxquelles s'ajoutent de plus petites lorsque la famille s'agrandit. Les Senois pratiquent une agriculture de subsistance. Ils chassent le cochon sauvage, le singe et le cerf à l'aide de longues sarbacanes et de flèches empoisonnées. Le poison est confectionné à partir de la sève d'un arbre appelé *ipoh*. Chaque village possède son propre *saka,* ou territoire communal. Les Senois, qui montrent un profond sens communautaire, y sont solidement attachés. Ils sont dirigés par un conseil d'anciens qui se charge, entre autres, de faire appliquer des principes très stricts régissant les actes de violence. Les contacts avec « l'extérieur » sont parallèlement gérés par l'intermédiaire d'un porte-parole : le *headman.* Sachez aussi que les Senois sont exogames (les mariages se font entre les membres de clans différents).
Au quotidien, les Senois réussissent assez bien à marier leurs traditions avec les « bienfaits » de la civilisation. Dans le plus lointain des *kampung,* le transistor trône dans la pièce commune et distille la musique rock du coin. Beaucoup de jeunes, partis à la ville travailler comme ouvriers, instituteurs, ingénieurs, ou engagés dans l'armée, reviennent au village chasser à la sarbacane et mâcher le bétel. Les Senois n'achèteront jamais une hache. En revanche, ils continueront à se procurer du fer en ville et à lui sculpter un manche comme le veut la tradition.

IPOH

670 000 hab.   IND. TÉL. : 05

● Plan p. 142-143

Capitale du Perak depuis 1937, Ipoh reste méconnue de la majorité des touristes. Son cœur, à la sérénité toute provinciale, conserve quelques beaux édifices coloniaux, ainsi qu'un vieux quartier chinois, enrichi de belles peintures murales, qui mérite à lui seul le détour. Sans oublier les étonnants temples bouddhiques édifiés dans les grottes des environs. Mais Ipoh ne s'est jamais vraiment relevée de la fin du grand boom de l'étain. Ce fut pourtant l'une des villes les plus dynamiques du pays, au point d'être surnommée « la cité des millionnaires ». Les Anglais y tracèrent des rues au cordeau, bordées de fières demeures. Face à l'une des plus belles gares du pays, façon pièce montée, un drôle de collège de style néogothique se dresse encore face aux pelouses bien tondues du *padang.* Et dire que son nom vient d'un arbuste, dont la sève est utilisée par les Orang Asli comme poison pour la chasse à la sarbacane... Comme la forêt paraît loin, vu d'ici !
Ipoh est aussi la ville de naissance de l'actrice Michelle Yeoh, la formidable interprète de *Tigre et Dragon* et de *The Lady,* le biopic de Luc Besson sur Aung San Suu Kyi. Le cadre, un rien nostalgique, a d'ailleurs poussé le réalisateur Régis Wargnier à tourner ici quelques scènes de son film *Indochine,* avec Catherine Deneuve...
On fait donc seulement étape à Ipoh, surtout si l'on est un tantinet gourmet puisqu'il existe une forte tradition gastronomique locale, avec l'une des meilleures cuisines chinoises du pays. Pas étonnant, puisque près de 7 habitants sur 10 sont d'origine cantonaise, de par leurs ancêtres venus en grand nombre travailler dans les mines.

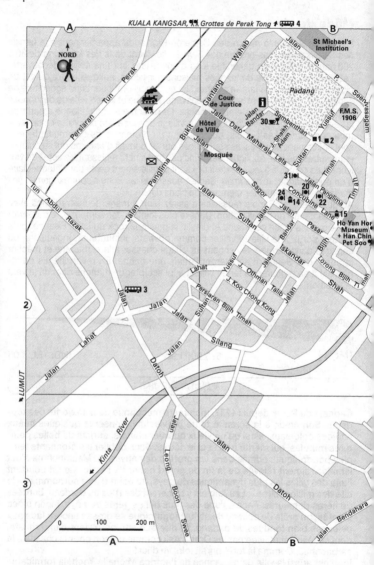

LA CÔTE OUEST DE LA MALAISIE

■ **Adresses utiles**

🛈 Ipoh Tourist Information Center (B1)
➕ Hôpital (hors plan par D3)
1 HSBC, Cimb Bank, RHB Bank
  et Maybank (B1)
2 Merchant Trade (B1)
🚌 3 Gare routière locale (A2)

🚌 4 Gare routière longue distance
  (hors plan par B1)

🏠 **Où dormir ?**

10 Dragon & Phoenix Hotel (C1)
11 Sun Golden Inn (C3)
12 French Hotel (C2)
13 Ipoh Boutique Hotel (C2)

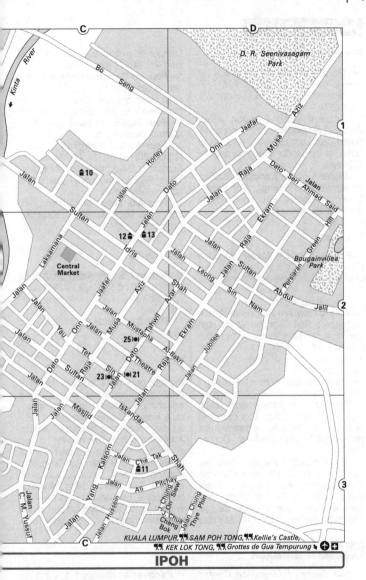

IPOH

14 Sekeping Kong Heng (B1)
15 27@Concubine Lane (B1-2)

|●| **Où manger ?**
20 Kedai Kopi Kong Heng et Kedai Kopi Thean Chun (B1)
21 Lou Wong (C2)
22 Wong Koh Kee (B1)
23 Ong Kee (C2)

24 Burps & Giggles et Buku Tiga Lima (B1)
25 Food Court de Gerbang Malam (C2)

|●| ☕ **Où prendre le petit déj ?**
   ☗ **Où manger une pâtisserie ?**
   Où boire un verre ?
30 Old Town White Coffee (B1)
31 Pâtisserie Boutique (B1)

LA CÔTE OUEST DE LA MALAISIE

Arriver – Quitter

En train

🚆 **Gare ferroviaire** *(plan A1) :* à l'ouest du centre. ☎ *(03) 226-712-00.* ● *ktmb.com.my* ● *Guichets env 4h30-21h.*

➤ *De/vers Kuala Lumpur, Johor Bahru et Singapour :* env 15 départs/j. pour Kuala Lumpur et 3/j. pour Johor Bahru et Singapour avec changement à Gemas.

➤ *De/vers Kuala Kangsar, Taiping, Butterworth (Penang), Alor Setar :* 5 trains/j. jusqu'à Padang Besar, la frontière thaïlandaise.

En bus

🚌 **Gare routière locale** *(Meddan Kidd ; plan A2, 3) :* les bus locaux et quelques autres à destination de Lumut, Kuala Kangsar et Taiping partent d'ici ; la gare ferroviaire est à 400 m.

🚌 **Gare routière longue distance** (Amanjaya Bus Terminal ; *hors plan par B1, 4) :* terminal moderne mais situé à *Bandar Meru Raya,* soit à env 15 km au nord du centre, pratique ! Y aller en bus local ou taxi.

➤ *Pour Butterworth et Penang :* env 7 départs/j. (8h30-20h30) pour Butterworth avec *Transnasional, Unititi Express* et *Konsortium Bas Ekspres* ; et 2 bus/j., le mat, pour la gare routière de Sungai Nibong (Penang). Durée : 2h30-3h.

➤ *Pour Kuala Lumpur :* ttes les 15 mn à 1h (4h15-21h) avec *Plusliner, Transnasional, Konsortium* et *Maju Express.* Durée : 3h. *Star Shuttle* propose en outre une douzaine de bus directs/j. pour les 2 aéroports de Kuala Lumpur (international et *low-cost*) ttes les 1-4h, 24h/24 (plus le mat).

➤ *Pour les Cameron Highlands :* ttes les heures (8h-19h) avec *Perak Transit* et *Unititi Express.* Durée : 2h. Route superbe à travers la montagne et la forêt.

➤ *Pour Taiping :* 1 bus/j. avec *Konsortium,* dans l'ap.-m.

➤ *Pour Lumut (Pangkor) :* 5 bus/j. (13h30-20h et 1h15) avec *Kesatuan Express* et *S & S International Express.* Trajet : 2h. Également des départs de la gare routière locale.

➤ *Pour Alor Setar :* env 10 bus/j. (9h-20h) avec *Transnasional* et *Kesatuan Express.*

En avion

✈ **Aéroport Sultan Azlan Shah** *(hors plan par D3) :* à 5 km au sud-est de la ville. ☎ *318-82-02.* Pas de bus, prendre un taxi.

➤ *Pour Singapour :* 1-2 vols/j. avec *Firefly.*

En taxi

Pratique pour visiter les sites des environs, mais il vous faudra sans doute marchander. Pour un aller-retour jusqu'à Kellie's Castle avec 30 mn à 1h sur place, comptez environ 60-80 Rm. Attention, difficile de trouver un taxi après 23h. Pour les temples chinois de Perak Tong et Sam Poh Tong, tout dépend de là où vous vous trouvez en ville. Des abords de la gare routière locale, cela devrait vous revenir à environ 20 Rm par trajet (un peu plus si vous demandez qu'on vous attende).

Adresses utiles

🛈 **Ipoh Tourist Information Center** *(plan B1) :* Jln Bandar. ☎ *208-31-51.* ● *ipoh-city.com* ● *mbi.gov.my* ● *Face au Padang (parc). Tlj 9h-13h, 14h-18h.* Infos, plan et brochures. Personnel affable, à défaut d'être très compétent.

✉ **Poste** *(plan A1) :* à côté de la gare ferroviaire. Lun-sam sauf 1er sam du mois 8h30-17h (interruption au déj ven).

■ *Banques et change :* les banques se trouvent ttes autour du carrefour de Jln Tun Sambanthan et Jln Sultan Yussuf. Vous y trouverez notamment la **HSBC,** la **Cimb Bank** et la **RHB Bank** *(plan B1,* **1***).* Un poil en retrait, la Maybank. Ttes ouv lun-ven 9h30-16h env. Distributeurs à l'intérieur. *Merchant Trade (plan B1,* **2***),* Jln Tun

Sambanthan. *Lun-ven 9h-18h, sam-dim 8h30-17h30.* Fait du change.
■ *Transfert urgent d'argent liquide :* la *Cimb Bank* et la *Maybank* représentent *MoneyGram ;* la *RHB Bank,*

Western Union.
☒ *Hôpital (hors plan par D3) :* à 2,5 km au sud-est du centre, sur Jln Raja Permaisuri Bainum. ☎ 208-50-00.

Où dormir ?

Bon marché
(moins de 100 Rm / 22 €)

🛏 *Sun Golden Inn (plan C3, 11) :* 17, Jln Che Tak. ☎ 243-62-55. ● *fresh2821368@gmail.com* ● Ce n'est pas qu'on raffole du quartier (incontestablement vétuste !), mais si vous venez loger par là, autant dormir ici pour ne pas payer un confort encore plus faible et encore plus cher chez la concurrence immédiate. Les chambres sont datées, certes, mais toutes ont fenêtre, salle de bains (eau chaude), une vieille clim (bruyante, comme il se doit) et une vieille télé ! Celles des étages sont plus lumineuses. Accueil sympa en guise de soleil hôtelier.

De prix moyens à chic
(100-300 Rm / 22-66,50 €)

🛏 *27@Concubine Lane (plan B1-2, 15) :* 27, Lorong Panglima (Concubine Lane). 📱 012-311-62-37. Entrée par la petite boutique de souvenirs. Chambres climatisées, mais sdb commune. Prix moyens, limite chic. Pas de petit déj. Dans l'une des ruelles les plus touristiques de la ville, le proprio anglais, bourru au premier abord, a restauré cette maison chinoise de 1908 en conservant plusieurs éléments d'origine, comme la porte d'entrée coulissante ou l'escalier. L'étage, en revanche, a été recréé avec du bois de récup' et les murs sont à l'état brut. Il abrite 3 chambres, façon box couverts (insonorisation pas terrible, donc), qui se partagent une salle de bains extérieure, impeccable et moderne. Également une mezzanine *(loft)* pour 6-7 personnes. On peut apporter sa nourriture et utiliser le frigo. Rien

d'un hébergement classique, on peut aimer... ou pas.
🛏 *Dragon & Phoenix Hotel (plan C1, 10) :* 23-25, Jln Toh Puan Chah. ☎ 253-46-61. À 15-20 mn du centre à pied. Fourchette basse. Pas de petit déj. Dans le coin des entrepôts, un gros immeuble abritant un hôtel chinois sans charme. Mais les chambres, certes désuètes, sont économiques, spacieuses et propres. Elles disposent d'une salle de bains (eau froide), de la clim et TV. Ascenseur.
🛏 *Ipoh Boutique Hotel (plan C2, 13) :* 69-70, Jln Dato Onn Jaafar. ☎ 255-33-33. ● *ipohboutiquehotel.com* ● En face du KFC. Fourchette moyenne. Pas de petit déj. Un hôtel moderne, mais rien de « boutique ». Déco contemporaine dans les chambres bien équipées. Demandez-en une avec fenêtre, c'est le même prix, mon capitaine. Ascenseur. Bon accueil.
🛏 *French Hotel (plan C2, 12) :* 60-62, Jln Dato Onn Jaafar. ☎ 241-30-30. ● *frenchhotel.com.my* ● Chic. CB acceptées. Parking gratuit à côté. On ne voit pas trop ce qu'il a de français, cet hôtel (ah ! c'était en fait le premier proprio...), mais il n'en représente pas moins un bon choix dans cette catégorie si le *Ipoh Boutique Hotel* est complet. Dans un immeuble très moderne, une cinquantaine de chambres impeccables, au chic contemporain épuré, avec salle de bains vitrée, oreillers (enfin !) confortables. Évidemment, évitez celles sans fenêtre. *Deli* au 1er étage *(7h30-22h).*

De chic à très chic
(plus de 180 Rm / 40 €)

🛏 *Sekeping Kong Heng (plan B1, 14) :* 75A, Jln Bandar Timah. ☎ 241-89-77. 📱 012-227-27-45. ● *sekeping.*

LA CÔTE OUEST DE LA MALAISIE

com ● *Caché entre le* Kedai Kopi Kong Heng *(même proprio), le resto* Plan B *et* Burps & Giggles *(voir « Où manger ? »). Doubles et apparts pour 2 env 220-320 Rm ; également des familiales ; petit déj en sus.* Voici l'hébergement le plus original de la ville ! Coincé entre plusieurs restos branchés, dans *The Old Block*, un ancien théâtre chinois en pleine réhabilitation. Déjà, la réception fait figure d'entrepôt désaffecté-branché. Plusieurs bâtiments abritent une trentaine de chambres. Dans le 1er, on grimpe par un escalier métallique, tandis que les bagages prennent le monte-charge. Chambres doubles, façon brique et métal, vraiment superbes. Plancher ancien, clim, plus douche moderne sous tôle galvanisée (y a pas qu'elle). Pour les familles ou les groupes, 2 immenses chambres au diapason. Grande terrasse couverte au 2e étage, avec fauteuils et canapés façon grillages, plus banquettes et hamacs, TV et boissons fraîches. La 2e partie se situe au-dessus des boutiques : chambres aux murs en liège et brut, matelas sur plateforme, salle de bains moderne. Également une chambre pour 4 personnes sur 2 niveaux, là encore tout sauf conventionnel, puisque l'architecture originale a été préservée (belle véranda sur rue avec persiennes d'époque). Enfin, les apparts (pour 2 et 4, avec kitchenette) occupent encore une autre partie. Plomberie apparente, inox et bois, plus objets de récup'. Couloir de nage sur la terrasse. Prêt de vélos. Un (gros) bémol toutefois : certaines chambres possèdent juste des volets fermés, pas de fenêtres. Très bruyant pour peu que l'on donne sur la rue. Si possible, en voir plusieurs avant de s'installer (ou pas).

Où manger ?

Bon marché (moins de 20 Rm / 4,50 €)

|●| *Kedai Kopi Kong Heng (plan B1, 20) :* 75, Jln Bandar Timah, presque à l'angle de Jln Panglima. Tlj sauf mer 7h30-16h. L'un des plus vieux restos chinois de la ville (plus de 50 ans), une véritable institution. On se croirait en Chine, d'ailleurs. Quelqu'un s'occupe des boissons, quelqu'un d'autre de la nourriture (on paie séparément). S'il n'y a pas de place, on peut commander des plats à emporter, comme ces fabuleux *popiah,* sortes de rouleaux de printemps frits (ou pas), fourrés avec un tas de petites choses délicieusement épicées et sucrées à la fois. Sinon, opter pour les *satay,* le riz ou les *beef noodles* et, en dessert, le *rojak* ou le flan *(custard egg).*

|●| *Kedai Kopi Thean Chun (plan B1, 20) :* 73, Jln Bandar Timah, à côté du Kedai Kopi Kong Heng. Tlj sauf jeu 8h-16h. Même principe et même ambiance que le *Kong Heng,* même s'il est un peu moins connu. Grands miroirs aux murs, tables rondes avec plateau de marbre. Ici, on vient pour les *noodles,* mais les *popiah* (bon marché) et l'*Ipoh chicken kueh teow* ne sont pas mal non plus. Même punition pour le dessert : la *custard egg.*

|●| En face de ces 2 institutions, un autre *kedai kopi* chinois très familial dans Concubine Lane, le *Wong Koh Kee (plan B1, 22).* Tlj 10h30-15h. Chicken rice et compagnie au menu.

|●| *Food Court de Gerbang Malam (plan C2, 25) :* tlj 18h-1h du mat. À l'arrière des stands du marché de nuit, le *food court* aligne ses tables et comptoirs pour manger sans se ruiner, la plupart du temps une très bonne cuisine locale.

|●| *Lou Wong (plan C2, 21) :* 49, Jln Yau Tet Sin, à l'angle de Dato Tahwil Azar. Tlj 10h-22h, selon clientèle. Fermé 1 lun sur 2. Ce resto chinois très populaire revendique « the best tauge ayam (poulet cuit à la vapeur) and kuetiau (nouilles) » de la ville. Grosse effervescence ici avec ses serveurs suractifs, ses piles de vaisselle sale à même le trottoir, donnant une idée du montant de la recette, et ses poulets suspendus dont la vie ne tient même plus à un fil, tellement ça débite ! Plusieurs du même genre, autour du carrefour, comme le *Ong Kee (plan C2, 23),* précédé d'une grande terrasse. Belles pâtisseries aussi pour le dessert...

De prix moyens à chic (20-80 Rm / 4,50-17,50 €)

The Old Block, dans Jalan Sultan Yussuf, est un ancien théâtre chinois réhabilité et vraiment charmant, où restos chinois, restos branchés, cafés-pâtisseries et boutiques chic cohabitent désormais pour le plus grand plaisir de tous. Bref, c'est là que ça se passe...

I●I *Burps & Giggles et Buku Tiga Lima (plan B1, 24) :* 93-95, Jln Sultan Yussuf. ☎ 242-61-88. Lun-ven (sauf mar) 10h-18h, sam-dim 9h-19h. Buku Tiga Lima, *seulement sam-dim 10h-17h.* Beau décor ancien conservé dans son jus, avec murs de brique bien dégradés, vieilles poutres et antiques valises, ce qui en fait bien sûr un lieu furieusement contemporain. En fait, il y a 2 lieux qui communiquent. D'un côté, *Burps & Giggles* (littéralement « rots et fou rire ») pour manger un excellent burger ou un *fish & chips.* De l'autre, *Buku Tiga Lima,* pour avaler un bagel, une *jacket potatoe* ou une crêpe. C'est bon et vraiment cool. Tenu par de jeunes serveurs aux petits soins.

Et derrière, dans le petit complexe, vous trouverez encore le stand ***Bits and Bobs*** pour un dessert traditionnel (*ais kepal,* glace à la prune ou au litchi) ainsi qu'une belle brasserie contemporaine, le ***Plan B !***

Où prendre le petit déj ? Où manger une pâtisserie ? Où boire un verre ?

I●I *Pâtisserie Boutique (plan B1, 31) :* 103, Jln Sultan Yussuf. ☎ 241-13-85. Tlj sauf mer 11h-18h (17h dernière commande). L'adresse revendique le chic français. La tour Eiffel sur les murs et la musique francophone achèveront sans doute de vous en convaincre. La foule se presse le week-end pour trouver une petite table disponible et pour déguster en papotant les excellentes pâtisseries de la maison. Également des sandwichs, salades et pâtes pour se caler gentiment. Bon accueil et bonne ambiance.

☙ ♈ *Old Town White Coffee (plan B1, 30) :* 3, Jln Tun Sambanthan. ☎ 243-58-33. Face au Padang, en face de l'office de tourisme. Tlj 7h30-minuit. C'est la plus grande chaîne de cafés du pays, née ici même, à Ipoh, en 1958. Sympa pour une pause fraîcheur avec un *ice coffee* (à la noisette, mocha, etc.) ou un petit déj pour bien commencer la journée. Au menu, *bacon and eggs,* toasts au beurre de cacahuète ou au lait concentré, œufs mollets à la chinoise et même des *sundaes...* aux haricots rouges ! Essayez aussi le jus d'herbe de blé au miel ou le jus de spiruline, tous 2 d'une belle couleur verte. Également quelques plats pour caler une petite fringale.

À voir

🎭 Le quartier chinois (plan B1-2) : demander à l'office de tourisme les petites brochures consacrées l'une au patrimoine de la ville, l'autre aux **peintures de rue** (*street art*) évoquant l'histoire de la ville et son caractère pluriethnique. Les peintures se trouvent à l'intérieur du triangle bordé par les rues Jln Sultan Yusuf, Jln Pasar et Jln Bijeh Timah et servent de fil rouge pour découvrir ce quartier hors du temps, jalonné de vénérables demeures. Certaines ont été restaurées, d'autres sont en ruine, comme dans la fameuse et très touristique *Concubine Lane* (renommée Panglima Lane), aujourd'hui animée par des cafés, restos et boutiques. Ce secteur justifie à lui seul une visite de la ville.

🎭 Ho Yan Hor Museum (plan B2) : 1, Jln Bijeh Timah. ☎ 241-20-48. Tlj sauf lun 10h-16h. GRATUIT. Maison bleue à la façade en trompe l'œil, construite en 1941 par un planteur de thé, le Dr Ho Kai Cheong. C'est l'histoire de la ville et du thé qui est évoquée ici à travers celle de cet entrepreneur. On y découvre en plus d'objets

LA CÔTE OUEST DE LA MALAISIE

familiers, la plantation, l'usine, des publicités originales, l'évolution du sachet de thé... L'occasion aussi d'entrer dans une demeure de cette époque, magnifiquement restaurée. Ne pas manquer la belle peinture murale sur le côté de la façade.

¶ Han Chin Pet Soo *(plan B2)* : 3, Jln Bijeh Timah. ☎ 241-45-41. *Mar-ven, visites guidées à 9h30, 11h30 et 14h30 ; sam-dim (et j. fériés) 9h30, 11h30, 13h30 et 15h30. Sur résa seulement :* ● ipohworld.org/reservation/ ● *Durée : env 1h30. GRATUIT, mais donation bienvenue (10 Rm).* Là encore, une étonnante façade, d'un blanc meringué, derrière laquelle siégeait le club des mineurs d'origine hakka, fondé en 1893. Personne, en dehors des membres et de leurs invités, n'y fut jamais admis. Les rumeurs sur les activités illégales allaient donc bon train (le jeu, la prostitution, l'opium...). Il abrite désormais un musée sur l'extraction de l'étain, les mineurs et plus largement sur l'immigration hakka en Malaisie.

¶¶ Railway Station *(gare ferroviaire ; plan A1)* : on l'appelle plaisamment le Taj Mahal d'Ipoh ! Ce colossal monument aux murs tout blancs, achevé en 1917, rappelle la gare de Kuala Lumpur, d'un peu plus colonial et en un peu moins mauresque peut-être. Normal, il a été dessiné par le même architecte. Le *Majestic Hotel*, qui l'occupait en partie, est actuellement en sursis. Renaîtra-t-il de ses cendres ? Espérons-le. Des scènes des films *Indochine* et *Anna et le Roi* (avec Jodie Foster) ont été tournées ici. De l'autre côté d'une vaste place se dressent l'hôtel de ville, d'une blancheur immaculée, et la cour de justice, tout aussi virginale et néoclassique. Vous pourrez repérer l'un des 3 *ipoh* (il s'agit d'un arbuste, qui a donné son nom à la ville...).

¶¶ Après le quartier chinois, l'autre centre d'intérêt de la ville se trouve à **Gerbang Malam** *(plan C2)*. Il s'y tient un **marché de nuit** (18h-1h) où toutes les communautés tiennent des stands le long de la Jln Tahwil Azar : du sud au nord, d'abord les Chinois, puis les Malais et ensuite les Indiens. On y trouve même un stand de réflexologie (à l'angle de Jln Theatre ; très bon niveau). À l'arrière, on recommande le *food court*.

¶ Plus à l'est, l'immense **Padang** *(green)* marquant le centre de la ville s'entoure de quelques beaux édifices. Sur le flanc est, à l'angle de Jalan Tun Sambanthan et Sultan Yussuf, vous verrez l'élégant bâtiment du **F.M.S. 1906** *(plan B1)*, sigle désignant les *Federated Malay States* (Perak, Selangor, Pahang et Negeri Sembilan, alors sous administration britannique). C'est un certain Cheam Tin Suan, immigrant de l'île de Hainan, qui fonda en 1906 le fameux bar où planteurs et exploitants miniers de la ville venaient se « pochetronner » gaiement. On dit aussi que ce fut le premier restaurant british du pays avant de devenir un hôtel en 1923. Bref, on le verrait bien revivre, mais sa restauration est malheureusement suspendue depuis plusieurs années... Côté nord, impossible de manquer la colossale **Saint Michael's Institution**, néogothique. Bâtie en 1927, elle abrite toujours une école gérée par les lasalliens (frères des écoles chrétiennes). Plusieurs autres bâtiments coloniaux restent à découvrir au hasard des rues du quartier. On transforma la Jalan Shaikh Adam pendant de longues semaines en décor de cinéma pour le film *Indochine*.

DANS LES ENVIRONS D'IPOH

¶¶ Les grottes de Perak Tong : *à 6 km au nord de la ville, sur la route de Kuala Kangsar, sur la droite en venant d'Ipoh. De la* Local Bus Station, *prendre le bus de Kuala Kangsar, et demander au chauffeur de s'arrêter. Tlj 8h-17h. GRATUIT.* Dans les années 1920, un moine venu de Chine a édifié un temple bouddhique au sein même de ces immenses grottes calcaires. Dans la première salle, où trône un bouddha assis, les murs sont recouverts de fresques, pour certaines très enlevées, représentant divinités et paysages. Noter aussi les gardiens dorés, grimaçants, qui écrasent des petits bonshommes gris en pagne, symboles des mauvais esprits. Entre 8h et 16h, on peut emprunter l'escalier de 330 marches (par moments un peu raide) qui conduit à la statue de la déesse de la Miséricorde Kuan Yin, chevauchant un éléphant.

✖✖ Sam Poh Tong Temple : *à 6 km au sud-est d'Ipoh, sur la route de Kellie's Castle et Kuala Lumpur. Bus n° 66 ou 73, ou bus pour Kampar depuis la* Local Bus Station. *Tlj 8h-16h.* Là aussi, plusieurs grottes calcaires, pour certaines très profondes, ont été aménagées en temples. On passe d'abord celui de **Ling Sen Tong,** précédé d'une incroyable ménagerie sacrée multicolore : dragons, lions, éléphants, gardiens en grande parure... Juste après, les grottes de Sam Poh Tong. La visite commence par le jardin extérieur, avec son bassin encadré de fausses montagnes et de beaux bonsaïs modelant les mythiques paysages de Guilin et de la Chine du Sud. On pénètre ensuite dans la cavité, avec son incontournable bouddha. Mais le plus intéressant n'est pas là : il faut passer derrière et trouver, au fond à droite, le passage menant à une sorte de cirque intérieur à ciel ouvert. Une splendide pagode orangée s'y dresse au-dessus d'un bassin à l'eau saumâtre peuplé de tortues. Des mamies, à l'entrée, vendent des feuilles d'épinards pour les nourrir.

– Pour ceux qui ne seraient pas rassasiés, le *temple Kek Lok Tong (tlj 7h-18h)* est également très beau car il est logé dans une grotte pleine de stalactites et de stalagmites, avec un jardin, un plan d'eau et une jolie vue sur les montagnes verdoyantes. Certains trouvent même l'endroit plus enthousiasmant que Sam Poh Tong, dont il n'est éloigné que de 5 km (bus ou taxi).

✖✖ Kellie's Castle : *près de Batu Gajah.* ☎ *365-13-36. En voiture, route de Kuala Lumpur sur 15 km, puis à droite au panneau, direction « Lumut/Seri Iskandar », et rouler encore 7,5 km ; en arrivant par l'autoroute, sortie n° 135. En bus, aller à Gopeng (15 mn) et changer pour Batu Gajah (attention, seulement 5 bus/j.) ; demander au chauffeur de s'arrêter au château ; pour le retour, bus pour Gopeng ttes les 1h15 env 12h-17h ; on peut aussi poursuivre vers Batu Gajah (ttes les 1h à 1h30 11h40-16h40), où l'on changera de bus pour Lumut. En taxi, compter 60-80 Rm l'A/R. Tlj 9h-18h. Entrée : env 7 Rm ; réduc.*

LE FANTÔME DE KELLIE

À 500 m à l'ouest du château, en longeant la grand-route, on peut voir un petit temple hindou. C'est Kellie qui le fit construire pour réconforter ses ouvriers tamouls, en partie décimés par la grippe espagnole durant la construction du château. Détail émouvant : pour le remercier de sa sollicitude, les ouvriers sculptèrent l'une des divinités avec les traits du millionnaire écossais. On dit aussi qu'il existerait un tunnel entre le temple et le château... On ne sait pas si le fantôme de Kellie s'y est réfugié, en bon Écossais. En revanche, ce qui est sûr, c'est que certains descendants des ouvriers indiens vivent encore alentour.

Quelle maladie William Kellie-Smith a-t-il contractée ? Fièvre des tropiques ou folie des grandeurs ? Le jeune Écossais venu faire fortune en Malaisie a laissé une curiosité qui mérite bien son surnom de *Kellie's Folly.* Devenu l'un des plus puissants producteurs de caoutchouc du pays, il entreprit de construire dans les années 1920 une demeure à la mesure de sa réussite. Il lui fallait tout : de beaux volumes, une décoration exceptionnelle et le confort. Du coup, c'est en effectuant un voyage à Lisbonne pour acheter un ascenseur qu'il succomba à une pneumonie ! Le changement de climat probablement...

Son épouse ne remit plus les pieds en Malaisie et le château resta en l'état, à demi bâti. Bien rénové, il exhibe aujourd'hui à nouveau ses arcades mauresques et ses tours arabo-écossaises de brique rose... toujours inachevées. L'ensemble a fière allure et dégage une curieuse atmosphère de fin de règne colonial. L'étage est le plus achevé, avec des stucs aux plafonds, tandis que le rez-de-chaussée, ouvert aux 4 vents, est habité par moineaux et hirondelles. Très jolie vue depuis le sommet de la tour mais, attention, il n'y a pas de rambardes... Quelques scènes du film *Anna et le Roi* ont été tournées ici.

✖✖ Les grottes de Gua Tempurung : *à Gopeng, à 24 km au sud d'Ipoh.* ☎ *318-85-55. Pour y aller, prendre un bus depuis la* Local Bus Station *en direction de*

Kampar. Tlj 9h-16h, mais résa impérative car ouverture et visite sont parfois aléatoires et il faut un minimum de participants... Plusieurs tours possibles, de 40 mn à 3h30 pour le grand tour (sauf ven). Compter env 10-25 Rm/pers selon tour ; réduc. Pour les tours de plusieurs heures, prévoir de bonnes chaussures, une serviette et des vêtements de rechange. Torches à louer sur place. Grouper la visite avec Kellie's Castle car c'est dans le même secteur (à gauche après le Kampung Gunong Panjang, puis encore 2 km). Magnifique grotte de 3 km de long, âgée de 10 000 ans environ, traversée par une rivière et en partie aménagée pour la visite, malgré un éclairage parfois un peu faiblard. Située sous les gunung Tempurung et Gajah, elle abrite 3 vastes « chambres », 5 dômes et de nombreuses stalactites et stalagmites à admirer. Une vraie cathédrale de calcaire...

L'ÎLE DE PANGKOR   25 000 hab.   IND. TÉL. : 05

● Carte *p. 151*

À quelques minutes de bateau de Lumut et de la côte ouest de la Malaisie, cette jolie petite île (8 km²) noyée sous la végétation invite à une escale revigorante de quelques jours. Ancien repaire de pirates, Pangkor vit encore largement de la mer et du tourisme. Des collines couvertes de forêt tropicale humide occupent son centre, tandis que la côte est regroupe plusieurs petits ports de pêche, où perdure la construction de bateaux en bois. Les plus grands d'entre eux font 20 m de long et demandent 5 à 6 mois de travail. C'est la communauté chinoise de l'île (50 % de la population) qui contrôle pêche et construction navale.

À l'ouest, épousant de longues anses, s'étendent des plages bordées de palmiers, de cocotiers et de filaos, dans lesquels fourragent singes et calaos. Le village de Teluk Nipah, où se concentrent la plupart des pensions et hôtels, s'est mué au fil du temps en une station balnéaire sans prétention, qui a malheureusement envahi au passage une bonne partie de son joli ruban de sable... Restent des plages plus tranquilles, comme à Pasir Bogak, où les constructions ne se sont pas encore trop imposées. Côté climat, la mousson ne sévit pas vraiment ici, et il fait beau toute l'année.

Arriver – Quitter

En bus et en bateau

Il y a 2 ports d'embarquement pour l'île de Pangkor : **Lumut** et **Marina Island,** cette dernière (une île reliée au continent par un pont) étant en fait plus proche de Pangkor mais moins bien reliée par bus au reste du pays.

🛈 *Office de tourisme de Lumut : près de l'embarcadère des ferries, à côté des taxis. Tlj 9h-17h30.* Bien documenté et bonnes infos.

🚌 *Terminal des bus : pratique, il est situé à moins de 200 m de l'embarcadère de Lumut.* On y trouve de nombreux stands pour caler un creux. Pour rejoindre Lumut, la porte d'accès la plus pratique de la région est Ipoh, mais il y a aussi des bus directs depuis Kuala Lumpur et Penang. Dès votre arrivée et avant d'embarquer pour Pangkor, prenez votre billet de bus retour, surtout le week-end. Liaisons avec :

➤ *Ipoh :* 8 bus/j., 8h-18h30 avec *Perak Transit* et 7 bus/j. avec *Kesatuan Express,* 7h30-22h. Durée : 2h.

➤ *Kuala Lumpur :* 1 bus/h, 8h-20h, avec *Arwana ;* et quelques bus avec *Transnasional* et *Plusliner.* Durée : 4h30 pour des trajets directs, sinon

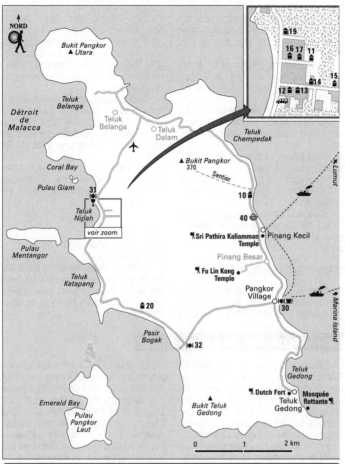

L'ÎLE DE PANGKOR

🏠 |●| **Où dormir ?**
🍴 🍷 **Où manger ?**
🍹 **Où boire un verre ? Achats**

10 Pangkor Fish House (carte)
11 Nazri Nipah Camp (carte)
12 Vagary (zoom)
13 Budget Beach Resort (zoom)
14 Sunset View Chalet (zoom)
15 Nipah Guesthouse (zoom)

16 Ombak Inn Chalet (zoom)
17 Nipah Bay Villa (zoom)
19 Anjungan Beach Resort & Spa (zoom)
20 Vikri Beach Resort (carte)
30 Sealiner (carte)
31 Daddy's Café et Nipah Deli (carte)
32 Restoran Pasir Bogak (carte)
40 Kilang Satay Eng Seng (carte)

compter près du double ! Bien vérifier. Également des directs pour les aéroports de KLIA et KLIA 2 avec *Starcoach* vers 7h, 14h, 17h30, 23h, 1h et 3h.

➤ *Butterworth (Penang) :* 5 bus/j. 9h30-18h30 avec *Sri Maju* et 2 bus/j. avec *Arwana* (le mat et en fin d'ap-m). Durée : 2-3h.

➤ *Alor Setar et Kuala Perlis :* 4 bus/j. (7h30-22h) avec *Kesatuan Express*, et 1 direct aussi vers 18h30 avec *Sri Maju.*

➤ *Kota Bharu :* 1 bus/j. avec *Transnasional*, le soir. Durée : 10h.

➤ *Kuantan :* 2 bus/j. (à 7h30 et 17h45) avec *Kesatuan Express*. Durée : 9h.

➤ *Kuala Terengganu :* 2 bus/j., 17h45-18h30, avec *Kesatuan Express* et 1 avec *Arwana*, vers 20h. Trajet en 6h.

Bateaux vers Pangkor

➤ Depuis le port de *Lumut* (☎ 683-58-00) : bateau ttes les 30-45 mn, 7h-20h30 (6h30-20h30 depuis Pangkor). Durée : env 30 mn jusqu'à Pangkor Village. Billet : 14 Rm A/R. Le ferry dessert d'abord le port de pêche de Pinang Kecil, puis *Pangkor Village,* la principale agglomération de l'île. Mieux vaut descendre là : vous y trouverez motos à louer et taxis pour la côte ouest.

➤ Depuis la *jetty* de *Marina Island,* le trajet est plus court (env 10 mn et pas d'arrêt à Pinang Kecil). Traversée ttes les heures env avec *Pan Silver Ferry* (☎ 680-58-88). Compter aussi 14 Rm l'A/R.

– Pour ceux qui seraient en voiture, grand parking à côté de chaque embarcadère, ouv 24h/24. Prévoir env 15 Rm/j.

En avion

L'île possède un petit aéroport, au nord, mais en 2018, il n'y avait plus de vols commerciaux de/vers le continent. *Firefly* et *Malindo* pourraient toutefois reprendre leurs liaisons avec l'aéroport de Subang de Kuala Lumpur, se renseigner.

Comment circuler dans l'île ?

Une route goudronnée fait le *tour de l'île* (en ignorant sa pointe sud) et permet de découvrir les plages de la côte ouest... La côte est, qui abrite des petits ports de pêche pleins de vie, ne se prête pas à la baignade. En revanche, elle recèle quelques curiosités.

– Le plus simple pour se déplacer est de louer un *scooter,* facile à conduire car automatique (ce qui ne dispense aucunement d'être très prudent !). Il y a des loueurs un peu partout, à Pangkor Village et sur la côte ouest, notamment à Teluk Nipah. Sinon, votre hôtel ou *guesthouse* vous facilitera la démarche. Compter 35-50 Rm/j., un peu moins pour une petite moto non automatique (mais bon, c'est moins pratique !).

– Les *taxis* sont nombreux aussi à attendre à l'arrivée des ferries de Pangkor Village. Ce sont des minibus roses ! Compter environ 10 Rm pour Pasir Bogak et minimum 25 Rm pour Teluk Nipah, le village balnéaire principal, quel que soit le nombre de passagers. Ne vous laissez pas faire : les tarifs sont affichés à la sortie du débarcadère. On peut aussi affréter un taxi pour un tour de l'île, avec quelques arrêts ; dans ce cas, prévoir environ 80 Rm (pour 2h, à discuter).

– On peut aussi louer des vélos classiques et des VTT, mais vu les pentes, on a vite fait de regretter ce choix...

PANGKOR VILLAGE

Le village principal de l'île et le terminus des ferries, où se tient chaque matin un marché au poisson. Pas de plage ici, donc inutile de s'attarder, mais vous pourrez y louer un scooter et régler vos petits problèmes pratiques (change, courses diverses, etc.).

Adresses utiles

■ **Maybank :** *prendre à gauche après la station de taxis en sortant du ferry, c'est dans le passage couvert.* Lun-ven 9h15-16h30 (16h ven). Change les devises. Distributeur automatique.
– À côté, un petit **office de tourisme** *(tlj 9h-16h15, pause 13h-14h).*

Où dormir dans les environs ?

🛏 **Pangkor Fish House** *(carte, 10) :* à **Pinang Kecil**, *au nord de Pangkor Village.* ☎ 017-481-60-20 ou 017-507-47-28. *Tlj 11h-23h. Doubles à prix moyens. Pas de petit déj mais cuisine à dispo et thé ou café offerts.* Pour ceux qui cherchent un hébergement insolite à l'écart des plages, cette longue maison sur pilotis, au-dessus de l'eau, fera parfaitement l'affaire ! Des chambres pas bien grandes mais charmantes et très bien tenues, avec ce qu'il faut de confort et, cerise sur le gâteau, un balcon donnant sur les flots. Vente de boissons et de bières. Très bon accueil des propriétaires chinois.

Où manger ? Où boire un bon café ?

|O| 🍽 **Sealiner** *(carte, 30) : dans le passage couvert situé sur la gauche en venant du débarcadère, après la station de taxis (et l'agence Maybank).* ☎ 012-516-22-90. *Tlj 11h-23h. Plats moins de 20 Rm.* Agréable petit resto-salon de thé, dans une salle nette et climatisée. Très bien pour un bon petit plat asiatique ou international (menu affiché sur une grande ardoise au-dessus du comptoir), mais aussi un vrai café accompagné, pourquoi pas, de *sea slugs* (« limaces de mer », en fait une succulente pâtisserie chaude à la pomme !) sur le coup de 16h... Service souriant.

Achats

🛍 **Kilang Satay Eng Seng** *(carte, 40) :* à **Pinang Kecil**. *Tlj 8h-19h.* Un magasin-atelier de poissons et fruits de mer déshydratés, conditionnés sous plastique ou vendus en vrac. Même si vous ne comptez pas rapporter des huîtres séchées dans votre valise, le lieu mérite le coup d'œil !

TELUK NIPAH

Au fil du temps, une petite station de bric et de broc, entièrement consacrée au tourisme, a poussé ici, rendant hélas la plage un peu moins attractive, surtout depuis que des restos et boutiques ont éclos tout le long du front de mer... Néanmoins, elle garde un certain charme avec son rideau d'arbres tropicaux, un îlot au large et le couvert forestier en toile de fond. C'est dans ce village qu'on trouve le plus de *guesthouses* ou de petits *resorts*... et le plus d'animation ; parfois il en devient même un peu bruyant en journée, entre les motos qui sillonnent la rue principale et les scooters des mers qui vrombissent au large... Le soir en revanche, c'est assez calme (pas vraiment de vie nocturne).

Où dormir ?

Les tarifs sont plus élevés le week-end qu'en semaine, et surtout lors des jours fériés et des vacances scolaires (mieux vaut éviter le mois de décembre !). En période calme, on peut éventuellement négocier en fonction de la durée du séjour.

De bon marché à prix moyens
(40-130 Rm / 9-29 €)

🛏 **Nazri Nipah Camp** (zoom, 11) : lot 4445. ☎ 685-20-14 ou 10-81. ● naz rinipahcamp@gmail.com ● Dortoirs 30-35 Rm/pers ; doubles 40-100 Rm. Il règne une atmosphère un peu baba dans cette guesthouse, dont le patron se définit comme « musicien de rue ». Espace commun agréable entre tonnelle et hamacs, et différents types de logements : petits dortoirs climatisés de 5 lits ou chambres avec ou sans clim et sanitaires privés, dans des huttes en forme de « A ». Quelle que soit la formule, ça reste simple mais c'est propre et les prix sont parmi les plus bas du village.

🛏 **Vagary** (zoom, 12) : lot 4464. ☎ 685-38-78. ● vagary.pangkor@gmail.com ● Un bon choix que ces bungalows en enfilade fort bien tenus, derrière une réception toute ouverte et accueillante. Plutôt joliment décorés, avec de petits rideaux aux fenêtres, ils ont tous leur salle de bains et la clim. Certains ont aussi une TV. Location de motos et scooters.

🛏 **Budget Beach Resort** (zoom, 13) : lot 4465. ☎ 685-35-29. 🖥 016-421-77-52. ● budgetbeachresort@gmail.com ● Voisin du Vagary, un endroit tranquille également, avec des chambres installées dans de jolis bungalows brun-rouge précédés d'un petit balcon. Équipement standard : salle de bains avec eau chaude, clim et petite TV. Loue vélos et scooters à prix très raisonnables.

🛏 **Sunset View Chalet** (zoom, 14) : lot 4461. ☎ 685-54-48. ● sunsetview chalet.com ● Des bungalows en bois ou en dur répartis de part et d'autre d'une charmante allée couverte d'une sorte de treille où fleurit une bougainvillée. Chambres anciennes et un peu sommaires (salle de bains avec eau froide) ou plus récentes et plus confortables, selon votre budget. Toutes ont la clim. Ambiance paisible. Les calaos surgissent chaque soir, vers 18h30, pour le repas que leur prodigue le proprio.

Prix moyens
(90-180 Rm / 20-40 €)

🛏 **Nipah Guesthouse** (zoom, 15) : lot 4506. 🖥 017-506-92-59. ● nipah. guesthouse@gmail.com ● Autour d'une belle et longue piscine flanquée de hamacs et de transats, 4 chambres doubles à l'espace réduit mais charmantes, dans des cottages en forme de « A », et équipées de tout le confort : écran plat, clim et salle de bains nickel. Également 2 triples un peu plus chères mais plus grandes et très agréables aussi, le tower cottage (pour 3 aussi) avec sa mezzanine et, pour les petits groupes, une grande « suite » avec 2 triples. Petit déj compris, à faire soi-même dans la chouette salle à manger toute ouverte où se trouve la réception, avec les œufs, pancakes, fruits, toasts, café... à dispo. Bon accueil d'Alicia et de son mari, qui vivent sur place. Une de nos meilleures adresses du coin.

🛏 **Ombak Inn Chalet** (zoom, 16) : lot 4440. ☎ 685-52-23. ● ombakin nchalet.com ● Petit déj compris. On aime bien aussi cette adresse qui propose des chambres dans des bungalows reliés les uns aux autres par des allées abondamment fleuries. 2 tarifs : les standard, en bois, ou les « premium », en dur, mais toutes sont bien nettes et équipées de salle de bains, clim, écran plat et d'une petite terrasse à l'avant. Location de vélos. Très bien !

🛏 **Nipah Bay Villa** (zoom, 17) : lot 4442. ☎ 685-21-98. Petit déj-buffet en supplément (pas cher). Il y en a pour tous les goûts ici (pas moins de 9 catégories !), mais on vous indique surtout le lieu pour ses chambres economy, petites et à l'arrière mais très bien tenues et avec tout le confort de base, bref, d'un bon rapport qualité-prix. Sinon, doubles classiques et « chalets » en bois foncé, bien aussi mais plus chers. Terrasse dominant l'hôtel pour lézarder.

Chic
(180-240 Rm / 40-53,50 €)

🛏 **Anjungan Beach Resort & Spa** (zoom, 19) : lot 6610. ☎ 685-15-00. ● anjunganresortpangkor.com ● À la sortie nord de Teluk Nipah, en direction de Coral Beach. Petit déj inclus. Ce n'est pas, malgré son nom, un luxueux complexe situé sur la plage, mais c'est l'un des plus chic du coin, et le sable n'est jamais que de l'autre côté de la route... Les chambres occupent 5 petits bâtiments jaunes aux toits de tuiles encadrant une piscine et un carré de gazon où il fait bon lézarder. Elles sont fraîches et plutôt cossues, avec sol en terre cuite et mobilier en bois sombre, en plus de disposer de tout le confort. Les standard donnent sur le côté et les deluxe, un peu plus grandes, avec lit king size, sur la piscine.

Où manger ?

Pas grand-chose sur le front de mer de Teluk Nipah, si ce n'est de petits restos locaux donnant plus ou moins sur la plage, légèrement en contre-bas. Parmi ceux-là, on peut se laisser tenter par **Liasari,** qui propose un buffet intéressant le midi à prix dérisoires. Il se situe au sud, à 50 m de la station de taxis.

Prix moyens (20-50 Rm / 4,50-11 €)

|●| ⌾ **Daddy's Café** (carte, **31**) : 27-28, Coral Bay. ▤ 012-334-82-92. À env 500 m au nord de Teluk Nipah, sur la plage de Coral Bay. Tlj 11h-22h30. Une terrasse sur le sable, une salle en retrait à l'ombre, et voilà un bon café-restaurant pour boire un verre, déjeuner ou dîner dans un charmant paysage. À la carte, des plats locaux et occidentaux soignés mais parfois un peu chiches (n'hésitez pas à poser la question avant la commande !). Service très courtois.

|●| ⌾ **Nipah Deli** (carte, **31**) : juste avt Daddy's Café en venant du sud. ☎ 685-14-16. Tlj 11h-22h. Tables à même la plage aussi. Ici on ne sert que des spécialités locales, notamment de très bonnes nyonya seafood laksa et autres soupes de nouilles, ou encore des steamboats, sortes de fondues dans lesquelles on plonge légumes, fruits de mer et dumplings... Une formule très conviviale ! Accueil jovial du patron.

PASIR BOGAK

Plage moins développée et donc plus tranquille que Teluk Nipah. Longue et étroite, elle est encore adossée à un joli rideau d'arbres et relativement préservée. En revanche, on y trouve assez peu d'hébergements intéressants pour les routards...

Où dormir ? Où manger ?

⌂ **Vikri Beach Resort** (carte, **20**) : sur la route qui va vers Nipah Teluk, côté droit. ☎ 685-42-58. ● vikribeach. com ● Doubles à prix moyens, petit déj en sus. Une petite cinquantaine de bungalows (dont certains, plus récents, pour familles) sans déco particulière mais suffisamment confortables, les uns proches de la route et de la plage, les autres à l'arrière au pied de la colline boisée. Bon accueil de Vijay, le patron. On peut aussi y prendre ses repas sur demande (bonne cuisine familiale indienne, à déguster dans une grande véranda ouverte). Location de motos et de vélos.

|●| **Restoran Pasir Bogak** (carte, **32**) : 80 & 81, Taman Bogak Permai. ☎ 685-17-33. Au cœur de la station, non loin de la route principale. Tlj 18h-22h30. Des différents restos chinois qui se succèdent dans la rue, celui-ci est le plus fréquenté et, de fait, on y mange très bien ! De plus, grand choix à la carte, du poisson (au poids) aux fruits de mer (crabe notamment, préparé de toutes les façons), en passant par les claypot chicken, les pieds de porc, légumes sautés, soupes d'algues... Le tout à des prix qui restent sages. Service efficace et souriant malgré l'affluence.

LA CÔTE OUEST DE LA MALAISIE

À voir. À faire sur l'île de Pangkor

Outre le *farniente* et certaines *activités nautiques* (scooter de mer, bouée tractée, kayak), voire de petites *excursions maritimes* (pour pêcher ou explorer la faune aquatique avec masque et tuba) au large de Nipah Teluk (nombreuses petites agences sur place proposant toutes ces sorties), on peut être curieux de découvrir ce qui suit :

🏃 *Fu Lin Kong Temple :* situé au bout d'une petite rue en cul-de-sac qui part de la route côtière, entre les 2 arrêts du ferry. C'est un temple chinois hérissé de dragons dorés écumants, adossé à la colline et entouré d'une minimuraille de Chine. L'autel s'orne de très jolis brocarts. Avec ses petits ponts et bassins, l'ensemble est empreint d'une grande sérénité et compose un tableau très poétique.

🏃 *Sri Pathira Kaliamman Temple :* ce temple indien tout coloré se voit du ferry. C'est l'un des 2 seuls de Malaisie où l'on est accueilli par la déesse Kali. Les fidèles font leurs ablutions sur le bord de mer avant d'y pénétrer.

🏃 Au sud de Pangkor Village, à *Teluk Gedong,* se dressent aussi les modestes ruines du *Dutch Fort* (fort hollandais), érigé au XVIIe s pour entreposer et protéger l'étain extrait à Perak. Puis, en continuant vers le sud, on découvre une *mosquée flottante,* posée sur pilotis au-dessus de l'eau. N'hésitez pas à jeter un œil à l'intérieur, tout couvert de mosaïques bleues ornées d'inscriptions arabes. Insolite.

➤ Quelques *promenades* possibles aussi sur des sentiers au départ de Teluk Nipah, permettant parfois d'apercevoir de beaux oiseaux et des colonies de singes. Sinon, on peut partir à l'assaut du *Bukit Pangkor,* le point culminant de l'île (370 m). Attention, il s'agit d'une colline très pentue, et la touffeur en pleine journée peut s'avérer difficile à supporter. Prévoir beaucoup d'eau et contacter un guide local (par exemple par l'intermédiaire de votre hôtel). Le chemin débute au nord-est de l'île, environ 1,5 km après Pinang Kecil, mais il n'est pas indiqué.

KUALA KANGSAR   39 300 hab.   IND. TÉL. : 05

Malgré sa petite taille, Kuala Kangsar a accédé au statut très prisé de ville royale depuis que les sultans du Perak l'ont choisie comme résidence principale au XIXe s. Elle y a gagné quelques monuments remarquables : de riches palais et une étonnante mosquée aux bulbes dorés comme tirée des *Mille et Une Nuits.*

C'est d'ici, aussi, qu'est partie la grande aventure du caoutchouc qui devait enrichir tout le pays (et les Anglais !) au début du XXe s... En cherchant bien, on peut encore voir l'un des 9 premiers hévéas issu des graines dérobées au Brésil ! Parmi les colons qui s'installèrent ici, un écrivain anglais devenu célèbre : Anthony Burgess, l'auteur d'*Orange mécanique.*

ÉLECTRO-LATEX !

Aujourd'hui en Malaisie, dans certaines plantations ultramodernes, la production de latex est gérée par l'informatique. Un câble entoure chaque hévéa (arbre à caoutchouc). Un influx électronique commande à distance et au meilleur moment l'incision grâce à une aiguille. Le latex coule du tronc de l'arbre sans intervention humaine...

Kuala Kangsar est aujourd'hui une agréable petite ville de province, animée le jour, morte le soir. On peut tout de même lui consacrer une demi-journée pour découvrir son riche patrimoine et profiter de l'ambiance particulière de ses rues, soigneusement entretenues. On y trouve aussi des parcs, de belles maisons coloniales et des fleurs partout. Les rives du fleuve Perak, qui traverse la petite cité endormie, raviront les poètes.

Arriver – Quitter

En bus

🚌 *Gare routière :* elle se trouve sur Jln Raja Bendahara, au centre. Liaisons avec :
➤ *Ipoh :* ttes les 40 mn env 6h-20h30 avec Perak Transit.
➤ *Lumut :* pas de direct, il faut passer par Ipoh.
➤ *Taiping :* ttes les heures 6h-19h30 avec Red Omnibus.
➤ *Butterworth (Penang) :* 2 bus/j., le mat et en soirée, avec Transnasional.
➤ *Kota Bharu :* 2 bus/j., le mat et le soir, avec Perdana Ekspres, et 1 bus en fin de mat, avec Transnasional.

En train

🚆 *Gare ferroviaire :* elle se situe à env 1,5 km au nord-ouest du centre, sur Jln Sultan Idris.
➤ *Pour Ipoh, Kuala Lumpur et le Sud :* 8 trains/j. jusqu'à Kuala Lumpur et 2/j. jusqu'à Gemas, de là changement pour Johor Bahru.
➤ *Pour Taiping, Butterworth et le Nord :* 5-7 départs/j. jusqu'à Butterworth ou Padang Besar, à la frontière.

Où dormir ? Où manger ?

🛏 *The Shop Hotel :* 1, Persiaran Seri Delima, Taman Seri Delima. 🖥 017-743-84-01. ● theshophotel@gmail.com ● Du côté nord de la ville, pas très loin de la gare. Prix moyens. Sans doute le plus sympa de la ville dans cette catégorie. Petit hôtel récent et très agréable proposant des chambres un peu exigües mais nickel et tout confort (bonne literie notamment !). Choix entre les *cabin rooms* ou, pour quelques ringgits de plus, les *queen rooms,* avec fenêtre et salle de bains en carreaux de faïence. Pas de petit déj mais un beau *coffee shop* (ouvert 24h/24) offrant une belle sélection de cafés et de gâteaux maison.

🍽 *Yut Loy :* Jln Kangsar, dans le centre. ☎ 776-63-69. Tlj sauf dim 9h-18h. Une bonne cantine chinoise, réputée pour ses *pau* (boules de pain farcies) et ses petits plats hainanais.

À voir

🏯🏯🏯 *Masjid Ubudiah (mosquée) :* en direction de la Royal Town. On peut en faire le tour, mais l'intérieur reste réservé aux musulmans. C'est l'une des plus photographiées du pays. Normal, on dirait du Walt Disney ! Autour du dôme doré, sorte de montgolfière pointue, se dressent 4 élégants minarets blancs rayés de marbre et d'innombrables tourelles à colonnettes couronnées de toupies dorées. C'est Arthur Benison Hubback, l'architecte anglais des gares d'Ipoh et de Kuala Lumpur, qui la dessina. Elle fut consacrée en 1917, avec quelque retard, les éléphants du sultan ayant dévasté le pavement à peine achevé, recouvert de marbre importé d'Italie à prix d'or !

🏯 *Istana Iskandariah (palais du sultan) :* un peu plus loin. Ne se visite pas. La gigantesque demeure (1933), d'un blanc immaculé et aux beaux dômes or, s'entoure d'un parc cerné de hautes grilles... C'est ici que vécut le sultan Azlan Muhibbuddin Shah Ibni Almarhum Sultan Yussuf Izzuddin Shah Ghafarullah (à vos souhaits !), jusqu'à sa mort en 2014.

🎭 *Galeri Sultan Azlan Shah :* Jln Istana, près de la mosquée Ubudiah. ☎ 777-53-62. Tlj 10h-17h (fermé ven 12h15-14h45). Entrée : 4 Rm ; réduc. Bâti en 1903, l'ancien palais *(Istana Ulu),* mi-néoclassique, mi-malais, a été reconverti en un drôle de musée à la gloire du sultan Azlan Muhibbuddin Shah. On y découvre une incroyable collection de bibelots offerts à Sa Majesté, un portrait réalisé en têtes d'épingles, son trône et celui de madame, leurs tenues de soirée, quelques bijoux de la Couronne, la vaisselle royale, leurs balles et sacs de golf... dorés naturellement, sans oublier le *rickshaw* dans lequel Son Excellence allait à l'école dans son enfance, des malles Vuitton à ses initiales et sa collection de Rolls !

TAIPING   245 000 hab.   IND. TÉL. : 05

Taiping, avec son nom à forte consonance chinoise, a été capitale de l'État de Perak de 1876 à 1936, avant d'être détrônée par Ipoh. Née dans la première moitié du XIXe s autour de mines d'étain, elle a été le théâtre d'affrontements violents entre clans chinois, jusqu'à l'intervention des Britanniques. On l'appelle depuis « la ville de la paix éternelle »... C'est, incidemment, la ville de Malaisie où il pleut le plus (4 000 mm par an !), ce qui explique la végétation luxuriante et les fleurs abondantes de ses vastes jardins. Le centre-ville, animé, n'offre pas grand intérêt. En revanche, si vous devez faire un arrêt, allez voir ce parc immense agrémenté d'un lac et de petits îlots au charme entêtant, ou visitez le plus vieux musée du pays.

Arriver – Quitter

En bus

🚌 *Gare routière locale :* dans le centre-ville, entre Jln Iskandar et Jln Masjid, à 200 m du marché et en face de l'hôtel Legend. Des taxis longue distance partent des abords du marché.
➤ *Kuala Kangsar :* ttes les heures 6h-19h avec *Red Omnibus.*

🚌 *Gare routière principale (Hentian Kamunting Raya) :* à 8 km du centre-ville, à *Kamunting.* S'y rendre en taxi (compter 12 Rm). Consigne ouv 8h-22h. Liaisons avec :
➤ *Ipoh :* ttes les heures 7h30-18h30 avec *Perak Transit.*
➤ *Butterworth (Penang) :* 6 bus/j., 7h30-17h30 avec *Konsortium* et

3 bus répartis dans la journée avec *Star Mart.*
➤ *Kuala Lumpur :* 10 bus/j., 6h30-22h30, avec *Konsortium,* 7 bus (8h15-23h) avec *Star Mart* et 3 bus (8h-20h) avec *Transnasional.*

En train

🚆 *Gare ferroviaire :* à l'ouest du centre-ville. Infos : ☎ 807-55-84. Guichets ouv 9h-16h, 22h15-23h40.
➤ *Pour Butterworth (env 1h de trajet) et le Nord :* 5-7 départs/j. jusqu'à Butterworth et Padang Besar, à la frontière.
➤ *Pour Kuala Kangsar, Ipoh, Kuala Lumpur et le Sud :* 8 trains/j. vers Kuala Lumpur et 2 vers Gemas, de là changement pour Johor Bahru.

Où dormir ? Où manger ?

🏠 *Hôtel Legend :* 2, Jln Long Jaafar. ☎ 806-00-00. ● legendinn.com ● En face de la gare routière et à côté de

la mosquée. Doubles à prix moyens ; petit déj en sus. Parking. Cet imposant hôtel de près de 90 chambres n'a rien d'original mais il est confortable et très bien tenu. Chambres modernes, spacieuses et bien équipées (clim). Resto sur place.

|●| **Foodstalls** (*Stands de nourriture*) : *sous la* **grande halle du marché**, *à 150 m de la gare routière, dans le centre. Tlj 4h-20h.* L'endroit le plus typique à Taiping. Grand choix de *stalls* proposant plats malais ou chinois, autour desquels bourdonnent employés, familles et collégiens en uniforme à l'heure du déjeuner. Goûter aux *satay*, c'est une des spécialités de la ville. On a quitté à regret aussi les *popiah* du stand 64 (attention, pas avant 14h).

À voir

🏃🏃 **Taiping Lake Gardens :** c'est avant tout pour ce parc de 62 ha (ancienne mine d'étain !), considéré comme l'un des plus beaux du pays, que les habitants de toute la région passent leurs week-ends à Taiping. De la fameuse allée d'arbres centenaires aux îlots parsemant le lac, reliés entre eux par une succession de petits ponts, des verts gazons aux tapis de lotus, on déambule le nez en l'air, bras dessus dessous. Les enfants s'en donnent à cœur joie sur les embarcations à pédales en forme d'hélicoptères ou de cygnes (les adultes peuvent aussi en louer !), tandis que, sous les arbres ou à l'abri des regards indiscrets, derrière des massifs de fleurs, de jeunes couples malais, pudiquement vêtus, flirtent selon les us et coutumes du pays. On est bien loin du bois de Boulogne... Vous n'avez plus qu'à souhaiter qu'il ne pleuve pas le jour où vous passez !

🏃 🏃 Également dans le parc, un grand **zoo** (● *zootaiping.gov.my* ● ; *tlj 8h30-18h ; entrée : 16 Rm, réduc enfants)*, pas si mal pour une petite ville. Si vous dormez dans le coin, *Night Safari (tlj 20h-23h – minuit sam et veilles de j. fériés ; 120 Rm)*. En plus de la faune classique, vous y verrez une bonne sélection de bébêtes peuplant les forêts locales : nombreux singes, panthères noires, tigres, cerf-souris, etc.

🏃🏃 🏃 **Perak Museum** (*Muzium Perak*) : *Jln Taming Sari, face à la prison.* ☎ 807-20-57. *Tlj 9h-18h. Entrée : 5 Rm ; réduc.* C'est le plus vieux musée du pays, inspiré et réaménagé par les Anglais entre 1883 et 1903. Dans le vaste bâtiment colonial, diverses collections apportent un éclairage intéressant sur l'héritage naturel et culturel de l'État de Perak. On commence, au rez-de-chaussée, par le trône du sultan (il s'en est fait refaire un neuf !), avant d'embrayer sur des dioramas d'animaux dignes de nos vieux musées d'histoire naturelle. En vedette : le plus grand squelette de crocodile trouvé en Malaisie (presque 7,50 m) ! Celui du python est presque aussi long d'ailleurs... On continue par une galerie consacrée à l'artisanat, aux différents métiers traditionnels et aux aspects culturels des différentes communautés (malaise, chinoise et indienne) pour finir, au 1er étage, par une section consacrée aux Orang Asli.

DANS LES ENVIRONS DE TAIPING

🏃🏃 ⇐ **Bukit Larut (Maxwell Hill) :** *à 12 km au nord-est de la ville.* C'est sur cette belle montagne classée « réserve forestière » que les Anglais créèrent, à 1 250 m, la première station d'altitude du pays. C'était en 1884. L'unique route pour y monter ne date que des années 1950. Précisons qu'elle est à voie unique, compte un nombre décoiffant d'épingles à cheveux (72 officiellement) et n'est accessible qu'aux 4x4 gouvernementaux ! Les courageux peuvent s'y rendre à pied ; compter au minimum 3h de marche. En montant, si les nuées veulent bien se dissiper, vous découvrirez un panorama fabuleux sur les Lake Gardens, Taiping et, une fois au sommet, sur une partie de la côte ouest. Ce n'est certes pas garanti : Maxwell Hill est le lieu le plus arrosé de toute la Malaisie ! On y trouve la seule plantation de

LA CÔTE OUEST DE LA MALAISIE

tulipes du pays, en fleur de décembre à avril, et une dizaine de *guesthouses*. Ça vaut le coup d'y séjourner si vous avez du temps : randos possibles, calme assuré et peu de touristes, contrairement aux Cameron Highlands...

– *Résas à Taiping auprès du superintendant* (☎ 807-72-41) pour le service de 4x4 (payant) qui effectue la navette avec la station. *Fonctionne en principe tlj 8h-17h, avec des départs ttes les heures.*

L'ÎLE DE PENANG (PINANG) 1,6 million d'hab. IND. TÉL. : 04

● Carte *p. 161* ● Georgetown (plan d'ensemble) *p. 164-165*
● Georgetown (zoom) *p. 166-167*

Au nord-ouest de la péninsule malaise, l'île de Penang n'est plus vraiment une île, car 2 grands ponts modernes la relient au continent. À la périphérie de Georgetown, la capitale historique, des immeubles et des tours hérissent le paysage comme une petite Hong Kong dévorée par l'ambition économique. Mais que cela ne vous dissuade pas de venir : au centre, le promeneur découvre, au fil des rues, de nombreuses vieilles maisons patinées par le temps, d'élégantes demeures à arcades ornées de colonnes et de vérandas, des bâtiments imposants chargés d'histoire, témoins d'un passé prestigieux, superbement restauré. À l'époque coloniale, Penang, « la Perle de l'Orient », fut l'un des 3 grands comptoirs britanniques du détroit de Malacca – le premier en date, occupé dès 1786. Planteurs, marchands, voyageurs au long cours, aventuriers, écrivains (Somerset Maugham, Joseph Conrad...) y parvenaient au terme d'une longue et pénible traversée de l'océan Indien en paquebot. L'air chargé de douce humidité de la mer leur permettait de s'acclimater peu à peu à la lourdeur de l'Asie tropicale. Aujourd'hui, avec 1,6 million d'habitants, Penang vit du commerce, du transit maritime et du tourisme. L'effervescence économique bouleverse chaque année le paysage, qui s'urbanise rapidement et d'une manière anarchique, surtout sur le littoral nord, autour des plages (pas exceptionnelles) de Tanjung Bunga et Batu Ferringhi.

À contrario, à Georgetown, s'entremêlent dans un génial brouhaha quartiers ethniques, mosquées, temples chinois, hindous et bouddhiques (avec un des plus longs bouddhas couchés du monde), architectures coloniale et chinoise, restos et *foodstalls* populaires. C'est cette réalité architecturale et culturelle que l'Unesco a classée en 2008 au Patrimoine mondial, en même temps que Malacca. Georgetown vit donc désormais avec un pied dans le passé et l'autre dans le futur. C'est aussi ce qui fait son charme ineffable.

UN PEU D'HISTOIRE

Partie intégrante du sultanat de Kedah, ce gros monticule entouré par la mer et envahi par la jungle reçut la visite de l'armada de Cheng Ho à l'époque ming, puis de corsaires après que l'empire du Milieu se fut refermé sur lui-même. Au XVIIIe s, sa situation stratégique à l'orée du détroit de Malacca intéressa les Anglais, en pleine expansion territoriale. Leurs navires chargés d'opium (ils en eurent longtemps le monopole en Asie), mais aussi de thé (leur drogue à eux), ne pouvaient décemment relier l'Inde à la Chine sans escale. En août 1786, le capitaine Francis Light, envoyé par la Compagnie des Indes orientales, y débarqua sans autre forme de procès après avoir promis au sultan une protection contre les ambitions

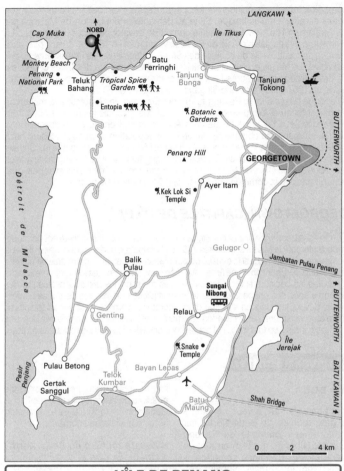

L'ÎLE DE PENANG

siamoises et une rente annuelle de 30 000 dollars espagnols, qui ne vint jamais vraiment... Ainsi naquit une ville, qu'il baptisa *Georgetown* en l'honneur du roi George III, capitale d'une île rebaptisée *Prince of Wales Island*. L'île avait le profil idéal pour contrer les ambitions néerlandaises en Indonésie et françaises en Indochine. Déclarée port franc, elle attira bientôt de

LE TRÈS LÉGER MR LIGHT

Aventurier sans scrupules, Francis Light avait des méthodes bien à lui pour remplir sa mission. On raconte que, pour convaincre les colons et les cipayes (mercenaires indiens) qui rechignaient à défricher l'île rapidement, il fit tirer des canons en direction de la forêt... après les avoir chargés de pièces d'or et d'argent !

nombreux travailleurs chinois, indiens, indonésiens et arabes – à l'origine de son actuel caractère multiethnique. Suite au démantèlement du fort de Malacca par les Anglais en 1807, l'activité de l'île connut un développement considérable. La première école anglaise d'Asie du Sud-Est y fut créée en 1816 et, 10 ans plus tard, Penang endossa le rôle de capitale des *Straits Settlements,* les établissements britanniques en Malaisie, toujours contrôlés par la Compagnie des Indes orientales. La prospérité perdura après la prise de contrôle directe par la couronne britannique en 1867, jusqu'à ce que Singapour la supplante.

À l'époque *peace & love,* Penang fut un rendez-vous des hippies, à la recherche de paix intérieure, loin du monde occidental. Mais depuis les années 1990, tout a changé. Sous l'effet de l'expansion économique, Penang est redevenue une plaque tournante du commerce maritime. Sa population se partage aujourd'hui à parts presque égales entre Chinois (41,5 %) et Malais (41 %), alors que les Chinois furent longtemps majoritaires. D'ailleurs, Penang fut le seul État de Malaisie à avoir été dirigé par un Chinois. Mais un rééquilibrage semble être en cours tandis que, comme partout, la communauté indienne (10 %) regarde le match.

GEORGETOWN (CAPITALE DE L'ÎLE)

On l'a surnommée « la petite Singapour » en raison de son activité économique, importante pour la Malaisie, et de ses 740 000 habitants répartis entre la vieille ville et la périphérie urbaine. Mais si la densité de population est élevée, la comparaison s'arrête là : Penang, elle, conserve une âme enracinée dans l'histoire. Les idéogrammes peints de toutes les couleurs sur les devantures des maisons, les *trishaws* pilotés par des hommes sous des chapeaux de paille, la multiplicité des temples de toutes confessions, devant lesquels on s'incline d'un discret mouvement, le *street art* (peintures murales et sculptures) enrichit indéniablement la cité, l'animation perpétuelle des rues commerçantes... en font, sans nul doute, l'une des villes les plus intéressantes du pays.

Arriver – Quitter

En bus

3 options s'offrent à vous : rejoindre la gare routière de Butterworth, sur le continent, ou celle de Penang (Sungai Nibong), à 10 km au sud de Georgetown. Certaines compagnies desservent les 2, mais, globalement, les fréquences et destinations offertes sont plus nombreuses au départ de Butterworth (et un poil moins chères). En plus, il est plus simple d'arriver ou de partir de là : de la gare routière de Butterworth, on saute directement dans le ferry (à côté) pour gagner le cœur de Georgetown. Ceux qui arrivent à la gare routière de Sungai Nibong doivent, à contrario, prendre un bus urbain ou un taxi pour rejoindre le centre.

Enfin (sans doute le plus pratique et souvent à peine plus cher), ne pas hésiter à demander à votre hébergeur s'il organise un transport vers l'une ou l'autre destination. Il est par exemple possible de relier les îles Perhentian et Georgetown via Kuala Besut (transfert hôtel, bus et bateau compris).

🚌 *Gare routière de Butterworth :* à côté de la gare et du terminal des ferries. Il n'y a que la passerelle à grimper.

➤ *De/vers Ipoh :* env 7 bus/j., 9h-18h30, avec *Transnasional* et *Konsortium.*

➤ *Pour les Cameron Highlands (Tanah Rata) :* en principe 1 bus/j. en début d'ap-m. Durée : env 5h. Sinon, changer à Ipoh.

➤ *Pour Taiping :* 3 bus/j. avec *Star Mart.*

➤ *Pour Alor Setar :* env 8 bus/j., 5h-19h, avec *Cepat* et *Plusliner.* Durée : 1h30 env.

➤ *Pour Lumut :* 4-5 bus/j. 9h-15h30 ou 16h30 avec *Sri Maju,* et supplémentaires ven et dim jusqu'à 18h15. Durée : env 3h30.

➤ **De/vers Kuala Lumpur :** départs quasi constants 7h30-1h30 avec *Billion Stars Express*, *Konsortium*, *KPB Express* et *Transnasional*. Durée : env 5h.

➤ **De/vers Kota Bharu :** 2 bus/j. avec *Transnasional*. Durée : env 7h.

➤ **De/vers Kuantan :** 3 bus/j. avec *Konsortium*, *Pacific Express* et *KPB*. Durée : 8h30.

➤ **Pour Malacca :** env 15 bus/j., 9h-minuit, avec *KPB*, *Transnasional*, *Cepat* et *Pacific Express*. Trajet : 7h15 en moyenne.

➤ **Pour Singapour :** env 12 départs/j. (8h-22h15) avec entre autres, *Seasons Express* et *Billion Stars Express*.

🚌 **Sungai Nibong** *(carte L'île de Penang)* : *au sud de Georgetown, après le pont de Penang.* Les bus nᵒˢ 102 et 304 rejoignent la tour *Komtar*, au centre-ville, 5h30-23h15. Dans l'autre sens, on peut aussi prendre les bus nᵒˢ 303, 305, 308 et 401 depuis le terminal des ferries. Sinon, prendre un taxi.

➤ **De/vers Ipoh :** plusieurs bus/j. 9h15-19h45, avec *Sri Maju* et *Unititi*. Durée : env 3h.

➤ **Pour les Cameron Highlands :** plusieurs départs quotidiens avec *Unititi*.

➤ **De/vers Alor Setar :** 3 bus/j. avec *Plusliner*, mat et soir. Compter 2h.

➤ **De/vers Kuala Lumpur :** nombreux départs tte la journée, jusque dans la nuit. Trajet : env 4h30-5h.

➤ **De/vers Malacca :** 3 bus/j. avec *KBP*. Durée : env 7h.

➤ **De/vers Johor Bahru :** ttes les heures env 6h30-23h avec *Konsortium* et *JB Transliner* notamment.

En train

🚆 Les départs se font de la **gare de Butterworth,** sur le continent. ☎ 331-27-96. *Guichets tlj 5h-18h.* De là, une passerelle mène en 3 mn aux ferries de Georgetown (ttes les 20 mn) et à la gare routière longue distance. On trouve un changeur devant la gare. La compagnie possède également un bureau à Georgetown :

■ **KTM Counter** *(zoom, D4, 7)* : *avt l'entrée pour le ferry.* ☎ (03)

226-712-00. ● *ktmb.com.my* ● *Tlj 10h-14h, 15h-17h30.* Vous pouvez retenir vos places jusqu'à 1 mois à l'avance. Mieux vaut s'y prendre au moins 24h avt (48h en hte saison). Prendre le ferry 1h30 avt le départ du train.

➤ **Pour Bangkok :** 2 départs/j. pour Padang Besar à la frontière, de là changement pour Bangkok avec 1 train en soirée. Arrivée le lendemain midi.

➤ **Pour Phuket :** train jusqu'à Hat Yai, puis correspondance en bus.

➤ **Pour Kuala Lumpur et le Sud :** 5 départs/j. pour Kuala Lumpur (5h-19h) et seulement 1/j. pour Gemas, de là changement pour le sud. Ils desservent tous Taiping et Ipoh, parfois Kuala Kangsar. Compter 3h30-4h de trajet pour KL.

En avion

✈ **Bayan Lepas Airport** *(carte L'île de Penang)* : *à 16 km au sud-est de Georgetown (30-45 mn de route selon circulation).* ☎ 252-02-52. ● *penangairport.com* ● Sur place : bureau *Tourism Malaysia* (☎ 642-69-81 ; *tlj 7h-dernier vol*), comptoirs des loueurs de voitures (*Avis*, *Hertz*, *Europcar* et compagnies locales comme *Kasina*), distributeurs et bureaux de change.

➤ **De l'aéroport au centre-ville de Georgetown :** bus nᵒˢ 401 et 401E. Pour **Batu Ferringhi**, bus nᵒ 102 ttes les 1h-1h20 seulement 6h-23h15. En taxi, compter 45 Rm pour le centre et environ 70 Rm pour la zone des plages (Batu Ferringhi).

➤ **Pour Kuala Lumpur :** nombreux vols quotidiens avec *Malaysia Airlines* pour *KLIA* 1, *Firefly* et *Malindo Air* desservent l'aéroport de Subang, *Air Asia* celui de KLIA 2.

➤ **Pour Langkawi :** 1 vol/j. avec *Air Asia* et un autre avec *Firefly*.

➤ **Pour Malacca :** 1 vol/j. avec *Malindo Air*.

➤ **Pour Johor Bahru :** 2-3 vols directs/j. avec *Air Asia*.

➤ **Pour Kota Bharu :** vol quotidien direct (tôt le mat) avec *Firefly*.

➤ **Pour Kuantan :** 3 vols/sem avec *Firefly*.

➤ **Pour Singapour :** plusieurs vols/j. avec *Silk Air*, *Air Asia*, *Tiger Airways* et *Jetstar*.

LA CÔTE OUEST DE LA MALAISIE

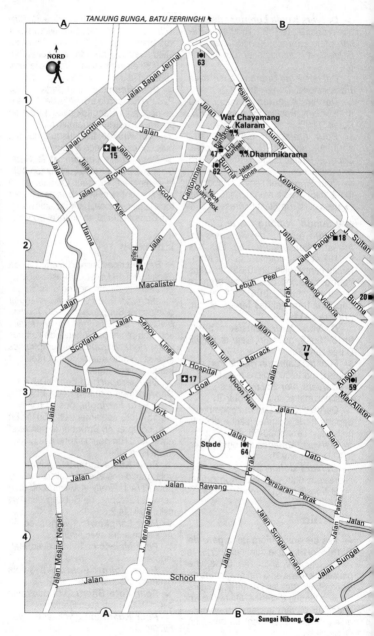

LA CÔTE OUEST DE LA MALAISIE

NORD

Jalan Bagan Jermal

Jalan Gottlieb

Jalan

Jalan

Brown

Jalan

Ayer

Jalan

Utama

Scott

Cantonment

Jalan

Jalan

Wat Chayamang
Kalaram

Lrg Bangkok

Burma

Lrg Burmah

Dhammikarama

Jalan Jones

Kelawei

J. Yeoh Guan Seok

Jalan

63

15

47

62

Raja

14

Macalister

Jalan Sepoy Lines

Scotland

Jalan Tull

J. Hospital

17

J. Goal

York

Itam

Ayer

Jalan

Jalan

Lebuh Peel

Perak

Jalan

J. Barrack

Khoon Huat

J. Lim

Jalan

Stade

64

Perak

Jalan

Jalan Pangkor

J. Sultan

18

J. Padang Victoria

Burma

20

77

Anson

59

MacAlister

Jalan

J. Siam

Dato

Jalan Mesjid Negeri

Jalan

J. Tengalungan

Jalan

Jalan

Rawang

School

Persiaran Perak

Jalan Sungai Pinang

Jalan Patani

Jalan

Jalan Sungei

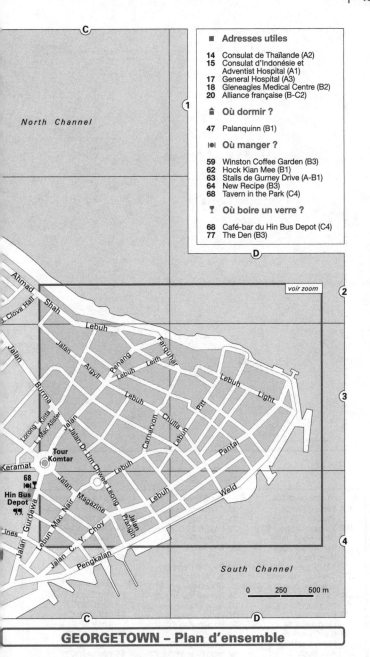

LA CÔTE OUEST DE LA MALAISIE

Adresses utiles

- **14** Consulat de Thaïlande (A2)
- **15** Consulat d'Indonésie et Adventist Hospital (A1)
- **17** General Hospital (A3)
- **18** Gleneagles Medical Centre (B2)
- **20** Alliance française (B-C2)

Où dormir ?

- **47** Palanquinn (B1)

Où manger ?

- **59** Winston Coffee Garden (B3)
- **62** Hock Kian Mee (B1)
- **63** Stalls de Gurney Drive (A-B1)
- **64** New Recipe (B3)
- **68** Tavern in the Park (C4)

Où boire un verre ?

- **68** Café-bar du Hin Bus Depot (C4)
- **77** The Den (B3)

North Channel

South Channel

voir zoom

0   250   500 m

GEORGETOWN – Plan d'ensemble

LA CÔTE OUEST DE LA MALAISIE

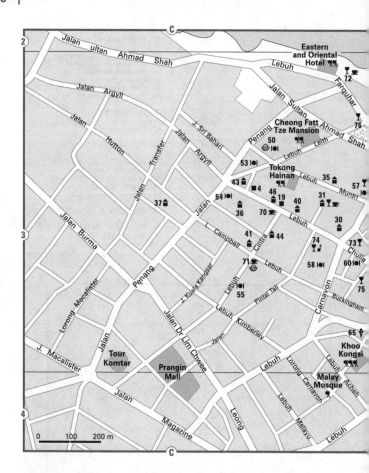

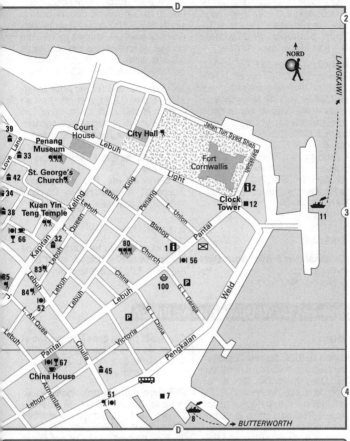

GEORGETOWN – Zoom

56 Sri Weld Food
    Court (D3)
57 Behind 50 (C-3)
58 Teksen (C3)
60 Yeap Noodles (C3)
66 Pit Stop (D3)
67 Cafés et
    restaurants de
    la China House (D4)

♦ Où s'offrir une
    bonne glace ?
65 Bon Ton Tea Shop (C3)

☕ ☕ Où prendre le petit
    déj ou le thé ?
    Où boire un verre ?
31 Moon Tree 47 (C3)
66 Pit Stop (D3)

67 China House (D4)
70 Tea Home Café (C3)
71 Huang Chen Hao
    Tea Art (C3)
72 Farquhar Bar
    et 1885 (C3)
73 The Mugshot (C3)

☕ ♪ Où boire un verre ?
    Où écouter
    de la musique ?
74 Reggae Club (C3)
75 Hong Kong Bar (C3)
76 360 Sky Bar (C3)

☕ Achats
50 The Chocolate
    Boutique (C3)

71 Huang Chen Hao
    Tea Art (C3)
100 Ten Yee Tea
    Trading (D3)

♦ À voir
51 Clan Jetties (D4)
80 Pinang Peranakan
    Mansion & Straits
    Chinese Jewellery
    Museum
83 Sri Mahamariamman
    Temple (D3)
84 Han Jiang
    Teochew
    Temple (D3)
85 Kapitan Keling
    Mosque (D3)

➢ **Pour Phuket :** 4 vols/sem avec *Firefly.*
➢ **Pour Bangkok :** 1 vol/j. avec *Thai* et un autre avec *Air Asia.*
➢ **Pour Sumatra (Indonésie) :** 3 vols/j. pour Medan avec *Air Asia.*

■ **Malaysia Airlines :** ☎ 7843-30-00 (lun-ven 8h30-17h30) ou ☎ 1-300-88-30-00 (n° Vert). ● malaysiaairlines. com ● Tous les vols *Air Malaysia* transitent par Kuala Lumpur, aucun direct pour d'autres villes.
■ **Firefly :** ☎ 250-20-00. ● fireflyz. com.my ●
■ **Malindo Air :** ● malindoair.com ●
■ **Air Asia :** ● airasia.com ●
■ **Silk Air :** ☎ 263-32-01. ● silkair. com ● Représente *Singapore Airlines.*
■ **THAI :** ☎ 226-60-00. ● thaiairways. com ●

En bateau

⛴ **Terminal des ferries pour Butterworth** (zoom, D4, **8**) **:** *face à la gare routière locale, très pratique.*

➢ **De/pour Butterworth :** départ ttes les 30 mn 5h-minuit depuis Butterworth, 5h30-0h30 depuis Georgetown. Compter env 1,20 Rm/pers ou 7,70 Rm pour un véhicule et tous ses occupants dans le sens Butterworth-Penang ; gratuit au retour. Durée : 25 mn.

⛴ **Terminal des ferries pour Langkawi** (zoom, D3, **11**) **:** *un peu plus au nord, près de l'office de tourisme.* Les billets s'achètent auprès des agences de voyages, sur Pesara King Edward, au pied de la tour de l'horloge (zoom, D3, **12**). Elles pratiquent toutes le même prix.
➢ **De/pour les îles Langkawi :** 2 départs/j. le mat et l'ap-m. Compter 2h30-3h de traversée.

En voiture

Le pont reliant Butterworth à l'île de Penang et le Sha Bridge, entre Batu Kawan et Batu Maung, sont payants.

Comment se déplacer dans l'île ?

En bus

Un réseau de bus dessert la plupart des centres d'intérêt. Ils partent tous du Weld Quay (zoom, D4), face au terminal des ferries de Butterworth (jeti) et passent tous par la tour *Komtar* (zoom, C3). Assez fréquents dans le centre, ils deviennent plus rares à mesure que l'on s'éloigne de Georgetown. Prévoyez des pièces (environ 1,50-4 Rm ; les chauffeurs ne rendent pas la monnaie) ou, si vous restez un moment, procurez-vous le *Rapid Pass* valable 7 jours pour environ 30 Rm. On peut l'acheter au guichet du *Weld Quay* ou de la tour Komtar (tlj sauf dim 8h-16h).

Il existe un **bus gratuit,** le *CAT,* qui effectue une boucle dans le centre, via le *Ferry Terminal,* Lebuh Pantai, Jalan Penang, la tour *Komtar* et retour via Lebuh Carnavon et Jalan Kapitan Kling. Fonctionne tlj 6h-23h ; intervalles d'env 10-20 mn entre 2 bus, selon trafic.

Le **Hop-On Hop-Off** dessert toute l'île, selon le principe de montées et de descentes où l'on veut sur les 2 circuits : la *Beach Route* longe la côte nord ; la

City Route circule dans Georgetown et relie les sites alentours (tlj 9h-20h ; billet valable 24h, 48h ou 3j. ; ● myho ponhopoff.com ●)

🚌 **Gare routière principale** (Rapid Penang ; zoom, D4) **:** ☎ 238-13-13. ● rapidpg.com.my ● *Le kiosque d'information du* Weld Quay *est ouv tlj 8h-20h ; on peut y acheter son* Rapid Pass. À la tour *Komtar,* un grand écran indique l'état d'avancement des bus en temps réel. Le rez-de-chaussée du *Prangin Mall* voisin, sur Jalan Dr Lim Chwee Leong, héberge aussi la plupart des compagnies de bus.

➢ **Vers les temples thaï et birman :** bus n°s 10, 101, 103 et 104.
➢ **Vers le temple de Kek Lok Si :** bus n°s 201, 203, 204 et 502.
➢ **Vers les plages de la côte nord :** les bus n°s 101 et 102 desservent la côte nord jusqu'à Teluk Bahang en passant par Tanjung Tokong, Tanjung Bunga et Batu Ferringhi. Le n° 101 passe ttes les 10-20 mn. Pour *Entopia,* changer pour le n° 501 au terminus de Teluk Bahang.

➢ *Vers le funiculaire de Penang Hill :* bus n° 204, ttes les 25-40 mn.
➢ *Vers le Penang Bird Park :* bus n° 709, ttes les 60-75 mn.
➢ *Vers le Snake Temple :* bus n°s 102 (vers le sud depuis Georgetown), 305, 306, 401 et 401E (le plus fréquent, ttes les 25-35 mn).
➢ *Vers la gare routière de Sugai Nibong et l'aéroport :* bus n° 102 (sud, là encore du centre-ville) ttes les 60-80 mn.

En taxi

On les trouve au terminal des bus locaux, face à l'arrivée des ferries de Butterworth (zoom, D4). ☎ 262-57-21.

Adresses et infos utiles

Infos touristiques

🚹 *Penang Global Tourism (zoom, D3, 1) :* Whiteaways Arcades, 10, Lebuh Pantai. ☎ 263-11-66. ● mypenang.gov. my ● Lun-ven 9h-17h, sam 9h-15h, dim 10h-13h. Certains employés de ce bel office de tourisme municipal parlent parfaitement l'anglais et sont très efficaces. Carte de l'île, brochure et promotion des artistes locaux à travers des expositions. Ils organisent des *visites guidées gratuites* 3 fois par semaine (en principe, les mardi, jeudi et samedi à 10h30) axées sur les sites historiques. Durée : 1h30. Également des balades nocturnes 1 fois par mois. Prendre leur programme sur place ou sur leur site.
– Toilettes publiques à l'arrière.
🚹 *Tourism Malaysia (zoom, D3, 2) :* 10, Jln Tun Syed Sheh Barakbah. ☎ 262-20-93. ● tourismmalaysia.gov.my ● Lun-ven 8h-17h. Infos sur Penang et la Malaisie. On y trouve notamment l'intéressant mensuel gratuit Penang Tourist Newspaper.

Argent, banque, change

– On trouve des *distributeurs* absolument partout en ville. Sinon, ce ne sont pas les *money changers* qui manquent. Par exemple, il y en a un juste en face de l'office de tourisme : *Money Changer Syarikat (25A, Lebuh Pantai ;*

Compter 10 Rm pour une petite course en ville, 40 Rm pour Batu Ferringhi et 40-45 Rm pour l'aéroport. Les taxis n'ont pas toujours de compteur (les bleus oui, les rouges non). Apprêtez-vous à négocier.

Location de vélos, scooters, motos et voitures

Au carrefour de Lebuh Chulia, Lebuh Leith et Jln Argyll *(zoom, C3),* on trouve plusieurs loueurs les uns à côté des autres. Également *H.S. Sam Book Store (410, Lebuh Chulia, non loin de l'angle avec Lebuh Cintra ;* ☎ *262-27-05).* Si la circulation ne vous effraie pas...

lun-ven 9h30-18h ; devises en liquide seulement). Sinon, aller dans Chulia Street, où ils peuvent aussi vous obtenir un visa thaï et font souvent *bookstore ;* dans Lebuh Pitt, autour du *Broadway Budget Hostel (zoom, D3, 32),* secteur où les Indiens changent de l'argent face à la mosquée Kapitan Kling ; et, plus haut, vers l'angle de Lebuh Pasar. D'autres sur Lebuh Pantai, surtout entre Lebuh China et Gereja...
■ *HSBC :* 1, Downing St, à l'angle de Lebuh Pantai, presque en face de l'office de tourisme et à gauche de la poste. Lun-ven 9h30-16h, mais distributeur accessible 24h/24.

Représentations diplomatiques

■ *Consulat de Thaïlande (plan d'ensemble, A2, 14) :* 1, Tuanku Abdul Rahman. ☎ 226-80-29 ou 94-84. Lun-ven 9h-12h pour le dépôt du dossier de demande de visa et 14h-16h pour le retrait du passeport. Si vous venez à l'ouverture, vous l'aurez peut-être le jour même, sinon délai de 24 à 48h max. Le visa n'est nécessaire que pour ceux qui souhaitent passer en Thaïlande plus de 30 jours en arrivant par avion ou plus de 15 jours si c'est par voie terrestre. Des *money changers* et agences dans Chulia Street proposent de vous obtenir le visa moyennant une

LA CÔTE OUEST DE LA MALAISIE

LA CÔTE OUEST DE LA MALAISIE

petite commission. Pratique, car son montant couvre les 2 taxis que vous auriez à payer... Il vous faudra 2 photos.

■ **Consulat d'Indonésie** *(plan d'ensemble, A1, 15)* : *467, Jln Burmah.* ☎ 227-46-86. *Lun-ven 9h30-16h30 (pause déj).* Le visa peut s'obtenir à l'arrivée dans presque tous les ports et aéroports ; vérifiez tout de même que c'est bien le cas en ce qui vous concerne. Il permet de rester 30 jours sur place. Au-delà, un visa est nécessaire.

Urgences

🔁 **General Hospital** *(plan d'ensemble, A3, 17)* : *Jln Residensi.* ☎ 229-33-33.

🔁 **Adventist Hospital** *(plan d'ensemble, A1, 15)* : *465, Jln Burma.* ☎ 226-11-33.

■ **Gleneagles Medical Centre** *(plan d'ensemble, B2, 18)* : *Jln Pangkor.* ☎ 227-61-11. Cher (c'est une clinique), mais le plus performant.

Loisirs et services divers

■ **Laveries :** *G & C Laundry (zoom, C3, 19), 461, Jln Chulia.* ☎ 263-84-07. *Lun-sam 9h-19h.* Sinon, pas mal de laveries au carrefour de *Lebuh Chulia, Lebuh Leith* et *Jln Argyll (zoom, C3).*

■ **Bookstores de Chulia Street :** *par exemple, **H.S. Sam Book Store** (zoom, C3, 19), 410, Lebuh Chulia. Lun-sam 10h-13h30, 15h-22h, dim et j. fériés 10h-14h, 18h-21h.* Grand choix de livres (et une petite sélection en français), dictionnaires, jeux format de voyage... On peut y louer VTT, voitures ou motos, acheter des billets de bus ou de bateau, changer de l'argent et obtenir son visa pour la Thaïlande. Ils sont nombreux sur cette artère à proposer tous ces services *(horaires similaires).*

■ **Tour Komtar** *(Komtar Komplex ; plan d'ensemble, C3)* : *au croisement de Jln Penang et Jln Magazine.* On ne voit qu'elle ! C'est la plus haute tour du centre-ville. On y trouve une gare routière (bus de ville) et un centre commercial avec supermarché (au rez-de-chaussée). L'accès au sommet de la tour (en principe payant) était fermé jusqu'en 2017.

■ **Alliance française** *(plan d'ensemble, B2, 20)* : *46, Jln Phuah Hin Leong, à l'angle de Jln Irawadi.* ☎ 227-60-08. ● afpenang.com ● *Mar-sam 9h-13h, 14h-18h (17h sam).* L'alliance organise de nombreuses activités : concerts, expos et soirées dégustation, entre autres. Projection de films 2 fois par mois, en général à 20h, précédé d'un apéro (non obligatoire, payant). Intéressant pour les voyageurs de passage : la mise en place d'un système d'échanges de livres. Très bon accueil.

Agences de voyages

Penang est un important point de rotation des routards du monde entier. On trouve, sur Chulia Street, plusieurs agences de voyages proposant des billets pour l'Australie et autres lointaines contrées pour des prix raisonnables. Contactez par exemple :

■ **Silver-Econ Travel Service** *(zoom, C3, 4)* : *438, Lebuh Chulia.* ☎ 262-98-82, 84 ou 85. ● silverecon.com.my ● *Lun-sam 9h-18h (14h sam).* L'une des meilleures agences de Georgetown. Billets d'avion, visa pour la Thaïlande, hôtels, etc. Le patron, Keat, parle bien l'anglais.

■ **Happy Holidays** *(zoom, C3, 4)* : *432, Lebuh Chulia.* ☎ 262-92-22. ● happyholidays.com.my ● *Lun-ven 9h-18h, sam 9h-13h.* Voisin et concurrent de *Silver-Econ,* lui aussi spécialisé dans les billets d'avion.

Où dormir ?

L'offre est impressionnante. Les petits hôtels pour routards à 10 Rm le lit en dortoir disparaissent peu à peu, remplacés par des AJ pimpantes et modernes, et par des capsules-hôtels à la japonaise, mais bien plus chères aussi (20-60 Rm le lit). Il en va un peu de même pour les hôtels : les vieux établissements chinois, patinés par le temps, cèdent la place à des boutiques-hôtels installés dans de vénérables demeures, parfois superbes, parfois sans grand intérêt. On essaie de vous proposer une juste mesure de chaque... La majeure partie de nos adresses se regroupe autour de Chulia Street et de la fameuse Love Lane, dans un quartier sympa aux vieilles maisons chinoises. Attention, beaucoup de chambres sans fenêtre et avec salle de bains partagée dans les adresses meilleur marché.

De bon marché à prix moyens (jusqu'à 180 Rm / 40 €)

≜ **Pin Seng Hotel** (zoom, C3, **30**) : 82, Love Lane. ☎ 261-90-04. Presque à l'angle de Chulia St, au fond d'une petite cour qui sert aussi de parking. L'hôtel, au fond d'une impasse, propose des chambres simples à 1 ou 2 lits, correctes pour le prix (très bas), équipées uniquement de ventilos. Certaines ont une douche, d'autres juste un lavabo. Les salles de bains communes sont plutôt basiques. Attention, bruyant côté rue. Bon accueil du patron.

≜ **Roommates** (zoom, C-D3, **38**) : 17B, Lorong Chulia. ☎ 261-15-67. ● roommatespenang.com ● Une toute petite adresse proposant 2 dortoirs de 8 lits superposés, façon garde-meubles, avec rideaux verts, lumière et prise de courant pour brancher sa tablette. Ce n'est pas bien grand, mais ça fait partie des auberges de jeunesse nouvelle génération qui soignent la propreté et le look, plutôt contemporain. Rez-de-chaussée grand comme un mouchoir de poche, mais agréable avec ses tables en bois. Petit déj inclus avec café ou thé, œufs et toasts. Très bon accueil. Sympathique café en face, le Pit Stop (voir « Où manger ? »).

≜ **Siok Hostel** (zoom, C3, **43**) : 458, Lebuh Chulia. ☎ 263-26-63. ● siokhostel.com ● Résa longtemps à l'avance conseillée. Bon marché pour les dortoirs, prix moyens pour les doubles. Un hostel nouvelle génération, « 5 étoiles » : belle déco, avec briques, joli carrelage, plancher et quelques touches orangées, notamment dans les agréables dortoirs avec clim aux lits superposés (mixtes ou réservés aux filles). Salon hyper sympa avec de gros poufs, TV, DVD et un baby-foot. Lounge sur le toit. Quelques touches de couleur et d'humour sur les murs... Petit déj inclus de bonne qualité. Personnel aimable et efficace. En revanche, le carrefour est assez bruyant.

≜ **The 80's Guesthouse** (zoom D3, **39**) : 46, Love Lane. ☎ 263-88-06. ● the80sguesthouse.com ● Dortoirs bon marché, doubles à prix moyens. Petit déj inclus. Une autre AJ, se voulant vintage car logée dans une shophouse centenaire, bien sûr aujourd'hui rénovée. Dortoirs climatisés de 6 lits avec casiers, prises électriques et lampes de chevet. Mais le plus original, c'est sans doute ce dortoir... pour couples. Les lits sont en effet des lits doubles, avec les mêmes services que les autres. Sanitaires communs pour tout le monde (mais pas en même temps). 2 chambres privées à prix moyens. Location de vélos, laverie. Plutôt pas mal mais le « concept » se paie un peu. Personnel très disponible, en principe.

≜ **Time Capsule Hotel** (zoom, C3, **46**) : 418-420, Lebuh Chulia. ☎ 263-88-88. ● timecapsule.my ● Bon marché, fourchette haute. Pour les non-claustrophobes qui voudraient expérimenter ce mode d'hébergement à la japonaise : les capsules sont des sortes d'alvéoles version spationaute de 2 m de long sur 1 m de large, chacune conçue ici avec le maximum de confort : clim, coffre, port USB et même une télé avec écouteurs pour ne pas déranger ses voisins, le luxe quoi ! Salles de bains communes nickel. Laverie. Billard et un café. Très bon accueil.

≜ **Star Lodge** (zoom, C3, **31**) : 39, Jln Muntri. ☎ 262-63-78. ● starlodge.net ● Doubles avec sdb, ventilo ou AC, balcon ou non. Bon marché, limite prix moyens. La rue est ultra-centrale et pourtant l'hôtel est assez calme car il donne sur un temple chinois... Ce qui n'empêche pas, certes, les bruits de couloir. De plus, il est très propre, les peintures sont renouvelées régulièrement et toutes les chambres ont au moins un lucarnon (éclairage néon). C'est déjà beaucoup dans le coin ! Les plus chères, à l'étage, sont plus grandes et plus claires, avec douche chaude. Clim et balcon selon les prix. Vente de tickets de transport. Bon accueil.

LA CÔTE OUEST DE LA MALAISIE

🛏 *Broadway Budget Hostel* (zoom, D3, **32**) : 35 F, Jln Masjid Kapitan Keling (Lebuh Pitt). ☎ 262-85-50. ● broadwaybudgethotel.com ● *Prix moyens.* Ce petit hôtel « moderne » du quartier indien abrite des chambres sans charme avec fenêtre, AC et ventilateur, plus douche (chaude)-w-c. Elles sont bien propres, cela dit, même si pour le coup on les trouverait presque un peu trop dépouillées... Évitez celles qui donnent sur l'avenue hyper animée, donc bruyante. Celles du 3e sont plus claires et plus calmes. Plein de *money changers* dans le coin.

🛏 *Red Inn :* l'enseigne possède plusieurs établissements dans Love Lane. *Ts avec petit déj. De bon marché à prix moyens.* Le *Red Inn Heritage* (zoom, D3, **33**) : au n° 15. ☎ 262-09-91. Aussi bien les dortoirs aveugles que les chambres avec salle de bains partagée disposent de la clim. Plutôt agréables, les chambres ne sont pas bien grandes mais ont presque toutes une fenêtre. Le personnel est sympa. Eau, thé, café en libre-service et DVD en prêt. Le *Red Inn Penang* (zoom, D3, **34**) : au n° 55. ☎ 261-39-31. ● redinnpenang.com ● Ici, seulement 3 chambres privées (2 avec bains), et tout le reste en dortoirs climatisés (mixtes ou séparés) de 6 lits maximum. Bons gros matelas épais. Cela dit, peu de chambres avec fenêtre, et l'insonorisation n'est quand même pas géniale (parquet qui grince et café ouvert jusqu'à minuit juste à côté) ! Néanmoins, personnel sympa. Une petite adresse simple mais bien sécurisée. Enfin, le *Red Inn Hotel* (zoom, D3, **42**) : au n° 39. ☎ 263-59-80. Dortoirs mixtes de 4-6 lits avec ou sans salle de bains. Bonne ambiance surtout le mercredi soir quand il y a des concerts.

🛏 *Old Penang Guest House* (zoom, D3, **34**) : 53, Love Lane. ☎ 263-88-05. ● oldpenang.com ● *Petit déj compris. Prix moyens.* Une vieille maison de caractère bien restaurée, étirée en profondeur entre 2 rues. Elle abrite, autour d'un patio intérieur, des chambres simples, propres et bien aménagées (AC). On préfère les nos 10 et 11, calmes et lumineuses, à l'arrière, et celles avec parquet de l'étage. Attention, toutes

n'ont pas de fenêtre. Les 2 dortoirs (filles et garçons), respectivement de 4 et 12 lits, sont quand même assez sombres et petits pour le nombre de lits qui s'y entassent. Nombreux services : visa thaï, location de motos, laverie, etc.

🛏 *Ryokan Muntri* (zoom, C3, **35**) : 62, Lebuh Muntri. ☎ 250-02-87. ● ryokanmuntri.com ● *Dortoir bon marché, doubles chic, petit déj compris.* Si l'on est encore dans une AJ, les prix sont ceux d'un hôtel. Il faut dire que le *Ryokan* est un *chic hostel,* une auberge de luxe, impeccable, toute climatisée, au décor *slick* tendance *trendy,* qui plaira aux urbains et aux adeptes de design épuré. Les dortoirs (4-6 lits, dont « The Loft », le plus grand) ont lits superposés, casier et lumière individuels ; préférez le n° 201, le seul qui ait une fenêtre. Les 3 chambres privées sont conçues à la japonaise, avec un futon, une TV écran plat encastrée dans le mur et une douche munie d'une grosse pomme tombant en pluie. Les draps sont fournis. Excellent petit déj, pour une fois ! Personnel aux petits soins.

🛏 *Hang Chow Hotel* (zoom, C3, **36**) : 511, Lebuh Chulia. ☎ 261-08-10. L'entrée se fait par le resto du rdc. Doubles avec ou sans sdb, avec ou sans AC. Bon marché, limite prix moyens si on ajoute le petit déj. Au 1er étage, une quinzaine de chambres très correctes, assez grandes, avec un beau parquet ; certaines ont une douche, d'autres non, mais les w-c sont à l'extérieur pour tous. Sanitaires collectifs bien tenus. Bons petits déj en sus et, autre surprise du lieu, on y mange de bonnes pizzas (8h-20h). Le point faible : l'insonorisation moyenne, surtout quand la mosquée voisine s'y met ! Accueil sympa.

🛏 *Hutton Lodge* (zoom, C3, **37**) : 17, Jln Hutton. ☎ 263-60-03. ● huttonlodge.com ● *Dortoir bon marché, doubles prix moyens. Également des familiales.* Enfin un petit hôtel à prix sages dans une maison coloniale de caractère ! Nous ne sommes pas là dans la sphère des boutiques-hôtels, mais plutôt dans celle des vieilles demeures familiales. Les 25 chambres ne reflètent pas vraiment l'histoire du lieu, mais elles sont bien arrangées, avec l'AC et une fenêtre donnant sur la cour-jardin ; certaines sont plus agréables que d'autres. Salles de bains intérieures ou à partager. Salon TV et buvette.

🏠 **Container Hotel** *(zoom, D4, 45)* : 4, *Lebuh Chulia*. ☎ 251-95-15. ● *contai nerhotel.my* ● Dans les anciens locaux d'un journal, en retrait de l'animation du centre, cette architecture brute renferme (c'est le cas de le dire !) des lits type « capsule » pour 1 ou 2 personnes, mais aussi des chambres plus classiques et confortables avec une fenêtre où rien ne perturbe la blancheur des murs et de la literie. L'ensemble, certes original, reste un peu froid.

Chic
(180-300 Rm / 40-66,50 €)

🏠 **Cintra Heritage House** *(zoom C3, 44)* : 1-7, *Lebuh Cintra*. ☎ 262-82-32. ● *cintrahouse.com* ● Dans un quartier très vivant, un hôtel aménagé dans 4 *shophouses* de la fin du XIXᵉ s (dont une servit de salon de coiffure aux occupants japonais), avec des arcades à colonnes décorées d'idéogrammes. Belle série de chambres portant les noms de personnalités historiques de l'île. Elles sont globalement agréables, quoique toutes différentes, la plupart avec plancher ou grandes tomettes, portes chinoises et mobilier à l'ancienne, murs jaunes, certaines avec salles de bains en damiers noir et blanc. Les nᵒˢ 202 et 203 donnent sur l'animation de la rue : sympa mais un peu bruyant, *of course*, d'autant qu'il y a une mosquée pas loin... Également des suites. Petit patio, café-bar à vins et agréable terrasse sous les arcades pour boire un apéro ou grignoter un morceau. Bon accueil et bon service.

🏠 **Palanquinn** *(plan d'ensemble, B1, 47)* : 39, *Lorong Bangkok*. 📱 018-472-40-39. ● *palanquinn.com* ● Doubles avec sdb et clim. Prix chic (fourchette hte) à plus chic selon la maison. Excentré certes, mais l'emplacement est original (lire plus loin l'histoire sur la Bangkok Lane). Le jeune couple malaisien propose 5 chambres d'hôtes réparties dans 2 belles maisons des années 1920, au rez-de-chaussée ou à l'étage, plus ou moins sombre, mais ayant toutes conservées des éléments d'origine : parquet en bois ou carrelage ancien. Du charme, de l'espace pour certaines et même un balcon. Bon rapport qualité-prix, surtout pour la 2ᵉ maison, et accueil adorable.

Très chic
(plus de 300 Rm / 66,50 €)

🏠 **Yeng Keng Hotel** *(zoom, C3, 40)* : 362, *Lebuh Chulia*. ☎ 262-21-77. ● *yengkenghotel.com* ● *Résa recommandée bien à l'avance : l'adresse n'a que 20 chambres et est très populaire. Doubles à partir de 340 Rm, hors vac scol et fêtes de fin d'année, petit déj compris. Parking.* Véritable oasis au cœur de Chulia Street, la maison, datant des années 1850, possède une façade à colonnes repeinte avec un jaune éclatant et une adorable petite piscine tout en longueur, tandis qu'un caoutchouc grimpe dans le patio où somnolent quelques chaises canées. Tapis au sol, murs colorés, douche vitrée et confort assuré, les chambres ne sont pas en reste, même si elles ne sont pas géantes. Préférez les *deluxe* à l'étage, la différence de prix avec les *standard* n'est pas énorme et elles sont beaucoup mieux. Piscine. Café et bar.

🏠 **Campbell House** *(zoom, C3, 41)* : 106, *Lebuh Campbell*. ☎ 261-82-90. ● *campbellhousepenang.com* ● *Résa indispensable. Doubles env 400-600 Rm, petit déj inclus (servi jusqu'à midi).* Ce petit immeuble d'angle de 1903 a toujours abrité un hôtel ; jadis on y accueillait les marins et leurs conquêtes d'une heure... Les chambres ont repris vie sur des notes très luxe, avec un équipement raffiné : peignoirs, excellents matelas, douche vitrée (en pluie), frigo et, petit plus, lecteur de DVD, station iPod et machine à expresso (le patron est italien) ! L'une d'elles permet même de dormir sur un authentique lit à opium chinois. Pour grimper dans ce sanctuaire, on laisse ses chaussures en bas et on regarde ses sacs monter à l'étage à l'aide de la corde accrochée à une poulie, comme dans les anciens entrepôts. Très jolie terrasse en bois sur le toit, avec

LA CÔTE OUEST DE LA MALAISIE

canapés et quelques bougies le soir. Resto italien. Attention, pas de lit supplémentaire possible pour les enfants. Accueil inégal.

🛏 **23 Love Lane Hotel** *(zoom, D3, 42) :* 23, Love Lane. ☎ 262-13-23. ● *23love lane.com* ● *Doubles 550-850 Rm (voir les promos sur leur site),* family houses *(4-6 pers) 900-1 700 Rm, petit déj et afternoon tea compris. CB acceptées.* Voici l'un des fleurons de l'hôtellerie de charme de Penang. D'abord, l'hôtel abrite en tout et pour tout 10 chambres dans une vieille demeure coloniale des années 1900, retapée de A (comme Aristo) à Z(en). La déco, individualisée, oscille entre nostalgies indiennes et coloniales, et art contemporain. On y trouve donc pêle-mêle de hauts plafonds comme dans le temps, de beaux tapis, des tableaux et des objets (ou sculptures, on ne sait plus) contemporains, des canapés moelleux à la fois branchés et vintage, des peignoirs dans l'armoire, des tableaux de vaches dans la suite familiale, une douche extérieure couverte et une baignoire en bois dans l'« Indian Bungalow », sans oublier un bien agréable salon-bibliothèque avec coin boissons... Seul danger : on finit par ne plus avoir envie de sortir voir la ville ! D'autant que, juste à côté, la maison a ouvert un resto joliment baptisé *Steak Frites* et judicieusement logé dans une ancienne *shophouse* restaurée.

Où manger ?

Tradition penangite par excellence, les *stalls* (stands de rue) de Georgetown offrent une incroyable variété de spécialités d'ici (surtout) et d'ailleurs (aussi). C'est là que l'on mange le mieux et le moins cher ! Petit inconvénient, la plupart des *stalls* les plus populaires sont situés hors du centre historique... Vous les retrouverez donc dans la rubrique « En périphérie ». Au centre même, beaucoup de restos touristiques, souvent trop chers et pas toujours géniaux. Un comble quand on connaît la réputation gastronomique de Penang !

Spécialités culinaires

– **Assam laksa :** soupe épaisse aux nouilles de riz, contenant du maquereau émietté, de la pâte de crevettes et des oignons, parfumée avec du tamarin frais et un mélange de piment, ail et citronnelle, parsemée de fines tranches de concombre, de feuilles de menthe et d'étonnantes inflorescences de roses de porcelaine *(bunga kantan).*

– **Laksa lemak** (ou **nyonya laksa**) **:** une variante de l'*assam laksa,* d'origine thaïe, où le lait de coco remplace le tamarin.

– **Nasi kandar :** simple plat de riz vapeur indien accompagné de toutes sortes de currys (au poulet, crevettes ou calamar frits, dés de bœuf, etc.). On le trouve dans pratiquement tous les stands de nourriture.

– **Bak kut teh :** bouillon de côtes de porc aux herbes et épices d'origine chinoise, servi au petit déjeuner (ou au dîner) et traditionnellement pris comme fortifiant par les hommes.

– **Char kway teoh :** nouilles de riz plates frites avec épices et fruits de mer (crevettes ou coques en particulier).

– **Hokkien mee :** nouilles de riz aux œufs, avec œuf dur, viande tranchée, crevettes, pousses de soja et épinards d'eau *(kangkung)* baignant dans un bouillon épicé à base de moelle de porc et crevettes.

– **Nyonya cakes :** gâteaux de farine de riz et de sagou au lait de coco.

– **Cendol :** dessert de nouilles vertes au lait de coco, sucre roux et glace pilée (parfois accompagné de durian).

Dans le centre

Foodstalls

|●| **Red Garden Food Paradise** *(zoom, C3, 50) :* 20, Lebuh Leith. Tlj 18h-1h du mat. Voici l'exception qui confirme la règle : le *Red Garden* est le seul vrai grand regroupement de *stalls* au centre. Une véritable ruche la nuit tombée, où bruisse une foule butinant de stand en stand, de plats malais en spécialités

chinoises, de *fried rice* thaï en curiosités philippines... Commandez selon vos goûts et donnez votre numéro de table (le tout est de réussir à en attraper une aux heures de pointe !), où l'on viendra vous apporter votre commande toute chaude. Plus tard, certains se mettent même à danser. Chanteuse en principe tous les soirs à partir de 21h.

|●| Sur Chulia Street (près de l'arrêt de bus et du *7-Eleven*) et sur Lebuh Kimberley côté Jalan Kuala Kangsar *(zoom, C3)*, le soir, des *stalls* et des *petits restaurants chinois* prennent possession de la rue. Ambiance colorée pour des spécialités de *wantan mee*, un plat de nouilles d'origine cantonais accompagné de *char siu* (tranches de porc fumé) et de *wonton* (sortes de raviolis). Simple et délicieux.

|●| Moins connus : les *stalls* situés à l'entrée des *Clan jetties (zoom, D4, 51)*, à côté de l'arrivée des ferries de Butterworth. On s'y spécialise dans le « poulet d'eau » *(chui kak)*, en d'autres termes les grenouilles (!), et les *fish head noodles* (rassurez-vous, il s'agit de morceaux frits), à accompagner, au choix, de 4 ou 5 types de nouilles.

|●| Enfin, en face de l'office de tourisme, le *Sri Weld Food Court (zoom, D3, 56 ; tlj sauf dim 8h-16h – 14h sam)*, sur Lebuh Pantai, est un grand hangar chaque jour rempli d'habitués. On y trouve de nombreux stands servant les bonnes spécialités habituelles : *nasi lemak, pork leg rice, chicken rice, hokkien prawn mee, char koay teow, penang curry mee, mee sotong* et on en passe... Le tout pour pas cher et à arroser d'un *iced lemon tea*, d'un *iced coffee* ou d'un *soya milk*.

– Pour ceux qui voudraient être guidés dans leur découverte de la cuisine locale, notez que *Food Tour Malaysia* propose un *food tour* à l'américaine. Réservez sur Internet (● foodtour malaysia.com ●) et comptez environ 160 Rm par personne.

Bon marché (moins de 20 Rm / 4,50 €)

|●| *Kapitan (zoom, D3, 52)* : 93, *Lebuh Chulia. Ouv 24h/24.* En plein quartier indien, ce *nasi kandar* typique s'ouvre largement sur la rue. On y avale un *chicken tandoori* (le soir), accompagné d'un *naan* (pain) et d'un lait d'amande *(badam milk)* sucré, avec noix de cajou et raisins. Évitez la cuisine malaise, ce n'est pas leur truc, en revanche.

|●| *Yeap Noodles (zoom, C3, 60)* : 227, *Lebuh Chulia.* 🖳 016-478-54-53. *Tlj 9h-21h30.* Petit resto familial discret, spécialisé dans les *noodles* maison à base d'épinards, de menthe, d'avoine ou encore de curcuma pour n'en citer que quelques unes. D'ailleurs le chef tente régulièrement de nouvelles expériences. Ça change, c'est bon et pas cher.

|●| *Jaya (zoom, C3, 53)* : Jln Penang. *Ouv 24h/24.* Musique indienne, bruit des chaises métalliques, couverts que l'on secoue, conversations mêlées, l'agitation est constante ici. On choisit sa pitance au buffet, comme les locaux, ou l'on commande à la carte, entre classiques indiens et malais, options végétariennes et *dhosai* (crêpes) à tout. C'est bon, pas cher et bien chaud (entendez épicé !). Grand choix de bons jus frais et lassis très abordables.

|●| *Yasmeen (zoom, C3, 54)* : 177, Jln Penang. ☎ 261-06-54. *Ouv 19h-23h. Fermé 1 mer sur 2.* Les poulets rouge piment, en vitrine, parlent déjà des spécialités de tandooris, marinés au yaourt et aux épices... Cuits dans un four traditionnel en terre cuite, comme le *naan*, ils sont servis avec oignons marinés et sauces à la coriandre et au piment. À côté, dans une impasse, le *Line Clear* est un autre resto indien tout aussi populaire, ouvert jusqu'à 3h. Une adresse un peu nomade, avec la ruelle comme salle à manger. Super pour les claustros !

|●| *De Tai Tong Cafe (zoom, C3, 55)* : 45, Lebuh Cintra. ☎ 263-66-25. *Tlj 6h-15h, 18h30-minuit.* Une vaste cantine populaire aussi active qu'une ruche au printemps. Les vieilles serveuses à la casquette rose, en formation serrée, assaillent méthodiquement les tables, un plateau de boissons à la main ou suivis de chariots bourrés de *dim sum*, ces spécialités à la vapeur qui ont fait la réputation de la maison. Les Chinois les mangent plutôt au petit déj, pour le *yum cha* quotidien, mais

ils sont aussi servis le soir désormais ! Essayez par exemple les bons *char siu bao*, petites bouchées fourrées de viande de porc au barbecue, ou les *siu mai*, raviolis à la crevette et au porc. À boire avec un bon thé vert.

De prix moyens à chic (20-80 Rm / 4,50-17,50 €)

|●| *Teksen* (zoom, C3, *58*) : 18-20, Lebuh Carnarvon. ▤ 012-981-51-17. Tlj sauf mar 12h-14h30, 18h-21h. Depuis 1965, cette ancienne gargote chinoise a eu le temps de se développer et de conquérir les cœurs et les palais. Toujours beaucoup de monde, on vous conseille d'arriver tôt car l'adresse est connue. Dans une salle chinoise, typique et dépouillée (pléonasme), on choisit à la carte les spécialités pointées par un astérisque parmi les plats teochew, cantonais, hakka et peranakan. Bons *char siew bak* (porc rôti et frit pimenté), curry de poisson, poulet vapeur au gingembre, poulpe au prix du marché, canard, etc. Plats servis en plusieurs tailles, S, M et L, comme les fringues ! Pour accompagner votre plat, d'excellents légumes comme le *stir fried dragon spinach with juda's ear fungus* (épinards sautés aux champignons). Pour faire descendre le tout, du thé, *of course*, un *barley* (boisson à base d'orge) ou encore un « Michael Jackson », soit du *soya milk with grass jelly* (et non Grace Kelly). Service plus ou moins souriant, ça dépote...

|●| *Pit Stop* (zoom, D3, *66*) : 12, Lorong Chulia. ☎ 261-13-06. Tlj 9h-18h (dernière commande). Un petit café jeune, branché mais pas trop, où les serveurs vous accueillent avec un vrai sourire et un verre d'eau fraîche. Jolie déco avec carrelage patiné, un peu de bois et de métal, une baie vitrée et une petite terrasse bien agréable. Pour les bandes de copains, sympathique tablée face au comptoir. On y vient dès le petit déj, servi toute la journée, pour avaler un bon pancake, par exemple. On y revient à midi pour un sandwich, une soupe ou un plat à base de riz ou de pâtes, pas cher et de bonne qualité. Simple et sympa.

|●| ⦿ *Behind 50* (zoom, C3, *57*) : Jln Muntri, près de l'angle de la Love Lane.

▤ 012-556-55-09. Tlj sauf jeu 18h-minuit. C'est un petit bar-resto très discret, tenu par quelques potes et posé dans une bicoque de bois jaune qui semble comme encastrée dans le mur. D'ailleurs, en journée, on ne le remarque même pas... Mais le soir, on y descend volontiers une bière (une Guinness, par exemple) dans une ambiance bon enfant, accoudé au comptoir ou nez collé aux bibelots rétro, sous les lampadaires-cuillères, pendant que vibrionne le tourne-disque remis au goût du jour. Vous avez dit « vintage » ? Le menu, court, louche du côté de l'Italie. Un lieu original et très cool.

|●| *Cafés et restaurants de la China House* (zoom, D4, *67*) : 153-155, Lebuh Pantai (Beach St). ☎ 263-72-99. Tlj 9h-minuit. Un très beau lieu multiforme, en fait un complexe de 3 *shophouses* restaurées de manière contemporaine, avec de belles coursives, les vieux volets en bois conservés et repeints, plus une agréable circulation générale. Salle de spectacle, galerie d'art, salle de lecture, cafés et restaurants ad hoc. On y trouve aussi bien le traditionnel *kedai kopi* magnifiquement revisité (*Kopi C. Espresso Café & Bar* ; petit déj servi tte la journée, salades, sandwichs, mezze), que le resto branché avec canapé, fauteuils et jolies toiles au goût du jour (*Canteen & Bar* ; lun-ven 17h-minuit, we 15h-1h ; laksa birman et plats thaïs le midi ; tapas, plus margaritas et mojitos le soir ; live music tous les soirs à 21h, plus à 15h le w-e ; DJ ven et sam soirs). Jolie cour pour déguster tout ça. Également un bar à vins (*Vine & Single*) et le soir (18h30-22h), un resto de cuisine fusion entre Asie, Europe et Moyen-Orient (*BTB & Restaurant*). Un très beau lieu, à prix chic bien sûr...

Excentré

Foodstalls et restaurants bon marché

Nous vous les présentons en commençant par les plus proches du centre pour finir par les plus éloignés.

|●| Sur Jalan Anson (plan d'ensemble, B3, *59*), *stalls* très populaires au *Winston Coffee Garden* (face au KDU

University College) et dans le *food court* attenant. Spécialité de *dim sum* le matin – les « tapas » cantonaises, petits plats généralement cuits à la vapeur.

l●l On retrouve de nombreux *stalls* plus haut sur Jalan Burmah, à l'angle de Solok Moulmein, à côté d'un petit *wet market* synonyme de produits bien frais. Spécialités de la cuisine *hokkien*, comme les *prawn noodles* de **Hock Kian Mee** (plan d'ensemble, B1, 62). Très populaire le matin. À une rue de là, à l'angle de la jolie Jalan Bangkok, **Mee Mamak**, « L'Oncle Nouille » (demandez, il n'y a pas de panneau), est connu pour ses *curry mee*, *fried kuetiau* et autres *assam laksa*.

l●l **Les stalls de Gurney Drive** (plan d'ensemble, A-B1, 63) : *en léger retrait du front de mer. Tlj 18h-minuit env.* Le lieu est populaire depuis belle lurette, même s'il s'est peu à peu converti en une sorte de marché de nuit, où défilent désormais plus de visiteurs que de locaux. Grande variété de cuisines : chinoise, malaise, indienne, etc. Pas mal de stands proposent les desserts locaux : *cendol*, *ais kacang* (glace pilée aux haricots rouges, maïs, *jello* et *attap chee*, les fruits immatures du palmier de la mangrove) et le très spécial *rojak* (« mélange »), une « salade » de mangue, de pomme verte, ananas, goyave, pomme d'amour (*jambu air*), concombre, miel et... petits morceaux de calamar frit, sur lesquels on verse un coulis épais à base de crevettes séchées et piment ! Goûts très particuliers, à découvrir.

l●l **Tavern in the Park** (plan d'ensemble, C4, 68) : *au Hin Bus Depot, 31A Jln Gurdwara. ☎ 226-56-91. Tlj 10h-22h. Sert de l'alcool.* On y va plus pour le cadre et l'ambiance alternative que pour la cuisine elle-même, plutôt simple et occidentalisée, type burgers et poisson pané. Voir aussi plus loin « Où boire un verre ? » et « À voir ».

l●l **New Recipe** (plan d'ensemble, B3, 64) : *Jln Dato Keramat, à côté du stade. Tlj 17h-2h.* C'est un peu loin, on vous l'accorde, mais vous ne viendrez pas ici pour rien. La maison s'est fait une spécialité du *frog porridge* (*kung po*), un plat de grenouille dans une épaisse sauce noire épicée, servi dans un plat en terre cuite (pour rester bien chaud) et avec un porridge de riz épais pour étouffer le feu... On choisit entre 2 versions : avec gingembre ou piment séché. Pas mal aussi, l'anguille (*eel*) au gingembre et aux petits oignons. Miam, miam !

Où s'offrir une bonne glace ?

♥ **Bon Ton Tea Shop** (zoom, C3, 65) : *à l'angle de Jln Armenian et Cannon St. Tlj 10h-19h.* Un recoin ouvert aux 4 vents, attenant à une sorte de magasin d'antiquités, pour s'offrir une bonne glace ou une part de tarte entre 2 visites – la mosquée Kapitan Kling est à 2 pas, le *Khoo Kongsi* aussi. Tout juste 4 ou 5 tables, rien de plus, mais on peut se rabattre sur un banc, à partager avec les chauffeurs de *trishaw*.

Où prendre le petit déj ou le thé ?
Où boire un verre ?

🍵 ♥ Pour prendre un petit déj ou boire un verre en journée, voir aussi le **Pit Stop** (zoom, D3, 66) dans « Où manger ? ». N'oubliez pas non plus les cafés et bars de la **China House** (zoom, D4, 67 ; voir « Où manger ? »).

🍵 **Huang Chen Hao Tea Art** (zoom, C3, 71) : *83, Campbell St. ☎ 262-13-15. Lun-sam 9h-17h.* Le proprio est un passionné qui se fera un plaisir de vous faire déguster un de ses thés bio avec force explications et détails. Les feuilles sont d'excellente qualité, mais pas données, autant le savoir.

🍵 **Tea Home Café** (zoom, C3, 70) : *6, Lebuh Cintra. ☎ 261-24-96. Tlj sauf dim 11h-20h.* Belle boutique familiale offrant une grande variété de thés. Dégustation possible.

♥ **The Mugshot** (zoom, C3, 73) : *302, Chulia St. ☎ 012-405-62-76. Tlj 8h-minuit.* Un café donnant sur l'animée Chulia Street, avec quelques minitables et chaises en bois sous les arcades, plus une salle tout en longueur où règne un joyeux bazar. Jus de fruits. Clientèle jeune et plutôt bohème. Bonne boulangerie juste à côté. Tout au fond, un opticien s'est installé. Les clients choisissent leurs lunettes en sirotant une tasse de café, sympa.

T *Café-bar du Hin Bus Depot* (plan d'ensemble, C4, **68**) : *31A Jln Gurdwara. Tlj 10h-22h (23h30 ven-sam). Sert de l'alcool.* Grandes baies vitrées donnant sur la rue. Bien pour boire un verre, visiter une expo et assister peut-être à un concert dans ce lieu culturel décalé. Lire aussi plus loin, dans « À voir ».

🍽 T *Moon Tree 47* (zoom, C3, **31**) : *47, Jln Muntri.* ☎ 264-40-21. On aurait aimé vous parler de cette vieille maison en bois dans les *guesthouses*, mais elle est bien trop chère pour le peu de confort proposé, alors on vous invite plutôt à venir y boire un verre... Vous y découvrirez 2 courettes toutes mignonnes en enfilade, décorées de plantes, bananiers et vieux objets, le tout à 2 pas d'une drôle de fresque.

Charmant pour savourer un bon café (grand choix), un petit déj, une salade ou un petit plat.

T 🍽 *Farquhar Bar* (zoom, C3, **72**) : Eastern and Oriental Hotel, *10, Lebuh Farquhar.* ☎ 222-20-00. *Tlj 10h-minuit.* Et maintenant un zeste de luxe, au cœur du plus important palace de la ville... Le décor de club colonial du bar, aux fauteuils cannés, vaut le coup d'œil. En bande son : musique des Années folles jusqu'aux 50's. Pour se faire plaisir, des cocktails alcoolisés ou non et des vins du Nouveau Monde au verre, certes pas vraiment donnés. En revanche, évitez d'y manger, ça ne casse pas des briques, si l'on excepte les pâtisseries (ah ! le *toffee banana trifle* !). Les adeptes du *high tea* à l'anglaise pousseront la porte du **1885**, au bout du couloir feutré *(tlj 14h-17h ; prix très chic).* Ils choisiront parmi une douzaine de thés et savoureront minisandwichs, pâtisseries apportées sur leur chariot roulant et scones du jour avec confiture et *fresh cream*, tout ça en ayant un œil sur la mer et les jardins de l'hôtel.

Où boire un verre ? Où écouter de la musique ?

Les routards à la recherche de routards choisiront le secteur de la Lebuh Chulia, où l'on descend une bière aux terrasses des *guesthouses* ou autour du tonitruant *Reggae Club* (voir plus bas). Les autres, plus intéressés par le contact avec les jeunes et moins jeunes de Penang, iront flâner dans le dernier tronçon de la Jalan Penang, avant la Lebuh Farquhar (*zoom C3*). Ce minuscule périmètre concentre la plupart des lieux de sortie à la mode, depuis la boîte branchée et select jusqu'au pub confortable.

T ♪ *Reggae Club* (zoom, C3, **74**) : *361, Chulia St, presque au bout de Love Lane.* 📱 012-485-83-33. *Tlj 18h-3h.* Pour les routards et les babas au long cours, un endroit sous le signe du dieu Bob Marley, où l'on vient dès l'apéro profiter de la terrasse et de l'animation de Chulia Street (et de sa pollution !). On y sirote une bière, on y fume la chicha et de temps à autre, on écoute

un peu de musique live. Bière pas très chère, surtout si on est en bande (remise à partir de 5 bières ou carafe de 3 l !).

T *Hong Kong Bar* (zoom, C3, **75**) : *371, Chulia St.* ☎ 261-97-96. Un petit bar dans une vieille *shophouse* à la déco bien chargée : bouées de sauvetage, photos, plaques, casquettes, billets de banque... Ça peut servir en cas de tangage. Bières bien fraîches. Tenu par Jenny, une Australienne très sympa, donc clientèle essentiellement kangourou.

T *360 Sky Bar* (zoom, C3, **76**) : Bay View Hotel, *25A, Farquhar St.* ☎ 263-31-61. *Tlj 16h-1h.* Pour ceux qui cherchent la vue avant tout, la terrasse de l'hôtel leur donnera un bon aperçu de la ville. Particulièrement agréable au coucher du soleil. Canapés moelleux et bons cocktails, bien sûr pas donnés...

T *The Den* (plan d'ensemble, B3, **77**) : Macalister Mansion, *228, Macalister Rd.* ☎ 228-38-88. *Tlj 17h-1h (2h ven-sam).* L'adresse chic des noctambules. Belle bâtisse, qui fait aussi hôtel, avec un bar contemporain raffiné à l'ambiance de *lounge*. Belle sélection de whiskys (*single malt* et *single cask*, les amateurs apprécieront !) et de cigares. Petits budgets, s'abstenir !

Où danser ?

🕺 La boîte la plus connue est le **Slippery Señoritas** (*zoom, C3 ; tlj 17h-3h ; entrée payante et musique live*), mais le service et l'ambiance tournent parfois à l'agressivité, voire au pugilat. Il y a aussi le **Mois Dance Club** (*1, Jln Penang*), un peu plus classe. Plus loin, il y a encore le secteur de la Jalan Burma, vers la jolie Jalan Bangkok.

Achats

🍵 Voir **Huang Chen Hao Tea Art** (*zoom, C3, 71*) dans « Où prendre le petit déj ou le thé ? Où boire un verre ? ».

🍵 **Ten Yee Tea Trading** (*zoom, D3, 100*) : *33, Lebuh Pantai.* ☎ 262-56-93. Tlj sauf dim et j. fériés 9h30-18h30. *Dégustation env 20 Rm par thé goûté ; gratuite si on achète.* Cette très belle boutique où le baigne dans une atmosphère chic et rétro. Les thés s'alignent dans des urnes dorées, sur le mur du fond, au côté des galettes de *puer*, tandis que jarres anciennes et mobilier chinois renvoient à une époque révolue. Dégustation de *puer, red tea* et jasmin.

🍫 **The Chocolate Boutique** (*zoom, C3, 50*) : *22, Jln Leith.* ☎ 250-24-88. *Tlj 9h-18h.* À peine la porte franchie, on vous fera faire un tour *ekspres* des étalages, en vous fourrant dans la bouche 5 ou 6 minimorceaux de chocolat – classique aux amandes, à la fraise, plus inhabituel à l'ananas et carrément surprenant au ginseng ou... au piment. Oui, ça pique, et on vous servira une goutte de café-crème pour vous adoucir le palais et reprendre la valse du chocolat.

À voir

Les offices de tourisme délivrent une carte indiquant les principaux monuments de la ville. Au cours de vos pérégrinations, vous croiserez de bien belles demeures et de nombreux lieux de culte : mosquées, temples chinois, indiens et bouddhistes, parfois très proches les uns des autres. En les visitant à la suite, le choc des cultures n'en sera que plus retentissant.

Le cœur de la vieille ville, facile à découvrir à pied, se resserre de part et d'autre de Jalan Chulia, l'ex-Malabar Street à l'époque coloniale, autour de laquelle se regroupent hôtels, *guesthouses*, bars et restaurants. Nous partirons du musée de Penang, situé à 150 m au nord, pour effectuer une boucle dans le sens des aiguilles d'une montre. Mais ne vous contentez pas de suivre cet itinéraire : perdez-vous aussi, pour mieux respirer Penang et découvrir la multiplicité de ses facettes et petits métiers. Partez aussi par exemple, à la recherche des façades embellies de peintures murales, particulièrement photogéniques.

Dans le centre

🎎🎎🎎 **Penang Museum** (*zoom, D3*) : *Lebuh Farquhar.* ☎ 261-14-61. ● penang museum.gov.my ● **En travaux, date de réouverture indéterminée.** *Au cas où, voici les anciens horaires et tarifs : tlj sauf ven et j. fériés 9h-17h. Entrée : 1 Rm !* Très bien conçu, ce musée évoque l'histoire de Penang et le caractère pluriethnique de sa population. De jolies photos sépia agrandies et quelques installations audio-vidéos ajoutent à la richesse de l'exposé.

LA CÔTE OUEST DE LA MALAISIE

– Au rez-de-chaussée, la visite commence par les origines et les coutumes des 3 principales communautés : Malais, Chinois et Indiens. On y découvre de bien beaux meubles chinois incrustés de nacre, dont quelques *opium beds* élégants du XIXᵉ s, et les fameuses chaussures de 7 cm conçues pour les femmes aux pieds bandés (les « pieds fleurs de lotus »). Le clou de la visite, selon nous, ce sont les costumes baba nyonya exposés autour d'un lit nuptial traditionnel, de cette culture métissée, sino-malaise, dont Penang se veut l'héritière, avec Malacca. Explications très intéressantes sur le rite des mariages baba-nyonya avec la cérémonie de thé comme point d'orgue. Elle signifie que les 2 familles acceptent l'union de leurs enfants.

– Au 1ᵉʳ étage, documents, photos et objets divers retracent petite et grande histoire de l'île, depuis son appropriation en 1786 par l'envoyé de l'*East India Company*, Francis Light, qui persuada le sultan de Kedah de céder Penang contre une grosse somme – jamais intégralement versée. Une salle expose des toiles de Penang dans les années 1815-1817, réalisées par un capitaine anglais, Robert Smith. Chouette visite.

🎌🎌 *Kuan Yin Teng Temple (zoom, D3) : Lebuh Pitt.* Le plus vieux temple chinois de Penang, construit vers 1800, est dédié à la déesse de la Miséricorde, Kuan Yin. C'est probablement le sanctuaire de la ville le plus fréquenté. Face à l'entrée, d'énormes bâtons d'encens brûlent de façon continue d'une fumée acre et, face à l'autel, sous la houle des lampes en soie rouge et or, le ballet des offrandes n'a de cesse. Arrêtez-vous 10 mn et observez les rituels : la crémation du papier, les bâtonnets d'encens que l'on tient en s'inclinant durant la prière, l'offrande de fruits ou d'huile. Puis remarquez le « nettoyeur », qui passe régulièrement faire place nette... Les Chinois prient pour la guérison d'un malade, pour la réussite d'un examen et beaucoup pour la bonne marche de leurs affaires. Des rituels spécifiques se déroulent les 1ᵉʳ et 15ᵉ jours du mois lunaire. Les 15 et 16 juillet, le temple est parallèlement le théâtre d'une grande fête très pittoresque, mais emportez un mouchoir (beaucoup de fumée !).

🎌 Un peu plus haut sur la rue, *Saint George's Church (zoom, D3)* est la plus ancienne église anglicane d'Asie du Sud-Est (1818). Elle en impose avec son colossal fronton néoclassique et sa flèche effilée. Elle coûta 6 fois plus cher à bâtir que la rente annuelle versée par les Anglais au sultan de Kedah pour l'occupation de Penang ! Un mémorial y rend hommage à Francis Light, le conquérant de l'île.

🎌 *City Hall (zoom, D3) : Jln Padang Kota Lama.* Achevé en 1903, l'hôtel de ville, fort bien restauré, est un magnifique édifice blanc de style néopalladien aux colonnes corinthiennes.

– Juste après, à l'angle de Lebuh Pantai, vous verrez la *tour de l'Horloge (Clock Tower)* édifiée, entre 1897 et 1902, pour commémorer le jubilé de diamant (60 ans de règne) de la reine Victoria – raison pour laquelle elle mesure 60 pieds !

🎌🎌🎌 *Pinang Peranakan Mansion & Straits Chinese Jewellery Museum (La maison verte ; zoom, D3, 80) :* 29, Church St. ☎ 264-29-29. ● *pinangperanakan mansion.com.my ● Lun-ven 9h30-17h. Billet : 20 Rm ; réduc. Visite libre ou guidée (sans supplément, mais pourboire bienvenu).*

Visite de la maison

Cette demeure, parmi les plus belles de Penang, appartenait naguère au Kapitan Chung Keng Kwee, une personnalité importante de la communauté chinoise de la ville, représentant auprès des autorités coloniales et homme d'affaires enrichi par le commerce de l'opium, les mines d'étain et son activité d'intermédiaire dans « l'importation » de main-d'œuvre chinoise... Derrière sa façade verte à arcades, la maison abrite un intérieur raffiné, organisé autour d'un patio et meublé dans le style XIXᵉ s des demeures bourgeoises de Penang – mobilier incrusté de nacre et superbes panneaux en bois sculpté doré chinois, entremêlés de motifs floraux, animaux et chimères (et même des litchis, fruit préféré du Kapitan !), sols en céramique anglaise, fer forgé écossais, objets décoratifs victoriens. À l'étage, l'actuel propriétaire expose ses collections de verrerie, poupées en porcelaine et autres bibelots 100 % *British*... Vous y verrez aussi une chambre de mariage, un autel conservant un bouddha en jade bicentenaire et un tambour, utilisé, dit-on, pour appeler les serviteurs qui n'avaient pas entendu le gong ! Le Kapitan fit aussi bâtir, à côté, un temple (1899) consacré au culte des ancêtres. Des scènes d'opéra chinois y confirment sa passion pour ce genre de spectacle...

Le musée des Bijoux
Ce musée présente une collection de bijoux peranakan rassemblée par le collectionneur Peter Soon, qui vit à Penang mais a également ouvert un musée similaire à Malacca. La collection est constituée d'au moins 30 à 40 % de bijoux récents, de l'aveu même des guides. Néanmoins, la visite est très intéressante. Notez, entre autres, les chaussons pour hommes et femmes (différents, bien sûr), la parure ornée d'un paon, les nombreux bijoux en or, les *victorian*

> ## VIVE MEETIC !
>
> *Le veuvage pour la femme nyonya, c'est comme l'amour selon Frédéric Beigbeder : ça dure 3 ans. Le problème, c'est qu'au bout de 3 ans, il vaut mieux qu'elle soit bien sûre d'elle et qu'elle ait bien étudié son « coup ». En effet, si le mariage n'a pas lieu dans les 3 mois qui suivent la fin du veuvage, c'est reparti pour 3 ans avant une nouvelle fenêtre de 3 mois, et ainsi de suite !*

glasses (ou *gelai tutuk*, tiges de fleurs et papillons ornés de porcelaines d'enfants), le vaste lit à opium, le service à thé chinois en porcelaine rose et bleu, les cure-dents en or, l'éventail en ivoire, les chignons sertis d'or et de colliers en papier, etc. Également une table dressée à l'anglaise, le vieux coffre-fort Henry Waugh. Mention spéciale aux bijoux de veuvage composés de perles et d'argent (voir encadré), pas tant pour leur beauté particulière que pour leur signification, les perles symbolisant les larmes des veuves.

l●l On peut prendre un café et grignoter un morceau (pâtisseries) dans la *Nyonya Kitchen,* soit les anciennes cuisines, où est conservé un joli cabinet de pharmacie.

🍴 *Clan Jetties (quai des Clans ; zoom, D4, 51) : juste au sud du terminal du ferry de Butterworth.* Étrange quartier que celui-ci, aux maisons sur pilotis édifiées au-dessus de la boue du port. On l'explore en s'aventurant sur des pontons faits de planches mal ajustées, disposés en un dédale connu des seuls initiés. Chacun des 8 clans possède son quai. Ici, la vie est calme, loin de la ville trépidante. Tout le monde se connaît. Dans chaque maison, dont la porte est pratiquement toujours ouverte, on aperçoit un petit autel chinois, rouge bien sûr. À l'entrée du quartier, ne ratez pas le temple où, au centre, trônent des sabres à faire frémir d'effroi les intrus ! Si une petite faim vous prend, les *stalls* voisins concoctent de bons petits plats de... grenouille (voir « Où manger ? »).

🍴 *Sri Mahamariamman Temple (zoom, D3, 83) : Lebuh Queen. À l'angle de Lebuh Chulia. Tlj 6h-12h, 17h-21h.* Érigé au cœur du quartier indien en 1833, ce temple hindou est consacré à celle que les Tamouls vénèrent comme la mère de tous les dieux, *Mariammam.* À l'entrée, notez le *gopuram,* une tour pyramidale typiquement dravidienne, avec 38 divinités de toutes les couleurs. L'ensemble fait penser à une énorme pièce montée. C'est de là que part la procession qui conduit les fidèles jusqu'au temple Nattukkottai Chettiar, au bout de Waterfall Road, la veille de la cérémonie du Thaipusam.

🍴 *Han Jiang Teochew Temple (zoom, D3, 84) : Lebuh Chulia, près de l'angle de Kapitan Kling.* Bâti en 1870 par la communauté chinoise originaire de l'est du Guangdong (région de Canton), ce temple aux toits ornés de dragons s'est vu décerner en 2006 une récompense par l'Unesco pour sa restauration fort réussie. On remarquera en particulier ses colossales portes hautes de 4,20 m, ornées de gardiens aussi grands, aux casques d'or scintillants. Impressionnant !

🍴 *Kapitan Keling Mosque (zoom, D3, **85**) :* Lebuh Pitt. Tlj 11h30-13h, 14h (14h30 ven)-18h, sauf au moment des prières. Abayas fournies. Une des plus vastes de Malaisie, cette grande bâtisse a été fondée en 1801 par le premier *Kapitan Keling* (représentant) de la communauté indienne, et reconstruite en 1916. On peut juste faire le tour de la salle de prière par les couloirs extérieurs. À l'intérieur, pas grand-chose à voir, hormis les prieurs qui piquent sereinement un somme à même les dalles...

🍴🍴🍴 *Khoo Kongsi (zoom, C3) :* 18, Cannon Square. ☎ 261-46-09. ● khookongsi. com.my ● Dans une impasse au bout de Lebuh Pitt. Tlj 9h-18h (dernière entrée 17h). Billet : env 10 Rm ; réduc. Ce magnifique *kongsi* a été restauré à grands frais, avec l'aide des meilleurs artisans de Chine et d'une équipe indienne travaillant au Taj Mahal, pour redonner vie à l'orgueil du clan *Khoo*. Un *kongsi* sert de point de ralliement aux Chinois d'un même clan, cumulant les fonctions de temple, d'école et, plus généralement, de lieu de réunion. Pour la petite histoire, le premier bâtiment, construit en 1901 avec des matériaux précieux et une riche décoration, brûla le jour même de son inauguration – une tragédie interprétée comme une punition divine pour le manque de modestie dans sa réalisation. Il fut reconstruit dans un style « plus simple » 5 ans plus tard. Magnifique toit sculpté et poutres richement travaillées, statues expressives, panneaux gravés pleins de vie... Gardiens tutélaires et ancêtres du clan sont représentés chevauchant lions, tigres, dragons, éléphants et autres chimères. Au rez-de-chaussée, un musée retrace les grandes lignes de l'histoire du clan.

🍴 *Malay Mosque (Masjid Melayu ; zoom C4) :* au bout de Lebuh Cannon, sur Lebuh Acheh. Construite en 1808, puis remaniée dans la seconde moitié du XIXe s, elle possède un minaret de style égyptien. Les pèlerins en partance pour La Mecque s'y donnaient jadis rendez-vous avant d'embarquer. Sur les côtés, vous verrez de belles maisons malaises en bois aux toits de tuiles rousses.

🍴 Sur *Jalan Doctor Lim Chwee Leomg,* tout près des docks, beau **marché** toute la journée. Le matin, étalage de fruits et légumes arrivant directement des Cameron Highlands.

🍴🍴 *Tokong Hainan (zoom C3) :* 93, Jln Muntri. Un impressionnant portique récent en pierre sculptée, surmonté des habituels dragons, s'ouvre sur ce joli temple fondé en 1895 par la communauté chinoise originaire de l'île de Hainan. Il est dédié à Mar Chor, divinité protectrice des marins. À l'intérieur : un calme patio où prospèrent quelques plantes et 2 bambous en pot, des portes rondes, des offrandes d'huile et de riz (par sacs entiers), sans oublier de drôles de pagodons incrustés de centaines d'ex-voto pivotant sur eux-mêmes.

🍴🍴 *The Blue Mansion (Cheong Fatt Tze Mansion ; zoom C3) :* 14, Lebuh Leith. ☎ 262-00-06. ● cheongfatttzemansion.com ● Visite guidée obligatoire à 11h, 14h et 15h30 (très détaillée). Durée : 45 mn. Entrée : 16 Rm.
L'Unesco a décerné en 2000 un prix prestigieux aux propriétaires pour les récompenser de cette belle restauration. Dans les années 1990, ce n'était qu'une vieille baraque divisée en une trentaine de pauvres appartements... Sa résurrection tient du miracle ! Construite vers 1880, cette superbe demeure chinoise, la plus grandiose de Penang, est appelée « la Maison bleue ». Désolé Maxime, elle n'est pas adossée à une colline, mais elle devrait te plaire quand même : elle compte pas moins de 38 pièces et... 220 fenêtres ! Un superbe ensemble décoré avec goût, mêlant les styles architecturaux asiatiques et occidentaux.
On dit de Cheong Fatt Tze (c'est son nom hakka), son concepteur, qu'il fut l'un des derniers mandarins et le premier vrai capitaliste chinois. Magnat des affaires, impliqué dans le commerce du caoutchouc, de l'étain, du café, des textiles, du thé, mais aussi de l'opium, il dirigea la première banque chinoise moderne et le premier réseau de train, avant de devenir consul général de Chine à Singapour et même ministre des Chemins de fer. À sa mort, le *New York Times* évoqua en lui un « Rockefeller oriental », en passant sous silence, puritanisme oblige, ses

8 femmes et concubines... Cheong Fatt Tze a raté – à quelques décennies près quand même – la visite que Catherine Deneuve est venue lui rendre, puisque certaines scènes d'*Indochine* ont été tournées là.

🏠 I●I **Possibilité d'y dormir et d'y manger :** *doubles à partir de 420 Rm (voir aussi les promos sur Internet). Tlj sauf lun 12h30-14h30, 18h30-22h30. Prix moyens le midi, très chic le soir.* Il y a en tout 18 belles chambres et suites, spacieuses et confortables. On peut prendre un verre autour des bassins extérieurs. Beaucoup de charme. Petit hic, le *Red Garden Food Paradise,* juste à côté, peut se révéler fort bruyant, jusque tard dans la nuit.

🍴🍴 **Eastern and Oriental Hotel** *(zoom C3) :* 10, *Lebuh Farquhar.* Construit en 1885 par les frères Sarkies, ce palace mythique occupe un bel édifice colonial délicieusement étendu face à la mer (pas de plage mais une piscine). Il fait partie des grands hôtels mythiques d'Asie comme le *Raffles* de Singapour ou le *Métropole* de Hanoi. Les suites cossues décorées de tapis persans ont accueilli des écrivains et des artistes célèbres : Somerset Maugham, Joseph Conrad, Hermann Hesse, Charlie Chaplin, Orson Welles, Rita Hayworth... Évidemment, les chambres sont hors de prix, mais passez donc boire un verre au bar (prix raisonnables) ou prendre le thé dans les salons feutrés du *1885* (voir plus haut « Où prendre le petit déj ou le thé ? Où boire un verre ? »).

Excentré

🍴🍴 **Wat Chayamang Kalaram** *(plan d'ensemble, B1) :* 17, *Lorong Burmah. Depuis la station du ferry terminal ou de la tour* Komtar, *bus n*os *10, 101, 103 ou 104. Tlj 8h-17h. GRATUIT.* Ce temple thaï fondé en 1845 abrite un bouddha couché de 33 m de long (1958), un des plus grands au monde. Une fois franchi l'entrée très colorée, vous vous retrouverez nez à nez avec 4 nagas scintillants à l'air hostile et 2 gardiens hauts de plusieurs mètres armés d'un gros gourdin. Puis voici le grand Bouddha nonchalamment étendu, visage serein inspirant le repos et la prière, entouré de centaines de petits bouddhas de teck doré aux murs. La tradition veut que l'on en fasse le tour dans le sens des aiguilles d'une montre, de station en station, déposant à chaque petite boîte rouge une offrande correspondant à un vœu différent. Les adeptes de géomancie ne manqueront pas la petite « roue de la fortune » placée près de la tête du Bouddha : déposez un demi-ringgit, retirez le numéro qui vous est attribué et consultez, parmi les fiches disponibles, celle auquel il renvoie. Voici votre avenir tout tracé – ou presque. Si vous êtes dans le coin la 2e semaine d'avril ou les 30 et 31 mai, renseignez-vous parce que des cérémonies importantes ont lieu au temple ces jours-là.

🍴🍴 **Dhammikarama** *(plan d'ensemble, B1) : en face du Wat Chayamang Kalaram. Tlj 7h-18h.* Fondé en 1808, ce temple birman, le seul de Malaisie, a été largement restauré en 1990. Du coup, à côté des pagodes, stupas et toits sculptés recouverts de feuille d'or, ce sont les récents ornements en plâtre et béton qui sautent ici le plus à l'œil, comme ces 2 éléphants blancs qui gardent l'entrée, les dragons dorés enserrant un gros globe terrestre (Europe de l'Est inconnue au bataillon !) et la curieuse toupie qui, au fond du joli jardin, tourne continuellement au centre d'un bassin. Elle est dotée de plusieurs bras chargés de sébiles symbolisant la prospérité, la chance, le mariage heureux... que les visiteurs tentent désespérément d'atteindre avec des pièces de monnaie ! À droite de l'entrée se dresse un bouddha debout, aux pieds, mains et tête de marbre, énorme (8,20 m) et doré, mais quand même plus petit que celui du temple thaï... Sa main droite est levée en signe de protection universelle, la gauche distribuant des bénédictions à l'infini.

🍴 **Bangkok Lane** *(Lorong Bangkok ; plan d'ensemble, B1) :* étonnante et ravissante petite rue, qui dénote dans le quartier. Elle est aussi unique par son histoire, car flanquée de 41 maisons d'un étage, toutes similaires, construites en 1928 par Cheah Leong Keah, un homme d'affaires chinois. Seule sa (nombreuse) famille avait le droit

LA CÔTE OUEST DE LA MALAISIE

de les occuper. Aujourd'hui encore, elles appartiennent toutes aux descendants et ne peuvent être vendues. En revanche, certaines sont louées à des entreprises ou à des locataires qui les ont transformées en petit hôtel (voir plus haut « Où dormir ? »).

🏃🏃 *Hin Bus Depot* (plan d'ensemble, C4) **:** *31A Jln Gurdwara.* ☎ *226-56-91.* ● *hinbusdepot.com* ● *Lun-ven 12h-20h ; sam-dim 11h-21h.* Ce qui fut un ancien dépôt de bus jusque dans les années 1980 a été transformé en un lieu culturel alternatif, plateforme pour les artistes locaux. On y trouve un espace dédié aux expos temporaires et une vaste cour-jardin avec une scène, une rampe de skate, des peintures murales, un resto (voir « Où manger ? »), un café (voir « Où boire un verre ? ») et une autre galerie dans le fond. Le groupe de jeunes qui a monté le projet en 2014 est particulièrement dynamique. Il invite régulièrement des artistes internationaux, organise des festivals, des concerts, des cours de yoga. Il y a même un marché qui a lieu tous les dimanches matin sur lequel on trouve aussi bien des fruits et légumes que des bijoux et des vêtements de designers locaux. Un lieu décidemment créatif, source d'échanges, qui sort des sentiers battus.

À voir à l'extérieur de la ville

🏃🏃 *Penang Hill :* à env 6 km à l'ouest de Georgetown, pas très loin du temple Kek Lok Si (lire ci-dessous). Autant combiner les 2 visites, car le bus depuis Georgetown (n° 204) passe aussi par le temple. Si vous êtes motorisé, reprenez la route vers Georgetown, tournez à droite au 1er grand carrefour, puis tt droit. Une fois au pied de la colline, prendre le Penang Hill Railway : ☎ 828-88-80 ; tlj 6h30-23h, ttes les 15 mn env ; prévoir env 30 Rm pour 1 A/R ; réduc. Apprécié pour sa fraîcheur (relative), le lieu a attiré dès le début les colons anglais. On l'appelait alors Flagstaff Hill, allusion au grand *Union Jack* qui y était dressé pour signaler l'arrivée de la malle postale. Le funiculaire, inauguré en 1923, a été remplacé par un petit train électrique suisse, qui grimpe au sommet en 10 mn chrono. Du sommet, à 735 m d'altitude, on découvre par beau temps une vue magnifique sur Penang et Butterworth. Au coucher du soleil, c'est encore plus beau ! Une fois là-haut, vous trouverez aussi une mosquée, un temple hindou, une volière et un jardin avec des cafés. On peut également louer des vélos. On conseille de redescendre à pied par la jungle. Très belle balade de 2h. Prévoir de bonnes chaussures, car le chemin est raviné par les pluies. Passages parfois difficiles.

🏃🏃 *Kek Lok Si Temple :* situé sur la colline d'Ayer Itam, à env 8 km au sud-ouest de Georgetown. Bus n°s 201, 203, 204 ou 502. Tlj 9h-18h. Depuis la rue jusqu'au temple de Kuan Yin et à la pagode, compter 15 mn par les marches (accessible aussi en voiture).

Le plus grand complexe bouddhique de Malaisie est composé de plusieurs édifices. Tout d'abord, le temple de Kuan Yin, dont les murs sont recouverts de plus de 4 000 petites statues à l'effigie de la déesse. Sur chaque niche est inscrit le nom du donateur, plus le montant est élevé, plus la statue sera placée en hauteur. Au même niveau, la pagode octogonale *(tlj 8h30-18h ; prix : 2 Rm)* est accessible jusqu'à son sommet, après avoir sué 6 étages tout de même. Mais la vue panoramique sera une juste récompense des efforts entrepris. Agréable jardin très zen au pied de la pagode.

Enfin, pour accéder à la monumentale statue de Kuan Yin, prendre le funiculaire après le magasin de souvenirs *(accessible tlj 8h30-17h30 ; prix : 6 Rm).* Sinon, y monter en voiture ou à pied (environ 30 mn) par la route. Construite en 2002, elle mesure 30,20 m de haut.

🏃 *Botanic Gardens* (les jardins botaniques) **:** *Jln Air Terjun (Waterfall Rd), au nord-ouest de l'île. Bus n° 10. Tlj 6h-20h. GRATUIT.* Nombreuses variétés de plantes, de drôles de *cannon ball trees*, des petites cascades à profusion (d'où l'appellation de *Waterfalls Gardens*) et des singes (il est interdit de les nourrir !). Ambiance agréable et plein de coureurs à pied en fin d'après-midi.

Fêtes et manifestations

– **Le Nouvel An chinois :** *en janv ou fév.* Incontournable, il voit la ville se parer de lanternes et dragons (surtout l'année du dragon !). Au programme : danses du lion et feux d'artifice. La ville affiche alors complet, et les prix s'envolent...

– **Le Thaipusam :** *fin janv-début fév.* Ce grand festival hindou est l'occasion d'une longue procession entre le temple de Sri Mahamariamman et celui de Nattukkottai Chettiar sur Waterfall Road (près du jardin botanique). Les pénitents avancent péniblement, la peau percée de lances et de crochets auxquels sont fixés des citrons, symboles de pureté.

– **Le Makha Puja :** *pleine lune du 3e mois lunaire, normalement en fév.* Les fidèles commémorent la prédiction faite par le Bouddha devant ses disciples, au cours de laquelle il a livré un peu de son enseignement. L'occasion de faire quelques bonnes actions.

– **Songkran :** *en avr.* C'est le Nouvel An thaï, célébré avec force jets d'eau. Douche assurée au Wat Chayamang Kalaram !

– **La fête du Waisakhi :** *normalement en avr.* Communément appelée « fête des Moissons », elle célèbre la naissance, l'éveil et la mort du Bouddha. Grande procession.

– **Penang Durian Festival :** *juin-juil.* 2 mois d'animations diverses. L'occasion de s'initier à ce fruit si... étonnant !

– **Le festival de Georgetown :** *en juil.* Expos, démonstrations d'artisanat, spectacles, etc.

– **La fête des Fantômes affamés** (Hungry Ghosts) **:** *en principe entre mi-août et mi-sept.* Encore un rite chinois ; pendant tout un mois, on offre à manger et à boire aux disparus (même de la bière !) pour qu'ils protègent leurs descendants... D'où ce nom curieux de fête des « Fantômes affamés ». Les cérémonies s'achèvent par des spectacles de marionnettes, des opéras chinois, des danses et des concerts tout ce qu'il y a de plus modernes. Rigolo : les premières rangées des salles sont toujours laissées vides pour les « invités invisibles » !

– **La fête des Gâteaux de lune** (Mid-autumn festival) **:** *le 15e j. du 8e mois du calendrier lunaire chinois (sept).* À la pleine lune, la population prépare des gâteaux qu'elle offre aux dieux avant de les manger (bon prétexte !). Lampions à tout va.

– **La fête des Lumières** (Diwali) **:** *en oct ou nov.* Cette manifestation religieuse hindoue commémore le retour de Rama à Ayodhya et correspond au Nouvel An dans le nord de l'Inde. L'occasion de grands feux d'artifice et d'échanges de friandises.

– **Les courses de bateaux-dragons** (Dragon Boat Races) **:** *en déc.* Course de pirogues multicolores.

LE TOUR DE L'ÎLE DE PENANG

TANJUNG TOKONG

À env 8 km au nord de Georgetown. De cette succession ininterrompue d'immeubles bordant le littoral, difficile d'imaginer qu'il existe encore un vieux village préservé de l'urbanisme galopant, qui plus est en bordure de plage. On y vient surtout pour s'aérer et profiter d'un petit resto local.

➤ *Pour s'y rendre :* bus nos 101 et 102. Demander l'arrêt près du temple.

|●| **Pearl Garden Cafe :** *jouxte le temple chinois de Tanjung Tokong (arrêt de bus au bout de la rue).* ☎ 899-03-75. *Tlj sauf mer 11h-22h.* Fruits de mer 10-70 Rm/kg. Traverser le vieux village pour rejoindre cette adresse familiale, judicieusement placée face à une petite plage et connue dans l'île pour ses fruits de mer. Crevettes, coques, crabes... peu de choix, mais que du bon.

BATU FERRINGHI

Grande plage, à une quinzaine de kilomètres au nord-ouest de Georgetown. Son nom signifie « le rocher des Étrangers ». Pour y aller : bus n° 101 ou 103 de la tour *Komtar* ou du terminal des ferries. Il s'agit d'une plage agréable et ombragée, avec une mer plutôt grisâtre bordée d'hôtels luxueux. Attention aux enfants, on n'a vite plus pied.

Où dormir ? Où manger ? Où boire un verre ?

En venant de Tanjung Bunga, tourner à droite après le *Park Royal Hotel*, puis s'enfoncer à droite dans les ruelles vers la plage.

Pour nos adresses d'hébergement, alignées en rang d'oignons face au tapis de sable, les tarifs se négocient souvent à la baisse en fonction du nombre de nuits. Elles proposent souvent des services de laverie, réservation de bus, boissons fraîches et location de « mopettes »...

– À noter : des toilettes et douches publiques (très peu cher) se trouvent en bord de plage, face au *Ferringhi Garden*. On peut même acheter serviettes et savon. Pratique après la baignade pour ceux qui n'aurait rien prévu ou tout oublié !

De bon marché à prix moyens (jusqu'à 180 Rm / 40 €)

🛏 *Baba Guesthouse :* 52, Batu Ferringhi. ☎ 881-16-86. ● babaguesthouse2000@yahoo.com ● Au niveau du *Pub Royal Hotel*. Doubles avec ou sans AC, avec ou sans douche, fourchette basse de prix moyens ; négociable hors saison. Maison particulière bien aménagée pour les routards. À l'entrée, un panneau indique que les chambres sont propres, mignonnes et sans prétention. Pari tenu ! À l'étage, terrasse agréable donnant sur la mer. Les patrons, accueillants, proposent des nattes pour s'allonger sur la plage.

🛏 *E. T. Budget Guesthouse :* 47, Batu Ferringhi. ☎ 881-15-53. Double avec AC et douche-w-c ; fourchette basse de prix moyens. Petit hôtel à taille humaine, tenu par des gens aimables. Chambres simples mais propres, sans extraterrestre caché sous la couette. Petit autel chinois sympathique qui

rappelle qu'on loge chez l'habitant. Tout ce qu'on aime ici !

🛏 *Shalini's Guesthouse :* 56, Batu Ferringhi. ☎ 881-18-59. ● ahlooi@pc.jaring.my ● Doubles avec ou sans sdb, toutes avec ventilo et AC ; prix moyens. Tenu par un couple sino-indien, par conséquent le traditionnel autel bouddhiste cohabite avec toutes sortes de statuettes hindouistes. Plus grand que ses voisins, cet hôtel propose des chambres sans prétention. Loue aussi des apparts.

🛏 ⦿ *Ali's Ferringhi Guesthouse :* 53 et 54B, Batu Ferringhi. ☎ 881-13-16. Face à la plage. Doubles à prix moyens avec ou sans sdb ; également des dortoirs et des chambres familiales. L'adresse la plus connue du coin. Une maison malaise traditionnelle en bois, face à la plage. Chambres propres et calmes, toutes avec AC. Préférez celles à l'étage, mais une seule dispose d'une salle de bains. Très bon accueil. Petits coins salons verdoyants, bar et musique cool. Pas mal de services sont proposés. Une bonne étape.

⦿ *Food court Long Beach :* au début de la rue qui longe la plage en venant de l'ouest, entre le *Long Pine Hotel* et les petites guesthouses. À partir de 18h. De quoi manger sans se ruiner. D'autres *food courts* dans le même secteur.

⦿ *Beach Corner Seafood :* dans la rue qui longe la plage, au niveau du resto arabe Tarbush. ☎ 881-18-67. Tlj sauf mer (en principe) 12h30-14h30, 18h30-21h30. Cuisine spécialisée, entre autres, dans les fruits de mer que l'on mange attablé sous une grande terrasse ouverte, devant la mer.

⦿ *Lone Pine Hotel :* 97, Batu Ferringhi. ☎ 886-86-86. Plat env 30-50 Rm. Buffet international ven-sam soirs 140 Rm pour 2. High tea brunch le dim. Hôtel de charme recommandé pour son restaurant où l'on sert une excellente cuisine de Hainan et occidentale. La salle, confortable et lumineuse, profite d'une vue dégagée sur la mer.

|●| �🍴 *Ferringhi Garden :* 34A, Batu Ferringhi, côté droit de la route principale, à l'angle de la rue qui mène aux guesthouses citées. Une autre entrée pour le resto donne côté plage. ☎ 881-11-93. Partie « café » tlj 8h-17h, resto tlj 17h-23h. Prix chic. Resto à l'atmosphère élégante et au cadre verdoyant, pas mal fréquenté par les expats. On y déguste une cuisine essentiellement occidentale, mais aussi chinoise, bien tournée.

TELUK BAHANG

Village de pêcheurs plus sympa que Batu Ferringhi. Le centre est une petite place agrémentée de terrasses agréables. Mais, ici aussi, la plage est plutôt polluée... et les hôtels modernes ont poussé. Au secours ! En revanche, à l'écart de la route subsiste un authentique village sur pilotis, perdu dans la végétation.

À voir. À faire

🎭🎭 🚶‍♀️ *Tropical Spice Garden :* à mi-chemin entre Batu Ferringhi et Teluk Bahang. Arrêt des bus nᵒˢ 101 et 102 juste devant le jardin. ☎ 881-17-97. ● tropicalspicegarden.com ● Tlj 9h-17h (dernière admission). Entrée : 28 Rm, audioguide en français inclus, ou 38 Rm en visite guidée (9h, 11h30, 13h30 et 15h30). Également des cours de cuisine sur résa. 8 ha de forêt, dont 6 aménagés de sentiers et de senteurs grâce aux quelque 500 espèces de plantes non seulement malaisiennes, mais aussi d'Indonésie, des Seychelles et même d'Amazonie. Au cours de cette balade vraiment plaisante (et ombragée, atout non négligeable sous cette latitude, d'autant que ça grimpe un peu), on passe devant des nénuphars géants, un jardin d'épices en terrasses et même une balançoire géante, installée sur un promontoire, d'où l'on profite d'une chouette vue sur le jardin (filet en dessous pour les imprudents !). Des hamacs et des bancs invitent aussi à faire des pauses. Ne pas manquer non plus le jardin de bambous et le thé offert dans le kiosque. Une belle halte sur la côte nord.

🎭🎭🎭 🚶‍♀️ *Entopia :* 830, Jln Teluk Bahang, à 1 km du rond-point de Teluk Bahang, vers le sud. ☎ 888-81-11. ● entopia.com ● Bus nᵒ 101. Tlj 9h-19h (dernière entrée 17h30). Billet : 49 Rm ; réduc. Voici l'une des plus grandes réserves de papillons du monde : environ 15 000 spécimens de 50 espèces différentes. Ils cohabitent avec araignées, serpents, reptiles et grenouilles, qui tous vivent sous une serre géante, recouverte du plus grand mur végétal de Malaisie, où une jungle a été reconstituée (ainsi que le climat : moiteur garantie !). On évolue donc dans un petit paradis : plantes superbes, cascades, étang, ponts en bois, tunnels, etc.

Mais l'ambition du projet va au-delà d'une simple présentation de la faune et de la flore régionales. *Entopia,* contraction de « entomologie » (l'étude des insectes) et « utopie », veut amener les visiteurs à découvrir la nature sous un autre angle, en dévoilant les écosystèmes fantastiques et complexes de ce monde souvent caché de par sa taille, son environnement et ses techniques de camouflage... On peut ainsi approcher un varan *(water monitor lizard)* de près en passant sa tête dans une bulle au ras du sol, tenter de distinguer les phasmes qui ressemblent à s'y méprendre à de grandes feuilles, admirer les papillons, parmi lesquels le plus gros du monde. Sachez que les papillons sont surtout actifs en fin de matinée et en début d'après-midi.

Des décors extraordinaires ont aussi été recréés, comme la *Pandora Forest,* inspiré du film *Avatar,* racontant des légendes du monde entier sur les papillons : univers magique pour les enfants qui peuvent aussi obtenir des infos plus scientifiques en

LA CÔTE OUEST DE LA MALAISIE

tapotant sur les écrans interactifs. Le *Time Tunnel* illuminé de lumières roses clignotantes assure le passage vers une expo plus moderne et scientifique. Plus loin, on observe des cocons en train de se transformer et on en apprend un peu plus sur les *fireflies* (les lucioles).

À l'étage, les expositions misent encore plus sur l'interactivité et la muséographie. Ne pas manquer notamment *Dowtown Entopia* consacré aux insectes du monde souterrain.

I●I ‌‌‌‌ Sur place, café et resto.

🍴 *La fabrique de batiks :* *en arrivant à Teluk Bahang, en face du* Mutiara Hotel. ☎ 885-13-02. *Bus n° 101. Tlj 9h-17h30 (fermé à l'heure du déj). GRATUIT.* Il ne faut pas se leurrer, il ne s'agit que d'un prétexte pour inciter les touristes à repartir les bras chargés de batiks. Mais la visite a le mérite de détailler les techniques de fabrication de ces tissus traditionnels et permet d'observer quelques artisans au travail.

PENANG NATIONAL PARK

Infos utiles

➤ Pour s'y rendre : bus n° 101.
■ *Bureau du parc :* *à Pulau Pinang, à env 1,5 km à l'ouest de Teluk Bahang.* ☎ 881-35-00. ● tnpp@wildlife.gov. my ● *Tlj 8h-17h. Enregistrement obligatoire. GRATUIT.*
■ *Penang Nature Tourist Guide Association :* *face à l'entrée du parc.*

☎ 881-47-88. 📱 017-429-33-35. Excursions à la demi-journée ou à la journée jusqu'à 5 personnes.
△ Il est possible de camper dans le parc, à condition d'avoir sa propre tente et d'avoir réservé au moins 1 semaine à l'avance auprès du bureau.

À voir. À faire

➤ *Randonnées :* 3 sentiers permettent de rejoindre *Monkey Beach* (compter env 1h15 aller sur un relief accidenté), le *lac Meromiktik* (env 1h) en empruntant un chemin assez pentu, érodé par endroit, mais balisé, et *Pantai Kerachut*, la nurserie des tortues (1h15). Là, baignade le plus souvent interdite en raison des méduses. Prévoir de l'eau et de bonnes chaussures.

🏖 *Monkey Beach :* *alternativement à la marche, on peut s'y rendre en bateau. Compter 50 Rm/pers, pas donné, donc pour env 15 mn de navigation. Petit guichet près de l'embarcadère.* Plage de sable blanc au dessus de laquelle penchent des palmiers. L'image de carte postale est toutefois ternie par les déchets qui jonchent la plage, dommage. Sur place, quelques cahuttes servent des plats basiques et des boissons. On trouve même des toilettes.

DE TELUK BAHANG À BALIK PULAU ET PULAU BETONG

Belle route traversant des paysages divers, notamment des forêts composées d'arbres à durian. Au détour d'une colline, vue superbe sur la côte ouest. **Balik Pulau** est un gros village chinois animé et préservé du tourisme. En continuant la route vers le sud-ouest, on parvient à **Pulau Betong,** un village de pêcheurs. Un petit chemin, accessible en moto uniquement (ou à pied), permet de rejoindre *Gertak Sanggul* en coupant le cap. Le sentier passe carrément à travers la jungle. Quelques passages difficiles.

LE SUD DE L'ÎLE

Beaucoup moins touristique que le Nord. Quelques plages correctes, notamment à *Gertak Sanggul,* village de pêcheurs. Le 2e pont arrive à Batu Maung, ce qui a valu quelques changements dans le secteur...

L'EST DE L'ÎLE

La côte orientale de Penang est très industrialisée ; une seule escale intéressante, aussi incontournable que surmédiatisée...

À voir

🔭 *Snake Temple* (temple aux Serpents) : *sur la route de l'aéroport de Bayan Lepas, à une douzaine de km au sud de Georgetown. Bus n° 401. Pour vous repérer, cherchez le sigle de l'usine* Bosch. *Le temple se trouve presque en face.* ☎ 643-72-73. Tlj 6h-19h. Accès gratuit au temple ; payant pour la petite « ferme » attenante, qui exhibe d'autres espèces de serpents. Célèbre temple taoïste chinois dont la particularité est d'abriter des vipères à qui on a retiré les crochets. Complètement groggy par les vapeurs d'encens, elles sont également gavées d'œufs, ce qui explique la témérité des centaines de touristes venus se faire tirer le portrait avec des vipères autour du cou ! Le beau petit temple n'a désormais plus rien à voir avec un lieu de culte. On est chez les « marchands du Temple ».

LES ÎLES LANGKAWI

IND. TÉL. : 04

● Carte *p. 192-193*

À 30 km au large de Kuala Perlis et 51 km de Kuala Kedah, l'archipel s'amarre à l'extrémité nord-ouest du pays, contre la frontière maritime thaïe. De ses 99 îles (encore plus nombreuses à marée basse), seules 4 sont habitées. Navire amiral de la flotte, Langkawi concentre la quasi-totalité de la population et des infrastructures. De loin en loin, les côtes basses y succèdent à de hautes falaises – jusqu'à 600 m – plongeant dans la mer. La forêt s'agrippe aux sommets calcaires, déferlant par endroits jusqu'aux rivages truffés de grottes inaccessibles. On comprend pourquoi l'archipel servit de repaire aux pirates du détroit de Malacca... Les secteurs sauvages de l'île ont été classés en 2007 par l'Unesco sous le nom de Geopark. C'est ici que l'on tourna les plus belles scènes des *Tribulations d'un Chinois en Chine* (P. de Broca, 1965) ou d'*Anna et le Roi* (avec Jodie Foster, 1999), film qui se déroule théoriquement en... Thaïlande !

La plupart des visiteurs sont attirés par ses nombreuses plages. Vierges il y a encore quelques années, elles ont malheureusement connu un développement incessant ; de nombreuses cocoteraies ont cédé le pas à des hordes de *guesthouses* les unes sur les autres et de grands hôtels de luxe... Langkawi doit beaucoup, de ce point de vue, au bon Dr Mahathir, fringant Premier ministre depuis 2018, qui exerça dans l'île comme médecin dans les années 1950. Parvenu au pouvoir une première fois de 1981 à 2003, il décida de faire de Langkawi un pôle touristique majeur et créa de toutes pièces, en 1987, une zone franche : les touristes sont depuis exemptés de taxes s'ils restent plus de 48h. Cela n'empêche pas les prix d'avoir sérieusement augmenté et de grimper plus encore le week-end et pendant les vacances malaisiennes, quand les continentaux affluent pour profiter des produits détaxés...

– **Saisons :** notez que la très haute saison court de décembre à février. En avril-mai, quelques petites pluies de temps à autre, donc c'est plus calme. Les touristes du monde arabe viennent en masse de mai à juillet, tandis que les Russes choisissent l'été. De septembre à novembre, c'est la période des grosses pluies...

Arriver – Quitter

En bateau

Les ferries arrivent à **Kuah,** le chef-lieu de Langkawi, au sud-est de l'île. Sur place : bureau de change (pas le meilleur taux), distributeurs, consigne *(9h-18h)* et, face à la sortie, un bureau de *Tourism Malaysia (tlj 9h-17h)*. Les bureaux des compagnies maritimes et agences sous-traitantes se trouvent à l'extérieur aussi, derrière le *KFC* et l'office de tourisme.

De là, vous devrez prendre un taxi pour rejoindre votre destination : env 8 Rm pour Kuah, 30 Rm pour Pantai Cenang et 45 Rm pour Pantai Kok. Liaisons avec :

➤ **Kuala Perlis :** le port d'embarquement le plus proche de Langkawi. 1 ferry ttes les heures, 7h30-19h, avec *Langkawi Ferry Services (*☎ *966-39-88 ;* ● *langkawi-ferry.com* ●*).* Compter 1h de traversée et 18 Rm par trajet (réduc enfants).

➤ **Kuala Kedah :** le port d'Alor Setar, à 35 km au sud de Kuala Perlis. 1 ferry ttes les 60-90 mn, 7h30-19h, avec *Ferry Line Ventures (*☎ *966-39-88 ;* ● *langka wiferryline.com* ●*).* Env 1h30 de traversée et 23 Rm par trajet (réduc enfants).

➤ **Satun (Thaïlande) :** 2 départs/j., le mat et l'ap-m, avec *Langkawi Adaman Ferry.* Traversée : env 1h. Billet aller : env 35 Rm ; réduc.

➤ **Koh Lipe (Thaïlande) :** 2 départs/j., le mat et l'ap-m. Beaucoup plus cher, car c'est un bateau rapide pour touristes : 100 Rm par trajet. De là, on gagne la superbe Koh Tarutao.

➤ **Penang :** avec *Super Fast Ferry* (● *superfastferry.com.my* ●), 2 départs/j., le mat et l'ap-m (ce dernier faisant halte à Pulau Payar). De Penang, le mat (via Pulau Payar) et l'ap-m. Durée : 3h. Compter 70 Rm par trajet ; réduc enfants.

Il existe aussi un **car-ferry** pour ceux qui souhaitent faire la traversée avec une voiture entre le continent et Langkawi. Résa nécessaire au moins 24h à l'avance, sur le site ● *langka wiauto.com* ●

Départ de **Kuala Perlis** en fin de matinée et arrivée à **Tanjung Lembong** (entre Kuah et la côte ouest de Langkawi) 1h30 plus tard, puis retour vers le continent en début d'ap-m. Parfois un autre départ de Kuala Perlis dans l'ap-m. Compter 160-170 Rm par trajet, avec 2 personnes à bord de la voiture.

En train

Pas de gare à Kuala Kedah ni à Kuala Perlis. Les plus proches sont respectivement **Alor Setar** et **Arau.** Dans l'un et l'autre cas, compter 20-30 Rm pour aller en taxi de la gare au port.

➤ **De/vers le Sud :** 5 trains/j. en provenance de Kuala Lumpur. Durée : 5h env.

➤ **De/vers le Nord :** 5 trains/j. jusqu'à Padang Besar, à la frontière, puis 1 train en soirée continuant sur Bangkok.

En avion

✈ **Aéroport international :** à *Padang Matsirat, à env 20 km à l'ouest de Kuah et 8 km au nord de Pantai Cenang.* ● *langkawiairport.com* ● On y trouve bureaux de change, distributeurs, bureau *Tourism Malaysia (*☎ *955-71-55 ; tlj 9h-22h)* et les guichets d'une quinzaine de compagnies de location de voitures, face aux tapis de livraison des bagages (faites jouer la concurrence !). Taxi nécessaire pour rejoindre votre destination si vous n'avez pas loué de voiture (comptez 25 Rm pour Pantai Cenang).

➤ **Kuala Lumpur :** nombreuses liaisons avec les 3 aéroports de la capitale : *Malaysia Airlines* et *Malindo Air* pour KLIA 1 ; *Air Asia* pour KLIA 2 ;

Firefly et *Malindo Air* pour l'aéroport de Subang, plus proche du centre de KL.
➤ **Penang :** 3 vols/j. avec *Air Asia* et 1 avec *Firefly.*
➤ **Singapour :** 1-2 vols/j. avec *Air Asia* et 4 vols/sem avec *Scoot Air.*

Les compagnies aériennes ont leur bureau à l'aéroport :

■ ***Malaysia Airlines :*** ☎ *955-18-29.* ● *malaysiaairlines.com* ●
■ ***Air Asia :*** ☎ *955-17-42.* ● *airasia. com* ●
■ ***Firefly :*** ☎ *955-96-22.* ● *fireflyz. com.my* ● *Tlj 9h-17h.*
■ ***Malindo Air :*** ☎ *955-56-88.* ● *mal indoair.com* ●

Comment se déplacer sur l'île ?

Pas de bus publics. Les taxis étant assez chers, comme sur l'île de Pangkor, on conseille de louer un scooter ou une voiture. Vous pouvez aussi louer un vélo (environ 15-25 Rm/j.), mais vous n'irez pas très loin, l'île est grande et montueuse (!) par endroits.

À scooter

Une option pratique et économique à la fois. Une assurance est en principe comprise (assurez-vous-en), avec une franchise qu'on peut racheter ou non. Elle couvre le véhicule mais pas les dégâts collatéraux. On trouve des loueurs un peu partout : dans la rue, les *guesthouses,* les hôtels... Compter 25-40 Rm pour 24h, selon l'endroit et la durée de location. On peut parfois aussi les louer pour 12h (moins cher). Attention, le permis de conduire (en l'occurrence votre permis « B », pour voiture) est généralement demandé.

■ ***T Shoppe :*** *2 adresses sur l'île, l'une à **Pantai Cenang** (zoom, 1), presque en face du resto* Artisans Pizzas *; l'autre à **Pantai Tengah** (zoom, 2).* ☎ *955-5552* ou *955-78-59. Tlj 9h-22h30. Compter 20-25 Rm/12h et 25-35 Rm/24h, pour un scooter. Loue aussi des motos (160-350 Rm/j.).* Il faut présenter le passeport et son permis de conduire voiture. Le casque est fourni.

En voiture

L'île étant vaste, c'est aussi une très bonne solution, la meilleure même si vous êtes en famille, d'autant que les prix sont très compétitifs (à partir de 80-100 Rm/j.). Là encore, il y a pléthore de loueurs : à l'aéroport, au terminal des ferries, du côté des plages, etc. Vous n'aurez aucun mal à en trouver !

En taxi

La solution la plus simple à l'arrivée si vous souhaitez vous poser sur une plage et n'en plus bouger. Reste que les prix sont un peu élevés. On peut louer un taxi à l'heure, mais cela vous coûtera plus cher qu'une voiture (se mettre d'accord sur le prix). Par exemple, compter environ 120 Rm pour 4h... Le tarif des courses, quant à lui, est plus ou moins fixe (compter 30 Rm pour Kuah-Pantai Cenang).

L'ÎLE PRINCIPALE : LANGKAWI

Langkawi a connu un développement considérable depuis le début des années 2000. On estime la population actuelle à près de 100 000 habitants. Ils se répartissent sur les 480 km² de l'île, principalement à Kuah, le chef-lieu, et aux abords de la station balnéaire de Pantai Cenang, au sud-ouest, les 2 parties les plus urbanisées. Les rizières et les élevages de buffles d'eau ont pâti de ces nouvelles constructions, mais, en toile de fond, les zones accidentées, recouvertes de forêt tropicale, restent heureusement plus sauvages. De nombreux singes (chapardeurs, attention !) y vivent. C'est là que vous ferez vos plus belles balades, entre 2 séances de bronzage ou de relaxation au bord d'une piscine. Ne vous attendez toutefois pas à des miracles côté plages : les

LA CÔTE OUEST DE LA MALAISIE

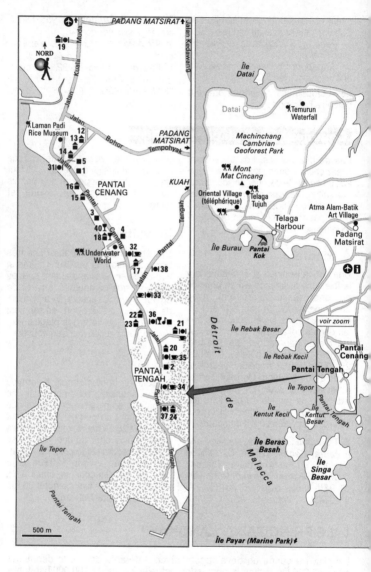

500 m

■	**Adresses utiles**	**5**	Self-service Laundry (laverie ; zoom)	**14**	Gecko Guesthouse (zoom)
🈁	Tourism Malaysia	**36**	Dev's Adventure Tours (zoom)	**15**	Malibest Resort (zoom)
➕	Hôpital			**16**	Melati Tanjung Motel (zoom)
1	T Shoppe de Pantai Cenang (zoom)	🛏	**Où dormir ?**	**17**	White Lodge (zoom)
2	T Shoppe de Pantai Tengah (zoom)	**10**	Sunderland Motel (carte)	**18**	Delta Motel (zoom)
3	F100 (change ; zoom)	**11**	Asia Hotel (carte)	**19**	Bon Ton Resort et Temple Tree (zoom)
4	UAExchange (change ; zoom)	**12**	RL Budget Rooms (zoom)	**20**	Zackry Guesthouse (zoom)
		13	Two Peace House (zoom)	**21**	La Pari Pari (zoom)

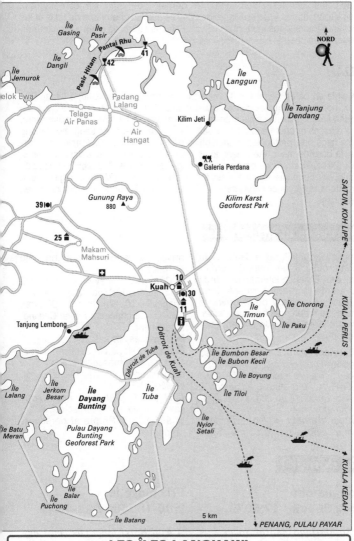

LES ÎLES LANGKAWI

22 Tropical Resort (zoom)
23 The Frangipani Resort
   & Spa (zoom)
24 Ambong Ambong (zoom)
25 Sunset Valley (carte)

|◉| ☕ Où manger ? Où prendre
🍴 🍸 le petit déj ? Où boire
   un verre ? Où sortir ?

18 The Cliff (zoom)

21 Fat Cupid (zoom)
30 New Water Garden
   Hawker Centre (carte)
31 Orkid Ria Seafood
   Restaurant (zoom)
32 Red Tomato (zoom)
33 La Chocolatine (zoom)
34 Cactus (zoom)
35 Yam Yam Café
   & Restaurant (zoom)

36 Haroo Haroo
   et Sun Ba (zoom)
37 Unkaizan (zoom)
38 Nasi Kandar Tomato
   (zoom)
39 Pia's The Padi (carte)
40 Yellow Café (zoom)
41 Kalut Bar (carte)
42 Rhu Bar (carte)

principales sont assez bétonnées. Un dernier mot, enfin, sur les nombreux sites « touristiques » liés aux légendes de l'île que les chauffeurs de taxis et les dépliants touristiques incitent à visiter... Faisons court : ils n'ont aucun intérêt, passez votre chemin !

KUAH

Un aigle en béton géant (de 12 m), kitschissime, vous accueille, à l'image de ceux, nombreux dans les cieux locaux, qui auraient donné leur nom à l'archipel (*helang kawi* signifiant « aigle brun-rouge ») – en français, on parle de milan sacré. Port d'accès et chef-lieu de l'île, Kuah s'ancre au sud-est de Langkawi, le long d'une large baie protégée par une flottille de gros îlots. Près du terminal des ferries, le bord de mer a été aménagé en jardins tropicaux, avec le vaste Lagenda Park (20 ha) illustrant les omniprésentes légendes locales. Toutefois, on ne reste pas ici car cette aire urbaine n'est qu'un chef-lieu administratif et logistique, à l'architecture bétonnée sans intérêt. On vous indique 2-3 adresses uniquement en dépannage.

Adresses et info utiles

Langkawi, qui fait partie de l'État du Kedah, observe les jours de fermeture des États musulmans. Toutes les administrations ferment donc le jeudi vers 15h30 pour rouvrir le dimanche matin. Les banques, elles, ferment leurs portes le samedi et le dimanche.

i Tourism Malaysia (*plan Les îles Langkawi*) **:** bureau face à la sortie du débarcadère des ferries. ☎ 966-04-94. *Tlj 9h-17h. Autre bureau à l'aéroport.* ☎ 955-71-55. *Tlj 9h-22h.* ● *mtpblgk@ tourism.gov.my* ●
– **Sites internet :** ● *langkawi-online. com* ● *langkawi-info.com* ● Sites privés, à tendance commerciale marquée.

■ **Change :** money-changer *à côté du* Sunderland Motel (*plan Les îles Langkawi, 10*)*. Tlj 9h-18h.* D'autres bureaux de change à *Pantai Cenang*, notamment.
■ **Urgences :** ☎ 999.
■ **Police :** sur la *Jln Persiaran Putra*, juste après la mosquée, à env 1,5 km du débarcadère en allant vers l'ouest. ☎ 966-62-22.
✚ **Hôpital** (*plan Les îles Langkawi*) **:** à 5 km à l'ouest de Kuah. ☎ 966-33-33. Propre et personnel compétent.

Où dormir ?

Bon marché
(max 80 Rm / 17,50 €)

🛏 **Sunderland Motel** (*plan Les îles Langkawi, 10*) *:* 19, Jln Pandak Mayah 5. ☎ 969-67-33. ● *sunder landmotel@gmail.com* ● *Pas de petit déj.* En plein centre, un hôtel sans charme particulier mais aux chambres très convenables pour le prix (plancher), avec clim, écran plat et bonne literie. Les plus chères ont une fenêtre. Également des familiales. Bon accueil.

Prix moyens
(100-180 Rm / 22-40 €)

🛏 **Asia Hotel** (*plan Les îles Langkawi, 11*) *:* 3-4, Jln Persiaran Putra. ☎ 969-22-88. ● *langkawihotelasia@ hotmail.com* ● Sur la route principale en allant vers l'ouest, à env 1,5 km du port. Pas de petit déj. Donnant sur la grande avenue principale, cet hôtel rénové est plutôt guilleret. La plupart des doubles n'ont pas de fenêtre, mais elles sont modernes et impeccables. Une seule *deluxe* (un peu plus chère) avec fenêtre, sinon il faut louer une triple *executive* ou une familiale pour 4 personnes. Éviter quand même celles côté avenue, assez bruyantes. Accueil souriant.

Où manger ?

De bon marché à prix moyens (max 30 Rm / 6,50 €)

|●| *New Water Garden Hawker Centre* (plan Les îles Langkawi, **30**) : 90, Jln Pandak Mayah 5. Tlj 7h-15h. Bon marché. C'est le petit *hawker centre* de Kuah, très animé le midi. Plein de stands, comme d'hab', proposant qui du *chicken rice,* qui du *nasi goreng,* qui des *fried nooddles hokkien style* ou encore de la *soupe kway teow,* du *nasi lemak* et même des plats indiens. Toujours le petit stand spécialisé dans les boissons fraîches. Le tout pour 3 fois rien. À partir de 18h, le relais est assuré par le *Rootian Seafood* juste à côté, un resto de poissons et fruits de mer à la chinoise. Un peu plus cher, mais si peu...

PANTAI CENANG

⚲ Située sur la côte sud-ouest de l'île, à 20 mn de Kuah en taxi, Pantai Cenang est la seule vraie station balnéaire de Langkawi. Sa longue plage, étendue sur 2 km, a vu pousser au fil des années un paquet de constructions – au point que l'on ne voit même plus la mer depuis la rue principale... Le tapis de sable est encore là, bien sûr, avec sa pente douce idéale pour les enfants, mais il faut passer par les hôtels qui bordent la plage pour pouvoir y accéder !

Adresses utiles

■ *Change :* 2-3 changeurs sur Jln Pantai Cenang, comme **F100** (zoom, **3**), ou **UAExchange** (zoom, **4**). Bons taux.

■ *Laverie : Self-service Laundry* (zoom, **5**), en face du resto Orkid Ria Seafood. Ouv 24h/24. Laverie automatique pas chère du tout.

Où dormir ?

Pantai Cenang n'est pas spécialement bon marché, mais c'est là que se regroupent la plupart des *guesthouses* et hôtels les plus abordables. C'est aussi le coin le plus vivant de l'île et le plus animé le soir (même si la vie nocturne n'a rien de décoiffant à Langkawi). Sachez aussi que les prix augmentent pendant les congés et les vacances malaisiennes, à savoir notamment de mi-novembre à début janvier.

Bon marché (moins de 100 Rm / 22 €)

⌂ *RL Budget Rooms* (zoom, **12**) : lorong Surau, presque au bout du chemin bordé de guesthouses bon marché. ☎ 955-81-03. ▥ 012-513-61-03. ● rlbudgetrooms.com ● Pas de doute, c'est l'une des meilleures *guesthouses* du secteur ! Certes, il faut aller au bout du chemin, à la limite de la campagne, mais c'est plutôt agréable vu l'anarchie qui règne côté plage. Sur place, c'est un personnel affable qui s'occupe de cette adresse aux espaces ouverts et aérés. Plusieurs possibilités d'hébergements, à commencer par le dortoir mixte de 18 lits nichés dans des alcôves avec rideaux et ventilos. Également une soixantaine de chambres, simples mais pas désagréables, les plus chères avec clim, TV et frigo, la plupart

LA CÔTE OUEST DE LA MALAISIE

avec petite terrasse et hamac. Enfin, une dizaine de maisonnettes de 1 à 3 chambres, toutes équipées de cuisine, clim et TV, idéales pour les familles ou les bandes de potes. Le tout à des prix plus que raisonnables. Sans oublier le sympathique resto-bar *(tlj 7h-23h)* où les routards se croisent du matin au soir. Location de vélos et de scooters (pour pas cher non plus). Coffre à la réception. Bref, l'arc-en-ciel du routard.

🏠 ***Two Peace House*** *(zoom, 13) : n° 6 KG Pantai Cenang MK Kedawang.* 📱 *011-1890-30-38.* ● *twopeacehouse. wordpress.com* ● Au cœur de la zone qui concentre les adresses routardes, à l'écart de la plage, cette petite *guesthouse* tenue par un couple italo-malaisien accueillant abrite 3 dortoirs climatisés de 4 lits et 2 doubles avec clim et salle de bains. C'est simple mais agréable et bien net. Bonne literie aussi, petite cuisine pour les hôtes, laverie et scooters à louer.

🏠 ***Gecko Guesthouse*** *(zoom, 14) : lorong Surau, sur le chemin des petites* guesthouses. 📱 *019-428-38-01.* ● *rebeccafiott@hotmail.com* ● Pas notre adresse préférée, mais ça dépannera les routards sacs à dos si le *RL Budget Rooms* et le *Two Peace House* sont complets. Dortoir de 10 lits bon marché mais simpliste, chambres en dur sans ou avec salle de bains et clim. Également de petites cabanes en bois au même tarif et un poil plus sympas. Terrasse-bar avec des bouquins. La proprio est anglaise. Si c'est complet ici aussi, faites un tour du quartier (on devrait dire de la zone), il y a encore d'autres petites adresses...

De prix moyens à chic (140-300 Rm / 31-66,50 €)

Nous sommes là de part et d'autre de la rue principale très animée, au cœur de la station.

🏠 ***Malibest Resort*** *(zoom, 15) : Jln Pantai Cenang.* 📱 *955-82-22.* ● *barongrouphotels.com* ● Réception minimaliste, qui tranche avec la taille de l'établissement... Nombreux types de chambres, en effet, dans différents bâtiments, des *standard brick* situées de l'autre côté de la route (situation pas géniale mais confort très correct) aux *deluxe wooden* (plus agréables, à 20 m de la plage) en passant par les chambres installées dans un bâtiment avec super vue sur la mer des 3e et 4e étages ou encore les *treetop bungalows,* juchés dans de (faux) troncs d'arbres juste devant la plage et les cocotiers, avec balcon ouvrant sur le large... Bref, faites votre marché ! Ni petit déj ni resto en revanche et... peu de chances que cela vous concerne, mais au cas où : chiens et durians interdits !

🏠 ***White Lodge*** *(zoom, 17) : prendre la petite rue au sud de l'*Underwater World, *à hauteur du resto* Janggus Cenang. 📱 *955-30-72.* ● *whitelodgelangkawi. com* ● Pas de petit déj. Ce bel hôtel porte bien son nom : ses bungalows en dur tout blancs enserrent un jardin au gazon fraîchement tondu, à 150 m en retrait du front de mer. Les chambres, carrelées, sont de bonne taille, bien équipées et impeccables. Bien agréable de prendre le frais le soir devant sa porte, en écoutant coasser les grenouilles. Et si les chaleurs de la journée sont trop fortes, la belle piscine avec jets d'eau au centre du jardin n'attend que vous !

🏠 ***Melati Tanjung Motel*** *(zoom, 16) : Jln Pantai Cenang.* 📱 *955-10-99.* ● *melatitanjungmotel@yahoo. com* ● À côté du *Malibest Resort,* on le repère facilement, c'est le gros bâtiment orange-brun-rouge. Il renferme plus de 90 chambres récentes et bien équipées, à défaut d'avoir du charme. Au choix, les standard, aux murs rose-violet, ou les *sea view* aux murs bleu ciel, ces dernières étant un peu mieux finies et vraiment face à la plage. Quitte à venir ici, autant choisir celles-là !

🏠 ***Delta Motel*** *(zoom, 18) : prendre la rue à droite, juste avt l'*Underwater World *en venant du nord.* 📱 *955-13-07. Petit déj inclus.* Son principal atout, c'est sa situation, pile poil face au tapis de sable. Pour mieux en profiter, on vous conseille d'ailleurs les *deluxe rooms* A1 et A09, avec vue mer, ou les *cabin rooms,* donnant frontalement sur la plage. Celles-ci sont situées dans un bâtiment en verre et en métal à côté de la réception. D'autres chambres encore, comme les *chalets,* moins chères mais plus anciennes.

Où dormir très chic au nord de Pantai Cenang ?

🛏 |●| *Bon Ton Resort et Temple Tree* (zoom, **19**) : *au nord de Pantai Cenang, pas très loin de l'aéroport.* ☎ 955-16-88. ● *bontonresort.com.my* ● *Chambres env 850-1 650 Rm selon confort et saison, petit déj inclus, mis à disposition dans la chambre. Plats 50-100 Rm au resto.* L'adresse la plus originale et la plus belle du secteur. Le *Bon Ton* ne fait rien comme les autres (la *China House,* à Georgetown, Penang, c'est eux !). Primo, il ne joue pas des coudes sur la plage mais s'est établi en retrait du bord de mer, dans un coin tranquille faisant face à une zone de marais, où dodelinent les roseaux. Deuzio, le béton y est proscrit. L'hôtel est composé de 2 entités voisines : le *Bon Ton,* avec ses 8 pavillons malais traditionnels sur pilotis autour d'une bien belle pelouse plantée de cocotiers avec piscine au milieu, et le *Temple Tree,* où se regroupent d'autres édifices anciens transplantés des 4 coins du pays – maison bourgeoise chinoise de Penang, demeure de plantation, cahute de pêcheur... Le concept, unique, est parfaitement maîtrisé. Chaque unité possède une déco intérieure rétro très soignée, avec vieux plancher et baignoire en bois... à côté du lit (à baldaquin) dans certaines chambres. Et bien sûr, tout le confort est là. Pour ne rien gâcher, les 2 restos sont excellents, et la moitié des profits est réinvestie dans le centre pour chats et chiens errants (malicieusement appelé L.A.S.S.I.E.), installé à l'entrée de la propriété. Ne soyez pas surpris, d'ailleurs, si des pensionnaires à poils déambulent entre vos jambes ! Vous aurez même le droit de les promener...

Où manger ? Où prendre le petit déj ?

Peu d'animation à midi, les restos préférant attendre le soir pour séduire la clientèle à coup de guirlandes lumineuses ! Voir aussi nos adresses à Pantai Tengah, dans le prolongement sud de Pantai Cenang. Si vous en avez les moyens, les *mantis prawns* (squilles-mantes en français), sortes de langoustes, sont assez réputées à Langkawi.

Bon marché
(moins de 20 Rm / 4,50 €)

|●| *Nasi Kandar Tomato* (zoom, **38**) : *Jln Pantai Tengah. Ouv 24h/24.* Un resto indien proposant un buffet et des plats qui raviront les routards fauchés. Rien d'extraordinaire, plutôt une cantine très abordable.

De prix moyens à chic
(20-70 Rm / 4,50-15,50 €)

|●| *Orkid Ria Seafood Restaurant* (zoom, **31**) : *Jln Pantai Cenang, presque* à côté d'Artisans Pizza. ☎ 955-41-28. *Tlj 11h-15h, 18h-23h.* On ne vient pas ici pour le cadre (la grande salle ouverte tourne le dos à l'océan !), mais pour leurs spécialités de la mer, fort réputées. On y trouve de tout, des moules aux ormeaux, en passant par le crabe, le concombre de mer et les « asperges de mer ». Également des aquariums remplis de langoustes, certes onéreuses. Rassurez-vous, il y a aussi plein de choix classiques, à commencer par les fameuses *mantis prawns,* vendues au poids. C'est bon, copieux, et le service est à la fois agréable et efficace.

🍴 |●| ⬆ *Red Tomato* (zoom, **32**) : *Jln Pantai Cenang, presque en face de l'*Underwater World. ☎ 955-40-55. *Tlj 9h-22h30.* Une chouette adresse à l'occidentale (proprio allemande), sur une belle terrasse ombragée pleine de plantes ou dans une salle à l'abri de la chaleur... Réputé pour ses petits plats sains et frais, le lieu propose aussi un bon choix de petits déj (omelettes, müesli, pancakes). À partir de midi, on choisit parmi sandwichs, tartes flambées, copieuses salades, plats de pâtes ou encore les succulents *gourmet burgers*.

Où boire un verre ?

Voir aussi du côté de Pantai Tengah, à 2 pas d'ici...

☐ ⬆ **Yellow Café** *(zoom, 40)* : côté plage. ▤ 012-459-31-90. *Tlj sauf mar 12h-1h.* Un resto-bar tout jaune ouvert sur la plage, tenu par un Luxembourgeois. Sympa pour boire un verre assis sur le sable dans des poufs-sacos, avaler une bonne pizza, une salade ou même un poisson grillé, ou encore se taper une glace. Musique *lounge* et animation le soir en saison, avec DJ et petits concerts. Il y a même un espace VIP à l'étage avec jacuzzi !

☐ **The Cliff** *(zoom, 18)* : à gauche du Delta Motel, *au fond.* ☎ 953-32-28. *Tlj 12h30-23h.* Sans doute le bar offrant la plus belle vue sur la plage car, comme son nom l'indique, il est situé sur une petite falaise. Bière pas chère et vin au verre ou cocktails abordables. En revanche, le resto attenant est chic !

À voir

☀☀ 🐾 **Underwater World** *(zoom)* : *Jln Pantai Cenang.* ☎ 955-61-00. ● underwaterworldlangkawi.my ● *Tlj 10h-18h (dernière entrée) ; j. fériés et vac scol 9h30-18h30. Billet : env 45 Rm ; réduc. CB acceptées.* L'entrée n'est pas donnée, mais l'ensemble est plutôt bien conçu et abrite quelque 5 000 bestioles appartenant à 200 espèces. Les espaces sont variés : aquariums d'eau douce et d'eau de mer, ouverts ou fermés, et notamment un grand bassin traversé par un couloir vitré autour duquel évoluent, entre autres, 2 raies léopard géantes et de très grosses carangues. On croise aussi des requins pointe blanche, un mérou géant, un impressionnant crabe-araignée japonais, des loutres asiatiques et même des pingouins et des flamants roses. En fin de parcours, ne ratez pas les stupéfiantes *zebra* ou *giant moray eels* (murènes)... Privilégiez les heures des repas (à 11h et 14h30) pour davantage d'activités.

☀ **Laman Padi Rice Museum** *(zoom)* : *dans le* complexe Laman Padi Langkawi, *Jln Pantai Cenang, en face de la* Casa del Mar. ☎ 955-43-12. *Tlj 8h-17h. GRATUIT.* Ce petit musée tout simple, posé à l'entrée nord de Pantai Cenang, se consacre à l'activité qui occupe encore une partie des habitants de l'île : la culture du riz. On y découvre quelques outils traditionnels et des explications (en anglais), ainsi qu'un charmant *padi field* (rizière), qui semble tout droit sorti d'une gravure. Vite vu.

PANTAI TENGAH

⌖ Prolongeant la plage de Pantai Cenang vers le sud, Pantai Tengah est à la fois un peu plus tranquille et plus chic. En face, magnifiques petites îles dont une de sable blanc...

Où dormir ?

Bon marché
(jusqu'à 100 Rm / 22 €)

⌂ **Zackry Guesthouse** *(zoom, 20)* : *Lot 735, Jln Teluk Baru.* ▤ 014-242-47-36. L'une des rares *guesthouses* bon marché dans les parages, abritant des chambres correctes dans des maisonnettes jaunes et petits bâtiments qui donnent sur la colline. Toutes ont la clim, les plus chères ayant en plus une salle de bains et même un frigo et un canapé. Également un dortoir. Espace commun sympa avec bibliothèque, TV et distributeurs de boissons, piscinette pour se rafraîchir, petite cuisine, machine à laver, location de 2-roues et plein d'excursions proposées. Cela finit par faire quelques raisons d'y poser son sac !

Très chic
(plus de 300 Rm / 66,50 €)

🏠 *La Pari Pari* (zoom, **21**) : 2273, Jln Teluk Baru. ☎ 955-30-10. ● *lapari pari.com* ● *Après le Sunblock, chemin à gauche au niveau du* Green Village. *Doubles 350-380 Rm, petit déj inclus (si résa en direct).* En retrait de la route, une petite structure chic des plus agréables. Une douzaine de bungalows contemporains bleu et blanc, sobrement mais élégamment aménagés et tout confort (literie de qualité, grande douche, clim, coffre, bouilloire...), avec en prime une petite terrasse à l'abri des regards. Le tout agencé autour d'un espace plaisant avec piscine et transats sous les arbres, derrière le *Fat Cupid,* l'excellent petit resto qu'on recommande aussi (voir « Où manger ? Où prendre le petit déj ? »). Très bon accueil, souriant et dynamique. L'une de nos adresses préférées de l'île dans cette gamme de prix, c'est dit !

🏠 *Tropical Resort* (zoom, **22**) : Jln Teluk Baru. ☎ 955-40-75. ● *tropicalresortlangkawi@gmail.com* ● *Doubles 300-350 Rm, petit déj inclus.* Côté mer, un petit *resort* de qualité dont les chambres, bien nettes et carrelées (et évidemment tout confort), s'alignent le long de 2 ailes, de part et d'autre d'une belle piscine. Il jouxte un grand carré de forêt qui s'étend jusqu'à la plage, ce qui donne à l'endroit un attrait supplémentaire. Clientèle mixte de Malaisiens et d'étrangers. 🏠 *The Frangipani Resort & Spa* (zoom, **23**) : Jln Teluk Baru, plus au sud. ☎ 952-00-00. ● *frangipanilangkawi. com* ● *Doubles env 450-750 Rm, petit déj-buffet inclus.* L'hôtel tranquille des premiers temps s'est peu à peu mué en un complexe chic, sans se départir de son principal avantage : une plage « privée » s'étirant sur 400 m ! Selon ses moyens, on choisira plutôt les chambres côté jardin, en étage ou en rez-de-chaussée, ou les villas avec vue sur mer, baignoire intérieure et douche extérieure. Le tout est luxueux, impeccable, mais on paie en partie le cadre général, avec ses 2 piscines, dont une d'eau salée, son jacuzzi, son spa et autre salle de fitness. Attention aux méduses, quand même.

🏠 *Ambong Ambong* (zoom, **24**) : Jln Teluk Baru. ☎ 955-84-28. ● *ambong-ambong.com* ● *En surplomb du resto* Unkaizan *: si vous êtes en voiture, attention, ça grimpe raide et étroit ! Studios et suites env 700-1 200 Rm ; cottage 4 pers env 1 200 Rm.* Une adresse très chic et très originale car perchée à flanc de colline dans la végétation. On ne dort pas dans les arbres mais presque ! Les studios sont de belle taille déjà, avec vue sur la forêt ou sur la mer. Mais on apprécie encore plus les suites, comme la « Singa Three », qui possède une vue époustouflante sur la baie, y compris depuis la baignoire en bois posée dans la pièce principale ! Belle déco et grand luxe dans toutes les unités, cependant. Également des cottages pour familles (même niveau de confort) et 8 *pool villas* de l'autre côté de la route, magnifiques avec leur piscine privée bordant le salon, mais à des tarifs qui en dissuaderont plus d'un... Petite piscine pour tout le monde, spa et cours de yoga. Cerise sur le gâteau, on est quasi à côté de l'excellent resto japonais *Unkaizan* (voir « Où manger ? Où prendre le petit déj ? »). Mais gare à la remontée... !

Où manger ? Où prendre le petit déj ?

De bon marché à prix moyens (10-40 Rm / 2-9 €)

🍴 |●| *La Chocolatine* (zoom, **33**) : Jln Teluk Baru, à côté du resto *L'Osteria.* ☎ 955-88-91. *Tlj sauf ven 7h-18h.* Une subite envie de croissant ou de pain au chocolat ? Vous voilà exaucé. Patrick, le patron français, qui a longtemps résidé à Saint-Martin (dans les Antilles), propose d'excellentes viennoiseries et pâtisseries maison, ainsi que de bonnes quiches et salades pour le déjeuner. Machine à expresso et thé *Kusmi*. Ambiance *tea room* sans prétention, avec en bonus quelques tours Eiffel aux murs, des mélodies rétro et une petite terrasse agrémentée de plantes.

☕ ▐●▌ *Cactus* (zoom, 34) : *Jln Teluk Baru, env 300 m après le Tropical Resort, sur la gauche.* 🖥 012-407-79-28. *Tlj sauf mer 8h-13h, 16h-23h.* Une simple cahute de bric et de broc avec mobilier rustique en bois de mangrove, voilà pour le cadre de ce resto où l'on mange très bien... Beaucoup de monde pour le réputé petit déj (toutes sortes de *breakfasts* à base d'œufs : à l'américaine, à l'anglaise, à l'indienne, continental...), mais aussi le soir (le resto est fermé à l'heure du déjeuner), avec des plats asiatiques et internationaux. Si vous avez aimé, le patron vous invitera peut-être à laisser un graffiti sur les murs. Fond musical hétéroclite remontant aux sixties.

☕ ▐●▌ 🌴 *Yam Yam Café & Restaurant* (zoom, 35) : *Jln Teluk Baru.* 🖥 012-616-44-17. *Tlj sauf mar 9h-17h.* Tenu par un couple hollando-malaisien. On apprécie sa terrasse ombragée bien nette avec ses tables blanches ou sa salle reposante et bien arrangée. Parfait pour un repas léger et sain dans une ambiance relax : excellents sandwichs, salades, pâtes, burgers ou plats plus asiatiques. À accompagner de superbes *smoothies* (essayez le *green goddess*) !

De prix moyens à chic (env 30-80 Rm / 6,50-17,50 €)

☕ ▐●▌ 🌴 *Fat Cupid* (zoom, 21) : *à l'hôtel La Pari Pari (voir « Où dormir ? »). Tlj 9h-15h, 18h-22h30.* Une belle terrasse blanche ouverte sur la piscine, baignant dans une ambiance jazz ou « Paris Café » dès le matin. De quoi démarrer d'un bon pied, d'autant qu'on y déguste une cuisine aussi fraîche que créative, à base de produits locaux, estampillée « Slow Food ». Selon les saisons, gâteau de poisson, salade de mangue et

citrouille, burger à la viande ou au tofu, plats malais *(satay, rendang...)* et nyonya *(nasi sambal laksa)*, etc. En dessert, ne manquez pas s'il y en a le *heavenly sago layers*, à base de tapioca, glace vanille et lait coco ! Tout est bon et servi avec de la bonne humeur à revendre.

▐●▌ *Haroo Haroo* (zoom, 36) : *Jln Teluk Baru, à côté du Sun Ba (voir « Où sortir ? »). Tlj 12h-21h30.* Si vous n'avez jamais mangé coréen, c'est le moment ! Dans une salle ouverte en retrait de la rue, garnie de tables et chaises en bois, on y déguste le meilleur de cette cuisine un peu méconnue : *jap-cae* (nouilles d'amidon de patate douce !), *sundubu jji-gae* (un délicieux ragoût de tofu et calamar), pizza et crêpe (fourrée aux fruits de mer) coréennes, grillades, soupes... le tout servi avec du *kimchi* (chou mariné) et autres savoureux petits accompagnements. Petite boule de glace offerte à la fin du repas, pour terminer en douceur. Excellents accueil et service. 2 autres adresses sur l'île, toutes 2 à Kuah *(7, Jln Pandak Mayah et au rdc du Langkawi Fair Shopping Mall)*.

De chic à très chic (env 50-120 Rm / 11-26,50 €)

▐●▌ *Unkaizan* (zoom, 37) : *tt au sud de Jln Teluk Baru, à 2,5 km de Pantai Cenang.* ☎ 955-41-18. *Tlj sauf mer 18h-23h. Résa très conseillée. Plats et menus env 40-120 Rm.* Les habitués de l'île susurrent son nom de bouche à oreille. Installé dans une maison anonyme, en retrait du brouhaha balnéaire, *Unkaizan* est un authentique restaurant japonais. Mieux que ça : c'est le meilleur resto japonais de Langkawi ! Au choix, un assortiment de plats simples (un bon bol d'*udon* ou de *soba* aux gambas, par exemple) ou des menus complets servis sur leur plateau laqué *(sets)*. Sushis et sashimis sont à l'honneur, mais on peut aussi craquer pour les excellents *teppanyaki* (viandes ou poissons grillés) ou l'anguille fumée. Salle quasi rustique ou terrasse bien agréable en soirée.

Où sortir ?

♉ ♪ **Sun Ba** *(zoom, 36) : Sunmall, Jln Teluk Baru. Tlj 22h-4h.* Façade en bois, statues des ancêtres et intérieur tout en bois également. Bref, ce qu'ils appellent un « rétro bar ». C'est quasi le seul lieu pour sortir dans le coin, avec un groupe et un DJ chaque soir en alternance, sauf le jeudi... mais ce jour-là, au lieu de la musique live, il y a 2 DJs ! Pour plus d'ambiance, on conseille d'arriver après minuit.

PANTAI KOK ET TELAGA HARBOUR PARK

⚲ *Au nord-ouest de l'île.* Réputée pour sa beauté et son caractère sauvage, la plage de Pantai Kok n'a pas échappé au développement touristique de l'île et a vu pousser marina chic et grand hôtel à son extrémité orientale (désormais quasi privée). Reste un grand ruban de sable bordé d'arbres, bien beau mais parfois souillé, hélas, par les détritus charriés par la mer.

Du côté de la marina de Telaga Harbour et de ses infrastructures, qui ont poussé de part et d'autre d'une petite baie, vous trouverez quelques services et des restos au coude à coude, fréquentés par la clientèle dorée issue des *resorts* voisins. Tout ça n'est pas donné, cela va sans dire.

GUNUNG MAT CINCANG ET LA CHUTE DE TELAGA TUJUH

Point culminant du nord-ouest de l'île, le mont Mat Cincang dresse ses quelque 700 m au-dessus d'un couvert forestier bruissant du chant lancinant des insectes et du bruit sec des branches jetées à terre par les singes. Même si le terrain se prête à de belles randonnées, la plupart des visiteurs choisissent la voie plus aisée du téléphérique, que l'on prend au complexe (lourdement) touristique d'Oriental Village. De là-haut, on aperçoit, à quelques encablures, la chute de Telaga Tujuh.

À voir

🎡 👟 ⛰ **Le téléphérique de gunung Mat Cincang :** *à l'*Oriental Village. *Tlj 9h30-19h (8h30-20h en hte saison). Fermé 1-2 fois/mois pour maintenance et en cas de mauvais temps. Prix : env 55 Rm A/R (+ 5 Rm pour le pont et 15 Rm si on prend le* Sky Glide*) ; réduc. Billet coupe-file : 105 Rm ! CB acceptées. Infos sur* ● *panoramalangkawi.com* ● Passez les marchands du temple de l'Oriental Village, véritable Disneyland local, pour rejoindre la gare du téléphérique (autrichien, pour info...). Celui-ci se hisse en 10-15 mn au sommet du mont Mat Cincang en faisant une escale panoramique intermédiaire. Vue prodigieuse à l'aller comme au retour. Attention, c'est l'ascension en téléphérique la plus raide au monde ! On survole de haut la forêt enveloppée de silence, avant de raser de près les falaises. **Les personnes sujettes au vertige s'abstiendront !** Une fois en haut, on peut rejoindre, en 15 mn de marche (ou par le *Sky Glide,* une sorte de funiculaire en verre), un pont incurvé, véritable œuvre d'art suspendue en contrebas du sommet, comme par magie. Bon, là-haut, pourvu que les nuages ne recouvrent pas la montagne de leur blanc manteau...

Sinon, les marcheurs seront heureux d'apprendre qu'on peut aussi rejoindre le sommet de la montagne à pied, avec un guide (sur des sentiers qui suivent, en gros, le parcours du téléphérique)... Plusieurs formules, de différentes longueurs et niveaux de difficulté, toutes les infos sur ● *panoramalangkawi.com/skytrail* ●

LA CÔTE OUEST DE LA MALAISIE

🏃🏃 ← **Telaga Tujuh :** *de l'Oriental Village, une route mène, au bout de 1 km, au parking d'où démarre la balade ; il existe aussi un chemin longeant la rivière (bof). Accès libre, mais parking payant.* Ce n'est pas vraiment une randonnée, plutôt une longue série d'escaliers... Les 281 premières marches conduisent à la chute de Telaga Tujuh, joli panache après les pluies, un peu fluet à la saison sèche, autour de laquelle batifolent singes et papillons. Dans un second temps, une autre série de marches (357 cette fois !) grimpe à travers la forêt bruissante de vie jusqu'aux Seven Wells – une succession de petits bassins naturels en amont de la cascade, où certains se baignent malgré les avertissements des autorités. Possibilité aussi d'observer la cascade et ses environs le long d'une tyrolienne installée à proximité. Infos : ● umgawa.com ●

LA CÔTE NORD

Plus sauvage, plus tranquille que l'ouest de l'île, le nord alterne villages tranquilles noyés sous les cocotiers, criques caillouteuses et plages. Peu d'hébergements dans le coin, en dehors de 2 hôtels 5-étoiles, alors on y va plutôt en balade.

À voir

🏃 **Temurun Waterfall :** *au nord-ouest de l'île. Accès fléché sur le côté gauche de la route, face au café-resto Tiga.* Cette jolie chute de 30 m de haut est surtout impressionnante entre mai et août, à la saison humide (elle peut se tarir pour de bon à la période sèche). Au sommet, un bassin où l'on peut se baigner. Attention de ne pas laisser votre pique-nique en vue : les singes rôdent !

🦎 **Pasir Hitam :** *du côté est de la côte nord.* On l'appelle plus souvent *Black Sand Beach*, en raison des quelques dépôts de particules noirâtres à ses franges... mais le sable n'est pas noir ! Site touristique assez galvaudé. N'y aller que pour le superbe panorama depuis l'avancée qui surplombe la plage : en face, plein de curieux petits îlots rocheux ciselés par l'érosion.

🦎 **Pantai Rhu :** *à l'est de Pasir Hitam. Suivre la direction de Tanjung Rhu Rd.* L'une des plus belles plages de l'île, même si la présence d'une cimenterie Lafarge, à quelques kilomètres au sud-ouest, gâche un peu le paysage au loin. Longue et large comme une piste d'atterrissage dans sa partie centrale, elle fait face à un chapelet de petits îlots aux formes étonnantes, baignant dans une baie naturelle largement ouverte. Hélas, ici comme ailleurs, la mer charrie pas mal de déchets, que les hôtels du coin se font toutefois un devoir de ramasser quotidiennement. Sachez aussi que si la partie de la plage la plus nette semble accaparée par les 2 grands complexes hôteliers (le *Tanjung Rhu Resort* et le *Four Seasons Resort*), celle-ci demeure publique, comme toutes les plages du pays, et vous avez parfaitement le droit de vous y promener.
En poussant jusqu'au bout de la route vers l'est (ne pas prendre celle, en cul-de-sac, qui mène au *Tanjung Rhu Resort*), on arrive à l'extrémité orientale de la plage, où l'on peut s'arrêter pour boire un coup au **Kalut Bar** *(tlj 11h-20h ; plan Les îles Langkawi, 41),* posé sur la plage dans des poufs Sacco sous parasols... Très sympa ! À ce même endroit, on trouve aussi des agents locaux proposant diverses balades en bateau dans les environs, notamment à travers la mangrove (voir plus loin « À faire encore sur l'île »)...

🍸 ↑ **Rhu Bar** *(plan Les îles Langkawi, 42) :* au Four Seasons Resort. Tlj 17h-minuit. Certes plus cher que le *Kalut Bar* (voir ci-dessus), mais probablement ce qu'il y a de mieux pour profiter, au calme, de la plage de Rhu dans un cadre chic ! D'autant que les cocktails (de fruits notamment) y sont délicieux (goûtez au *passion mojito* !). On s'y laisse couler dans un moelleux canapé, tout en contemplant la mer et le sable blanc...

🏃🏃 **Galeria Perdana :** *Kilim, Mukim Kuah, entre la côte nord et Kuah.* ☎ 959-14-98. *Tlj 8h30-17h30 (18h vac scol). Entrée : env 10 Rm ; réduc.* C'est un musée qui rassemble les cadeaux offerts à Mahathir, Premier ministre de 1981 à 2003 et à nouveau depuis 2018. Souvent kitsch, rarement ancien mais parfois amusant... On y trouvera donc des cadeaux aussi éclectiques qu'un *Bronco Buster* signé Remington, une armure de guerrier indien, des théières du Cambodge, des sculptures sur bois du Vietnam ou encore de jolies figurines de Tanzanie, Malawi, île de Pâques, Nigéria... Photos du « grand homme » et section consacrée aux arts islamiques. Autre partie exposant bijoux, pierres et minerais, maquettes de maisons traditionnelles, sculptures sur marbre, sur jade, éléphant en argent du Sri Lanka, etc. À l'étage, sous la grandiloquente coupole, les trophées et diplômes de monsieur et madame, ainsi que des vases, de la vaisselle et des objets pas toujours de très bon goût (voir la kitschissime horloge en forme de paon offerte par l'ex-URSS), jolie série de poupées et figurines du Japon, marionnettes de wayang malais, de Thaïlande et de Mongolie. Au rez-de-chaussée, une statue de commandant à cheval très académique, cadeau d'Hugo Chavez, une galerie de couteaux, sabres et kriss (belles pièces). Enfin, au sous-sol, une belle collection de voitures.

GUNUNG RAYA

⇐ Dressé au centre de Langkawi, son point culminant (880 m) est accessible par une petite route étroite grimpant raide sur 12 km, au milieu d'une belle forêt tropicale peuplée de singes. En haut, on découvre des relais satellites et de TV, mais aussi une tour *(accès : 10 Rm)*, d'où l'on jouit d'une vue impressionnante : au sud, les îles Pulau Dayang Bunting et Pulau Tuba, séparées par un chenal naturel ; au nord, les îles thaïlandaises de Koh Adang et Koh Lipe ; enfin, à l'ouest, se dessine le passage du détroit de Malacca à l'océan Indien. Les ornithologues amateurs viendront avec leurs jumelles (pour traquer les calaos) et les poisseux avec une bonne paire d'essuie-glace pour tenter de chasser les nuages.

Où séjourner ? Où manger dans le coin ?

🏠 **Sunset Valley** *(plan Les îles Langkawi, 25)* : lot 2220, Jln Makam Mahsuri, kampung Teluk. ☎ 955-10-55. 🖷 017-284-45-50. ● sunsetvalleyho lidayhouses.com ● Compter env 350-500 Rm pour 2 et 550 Rm pour 4 ; petit déj en plus ; supplément de 25 Rm/j. pour la clim. Promos fréquentes sur Internet. CB acceptées. Pour ceux qui sont véhiculés et veulent se mettre au vert dans un très beau cadre, loin de toute agitation touristique. Tenu par un charmant couple germano-australien, le lieu propose 6 maisons en bois dans le style des *kampung* malais, dont 4 proviennent de l'île et une, la plus ancienne, est vieille de près de 2 siècles (« Paddy House », la plus petite). Certaines sont plutôt pour une famille (la « Forest House », la « Field House » ou la « Farmer's House ») mais toutes possèdent une cuisine ou une kitchenette équipée, ainsi qu'une terrasse avec belle vue sur les rizières alentour (superbes à la saison humide). Ici, on

fait soi-même sa tambouille ou on va au resto. Tarifs un peu élevés mais justifiés par le charme, le confort et la beauté de la situation !

🍽 **Pia's The Padi** *(plan Les îles Langkawi, 39)* : lot 618, Jln Ulu Melaka, Padang Gaong. 🖷 012-493-37-13. Tlj 12h-15h, 18h-21h. De prix moyens à chic. Au centre de l'île, un resto ouvert sur les rizières, qui offre un spectacle bucolique de jour et une douce ambiance, éclairée à la bougie, en soirée. Mieux vaut être motorisé pour venir jusqu'ici mais, si c'est le cas, une visite s'impose, tant la cuisine est savoureuse ! Au programme, un doux mélange de plats malais, indiens, thaïs et chinois, avec en vedette peut-être le meilleur bœuf *rendang* de l'île, mais aussi le *chicken tikka masala, fish sambal,* langouste au gingembre (plus cher)... Également des menus fixes pour 2 personnes. Accueil et service très courtois. On a aimé sur toute la ligne.

Achats sur l'île

🏠 **Atma Alam-Batik Art village :** à **Padang Matsirat,** à l'ouest de l'île, non loin de l'aéroport. ☎ 955-12-27. ● atmaalam.com ● Tlj 10h-18h. Une bonne adresse pour observer la fabrication artisanale du batik, en soie ou coton, et éventuellement repartir avec une chemise, une petite trousse de toilette... y'en a pour tous les budgets. Vous pouvez aussi peindre votre propre batik, d'après un éventail de modèles préconçus.

🏠 **Mountain Scents :** shops 20 & 21, Parade Megamall, niveau 3, Jln Pokok Asam, à **Kuah.** ☎ 966-81-87. Tlj 11h-20h. Cette boutique de centre commercial propose un joli assortiment de thés, théières et savons fabriqués à Langkawi, emballés dans des morceaux de batik. On y trouve aussi la spécialité cosmétique de l'île : le gamat, une crème de soins et de beauté à base de concombre de mer ! Efficace contre les piqûres de moustiques, entre autres.

À faire sur l'île

– **Visite de la mangrove :** avec la découverte des autres îles de l'archipel (voir plus bas), c'est l'excursion la plus populaire. Elle est proposée partout, en particulier dans les coins touristiques comme Pantai Cenang et Pantai Tengah. Il s'agit d'une balade en bateau (d'une dizaine de personnes) à travers la mangrove du nord-est de Langkawi, dans une section du Geopark inscrite au « programme international de géosciences et des géoparcs » de l'Unesco qui reconnaît, protège et étudie les sites « à valeur géologique internationale ». Au programme : découverte de la forêt inondée, visite d'une ferme d'aquaculture flottante, grotte aux chauves-souris, petite session de snorkeling (plongée-tuba) et observation des oiseaux. On voit des aigles pêcheurs et, avec un peu de chance, loutres, serpents, varans et le très coloré martin-chasseur gurial, au gros bec rougeoyant, à la livrée orangée et aux ailes turquoise. Certains opérateurs nourrissent les aigles et les singes pour les attirer jusqu'au bateau... Pas très écolo.

– Les prix tournent autour de 100 Rm/pers pour l'excursion de 6h, transport, guide et repas inclus. Pour un tour de qualité, on peut s'adresser par exemple à Dev's Adventure Tours, à Pantai Cenang (à côté du Sun Ba ; zoom, **36** ; 🖥 019-494-91-93 ; ● langkawi-nature.com ● ; compter 170 Rm/pers pour 4-5h, réduc enfants). Sorties plus chères mais plus éducatives et écoresponsables.

– **Snorkelling et plongée sous-marine :** se renseigner à l'office de tourisme et auprès des petites agences omniprésentes sur l'île. Elles proposent toutes une journée au Pulau Payar Marine Park, entre Langkawi et Penang. Les forfaits incluent le transfert depuis l'hôtel, le transport en bateau, le déjeuner, l'équipement et le transfert retour à l'hôtel, le tout pour environ 350 Rm/pers pour le snorkelling et 480 Rm pour une plongée (fun dive). On peut négocier un peu, mais peut-être vaut-il mieux attendre d'être sur la côte est, non ? La visibilité n'est pas extraordinaire dans la région. Si vous y tenez, sachez que la plupart des agences passent par Langkawi Coral (☎ 966-73-18 ; ● langkawicoral.com ●). C'est le plus gros centre de plongée et il propose aussi des transferts Langkawi-Penang (ou vice versa) avec plongée au passage à Pulau Payar. 2 en 1, c'est plus malin ! Autre opérateur sérieux : East Marine Holidays (☎ 966-39-66 ; ● eastmarine.com. my ●).

– **Croisières nocturnes :** compter 260-280 Rm/pers avec Tropical Charters (● tropicalcharters.com.my ●) et surtout Crystal Yacht (● crystalyacht.com ●). À bord de bateaux au style plus ou moins traditionnel, ils organisent des croisières de nuit avec repas et boissons inclus.

➤ *Randonnées :* elles se font presque obligatoirement avec un guide ou une agence. On recommande *Dev's Adventure Tours* (● langkawi-nature.com ●) ou *Junglewalla* (● junglewalla.com ●), qui vous feront connaître les secrets de la forêt tropicale entre chien et loup (ou même de nuit). Prévoir de bonnes chaussures et de l'eau. Possibilité aussi de prendre contact avec l'*association des guides* : 🛎 014-901-69-40. *Tarifs fixes : min 150 Rm pour un petit groupe pdt 4h (guide anglophone).*

– *Équitation : Island Horses,* à côté de l'Oriental Village, *sur la petite route menant à la chute de Telaga Tujuh.* ☎ 959-47-53. 🛎 012-422-96-99. ● langkawi horses.com ● *Tlj sauf lun 8h30-12h30, 14h-17h30.* Au choix : balades sur la plage, en forêt ou en montagne. Pas donné.

– *Pêche :* le plan le moins cher et le plus authentique est de partir avec un pêcheur local, mais attention, la pêche au calamar se pratique de nuit ! Pour taquiner le marlin et l'espadon au large, compter au moins 600 Rm pour une sortie de 4h, matériel fourni. Sinon, on trouve du bon matos à *Samudera Tackles Trading (tlj 9h-18h),* à la sortie ouest de Kuah, sur la route principale.

– *Yoga :* contactez Dorothy (anglophone). 🛎 019-652-06-83. ● langkawi-yoga. com ● *Cours ouv à ts lun, mer et sam 8h15-9h30 env, sur la plateforme de l'hôtel* Ambong Ambong *(zoom, 24), tout au bout de Pantai Tengah (20 Rm/h).* Difficile de faire cadre plus zen : on surplombe la mer, bercé par les bruits de la jungle. Dorothy propose aussi des cours particuliers et des retraites de 3-4 jours avec séances de yoga et immersion dans la nature.

LES AUTRES ÎLES

Comment y aller ?

Les agences de Kuah et des plages touristiques, ainsi que de nombreux hôtels et *guesthouses,* proposent des excursions vers les îles voisines, avec activités à la clé *(snorkeling,* plage, pêche, marche, visites de grottes, etc.). Les prix varient selon le type de bateau, le nombre de participants ou le nombre d'îles visitées mais le tour classique de 4h *(Island hoping tour),* qui permet de mettre pied sur 3 îles (Pulau Dayang Bunting, Pulau Singa Besar et Pulau Beras Basah, voir ci-dessous), revient à 30-40 Rm/pers. Pour un tour privé, il vous en coûtera plutôt dans les 500 Rm à 2, minimum.

PULAU DAYANG BUNTING

2e plus grosse île de l'archipel, fermant la baie de Kuah, Dayang Bunting dresse au-dessus des eaux de spectaculaires falaises hérissées de végétation. C'est l'une des plus visitées, car sa beauté est indéniable et les activités proposées diverses. La jungle envahit tout, cédant juste la place à des bandes de sable ou des grèves rocheuses en bordure de mer.

🎥🎥 *Le lac de la Vierge enceinte (Tasik Dayang Bunting) : au cœur de l'île, en pleine jungle.* On peut se baigner dans la fraîche eau douce de ce lac mystérieux, en ignorant les ragots locaux affirmant qu'un grand requin blanc hanterait les lieux ! Ce serait, paraît-il, le fantôme d'une princesse s'étant noyée après avoir fui sa famille pour retrouver son amant sur l'île... Une autre légende a donné son nom au lac : celle d'un couple marié depuis près de 20 ans et pourtant infertile. Après avoir bu de l'eau du lac, la femme donna naissance à une petite fille. Depuis, les femmes stériles viennent de tout le pays goûter à ce remède miraculeux...

🏃 *La grotte de la Dame blanche* (Gua Langsir) : *sur la côte ouest de l'île.* À visiter si la perspective de rencontrer des milliers de chauves-souris ne vous effraie pas...

PULAU SINGA BESAR ET PULAU BERAS BASAH

Au sud-ouest de l'île Langkawi. 2 îles désertes bordées de plages superbes. On vient pour se baigner tranquillement, mais tous les bateaux d'excursion vers les îles y passent, vu leur proximité avec Langkawi et Dayang Bunting. On y est donc de moins en moins seul.

LE PARC MARIN DE PULAU PAYAR

Composé de 4 îles microscopiques, il se trouve à 19 milles au sud de Langkawi (1h de bateau rapide) et 32 milles au nord de Penang. C'est une destination très populaire pour le *snorkelling* et la plongée. On y trouve juste un bureau d'information, des w-c, une zone pour prendre agréablement le repas froid qui accompagne généralement le tour des îles et une plate-forme base pour toutes les activités.
– *Accès* : lire ci-dessus les infos concernant le *snorkelling* et la plongée sous-marine dans notre rubrique « À faire sur l'île » à Langkawi. Sinon, on peut s'y rendre par soi-même par le ferry quotidien Penang-Langkawi qui fait escale à Pulau Payar. Départ de Penang à 8h30, arrivée vers 10h et retour dans l'après-midi vers 16h, par le bateau qui s'y arrête en provenance de Langkawi. Avec une agence, compter autour de 350 Rm l'excursion depuis Penang.

LE CENTRE DE LA MALAISIE

Aisément accessible par la route depuis Kuala Lumpur, Kuantan et Kota Bharu, le centre du pays attire un nombre sans cesse croissant de visiteurs désireux d'explorer le grand parc national du pays (Taman Negara Pahang), qui protège 4 300 km² de celle qui, selon les spécialistes, serait une des plus vieilles forêts primaires du globe (130 millions d'années) !

TEMERLOH
env 150 000 hab.   IND. TÉL. : 09

Principale ville du Centre, à mi-chemin entre Kuantan et Kuala Lumpur, Temerloh n'a pas d'intérêt en soi mais peut être une escale nécessaire pour ceux qui voudraient rejoindre le parc national de Taman Negara depuis la côte est (ou vice versa). Le centre-ville se trouve juste en retrait du plus grand fleuve de Malaisie, le *Pahang*, le long duquel se tient le marché. La gare routière est à moins de 10 mn de là. On rejoint notamment la *Jln Tengku Bakar* en remontant l'axe principal, Jalan Ahmad Shah.

Arriver – Quitter

En bus

Gare routière longue distance (Terminal Bas Utama) : *elle se trouve Jln Sudirman, une petite rue perpendiculaire à Jln Ahmad Shah, la route principale.* On y trouve tout ce qu'il faut pour se restaurer. Plusieurs compagnies représentées, dont *Utama Ekspres* et *Transnasional.*

➤ *De/vers Jerantut :* 3 bus/j., l'ap-m. Trajet : 1h.

➤ *Ipoh* via *Tapah :* 2 bus/j. Durée : 6h.

➤ *Kuala Lipis :* 2 bus/j., le mat et l'ap-m. Durée : 3h.

➤ *Butterworth (Penang) :* 1 bus le mat et 1 le soir avec *Utama Ekspres.* Durée : 5-6h.

➤ *De/vers Kuala Perlis :* 3 bus/j., le soir.

➤ *De/vers Kuala Lumpur (gare routière de Pekeliling) :* bus ttes les heures env 7h-18h avec *Pahang South Union Ekspres,* 2 autres plus tard avec *Bulan Restu* et *Metrobus.* Compter env 2h.

➤ *De/vers Kuantan :* nombreux bus, la moitié passe par l'autoroute.

➤ *Kota Bahru :* au moins 4 bus/j., le mat et le soir. Durée : 8h.

➤ *Malacca :* 1 bus/j., le mat. Durée : env 4h.

Gare routière locale : *elle se trouve à 10 mn à pied de la gare routière longue distance. Pour la rejoindre, descendre l'av. Ahmad Shah vers le sud (en passant le poste de police), la suivre lorsqu'elle s'incurve vers la droite (à la hauteur du centre) et, juste après, prendre la 2e à gauche passé Jln Tengku Bakar, en direction du grand bâtiment au toit en auvent (Baazar Kuala Semantan).*

➤ *Pour Jerantut :* bus locaux partant env ttes les heures 6h30-18h30.

Des *taxis longue distance* peuvent aussi vous emmener à *Jerantut* (45 mn de trajet), *Kuala Tembeling* (1h) ou *Kuala Tahan* (1h30). Prix majorés après 18h.

Où dormir ? Où manger ?

De bon marché à prix moyens

Rumah Rehat : *Jln Dato Hamzah.* ☎ 296-32-18. *Suivre les panneaux « Rumah Rehat » et « Hotel Seri Malaysia », puis prendre à gauche au rond-point juste avt la mosquée. Sur un promontoire surplombant le fleuve, à 10 mn à pied de la gare routière. Double env 80 Rm. Également des familiales pour 4.* Cette *resthouse* gouvernementale, comme la plupart des hébergements de ce style, peine à trouver un second souffle : les chambres sont décrépies mais spacieuses et propres, avec salle de bains, TV et frigo. Bon accueil, petit déj possible. Jardin pas

entretenu, dommage. Une adresse qui dépannera ceux qui sont en voiture et qui souhaitent passer une nuit au calme.

D'Island Café : *18, Jln Ahmad Shah. À 3 mn de la gare routière longue distance, en allant vers le centre. Plats 8-15 Rm.* Ce petit café chinois au cadre pimpant est parfait pour manger un morceau avant de reprendre la route. Faites comme les habitués : prenez l'*order list* et reportez les numéros des plats qui vous tentent ! Au menu (long comme un roman fleuve) : nouilles frites, riz de toutes sortes, *nasi lemak,* sandwichs et un bel assortiment de *dim sum.* Bons jus frais.

JERANTUT

90 000 hab.   IND. TÉL. : 09

Ancienne porte d'accès au parc national de Taman Negara, Jerantut a perdu de son attractivité depuis l'ouverture d'une route vers Kuala Tahan, entrée principale du parc. Reste qu'on doit parfois y changer de bus et y passer quelques heures ou même une nuit.

Quoique la ville soit très étendue, le centre, posé sur le flanc nord de la route 64, se compose principalement de quelques rues qui lui sont parallèles. Retenez surtout *Jalan Tahan*, prolongée par *Jalan Besar* (direction de la mosquée), et *Jalan Diwangsa*, la place principale. La majorité de nos adresses se situe dans ce secteur.

Arriver – Quitter

En bus

🚌 **Gare routière de Jerantut :** *Irong 3.* Reportez-vous aussi aux infos de l'agence *NKS*, dans « Adresses utiles », pour les liaisons très intéressantes en minibus vers **Kuala Tahan, Kuala Tembeling, Kuala Lumpur** et les **Cameron Highlands.**

➤ **De/vers Kuala Tahan** *(parc de Taman Negara) :* route plutôt sinueuse à travers les plantations de palmiers à huile (catastrophe écologique...). 2 bus/j., le mat et début d'ap-m. Durée : env 1h45. Le trajet entre KL et Jerantut prenant 3h à 3h30, il est tout à fait possible d'avoir une correspondance dans la journée et d'éviter de passer la nuit à Jerantut. Idem dans le sens retour.

➤ **De/vers Kuala Lipis :** 5 bus/j., dont 2 continuent jusqu'à **Kota Bharu.**

➤ **De/vers Kuala Lumpur** *(gare routière de Pekeliling) :* compter env 7 bus/j., 7h-19h avec *SE Ekspres*, 9h30-17h30 depuis KL, 8h45-16h depuis Jerantut.

➤ **Pour Kuantan :** 6 départs/j. Durée : 3h. L'un poursuit jusqu'à **Kuala Terengganu.**

➤ **De/vers Temerloh :** départs ttes les heures env, 6h-18h15. Sans compter les bus pour Kuantan qui passent aussi par Temerloh. Durée : 1h-1h15.

➤ **Pour les Cameron Highlands :** 2 changements en bus, pas pratique ; mieux vaut partir en minibus avec une agence, type *NKS*.

🚕 **Station de taxis :** sur la pl. principale Diwangsa, non loin de la gare routière. On peut vous conduire jusqu'à **Kuala Tembeling** (embarcadère) et **Kuala Tahan.**

En train

🚆 **Gare ferroviaire (Stesen Keretapi) :** *elle est située à 5 mn à pied du centre.* ☎ 266-2219. ● ktmb.com.my ● Attention, la plupart des trains arrivent et partent au beau milieu de la nuit !

➤ **De/vers Kuala Lipis et Kota Bharu :** c'est le fameux « train de la jungle ». Il y a 1 train/j., vers 4h du mat au départ de Jerantut ! Durée : env 8h.

➤ **De/vers Johor Bahru et Singapour :** départ en direction de Singapour vers 3h du mat. Durée : 7h-8h30.

➤ **De/pour Kuala Lumpur :** prendre le train en direction de Johor Bahru et changer à Gemas.

Adresses utiles

■ **Banques et change :** *AmBank* et **CIMB Bank** *(Jln Diwangsa ; pl. principale).* Leurs distributeurs acceptent les cartes *Visa* et *MasterCard*. **Merchantrade** *(money changer) : Jln Tahan, rue parallèle à Jln Diwangsa, à 2 pas de l'agence* Greenleaf. *Tlj 9h-18h.*

■ **Laverie** *(Dobi) : Jln Besar, près de l'hôtel Sri Emas. Tlj sauf dim 9h30-19h.* Peut se révéler utile après les folles randos dans le parc...

■ **Agence Greenleaf Holidays & Tours :** *2, Jln Diwangsa, 1er étage.* ☎ 267-21-31. ▤ 019-313-1240. ● tamannegara.my ● *Face aux* *taxis.* Organise des excursions de 1 à 3 jours dans le parc de Taman Negara (minimum 4 personnes). On peut y laisser ses affaires pendant ce temps-là.

■ **Agence NKS :** *21-22, Jln Besar.* ☎ *260-17-70 ou 73.* ● *taman-negara-nks.com* ● *À 80 m de l'hôtel Sri Emas.* Petite agence de voyages établie de longue date. Séjours dans le Taman Negara à partir d'une journée : transport seul, activités, forfaits, tout est possible. La maison propose toute la logistique adéquate, mais vous n'êtes pas obligé de souscrire. Elle organise aussi des transferts en minibus vers le parc (minimum 4 personnes), KL à 13h, vers les Cameron Highlands à 11h30 et même jusqu'à Kuala Besut, sur la côte est à 10h, d'où l'on gagne les îles Perhentian (bateau en correspondance).

Où dormir ?

L'hébergement n'est vraiment pas cher ici... Tant mieux !

Bon marché
(jusqu'à 100 Rm / 22 €)

⌂ **Greenleaf Traveller's Inn :** *2, Jln Diwangsa, 1er étage.* ☎ *267-21-31. À côté de l'AmBank. Lit en dortoir de 4 pers et doubles avec ou sans AC.* Petit hôtel aux chambres des plus simples, à la propreté moyenne, et un dortoir de 4 lits. Sanitaires sur le palier et petite cuisine à disposition. La maison possède aussi une agence de voyages qui organise des excursions au Taman Negara (voir « Adresses utiles »). On y parle l'anglais.

⌂ **Hôtels Sri Emas et NKS :** *46 et 21-22, Jln Besar.* ☎ *260-17-70 ou 73.* ● *taman-negara-nks.com* ● *Les plus proches de la gare ferroviaire. Dortoir et doubles avec sdb privée ou partagée, ventilo ou clim.* Associés à l'agence *NKS* (voir « Adresses utiles »), ces hôtels jumeaux, distants de 80 m, proposent un grand choix de chambres à prix abordable. Propreté acceptable, mais draps souvent troués et salles de bains peu pratiques. Mais bon, vous ne vous attendiez pas au *Ritz...* Et puis on viendra vous chercher au bus ou à la gare quelle que soit l'heure si vous prévenez.

⌂ **Sakura Castle Inn :** *1-2, Jln Bomba.* ☎ *266-52-00.* ● *sakura castle_inn@yahoo.com* ● *À 3 mn de la gare routière.* On le reconnaît à sa façade orange, face à la station-service *Petronas.* Cet hôtel fonctionnel et propre, propose des chambres bien équipées et bien tenues ; certaines donnent sur l'arrière. Le meilleur rapport qualité-prix-situation-accueil.

⌂ I●I **Jerantut Hill Resort :** *lot 1284, Jln Benta.* ☎ *267-22-88.* ● *jhresort. com.my* ● *Sur une colline dominant la route de Benta et Kuala Lipis, à 2 km du centre. Doubles 70-110 Rm, chalets indépendants 110-240 Rm, petit déj inclus.* C'est l'adresse la plus « chic » de Jerantut, avec un petit air de club de vacances renforcé par la grande piscine où batifolent le week-end les enfants des familles venues de Kuala Lumpur. On y trouve un grand choix d'options, depuis la chambre aveugle bon marché aux bungalows en bois très bien équipés. Ils existent en 4 catégories : standard, VIP, VVIP et VVVIP ! Pour ne pas vous ruiner, nous vous conseillons une petite chambre avec balcon dans le bâtiment dominant la piscine, mais... proche du karaoké. En tout cas, mieux vaut éviter le bâtiment principal, sombre.

Où manger ? Où boire un verre ?

I●I Nombreux **restaurants** alignés au coude à coude sur Jalan Pasar Besar, face au marché (surtout le soir). Ils servent en terrasse de nombreux plats malais, indiens ou chinois, à prix modestes.

LE CENTRE DE LA MALAISIE

♈ NKS Café : 21-22, Jln Besar. À 80 m de l'hôtel Sri Emas. Tlj 7h30-21h (18h en basse saison). Central et pratique, car on peut y boire un verre, prendre des infos sur les excursions au Taman Negara (c'est aussi une agence) et utiliser le wifi.

À voir

🎥🎥 Ne pas rater l'incroyable *mosquée* bleu ciel, tout droit sortie des *Mille et Une Nuits* avec ses bulbes dorés. Elle est située à environ 500 m à l'ouest de Jalan Besar.

TAMAN NEGARA PAHANG

IND. TÉL. : 09

À moins de mettre le cap sur Bornéo, c'est ici qu'il faut venir pour découvrir cette fantastique forêt tropicale qui ne cesse, ailleurs, de subir les assauts des forestiers et des planteurs. Le Taman Negara (« parc national » en malais), auquel on a ajouté le terme « Pahang », du nom de la province pour le distinguer des autres parcs nationaux du pays, fut créé en 1939. Il couvre aujourd'hui plus de 4 340 km² (7 fois Singapour), protégeant en particulier une vaste zone de forêt dite « basse » (en altitude), la plus menacée du pays, si souvent détruite pour être remplacée par des cultures de palmier à huile.

Cet immense pan de jungle est encore plus vieux que l'Amazonie : il existe dans son état actuel depuis 130 millions d'années. Qu'y trouve-t-on ? Le Gunung Tahan (2 187 m), le plus haut sommet de la péninsule malaise, un trek ardu entre brumes et brouillards. Des arbres millénaires se hissant jusqu'à plus de 70 m de haut. Des grottes immenses peuplées de chauves-souris. Des cours d'eau impétueux et des cascades impressionnantes. Et, bien sûr, une flore et une faune d'une richesse insoupçonnée.

– Quelques infos sur le site du *Department of Wildlife and National Parks* : ● wild life.gov.my ●

CERFS-SOURIS ET LÉZARDS VOLANTS

La forêt tropicale du Taman Negara forme, en fonction de l'altitude, plusieurs écosystèmes parmi les plus riches de la planète. On y répertorie près de 10 000 espèces de plantes, dont une centaine d'orchidées, des fleurs insectivores, des figuiers étrangleurs, le bambou *buluh rakit*, le plus élancé qui soit, dont les jeunes pousses grandissent de 6 à 7 cm par jour, et la fameuse rafflesia, la plus grande fleur du monde, qui peut atteindre 1 m de diamètre et empeste la viande en décomposition ! Les botanistes comptent jusqu'à 200 espèces d'arbres pour un seul hectare de forêt basse (10 fois moins en Europe). La vie s'y organise en étages : à chaque niveau ses espèces spécialisées, ses interactions. Certaines passent leur vie dans la canopée. D'autres ne quittent jamais le sol ou même les plantes épiphytes suspendues à mi-hauteur. Mentionnons aussi ces fougères et ces drôles de champignons luminescents qui scintillent dans la nuit après la pluie.

Des quelque 650 espèces d'oiseaux recensées en Malaisie, 350 habitent ou fréquentent le Taman Negara. Parmi elles, l'incontournable calao et les rares éperonnier de Rothschild et cigogne de Storm. Mais tous les visiteurs, naturellement, rêvent de voir plus gros. Des varans (probable). Un tapir (possible). Un buffle d'eau ou un plus gros buffle blanc (persévérance exigée). Un cerf-souris (2 kg tout mouillé !). Ou cet étonnant dragon volant, un lézard qui plane en étirant ses

« ailes » (membranes de peau) colorées pour passer d'arbre en arbre... Plus gros, encore ? Le Taman Negara abrite aussi, c'est vrai, une faune que l'on ne voit généralement qu'au zoo : des éléphants sauvages, de rarissimes rhinocéros de Sumatra et même des tigres, tellement craintifs que les survivants (estimés à 600 en Malaisie) se cachent le plus loin possible des zones habitées.

En fait, vous verrez des milliers d'animaux : des insectes en particulier. Vrombissant à longueur de temps, ils sont la voix de la forêt. Leurs appels stridulants hantent les nuits comme les randonnées. Vous croiserez peut-être aussi de gros rats, des scorpions, des serpents. Mais, rassurez-vous, le

VIOLENCES CONJUGALES ?

Gros oiseau emblématique du pays, le calao porte un plumage noir et blanc, et un bec jaune surmonté d'une protubérance osseuse (casque) qui lui vaut aussi l'appellation de « calao rhinocéros ». Pour se nourrir, le joyeux drille saisit fruits (figues de préférence) et insectes avec l'extrémité de son bec, et les projette en l'air avant de les avaler. Le plus étonnant tient à sa nidification... Une fois repéré un trou dans un arbre, la femelle calao s'installe et monsieur mure l'entrée avec de la boue. Seule demeure une fente étroite, par laquelle il va nourrir sa compagne durant toute la période d'incubation, puis toute la famille pendant quelques semaines jusqu'à ce que les petits soient prêts à s'envoler.

danger est faible, surtout en compagnie d'un guide. Même le paludisme a disparu, les eaux stagnantes ayant été éliminées. Non, la seule véritable épreuve pour les visiteurs reste le climat. La température oscille en moyenne entre 33 °C en milieu de journée et 26 °C la nuit. L'humidité, elle, est constante, autour de 90 % !

PETITE RUBRIQUE EXCITANTE

Voici un petit inventaire des éventuels désagréments auxquels vous pourriez vous trouver confrontés au Taman Negara. Cela ne contredit en rien les assertions ci-dessus, mais quelques précisions s'imposent.

– **Les plantes vénéneuses et carnivores :** les guides vous les indiqueront au cours des treks. Si vous vous passez de leurs services, raison de plus pour ne jamais toucher la moindre plante inconnue ! On a rencontré un touriste aimant trop les fleurs et dont le bras avait doublé de volume !

– **Les scorpions :** on en voit beaucoup en se promenant de nuit, cachés dans les anfractuosités des arbres. On en croise rarement de jour, mais sachez qu'ils se terrent sous des troncs d'arbres ou des cailloux. Leur piqûre est nocive, très violente et parfois mortelle. Mais ils n'attaquent jamais sans raison, il suffit de ne pas les taquiner.

– **Les serpents :** une centaine d'espèces dans le parc, dont (seulement) 36 sont dangereuses pour l'homme. Les plus redoutables sont le cobra (rare), la vipère et le serpent d'eau. Rassurez-vous, ils fuient l'homme au moindre bruit... Très rare aussi, le python, dont certains spécimens atteignent 4 m, voire plus. Jamais un Orang Asli ni aucun visiteur n'a été mordu par un serpent dans l'enceinte du Taman Negara.

– **Les moustiques et autres volants :** les marécages ayant été asséchés, leur nombre a largement diminué. Mais ne tentez pas le diable, car il existe d'autres insectes que les moustiques, qui piquent tout autant.

– **Les sangsues :** elles ne représentent aucun danger pour l'homme. Dans certains endroits elles jonchent le sol et pointent le nez verticalement de sorte que si vous marchez dessus, elles se collent à la semelle de vos chaussures pour grimper dessus puis pénétrer dedans et se faufiler entre vos chaussettes et votre peau. Là, bien au chaud, elles vous mordent, c'est indolore, car elles injectent un anticoagulant puissant, l'hirudine, ce qui explique que même une forte pression destinée à stopper le sang qui coule dès que vous êtes parvenu à vous en débarrasser ne suffit pas ; seule la patience fera le reste ; et se gonflent de votre sang pour prendre la taille d'un petit pois. Les 2 armes redoutables des sangsues sont leur capacité à s'aplatir à l'extrême, ce qui empêche de les écraser, et leur capacité à coller à la peau. Mais rassurez-vous, elles se détachent d'elles-mêmes au bout de 10 mn. Les gens du coin, loin de les redouter, affirment qu'elles aspirent le mauvais sang. D'ailleurs, la plupart marchent en tongs, jambes découvertes. Prenez éventuellement de quoi désinfecter la plaie.

LES ORANG ASLI DU PARC

Comme toute forêt importante de la péninsule, celle du parc est l'un des territoires ancestraux des aborigènes. Les Batek (Orang Asli) du Taman Negara représentent une dizaine de familles de 20 à 30 membres chacune. Jadis nomades, ils ont été en grande partie sédentarisés par le gouvernement malais et beaucoup vivent désormais sur les berges de la rivière Tembeling. Ceux qui auront la chance de rencontrer des Orang Asli devront tout d'abord se contenter de les saluer. Ils peuvent être un peu distants mais ils sont amicaux. On peut leur offrir des présents au cours d'une visite de campement en compagnie d'un guide (riz, biscuits...), mais les cadeaux les plus appréciés restent les cigarettes. En principe, un droit d'entrée (env 5 Rm/pers) est demandé au village.

N'ayant pour seules ressources que les produits de leur forêt, les Orang Asli mangent tous les animaux qu'ils trouvent. Ils chassent à l'aide de sarbacanes longues de 1,50 m. Leurs fléchettes, mesurant 10 à 20 cm et enduites d'un poison (inoffensif pour l'homme) extrait d'un arbre appelé *ipoh,* atteignent leur cible à 100 m ! Pour ce faire, ils utilisent une technique ancestrale, remplissant leur ventre d'air et soufflant un bref coup très puissant. En dehors de la viande, ils ne mangent que les fruits déjà touchés par des animaux, donc sans danger pour l'homme.

Ils récoltent également du miel avec une adresse exemplaire. L'opération n'a lieu que les nuits sans lune. Les abeilles (qui, comme les guêpes, ne sont pas folles) installent leurs ruches au sommet des arbres les plus hauts. Mais les Orang Asli parviennent à y monter après avoir tressé des rotins tout autour ! Ils prennent soin, naturellement, de faire fuir les abeilles en les enfumant. De même, l'eau potable ne leur manque jamais : ils savent quelles lianes trancher (certaines étant toxiques) pour récupérer le liquide qui y coule, sans odeur et toujours très propre. Ces hommes de la forêt connaissent toutes sortes de remèdes naturels pour panser leurs blessures. Les plantes et les racines n'ont aucun secret pour eux. Pas besoin, par exemple, de compresse : une simple feuille (détachée d'un arbre bien précis), frottée contre une plaie, stoppe instantanément le flux du sang... Lire aussi les paragraphes qui leur sont consacrés dans « Les Cameron Highlands » plus haut et « Le lac Chini » plus loin.

Arriver – Quitter

L'entrée principale du parc se trouve à **Kuala Tahan,** où sont regroupés les bureaux officiels et les hôtels. C'est d'ici que partent la plupart des excursions. Une autre entrée se trouve à l'ouest du parc, à **Merapoh,** sur la route de Kota Bharu, mais elle n'intéressera que les courageux qui souhaitent faire l'ascension du Gunung Tahan directement (petits hôtels et camping sur place, guides locaux, mais le coin est encore peu développé et l'accès moins pratique qu'à Kuala Tahan).

2 solutions : la route, puis le bateau de Kuala Tembeling à Kuala Tahan ou la route jusqu'à Kuala Tahan.

Par la route

Longue de 70 km, elle relie Jerantut à Kuala Tahan (1h15 de voiture, 1h30 de bus). On l'effectue soit en minibus par l'intermédiaire d'une agence depuis Kuala Lumpur, Tanah Rata ou Jerantut, bien pratique ; soit en bus, avec changement à Jerantut, soit en taxi depuis Jerantut. Voir la rubrique « Arriver – Quitter » de cette ville.

En minibus

Une bonne option, simple et pas chère. S'adresser aux agences *NKS* ou *Han Travel*, qui possèdent des bureaux à Kuala Lumpur, Jerantut, et au débarcadère de Kuala Tembeling. Voir leurs coordonnées dans ces différentes villes.

■ *NKS :* à *Kuala Lumpur :* ☎ *(03) 2072-03-36.* ● *taman-negara-nks. com* ● Départ depuis l'hôtel *Mandarin Pacific (zoom couleur I, B4 ; 2-8, Jln Sultan, à Chinatown). À Kuala Tembeling :* au bureau du parc, côté embarcadère. ☎ *308-65-29.* ▤ *014-803-45-39.* ● *taman-negara-nks.com* ● *Tlj 7h30-17h30.*

■ *Han Travel :* à *Kuala Lumpur :* ☎ *(03) 2031-08-99.* ● *taman-negara. com* ● Départ du *Kompleks Selangor (Jln Sultan, face au* Swiss Inn Hotel, *n° 62 de la rue). À Kuala Tembeling :* comptoir au fond du resto. ☎ *(09) 308-60-14.* ● *taman-negara.com* ●

➢ *De Kuala Lumpur,* elles affrètent chaque matin (vers 8h) un minibus pour Jerantut (NKS) et Kuala Tembeling (en correspondance avec les pirogues menant au parc) ou directement vers Kuala Tahan par la route. C'est 2 fois plus cher que le bus mais pratique car sans changement.

Retour depuis Kuala Tahan vers 10h pour les 2 compagnies, via Jerantut ou Kuala Tembeling.

➢ *De/vers Jerantut :* l'agence *NKS* assure un départ de Jerantut à 8h30 et 13h30, en correspondance avec chaque pirogue. Retours de Kuala Tembeling à 11h30 (avec continuation vers Kuala Lumpur) et 16h30. Petit arrêt de 1h à Jerantut au passage, le temps de grignoter un morceau au *NKS Café* (pas bête...).

➢ *De/vers Kuala Besut (ferry pour les îles Perhentian) :* départ de Kuala Tahan vers 8h avec les 2 agences (via Jerantut avec *NKS*), ainsi qu'à 14h30 *(Han Travel).* Achat possible auprès de l'agence d'un billet pour le ferry.

➢ *De/vers Cameron Highlands :* départ vers 10h de Kuala Tahan, 11h30 de Jerantut (NKS) ou 12h de Kuala Tembeling *(Han Travel et NKS).* Si on prend la 1re pirogue de Kuala Tahan, on peut rejoindre les Cameron Highlands directement de Kuala Tembeling.

En bus

➢ 2 départs/j. *de Jerantut* à Kuala Tahan, le mat et début d'ap-m. Durée : env 1h45.

En taxi

➢ Au départ *de Jerantut* pour Kuala Tembeling et Kuala Tahan.

En pirogue à moteur entre Kuala Tembeling et Kuala Tahan

Une belle entrée en matière un peu plus chère et un peu plus longue que le minibus, mais nettement plus agréable (sauf qu'il faut parfois pousser la pirogue quand il n'y a pas assez d'eau).

Kuala Tembeling se situe à 18 km au nord de Jerantut, sur la route de Kuala Lipis. Un grand panneau indique « Jeti Taman Negara ». Tembeling, sur le fleuve du même nom, est juste un lieu-dit. On y trouve de quoi se sustenter en attendant la pirogue ou un minibus, ainsi que le *Bureau du parc national de Taman Negara (dans le principal bâtiment de l'embarcadère ; tlj 8h30-15h – 12h15 le ven).* On peut y acheter son permis, mais c'est aussi possible à Kuala Tahan.

➢ Départs quotidiens en pirogue de et vers Kuala Tahan à 9h et 14h (14h30 ven), à l'aller comme au retour. Compter env 40 Rm/pers par trajet. Pensez à réserver votre place de retour en haute saison et n'arrivez pas en retard : les pirogues n'attendent pas ! La remontée du fleuve jusqu'à Kuala Tahan dure plus ou moins 3h, selon le niveau de l'eau ; le retour prend 2h. On n'a pas le temps de s'ennuyer : le voyage est une merveilleuse introduction à la jungle. Grands arbres le long des rives, plages, villages de pêcheurs... On voit même des familles d'Orang Asli faisant leur lessive, des buffles d'eau détalant au bruit du moteur. Parfois, quelques animaux à photographier pendant le trajet : oiseaux multicolores, papillons, varans, coqs de bruyère et peut-être le redoutable serpent d'eau !

– Pour profiter au mieux des avantages des différents modes de transport, on vous conseille d'arriver en pirogue et de repartir en bus ou minibus.

Infos utiles

– Le parc est ouvert toute l'année. Évitez la période de mousson, entre novembre et janvier. C'est alors la basse saison, à l'exception du mois de décembre, date des congés scolaires des Malaisiens. La haute saison, parfaite pour un trek, s'étend d'avril à septembre.
– Un **permis d'accès** au parc est exigé, au prix de... 1 Rm + 5 Rm de droit photo. On se le procure à l'embarcadère de Kuala Tembeling (voir ci-dessus) ou à l'arrivée au quartier général du parc (voir « Kuala Tahan »).
– En haute saison, il est conseillé de **réserver** son hébergement avant de débarquer.
– Possibilité de garer sa voiture sur le **parking** de Kuala Tembeling, moyennant 5 Rm/j.
– Pour vraiment profiter du Taman Negara, 2 ou 3 jours minimum sont nécessaires. Sinon, vous risqueriez d'être déçu...

À emporter

Pas la peine de vous déguiser en aventurier ! Les Orang Asli vivent pieds nus dans la forêt, les guides se promènent simplement en short et sandales. Il suffit juste de regarder où vous marchez ! Voici en gros l'équipement nécessaire pour un petit trek.
– Bonnes chaussures de marche ou tennis montantes.
– Vêtements légers en coton. Chemises à manches longues contre les moustiques. Pantalons épais pour les visites de grottes (on rampe), mais également pour les branches et les ronces. Des tee-shirts de rechange, car on se salit vite et la transpiration (même de la veille) attire les abeilles (véritable plaie sur un trek de plusieurs jours). Et n'oubliez pas un pull si vous envisagez d'entreprendre l'ascension du Gunung Tahan (2 187 m).
– Dans un petit sac à dos : gourde, canif, briquet, jumelles, lampe de poche puissante, crème répulsive pour éloigner les insectes, pommade calmante pour les piqûres, pansements divers pour les bobos, serviette éponge (on transpire tout le temps !), porte-documents étanche (mais mieux vaut laisser ses papiers à la réception du *Mutiara Taman Negara Resort* contre un reçu).
– Le *minimarket* du parc vend conserves, eau, crème antimoustiques, gaz et cigarettes. Et une petite épicerie dans le village, peu fournie toutefois.
– Prévoir du liquide, car ni banque ni distributeur à Kuala Tahan, et seuls les établissements un peu chic acceptent la carte de paiement.
– Matériel photo : prévoir un sac solide, étanche et rempli de sachets contre l'humidité.

KUALA TAHAN

Principale porte d'entrée du parc national, Kuala Tahan s'est considérablement développée depuis la construction de la route. On y trouve des hébergements pour tous les budgets et des agences qui proposent des excursions : la jungle commence juste de l'autre côté de la rivière.

Adresses utiles

■ **Department of Wildlife and National Parks :** *à l'entrée du parc, à env 100 m à gauche de la réception du* Mutiara Taman Negara Resort. ☎ 266-11-22. *Tlj 8h-18h (fermé ven 12h-15h).* Prévoir 1 Rm pour la traversée en pirogue. Toutes infos, permis d'entrée et activités. On peut s'y procurer une carte succincte du parc.

■ **Laverie :** *en haut de la rue de l'embarcadère.* Certaines *guesthouses* proposent aussi ce service.

Où dormir ?

Tous les hébergements se trouvent dans le village, hormis le *Mutiara Taman Negara Resort* à l'entrée du parc.

Bon marché (moins de 50 Rm par pers en dortoir ou 100 Rm la double / 11 ou 22 €)

⚐ **Camping :** *au* Mutiara Taman Negara Resort. *Traverser la rivière en pirogue. S'adresser à la réception. Le camping se trouve à env 200 m à gauche de la réception. Compter 10 Rm/pers (avoir sa propre tente). Douche à l'eau de la rivière, w-c et cuisine à proximité.* Cadre très agréable et ambiance fraternelle garantie. Attention aux singes, qui piquent tout ce qui traîne !

🛏 **Liana Hostel :** *au-dessus de l'embarcadère, accessible par des escaliers.* ☎ 266-93-22. 📱 017-925-81-76. *Bon marché.* Une des adresses les moins chères du coin. Elle propose uniquement des dortoirs de 4 lits superposés, corrects. Draps fournis. Petite terrasse et bon accueil.

🛏 **Mahseer Chalet :** *dans le village, au bord du sentier qui surplombe la rivière.* 📱 019-383-26-33. ● mahseerchalet@gmail.com ● *Dortoir bon marché avec ventilo ou AC ; double avec AC et sdb à prix moyens (fourchette basse). Pas de petit déj.* À côté de l'école, avec la volaille dans le jardin. Dans une bâtisse vert et bleu, les petites chambres simplissimes, appelées « dortoirs » (2 lits seulement), sont posées face à la rivière. Doubles correctement équipées dans des chalets en bois. Un bon rapport qualité-prix-situation.

🛏 **Julie's Hostel :** *en haut de la rue de l'embarcadère.* ☎ 267-22-42. *Dortoir bon marché, doubles prix moyens (fourchette basse). Pas de petit déj.* Les murs vert acidulé et rose égaient cette petite auberge qui propose un dortoir de 7 lits (douche avec eau froide) et des chambres doubles avec clim et salle de bains, un peu plus chères que la moyenne. Ensemble propre.

🛏 **Yellow House :** *au bout du village, de l'autre côté du terrain de foot.* ☎ 266-42-43. 📱 017-946-33-57. *Doubles bon marché.* Un peu à l'écart des autres *guesthouses,* celle-ci se distingue avant tout par ses chambres lumineuses, du moins celles situées dans la maison... jaune. Ce sont les seules à profiter d'une grande baie vitrée, en plus du carrelage au sol, d'une salle de bains et de l'AC, le luxe, quoi ! Les autres, dans le bâtiment principal, restent plus conventionnelles, équipées ou non d'une salle de bains, mais clim pour tout le monde. Bon accueil.

🛏 **Durian Chalet :** *à env 10-15 mn à pied du village. De l'embarcadère, prendre à gauche à la 1re intersection, puis encore à gauche à la fourche (fléché).* 📱 014-212-71-51. *Bon marché. Petit déj en sus.* Dans un jardin fleuri, en pleine campagne, les petites chambres toute simples en bois ou dans les chalets pour 2 et 4 personnes s'étagent sur plusieurs niveaux. Toutes possèdent un ventilo et une moustiquaire, parfois une mini-terrasse. Une adresse au charme bucolique, mais moins pratique pour ressortir le soir (prévoir une lampe de poche). Organise aussi des excursions.

LE CENTRE DE LA MALAISIE

🛏 *Rainbow Guesthouse :* *au bout du sentier qui surplombe la rivière, après* Masheer Chalet. ☎ 266-66-01. 📱 *017-911-54-73. Doubles bon marché.* Le nom n'est pas usurpé, à chaque chambre sa couleur. La violette est plutôt spacieuse, toutes bénéficient d'une salle de bains et de la clim. Accueil familial.

🛏 *Abot Guesthouse :* *en haut de la rue de l'embarcadère.* 📱 *017-916-96-16. Doubles bon marché. Également des familiales. Pas de petit déj.* Les chambres, toutes de plain-pied, sont réparties de part et d'autre de la rue. Elles sont propres, disposent de la clim, d'une salle de bains et même d'un bon matelas. Pas mal pour le prix.

De chic à très chic (plus de 180 Rm / 40 €)

🛏 *Mutiara Taman Negara Resort :* *de l'autre côté de la rivière, à l'entrée du parc.* ☎ 266-35-00. ● *mutiara hotels.com* ● *60-80 Rm/pers pour l'hostel, 280-480 Rm le chalet standard pour 2. Également des chalets familiaux avec 2 chambres.* Plusieurs types d'hébergement, du camping (lire plus haut) aux chalets-suites, en passant par l'*hostel* avec salle de bains commune (catégorie « Bon marché »), intéressant pour sa situation, mais plus cher que dans le village pour un confort moindre. Les chalets, quant à eux, sont vastes, confortables et bien équipés. Ils possèdent une terrasse pour observer les nombreux singes qui ont reconquis le territoire. Demandez-en un de préférence proche de la réception, les plus éloignés se trouvent à 10 mn de marche. Agence sur place pour organiser ses excursions.

🛏 *Xcape Resort :* *à env 5 mn à pied du village, 10-15 mn de l'embarcadère. Prendre la rue de Jerantut, puis tourner à gauche, c'est un peu plus loin sur la droite.* ☎ 266-11-11 *ou 10.* ● *xcapetamannegara.com* ● *Double env 240 Rm. Prix selon situation et services (avec ou sans petit déj et serviettes de toilette), réduc possible. Quelques familiales.* Une série de bungalows alignés comme à la parade, spacieux, carrelés, disposant de la clim. Gros avantage : une piscine dans laquelle se glisser après un trek, un vrai bonheur ! Évitez les bungalows du fond, à l'environnement moins entretenu et les chambres standard (les moins chères) : elles sont au sous-sol du bâtiment principal et humides.

Où manger ?

De bon marché à prix moyens (jusqu'à 50 Rm / 11 €)

🍴 *Les floating restaurants :* comme leur nom l'indique, ils sont tous sur la rivière. Impossible de les louper. Le principe est chouette, car on mange directement sur l'eau. Vous n'aurez pas de mal à en faire le tour si vous restez plusieurs jours. Difficile de les départager toutefois, car la qualité peut varier d'une saison à l'autre et... d'un gérant à l'autre. On vous indique les 2 plus réguliers. Sinon, ils ouvrent tous de 8h à 23h environ.

– *Family Restaurant :* *sur la gauche, quand on arrive par la route. Bon marché.* Le plus populaire, toujours beaucoup de monde, ce qui est plutôt bon signe. On y mange des brochettes, en plus des plats malais et chinois habituels.

– *Wan's Floating Restaurant :* *au bout à gauche quand on fait face à la rivière. Bon marché.* Il appartient à l'agence *NKS*. Cuisine classique très correcte et bon accueil.

🍴 *Si Mutiara Restaurant :* *c'est le resto du* Mutiara Taman Negara Resort *(voir « Où dormir ? »). Ouv jusqu'à 22h. Prix moyens.* Cuisines malaise, chinoise, indienne et européenne, il y en a pour tous les goûts. Cadre confortable et cuisine classique, parfois goûteuse, parfois plus banale. Terrasse ouverte qui surplombe la rivière, romantique le soir.

Excursions dans la jungle

Infos pratiques

– Se renseigner au **bureau du Department of Wildlife and National Parks** (voir la rubrique « Adresses utiles »), ainsi qu'auprès des agences, sur toutes les balades et les treks possibles dans le parc.

– En principe, les treks partent soit du **Mutiara Taman Negara Resort,** à l'entrée du parc (sur l'autre rive), soit d'un point de départ en pleine forêt qui nécessite un préacheminement en bateau.

– Il est possible d'entreprendre seul des balades de quelques heures près de l'entrée du parc sur les passerelles aménagées, toutefois les guides sont indispensables pour fournir de précieuses informations sur les plantes, les arbres, ou la vie dans la jungle. Seul, on risque de passer à côté d'une foule de détails intéressants. Pour des treks plus longs (à partir d'une journée), il est **déconseillé de s'aventurer sans guide,** car si les sentiers sont faciles à suivre au début et à la fin, il n'en est pas de même en pleine jungle. La nature reprend très vite ses droits et ça évite de flipper pour rien en cas de danger possible.

Les agences

Elles proposent toutes à peu près la même chose, à des prix similaires. La compétence du guide fait souvent toute la différence.

■ **NKS :** au Wan's Floating Restaurant, *à gauche en regardant la rivière.* ☎ 308-65-29. 📱 014-803-45-39. ● *taman-negara-nks.com* ● Agence sérieuse, sur place depuis de nombreuses années.

■ **Han Travel :** au Mawar Floating Restaurant. 📱 *014-298-40-07 (Dino).* ● *taman-negara.com* ● Là encore, bonne réputation pour cette agence, qui emploie généralement des guides sérieux.

■ **Agence du Mutiara Resort :** ☎ *266-35-00.* ● *mutiarahotels.com* ● *Voir « Où dormir ? ».* Agence efficace, guides compétents, prix un peu plus élevés qu'ailleurs.

■ **TN Nature Outdoor :** *dans le village, dans la rue qui descend vers l'école.* ☎ 266-77-66. 📱 *014-839-76-37.* ● *tamannegarapahang.com.my* ● Patron à l'écoute et pro.

■ **Tahan Makmur Travel &Tours :** *dans la rue de l'embarcadère, côté droit en montant.* ☎ 266-14-91. 📱 019-976-58-97. ● *tamanegara.com* ● En plus des sorties habituelles, Alias, un des guides, peut organiser un trek jusqu'à son village pour y passer la nuit, hors des sentiers battus.

Les balades et les treks

On a le choix entre des passerelles aménagées pour les balades les plus courtes et de vrais treks, certains assez éprouvants, avec nuit en pleine forêt ou dans une grotte. *Petit rappel :* la meilleure saison s'étend d'avril à septembre.

🐾🐾🐾 **Canopy Walkway :** *à 30 mn à pied du Mutiara Taman Negara Resort le long d'une passerelle (possible seul). Sam-jeu 9h-15h (jusqu'à 12h ven). Fermé en cas de mauvaises conditions climatiques (vents forts...). Accès : 5 Rm. Possible sans guide.* C'est le pont suspendu le plus long du monde : 530 m de cordes, de filins et de planches à travers la canopée, entre des arbres pouvant atteindre 80 m de haut ! Mais suite à de graves inondations, on ne parcourt, pour l'instant, que la moitié de la distance. Le pont, perché à 40 m de haut environ, est divisé en plusieurs tronçons sécurisés (possibilité d'abandonner en cours de route), avec une plate-forme sur chaque arbre-pilier pour reprendre ses esprits. Sensations garanties et petites frayeurs quand même pour les individus sujets au vertige. Gros bémol : la queue pour y accéder est parfois longue, très longue le matin.

☁☁ *Bukit Terisek :* compter 45 mn de grimpette du *Canopy Walkway* ; possible sans guide. Les passerelles alternent avec les escaliers jusqu'à un premier point de vue, avant de parvenir au site de *Bukit Terisek*. Du haut de cette colline, perchée à 344 m d'altitude, on admire la vue plongeante sur l'intérieur du *Taman Negara*, le fleuve et même le Gunung Tahan par temps clair. Possibilité de faire une boucle pour revenir jusqu'au *Mutiara Taman Negara Resort*. Au retour, on peut passer par **Lubok Simpon** : après environ 25 mn de descente depuis Bukit Terisek, suivre la direction Jenut Muda, sur la gauche, compter 1h30 en tout. Une fois à Lubok Simpon, on est à seulement 15 mn du *Mutiara Resort*. C'est le coin baignade le plus proche du village, mais on subit les fréquents passages de bateaux qui se rendent à Lata Berkoh. Petite aire de repos avec tables et bancs.

☁☁ *Les chutes de Lata Berkoh : prévoir 40 mn de bateau (depuis l'embarcadère du village) si le niveau de l'eau est suffisant et env 15 mn de marche par un sentier bien tracé, faisable sans guide. Sinon compter 4h de marche depuis le* Mutiara Resort *(avec guide, de préférence).* Magnifique navigation le long de la rivière, ombragée par de grands arbres, qui vont parfois jusqu'à former une arche au-dessus de l'eau en se rejoignant. Une fois sur place, ne vous attendez pas à une cascade, tout au plus un chaos rocheux qui précipite le cours de la rivière. Le coin est très agréable et on peut nager dans une eau, certes peu attirante au premier abord, car marron du fait des minéraux, mais claire et propre. Et avec cette chaleur, on ne se fait pas prier.

☁☁☁ *Gua Kepayang Besar (avec nuit dans la grotte) : trek à faire avec une agence. Ne pas oublier une puissante torche.* Si vous ne disposez que de 2 jours, c'est ce trek que nous vous conseillons ; il est le plus complet puisqu'il conjugue pirogue, marche, bivouac et visite d'une grotte, qui plus est la plus grande de la région. En principe, on se rend en 2h de bateau jusqu'à Kuala Keniam, avant de marcher 5h environ pour atteindre Gua Kepayang Besar, on passe la nuit dans la grotte et le lendemain, de nouveau 5h de marche jusqu'à Kuala Trenggan (Kuala Tahan est à 45 mn). Au retour, arrêt possible dans un village Orang Asli (prévoir 5 Rm/pers). Une variante peut inclure une nuit supplémentaire à l'observatoire de Kumbang (résa obligatoire au bureau du parc). Plus d'infos plus loin dans « Les observatoires ».

☁☁☁ *Les chutes d'Air Terjun :* la plus grosse cascade du parc, magnifique, étagée sur 4 niveaux. Compter 7 jours de marche aller-retour. Camping en route.

☁☁☁ *L'ascension du Gunung Tahan :* là, c'est du sérieux. C'est aussi la plus belle balade à faire. Compter 8-9 jours aller-retour si l'on avance normalement et 6-7 jours pour les grands marcheurs. Tente et provisions indispensables. Aires de camping sur le chemin. Nécessité d'être en excellente condition physique. Le Gunung Tahan (2 187 m) est le point culminant de la Malaisie péninsulaire (celui de tout le pays étant à Bornéo). Vue absolument superbe du sommet.

– Nombreuses autres possibilités proposées par les guides. Demandez-leur conseil.

Les observatoires

Ce sont des postes d'observation aménagés dans le parc afin d'admirer la faune. Ici, on appelle ça des *hides* (mot anglais) ou des *bumbun* (mot malais). Ils sont installés à proximité de marais où les animaux viennent parfois boire ou s'approvisionner en sel. Mais ne vous faites pas trop d'illusions : même si certains y ont vu des éléphants, vous risquez au mieux d'apercevoir un tapir ou un cerf, au pire de tomber sur des rats ! En revanche, c'est une expérience intéressante car les sonorités et l'ambiance de la forêt tropicale sont très différentes la nuit. Le parc compte 6 observatoires, dont 4 à moins de 1h30 de marche de Kuala Tahan. Ceux-ci n'attirent plus beaucoup d'animaux depuis longtemps. Nous vous indiquons les 2 autres, plus éloignés, où l'on peut passer la nuit en attendant que la bête approche... Emportez votre dîner, votre duvet, une lampe de poche puissante et... n'oubliez pas de réserver une place au bureau du *Department of Wildlife and*

National Parks du parc, histoire de ne pas y aller pour rien *(5 Rm/pers)*. Surtout, après avoir mangé, emballez vos restes de repas pour ne pas attirer les rats.

🦌🦌 *Bumbun Chegar Anjing :* *à 1h30-2h de marche de Kuala Tahan avec traversée de la rivière à pied.* Les sons de la jungle y sont fabuleux. Sans doute le mieux de tous les *hides* du parc. On y voit fréquemment des cerfs, des chats sauvages, des écureuils et des singes.

🦌 *Bumbun Kumbang :* *à env 7h de marche de Kuala Tahan.* On y aperçoit surtout des tapirs. De temps en temps (avec de la chance), des daims et même parfois des... panthères ou des éléphants. Malheureusement, c'est l'un des marais qui attirent le plus les rats. Ne gardez pas d'aliments avec vous et montez la garde à tour de rôle (en allumant la torche toutes les 20 mn) pour que chacun puisse se reposer.

À faire

– **Night Jungle Walk :** *c'est en général ce que les agences proposent le 1er soir de l'arrivée. La balade s'effectue sur une passerelle jusqu'à un observatoire. Départ à partir de 20h-20h30 depuis le* Mutiara Resort. *Compter env 1h30 en tt.* On est rarement seul, donc ne vous attendez pas à surprendre une grosse bestiole, mais plutôt de nombreux insectes, dont de discrets scorpions... parfois un serpent. Atmosphère magique malgré tout si on arrive un peu à s'éloigner des groupes alentour, retrouver du calme, la nuit noire et des bruits mystérieux.
Il existe aussi une version en 4x4 *(Night Jungle Safari),* mais c'est moyen, peu discret et surtout pas très écolo.
– **Rapids Shooting :** descente en bateau à moteur, combinée, en général avec la **visite d'un village Orang Asli** où l'on vous apprendra à faire du feu et tirer à la sarbacane.

KUALA LIPIS

IND. TÉL. : 09

Ancienne capitale du Pahang, cette paisible petite ville fondée par les Anglais vers 1920 occupe un promontoire dominant le confluent des rivières Lipis et Jelai. Elle conserve quelques jolies maisons à arcades dans le centre et des bâtiments coloniaux épars vers le sud. Rien qui ne justifie un long séjour, sauf si vous souhaitez en faire une base pour partir en trek à la rencontre des Orang Asli dans la jungle du parc de Kenong Rimba – la grande, l'unique, la vraie !

Arriver – Quitter

En bus

🚌 **Gare routière** *(Terminal Anggerik) : elle est située à env 1 km du centre, sur la berge opposée de la rivière Jelai.*
➤ *De/vers Jerantut :* 3 bus/j. avec *Pahang Lin Siong*. De là, changement possible pour la côte est.
➤ *De/vers Kuala Lumpur (gares routières de Putra ou Pekeliling) :* env 10 départs/j. 6h30-18h30. Durée : 2h30-3h.

En train

🚂 La petite **gare** en bois (1926), charmante, est située en plein centre. ☎ 312-13-41.
➤ **De/vers Kota Bharu :** on l'appelle « le train de la jungle » car il traverse des paysages somptueux à travers la forêt tropicale. Dans les 2 sens, 3 trains/j., dont un express. Trajet : 6h30-8h.
➤ **De/vers Jerantut :** 1 départ/j. en début d'ap-m depuis Kuala Lipis.

➤ *De/vers Johor Bahru et Singapour :* 1 train/j., en pleine nuit. | Trajet : 9h. Changement à Johor pour Singapour.

Adresses utiles

ℹ️ *Informations touristiques :* *pas d'office de tourisme gouvernemental mais une agence de voyages à l'arrivée des trains.* ☎ 312-32-77. *En sem 9h-14h.* On essaiera de vous vendre des excursions dans le parc de Kenong Rimba, mais on peut aussi y glaner quelques infos. Sinon, le mieux est de s'adresser directement à Appu (lire plus loin « Dans les environs de Kuala Lipis »).

■ *Change :* *distributeurs à la* Maybank, *au début de la rue Jalan Besar, et à la* CIMB, *à l'autre bout.*

Où dormir ? Où manger ?

Bon marché

🏠 *Hotel London :* *82, Jln Besar.* 📱 *019-918-03-68. Non loin de la gare ferroviaire. Doubles 50-60 Rm.* Une adresse au rapport qualité-prix impeccable. Doubles climatisées disposant d'une salle de bains (eau chaude), petit effort de déco et murs jaune canari égayant l'ensemble.

🏠 *Hotel Jelai :* *44, Jln Jelai.* ☎ *312-11-92. Parallèle à Jln Besar et en contrebas, face à la rivière Jelai. Doubles 60-80 Rm.* Également des familiales. Toutes les chambres ont AC, salle de bains (petite mais avec eau chaude) et TV. Elles sont propres, assez spacieuses, et avec une fenêtre ; celles de l'étage supérieur sont même pour la plupart agréablement lumineuses. Literie plutôt ferme.

|●| *Petits restos* populaires et bon marché dans la ruelle en escaliers reliant Jalan Besar, la rue principale, à Jalan Jelai, la rue qui longe la rivière. Une boulangerie propose même des en-cas salés ou sucrés pas mauvais du tout (et ça change). *Ouv 6h-13h seulement.*

|●| *Subashini :* *94, Jln Besar.* Ne vous fiez pas au nom à consonance japonaise. C'est un resto indien classique, qui fait l'affaire pour une escale *roti* ou *dhosai* (grandes crêpes), à tremper dans une bonne sauce au piment ou au coco épicé – ou à ne pas tremper du tout... Bon accueil.

DANS LES ENVIRONS DE KUALA LIPIS

➤ Kuala Lipis est un bon camp de base pour une balade mémorable de plusieurs jours dans la forêt tropicale du ***parc régional de Kenong Rimba,*** attenant au Taman Negara Pahang. Couvrant 120 km^2, il abrite de nombreuses grottes, des chutes d'eau (où l'on peut se baigner), des populations de singes, porcs-épics, tapirs et même des éléphants sauvages. On peut aussi y rencontrer les Batek, des Orang Asli (lire le texte qui leur est consacré dans « Les Cameron Highlands »). Accessible uniquement avec les services d'un guide, la réserve demeure très peu développée, ce qui la préserve de certains des excès du Taman Negara voisin : pas d'électricité ici ni de bon matelas, rien que 6 bungalows, plus des sites où camper. – Contacter ***Appu Annandarajah :*** *Jln Besar, Medan Station, n° 14, 1ᵉʳ étage.* ☎ *312-31-42.* 📱 *017-947-15-20.* ● *jungleappu@yahoo.com* ● *Compter env 80 Rm/j. par pers, les 3 repas inclus (min 4 pers) ; ajouter le prix du bateau A/R, soit env 150 Rm, à diviser par un groupe de 7 pers max, ainsi que le camping (5 Rm/ pers par nuit) et le droit d'entrée (50 Rm/pers).* Appu est un amoureux de la forêt ; il possède même une plantation d'hévéas ! Les treks sont à la carte : séjours dans des grottes peuplées de chauves-souris, visites des villages orang asli, dont Appu pratique la langue... tout est possible. C'est un gars vraiment sérieux qui connaît son affaire et s'occupe de toutes les formalités (un permis étant nécessaire). Il vous servira de guide, bien sûr, mais il vous racontera aussi la vie des habitants de la forêt, il vous apprendra à la respecter et vous préparera des plats délicieux... Nécessité d'être équipé pour le trek, en bonne santé et motivé. Pensez à réserver le plus tôt possible.

LA CÔTE EST DE LA MALAISIE

Plus on descend vers le sud, plus les plages sont agréables et désertes : sable blanc ourlé de cocotiers penchés vers une mer cristalline, forêt vierge regorgeant d'animaux, mangroves emplies de mystère, *kampung* (villages) de pêcheurs où les heures s'étirent pareilles aux siècles passés...

La cerise sur le gâteau, ce sont les îles. Baignées par les eaux turquoise de la mer de Chine, elles constituent de véritables édens pour les amateurs de farniente et de fonds sous-marins.

Certes, avec la recrudescence du tourisme asiatique (singapourien et malaisien, essentiellement), les complexes hôteliers, marinas et spas fleurissent un peu partout, accentuant la pression sur une côte de plus en plus bétonnée. Quant aux îles, en dépit de la création de parcs naturels censés les protéger, force est de constater que leur surfréquentation non régulée nuit gravement et de manière irréversible à la faune et la flore sous-marines. Tout cela est bien dommage...

Fort heureusement et en attendant que les autorités prennent le problème à bras le corps, sur certaines d'entre elles souffle encore un parfum d'aventure.

Pour peu qu'on s'accommode d'une simple baraque en bois, d'un ventilo et d'une douche froide, on y loge encore à bon prix. Les journées coulent alors entre une bonne sieste dans un hamac et quelques ronds dans une eau à plus de 30 °C.

Un voyage à entreprendre entre mi-mars et fin octobre, quand, épargnée par la mousson d'hiver, la côte s'assèche aux soleils de l'été.

L'ISLAM

C'est dans les États de Kelantan et de Terengganu que l'islam est le mieux implanté (95 % des habitants y sont musulmans). Religion d'État, l'islam y est sunnite de rite chaféite, une sorte de syncrétisme entre le rite malékite, dont se réclament la plupart des pays d'Afrique du Nord et certains pays du Golfe (rite basé sur la tradition du Prophète), et le rite hanafite, qui donne priorité à l'opinion personnelle et que l'on trouve notamment chez les non-arabophones comme en Turquie.

Ces dernières années, le rite chaféite a été largement influencé par le wahhabisme d'Arabie Saoudite. En effet, depuis les années 1980, l'islam s'est rigidifié chez les Malais, allant jusqu'à s'insinuer dans tous les rouages de la société. Depuis lors, 2 systèmes juridiques cohabitent, un système islamique, qui ne s'applique qu'aux seuls musulmans et dont les premières victimes sont les femmes (facilité de divorce accordé au mari, accès à la polygamie, port du voile, interdiction du port du pantalon, etc.) et un droit civil traditionnel pour ce qui est des autres minorités (bouddhistes et hindoues principalement).

Pour le moment, la constitution garantit toujours la liberté religieuse. Mais pour combien de temps encore ? En 2008, le yoga a été interdit aux musulmans prétextant son origine hindoue. En 2013, les autorités validaient l'interdiction faite aux non-musulmans d'utiliser le mot Allah, à l'oral comme à l'écrit ! Les traditions autochtones, qui avaient résisté tant bien que mal à des siècles d'islamisation ou s'en étaient accommodées, sont aujourd'hui mises à mal dans un souci de purification des pratiques. L'excision, prônée par le chaféisme, revient en force. Le Comité des Affaires islamiques veille au grain : terminé l'alcool dans les mess des fonctionnaires (armée, police). De même, tous les restos ont l'obligation de fournir du halal (y compris *McDo* !), tandis que partout les religieux traquent les comportements vestimentaires... et sexuels (l'homophobie gagne du terrain).

D'un point de vue pratique, les appels du muezzin vous réveilleront à l'aube, banques et administrations sont fermées le vendredi. Il est conseillé aux routardes de porter une tenue assez couvrante (lire aussi dans « Malaisie utile », rubrique « Dangers et enquiquinements »).

RANTAU PANJANG

IND. TÉL. : 09

C'est la ville jumelle de *Sungai Kolok,* du côté malaisien, à 40 km de Kota Bharu (compter 1h15 en bus). Aucun intérêt, quelques maisons en bois et des chèvres dans les rues. La ville s'est beaucoup développée ces dernières années autour de son immense *Kompleks Imigresen* (poste-frontière). Un hôtel, si vous êtes coincé là.

– En sortant de la douane malaisienne, face à la gare des taxis, on peut *changer* ses derniers bahts dans le *Konica Photo Center.* Sinon, prenez vos précautions à Hat Yai. Également plusieurs *distributeurs de billets* dans Pusat Perkedaian Baru, la rue qui part juste en face de la gare routière locale.

Arriver – Quitter

🚌 **Gare routière locale** (bus KTB CityLiner) : elle est à env 200 m en partant à droite après le poste de douane.

➤ **Pour Kota Bharu :** bus n° 29 ttes les 45 mn 5h45-18h30 env, ou taxi collectif si vous êtes coincé, mais c'est plus cher (env 60 Rm).

➤ **Pour Sungai Kolok :** le passage de la frontière thaïlandaise est enfantin. Les piétons empruntent la file de gauche. Les ressortissants de nationalité française, belge, suisse et canadienne n'ont pas besoin de visa pour tout séjour en Thaïlande de moins de 30 jours. Mais ses dispositions pouvant évoluer à tous moments, bien se renseigner avant le départ. Pour rester plus longtemps, il faut solliciter un visa au consulat de Kota Bharu (voir la rubrique « Adresses utiles » un peu plus loin).

Où dormir ?

🏠 **Hotel Dinra :** à env 20 mn du centre à pied, juste avt une mosquée en forme de pagode sur la route de Kota Bharu. ☎ 012-988-04-89. 🖥 016-684-40-00. Doubles bon marché. Petit hôtel perdu dans une zone résidentielle. L'intérieur est à l'image de l'extérieur : propre et coloré. Pas de petit déj mais quelques gargotes dans le petit centre commercial situé juste après la mosquée « chinoise ».

KOTA BHARU   500 000 hab.   IND. TÉL. : 09

● Plan *p. 225*

Kota Bharu, capitale de l'État islamique du Kelantan, se classe dans le *top ten* des villes les plus peuplées du pays. Aujourd'hui en pleine expansion, notamment dans le domaine du tertiaire, la ville est entrée en fanfare dans notre histoire contemporaine en décembre 1941, 70 mn – montre en main – avant l'attaque de Pearl Harbor, lorsque l'armée japonaise a débarqué en Malaisie. De ce tragique épisode, il reste l'*Awizam Maru,* un navire amiral de la flotte nippone dont l'épave gît désormais par 20 m de fond à une demi-heure de mer de Pantaï Sabak. Il fait aujourd'hui le bonheur des amateurs de plongée sous-marine.

Kota Bharu est une ville pleine de vie, et quand bien même son cœur paraît bien désordonné, avec sa profusion d'immeubles disgracieux et ses embouteillages chroniques, elle n'en demeure pas moins intéressante à découvrir. Son *Central Market,* véritable Babel de couleurs et d'odeurs, en marque l'épicentre et, tout autour, une profusion de musées permet de faire le tour de la culture locale, et notamment de l'artisanat. Côté séjour, toutes sortes d'hébergements, de bons petits restos, mais pas d'alcool, sauf dans les quelques rades du quartier chinois.

La ségrégation entre les sexes y est très présente (dans les supermarchés, certaines caisses sont réservées aux femmes) et il n'est jamais très bien vu pour les garçons de s'y promener en short, quant aux filles, leurs tenues légères d'Occidentales en vacances risquent de leur valoir quelques apostrophes. Enfin, Kota Bharu, proche de la frontière, est une escale possible sur la route des îles Perhentian ou du Taman Negara quand on arrive de Thaïlande.

Arriver – Quitter

En bus

🚌 **Attention :** il y a **2 gares routières principales et un arrêt pour les bus se rendant à la plage (PCB)**.

– **La Central Bus Station** (CBS ; plan A2, **1**) **:** Jln Padang Garong, dans le centre. ☎ 747-59-71 ou 748-38-07. C'est de là que partent les bus locaux qui desservent les environs (compagnie KTB CityLiner, ● cityliner.com.my ●), à l'exception de ceux pour la plage de Pantai Cahaya Bulan (PCB). Certains bus de la compagnie Transnasional partent également d'ici.

– **La Mini Bus Station** (plan A1, **2**) **:** dans le quartier des musées, arrêt en face de l'office de tourisme Malaysia, au pied du Bazar Jengku Anis. Bus n° 10 pour la plage de Pantai Cahaya Bulan (PCB). Départs ttes les 30 mn 6h-18h.

– **Tesco Bus Station** (plan A3, **3**) **:** au sud de la ville, à 2 km env du centre (derrière le centre commercial Tesco). Départs des bus longues distances.

– **Important :** quasi toutes les compagnies disposent d'un guichet dans les 2 principales gares. La compagnie Transnasional (☎ 748-38-07 ; ● transnasional.com.my ●), dessert tout le pays, comme les compagnies Ekspres Perdana (☎ 743-72-66 ; ● ekspres perdana.com.my ●) ou Sani Express (● saniexpress.com.my ●) qui proposent des bus rapides et confortables.

De/vers le Sud

➤ **De/vers Kuala Besut** (embarcadère pour les **îles Perhentian**) **:** 2 solutions. Prendre un bus pour Jerteh (KTB Cityliner n° 10, ttes les 30 mn, 6h-19h10), puis de là continuer en taxi ; sinon, prendre le bus KTB CityLiner n° 639, env une dizaine/j., 6h15-18h30 ; compter 1h20 de route. Partez le matin si vous ne voulez pas rester coincé à Kuala Besut, le dernier bateau pour les îles Perhentian quittant le port vers 17h. Dans l'autre sens, mêmes possibilités en direction de Kota Bharu.

➤ **De/vers Kuala Terengganu :** env 8 départs/j. 6h-23h. Durée : env 3h, avec les compagnies Mutiara (☎ 743-63-55 ; ● e-mutiara.com ●) ou SP Bumi (☎ 743-56-66 ; ● spbumi.com. my ●).

➤ **De/vers Kuantan :** 5 bus/j. 8h-23h avec Transnasional, 2/j. avec Sani Express. Durée : env 5-6h.

➤ **De/vers Johor Bahru (via Mersing) :** 1 bus le mat, l'autre le soir (bus business class de nuit). Durée : env 6-7h pour Mersing, 11-12h pour Johor Bahru.

➤ **De/vers Singapour :** 2 bus/j., le mat et le soir. Trajet : env 12h.

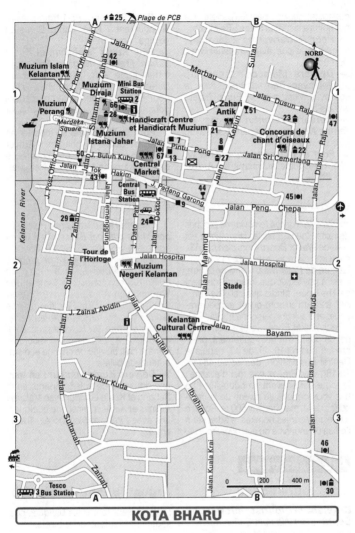

KOTA BHARU

LA CÔTE EST DE LA MALAISIE

➢ *Pour les petits villages de la côte est* (Merang, Marang, Rantau Abang, Cherating...) **:** prendre un bus pour une grande ville située au sud de votre destination finale et demander au chauffeur de vous déposer sur la route. Inconvénient : on est obligé de payer le tarif jusqu'à la destination finale du bus (mais ça ne va jamais chercher très loin).

Pour le Centre et la côte ouest

➢ *De/vers Kuala Lumpur :* env 6 départs/j., en général 1 bus le mat et 1 de nuit avec *Transnasional*, *Ekspres Perdana* et *Sani Express*. Le hic, c'est que toutes ces compagnies partent plus ou moins à la même heure ! Trajet : 8h.

➤ **Pour Butterworth :** 2 départs/j., le mat et le soir avec *Transnasional*. Durée : 7h.

➤ **De/vers Malacca :** 1 départ/j. le mat avec *Transnasional*, puis le soir avec *Mutiara* et *SP Bumi*. Trajet : env 8-9h.

➤ **De/vers Jerantut (accès au Taman Negara) :** 1 départ le soir avec *Mutiara*. Trajet : env 7h.

➤ **Pour la Thaïlande,** se reporter en début de guide au chapitre « Arriver – Quitter »

➤ **Pour Singapour :** 1 train/j. avec changement à Johor Bahru. Durée du voyage : env 14h.

➤ **Pour Kuala Tembeling et Kuala Tahan (Taman Negara Pahang) :** 1 train/j., le soir jusqu'à Jerantut. Durée : env 7h30. De là, minibus ou taxi pour Kuala Tembeling (embarcadère pour Kuala Tahan) ou directement pour Kuala Tahan.

➤ **Pour la Thaïlande,** se reporter en début de guide au chapitre « Arriver – Quitter ». N'oubliez pas l'heure de décalage : quand il est midi en Malaisie, il est 11h en Thaïlande.

En train

🚆 Il existe **3 gares ferroviaires** proches de Kota Bharu, mais la gare attitrée est celle de **Wakaf Bharu** *(hors plan par A3)*, à environ 7 km à l'ouest. ☎ 719-69-86. La gare de **Pasir Mas,** à environ 20 km, n'est à privilégier que lorsque l'on vient de Thaïlande, tandis que celle de **Tumpat,** à 22 km au nord-ouest, est peu pratique, et d'ailleurs personne n'y va.
– Pour Wakaf Bharu, le plus commode est de prendre le taxi ; autrement, prendre les bus nos 19, 27 ou 33, depuis la Central Bus Station, ttes les 30-45 mn, 7h-18h env. Prévoir pas mal d'avance : la route est souvent embouteillée ! Le bus vous dépose au niveau de la mosquée ; de là, marcher env 500 m. Pour se renseigner sur les horaires, s'adresser à l'office de tourisme ou aux *guesthouses*.

En avion

✈ **L'aéroport** *(Sultan Ismail Petra Airport ; hors plan par B2) :* à env 8 km au nord de la ville. ☎ 773-74-00. Pour s'y rendre, le plus pratique est de prendre un taxi (compter un peu moins de 30 Rm). Sinon, depuis la Central Bus Station *(plan A2,* **1***)*, bus n° 9 ; départ ttes les 35 mn 7h-19h (fréquence réduite ven au moment de la prière). Le bus s'arrête sur la route principale, au niveau de l'aéroport, prix modique. Dans le hall, bureau de change et distributeurs de billets.

➤ **De/vers Kuala Lumpur :** en tout, une douzaine de vols/j. répartis entre Subang et Kuala Lumpur avec *Malaysia Airlines* et *Air Asia,* ainsi que quelques-uns avec *Firefly* et *Malindo Air*. Trajet : env 1h.

Adresses utiles

Infos touristiques

🛈 **Kelantan Tourist Information Centre** *(plan A2) :* Jln Sultan Ibrahim, près de la tour de l'Horloge. ☎ 748-55-34. ● tic.kelantan.gov.my ● Dim-jeu 8h-17h (15h30 jeu) ; ven-sam (en hte saison seulement) 8h-15h30. Un plan de la ville bien utile et quelques renseignements sur les sites à voir dans les environs. Service agréable.
🛈 **Kelantan State Office** *(plan A1) :* à côté du Handicraft Centre. ☎ 747-75-54. ● tourism.gov.my ● Mêmes horaires que ci-dessus, mais fermé ven-sam. Infos sur la ville et la région.

Argent, banques, change

Pratiquement toutes les banques possèdent un distributeur de billets.

■ **Maybank** *(plan B1,* **7***) :* Jln Pintu Pong. Pour le change, fenêtre ouverte sur la rue tlj 9h30-17h30. Distributeur acceptant les cartes Visa et MasterCard. *Dans la même rue, à l'angle de Jln Kebun Sultan, autre Maybank (plan B1,* **8***)* dim-mer 9h15-16h30 (16h jeu).
■ **HSBC** *(plan B2,* **9***) :* Jln Padong Garong. Tlj sauf ven-sam 9h30-16h. Distributeur Visa et MasterCard à l'entresol, 24h/24. Change possible.

Consulat

■ **Consulat de Thaïlande** (Royal Thai Consulate ; hors plan par B2) : 4426, Jln Pengkalan Chepa. ☎ 748-25-45. Tlj sauf ven-sam 9h-12h, 14h-15h30. Les ressortissants français, belges, suisses et canadiens sont exemptés de visa en cas d'entrée en Thaïlande par voie terrestre ou aérienne pour les séjours de moins de 30 jours. Cette disposition pouvant changer à tout moment, se renseigner avant de partir. Pour un séjour de plus de 30 jours, un visa est nécessaire. Pour obtenir un visa de 60 jours (une seule entrée), apporter 3 photos et l'équivalent de 30 € en ringgits. Délai d'obtention : 48h.

Santé

✚ **Hôpital Raja Perempuan Zainab II** (plan B2) : Jln Hospital. ☎ 748-55-33 ou 745-20-00.
■ **Pharmacie : Kian Farmasi** (plan B1, *13*), Jln Pintu Pong. ☎ 743-88-66.

Tlj 9h-22h. Beaucoup d'autres en ville, mais celle-ci propose sûrement le plus de choix.

Transports

■ **Compagnies aériennes :** bureaux à l'aéroport. **Malaysia Airlines,** ☎ 771-47-11 (résas) ou ☎ 1-300-88-30-00 (gratuit ; 24h/24). **Air Asia,** ☎ 774-11-70. **Firefly,** seulement ☎ 774-13-77. **Malindo Air,** ☎ (03) 7841-53-88 (central d'appels). ● mal indoair.com ●
■ **Location de voitures :** plusieurs bureaux à l'aéroport (hors plan par B2). **Hertz,** ☎ 773-06-39, tlj sauf ven 9h-18h ; **Hawk,** ☎ 773-38-24, 🖥 016-792-90-25, tlj 7h30-23h ; **J&W Car Rental,** ☎ 773-73-12, tlj 7h30-23h30.
🚕 **Taxis** (plan A2) : infos et résas au ☎ 748-13-86 ; sinon 🖥 019-997-92-99. Compter env 80 Rm pour l'embarcadère de Kuala Besut (îles Perhentian).

Où dormir ?

Bon marché
(moins de 50 Rm par pers
en dortoir ou 100 Rm
la double / 11 ou 22 €)

L'hébergement va du lit en dortoir à la double, la plupart du temps aveugle, avec ou sans salle de bains mais toujours avec ventilo. Bon pour une étape seulement.

🏠 **Zeck's Travellers Inn** (plan B1, *22*) : 7088G, Jln Sri Cemerlang. ☎ 743-16-13. ● zecktravellers. blogspot.com ● À env 20 mn du centre à pied. Petite *guesthouse* à l'ambiance familiale, à 2 pas d'un terrain où le vendredi matin se déroule une compétition de chant d'oiseaux (lire plus loin). Lit en dortoirs de 3 à prix plancher, ou 2 chambres plus confortables. La 1re est une familiale avec clim et eau chaude (bon plan si vous êtes 4-5), l'autre une double avec clim, brasseur d'air et salle de bains. Sinon, sanitaires extérieurs

sommaires et douche chaude commune au rez-de-chaussée. L'ensemble est spartiate.
🏠 **Ideal Travellers' House** (plan B1, *21*) : 3954G, Jln Kebun Sultan. ☎ 744-22-46. 🖥 019-975-10-46. Au pied du Crowne Garden Hotel, en plein quartier chinois. Chambres avec clim bon marché. Grande maison tenue par Kelvin. Ici se niche une des chambres doubles très sommaires, lumineuses mais moyennement propres, avec plancher en bois. 3 d'entre elles possèdent la clim et une salle de bains attenante (eau chaude). En cas de besoin, on ajoute un matelas. Salle d'eau à l'étage, mais pas d'eau chaude cette fois. Petit jardin sur l'arrière.

De bon marché
à prix moyens
(jusqu'à 180 Rm / 40 €)

🏠 **Hotel Aslah** (plan A2, *24*) : lot 1121, Jln Doktor (plein centre). ☎ 747-48-88.

● *aslahboutiquehotel@gmail.com* ● *Pas de petit déj.* Un hôtel central avec des chambres doubles, triples ou familiales, tout confort. L'ensemble fleure bon le meuble en mélaminé et l'acrylique bon marché, mais c'est clean et les chambres sont hautes sous plafond. Préférez quand même celles qui donnent sur l'arrière, elles sont plus calmes. Notre meilleur choix dans cette catégorie. Accueil gentil.

🛏 *Villa Inn Hotel (plan B1, 23) : 4364 Dusun Raja, Jln Sri Cemeriang.* ☎ *743-38-85.* 📱 *017-954-23-11. À env 20 mn de marche du centre. Doubles et familiales pour 3.* Cette famille malaise propose une huitaine de chambres assez petites mais très propres, avec brasseur d'air, clim et draps bien repassés. Petit bureau ou télé dans certaines. Toutes au rez-de-chaussée, donc au calme. Seul détail, la maman ne sort pas de sa cuisine, il faut parfois passer par l'intermédiaire de son jeune fils ou d'un client de l'hôtel pour faire son check-in.

Chic
(180-300 Rm / 40-66,50 €)

🛏 *Crystal Lodge (plan A2, 29) : 124, Jln Che Su.* ☎ *747-08-88.* ● *crystal lodge.com.my* ● *CB acceptées.* Certes, cet hôtel ne vous fera pas tourner la tête. Cela dit, avec son intérieur zen tout à la gloire du carrelage, ses murs crêpis en blanc et la vue sur le fleuve pour les chambres les plus hautes, il se défend d'offrir un bon rapport qualité-prix pour un confort très acceptable. L'ensemble est propre, et même s'il est plutôt fait pour les hommes d'affaires en déplacement, sa situation joue en sa faveur. Accueil aimable et professionnel.

🛏 ❚❚ *Royal Guest House (plan A1, 28) : lots 440-443 et 448-452, Jln Hilir Kota.* ☎ *743-00-08.* ● *royal guesthse.com* ● *Petit déj compris. CB acceptées.* Idéalement placé, cet hôtel de capacité importante propose des chambres très au-dessus de la moyenne, à la déco sobre et un poil design. Côté confort, les *standard,* avec *king size* ou *queen size beds,* malgré leur taille modeste, n'ont rien à envier aux *deluxe.* Celles donnant sur la rue sont bien plus agréables,

ce qui n'est pas le cas des plus onéreuses, qui s'ouvrent sur un genre de patio-couloir un peu étouffant. Le resto attenant à l'hôtel est très prisé des cols blancs à l'heure du déjeuner. Un rapport qualité-prix très honnête dans l'ensemble.

🛏 *Flora Place (plan B1, 27) : lot 202, Jln Kebun Sultan.* ☎ *747-78-88.* ● *the floraplace.com* ● *Petit déj compris. CB acceptées.* Un hôtel possédant un peu plus d'une quarantaine de chambres tout confort, parquet flottant, meubles en agglo, cafetière à dispo... Rien de très dépaysant, et l'accueil est au diapason, moyen. Tant que vous y êtes, évitez les chambres donnant sur le boulevard.

Plus chic
(200-300 Rm / 44-66,50 €)

🛏 *Pasir Belanda Resort (hors plan par A1, 25) : kampung Banggol, PCB Rd.* ☎ *747-70-46.* 📱 *017-934-08-17* ● *pasirbelanda.com* ● *Petit déj compris. CB acceptées.* Une maison coloniale en balcon sur la rivière. Elle fut construite par un marin anglais en 1969, avant d'être reprise par un couple de Néerlandais pour en faire une maison d'hôtes, créant un ensemble de 7 cottages traditionnels en bois dans un beau jardin fleuri. Tout confort, ils sont d'une propreté irréprochable et possèdent beaucoup de cachet. Pour dîner, quelques adresses aux environs, sinon, c'est table d'hôtes chez la voisine ; l'occasion de goûter à la cuisine des *kampungs.* Parfaitement intégrés à la vie locale, vos hôtes vous refileront plein de tuyaux pour partir à la découverte du coin : ateliers de fabrication de cerfs-volants, de batik, marchés locaux, plage... Bien sûr, ils louent aussi des vélos... Excellent accueil.

Très chic
(plus de 300 Rm / 66,50 €)

🛏 ❚❚ *Hôtel Renaissance (plan B3, 30) : Jln Sultan Yahya Petra.* ☎ *746-22-33.* ● *renaissancekotabharu.com* ● *Doubles à partir de 400 Rm, petit déj inclus. CB acceptées.* Dans un grand immeuble qui domine la ville, ce méga hôtel de la chaîne *Marriott* est l'adresse chic et confortable de Kota Bharu. *Business center,* piscine, spa, salle de fitness, chambres au standard international et un restaurant très apprécié en font un modèle de confort. Accueil et service aussi aimables qu'attentionnés.

Où manger ?

Mis à part les restos chinois situés Jalan Kebun Sultan (épine dorsale du Chinatown local), quasi aucun resto ne sert d'alcool, et les quelques bars qui ont la licence sont de véritables bouges avec entraîneuses...

Bon marché
(moins de 20 Rm / 4,50 €)

|●| *Le marché central* (Central Market ; plan A1, *67*) : *Jln Pintu Pong. Dans une aile du 1er étage (côté nord). Tlj 7h-18h. Très bon marché.* Le meilleur endroit pour découvrir la cuisine populaire malaise. Tout y est très appétissant. Plats de viandes ou de légumes variés, mais aussi crabes, gambas, poissons grillés ou en beignets... Le tout dans une ambiance animée et sympathique. On a aimé la gentillesse des gens et la fraîcheur des produits, mais attention de bien respecter la règle : tables pour dames et tables pour messieurs...

|●| *Medan Selera 818* (plan A1, *42*) : *Jln Sultanah Zainab. Tlj 7h30-22h30. Très bon marché. Pas d'alcool.* Un grand hangar de restauration chinoise halal. Ici, on ne travaille que le poulet et le canard, servi grillé, bouilli, avec du riz et en sauce. Ambiance garantie.

|●| *Cikgu Nasi Ulam* (plan A1, *66*) : *dans le* Handicraft Centre, *juste sous le musée du Textile. Tlj sauf ven 11h-17h.* Un petit resto-cantine très au calme. La cuisine se défend plutôt bien. On se sert à une sorte de buffet (choix assez limité toutefois), on va s'assoir, un préposé vient faire le compte et on paie en sortant. Vraiment pas cher et surtout fréquenté par les locaux. Un lieu aéré et tranquille pour déjeuner.

|●| *Sun Two Restaurant* (plan A1, *43*) : *Jln Temenggong.* ☎ 746-22-25.

Tlj sauf mer 12h-22h. Bon marché. Depuis 1950, une cantine de quartier à la cuisine variée. On mange dans des salles climatisées aux accents chinois (préférez celle sur l'arrière, avec ses tables en marbre blanc). Accueil souriant et plats plutôt copieux.

De prix moyens à chic
(20-80 Rm / 4,50-17,50 €)

|●| *A.M. Tarbush Restoran* (plan B3, *46*) : 279-281, *Jln Sultan Yahya Petra.* ☐ 012-956-27-75. *Tlj 11h-23h.* Un petit resto bien aéré où se retrouve la *middle class.* Une assiette variée et bien cuisinée qui fait la part belle aux plats arabes. Excellent houmous, belle purée de fèves et un poulet en sauce comme on l'aime. Côté liquide, la cuisine maîtrise à l'évidence l'art de la centrifugeuse, il en ressort des assemblages fruits-légumes aussi colorés que délicieux.

|●| *Four Seasons Restaurant* (plan B2, *45*) : *Jln Sri Cemerlang.* ☎ 743-66-66. ☐ 019-910-82-82 (Jaja). *Tlj 12h-14h30, 18h-22h. Intéressantes formules à la carte. CB acceptées.* Un resto chinois halal très réputé pour sa qualité. Les formules comprennent du riz, du thé à volonté et des fruits frais en dessert. Service très prévenant et nourriture vraiment délicieuse. Probablement le meilleur resto de la ville à des prix qui restent très abordables. Attention à la clim, particulièrement efficace.

|●| *Pizzeria Traudi* (plan B1, *47*) : *Jln Dusun Raja.* ☎ 747-74-88. *Tlj sauf lun 13h30 (14h30 ven)-23h30.* Dans une salle tout en long dominée par son four à feu de bois, une pizzeria de bonne pâte, tenue par un expat' suisse. La spécialité maison est proposée en 3 tailles (individuel, pour 2 ou familiale). Aussi des pâtes fraîches et quelques formules.

LA CÔTE EST DE LA MALAISIE

Très chic
(plus de 80 Rm / 17,50 €)

|●| **Restaurant de l'Hôtel Renaissance** (plan B3, **30**) : Jln Sultan Yahya Petra. ☎ 746-22-33. Au 1er étage de l'hôtel. Tlj 18h30-22h30. Formule buffet. CB acceptées. Une excellente cuisine servie en formule « all you can eat ». Le buffet thaï du lundi est un pur moment de bonheur. Seafood à volonté le jeudi et une espèce de tour d'horizon de la cuisine malaise des campagnes le samedi ; tout ça sous la houlette d'un grand chef. Un régal !

Où boire un verre ?

Ÿ Nick Café (plan A1, **50**) : Jln Sultanah Zainab. Tlj sauf lun à partir de 16h. Pas d'alcool. Une sympathique terrasse posée au bord de la rue et bienvenue pour siroter un thé glacé ou un jus de fruits. L'atmosphère est tranquille. On peut y fumer un narguilé et manger quelques plats.
Ÿ Golden City (plan B2, **44**) : Jln P. Garong. Tlj sauf sam 16h-minuit. Happy hours 16h-20h. Un des seuls endroits du centre-ville qui serve de l'alcool, d'où la présence de quelques entraîneuses.
Ÿ Bars chinois (plan B1, **51**) : Jln Kebun Sultan. Quelques restos chinois qui ressemblent à des hangars, où l'on sert de la bière locale en canette.

À voir

S'il n'y avait qu'une chose à faire à Kota Bharu, mis à part la découverte des kampungs alentour, ce serait d'assister à un **spectacle de danse et de musique traditionnelles.** Gratuit et de qualité. Par ailleurs, la ville propose de nombreux petits musées thématiques, agréables et plutôt intéressants. Ils se situent tous dans le centre, non loin les uns des autres, et sont tous ouverts à peu près aux mêmes horaires.

❀❀❀ Kelantan Cultural Centre (Gellanggang Seni ; plan B2) : Jln Mahmud (entrée sur Jln Sultan Ibrahim). ☎ 748-55-34 ou 35-43. Début mars-fin oct (à l'exclusion du mois de ramadan), spectacle de la culture malaise lun, mer et sam 15h30-17h30 ; gratuit. Il s'agit d'un spectacle multiple, sorte de florilège de la culture du Kelantan qui met en avant des pratiques aussi différentes que les arts martiaux, les percussions, l'art de faire tourner une toupie ou la fabrication de cerfs-volants. Mer à 21h, théâtre d'ombres dans le petit théâtre de bois à l'extérieur.
– Le wayang kulit (théâtre d'ombres) : les pièces jouées sont en général des romances tirées du

> ### QUAND LE GRAND ÉCRAN ÉCLIPSE LE THÉÂTRE D'OMBRES
>
> En Malaisie, le Wayang Kulit, le théâtre d'ombres, est la plus ancienne manière de raconter des histoires. Malmené par le Conseil islamique qui lui a interdit toute référence à la religion musulmane, cet art ancestral peinait à trouver son public. C'est alors qu'une idée est tombée du ciel : mettre en scène des personnages de films ! C'est ainsi que les héros de La Guerre des étoiles, Luke Skylwalker et Dark Vador, ont fait leur entrée officielle, respectivement sous les patronymes de Perantau Langit et Sangkalah Vedeh. Merci Hollywood !

répertoire classique indien. Une seule personne met en scène les personnages. C'est le « Tok Dalong ». Il est supporté par un ensemble musical. Ces pièces voient toujours le triomphe du Bien sur le Mal.
– Le rebana : il s'agit d'un tambour de 60 cm de diamètre environ qui pèse plus de 100 kg. C'est un instrument traditionnel qui accompagne toutes les manifestations

et les cérémonies religieuses. À la fin des moissons, des compétitions de *rebana* s'organisent dans les villages. Le rythme, la qualité du son et la durée sont pris en compte.

– *Le wau* (cerf-volant) : l'art de fabriquer et de faire voler des cerfs-volants remonte aux années 1500. Ils se composent d'un cadre de bambou et de papiers collés. Les plus grands atteignent 3,50 m de long. La figure la plus populaire est le *wau bulan,* appelée aussi *moon kite.* Les cerfs-volants les plus chatoyants et les plus populaires sont sans conteste ceux du Kelantan. À tel point qu'ils servent désormais d'emblème à la compagnie aérienne nationale ! Chaque année au début du mois de juin, une compétition se déroule sur la plage de Tumpat. On juge le plus beau modèle et celui qui s'élève le plus haut dans le ciel (parfois jusqu'à 150 m). En Malaisie, point de combat de cerfs-volants comme en Inde, c'est l'esthétique qui prime.

– *Le gasing pangkah* (jeu de la toupie) : très populaire en Malaisie, ce « sport » se pratique à l'aide d'une sorte de disque épais pesant jusqu'à 6 ou 7 kg. Il s'agit, bien entendu, de faire tourner la toupie le plus longtemps et le plus droit possible. Ce jeu demande beaucoup de concentration et d'adresse. Il faut tellement de force pour projeter la toupie que les enfants de moins de 16 ans n'ont pas le droit d'y jouer… Des concours ont lieu entre villages, et l'atmosphère est souvent électrique. 2 types de compétition existent : faire tourner sa toupie le plus longtemps possible ou faire basculer la toupie des équipes concurrentes. Quand la toupie ne cesse de tourner, on dit qu'elle est habitée par un *semangat,* un esprit. À l'origine, faire tourner des toupies assurait aux paysans de bonnes récoltes de riz. La ville est le théâtre d'un grand festival au mois de septembre, seul moment où vous pourrez assister à de vraies compétitions de *gasing.*

– *Le mak yong :* cette danse dramatique utilise également la comédie, le théâtre et l'opéra dans sa forme. C'est un art très ancien et particulier à la province du Kelantan. La plupart des 6 acteurs sont des femmes, dont la principale est le *mak yong.* L'action, accompagnée de gongs, tambours et *rebabs* (violons), raconte souvent une histoire de prince et de princesse, tirée de contes appartenant à une très ancienne tradition orale. Malheureusement, on ne peut plus assister à ces démonstrations gracieuses : le parti à la tête de l'État (musulman et ultra-conservateur) les a déclarées *haram* (péché) depuis 1990. On croit rêver ! Comme s'il avait fallu attendre le XXe s pour s'apercevoir de ce dysfonctionnement au regard de l'orthodoxie religieuse, alors que les traditions malaises cohabitent avec l'islam depuis 1450 ! Les barbus mettent en avant le fait que le *mak yong* prône des pratiques de guérison spirituelles en totale contradiction avec l'islam qui, lui, prône l'unicité de Dieu (il n'y a qu'un Dieu, c'est Allah, et Mahomet est son prophète…). Pire encore, devant le tollé consécutif à l'arrêt de certaines de ces représentations (le *wayang kulit* notamment), les autorités ont travesti le contenu en substituant une épopée hindoue à l'épopée islamique originale ! Ben tiens donc ! Et ça, c'est sans compter l'interdiction faite aux femmes de se donner en spectacle. Vive la culture par le petit bout de la lorgnette !

– *Le sepak lingkung :* jeu de plumes qu'on se passe en dansant et avec grâce, et qu'on ne doit pas laisser tomber.

– *Le peteri :* danse appartenant aux rites animistes où l'on fait descendre les esprits.

– *Le kertok :* genre de tambour confectionné à partir d'une noix de coco évidée, coiffée d'une sorte de planche de bois. Compétitions dans les villages.

– *Le silat :* art martial très stylisé ou comment se défendre sans être armé. Les spectacles ne se donnent plus guère que pendant les cérémonies de mariage.

– *Le congkak :* c'est l'équivalent du jeu d'awalé des Africains. Il s'agit de capturer un maximum de graines de l'adversaire.

🎯🎯 *Muzium Negeri Kelantan (State Museum ; plan A2) :* juste à côté de l'office de tourisme. ☎ 748-22-66. Tlj sauf ven 9h-17h. Entrée : 4 Rm, réduc. Artisanat, histoire et culture de l'État du Kelantan exposés sur 2 niveaux et classés par thèmes. Entièrement rénové en 2016, on peut y voir de très beaux objets. Poteries, jolies potiches de céramique, mobilier ciselé et incrusté de nacre, petite partie ethnologique... À l'étage, section musique avec des tambours, gamelans de toutes tailles, remarquables collections de cerfs-volants et de personnages de théâtre d'ombres, quelques costumes...

🍴 *Muzium Diraja Istana Batu* (plan A1) : *Jln Istana.* ☎ 748-77-37. *Mêmes horaires que ci-dessus. Entrée : 4 Rm, réduc.* C'est le Musée royal, situé dans un ancien palais de la fin des années 1930, une des demeures du sultan Ismail précisément, qui servait surtout pour les mariages. Nombreuses photos des différents sultans au fil des temps. Costumes royaux. Salle à manger pleine de vaisselle, d'argenterie... Plusieurs chambres à la suite (bleue, jaune, etc.), dont certaines assez kitsch, frisant parfois le mauvais goût. La salle du fond présente les cadeaux offerts au sultan par les délégations étrangères (à croire qu'on a voulu se moquer de lui, vu le manque général de subtilité des cadeaux !).

🍴🍴 *Muzium Istana Jahar* (*Muzium Adat Istiadat Diraja Kelantan ;* musée des *Traditions royales du Kelantan ; plan A1) :* le long de Merdeka Square. ☎ 748-22-66. *Mêmes horaires que ci-dessus. Entrée : 4 Rm, réduc.* Situé dans un superbe édifice de bois, très élégant, agrémenté d'une avancée à colonnettes. C'était un ancien palais du sultan. Les espaces sont organisés par type de cérémonies : baptême, circoncision, fiançailles, puis tous les rites du mariage, avec même la première nuit du jeune sultan avec sa femme, qui fait l'objet d'un rituel précis (quel ennui !). Outre la description de ces rites (traduction en anglais), ce qui frappe, c'est la beauté et la finesse de l'organisation des pièces où la couleur jaune domine. De nombreux pots, onguents et produits divers sont utilisés lors de ces cérémonies. Ne pas oublier de visiter la galerie située derrière le bâtiment principal, qui présente une collection d'armes, dont des kriss.

🍴 *Muzium Perang* (musée de la Guerre ; plan A1) : Merdeka Square. ☎ 748-22-66. Tlj sauf ven 9h-17h. Entrée : 4 Rm, réduc. À l'entrée, une mine sous-marine rouillée donne le ton. Ce petit musée, également appelé Bank Kerapu, qui fut le QG de la police secrète japonaise, retrace les étapes de la participation de la Malaisie, et plus particulièrement de la province du Kelantan, à la Seconde Guerre mondiale. Essentiellement des photos en noir et blanc, cartes explicatives, documents relatant l'occupation japonaise, photos des chefs d'État, photos de pendaisons de Japonais. À l'étage, vieilles radios, machine à écrire en alphabet malais ancien, tourne-disques, collections d'armes, mobilier du début du XXe s, etc. Ça fleure les nuits étouffantes sous la moustiquaire, les parties de golf entre envoyés de Sa Majesté, les sueurs paludéennes...

🍴🍴 *Muzium Islam Kelantan* (plan A1) : le long de Merdeka Square. ☎ 748-22-66. Tlj sauf ven 9h-17h. Entrée : 4 Rm ; réduc. Dans une très belle structure couleur vert d'eau à la toiture ornée de dentelle de bois qu'on appelle ukiran kayn, obéissant aux canons architecturaux traditionnels. Construit en 1902 pour être la résidence du Premier ministre de la province, puis transformé en bâtiment des douanes, cet édifice abrite désormais un musée sur l'islam, l'État du Kelantan se voulant une « annexe de La Mecque ». Impressionnant siège de bois ciselé, de style malais, anciens corans, tenues de cérémonie de muftis, diorama représentant un village traditionnel, calligraphie sur bois, vitrines de pots à encens, plats et plateaux, brasiers à encens en cuivre utilisés pendant les enterrements, linceuls brodés de versets du Coran, photos de tous les lieux et objets sacrés du monde musulman...

🍴🍴 *Handicraft Centre* (plan A1) : Istana Batu, en face du Muzium Diraja. Un ensemble de maisons en bois traditionnelles aux frontons de bois ciselés, rassemblées autour d'une courette verdoyante agrémentée de fontaines, dont une énorme en forme de fleur de lotus. Celles-ci abritent certes des magasins de pacotilles, mais aussi quelques dizaines d'artisans qui, sur place, travaillent le bois,

l'argent, font de la vannerie et vendent des batiks. Le tout est censé représenter un village traditionnel. Nous, on n'en a jamais vu de pareil, mais peut-être qu'on a mal cherché. On peut regarder faire et acheter évidemment, mais le tourisme en étant encore à ses balbutiements, ça reste encore bon enfant et assez agréable dans l'ensemble. C'est ici que vous pourrez acheter un *takraw,* ce petit ballon en tressage de rotin dont on se sert pour jouer au *sepak takraw* (kick volley-ball).
– À l'étage, **Handicraft Museum** *(sam-jeu 9h-17h ; entrée : 4 Rm, réduc).* Petit musée sur l'art local (métier à tisser, costumes, belle collection de broderie, sculptures sur bois...). Des explications détaillent la fabrication des batiks et les procédés de vannerie. Curieux modèles de « grattoirs à noix de coco ». La lame dentelée sert à évider la noix pendant que le « gratteur » s'assied au centre de l'engin pour le stabiliser. Un ustensile toujours en usage, malgré l'apparition du grattoir électrique (que toute ménagère digne de ce nom possède dans ses placards, bien entendu !).

🎦🎦🎦 **Central Market** *(marché central ; plan A1) :* Jln Pintu Pong. Tlj 7h-18h. Grand bâtiment octogonal en béton. Passé la misère qui s'étale dans les couloirs d'accès, c'est un vrai bain de couleurs et d'odeurs. Sur 3 niveaux, un pot-pourri d'objets du quotidien, idéal pour prendre le pouls d'un foyer malais. Au rez-de-chaussée, quelques bonimenteurs étalent sans vergogne leurs potions magiques : os, dents, vieilles peaux, racines, fleurs séchées, toute la pharmacopée traditionnelle est là.
Au centre, baignées d'une lumière douçâtre légèrement jaune, les femmes en sarong coloré attendent le chaland devant de larges paniers d'osier plein de légumes, de fruits et d'œufs de tortues marines. Quelques poulets alignés têtes pendantes attendent qu'une ménagère leur promettent un bon curry. C'est ici que vous achèterez les meilleures mangues (de février à avril), quant au fameux durian (plutôt de mai à août), demandez-leur de vous l'ouvrir avant de l'emporter, mais ne comptez pas prendre le bus avec, vous vous feriez rejeter à cause de l'odeur ! À l'étage, épices, condiments, conserves et bocaux, gros sacs de poisson séché et quelques stands de nourriture pas chère (voir la rubrique « Où manger ? »).
Au 2e étage, essentiellement du textile. Des tonnes de batiks et de sarongs, mais surtout du tout-venant et de l'industriel. Attention, il s'agit parfois de simples tissus imprimés, et ne vous faites pas avoir, c'est rarement de la vraie soie (pour reconnaître la soie de la rayonne, mettez-la dans votre main et serrez le point, si en rouvrant le poing instantanément le tissu jaillit, c'est de la soie, en revanche si c'est de la rayonne, il « dégueule » mollement de votre main ouverte). Et tant que vous êtes là, jetez un œil depuis le balcon : belle vue sur les grands paniers emplis de fruits et légumes au rez-de-chaussée. Une véritable mosaïque de couleurs. Bref, une bonne tranche de vie à ne manquer sous aucun prétexte.

🎦🎦 **A. Zahari Antik** *(plan B1) :* 3953B, Jln Kebun Sultan. ☎ 0112-954-35-48. Sam-jeu 9h30-18h ; ven, sur rdv seulement. Un antiquaire disposant d'une quantité incroyable de sabres, lames et kriss anciens. Mais aussi statuettes, poteries, porcelaine, masques et bijoux, cannes, pipes et monnaies. Un détour obligé pour les amateurs d'antiquités orientales.

🎦🎦 **Concours de chant d'oiseaux** *(burung ketitir ; plan B1) :* sur un terrain herbeux,

BABILLES DE BULBULS

À deux pas du centre-ville, le vendredi matin (parfois le samedi), se tient une curieuse tradition. Entre 200 et 400 oiseaux (des bulbuls précisément), appartenant à de vrais passionnés, concourent à l'élection du plus bel organe vocal ! Pour désigner le gagnant, quatre paramètres sont évalués par un jury en quatre passages successifs : le port de l'oiseau, le nombre de fois qu'il pousse la chansonnette en 2 mn (chronomètre en main !), la qualité de la mélodie et sa résonance. Les meilleurs volatiles peuvent valoir jusqu'à 6 000 Rm !

non loin du centre. Ven 8h-11h30 (parfois sam ; souvent annulé pdt la mousson ; logique, sous la pluie, les oiseaux ont le bourdon !). Une tradition qui rappelle celle des « Pinsonneux » du nord de la France. Plusieurs centaines d'oiseaux se disputent le titre honorifique du meilleur chanteur. À ne pas manquer si vous êtes dans le coin.

À faire

Pour celles et ceux qui disposent de quelques jours à Kota Bharu, Roselan (📱 012-909-60-68 ; ● tic.kelantan.gov.my ●), l'animateur en charge du *Kelantan Tourist Information Centre* (voir « Adresses utiles »), propose quelques sorties à la découverte des villages de la région pour 115 Rm par personne, mais également des cours de cuisine malaise *(90-125 Rm/pers selon menu choisi, transport compris).* Groupe de 4 personnes minimum. Le déroulement du programme est le suivant.

➤ En gros, départ en taxi vers 10h30 pour un village des environs de Wakaf Bahru. Découverte d'un atelier de fabrication de marionnettes en cuir (un héritage de la culture hindoue) et poursuite vers un atelier de fabrication de cerfs-volants *(wau),* puis vers un village de pêcheurs des environs de Tumpat pour assister au séchage du poisson, avant de terminer la virée par un atelier de fabrication de batiks traditionnel au tampon de cuivre sur soie ou coton. Retour vers 14h.

➤ En ce qui concerne les cours de cuisine malaise, se présenter la veille à l'office de tourisme de manière à définir le menu et surtout le degré d'épices. La formule compte 3 plats et un dessert que l'on choisit dans la cuisine traditionnelle : agneau, poisson, crevette, en fonction du marché. Attention, pendant le ramadan, les cours ne sont dispensés qu'entre 15h et 18h.

DANS LES ENVIRONS DE KOTA BHARU

🔖 **La plage de Pantai Cahaya Bulan** *(PCB ; hors plan par A1) :* à 10 km au nord de la ville. En taxi ou avec le bus n° 10 (plan A1, **2**). *Un départ env ttes les 30 mn 6h-18h, juste en face de l'office de tourisme* Malaysia. *Le dernier bus revient vers 18h (en principe, vérifier sur place).* Il paraît que les initiales de cette plage signifiaient autrefois en malais *Pantai Cinta Berahi,* « plage de l'Amour passionné ». Mais comme il n'y avait là ni amour ni passion, on a transformé la signification des initiales en *Pantai Cahaya Bulan,* qui veut dire « plage au Clair de lune » ; religieusement, c'est plus correct ! Cela n'empêche pas de voir les ados amoureux venir se bécoter sous les arbres ou déguster une noix de coco fraîche. La plage est plutôt propre mais souvent ventée, donc peu propice à la baignade. L'érosion marine a obligé les autorités à l'enrocher et à l'isoler de la route par un long mur de béton, si bien que maintenant, on vient plutôt ici pour jouer au cerf-volant ou se retrouver entre amis pour manger au restaurant. Mesdames, si toutefois vous voulez vous baigner, portez un tee-shirt sur votre maillot de bain.

🍽 Sur la plage, vers la gauche en arrivant, plusieurs **petits restos.** Le vendredi, les familles y viennent en nombre. On peut manger du poisson et des fruits de mer. Pour 3 fois rien, profitez-en pour essayer l'*otok-otok,* du poisson mariné dans du lait de coco et passé sur le gril dans une nervure de palme de cocotier. Si vous êtes du genre à résister au piment, optez plutôt pour le *satar ikan,* une brochette de poisson aux épices dans une tresse de cocotier. Côté « petites douceurs », rien de tel qu'une noix de coco bien fraîche.

LES BALADES AUTOUR DE KOTA BHARU

🍴 *Les cascades de Jeran Pasu :* la région de Kota Bharu compte plusieurs cascades à voir en dehors de la saison sèche. En voici une, mais pas évidente d'accès : *de la* Central Bus Station *(plan A2), prendre le bus n° 3 vers Pasir Puteh ; départ ttes les 1h15, 6h50-19h30 env. Descendre au km 27 (env 40 mn), au croisement de la route pour* Kampung *Padang Pak Amat. Prendre sur la droite et faire du stop. Du* kampung, *un sentier de 7 km conduit aux chutes. Demander le chemin. Une autre solution consiste à louer un taxi à plusieurs depuis Kota Bharu pour l'aller, l'attente et le retour (prix à négocier).* Chouette baignade, mais attention au verre cassé dans l'eau. De là, un chemin mène à une autre cascade (15 mn). Lieu de pique-nique agréable. Ne pas y aller le vendredi : trop de monde et pas très propre.

🍴🍴 *Wat Phathivihan :* à 15 km env à l'ouest de la ville, vers Tumpat, près de la frontière thaïe. Prendre un bus (n°s 19 ou 27 de la Central Bus Station) jusqu'à Chabang Empat (compter 45 mn) ; départ ttes les 30-45 mn 6h30-18h50 env. Au carrefour, se diriger à gauche et marcher le long des rizières pdt 3,5 km ou faire du stop. Possibilité aussi de prendre un taxi. Village malais-thaï où se trouve le plus grand bouddha couché d'Asie du Sud-Est. Effectivement, ce n'est pas une statuette, puisqu'il mesure 40 m de long, 11 m de haut et 9 m de large... On ne viendra pas pour ses qualités esthétiques, car c'est sans doute l'un des plus vilains du monde (construit entre 1973 et 1979) ! Sur son socle sont peintes des scènes de la vie de Gautama. Les petits temples annexes regorgent de bas-reliefs délirants et de statues bariolées. Plusieurs *potalas* et des maisons habitées par les moines. Une atmosphère saine et détendue. La balade pour s'y rendre est agréable, surtout tôt le matin. On trouve un snack pour manger et se rafraîchir après une bonne marche.

🍴🍴 *Wat Machimmaram :* à 10 km du bouddha couché (Wat Phathivihan), à Kampung Jubakar (vers Tumpat). Prendre le bus n° 27, qui s'arrête dans le village ; départ de la Central Bus Station (plan A2) ttes les 30 mn 6h30-19h env. Temple récent (construit en 2000) financé par les Chinois du coin. Difficile de le manquer car, tel un phare spirituel, se dresse un bouddha assis de 30 m de haut, tout rouge, aux lèvres dorées, assis en position du lotus et fermant les yeux, impassible. Très beau temple déployant un maximum de faste : du pur clinquant bouddhique, avec force dorures, dragons et fontaines.

🍴🍴 *Wat Pikulthong :* à env 15 km de Kota Bharu, à l'entrée de Tumpat, accessible depuis la Central Bus Station par le bus n° 19 pour Kampung Terbak (ttes les 45 mn, 6h15-18h50). Tiens, t'auras du bouddha ! En voici un tout doré qui s'élève avec fierté dans la campagne en position d'Abhaya-Mudrâ (absence de crainte). Sur sa gauche, un bassin rempli de poissons-chats sacrés (donnez-leur à manger) et sur l'arrière quelques sépultures bouddhiques. Un lieu étrange, parcouru par quelques moines et des chiens errants (mal vus en pays musulmans) qui se sont réfugiés ici.

LA CÔTE EST DE LA MALAISIE

KUALA BESUT ET LES ÎLES PERHENTIAN : BESAR ET KECIL
IND. TÉL. : 09

● Carte p. 238-239

Kuala Besut, gros village de pêcheurs, s'étend des 2 côtés de la rivière Besut. Les plages ne sont pas terribles (des eaux limoneuses), mais Kuala Besut est surtout le port d'embarquement pour les îles Perhentian, dont 2 sont

habitées, *Kecil* (« la Petite ») et *Besar* (« la Grande »), et constituent d'authentiques petits paradis terrestres. Tout y est : les eaux transparentes, la jungle, les plages, le sable blanc, le silence rythmé par le son des noix de coco s'écrasant sur le sol, les bruits mystérieux de la forêt la nuit, les coraux et poissons multicolores (pourvu que ça dure), et surtout une grosse envie de ne rien faire... Les 2 îles sont séparées par un chenal large de quelques centaines de mètres.

Kecil abrite un petit village de pêcheurs (800 habitants), dominé par une mégamosquée dont le muezzin est particulièrement actif aux heures de prière. Aucun touriste n'y réside. Un peu plus loin sur l'île, 2 grandes plages saupoudrées de *guesthouses,* une flopée de petites criques isolées et quelques îlots paradisiaques propices à l'observation de la vie sous-marine. Son alter ego, Besar, est quant à elle exclusivement occupée par les touristes. Déserte il y a encore une vingtaine d'années, elle est aujourd'hui la coqueluche des vacanciers, notamment en période de vacances scolaires ! Les 5 autres îles que compte l'archipel sont le refuge d'espèces dont l'impact sur l'environnement est moindre : varans, singes, serpents, papillons et oiseaux...

– *IMPORTANT :* pensez à vous munir de suffisamment de liquidités avant d'arriver à Kuala Besut (pas de banque sur les îles, et les quelques lieux qui font le change pratiquent des taux déments). La carte de paiement est acceptée dans quelques endroits, mais ce n'est pas fréquent.

– *Santé :* les îles Perhentian sont reconnues comme étant des foyers de fièvre dengue. Il est donc impératif d'emporter de quoi chasser les moustiques et de se protéger de leurs attaques, ces sales bêtes frappent de jour comme de nuit.

BEAUTÉ... ET FRAGILITÉ DES PERHENTIAN

Les *Perhentian Islands* sont classées parc national, ainsi que leurs eaux sur un pourtour de 3 milles marins. Ce sont des îles couvertes d'une jungle quasi impénétrable, entourées de plages d'une grande beauté baignées d'une mer aux eaux d'une étonnante limpidité, qui abrite encore une importante diversité d'espèces sous-marines. Le souci, c'est que les fonds s'appauvrissent à grande vitesse. Car on est bien forcé d'admettre la relation étroite entre le développement des infrastructures touristiques et les dégradations subies. Les autorités ont beau avoir interdit aux capitaines d'ancrer leur bateau sur la barrière de corail, aux touristes d'utiliser des palmes, de monter sur la barrière de corail et de donner à manger aux poissons, les résultats se font attendre. Et pour cause, il n'existe aucun contrôle. Si Besar ne s'en sort pas trop mal, Kecil, à l'image de la plage surpeuplée de *Long Beach,* est en train de céder à une « bétonnite » sévère. En outre, la plupart de l'électricité est fournie par de polluants groupes électrogènes (pas de panneaux solaires), les déchets sont brûlés puis enterrés sur la plage, quand ils ne servent pas purement et simplement de fondation aux nouveaux ouvrages, etc. L'absence d'épuration des eaux contamine la nappe phréatique, tant et si bien que l'abord de certaines *guesthouses* prend l'allure de véritables marigots.

Il y va donc de la responsabilité de chacun de faire en sorte de préserver ce petit bout d'éden, en évitant de gaspiller l'eau douce, en faisant un usage modéré de la clim et, lors des différentes plongées, en préservant le corail, y compris celui que l'on croit mort, car il sert de refuge à quantité d'espèces.

Arriver – Quitter Kuala Besut

🚌 *Le nœud routier le plus proche se trouve à* **Jerteh,** *à 30 mn en taxi, quasi ttes les compagnies le desservent. De là, il est possible de rejoindre quasi ttes* les destinations du pays. Sinon la gare routière de Kuala Besut se trouve à env 15 mn de marche de l'embarcadère (jetty).

➤ **De/vers Kota Bharu :** env 11 bus/j. (n° 639) 6h15-18h30 depuis la *Central Bus Station* située en plein centre de Kota Bharu (10 bus/j., 7h30-18h30 dans l'autre sens). Trajet : env 1h30 selon les embouteillages. Essayez de partir le mat si vous comptez passer sur les îles dans la journée. Sinon, le plan B est de prendre un bus *KTB Cityliner* pour Jerteh (ttes les 30 mn 6h-19h10) et de poursuivre en taxi (compter 1h de route au total). Dernière solution, la plus pratique, se grouper et prendre un taxi, c'est plus rapide et cela ne coûte pas trop cher. En général, les *guesthouses* de Kota Bharu proposent de s'occuper de votre transfert jusqu'à Kuala Besut, et même de vous vendre les billets de bateau.

➤ **De/vers Kuala Terengganu :** en principe, 6 bus/j. 8h-18h avec la compagnie *SP Bumi* (● *spbumi.com. my* ●). Trajet : env 2h30.

➤ **De/vers Kuala Lumpur :** 4 départs/j., 9h45-22h (9h-21h depuis Kuala Besut), avec *Ekspres Perdana* (● *ekspresperdana.com.my* ●) ou *Sani Express* (● *saniexpress.com.my* ●). Depuis Kuala Besut, liaisons possibles aussi avec *Trans Rengit Ekspres* (départ le soir) ou avec *Mahligai* (● *mahligai.com.my* ●), le mat et le soir. Trajet : env 6-8h. Le bus du mat vers Klang.

➤ **De/vers Ipoh (Cameron Highlands), Butterworth (Penang) et Kuala Perlis (Langkawi) :** avec *Ekspres Perdana,* 2 départs/j., mat et soir pour chacune de ces destinations.

➤ **De/vers Singapour :** 1 liaison le soir depuis Kuala Besut avec *Transnacional.* Durée : env 10h30.

– Évitez de vous retrouver coincé à Kuala Besut pour dormir. Toutefois, il peut arriver que les bateaux ne partent pas à cause d'une mer trop agitée. Voilà une adresse au cas où.

Où dormir ? Où manger à Kuala Besut ?

🛏 **Nan Hotel :** *Jln Haji Mohamad, dans le prolongement de la rue où se situent ttes les agences de voyages et à proximité du parking.* ☎ 697-48-92. 🖥 019-985-34-14. ● *nanhotel@gmail. com* ● *De bon marché à prix moyens selon confort.* Une petite vingtaine de chambres avec ou sans clim mais toutes avec salle de bains, dans un bâtiment au calme. C'est propre, et ceux qui voyagent à plusieurs apprécieront les quadruples.

🍽 Plusieurs petits **restos** bon marché près de l'embarcadère, ainsi que des plus chic autour de la place principale.

Comment aller sur les îles Perhentian ?

⛴ **Le port d'embarquement :** *à env 15 mn à pied de la nouvelle gare routière. Demandez la jeti (ou jetty).*

– Les routards motorisés pourront laisser leur engin dans l'un des parkings gardés et payants *(env 10 Rm/j.).*

– À l'embarcadère, on doit s'affranchir d'une **écotaxe** destinée à la préservation du parc marin *(30 Rm/ pers).* Ce coupon, qui est daté, est valable 3 jours consécutifs. Il est exigible par les autorités si vous pratiquez la plongée ou le *snorkelling*, c'est-à-dire que, théoriquement, vous êtes censé la repayer si vous restez plus de 3 jours, mais dans la pratique, les contrôles sont rares. À l'inverse, en principe, vous n'êtes pas obligé de payer une seconde fois si vous l'avez déjà achetée la veille ou l'avant-veille à Redang ou Tioman, par exemple.

– Au port, petites **épiceries** pour faire des provisions de chips et de biscuits, qu'on trouvera un peu plus chers sur les îles, ainsi qu'une *Farmasi* (sur la place principale, à 50 m du T' Lodges ; tlj sauf ven 9h-18h, 20h-22h).

– *Liaisons en bateau :* les bateaux partent grosso modo entre 9h et 17h, mais c'est variable en fonction de la saison. Ils partent quand ils sont pleins, exception faite des traversées

LA CÔTE EST DE LA MALAISIE

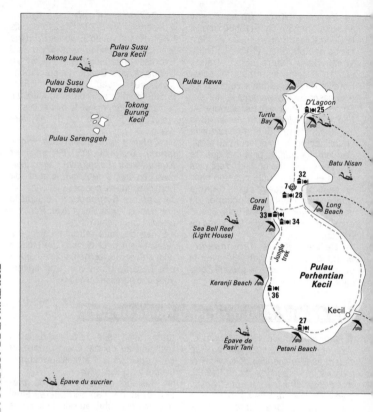

Carte de Pulau Perhentian Kecil avec : Tokong Laut, Pulau Susu Dara Kecil, Pulau Susu Dara Besar, Pulau Rawa, Tokong Burung Kecil, Pulau Serengggeh, D'Lagoon 25, Turtle Bay, Batu Nisan, 32, 7, 28, Coral Bay, 33, 34, Long Beach, Sea Bell Reef (Light House), Jungle trek, Pulau Perhentian Kecil, Keranji Beach 36, Kecil, 27, Épave de Pasir Tani, Petani Beach, Épave du sucrier.

■	**Adresses utiles**		**14** Bubbles Dive Centre
			33 Anti Gravity Divers
	1 Suhaila Palace		
⊛	**7** Lazy Buoy's Shop		🏠 |●| **Où dormir ? Où manger ?**
	12 et **17** Change		
			Sur Besar
■	**Clubs de plongée**		**11** Abdul's Chalet
			12 Mama's Chalet
	2 Flora Bay Divers		and Restaurant
	4 Universal Diver		

affrétées par les hôtels. Ils transportent 12 ou 40 passagers. Seuls ces derniers naviguent en cas de mauvais temps (et encore !). Trajet : 30-60 mn selon votre destination et le type de bateau (les petits sont plus rapides). De nombreuses agences vendent les billets. Tarif : 70 Rm/pers l'A/R ; 40-50 Rm/pers l'aller simple (même prix partout). On peut prendre son billet retour *(open)* en même temps que l'aller, mais ce n'est pas obligatoire.

Attention : pas de liaisons pendant la mousson, de novembre à fin janvier (de toute façon, durant cette période, les établissements sont fermés !).

– Le week-end, pendant les vacances scolaires de Malaisie et de Singapour, ainsi qu'en haute saison, les petits

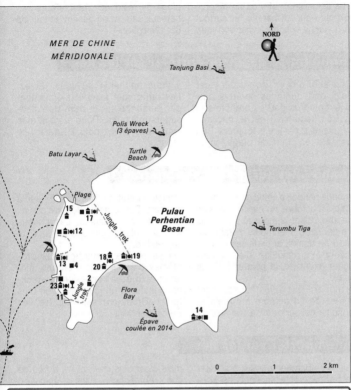

LES ÎLES PERHENTIAN

LA CÔTE EST DE LA MALAISIE

hôtels rechignent à prendre des réservations par téléphone ou par mail. Mieux vaut arriver tôt et se renseigner à Kuala Besut avant de débarquer pour éviter les surprises et le surbooking. Quasi tous les hébergements y sont représentés.

Arrivé sur place, on vous dépose sur la plage de votre choix en commençant indifféremment par Besar ou Kecil (lire, plus loin, le commentaire concernant les ambiances des différentes plages). Si le bateau ne dessert pas la plage voulue, il faudra reprendre un *water-taxi* ou demander à votre hôtelier qu'il vienne vous chercher.

– *Pour le retour,* il y a moins de souplesse. Prévenir votre hébergement la veille de votre départ (voire bien avant en haute saison), afin qu'on réserve une place sur un bateau, et surtout qu'on vienne vous chercher sur votre plage de résidence. Les retours des bateaux se font en général autour de 8h, 12h et 16h.

Comment se déplacer entre et sur les îles ?

➤ Le seul moyen de se déplacer (mis à part quelques sentiers parfois encombrés par les branches et pas très sécurisés) est le *bateau-taxi (water-taxi)*. Il y a toujours 1 ou 2 bateaux en bord de plage, prêts à vous emmener où vous voulez. Les tarifs sont fixes et s'entendent par personne sur la base de 2 passagers minimum. Donc si vous êtes seul, vous payez pour 2 ! Autant se grouper.

Quand aller sur les îles Perhentian ?

La bonne période s'étend grosso modo de mars à octobre. En principe, pas de bateau pendant la mousson. Le mois de mars reste néanmoins instable au niveau du temps, et certaines liaisons peuvent être annulées (bien se renseigner avant de se pointer à Kuala Besut).

La plupart des *guesthouses* sont fermées de fin octobre à mi-février, s'ensuit une période de travaux de remise en état qui peut durer jusqu'à mi-mars. Dès le début du mois d'avril, c'est la haute saison. Les choses se calment de nouveau à partir de septembre.

On se répète : attention aux problèmes d'hébergement en juin, juillet et août ou à l'occasion de week-ends incluant un jour férié (voir plus haut « Comment aller sur les îles Perhentian ? »).

Qu'emporter sur les îles ?

Avant d'embarquer, pensez à acheter une bonne crème solaire, des bouchons d'oreilles, des bouquins et du produit antimoustiques (les moustiques sont parfois assez féroces dans le coin, même en pleine journée et attention à la dengue). On trouve ces produits sur les îles (hormis les bouchons d'oreilles), mais c'est plus cher, et il y a peu de choix. Autre chose : dans les épiceries, la nourriture est de l'ordre de 20 à 40 % plus chère que sur le continent, et mis à part dans le village de Kecil, où l'on peut se nourrir de beignets pour 3 fois rien, on est loin des prix dérisoires des gargotes de Kota Bharu...

Hébergement

En général, les *guesthouses* et hôtels font aussi restaurant (mais le petit déj n'est jamais compris, sauf dans les établissements de standing). Tous les établissements proposent une nourriture correcte.

Attention, ne cédez pas aux rabatteurs qui vous attendent à la sortie du bateau, quand ils vous disent qu'il est difficile de trouver de la place. Allez d'abord vérifier par vous-même. Il s'agit souvent, pour eux, de toucher une commission.

Les fourchettes que nous indiquons correspondent aux prix en haute saison. Hors saison (février-mars et septembre-octobre), compter de 15 à 30 % de moins (certaines adresses vont même jusqu'à - 50 %, n'hésitez pas à faire marcher la concurrence !).

Quelques mots concernant l'équipement et le choix des bungalows :

– chaque groupe de bungalows possède son propre générateur électrique. Ces derniers ne fonctionnent généralement que le soir, sauf quand

il s'agit d'un club de plongée (à cause du regonflage des bouteilles). C'est important si vous optez pour un logement climatisé ; dans ce cas, pensez à demander si l'électricité fonctionne 24h/24 (cas généralement des grands hôtels). Résultat : si votre chambre est à côté du groupe électrogène, vous ne fermerez pas l'œil. Bref, demandez à quelle heure il s'arrête et essayez de choisir un bungalow suffisamment éloigné ;
– dans les bungalows, on trouve en général une moustiquaire et un petit ventilo, même pour les adresses à petits prix (parfois loués en supplément) ;
– demandez à en visiter plusieurs avant de vous décider et évitez ceux situés trop près des zones où l'eau stagne ;
– les adresses à prix moyens ont toutes douche et w-c à l'intérieur mais presque jamais d'eau chaude ;
– il existe des bungalows pour 3 ou 4, plus économiques ; ceux qui disposent de la clim sont 2 fois plus chers, mais ça reste malgré tout avantageux quand on voyage à plusieurs.

Et maintenant qu'on est là, qu'est-ce qu'on fait ?

– **Sorties en mer :** la plupart des établissements organisent ou revendent des sorties en mer autour des îles classées dans le parc national pour faire du *snorkelling* ou simplement pour le plaisir de se laisser déposer sur une plage déserte (enfin presque, vu que tout le monde a la même idée), le temps d'un après-midi. Compter environ 40-50 Rm par personne sur la base de 4 personnes. Ceux qui le souhaitent pourront demander à être déposés pour la journée sur *Turtle Beach*, une belle plage déserte au nord de Besar. Pensez à apporter votre pique-nique et suffisamment d'eau.
– **Balades à pied :** possibilités limitées, mais quand vous aurez sillonné, par un 35 °C bien moite, les quelques pistes qui traversent la jungle de Besar et de Kecil, on en reparlera !
Petits conseils avant de partir. Avoir des chaussures fermées et porter, de préférence, des pantalons légers à cause des moustiques et des plantes coupantes. Avoir toujours un bâton pour faire du bruit et faire fuir les éventuelles bébêtes. Éviter de poser les mains sur les troncs (il peut y avoir des plantes urticantes, des petits insectes discrets qui piquent...). Prendre suffisamment d'eau (on boit beaucoup sous ces latitudes !). Enfin, évitez de partir seul. Se reporter aux rubriques « À voir. À faire » de chacune des 2 îles pour les détails sur les balades.
– **Le soir,** il arrive que des petits groupes de Malais viennent faire un **barbecue,** allumer un feu de camp ou, plus prosaïquement, brûler leurs ordures sur la plage ! La pleine lune à Long Beach sur Kecil est propice aux soirées autour du feu. Ambiance assurée. Ils vous inviteront à vous joindre à eux, avec beaucoup de gentillesse. La nuit, les bruits de la jungle laissent une grande place à l'imagination. Les sons, les dialogues, les scènes de ménage ou les cris d'amour des animaux qui habitent la jungle sont particulièrement impressionnants.
– **La teuf :** attention au bruit à Long Beach sur Kecil. En effet, les différentes *guesthouses* situées dans la partie basse de la plage ont pris l'habitude d'arroser le clair de lune à grand renfort de décibels. Ce n'est pas encore Ibiza, mais ceux qui privilégient le contact avec la nature iront respirer sous leur moustiquaire ailleurs...

Snorkelling

Malgré la nette détérioration des sites ces dernières années, le spectacle demeure magique, notamment aux alentours des « baby islands » que sont les îlots de *Rawa* et de *Serenggeh* : on voit s'ébattre toutes sortes de poissons, tous plus hallucinants les uns que les autres et relativement gros en plus de ça (arc-en-ciel, certains tigrés, tachetés, transparents, un monstre violet aux lèvres rose fluo ou une bande de gros *Napoleon fishes* en goguette !). Chaque corail est également un spectacle, aux formes changeantes et aux couleurs incroyables : plantes caout-chouteuses, champignon géant, corail table ou en feuille de chou, sapin de Noël (en fait, celui-là, ce n'est pas du corail mais un ver marin !), anémones fluores-centes et nudibranches aux couleurs absolument incroyables, etc. On peut louer partout masques et tubas, à des prix raisonnables (comptez environ 20 Rm la journée). N'hésitez pas à comparer les prix.

Dommage que tout ce beau monde menace de disparaître. Aucune campagne ne sensibilise les touristes à la fragilité des sites, le corail est piétiné, arraché, on s'accroche aux tortues marines, et on gave les poissons de pain de mie, etc. Les autorités en charge de la police du parc ne contrôlent rien.

Les meilleurs spots de *snorkelling*

La plupart des *guesthouses* ou agences proposent des formules incluant le prêt du matériel et le transport. Le tarif dépend du nombre d'arrêts pour faire trempette. Mais le plus souvent, rentabilité oblige, on ne vous dépose qu'à des endroits faciles d'accès (*Shark Point,* pour voir des requins, à condition d'y aller de bonne heure et d'attendre qu'ils se pointent ; *Turtle Point,* pour voir des tortues marines brouter les algues, etc.), où finalement il n'y a pas toujours grand-chose à voir. Compter environ 50 Rm, sur la base de 4 personnes minimum dans le bateau. Mais si vous voulez vraiment voir de belles choses, on ne saurait trop vous conseil-ler de louer les services d'un *water-taxi* à la demi-journée (env 3h) ou à la journée (6h), de pousser un peu plus loin (vers les « *baby islands* », par exemple) et surtout de **partir avant tout le monde,** de manière à ne pas se retrouver à 40 en train de mater la même sirène.

– **Pulau Rawa** est de loin le site le plus spectaculaire. Véritable petit paradis isolé à quelques milles au nord-ouest de Kecil, le sable y est aussi blanc qu'aux Sey-chelles, la jungle quasi impénétrable et les fonds de toute beauté. Les poissons y pullulent : balistes, poissons-perroquets, poissons-anges de toutes tailles et de toutes couleurs, nudibranches et bénitiers, anémones abritant des poissons-clowns, tout ça sur fond de coraux branches ou tables, tantôt vert olive, tantôt lie-de-vin. On y croise souvent quelques bandes de labres, dont de gros poissons Napoléon. À quelques encablures de là, *Tokong Burung Kecil,* le petit îlot plat situé entre *Rawa* et *Susu Dara Kecil* (le grand cône volcanique couvert de jungle), est le domaine des raies à points bleus, des poissons-chirurgiens (dont des nasons à éperon orange) et des gros poissons-perroquets. *Pulau Serenggeh* est aussi un bon spot.

– **Light House (Sea Bell)** est la balise qui se trouve à l'ouest de Kecil, au large de l'*Impiani Resort*. Sur place, profusion de petits sergents majors évoluant sur de beaux coraux descendant sur plusieurs étages, et très belles anémones fluorescentes. Proches de la surface, des petits bancs de bécunes (poissons allongés et bleutés) très présentes dans le coin. Attention toutefois, le courant est très fort.

Plongée

S'il y a un endroit où ceux qui n'ont jamais osé plonger peuvent le faire sans aucune appréhension, c'est bien dans les eaux de ces îles. L'eau est chaude, claire (la visibilité varie entre 10 et 15 m, parfois 25 m par temps clair et mer calme), et, surtout, la plupart des sites se situent à moins de 15 m de profondeur.

Les clubs de plongée

Chaque plage possède un ou plusieurs clubs, mais il existe de grandes disparités dans la qualité des offres. Pas de centre PADI sur Long Beach à Kecil par exemple, la plupart usurpent le label sous prétexte qu'ils travaillent avec des instructeurs PADI. Il est vrai que depuis l'engouement de la clientèle nationale pour la plongée sous-marine, l'offre a explosé. On achemine les plongeurs par dizaines sur des sites déjà surfréquentés. Méfiance, donc. Faites-vous bien préciser les conditions d'une plongée et vérifiez que le site est agréé, en allant faire un tour avant sur
● *apps.padi.com/scuba-diving/dive-shop-locator/* ● Lire aussi les conseils dans la rubrique « Plongée sous-marine » plus loin, de la partie « Hommes, culture et environnement ».
En général, une plongée coûte 80-100 Rm, selon la formule d'équipement choisi (combi ou seulement plombs et bouteille). La plupart des centres assurent entre 4 et 5 sorties par jour, plus une sortie de nuit. Autant dire que ça usine !
Pour les coordonnées des clubs, voir les rubriques « À voir. À faire. Clubs de plongée » à Besar et Kecil, plus loin. Ils sont fermés, grosso modo, de mi-octobre à mi-février.

Les meilleurs sites

Parmi tous les sites superbes, quelques-uns sont cependant plus remarquables que d'autres. Les meilleurs se trouvent autour des 4 îlots du Nord-Ouest.

◈ **Sea Bell Reef** *(- 20 m max) :* un peu au large de la côte ouest de Kecil. On y observe des gorgones spirales, des fouets de mer dans lesquels s'égaient bécunes et castagnoles, mais aussi des poissons-ballons et des poissons-flûtes, ainsi que beaucoup d'autres poissons multicolores, de même que quelques raies à points bleus.

◈ **Batu Nisan** *(- 17 m max) :* joli amas de roches inclinées, formant un mur de récif sur la côte est de Kecil. Coraux variés ; on y croise quelques pastenagues, des poissons-ballons, des poissons-drapeaux, des poissons-papillons. Un site idéal pour faire ses premières bulles à - 12 m.

◈ **Pasir Tani wreck** *(Épave de Pasir Tani, appelée* « vietnamese wreck » *; - 24 m max) :* au sud-ouest de Kecil, il s'agit de l'épave d'un bateau militaire américain long de 35 m, une sorte de péniche de débarquement, qui fut prise par les Vietnamiens, puis utilisée comme bateau de réfugiés. Le bateau est aujourd'hui retourné. De gros barracudas *(chevrons barracudas)* sont en général dans le secteur. Un site plutôt réservé aux experts car il y a beaucoup de courant.

◈ **Sugar wreck** *(Épave du sucrier ; - 18 m max) :* plus lointaine que la précédente (25 mn en bateau). Cette fois, c'est un cargo à sucre de 92 m de long, qui a sombré en 1999. Plutôt pour les confirmés, quand bien même on ne rentre plus dans l'épave. Barracudas et bécunes en pagaille. Les balistes viennent se régaler des clams collés à la coque. On y observe également des gaterins noir et blanc. Mieux vaut y plonger pendant les coefficients de mortes eaux, sinon les courants sont trop importants.

◈ **Tokong Laut** *(- 19 m max) :* certainement le plus beau site car le plus coloré. Il s'agit d'un sec (pinacle rocheux) autour duquel on tourne en remontant. Formé de grottes et de tunnels avec de grandes entrées, les gens du coin l'appellent *the temple of the sea*. On y observe des coraux mous, des hydraires et des gorgones, ainsi que d'incroyables bancs de poissons, murènes, calamars et quelques *bamboo sharks*.

◈ **Terumbu Tiga** *(- 22 m max) :* à l'est de Besar, c'est le prolongement de la montagne dans la mer. 3 gros rochers s'imbriquent en créant des passages. On y trouve du corail noir, du corail mou, une grande quantité d'étoiles de mer et d'oursins ; quant aux poissons, c'est ici que vous vous piquerez au jeu en observant des poissons-scorpions, des poissons-chauve-souris ou des poissons-écureuils (inutiles d'apporter des noisettes !). C'est un point de passage du requin-baleine.

⚓ *Tanjung Basi* *(- 24 m max) :* au nord de Besar, un véritable mur de corail qui descend jusqu'à 24 m. Formé par un chaos d'arènes granitiques, il est constitué de grottes et de surplombs habités par de nombreuses espèces, dont quelques requins gris de récif et des requins à pointe blanche. Un site intéressant pour sa topographie.

⚓ *Shark Point* *(- 25 m max) :* à Flora Bay, comme son nom l'indique, le meilleur spot pour observer des bancs de requins pointe noire, mais l'important trafic de bateaux rend la plongée dangereuse.

⚓ *Coral Garden* ou *Batu Layar* *(- 17 m max) :* à la pointe nord-ouest de Besar. Un sec dont le sommet se situe à moins de 8 m au-dessous de la surface. Ici, de nombreux coraux (dont de superbes coraux ramifiés sur le flanc ouest). Côté poissons, des pastenagues, des barracudas chrysotaenia.

⚓ *D' Lagoon* *(- 14 m max) :* face au *resort* du même nom. Ici, sable et coraux. Plongée pépère car les conditions sont rarement mauvaises. Convient aussi bien aux débutants qu'aux expérimentés. Le gros avantage, c'est que l'accompagnant du plongeur peut faire du *snorkelling* en même temps sur le même site.

BESAR (BIG ISLAND)

Besar est un peu plus calme que Kecil, et globalement, même dans les endroits denses, on y est moins les uns sur les autres.
La plupart des hébergements se concentrent sur le flanc ouest de l'île et sur la plage du sud, Flora Bay. Les bateaux desservent les 2 sites à la demande.
À noter que, bien que située à l'ouest, la plage principale de l'île de Besar ne profite pas du coucher de soleil car il est caché par Kecil.

Adresses utiles

■ *Change :* parmi les endroits pratiquant régulièrement le change, le *Perhentian Island Resort (carte, 17)* ou le *Mama's Chalet and Restaurant (carte, 12)*. Attention cependant, lorsque les liquidités ne sont pas suffisamment importantes, pas de change possible.
■ *Suhaila Palace (carte, 1) :* au Tuna Bay. Petite épicerie de dépannage, livres, souvenirs, location de masques et tubas... Change à un taux désavantageux.

Où dormir ? Où manger ? Où boire un verre ?

Pas de camping digne de ce nom sur Besar, les hébergements les moins chers sont sur Kecil mais on les déconseille à ceux qui n'ont pas un sommeil de plomb. Sur Besar, il existe des adresses isolées, tranquilles et de surcroît bon marché si on est prêt à réserver un chalet à plusieurs. Aussi quelques réalisations typiquement à l'adresse de la clientèle musulmane,

avec supermarché, piscine pour se baigner tout habillé, salle de prière et tout et tout...

Sur la plage principale

La plage est séparée en 2 par un chaos rocheux que l'on peut contourner en 10 mn de marche environ, grâce à un sentier dans la jungle (la nuit, suivre la conduite d'eau, lampe de poche indispensable). La plage est vraiment très calme, le sable superbe. Préférez quand même y aller en bateau.

De prix moyens à chic
(100-300 Rm / 22-66,50 €)

🛏 |●| *Mama's Chalet and Restaurant* (carte, *12*) : ☎ 019-985-33-59 ou 013-984-02-32. *CB acceptées (+ 5 % de com').* Une quarantaine de bungalows avec terrasse et sanitaires. Les plus chers, climatisés, offrent une jolie vue sur la mosquée de Kecil, juste en face (réveil matinal garanti). Les plus économiques sont situés dans le jardin, sur l'arrière. Ceux qui voyagent en nombre apprécieront les grandes familiales climatisées, avec salle de bains, posées carrément sur la plage. Le tout est bien propre et l'atmosphère qui s'en dégage plutôt cool. Au resto, la cuisine de la *mama* est bonne. Quelques plats de riz pas chers du tout et d'autres plus élaborés, comme le poisson au lait de coco ou aux épices. Bon accueil.

🛏 *The Reef Chalets* (carte, *15*) : ☎ 691-17-62. ☎ 013-981-67-62. ● *thereefperhentian.com* ● Les chambres avec clim flirtent avec la catégorie « Plus chic ». Les bungalows en bois, avec terrasse et vue sur mer, sont disposés de manière aérée, en cercle, sur un espace généreux et bien ombragé. Ventilo ou clim et salle de bains (eau chaude dans les familiales avec vue uniquement). L'ensemble est très propre, avec plancher en bois, murs en bambou tressé et quelques vitrages colorés pour faire de beaux rêves. Un petit plus : la cuisine mise à dispo des hôtes. Clim oblige, le groupe électrogène, qui ne fonctionne que la nuit en début de saison, ronronne en silence toute la journée en pleine saison. Excellent accueil du papa et de ses filles.

🛏 *Abdul's Chalet* (carte, *11*) : l'adresse la plus au sud de la plage. ☎ 019-912-73-03. ● *abdulchalet.com* ● Dans la fourchette supérieure pour les 10 chalets avec vue. *CB acceptées (+ 3 % de com').* Ces petits chalets avec terrasse sont une vingtaine à se partager la vue sur Kecil, alors évidemment ils sont un peu serrés. Climatisés ou simplement ventilés, sanitaires à leurs côtés, on ne peut pas dire qu'ils brillent par leur originalité, mais c'est propre. Une adresse aux prix un peu musclés tout de même. Bon accueil. Évitez le restaurant, en revanche.

Chic
(180-300 Rm / 40-66,50 €)

🛏 |●| *New Cocohut & Cozy Chalets* (carte, *13*) : ☎ 697-49-82 (résas à Kuala Besut). ● *perhentianislands@ gmail.com* ● *CB acceptées avec 3 % de supplément.* Tandis que *Cozy Chalets* grignote la montagne, *New Cocohut* se masse en bord de plage ! Au total, 70 petits chalets, très bien aménagés et tout confort, certes bien propres mais quand même un peu chers pour ce que c'est. Bien choisir. Le resto, en revanche, fait l'unanimité pour son emplacement et la qualité de sa cuisine. Aménagé sur une terrasse aérée au bord des flots, il propose du poisson frais au barbecue tous les soirs. C'est d'ailleurs l'adresse la plus délicieusement romantique du coin.

Très chic
(plus de 300 Rm / 66,50 €)

🛏 |●| ⛾ *Tuna Bay Island Resort* (carte, *23*) : ☎ 690-29-02 (à Kuala Besut). ● *tunabay.com.my* ● *Chalets 320-520 Rm selon vue, petit déj inclus. CB acceptées.* Là encore, au bord de la plage, des chalets au standard international qui disposent, pour ceux avec vue, d'une grande baie vitrée et d'une terrasse. Seuls les plus chers vous permettront d'embrasser la grande bleue au réveil. Resto sur pilotis, bien situé, qui sert une cuisine variée et possède un barbecue qui rivalise de fraîcheur avec son voisin le *New Cocohut*, quand bien même les prix sont un peu plus élevés. On peut aussi se contenter d'y aller boire un verre.

🛏 |●| *Perhentian Island Resort* (carte, *17*) : à l'extrémité nord de la plage principale. ☎ 691-11-11. ● *perhentianislandresort.net* ● Résa vivement conseillée. Bungalows pour 2 : 460-600 Rm, petit déj compris. CB acceptées. Une centaine de bungalows luxueux à quelques mètres de la plage. Également d'avantageux bungalows familiaux, à peine plus chers que les doubles. L'ensemble est joliment paysager et donne sur une plage privative, mais pour les bungalows *deluxe* seulement... Autrement, piscine sur l'arrière, courts de tennis... Le confort est bon, de même que le resto, qui pratique des prix corrects. Sachez qu'ici vous êtes un peu loin de tout. Évidemment, toutes les commodités de cette classe d'hôtels : centre de plongée, location de kayaks, service de bateau-taxi.

Sur Flora Bay

C'est une baie superbe, un peu plus tranquille que la plage principale, même si ça bétonne un peu ces derniers temps. Vue sur le large. Des coraux à fleur d'eau peuvent parfois gêner la baignade en certains endroits à marée basse.

➤ Pour y accéder, 2 solutions : se faire déposer directement en venant de Kuala Besut ou prendre un bateau-taxi depuis la plage principale.

De prix moyens à chic (100-300 Rm / 22-66,50 €)

🏠 |●| *Samudra Beach Chalet (carte, 19)* : ☎ 691-16-77. 📱 012-799-68-08. ● samudrabeachchalet.com ● *Prix moyens ; forfaits 3 j./2 nuits à prix compétitifs. Également des familiales (pour 4). CB acceptées (+ 3 % de com').* Devant une plage adaptée aux enfants, un ensemble de bungalows avec vue ou situés dans un jardinet, à l'arrière. Tous avec ventilo, sanitaires (douche froide) et miniterrasse. Ceux en forme de A, isolés les uns des autres, sont un bon plan pour les petits budgets. Pour le double, vous aurez la clim et une vue sur la mer. Pas trop de déco, mais c'est fort bien tenu. Resto agréablement ventilé. Bonne ambiance, d'autant que le générateur est à distance respectable.

🏠 *Fauna Beach Chalet (carte, 20)* : ☎ 691-16-07. 📱 019-978-22-54 (Hasmadi). *Prix moyens, cependant les doubles avec clim et vue valent presque 3 fois le prix des standard. Des triples aussi. CB acceptées (+ 6 %). Pas de wifi.* 2 groupes de chalets en bois avec de petites terrasses, pour tous les prix ou presque, de celui avec ventilo et eau froide à celui avec clim, eau chaude et vue sur la mer, tous avec sanitaires à l'intérieur. Dans l'ensemble, c'est rudimentaire. On en a pour son argent. Propose aussi des *packages* à prix plancher.

🏠 |●| *Flora Bay Resort I & II (carte, 18)* : ☎ 691-16-66 ou 67. ● flora bayresort.com ● *De prix moyens à chic selon confort pour la plupart des chambres, plus chic pour celles avec vue. CB acceptées.* D'un côté, *Flora I,* qui cède gentiment à la loi du béton, avec un centre *PADI* 5 étoiles. Assez propre. De l'autre, *Flora II,* plus décontracté, avec des petits bungalows isolés avec vue et des chambres assez sonores dans une *longhouse* sur 2 niveaux, très simples, qui conviendront aux routards peu regardants sur la propreté. Le resto donne sur la plage.

À la pointe sud de l'île

Petite plage isolée loin du tumulte. D'un côté la jungle, de l'autre la mer, entre les 2, un *resort* et un centre de plongée qui œuvre à la protection des tortues marines.

➤ Pour y accéder, prendre un bateau-taxi depuis Flora Bay ou la plage principale.

Chic (180-300 Rm / 40-66,50 €)

🏠 |●| *Bubbles Dive Resort (carte, 14)* : 📱 019-599-96-28 ou 012-983-80-38. ● bubblesdc.com ● *Le prix varie selon le jour de la sem. Petit déj compris. CB acceptées (+ 3 % de com').* Une adresse dont l'intérêt principal réside dans son isolement. Au total, une trentaine de chambres de différents types, en bois ou en dur, toutes avec clim. Les *deluxe* en bordure de la forêt sont bien équipées, grandes et fraîches. Sinon les familiales sont vraiment bien conçues, car, chose rare, elles possèdent 2 vraies chambres et peuvent accueillir jusqu'à 5 personnes. Le resto ne brille pas par son rapport qualité-prix, on vient surtout ici pour les activités en relation avec la mer : club de plongée, prêt de matériel de *snorkelling*, location de kayaks.

À voir. À faire

– Lire plus haut la rubrique « Et maintenant qu'on est là, qu'est-ce qu'on fait ? ».

➤ *Balades à pied :* plusieurs chemins ont été tracés à travers la jungle pour permettre de relier les différentes plages de l'île. Le souci, c'est qu'ils sont assez mal entretenus, tant et si bien qu'en début de saison sèche, ils sont souvent difficiles à trouver. Ne pas s'y aventurer au hasard. Toujours se renseigner auprès de sa *guesthouse* avant de partir. Si vous possédez un smartphone ou une tablette, il est intéressant de télécharger la carte de l'île sur *Google map,* de manière à pouvoir utiliser le GPS de ces appareils lors de votre rando. Dernière chose : le soleil se couchant vers 18h30-19h, ne jamais partir sans avoir l'assurance d'être rentré avant la nuit tombée.

Clubs de plongée

■ *Flora Bay Divers* (carte, 2) : sur la plage de Flora Bay. ☎ 691-16-61. ● floorabaydivers.com ● Un club certifié Padi 5 étoiles et donc habilité à former des instructeurs. Sérieux et compétent, donc. Prix attractifs. Si vous êtes sur cette plage, c'est le bon choix.
■ *Bubbles Dive Center* (carte, 14) : sur une plage isolée du sud de l'île. ▥ 019-599-96-28 ou 012-983-80-38.

● bubblesdc.com ● Un club certifié PADI 5 étoiles qui œuvre aussi pour la protection des tortues marines.
■ *Universal Diver* (carte, 4) : sur la plage principale. ☎ 691-16-21. ● uni versaldiver.net ● Un club certifié PADI apprécié de nos lecteurs pour sa compétence et l'enthousiasme de son équipe d'encadrement. Pas souvent d'instructeurs de langue française, dommage.

KECIL (SMALL ISLAND)

Bien choisir sa plage est essentiel sur Kecil. Si vous cherchez l'animation, la fête, les rencontres, le tout devant une très grande plage, choisissez *Long Beach,* au nord-est de l'île.
Les plongeurs, quant à eux, se tourneront vers *Coral Bay,* à l'ouest de l'île, juste en face des « *baby islands* ». On y trouve quelques restos, des bars et des petites épiceries. Néanmoins, il est plus difficile de s'y baigner en raison de la présence de quelques récifs et de bateaux de pêche.
Coral Bay n'est qu'à 10 mn de marche de Long Beach, par un sentier sans difficulté qui coupe à travers la jungle (passage délicat de nuit, prévoir une lampe de poche). Quant aux amoureux de robinsonnades, ils choisiront les plages isolées, beaucoup plus tranquilles et surtout moins peuplées, mais il faudra faire abstraction de la clim et compter un petit budget supplémentaire pour se déplacer en bateau. Enfin, au sud de l'île se trouve le village de pêcheurs de Kecil *(fishermen village),* avec des habitants qui restent bien à l'écart de l'animation touristique. On peut néanmoins s'y approvisionner ou bien manger des beignets pour quelques ringgits. Un chemin bien marqué permet de gagner *Long Beach* sans problème.

Adresses et infos utiles

■ Sur les plages de Long Beach et Coral Bay, quelques *kiosques* vendent le minimum vital pour tout routard (ou routarde) débarquant sur l'île : de la crème solaire, de l'antimoustiques, de l'aspirine et des préservatifs, mais pas de bouchons d'oreilles, dommage...
– Possibilité de *change* dans quelques boutiques et établissements à Long Beach. En dépannage seulement, car le taux n'est vraiment pas intéressant.
❀ *Lazy Buoy's Shop* (carte, 7) : à Long Beach. ☎ 691-17-17. Une boutique qui vend des tickets de bus pour la Malaisie et la Thaïlande. Loue également du matériel de *snorkelling,* des kayaks, des planches de surf et toutes sortes de crèmes pour protéger votre peau de bébé. Assure aussi un service de *water-taxis* et affrète des bateaux à la journée ou à la demi-journée pour aller faire du *snorkelling.* Fait aussi resto.

Où dormir ? Où manger ?

Le choix est varié. Il va du cabanon isolé au *resort* avec spa en passant par la *guesthouse* pour *backpackers.* Sur Long Beach, le béton commence à faire loi, on a même vu un complexe pseudo chic importé de Bali ou de Trifouillis-les-Oies avec vue sur un mur aveugle qui tournait le dos à la mer ! Y en a parfois qui ont l'architecture distraite...

À Long Beach (Pasir Panjang) et au nord, sur la côte est

Long Beach est la plage la plus prisée par les fêtards. Surpeuplée entre juin et août, le prix d'un simple lit en dortoir peut atteindre le prix d'une chambre double avec salle de bains ! Quant aux conditions de séjour, faut pas être regardant, les eaux usées ont parfois du mal à être évacuées et la musique est omniprésente... On aime ou pas, mais franchement, vu les tas de détritus qui entourent les hébergements, faut pas être à cheval sur la propreté. Chaque pleine lune fait l'objet d'un feu de camp sur la plage (lire plus haut la rubrique « Et maintenant qu'on est là, qu'est-ce qu'on fait ? »).
Quelques petits restos de plage sans prétention proposent une cuisine thaïe, malaise ou occidentale, généralement de qualité moyenne et peu copieuse. Au nord de Long Beach, une crique esseulée sert d'écrin à un *resort* à vocation plus familiale.

De bon marché à chic (jusqu'à 300 Rm / 66,50 €)

🏠 |●| *D' Lagoon* (carte, 25) : 🖥 019-985-70-89. ● dlagoon.my ● Nuit en dortoir 20 Rm/pers, sinon fourchette allant de bon marché à chic. Pas d'alcool au resto. Éventail assez éclectique, du dortoir de 6 lits (superposés) avec salle de bains commune, au chalet tout confort avec clim face à la mer. Cela dit, la plupart de l'offre se situe dans les « Prix moyens », grâce à des bungalows ou chambres simples disposant ou non de leur propre salle de bains. Le tout assez spartiate mais propre avec une literie convenable. Certes, ça risque un peu d'embouteiller au moment de la toilette (sanitaires insuffisants) mais dans l'ensemble, c'est pas mal. Sinon, tout plein d'activités : tyrolienne, prêt de kayaks, sorties *snorkelling,* initiation à la plongée. Resto ouvert du matin au soir sauf le vendredi à l'heure de la prière. Plage privée (baignade à marée haute seulement).
🏠 |●| *Matahari Chalet* (carte, 28) : 🖥 016-920-25-69. ● mataharichalet.com ● De prix moyens à chic. CB acceptées (+ 3 % de com' ; possibilité de retirer du liquide avec sa CB moyennant une com' de 7 %). Ne jamais réserver ici sans avoir vu. Éviter les chalets, sales, mal conçus (ventilo mal placé, matelas à même le sol, etc.), et dont l'environnement est vraiment peu engageant. Le meilleur compromis, c'est d'opter pour

les chambres climatisées disposant d'une salle de bains avec eau chaude, situées dans le grand bâtiment en dur. Resto perché sur ses hauts pilotis, bien aéré. Plats simples et bien exécutés, pour quelques ringgits.

Spécial folies
(plus de 600 Rm / 133 €)

🏠 |●| *Bubu Resort (carte, 32) :* ☎ *(03) 2142-66-88 (résas à Kuala Lumpur).* 🖥 *016-260-35-47.* ● *buburesort.com* ● *Doubles 530-740 Rm, transfert depuis le continent A/R, 2 cocktails/j. et petit déj inclus. CB acceptées.* Dans la partie nord de la plage, là où les hôtels sont en béton, un bâtiment moderne construit en L sur 3 niveaux, disposant de chambres bien équipées et très confortables. Évitez tout de même celles situées aux extrémités (d'un côté la cuisine, de l'autre le groupe électrogène) et préférez celles du dernier étage pour la vue. L'ensemble est parfaitement tenu. Le service soigné vous promet un séjour agréable, d'autant que le resto se défend dans le style *fusion food* aux accents italiens. Une belle adresse, qui ravira vos épaules endolories par les coups de soleil et vos papilles en quête de saveurs nouvelles. Excellent accueil.

À *Coral Bay (Teluk Aur)*

C'est la seule plage de toutes les Perhentian à profiter... du coucher du soleil. Contrairement à Long Beach, les adresses « petit budget » nous ont paru d'un meilleur rapport qualité-prix mais elles ne sont pas légion. De même, la plupart ont un petit resto, mais c'est plus calme le soir.

Bon marché
(juqu'à 100 Rm / 22 €)

🏠 *Fatimah Chalet (carte, 33) :* 🖥 *011-403-47-531 (Fidia).* Une vingtaine de chalets en bois de part et d'autre d'un petit espace engazonné. Ambiance toile cirée sur contreplaqué, matelas mousse, moustiquaire et ventilo, salles de bains réduites à leur plus simple

expression, c'est très spartiate. Évitez ceux situés du côté gauche quand on tourne le dos à la mer, ils sont trop près du groupe électrogène de l'hôtel *Ombak.* Pour une nuit de dépannage, pas davantage.

Prix moyens
(100-180 Rm / 22-40 €)

🏠 |●| *Maya Chalet (carte, 34) :* 🖥 *019-990-25-61 (Zani).* ● *mayabeachresort@ yahoo.com* ● *(au resto* Crocodile Rock*).* Une douzaine de bungalows avec salle de bains. Les plus chers sont posés au bord de la plage, les autres donnent sur un petit espace tiré au cordeau. La propreté est souvent limite. Propose des barbecues de poisson certains soirs à partir de 19h (sans alcool), ainsi que des sorties *snorkelling* et pêche.
|●| Les restos *Mama's* et *Crocodile Rock (carte, 33)* proposent chaque soir à la carte un barbecue de poisson à prix moyens que l'on déguste sur la plage, les pieds dans l'eau (et ce n'est pas une façon de parler !). Ambiance très sympa, surtout au coucher du soleil.

Plus au sud, sur la côte ouest

De prix moyens à chic
(100-300 Rm / 22-66,50 €)

🏠 |●| *Petani Beach Chalet (carte, 27) : Petani Beach, accessible en bateau-taxi.* 🖥 *013-988-32-82.* ● *wanraihan wanismail@gmail.com* ● *Prix moyens. Petit déj en sus. Repas de bon marché à prix moyens.* Cette petite structure comprend à peine 5 chalets mais d'assez grande dimension dont 2 pour les familles. Salle de bains intérieure mais pas d'eau chaude, matelas posé sur le lino, ventilo, moustiquaire... Électricité entre 19h et 7h. C'est rudimentaire mais bien tenu, et surtout carrément sur une plage privée et bien à l'ombre de grands arbres. Rafraîchi par la brise marine, le petit resto familial propose chaque jour un plat différent si bien qu'on y prend facilement pension.

Bon accueil de Wanraihan, la fille de la maison, dont la famille propose des sorties en bateau pour aller explorer les fonds marins des alentours.

🏠 |●| **Mari-Mari** *(carte, 27) : Petani Beach, accessible en bateau-taxi.* 📱 012-643-11-45. *Prix moyens, bas de fourchette.* Ambiance « routards des mers » façon Hemingway pour cette adresse dont on se refile l'adresse sous le maillot. Aménagés de bric et de broc, 6 chalets sommaires dont la moitié se partagent la même salle de bains. L'un d'entre eux, perché dans un arbre, est un peu plus cher. Au bar, propices aux discussions à bâton rompu, de quoi remplir les fades après-midi de bronzette. Resto apprécié. Détente, glandouille. Les vacances nature, quoi !

🏠 |●| **Mira Chalet** *(carte, 36) : Keranji Beach (anciennement Mira Beach), accessible en bateau-taxi.* 📱 016-647-64-06. ● *mirabeach.com* ● *Pluc chic pour certains chalets en hte saison. Petit déj en sus, Repas 10-20 Rm.* La voilà, la petite adresse de Robinson Crusoé ! Une poignée de petites cabanes tout en bois perchées à flanc de colline au-dessus d'une plage privée. Situation extraordinaire, coucher de soleil dément et petit déj le nez sur les bougainvillées. Le confort est sommaire, 3 des 7 cabanes seulement possèdent leur propre salle de bains, en ce qui concerne les autres, on partage ! L'électricité est interrompue entre 7h et 10h, puis entre 16h et 19h. Autrement, service de bateau-taxi pour aller faire ses courses au village ou partir faire trempette ; quant aux repas, vous les prendrez ici, étant donné que le resto le plus proche est à 40 mn de marche et que traverser la jungle de nuit ça fout les pétoches !

À voir. À faire

– Lire plus haut la rubrique « Et maintenant qu'on est là, qu'est-ce qu'on fait ? ».

➤ **Balades à pied :** 2 sentiers parcourent l'île.
– Le premier sentier dans la jungle longe la côte sud. Rien de compliqué pour réaliser cette jolie balade, il suffit de suivre le chemin pavé et parfaitement tracé. Le sentier débute par les escaliers situés au sud de Coral Bay. Après 45 mn, on passe par *Mira Chalet (carte, 36)*, puis par Petani Beach, enfin on arrive au village (Fishermen Village) au terme d'un peu plus de 1h de marche. Juste quelques vieilles maisons en bois décaties qui côtoient le petit port et la grande mosquée qui rappelle que le Terengganu dont dépendent les îles Perhentian est bien un État islamique. Le long du chenal, face à Besar, des petits restos populaires tenus par des femmes. Pour 1 ou 2 Rm, profitez-en pour essayer les *kaçang sepat,* les beignets de poisson frits typiques du coin, ou encore les beignets de céleri *(jemput-jemput)* que l'on déguste avec une sauce à l'arachide bien relevée, sans oublier les *tapaï,* les bananes frites que l'on arrose d'un peu de sauce à la noix de coco. Du village, un sentier bien tracé mène à Long Beach en 30 mn, sinon prendre un bateau-taxi pour retourner à la plage de votre choix.
– Un autre sentier relie Long Beach à D'Lagoon, une petite plage isolée du nord de l'île (compter une petite heure). Se faire préciser son point de départ auprès de son hébergement. Mais impossible de se perdre : il suffit de suivre le câble électrique et de viser le sommet de la colline coiffé de ses 2 éoliennes. Contourner ensuite le grillage du parc éolien par la droite. À 200 m environ, bifurquer de nouveau à droite : le sentier s'engouffre alors dans la jungle pour redescendre sur D'Lagoon, d'où l'on peut rejoindre la petite plage paradisiaque de Turtle Bay en 15 mn de marche (se renseigner auprès du *D'Lagoon Resort* une fois sur place).

Clubs de plongée

Plusieurs clubs de plongée offrent à peu près les mêmes prestations mais très peu sont affiliés à PADI. Pour la plongée, voir plutôt sur Besar. Ils acceptent généralement les cartes de paiement.

■ *Anti Gravity Divers* (carte, 33) : *sur Coral Beach.* ☎ 012-921-23-95. ● scubadivingperhentian.com ● Centre PADI 5 étoiles proposant toutes sortes de formations.

Surf

Les mois les plus propices à la pratique du surf (sur Long Beach) s'échelonnent de novembre à fin avril. Mais ici, ce n'est pas Cherating. Pas de tube, le *swell* est plutôt *beach break,* avec une période assez courte. Le *peak* se trouvant grosso modo au centre de la plage, ça ouvre des 2 côtés.

L'ÎLE DE REDANG
IND. TÉL. : 09

● Carte *p. 253*

Voici l'île de carte postale : des cocotiers, un sable blanc qui s'étire avec nonchalance vers des eaux d'une limpidité incroyable devant des cabanons pratiquement les pieds dans l'eau, quelques hamacs qui balancent au doux bruissement de la brise marine... Redang tient ses promesses.

Mais pas pour tout le monde, malheureusement, car l'île cherche avant tout à séduire un tourisme de masse version « luxe ». Conséquence : la plupart des hébergements proposent des formules « 2 nuits en ½ pension + activités ». Difficile de s'en sortir à bon compte. De plus, la surfréquentation de certains sites a causé de gros dégâts environnementaux. Au plus fort de la saison, ce sont près d'un millier de personnes qui découvrent les joies du *snorkelling,* dans un périmètre restreint et 2 fois par jour ! La mer en est rouge de gilets de sauvetage.

Que toutes ces remarques ne vous découragent pas pour autant (après tout, mieux vaut savoir à quoi s'attendre) ; Redang demeure un excellent choix pour se reposer et certaines structures hôtelières sont vraiment bien conçues. Encore faut-il avoir les moyens d'y résider...

– De fin octobre à mi-février environ, tous les hôtels sont fermés pour cause de mousson. Exception faite du *Taaras Beach and Spa Resort,* ils sont tous situés sur la côte est.

LA CÔTE EST DE LA MALAISIE

Comment y aller ?

En bateau

⛵ **Les ports d'embarquement** pour Redang sont à **Shahbandar** (ou **Syahbandar**), qui est l'embarcadère *(jetty)* de Kuala Terengganu (voir cette ville), et à **Merang,** à 37 km au nord de Kuala Terengganu (ne pas confondre avec Marang, 20 km au sud, voir plus loin). Pour qu'il n'y ait pas de malentendu, dites que vous allez à Redang plutôt qu'à Merang. Pour s'y rendre, taxi depuis les gares routières de Kuala Terengganu ou de Bandar Permaisuri.

– L'embarcadère *(jetty)* de Merang se situe à env 600 m du rond-point d'entrée d'agglomération, au nord du village, à l'embouchure du fleuve. On y trouve quelques gargotes, des agences de voyages et des parkings gardés (payants). Distributeur de billets *Maybank* à la station *Petronas* située au sud de la ville.

– La plupart des hôtels de Redang, pour ne pas dire la totalité, fonctionnent avec des résas préalables et des *packages* (lire plus loin, à Redang « Où dormir ? Où manger ?»). D'ailleurs, en saison, ne vous aventurez pas sur l'île sans résa. Dans ce cas, le transfert depuis le continent est compris dans le forfait du séjour. La plupart des hôtels utilisent le port de Shahbandar.

➤ *Liaisons en bateaux :* ils fonctionnent en principe de mars à octobre. Pas de trajets pendant la mousson (novembre-février). Les horaires, qui dépendent de la marée, de l'affluence, de l'état du moteur, de l'âge du capitaine... restent toujours un peu flous (à prendre donc avec des pinces à sucre). Mieux vaut donc prévoir assez large et ne pas être pressé. Pour le retour, demandez à votre hôtel l'heure de départ du bateau. Au cas où vous seriez bloqué, une adresse utile à Merang : *Alamean Boat Services* (☎ 019-929-95-87).

– *depuis Merang :* 4 liaisons/j. avec le *public ferry* (8h-15h ; retour depuis Redang 9h-16h). Se faire préciser les horaires par son hébergement.

– *depuis Shahbandar :* 3 départs/j. en *public ferry*. Passeport obligatoire lors de l'achat du billet.

➤ En saison, il est également possible de se rendre directement en bateau de Redang aux îles Perhentian sans passer par le continent, donc mieux vaut se grouper. Renseignez-vous auprès de votre hôtel.

– *Écotaxe :* 5 Rm *(réduc)* à acquitter au moment de l'embarquement. Ce coupon, daté, est valable 3 jours consécutifs et dans toutes les îles. Passé ce délai, il faut (en principe) en acheter un autre.

MERANG

Où dormir ? Où manger ?

Merang ne possède aucun charme malgré une plage pas désagréable et, si vous pouvez éviter d'y passer la nuit, faites-le ! Toutefois, voici 2 adresses de dépannage...

De bon marché à chic (jusqu'à 300 Rm / 66,50 €)

🛏 *Kembara Resort :* à env 1 km au sud de l'embarcadère, fléché sur la gauche (en direction de Kuala Terengganu). ☎ 653-17-70. 🖥 010-257-31-92. ● kembarabeachresort@hotmail.com ● Lit en dortoir 35 Rm/pers ou doubles avec sdb. En bordure de plage, plusieurs petits *chalets* autour d'un jardin ombragé avec ventilo ou AC. Chambres petites, mal conçues et vraiment pas données. Vraiment au cas où...

🛏 I●I *Sutra Beach Resort :* à 5 km env au sud de Merang (ne pas confondre avec Suria Resort, *nettement moins bien*). ☎ 653-11-11. 🖥 014-529-04-99. ● sutrabeachresort.com.my ● Ouv tte l'année. Prix « Chic ». Repas env 40-50 Rm. CB acceptées. Ce grand hôtel en bord de plage possède une piscine à déborbement face au large. Assez vieillot et dans l'ensemble moyennement entretenu, il offre néanmoins une centaine de chambres bien équipées, en version *twin bed* (peu de lits doubles).

REDANG

Attention, pas de *distributeur automatique* sur Redang. Prévoyez suffisamment d'argent ; il est possible de changer auprès de quelques établissements, mais les taux y sont plus que médiocres.

Où dormir ? Où manger ?

– *La plupart des hôtels fonctionnent au forfait* de « 3 jours et 2 nuits », qui, avec une arrivée dans l'après-midi et retour le surlendemain matin, revient dans les faits à un jour et demi ! Il inclut le transfert aller-retour en bateau depuis Merang ou Shahbandar, les nuits, les repas et 3 escapades en bateau. Rares sont les hôtels qui acceptent de vendre le logement

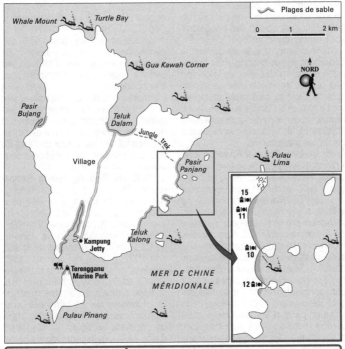

L'ÎLE DE REDANG

Plages de sable

0   1   2 km

NORD

Whale Mount
Turtle Bay
Gua Kawah Corner
Pasir Bujang
Teluk Dalam
Jungle trek
Village
Pasir Panjang
Pulau Lima
Kampung Jetty
Teluk Kalong
Terengganu Marine Park
MER DE CHINE MÉRIDIONALE
Pulau Pinang

15
11
10
12

LA CÔTE EST DE LA MALAISIE

🏠 🍴 **Où dormir ? Où manger ?**
10 Redang Lagoon Chalet
11 Redang Pelangi Resort

12 Laguna Redang
15 Coral Redang
    Island Resort

seul, hormis parfois en basse saison. Mais si on calcule bien, la formule est souvent plus économique. On peut l'acheter directement à l'embarcadère, où la majorité des établissements disposent d'un kiosque. La plupart d'entre eux proposent des chambres familiales (pour 3 ou 4 personnes) qui permettent de loger à prix plus intéressants.

S'agissant donc principalement de *packages,* nos traditionnelles fourchettes de prix n'ont pas cours ici.

Les adresses se situent toutes sur la plage principale, Pasir Panjang (Long Beach), face à la mer. C'est une très belle plage de sable blanc, particulièrement agréable pour faire trempette. Toutes les adresses possèdent un resto

et la plupart servent de la bière (les proprios ici sont en majorité des Chinois). Les tarifs varient en fonction de la saison et sont aussi un peu plus musclés du jeudi soir au samedi soir, ainsi que pendant les vacances scolaires (grosso modo de fin mai à mi-juin), quand débarquent les Singapouriens.

De chic à très chic
(plus de 180 Rm / 40 €)

🏠 🍴 **Redang Lagoon Chalet** *(carte,* **10***) :* résas *à Kuala Terengganu,* ☎ *666-50-18 ou 20.* 📱 *019-914-00-83.* ● *redanglagoon.com* ● *Pens complète pour 2 nuits et 3 j. env 410-530 Rm/*

pers selon saison, sur la base d'une double, plus pour une vue sur mer. Un long édifice en bois et des bungalows sont posés dans un bout de jardin. L'intérieur lambrissé, le sol carrelé ne débordent pas de charme, mais la propreté est au rendez-vous et le confort très correct (sanitaires avec eau froide et clim). Certains, aménagés en duplex, sont très bien en famille ou à plusieurs. Hamacs pour lézarder tranquille. Une adresse plutôt sympathique tenue par des hôtes attentionnés.

≜ |●| *Redang Pelangi Resort (carte, 11) :* ☎ 624-21-58. ● *redangpelangi. com* ● *Packages* snorkelling *et plongée 2 nuits et 3 j. en pens complète env 430-520 Rm/pers selon jour de la sem, sur la base d'une double (surveiller les promos).* Une cinquantaine de chambres pour 2 à 4 personnes, réparties dans de longs bâtiments en L, sur 2 niveaux, et distribuées par une coursive. Se méfier des chambres figurant sur leur site internet, elles ne sont pas représentatives de l'ensemble, car côté déco, c'est plutôt basique : lino imitation parquet et murs crème ; côté confort : salle de bains attenante, clim et eau chaude. Resto aménagé sur une terrasse ouverte sur le large. Ambiance musicale jusqu'à minuit (ne pas loger près du bar). Propose également des excursions *snorkelling* à la journée vers les îles Perhentian et Lang Tengah, mais en haute saison seulement (minimum 10 personnes).

≜ |●| *Laguna Redang (carte, 12) : sur la plage principale.* ☎ 630-78-880. ▤ *016-422-00-22 (Knev).* ● *lagunare dang.com.my* ● *Transfert depuis Shahbandar (Kuala Terengganu) seulement.*

Selon confort, sur la base d'une double et pour 2 nuits et 3 j. en pens complète 640-1 000 Rm/pers (400-570 Rm si 1 nuit seulement). Très grand hôtel qui, certes, peut faire un peu usine, mais qui présente l'avantage d'offrir un vrai service hôtelier. Les chambres sont bien conçues, décorées avec goût (omniprésence du bois tropical) et très bien entretenues. Le personnel est serviable et très professionnel. Quant à la nourriture, servie sous forme de buffet, elle permet de faire le tour de l'Asie du Sud-Est. Une bonne adresse pour ceux qui en ont les moyens.

≜ |●| *Coral Redang Island Resort (carte, 15) : résas à Kuala Terengganu,* ☎ *623-62-00 (nov-fév seulement). Sur place :* ☎ *630-71-10.* ● *coralredang.com.my* ● *Transfert depuis Shahbandar (Kuala Terengganu) seulement. Doubles avec sdb env 460 Rm, petit déj compris.* Packages snorkelling *en pens complète 2 nuits et 3 j. env 700 Rm/pers, sur la base d'une double.* Une trentaine de chambres dont 5 familiales (avec 2 chambres séparées) situées dans un bâtiment en béton, et disposant d'une baie coulissante donnant sur une terrasse commune. Les *superior,* quant à elles, forment une douzaine de maisonnettes à 2 étages, habillées de clins beiges dans un style américain. À l'intérieur, déco ethno-chic tendance zen, avec quelques effets d'angle. Ces dernières possèdent toutes un balcon privatif, mais peu donnent directement sur la mer. Enfin, une grande piscine à débordement pour celles et ceux qui bouderaient la grande bleue. Bon accueil.

À voir. À faire

➤ *Le tour de l'île en bateau :* l'île est très belle, à la fois couverte d'une végétation tropicale luxuriante et de rochers en aplombs verticaux qui s'engouffrent sous les eaux. Demandez les tarifs à votre hôtel et groupez-vous en faisant jouer la concurrence, car les tarifs peuvent varier du simple au double. Sur la côte ouest de l'île, des tortues vertes viennent pondre l'été. Il est interdit d'y accéder l'après-midi et le soir, afin de ne pas les déranger.

➤ *Le tour des îlots en bateau :* une bonne formule qui consiste à faire le tour des petits îlots au large de la plage principale, à la recherche des meilleurs spots de *snorkelling* pour observer les tortues qui évoluent paresseusement entre 2 eaux.

➤ **Snorkelling :** d'incroyables possibilités pour explorer les fonds sous-marins avec un simple masque et un tuba que l'on peut louer à un prix raisonnable, partout. Tous les établissements proposent des sorties (incluses dans les packages). Seulement voilà, tout le monde se rend aux 2, 3 mêmes sites... en même temps. Imaginez ce que cela peut donner en pleine saison, il y a parfois 250 à 300 inscrits par club de plongée pour la même heure ! Pour pallier cette surfréquentation, certains hébergements, soucieux du problème, proposent des variantes, notamment vers les îles **Perhentian** et l'île de **Lang Tengah.**

🐟🐟 **Le Terengganu Marine Park :** la visite est généralement comprise dans le package des hôtels. On vous dépose 3h sur l'île de Pinang, au sud de Redang. Une petite zone a été délimitée par une ligne d'eau pour observer la faune. Il n'y a pas forcément plus de poissons ici qu'ailleurs, mais ils sont attirés ici par la nourriture lancée par les touristes (ce qui semble parfaitement incompatible avec l'idée même de parc naturel, mais c'est une autre histoire...). Essayez d'éviter les heures de pointe. Quand il n'y a pas trop de monde, on y passe un moment vraiment agréable. On y nage en toute confiance parmi mérous, poissons-perroquets, bancs de poissons multicolores, tortues. Allez jusqu'à la petite épave, à une centaine de mètres du ponton, autour de laquelle faune et flore abondent.
Sur place, des cabines permettent de se changer et de prendre une douche après la baignade.

➤ **Le jungle trek de Pasir Panjang à Teluk Dalam :** début du sentier (bien balisé) derrière le Coral Redang Island Resort (carte, **15**). Prendre à droite après le petit pont. Compter env 45 mn. Partir avec des chaussures fermées et apporter de l'eau. On traverse une forêt de hauts arbres filiformes dont les feuillages laissent à peine filtrer le soleil. Côté rencontres, singes, petits lézards et gros varans. À l'arrivée, belles récompenses, dont la superbe plage déserte de Teluk Dalam. Enfin... déserte sur sa partie est, car de l'autre côté de l'avancée rocheuse, à l'ouest, se trouve le Taaras Beach and Spa Resort.

Plongée avec bouteille

Parmi tous les centres de plongée, un seul est affilié PADI. Il dépend du Taaras Beach and Spa Resort. ☎ 630-88-88. ● thetaaras.com ● Compter 175 Rm la plongée, cher. L'île est réputée pour la limpidité de ses eaux. Nous confirmons !

Les meilleurs sites

L'île de Redang, ainsi que les îlots alentour, regorge de paysages sous-marins fascinants. On y recense 80 % des espèces marines présentes dans ce que les spécialistes appellent « le triangle de corail » dont les sommets sont les Philippines, la Papouasie et l'Indonésie. En tout, une vingtaine de sites ; la majorité d'entre eux est accessible en quelques minutes de hors-bord. Attention toutefois aux périodes de vives eaux où le courant est très fort par endroits.

🤿 **Whale Mount** (ou Tanjung Lang ; - 26 m max) : situé au nord de l'île, c'est l'un des sites les plus spectaculaires avec ses 2 pinacles. Les eaux particulièrement limpides invitent à la photographie. C'est le moment d'immortaliser un requin-baleine (le plus grand poisson du monde), qui vient ici se refaire une santé au cours de sa grande migration annuelle, en août-septembre.

🤿 **Marine Park – Terembu Kili** (- 25 m max) : les plongeurs du coin l'appellent Little Maldives en raison de la richesse de sa faune halieutique. Ici, outre une profusion de poissons de coraux multicolores, vous apercevrez des demoiselles-beauté *(Holacanthus tricolor)*, des poissons-chauves-souris, des murènes, des requins de récif, des requins-léopards et, flottant entre 2 eaux, des petits bancs de bécunes.

🐠 *Pulau Lima (- 30 m max) :* plusieurs sites intéressants autour de cette petite île située à l'est de Redang, dans l'alignement de la presqu'île qui sépare les 2 plages principales de la côte est. À la pointe sud-ouest, un gros chaos rocheux plonge littéralement à la verticale. C'est le domaine des coraux noirs et des gorgones colorées. On y trouve aussi quelques petits sapins de Noël, une flopée de poissons-anges et de poissons-papillons de toute beauté. Au nord, le site de Big Mount est un récif profond. On y croise de grosses bébêtes : des mérous malabars, des requins-baleines (en saison) et des requins-marteaux, et pour enfoncer le clou, de magnifiques tortues vertes.

🐠 *Gua Kawah Corner (- 30 m max) :* à la pointe nord-est de l'île. Il s'agit d'une grande grotte sous-marine. Les clubs ne sont pas trop chauds pour vous y emmener à cause du trafic maritime intense qui règne en surface, mais vous y verrez des requins-marteaux et si vous avez de la chance des dauphins.

KUALA TERENGGANU

IND. TÉL. : 09

● Plan *p. 257*

Capitale de l'État islamique du même nom, Kuala Terengganu entre dans l'histoire au XVᵉ s quand une famille de Chinois décide d'y établir un comptoir marchand. Aujourd'hui, avec presque 400 000 âmes, la ville n'a rien perdu de son appétit commercial, comme en témoigne le nombre impres-

S.O.S. COUPLES !

Alarmé par le nombre de divorces, jugé trop important, l'État islamique de Terengganu offre des lunes de miel gratuites (d'une valeur d'environ 400 €) pour aider les couples en difficulté... À bon entendeur !

sionnant de mosquées financées par des hommes d'affaires ayant fait fortune. À tel point qu'on a même créé un parc d'attractions avec les plus belles d'entre elles, une sorte de petit Disneyland local ! À part ça, cette ville, tout à la gloire du béton armé paré de vitres fumées, n'a pas beaucoup d'intérêt, si ce n'est une très belle rue dans le quartier chinois et quelques villages de pêcheurs, où l'on fabrique encore de charmantes carènes comme au temps jadis. D'ailleurs, de ce passé marin, Kuala Terengganu a su tirer profit. Elle organise chaque année une épreuve de voile qui ponctue le calendrier de la très disputée *World Match Racing Tour,* la *Monsoon Cup,* où les tacticiens les plus capés du monde viennent tirer des bords entre eux. Manque juste un « chti canon » en rentrant au port...

Arriver - Quitter

En bus

Méfiez-vous des rabatteurs qui passent d'une agence à l'autre en essayant de vous diriger vers un autre bus pour toucher leur commission.

■ *Distributeur de billets :* à l'arrière du guichet de la compagnie SP Bumi.
@ *Wifi gratuit :* chez le clown à rayures, juste à côté.
🚌 *MBKT Bus Station (Majalis Bandaraya Kuala Terengganu ;* plan A-

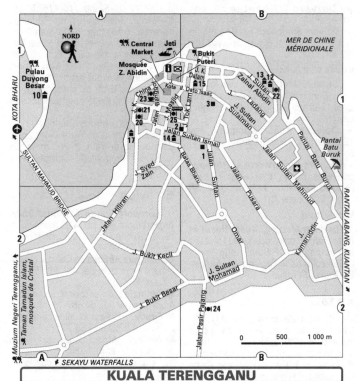

MER DE CHINE MÉRIDIONALE

LA CÔTE EST DE LA MALAISIE

KUALA TERENGGANU

■ Adresses utiles

ℹ Tourist Information Centre (A1)
✚ Sultanah Nur Zahirah Hospital (B1)
1 Police (B1)
2 Agrobank (A-B1)
3 Ping Anchorage Travel and Tours (B1)

⌂ Où dormir ?

10 Awi's Yellow House (A1)
12 KT Beach Resort (B1)
13 KT Travellers Inn (B1)

14 Hôtel K.T. Mutiara (A1)
15 Hôtel Sentral (B1)
17 Seri Malaysia (A1)

|●| ☛ Où manger ? Où prendre le petit déjeuner ?

20 Stands de cuisine chinoise (A1)
21 Golden Dragon (A1)
22 Restoran Ocean (B1)
23 Kafetaria Black Coffee (A1)
24 Paradise Deluxe Restaurant (B2)
25 Food Court du Paya Bunga Mall (A1)

B1) : Jln Syed Hussain. ☎ *620-37-00.*

Vers le sud

➤ **De/vers Pekan, Rompin, Endau, Mersing et Johor Bahru :** 3 bus/j., notamment avec *Adik Beradik*, *Transnasional* et *SP Bumi*.

➤ **De/vers Marang (île de Kapas), Rantau Abang, Kemaman (Cherating), Dungun :** env 10 bus/j. 8h-18h, avec *Ekspres Perdana*, *Transnasional* et *SP Bumi* (pour Marang et Rantau Abang, demander l'arrêt au chauffeur).

LA CÔTE EST DE LA MALAISIE

➢ *De/vers Kuantan :* env 10 départs/j., 9h-22h30. Trajet : 3h.

➢ *De/vers Singapour :* 2 départs/j., le mat et le soir avec *Transnasional*. Trajet : env 10h.

Vers la côte ouest

➢ *De/vers Malacca :* 1 bus le mat avec *Transnasional*, les autres le soir avec *Mutiara* et *SP Bumi*. Trajet : env 7h.

➢ *De/vers Kuala Lumpur :* env 15 départs/j., 9h30-22h30. Trajet : 6h-6h30.

➢ *De/vers Butterworth et Penang :* plusieurs bus/j., mat et soir, avec *Ekspres Kesuatan*, *Transnasional*, *SP Bumi*. Trajet : env 7h.

Vers le nord

➢ *De/vers Merang, Kuala Besut et Kota Bahru :* env 6 bus/j., 8h-18h avec la compagnie *SP Bumi* ; également 2-3 liaisons dans l'ap-m avec *Mutiara* et *Ekspres Perdana*.

En taxi

🚕 *Station de taxis (plan A1) :* Jln Masjid Abidin, à env 200 m de la gare routière. ☎ 626-51-50.

➢ Compter env 60 Rm pour Merang (île de Redang), 35 Rm pour Marang (île de Kapas) et 120 Rm pour Kuala Besut (îles Perhentian).

En ferry

⚓ *Embarcadère (jeti) de Shahbandar (plan A1) :* ☎ 622-52-33.

📱 *016-417-01-52 ou 016-416-03-38.* Mars-oct, 3 ferries/j. pour Redang ; horaires en fonction de la marée (en principe, rien après 15h). Pas de liaison durant la mousson. Env 70 Rm/pers l'aller. Trajet : 1h40. Arriver bien en avance, surtout en haute saison car il peut y avoir du surbooking. Le passeport est exigé pour acheter son billet.

■ *Parkings publics (plan A1) :* en plein air juste à côté de l'embarcadère ou souterrain à 200 m (sous le *Paya Bunga Mall*). Compter env 10 Rm/j.

En avion

✈ *Aéroport Sultan Mahmud Shah Airport (hors plan par A1) :* à une quinzaine de km au nord de Kuala Terengganu. ☎ 667-36-66.

■ *Malaysia Airlines :* à l'aéroport seulement (hors plan par A1). ☎ 662-66-00 ou 666-42-04.

■ *Air Asia :* à l'aéroport seulement (hors plan par A1). ☎ 667-10-17.

■ *Firefly :* à l'aéroport seulement (hors plan par A1). ☎ 667-53-77.

■ *Malindo Air :* à l'aéroport (hors plan par A1). ☎ (03) 7841-53-88 (central d'appels). ● malindoair.com ● Tlj 7h-19h.

➢ *Pour Kuala Lumpur :* 5 vols/j. avec *Malaysia Airlines* ; 4 vols/j. avec *Air Asia* et 3 vols/j. avec *Firefly* et *Malindo Air*.

➢ *Pour Singapour :* 2-3 vols/sem avec *Air Asia*.

Adresses et infos utiles

🛈 *Tourist Information Centre (plan A1) :* Jln Sultan Zainal Abidin, en face de la jeti. ☎ 622-15-53. ● tourism.terengganu.gov.my ● Dim-jeu 8h-17h, sam 9h-17h. Fermé ven et j. fériés. Une dame souriante donne une petite brochure sur l'État de Terengganu, et elle en est très contente.

■ *Banques :* la plupart se situent sur Jln Sultan Ismail (plan A-B1), de chaque côté de la rue, à proximité de la Jln Banggol. Tlj sauf sam-dim 9h30-16h30. Elles possèdent toutes un distributeur automatique 24h/24 et assurent le change. Service *Western Union* à l'*Agrobank (plan A-B1, 2)*, 106 Jln Sultan Ismail (angle Jln Tok Lam). ☎ 622-24-08. Lun-ven 9h-16h30.

■ *Police (plan B1, 1) :* Jln Sultan Omar. ☎ 635-47-22, ou en cas d'urgence le ☎ 999.

✚ *Sultanah Nur Zahirah Hospital (plan B1) :* Jln Sultan Mahmud. ☎ 622-18-20 ou 621-21-21.

■ *Ping Anchorage Travel and Tours (plan B1, 3) :* 77A, Jln Sultan Sulaiman. ☎ 626-20-20. ● pingan *chorage.com.my* ● *Tlj 8h-17h.* Une agence sérieuse qui propose différents *packages,* certains à prix attractifs pour l'île de Redang. Sinon, un choix assez large d'excursions dans les environs de Kuala Terengganu, mais pas spécialement intéressant au niveau des tarifs.

Où dormir ?

Bon marché (moins de 50 Rm par pers / 11 €)

🛏 *Awi's Yellow House (plan A1, 10) :* sur *Pulau Duyong Besar,* île située face au centre-ville. ☎ 622-20-80. 🖥 017-984-03-37. *Pour s'y rendre, bateau de l'embarcadère de Shahbandar (jeti), surtout le mat et en fin d'ap-m. Autrement, bus n° C-03 de la gare routière, arrêt Pulau Duyong, il reste 500 m. Enfin taxi. Une fois sur l'île, demander, tout le monde connaît.*
La « Maison jaune », qui n'est absolument pas jaune mais en bois naturel, est une adresse unique. Imaginez un ensemble de petits chalets rudimentaires posés sur la rivière. L'endroit fait penser à une AJ communautaire. Salle commune avec cuisine, frigo, musique et lecture. Douche à ciel ouvert et w-c qui se résument à un trou dans le plancher au-dessus de la rivière. Christine, l'épouse d'Awi, est une Française érudite qui vit en Malaisie depuis plus de 40 ans. Vous aurez peut-être la chance de la rencontrer. Elle a sillonné toute l'Asie du Sud-Est sur des jonques de rêve avant de relancer la petite industrie navale de l'île. Ici, on prête aussi des vélos et des kayaks pour remonter la rivière jusqu'à la mosquée de Cristal. Excellent accueil.

Prix moyens (100-180 Rm / 22-40 €)

🛏 *KT Travellers Inn (plan B1, 13) :* 201, *Jln Sultan Zainal Abidin.* ☎ 622-36-66. *Pas de petit déj. CB acceptées.* Grimpez au 1er étage, vous y verrez une langouste et la réceptionniste qui veille sur une armoire à chips et à nouilles chinoises. Ici, on soigne ses hôtes, d'ailleurs les hôtels de M. Chong Feh Ming passent pour être les plus propres du coin. On confirme. Elle sont aussi bien équipées (salle de bains avec eau chaude, notamment). Le proprio possède aussi

l'hôtel *Ming Star,* non loin de là. Plus design (il y a même une chambre *Hello Kitty* pour ceux que ça tente !) et de catégorie « Chic ». Tout aussi propre et bien tenu. Parking possible.
🛏 *Hotel Sentral (plan B1, 15) :* 28-28A, *Jln Tok Lam.* ☎ 622-03-18. ● *hs-ktrg@gmail.com* ● *Prix variant selon le jour de la sem. Petit déj non compris. CB acceptées.* Une cinquantaine de chambres doubles, triples ou familiales, tout confort, propres, aux standards qui rappellent une chaîne française. Sinon, attention quand même, les « *Deluxe King Size* » sont aveugles et leurs salles de bains riquiqui. Rabattez-vous sur les chambres dotées d'un lit moins large, elles sont bien mieux. Bon accueil.
🛏 *Hôtel K.T. Mutiara (plan A1, 14) :* 67, *Jln Sultan Ismail (face à la Maybank Islamic).* ☎ 622-26-55. *Pas de petit déj. CB acceptées.* Une cinquantaine de chambres tout confort, fonctionnelles et propres, donnant pour la plupart sur un atrium central (éviter celles sur rue). Les familiales possèdent même 5 lits individuels alignés comme à la parade. Un choix convenable.
🛏 *KT Beach Resort (plan B1, 12) :* 548E, *Jln Sultan Zainal Abidin.* ☎ 631-55-55. ● *ktbeach.resort@gmail.com* ● *Un peu excentré (à 5 mn env du centre-ville en taxi, en limite de la future marina de Kuala Terengganu). Limite entre prix moyens et chic. Pas de petit déj.* Une structure d'une soixantaine de chambres doubles ou quadruples, tout confort (clim, TV, eau chaude)... Cuisine à dispo. C'est propre, sans plus.

Chic (180-300 Rm / 40-66,50 €)

🛏 *Seri Malaysia (plan A1, 17) :* lot 1640, *Jln Hiliran.* ☎ 623-64-54. ● *serimalaysia.com.my* ● *Flirte avec la catégorie supérieure. Petit déj compris. CB acceptées. Parking gratuit.* Si les longs couloirs font penser à ceux d'un hôpital, les chambres sont plutôt joliment aménagées. Les plus chères bénéficient d'une vue sur la baie et sont dotées d'un minuscule balcon. Une adresse qui ne vous laissera pas un souvenir impérissable, mais elle est confortable. De plus, l'accueil est tout à fait charmant.

Où manger ? Où prendre le petit déj ?

Bon marché
(moins de 20 Rm / 4,50 €)

I●I *Stands de cuisine chinoise (plan A1, 20) : sur une place, en bas de Jln Kampung China.* Ils se valent tous, choisissez celui qui paraît le plus propre et qui attire le plus de gens du coin.
I●I *Food Court du Paya Bunga Mall (plan A1, 25) : près de la gare routière. Tlj 10h-22h.* Au 3e niveau, une série de petits restos visiblement très appréciés de la jeunesse locale. Gros avantage : c'est entièrement climatisé !
I●I 🍵 *Kafetaria Black Coffee (plan A1, 23) : 44, Jln Kampung China. Dim-jeu 8h30-17h.* Très bon marché. Petit resto malais égaré dans la rue des restos chinois. Quelques tables en bois sombre sur fond de papier peint imitation brique pour faire new-yorkais. Épi, le patron, fan de blues, a mis sa tante aux fourneaux. Elle propose une cuisine malaise à base de produits du marché : *rojak* (poulet, nouilles et légumes, le tout arrosé de sauce à l'arachide) ou encore un poulet-curry très épicé. Excellent *ice-tea-tarik*.
I●I *Golden Dragon (plan A1, 21) : 198, Jln Kampung China.* ☎ 622-30-34. *Tlj 11h-15h, 18h-21h30. Bon marché.* Petit resto chinois dans la rue... des restos chinois. Servez-vous, puis on vous accroche une épingle de couleur sur l'assiette à présenter au moment de payer (l'addition dépend de la couleur !). Nourriture fraîchement préparée. Il y a du monde, ça débite ! L'un des restos les plus prisés de la ville.

Prix moyens
(20-50 Rm / 5-11 €)

I●I *Restoran Ocean (plan B1, 22) : près de la plage, dans un secteur en plein chamboulement. Tlj 11h30-14h30, 17h30-22h30.* Pas de prix, c'est le papy de la maison qui vient prendre la commande. Négocier ferme (il parle en dollars, mais ce sont des ringgits, rassurez-vous !). Poisson, crevettes et calamars cuisinés de toutes les manières imaginables. Essayez la fondue chinoise : on vous apporte la grosse bouteille de propane à côté de la table et vous trempez les aliments dans l'eau bouillante. Très fréquenté le soir. La bière est un peu chère en revanche.

Chic
(50-80 Rm / 11-17,50 €)

I●I *Paradise Deluxe Restaurant (plan B2, 24) : 543, Jln Pasir Pajang.* ☎ 631-11-18. *Sam-jeu 11h-23h, ven 17h-minuit. CB acceptées.* C'est l'adresse de prédilection des familles malaises quand elles sont de sortie. Le cadre est quelconque, la vaisselle accuse un culottage prononcé. Cela dit, les formules pour 2-3 personnes comportant 4 plats, riz, thé à volonté et dessert, sont d'un bon rapport qualité-prix. Un bon moyen de faire le tour de la cuisine locale et notamment des fruits de mer. Sinon essayez le poulet aux mangues ou à la sauce des mille îles, et si vous commandez la soupe *tom yam* « *in Paradise style* », prévoyez l'extincteur !

À voir. À faire en ville

🎎 *Central Market (marché central ; plan A1) : au bout de Jln Sultan Zainal Abidin. Tlj 8h-17h. Y aller tôt le mat.* Marché plein de vie. On y trouve fruits, légumes, herbes, artisanat local (quelques bijoutiers) et même des yaourts au bambou (à vous de tester) ! À l'étage de la fripe bon marché avec des impressions qui ne nous ont pas spécialement fait bonne impression. Également une station de cyclo-pousse juste à côté pour faire un tour à un rythme tranquille.

🎥🎥 **Jalan Kampung China** (plan A1) **:** c'est la rue chinoise, anciennement Jalan Bandar. Partez sur les traces d'une architecture en voie de disparition : cette rue est jalonnée de trésors, étroites demeures à 2 étages du tournant XIXᵉ-XXᵉ s en train d'être démolies. En bas, une boutique sous les arcades et, soutenu par des colonnettes, un étage finement ouvragé, peint d'une couleur tantôt vive, tantôt pastel. La maçonnerie fut réalisée par des Chinois, et les travaux de sculpture sur bois par des Malais. Le tout offre un spectacle ravissant, alternance de styles parfois travaillés, avec persiennes, panneaux ajourés, frises et moulures, fresques en trompe l'œil, parfois plus sobres. Des maisons comme ça, même en Chine, il n'en reste plus guère !
Grande animation le matin. Plein d'échoppes et un temple tout rouge complète-ment kitsch, aux toits multiples... Voir aussi l'arche surmontée de 2 dragons qui enjambe la rue. Délirant, on se croirait à Luna Park. Au même niveau, à droite du resto Cellar, ne manquez pas la Turtle Alley, une venelle, qui sert d'écrin à de jolies petites **fresques** réalisées par des artistes locaux dans le but de sensibiliser les gens à la protection des tortues marines. Quelques animaleries riches en poissons de toutes sortes. Dans de petits pots, isolés les uns des autres, remarquez ces cha-toyants poissons combattants (betta splendens). Bien qu'ils ne l'avoueront jamais devant vous, les gens organisent des combats de « combattants » sur lesquels ils misent beaucoup d'argent ! Au nº 151 (Teratai), n'hésitez pas à faire une halte à l'atelier du peintre Chang Fee Ming (ouv tlj sauf ven 10h-17h), fameux aquarelliste qui a su capturer avec un immense talent les moments magiques de la vie malaise. Belles cartes postales.

🎥 **Bukit Puteri** (plan B1) **:** 2 entrées possibles, l'une sur Jln Bazaan Warisan, l'autre juste à droite de l'office de tourisme. Lun-ven 9h-17h (fermé 12h-15h ven). Entrée modique. Ts les sam, spectacle gratuit de danses traditionnelles : 4 sessions de 1h, 10h30-16h30. Rens à l'office de tourisme. La « colline de la Princesse » faisait office de forteresse pendant les guerres civiles. Rien de bien palpitant à y voir, hormis quel-ques canons vernis et une cloche qui servait à alerter la population en cas d'incen-die, d'attaque ennemie ou, plus romanesque, en cas d'accès d'amok, cette subite démence meurtrière, typiquement malaise (un folklore qui semble avoir disparu : ah ! y a plus d'traditions !). Tout en haut, les restes du minuscule fortin, agrémenté d'un mât de bateau rigoureusement inutile et d'un phare pour guider les pêcheurs.

🏖 **Pantai Batu Buruk** (plan B1) **:** la plage la plus sympa de la ville, mais il est déconseillé de s'y baigner à cause des lames de fond. Les gars du coin viennent y jouer au foot ou au sepak takraw, le soir, à marée basse.

DANS LES ENVIRONS DE KUALA TERENGGANU

🎥🎥 **Muzium Negeri Terengganu** (hors plan par A2) **:** à env 5 km à l'ouest de la ville. ☎ 632-12-00. ● museum.terengganu.gov.my ● Bus de la ligne C-02 depuis la gare routière (arrêt Muzium Losong). Sinon, en taxi. Sam-jeu 9h-17h ; ven 9h-12h, 15h-17h. Fermé 1ᵉʳ et 2ᵉ j. de l'Aïd – Hari Raya. Entrée : 15 Rm, réduc.
Dans un vaste parc de plusieurs hectares, on a planté d'énormes édifices en béton, particulièrement disgracieux et démesurés, censés rappeler les anciens palais des siècles passés. Heureusement, les collections qui passent en revue les principaux aspects de la culture et de l'histoire de la région se révèlent pas-sionnantes. Dans le jardin, d'autres minimusées, ainsi que d'anciennes maisons traditionnelles déplacées ici.
L'édifice principal, par lequel on pénètre, regroupe plusieurs galeries.

– Tout droit après l'entrée principale, la *Galeri Tekstil,* où sont exposés les plus beaux textiles qui soient. Faiblement éclairés pour mieux en conserver les couleurs. Traditionnels batiks, superbes et rares *songkets,* mais aussi *limars.* Étoffes de cérémonies, linges de circoncision, costumes de mariage ou vêtements traditionnels du dimanche... ou plutôt... du vendredi.

– Ensuite, sur la gauche, la *Galeri Islam (Galerie islamique).* Pas grand-chose à voir si ce n'est la célèbre pierre de Terengganu, trouvée en 1887, sur laquelle est inscrit un texte juridique rédigé en langue jawi (l'alphabet arabe utilisé pour transcrire la langue malaise) en l'an 702 de l'hégire (1303).

– À l'étage, la *Galeri Kraf (galerie de l'Artisanat)* : nombreux objets variés. Tout est un peu en vrac, mais on peut voir, entre autres : des frises de bois ciselé caractéristiques de l'architecture malaise, d'énormes couvre-plats en osier, ainsi qu'une belle série d'objets en sparterie, une remarquable collection d'armes blanches, dont les fameux kriss malais et aussi quelques sabres et lances, une intéressante collection de bijoux mettant en exergue la maîtrise du travail sur cuivre, argent et or (bracelets, broches, colliers...), etc. Dommage que ça soit si sombre.

– Au 2e étage, la *Galeri Sejarah (Galerie historique)* : on remonte au Néolithique (quelques produits de fouilles), d'impressionnants tambours en cuivre (Gendang Dongson ; les bons gongs font les bonzes amis, c'est bien connu), des poteries des XVIe et XVIIe s trouvées en mer... Nombreux grands vases chinois du XIXe s, très décorés.

– Dans la foulée, la *Galeri Diraja (Galerie royale, toute à la gloire du sultan)* : costumes royaux finement brodés, vaisselle, épées, encore des kriss, photos de familles, trône de réception et un encensoir en argent à faire pâlir un régiment d'enfants de chœur ! Réalisé à la cire perdue (donc unique), il ne mesure pas moins de 1,20 m de haut.

– Dans un autre genre, la *Galeri Petroleum (galerie du Pétrole)* présente l'importance de l'industrie pétrolière dans le pays. Le tout sponsorisé, comme il se doit, par la firme nationale *Petronas.* Exposition d'une pompe à essence (on dirait du Marcel Duchamp), procédés d'extraction et cartes des ressources pétrolifères du pays.

– À l'extérieur, dans le grand parc, ne pas manquer les 2 **Muzium Maritim.** Le premier présente à l'extérieur un vieux chalutier à sec et à l'intérieur les principes de fabrication des anciens bateaux. Le second expose des dizaines de superbes embarcations de tous styles : bateaux creusés dans un seul arbre, longues barques effilées, etc.

– Dans ce coin-là du parc, vos pas vous mèneront également devant plusieurs **demeures** assez vénérables, plus ou moins anciennes (notamment la *Tele House,* qui faisait partie d'un palace). Certaines présentent une architecture vraiment intéressante, avec des toits en cascade et des retombées ciselées *(ukiran kayn),* caractéristiques de l'architecture malaise, des façades ajourées, des claustras ajourés *(tebuk tembus)* qui, à l'instar des moucharabiehs de l'architecture arabe, permettaient à l'air de circuler et de voir sans être vu. Elles se visitent.

🦌🦌 *Pulau Duyong Besar (plan A1) : possibilité d'y aller en bateau* (voir l'Awi's Yellow House, *dans la rubrique « Où dormir ? »). En voiture, emprunter le grand pont en direction de Kota Bharu : c'est la 1re sortie sur la gauche, juste après le pont.* Sinon, en taxi.

La plus importante des îles situées dans le détroit du fleuve Terengganu abrite un village traditionnel, préservé du tourisme. En malais, *duyong* signifie « sirène ». La partie à gauche du pont est peut-être la plus authentique : anciennes maisons en bois sur leurs frêles pilotis, ruelles de sable, des gamins qui jouent, des bateaux qui dorment au bord du lit de la rivière.

Ne pas hésiter à se perdre dans le réseau inextricable des sentiers (sauf pendant la mousson car tout est vite inondé). On y rencontre du monde. Rien de particulier à voir, mais une atmosphère de calme et de joie de vivre, des détails pittoresques à saisir.

– Dans le village situé à droite du pont, au bord de l'eau, tout au bout, *les chantiers navals traditionnels.* Ils sont mondialement réputés. Il en subsistait une quarantaine dans les années 1970. Il n'en reste plus que 2 ou 3 en activité aujourd'hui. On y honore encore quelques commandes passées par de riches Occidentaux. Les artisans travaillent de 8h à 17h, sauf le vendredi. Baladez-vous sur les bords de la rivière, vous verrez ces habiles charpentiers à l'œuvre.

– Toujours dans le village, demandez où se trouve la *demeure du Tok Hakim,* un juge du XIXᵉ s *(on peut s'y rendre en taxi ; c'est fléché « Kota Lama Duyong » ; tlj 8h-17h, GRATUIT).* Demandez au gardien d'ouvrir les portes, et même les fenêtres si vous voulez bien voir l'intérieur. Achevée en 1920, la demeure du Tok Hakim relève à la fois des traditions anciennes – avec quelques emprunts grecs surprenants, comme la présence de colonnes corinthiennes (enfin pseudo-corinthiennes !) – et d'une architecture aux idées modernes. Elle se devait d'être plus chic que celles des autorités anglaises. Elle fut abandonnée dans les années 1950, puis détruite lors des violentes pluies de mousson de l'hiver 1986, avant d'être restaurée en 1999. Les 10 toits sont revêtus de tuiles faites à la main, devenues très rares. À l'étage, une galerie avec des balustrades de bois sculpté est soutenue par des colonnettes de pierre au chapiteau comique : l'artiste a dessiné des feuilles d'acanthe telles qu'il les imaginait et, apparemment, il n'en a jamais vu de sa vie ! Ça donne un style corintho-malais très novateur. Pièces superbement refaites à l'ancienne : dessus de portes ciselés en calligraphie arabe, arabesques stylisées, volets à jalousies, stucs... Noter enfin la présence du puits au 1ᵉʳ étage : c'est l'eau courante à tous les étages. Le quartier recèle d'autres belles demeures et constitue une balade agréable pour ceux qui ont le temps (ou qui savent le prendre).

🏃 *La presqu'île et le village de Seberang Takir :* passer le pont et prendre la 2ᵉ sortie à droite. Village de pêcheurs tout au bout de la presqu'île, juste en face de la ville. Intéressant, car il a conservé en partie son architecture traditionnelle, avec ses vénérables maisons en bois. Ici, on fait sécher le poisson et les crevettes. Vos narines ne vous tromperont pas. Plusieurs fabriques de batiks également. Plage aussi sauvage que sale. À voir dans la foulée de Pulau Duyong.

🏃 *Taman Tamadun Islam (hors plan par A2) :* pulau Wan Man, Losong Panglima Perang. ☎ 627-88-88. ● tti.com.my ● Bus C-02 depuis la gare routière, arrêt Muzium TTI. Lun-jeu 10h-19h ; w-e et pdt les vac scol dès 9h (pause le ven 11h30-14h30 pour la prière). Entrée : env 22 Rm, réduc. Parc d'attractions présentant une sélection de 22 mosquées et bâtiments du monde musulman. Peu d'intérêt, c'est surtout un prétexte pour dépenser de l'argent. La plus kitsch de ces réalisations (rien à voir avec les joyaux d'architecture islamique de la route de la soie), *la mosquée de Cristal,* toute de verre et d'acier, est toujours ouverte et accessible aux non-musulmans.

DE KUALA TERENGGANU À KUANTAN

Une partie intéressante de la côte est ; une plage de sable quasi ininterrompue, fractionnée seulement par une série d'estuaires qui, descendant des reliefs de l'arrière-pays, et charrient leurs eaux boueuses vers la mer. En bus, le trajet dure 3-4h.

MARANG (ind. tél. : 09)

À 20 km au sud de Kuala Terengganu, Marang est l'embarcadère pour l'île de Kapas. Pas de raison d'y séjourner, cependant, à 200 m de l'embarcadère, on trouve un agréable petit marché (profitez-en pour faire du ravitaillement avant d'embarquer pour Kapas). Juste en face, quelques gargotes les unes à côté des autres où l'on mange à prix doux. Avant de traverser, penser à retirer de l'argent aux distributeurs (banques aux environs des feux tricolores, en allant vers la route nationale). Pour ceux qui viennent en voiture, parking (payant) au niveau de l'embarcadère.

Adresse utile

➤ **Suria Link :** au niveau du parking de l'embarcadère. ☎ 019-983-94-54. ● kapassurialink.com ● Gérée par Zakaria Sulong, parfaitement anglophone et au contact facile, une agence de voyages pour réserver des traversées en bateau et des guesthouses sur Kapas.

Arriver – Quitter

➤ **Kuala Terengganu – Kuantan :** env une dizaine de bus/j. 8h-18h, notamment avec Ekspres Perdana (● ekspresperdana.com.my ●), Transnasional (● transnasional.com.my ●) et SP Bumi (● spbumi.com.my ●), ainsi que la compagnie Jasa Pelangi Ekspres (☎ 09-662-72-21). Prendre le bus sur la route principale, à environ 150 m des feux, devant la grande mosquée. Faire signe au chauffeur.
Possibilité d'acheter son ticket à Alias Minimarket, situé à droite de l'Agrobank, à environ 50 m des feux, sur la nationale.

Où dormir ?

Prix moyens (100-180 Rm / 22-40 €)

🛏 **Marang Guesthouse :** à env 15 mn de marche au nord de la jetty, par la route qui longe le rivage (c'est fléché à gauche juste après le marché). ☎ 618-19-76. ● marangguesthouse.com ● Pas de petit déj. Bungalows avec sanitaires, ventilés ou climatisés, confortables et au calme, même si l'entretien laisse un peu à désirer (un bon coup de peinture serait bienvenu !). Ambiance reposante et accueil sympa. Bon pour une nuit, en dépannage.

De prix moyens à chic (100-300 Rm / 22-66,50 €)

🛏 **Marang Sunrise Guesthouse :** route de Kuala Dungun ; à 2 km env de Marang, même accès qu'Angullia Beach House Resort. ☎ 012-319-39-13 (Jimi) ou 010-911-09-16 (Mie).
● marangsunrise@gmail.com ● Maisons familiales comportant 2 ou 3 chambres (jusqu'à 8 pers). Les maisons sur pilotis posées en bord de plage disposent chacune d'une cuisine, d'une salle de bains, d'un salon et de plusieurs chambres. Intérieur lambrissé. Propreté correcte. C'est lumineux. Pas de clim. L'une d'entre elles accueille les yogis du monde entier (on n'y dort pas). Ambiance communautaire. Bel endroit pour se poser quand on fait la route. Nombreuses activités proposées.

🛏 **Angullia Beach House Resort :** route de Kuala Dungun ; à 2 km env de Marang, indiqué sur la gauche. ☎ 618-13-22. ● angulliaresort.com ● Petit déj possible en sus. Dans un grand jardin verdoyant au bord d'une belle plage, face à l'île de Kapas, une cinquantaine de bungalows littéralement mangés par le vert qui conviendront à différents budgets. Si vous en avez les moyens, optez pour les plus récents, donnant sur la plage, car les basiques sont assez mal entretenus.

L'ÎLE DE KAPAS (ind. tél. : 09)

C'est la bande de terre que l'on aperçoit de Marang. N'hésitez pas à y aller, c'est l'île des cartes postales, celle où le temps coule enfin au rythme de vos lectures, où le hamac réclame l'éventail de vos doigts de pied, où la bière est encore plus blonde au soleil couchant... Si le milieu sous-marin vous intéresse, coraux et poissons sont ici de toute beauté, quand bien même la surfréquentation du site les invite à aller voir ailleurs... Avec un peu de chance, vous y entendrez s'égosiller le shama à croupion blanc (*murai batu* dans le jargon local), un oiseau rare, capable de chanter une vingtaine de mélodies différentes et surtout d'imiter les autres oiseaux ! Inimitable Kapas, pourtant... Ici, pas de route, pas de village, pas de commerce, aucun aménagement, il y souffle encore un parfum d'aventure... Évitez si possible d'y aller le week-end ou pendant les vacances scolaires, car Kapas plaît beaucoup aux jeunes Malaisiens qui s'y rendent pour faire la fête !

Arriver – Quitter

En bateau

⚓ *S'adresser à n'importe quelle agence sur le port de Marang. Les tarifs sont les mêmes. A/R : 40 Rm/pers en* speed boat *(une coque de noix avec 2 moteurs de 150 CV à l'arrière !). Également quelques* slow boats *30 Rm/pers. En principe, 5 départs/j. 9h30-17h (min 4 pers pour ce dernier départ) ; retour 30 mn plus tard depuis Kapas. Mais attention, les horaires peuvent changer sans préavis. Pour le retour, bien se faire préciser l'heure de départ par son établissement. En hte saison, et pdt les vac scol, liaisons supplémentaires. Pas de bateau pdt la mousson. Durée du trajet : env 20 mn.*
➤ *Certaines agences proposent également des excursions à la journée sur l'île, avec plusieurs arrêts pour faire du* snorkelling *(déjeuner non compris), mais ça serait franchement dommage de ne pas y coucher.*

Où dormir ? Où manger ?

Toutes les *guesthouses* campent sur la plage ouest, les unes étant séparées des autres par une série de rochers que l'on franchit aisément grâce à une petite promenade bétonnée ; presque toutes font resto et organisent des activités. Elles sont souvent confiées en gestion par leurs propriétaires malaisiens à de jeunes Occidentaux échoués ici avec le désir de se la couler douce (ils finissent tous par repartir un jour). Bon point, la gamme des prix satisfera toutes les bourses. Autre avantage : les tarifs sont facilement négociables en basse saison.

De bon marché à prix moyens (jusqu'à 180 Rm / 40 €)

🛏 I●I *KBC (Kapas Beach Chalet) : sur la plage principale, à gauche en sortant de l'embarcadère.* ☎ *012-288-20-08.* Plusieurs choix de couchages, dont la différence de prix se justifie en fonction du temps qu'on met pour aller à la plage (quelques secondes, pas plus !). Pratiquement tous les cabanons disposent d'une salle de bains (eau froide et pression limite) et d'un ventilo. Également des petits dortoirs de 6 avec sanitaires communs pour les petits budgets. Bon resto sur une terrasse ouverte face à la mer. Agréable aussi pour prendre un verre. Souvent du monde : normal, l'ambiance musicale y est jeune et sympa.
🛏 I●I *Captain's Long House : tout au sud de la plage (sur le côté droit de la jetée, en débarquant).* ☎ *012-377-02-14.* ● *shariff.abbas@gmail.com* ● *Prix plancher pour dormir sur la terrasse, limite prix moyens pour les chambres (dortoir entre les 2).* Voici l'une des adresses les plus routardes de l'île. Grande maison malaise en bois sur pilotis, plantée au milieu des arbres et pratiquement sur la plage. Conçu pour une quinzaine, pas d'avantage, le dortoir central ne manque pas de charme. Au même niveau, le petit salon-terrasse face à la plage, rafraîchi par la brise de mer, permet aussi de crécher à bon prix quand c'est plein. Également des chambres doubles ou triples mais très sommaires, avec moustiquaire et ventilo. Un seul sanitaire commun correct, donc nettement insuffisant et douche version goutte-à-goutte. Machine à laver, bar, resto et hamacs tendus entre les cocotiers.

LA CÔTE EST DE LA MALAISIE

De prix moyens à chic (100-300 Rm / 22-66,50 €)

🛏 ⏺ *Qimi Chalet :* sur un petit bout de plage rien qu'à lui au nord de l'île. ☎ 019-951-81-59. ● qimichaletkapas.net ● *Des logements pour ttes les bourses mais pour la plupart chic.* Des bungalows en bois, tous différents, certains avec clim, la plupart avec ventilo et salle de bains (douche froide). Les chambres sont toutes différentes, d'où la nécessité de bien choisir pour ne pas avoir de surprise. Sinon, le petit resto de Rose, les pieds dans l'eau est d'un romantisme sans égal et l'on y déguste une excellente cuisine locale. Une belle adresse en somme, même si les prix de certaines chambres sont franchement exagérés et qu'une petite rénovation serait bienvenue.

🛏 ⏺ *Kapas Turtle Valley :* au sud de la plage, accès par une volée de marches qui débute à droite du bar de Captain's Long House ; sinon, les prévenir de votre arrivée, ils viendront vous chercher. ☎ 013-354-36-50 ou 014-805-30-83. ● kapasturtlevalley. com ● *Flirte avec la catégorie chic. Min 2 nuits. CB acceptées.* Peter et Sylvia, des Hollandais tombés amoureux de l'île, ont décidé de changer de vie et de s'installer ici. Ils ont construit une poignée de ravissants bungalows en *chengal* (le bois tropical du coin), ce qui leur confère un charme particulier. Tous bénéficient d'un confort sans faille, d'une déco soignée à thème, d'une vue de choix sur la mer. En prime, une plage quasi privée idéale pour faire de l'observation sous-marine avec masque et tuba, une bonne cuisine préparée avec goût par Sylvia et un accueil des plus agréable. L'adresse de charme de l'île, à prix vraiment raisonnables.

À faire

🤿 *Snorkelling :* bien se renseigner sur les lieux intéressants. Les *guesthouses* louent toutes masques, tubas et palmes (prix raisonnable). Elles organisent des sorties de *snorkelling* à la journée et vous emmènent sur plusieurs sites, notamment au *Coral Garden* (derrière *Gem Island*). Sinon, 2 autres endroits intéressants : Pantai Derdap et Pantai Basir Cina. Un bon site, accessible à pied : le nord de la plage, après les rochers. Comme partout, l'eau est trouble en période de vives eaux (nouvelle et pleine lune).

🤿 *Plongée avec bouteille :* s'adresser à Aquasport Divers (à 200 m env de la jetée, sur le côté droit lorsqu'on débarque). ☎ 012-298-28-74 (Amli) ou 019-379-68-08 (Salina). ● aquasportdiver.com ● *Fermé pdt la mousson.* En plus de *Coral Garden*, où l'on plonge entre 12 et 17 m, on explore principalement 2 sites autour de Kapas. À 30 mn de navigation au nord de l'île, l'épave d'un navire de guerre japonais coulé pendant la Seconde Guerre mondiale gît en position verticale par 25 m de fond. Mis à part la faune corallienne habituelle, l'attraction de l'endroit est la présence à certaines périodes de l'année (août-septembre) de requins-baleines. Sur le flanc est de l'île, *Berakit* (maximum - 16 m) est un récif formé par 2 grosses protubérances. On y croise de gros mérous ainsi que des *bamboo sharks*.

– Sinon, autres activités au programme sur l'île : séance de **bronzette** et **kayak de mer.**

RANTAU ABANG (ind. tél. : 09)

Village situé à 60 km environ au sud de Kuala Terengganu et à une douzaine de kilomètres au nord de Dungun. La route entre Marang et Rantau Abang est excellente et suit d'assez près la côte qui n'est qu'une plage infinie.

Rantau Abang est l'endroit de la côte où venaient pondre en masse les tortues marines de mai à septembre (août étant le meilleur mois). Malheureusement, la quasi-disparition de la principale attraction du coin, la tortue luth géante, a provoqué la disparition d'une autre espèce... les touristes, tant et si bien qu'aujourd'hui Rantau Abang ressemble à une ville fantôme !

– *Attention,* ici la plage est vraiment sauvage, comme celles de l'Atlantique, avec de puissants rouleaux ; les noyades y sont fréquentes.

Les tortues

Il existe 7 espèces de tortues marines dans le monde. Les tortues marines sont parmi les plus anciens animaux de notre planète. Sur les côtes malaises, 4 espèces se donnent rendez-vous : *la **tortue de Kemp** ou **tortue de Ridley*** (Ridley Turtle, Penyu Lipas), la ***tortue imbriquée** ou **tortue à écailles*** (Hawksbill Turtle, Penyu Karah), la ***tortue verte*** (Green Turtle, Penyu Agar) et la plus grosse : la célèbre ***tortue luth*** (Leatherback Turtle, Penyu Belimbing). Chaque année, leur nombre chute, principalement en raison de la pression de l'homme sur l'environnement : accroissement de la pêche industrielle, pollution, urbanisation des côtes...

Même si les tortues furent un temps importunées lors de la ponte par des touristes irresponsables, leur raréfaction est due aux problèmes précités et aussi au fait qu'elles ingèrent parfois des sacs plastique avec lesquels elles s'étouffent (elles les confondent avec des méduses). En ce qui concerne la pêche, les méthodes de moins en moins sélectives ont eu pour conséquence de réduire de façon dramatique le

C'EST LA LUTH FINALE !

Durant l'été 2010, une tortue luth est revenue pour pondre sur la plage de Rantau Abang 32 ans après sa naissance. Sa présence a été attestée par les scientifiques qui lui avaient fait des marques sur la carapace. Une façon de suivre et protéger cette espèce qui « luth » pour sa survie.

nombre de tortues en route pour leur lieu de ponte. En outre, il n'est pas rare de trouver sur les marchés ces œufs de tortue, dont les locaux sont très friands.

À Rantau Abang, à l'instar de nombreux endroits de la côte, elles viennent (enfin venaient...) pondre essentiellement au cœur de l'été, la nuit, entre 23h et 3h environ, se hissent sur la plage, creusant un trou et pondant une centaine d'œufs de la grosseur d'une balle de ping-pong, avant de recouvrir le trou et de retourner à la mer. Les œufs de tortues sont désormais très protégés et la grande majorité d'entre eux sont prélevés pour être mis en nurserie afin de sauvegarder l'espèce. Aujourd'hui, vous pouvez séjourner plusieurs jours dans le secteur sans jamais en apercevoir la carapace d'une seule. Avec de la chance, vous pourrez voir une tortue verte ou une tortue imbriquée, ce qui est déjà impressionnant.

LA CÔTE EST DE LA MALAISIE

Arriver – Quitter

➢ Des **bus** partent env ttes les heures de *Kuala Terengganu* et de *Kuantan* 7h-18h. Ils s'arrêtent à côté du *Turtle Sanctuary*. En venant de Kuantan (ou en y allant), vous aurez peut-être à changer de bus dans la ville-carrefour de Dungun. Évitez d'y rester coincé, elle n'a aucun intérêt.

Où dormir ? Où manger ?

Vraiment rien à faire ici en dehors de la période de ponte des tortues (mai-septembre).

Prix moyens
(100-180 Rm / 22-40 €)

🏠 ❙●❙ *De' Teratai Beach Resort :* Turtle Beach. ☎ 017-930-65-25. Prendre la route qui part vers la mer à droite du sanctuaire, c'est tout au bout, face à la plage. Pas de petit déj.

Sur les 35 petits chalets que compte cet établissement, 8 seulement possèdent la clim. Confort basique et entretien moyen, on aime surtout son emplacement très sympa en bord de plage. Petit restaurant, mais mieux vaut leur passer un coup de fil avant d'arriver.
– Sinon en cas de petite faim, 2 dames proposent leurs services sur le bord de la nationale, à droite du sanctuaire. On y mange local et pour vraiment pas cher.

À voir. À faire

❦ Turtle Sanctuary Information Centre *(Pusat Penerangan Santuari Penyu) : dans le centre de Rantau Abang.* ☎ 58-90-871. *En principe, dim-jeu 8h30-16h (pause déj).* GRATUIT *(mais donation encouragée).* Présente les tortues de Malaisie, leur situation actuelle, les espoirs et les problèmes qu'elles rencontrent. Plutôt bien fait : impressionnantes photos de tortues prises dans des filets, cordages... Schémas expliquant la reproduction de la bête, le déroulement de la ponte, les phénomènes de migration... Projection d'un film d'une quinzaine de minutes retraçant la ponte des tortues géantes. Un tas d'infos intéressantes ; malheureusement, avec la défection des tortues, les travaux pratiques font cruellement défaut.

– **Observation des tortues** *(turtle watching) :* si vous vous trouvez dans la région en saison de ponte (entre mai et septembre, mais surtout en juillet-août), sachez tout d'abord que les tortues ne réservent pas l'exclusivité de leurs œufs à Rantau Abang. Elles se rendent aussi sur les plages désertes de Besar (îles Perhentian), Redang et Tioman. Que ce soit bien clair : nous parlons des *tortues vertes* ! Parce que les *tortues luth,* elles, font désormais figure d'Arlésiennes !

RIEN NE SERT DE COURIR

On a beaucoup plus de chances d'assister à une ponte par les nuits de pleine lune et de marée haute. Heureusement, les abus des années 1980 sont derrière nous. On ne voit plus de types qui grimpent sur le dos des tortues et font crépiter les flashs sur les pauvres bêtes déjà épuisées par leur long voyage. Sachez enfin que les prétendus pleurs de tortues que l'on peut observer ne sont en réalité que la sécrétion d'une substance qui protège leurs yeux du sable.

CHERATING

IND. TÉL. : 09

● Plan *p. 269*

Entre Dungun et Kuantan, un *kampung* connu pour sa magnifique plage et son *Club Med,* le premier d'Asie.

Les routards et autres babas du monde entier étaient accoutumés à Cherating (ou, plus exactement, Cherating avait fini par se faire à eux !), avant de la bouder suite à la concurrence d'autres sites, l'attrait pour les plages moins coupées du monde, la présence des vagues, le vent, la mer parfois dangereuse à certaines périodes de l'année... Mais depuis qu'un surfeur australien s'est entiché du spot, au début des années 1990, et qu'il l'a fait savoir, ce sont désormais les *waveriders* du monde entier qui déboulent ici en période de mousson. Le surf est même devenu la raison d'être de la station, tant et si bien que les hôtels ont fleuri comme des champignons, notamment à l'adresse des locaux. Pour le reste, peu à faire à vrai dire, sinon découvrir la mangrove en bateau et partir observer la profusion de lucioles qui se donnent en spectacle toutes les nuits sur la rivière...

Arriver – Quitter

En bus

🚌 **Arrêts de bus** *(plan A1 et hors plan par B1) :* ils se trouvent sur la route principale, à 400 m env de la plage et des hébergements, le 1ᵉʳ à côté du pont et le 2ᵉ à l'autre bout du « village » (plus au nord, sur la même route). Pour

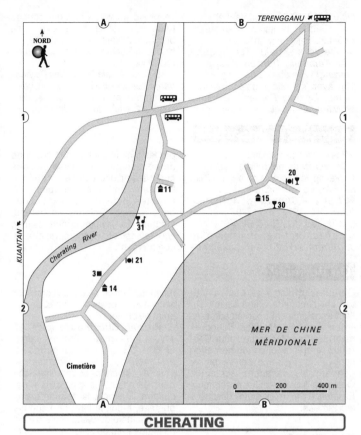

CHERATING

LA CÔTE EST DE LA MALAISIE

	Adresse utile	|●|	**Où manger ?**
	3 Hafiz – Cherating Activities (A2)		**20** Duyong Restaurant (B1)
			21 Kedhi Makan Dalina et Warung Ambak (A2)
🏠	**Où dormir ?**		
	11 Matahari et Maznah Guesthouse (A1)	🍷 ♪	**Où boire un verre ? Où écouter de la musique ?**
	14 Tanjung Inn (A2)		**20** Duyong Restaurant (B1)
	15 Cherating Beach View (B1)		**30** Don't Tell Mama Café (B1)
			31 Little Bali (A2)

acheter vos billets, adressez-vous à votre hébergeur, qui passera un coup de fil à la compagnie pour la résa et se faire préciser l'heure. Reste plus ensuite qu'à attendre au bord de la nationale. Sinon, prévoir un transfert en taxi soit vers Kemaman, la gare routière la

plus proche (20 km au nord) soit vers Kuantan. De ces 2 gares, partent de nombreuses compagnies pour toutes destinations.

➢ *De/vers Kuantan :* liaisons ttes les 30 mn 8h-18h env avec les compagnies locales *Sihat Bas*

(☎ 09-552-10-75 à *Kuantan*) et *Mira*, qui assurent la liaison Kemaman-Kuantan. Trajet : env 1h15.

➢ *De/vers Kuala Terengganu (via Kemasik, Rantau Abang et Marang) :* une dizaine de bus/j. 8h30-16h avec les compagnies *Transnasional, Ekspres Perdana, SP Bumi et Mutiara.* Trajet : 3-4h (en gros, on prend au vol le bus qui part de Kuantan, il faut se pointer à l'arrêt de bus 30 mn après l'heure de départ prévu de Kuantan et faire coucou au chauffeur).

➢ *De/vers Kuala Besut (îles Perhentian) :* mieux vaut aller à Kuantan, prendre un bus pour Kota Bharu et descendre à Jerteh, puis continuer en taxi.

Adresses et info utiles

– Pas d'office de tourisme.

– *Distributeur de billets : aucun à Cherating,* le plus près se trouve à 8 km au nord, à la station Shell.

■ *Hafiz – Cherating Activities* (plan A2, **3**) : ▥ 017-978-92-56 (Hafiz) ou 017-940-68-98 (Yah). ● *hafizcheratingactivities.blog spot.com* ● Hafiz est passionné par les lucioles, il en a fait son fond de commerce, il organise presque chaque soir une balade de nuit sur la rivière. En outre, il propose différentes activités et excursions dans le coin. Balades en bateau, location de kayaks, pêche en mer, *snorkelling,* etc. Sérieux, sympa et commerçant.

Où dormir ?

Offre assez disparate et qualitativement fluctuante d'une saison sur l'autre, notamment pour les adresses « Bon marché ». De plus, l'engouement des touristes locaux pour Cherating entraîne une augmentation sensible le week-end pour exploser pendant les vacances scolaires. Quelques grosses unités aussi, tel le *Residence Inn,* mais plutôt destinées aux familles.

Bon marché (jusqu'à 100 Rm / 22 €)

■ *Matahari* (plan A1, **11**) : ▥ 019-995-48-19 ou 017-924-74-65. *Un peu à l'écart du centre, au calme. Fourchette de prix large et très démocratique.* Géré par Sheila, un petit ensemble de bungalows très routard, où l'on se sent immédiatement bien. La pelouse est nickel et donne une sensation d'espace. Les chalets en bois sont simples mais très propres et équipés de ventilo (clim pour les plus chers) et de moustiquaire ; les terrasses qui les prolongent sont généreuses. Sanitaires privés ou communs. Grande cuisine avec frigo à disposition, bien pratique pour se préparer le petit déj. École de surf reconnue (ouvert pendant la mousson seulement). Location de surfs. Un bon point de chute.

■ *Maznah Guesthouse* (plan A1, **11**) : *sur l'arrière, bien au calme.* ☎ 581-93-07. ● *maznahgues-thouse@gmail.com* ● *Bon marché pour les chalets basiques, limite chic pour les chambres avec clim et eau chaude.* Maznah, la souriante propriétaire, a confié l'affaire à son fils. Cet ensemble de petits chalets ultrabasiques avec ou sans salle de bains attenante (on en a pour son argent) est généralement apprécié des surfeurs ou des routards de passage. Les plus douillets opteront pour un de ces bungalows blancs disposant de la clim et d'une douche avec eau chaude. Cuisine commune pour préparer son frichti. Thé, café à dispo. Bon accueil.

Chic (180-300 Rm / 40-66,50 €)

■ *Tanjung Inn* (plan A2, **14**) : ☎ 581-90-81. ● *tanjunginn.com* ● La meilleure adresse dans sa catégorie, et de loin. Une quarantaine de bungalows de confort très variable, mais tous aussi soignés les uns que les autres, dont une quinzaine carrément sur la plage. Plusieurs chambres familiales pour 4 ou 6, dont certaines possèdent leur propre piscinette. Les plus modestes ont juste un ventilo et l'eau froide, mais la plupart ont la clim et l'eau chaude. Beaucoup de charme dans la déco. Le tout dans un vaste jardin à l'anglaise, agrémenté de quelques palmiers. Un bon rapport qualité-prix et une adresse franchement extra, au calme absolu et qui propose un tas d'activités.

▲ *Cherating Beach View* (plan B1,

15) : ☎ 581-93-43 (résa) ou 581-92-66 (réception). *Même prix pour 2 ou 4 pers. Pas de petit déj.* Ouvert toute l'année, cet établissement propose une vingtaine de bungalows carrément sur la plage. Côté déco, rien d'exceptionnel, c'est matelas mousse et sol lino. Côté confort en revanche, c'est un peu au-dessus de la moyenne avec une salle de bains avec eau chaude, la clim, un petit frigo et même la télé pour certaines. Tous possèdent 2 lits *queen-size* et peuvent accueillir 2 couples.

Où manger ?

Bon marché (moins de 20 Rm / 4,50 €)

|●| Parmi les quelques restos au bord de la route, le *Kedhi Makan Dalina* (plan A2, *21*) propose une cuisine simple et honorable à déguster le soir seulement ; juste à côté, le *Warung Ambak,* quant à lui, assure petit déjeuner et repas du midi (excellentes *roti canaï,* la crêpe locale). On y déguste également un excellent *ice tea tarik.*

Prix moyens (20-50 Rm / 4,50-11 €)

|●| *Duyong Restaurant* (plan B1,

20) : au bord de la plage ; pour y accéder, traverser le Cherating Duyong Beach Resort. ☏ 010-908-92-66. *Tlj sauf mer 10h-minuit. CB acceptées (6 % de supplément). Sert de l'alcool.* Cuisine essentiellement chinoise et thaïe avec, entre autres, de bons *clay pots.* Vaut aussi le coup pour la vue sur la mer depuis la terrasse, malgré la musique internationale un peu trop présente. Certainement l'adresse qui attire le plus de monde, Malais, Chinois et touristes puisque c'est un des seuls restos à servir de l'alcool. Cuisine honorable et épicée.

Où boire un verre ? Où écouter de la musique ?

♟ *Don't Tell Mama Café* (plan B1, *30*) : *sur la plage, devant le spot de surf.* ☏ 012-603-25-43. *Tlj 17h30 jusqu'à très tard.* Le parfait *beach bar* avec son toit de palmes, idéal pour buller, siroter un jus, et papoter en attendant la vague du siècle. Ambiance musicale certains soirs...

♟ ♪ *Little Bali* (plan A2, *31*) : *en bordure de la rivière, derrière* Payung Guesthouse. *Ouv de 18h jusqu'à l'aube*

(happy hours *18h-20h) ; live music jeu-sam, quelquefois en sem.* Intérieur de branchages laqués lie-de-vin, écran plat diffusant du sport ou des clips, clients accoudés à touche-touche le regard perdu sur les palétuviers éclairés en vert qui se cramponnent à la rivière, un vrai petit rade d'Indochine !

♟ *Duyong Restaurant* (plan B1, *20*) : voir « Où manger ? ». Pour boire une bonne bière fraîche.

À voir. À faire

⋟ En premier, paresser sur la *plage, of course.* Elle est agréable pour la promenade ou pour jouer dans les vagues, mais peu propice à l'observation sous-marine car l'eau n'est pas claire. On rappelle qu'elle peut être assez dangereuse

LA CÔTE EST DE LA MALAISIE

en raison de la présence de lames de fond. En allant sur la gauche (face à la mer), un petit sentier à travers la végétation mène à une autre plage, déserte.

➤ **Surf :** c'est le principal intérêt de Cherating, sauf en période sèche. Les vagues rentrent pendant la mousson, de novembre à mars, avec un pic en décembre. C'est d'ailleurs à cette période que sont organisées les compétitions. Bien que peu puissante, la vague de Cherating (une gauche) est « propre ». Elle offre parfois un beau tube et peut mesurer jusqu'à 3 m environ quand elle est bien établie. Location de *board* possible à la demi-journée ou la journée. Pour un forfait « apprentissage », se renseigner auprès de la *guesthouse Matahari*.

➤ **Snorkelling :** si vous avez atterri à Cherating pour ça, vous vous êtes trompé de plage ! Pour observer les poissons, ici, il faut pousser un peu plus au large, aux abords de Pulau Ular *(Snake Island)* pour voir des coraux multicolores et la faune qui gravite tout autour. Pensez au pique-nique.

➤ **Balades en bateau sur la rivière :** presque plus que la plage, c'est la rivière qui attire ici. S'adresser chez *Hafiz – Cherating Activities (plan A2, 3 ; voir « Adresses et info utiles »).* La plupart des établissements proposent cette excursion, mais ils vous renvoient de toute façon chez lui. La balade *(un départ à 9h, l'autre à 16h, compter env 1h30 ; env 30 Rm/pers, réduc enfants)* vaut vraiment le coup. Y aller plutôt le matin, on peut y voir des macaques et parfois des gibbons, des lézards, de beaux varans, des serpents, des loutres et de nombreux oiseaux, le tout dans un environnement de mangroves d'une inquiétante étrangeté.

➤ **Observation des lucioles :** s'adresser chez *Hafiz – Cherating Activities (plan A2, 3 ; voir « Adresses et info utiles », départ tlj sauf lun (sortie annulée si météo défavorable) à 19h30 pour une virée d'env 1h ; compter 30 Rm/pers, réduc),* le spécialiste incontesté des lucioles. Depuis qu'Hafiz a rencontré un scientifique japonais qui l'a encouragé à présenter une approche écolo des lucioles au public, Hafiz n'arrête pas. Après un petit one-man-show en salle, où l'on apprend les bases concernant la bébête, notamment le fait qu'ici la luciole est du genre non synchronisée (contrairement à la plupart des autres lucioles qui, elles, clignotent en même temps), on part pour une petite balade sur la rivière. Autant le dire tout de suite, ça dépend beaucoup, et de l'intensité de la lune, et du nombre de bateaux sur site. Préférez partir à un seul bateau, sinon la sortie se résume à respirer les gaz d'échappement du voisin. Si la lune est forte, on ne voit rien. S'il pleut, les bestioles ne brillent pas...

➤ **Autres excursions :** pour ceux qui souhaitent bouger un peu plus loin, certains établissements proposent la visite du *malam pasar* de Kemaman (à environ 20 km au nord), le marché de nuit qui se tient tous les lundi et jeudi soirs.

➤ **Sanctuaire des tortues marines :** à **Chendor Beach,** juste à l'entrée du *Club Med.* ☎ 581-90-87. *Tlj sauf lun et j. fériés 9h30-16h30 (pause à l'heure du déj).* Sur place, une écloserie et une nurserie comportant 3 bassins. Quelques spécimens en captivité. Petit musée vite visité.

KUANTAN

IND. TÉL. : 09

● Plan *p. 275*

Situé à mi-chemin entre Singapour et Kota Bharu, le site où s'élève aujourd'hui la capitale de l'État de Pahang occupe depuis toujours un emplacement stratégique sur la route des épices. D'ailleurs, sa vocation commerciale ne date pas d'hier. Après avoir cédé à l'appétit de différents royaumes, Pheng-Kheng

au XIe s, Siam au XIIe s, puis **Malacca** au XVe s, la ville se développe à la fin du XIXe s, avec l'arrivée en masse de colons chinois venus pour travailler dans les mines d'étain de la région. Ajoutons à cela une petite colonie indienne débarquée en même temps pour accompagner les plantations d'hévéas, et le paysage humain de Kuantan est désormais complet. Enfin, toujours sur le plan historique, c'est au large de Kuantan que l'aviation impériale japonaise a envoyé par le fond le *Prince of Wales*, un cuirassé amiral de la Royal Navy pourtant équipé du meilleur système de détection antiaérien de l'époque. C'était le 10 décembre 1941, soit 2 jours après l'attaque de Pearl Harbour...
Aujourd'hui, avec plus de 600 000 âmes, des centres commerciaux et autres *outlets* qui fleurissent un peu partout (sans parler des inévitables embouteillages), Kuantan semble ancrée dans l'ère moderne.

Arriver – Quitter

En bus

Attention, il y a *2 gares routières.*
La principale (dite TSK), à l'écart du centre, d'où partent les bus nationaux et la gare *Hentian Bandar,* dans le centre-ville, qui dessert les proches environs ainsi que les villes comme Sungai Lembing ou Pekan. Kuantan étant un nœud routier, de nombreux bus partent dans toutes les directions. On peut acheter son billet en ligne, sur différents sites internet (voir la rubrique « Transports » dans « Malaisie utile »)

🚌 *Bandar Indera Mahkota (gare principale ou TSK ; hors plan par A1, 1) :* à 4 km au nord-est du centre-ville, non loin du Stadium, dans une rue parallèle à Jln Tun Ismail. Pour s'y rendre du centre-ville, taxi ou bus n° 303 Rapidkuantan de la station Hentian Bandar, ttes les 20-30 mn, 6h-19h, puis 30-40 mn jusqu'à 23h. Guichets à l'étage, et consigne à bagages (Khidmat Bagasi) au rez-de-chaussée (tlj 7h-minuit). Dans la gare, stands de nourriture, boutiques, téléphones et w-c.
➤ *De/vers Kuala Lumpur :* env 30 bus/j. 8h-2h. Trajet : 2-3h.
➤ *De/vers Kota Bharu via Jerteh (îles Perhentian) :* env 10 départs/j. plutôt dans l'ap-m. Aussi un bus à minuit avec la compagnie *Utama.* Durée : 6-7h.
➤ *De/vers Dungun et Kuala Terengganu :* env 12 bus/j. surtout l'ap-m. La compagnie *Ekspres Perdana* dessert Dungun puis Jerteh, départ à 22h30 et 23h. Durée : env 4h.
➤ *De/vers Johor Bahru et Singapour via Mersing et Tanjung Gemok*

(île de Tioman) : env 8 départs/j. 9h-2h30. Durée : 5-6h.
➤ *De/vers Jerantut :* 3 bus/j., 1 le mat, 2 l'ap-m. Durée : env 3h.
➤ *De/vers Temerloh :* départ ttes les heures 8h30-21h. Trajet : 1h30-2h.
➤ *De/vers Malacca :* 3 départs/j., dont 2 de nuit. Trajet : 3-4h.
➤ *De/vers Ipoh :* 7 bus/j. 9h30-0h30 avec les compagnies *Utama Ekspres, SP Bumi* et *Kesuatan.*
➤ *De/vers Butterworth (île de Penang), Kuala Perlis (Langkawi) :* 8 bus/j. plutôt le mat. 1 bus le soir avec la compagnie *Shamisha.*

🚌 *Hentian Bandar (gare des bus Rapidkuantan, aussi Mara Liner, Sihat et Mira ; plan A1-2, 2) :* derrière le marché central. ● *myrapid.com.my/ bus/rapidkuantan/routes* ● Liaisons avec les quartiers excentrés et certaines villes des environs.
➤ *De/vers Pekan :* bus n° 400, départs env tes les 20-30 mn, 6h-19h, puis 30-50 mn jusqu'à 23h.
➤ *De/vers Cherating :* départ des bus pour Kemaman (demander l'arrêt à Cherating) ttes les heures, 9h-18h30, avec les compagnies *Sihat Bas* ou *Mira.* Trajet : 1h.
➤ *De/vers Panching et Sungai Lembing :* bus n° 500, départ ttes les heures, 6h-17h.
➤ *De/vers Teluk Champedak :* bus n° 200, départ ttes les 20-30 mn, 6h10-23h.
➤ *Vers Chini 2 (un des villages du lac Chini) :* 4 bus/j. 10h30-20h30 avec la compagnie *Mara Liner*

• *maraliner.com.my* • Prendre plutôt celui du matin pour éviter d'arriver de nuit.

En avion

✈ *L'aéroport Sultan Ahmad Shah (hors plan par A2) :* il est situé à env 15 km au sud-ouest de la ville. ☎ 531-21-23. Pas de bus pour y aller, prendre un taxi.

➢ *Pour Kuala Lumpur :* 3 fois/j. pour l'aéroport international (Klia), avec *Malaysia Airlines.*

➢ *Pour Penang :* 2 fois/sem avec *Firefly.*

➢ *Pour Singapour :* 1 vol/j. avec *Firefly.*

Adresses utiles

Infos touristiques

🛈 *Tourist Information Centre (plan A2) :* entre Jln Besar et Jln Mahkota, au niveau d'une passerelle qui enjambe le boulevard. ☎ 516-10-07 ou 517-16-23. • *pahangtourism.org.my* • Dans un petit édifice traditionnel en bois, devant la grande pelouse. Lun-jeu 8h-13h, 14h-17h ; ven 8h-12h15, 14h45-17h. Fermé sam-dim. Donne aussi des infos sur Pekan et Endau Rompin. Personnel gentil et efficace.

Argent, banques, change

– On trouve *banques* et *money changers* sur Jalan Mahkota et autour.
■ Le meilleur *money changer* est la papeterie *Hamid Bros (plan A2, 5) :* 23, Jln Mahkota (au pied de l'hôtel Fargo). Lun-sam 9h30-21h (fermé ven 13h-14h), dim 10h-16h.
■ *4 banques* à côté les unes des autres disposent d'un distributeur Visa et MasterCard. La *Maybank (plan A-B2, 6)* assure le change *(lun-jeu 9h15-16h30, ven 9h15-16h)* ; la *Bank Simpanan Nasional (plan A-B2, 6)* propose le service *Western Union (tlj sauf sam-dim 9h-17h ; fermé ven 12h15-14h45)* ; enfin la banque *HSBC (plan A2, 3)* possède une batterie de distributeurs 24h/24 *(sinon ouv lun-ven 9h30-16h)*.

Santé

✚ *Hospital Tengku Ampuan Afzan (plan A2) :* Jln Tanah Putih. ☎ 557-22-22.

Où dormir ?

Bon marché
(jusqu'à 100 Rm / 22 €)

🏠 *Kuantan Backpackers (plan A2, 10) :* 39, Jln Tun Ismail (1ᵉʳ étage). ☎ 513-38-30. 📱 019-969-64-62. • *kuantanbackpackers.com* • Au débouché de la passerelle qui enjambe le bd Tun Ismail. Pas de petit déj. Même prix par pers en dortoir de 10 qu'en chambre double (lits superposés dans tous les cas). Pas de couples musulmans non mariés dans cette auberge entièrement climatisée, conçue, sur 2 étages. Ici, quelques dortoirs de 10 lits, dont un réservé aux filles, tous avec casiers métalliques. Chambre double sans fenêtre. Cuisine à dispo. Attention, en période d'affluence, ça risque d'embouteiller à la douche (il n'y en a que 2 par étage). L'ensemble est propre et l'accueil sympathique.
🏠 *King's Hotel (plan A1, 12) :* Lorong Tun Ismail 6. ☎ 513-63-68. • *kings.onlinesales@gmail.com* • À 100 m en retrait du grand bd Jln Tun Ismail, dans la petite rue qui part au niveau du resto Pappa Rich. Pas de petit déj. CB acceptées. Un peu à l'écart du centre-ville, un hôtel aux chambres doubles ou quadruples, toutes équipées de clim et salle de bains. Assez bon rapport qualité-prix même si l'entretien accuse quelques faiblesses, et à condition d'éviter les 4 chambres sans fenêtres et celles qui sentent la clope... Resto juste au rez-de-chaussée, bien pratique.

Prix moyens
(100-180 Rm / 22-40 €)

🏠 *Classic Hotel (plan A2, 13) :* Jln Besar. ☎ 516-45-99. • *classichotelkuantan.com* • Petit déj compris. Un hôtel moderne comportant une

LA CÔTE EST DE LA MALAISIE

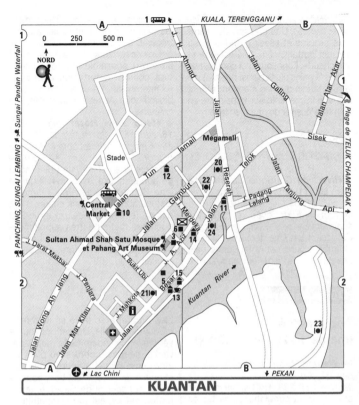

KUANTAN

LA CÔTE EST DE LA MALAISIE

- ■ **Adresses utiles**
  - **ℹ** Tourist Information Centre (A2)
  - **✚** Hospital Tengku Ampuan Afzan (A2)
  - **1** Bandar Indera Mahkota (hors plan par A1)
  - **2** Hentian Bandar (A1-2)
  - **3** Banque HSBC (A2)
  - **5** Hamid Bros (money changer ; A2)
  - **6** Maybank et Bank Simpanan Nasional (A-B2)

- ≜ **Où dormir ?**
  - **10** Kuantan Backpackers (A2)
  - **11** Riverside Boutique Guesthouse (B2)
  - **12** King's Hotel (A1)
  - **13** Classic Hotel (A2)
  - **14** Suraya Hotel (B2)
  - **15** Mega View Hotel (A-B2)

- |●| **Où manger ?**
  - **20** Lot 66 (B1)
  - **21** Khalsa Chapati House (A2)
  - **22** Hai Peng Kopitiam (B1)
  - **23** Ana Ikan Bakar Petai (B2)
  - **24** Warung Mazenah (Nasi Kukus 2 ; B2)

- ☕ **Où prendre le petit déj ?**
  - **13** Instan's Oven (A2)

quarantaine de chambres sur 3 étages, dont une dizaine avec vue sur la rivière. Toutes possèdent la clim et l'eau chaude, TV, frigo, moquette ou parquet flottant, et sont régulièrement repeintes en privilégiant la couleur... Bonne tenue générale mais sans caractère particulier. Un plus : les chambres quadruples avec 4 lits simples. Un hôtel qui porte finalement bien son nom.

≜ **Suraya Hotel** *(plan B2,* ***14****) :* 55-57, *Jln Haji Abdul Aziz.* ☎ *516-40-24.* ● *sur* ayahotel@gmail.com ● *Pas de petit déj. CB acceptées.* Une trentaine de chambres propres et assez grandes, avec parquet flottant, clim, télé satellite et eau chaude. Fonctionnel et central. Les *deluxe* (à peine plus chères) donnent sur la rue, tandis que les standard offrent une vue imprenable sur la peinture en train de s'écailler du mur d'en face.

Chic
(180-300 Rm / 40-66,50 €)

🏠 *Riverside Boutique Guesthouse (plan B2, 11) :* lot 47, Jln Telok Sisek. ☎ 513-83-83. ● *riversidekuantan. com.my ● Flirte avec la catégorie supérieure le w-e. Petit déj compris. CB acceptées.* Une demi-douzaine de chambres dans cet hôtel qui ne paie pas de mine de l'extérieur mais s'avère

Où manger ?

Bon marché
(moins de 20 Rm / 4,50 €)

I●I *Warung Mazenah (Nasi Kukus 2* ; *plan B2, 24) :* 80 D, Jln Telok Sisek. Tlj sauf ven 7h-23h. Un hangar en tôle ouvert sur la circulation, des tables numérotées que les habitués aiment retrouver à l'heure du déjeuner. La spécialité maison, c'est le poulet grillé, mais on a vu du riz frit et même des crêpes à la sardine ! C'est copieux et pas ruineux.

I●I *Lot 66 (plan B1, 20) :* au bout de Jln Haji Abdul Aziz. Tlj 7h-20h. Sous une grande halle, aérée par des ventilos, un *food court* très populaire. Ça débite ! Idéal pour manger couleur locale sans se ruiner.

I●I *Khalsa Chapati House (plan A2, 21) :* 98, Jln Besar (angle Jln Taman). Ouv 24h/24. Très bon marché. Petit resto indien ouvert sur la rue, joliment peint en vert. Toutes les spécialités indiennes : *thali,* curry pour les *veggies,* et pour les autres, *malaï kofta, palak paneer, dhal, naan* et *roti.*

I●I *Hai Peng Kopitiam (plan B1, 22) :* 36, Jln Haji Abdul Aziz. Tlj 9h-18h (fermé les j. fériés). Bon marché. Une sorte de cantine améliorée,

très soigné à l'intérieur. Déco dans les kaki crème mêlant l'acier au bois tropical. Les *standard* sont mimi, les *deluxe* cosy, l'*executive* est carrément au top. L'ensemble est non-fumeur, tout confort et fort bien entretenu. À l'interniveau, un coin détente avec bibliothèque. Au rez-de-chaussée, une cafétéria.

🏠 *Mega View Hotel (plan A-B2, 15) :* lot 567, Jln Besar. ☎ 517-18-88. ● *megaviewhotel.com ● Petit déj compris. CB acceptées.* Au bord de la rivière et au calme, un grand hôtel de bon petit luxe, avec un hall qui en jette. Bonne tenue générale. Attention, les chambres les moins chères n'ont pas de fenêtre. Les *deluxe* apportent quelques mètres carrés supplémentaires. Essayez d'avoir une chambre avec vue sur la rivière. Excellent accueil.

bien propre, avec table en marbre et tabourets en bois. Un petit rideau de végétation la sépare de la rue. Sandwichs, soupes, *noodles* ou plats du jour genre poulet au curry asiatique et au lait de coco. C'est bon, peu ruineux, et l'accueil de David, le jeune patron malais, est fort sympathique. Fréquenté le midi par les cols blancs du coin.

De prix moyens à chic
(20-80 Rm / 4,50-17,50 €)

I●I *Ana Ikan Bakar Petai (plan B2, 23) :* lot 400J, Teluk Baru à Tanjung Lumpur, de l'autre côté du fleuve (1er resto à gauche, face à la mer). ⊞ 013-998-91-75 (Fairuz) ou 017-950-55-01 (Radzmi). Tlj 17h30-minuit. Bondé, venir de préférence avt 19h. Pas d'alcool. Une adresse sérieuse et bien placée (un autre *Ana Ikan Bakar* se situe au bord de la 4-voies, moins sympa). *Ikan,* c'est le poisson, *bakar,* ça signifie « grillé », *petai,* c'est la farce. Ici, on sert du poisson grillé aux épices. Les prix sont ceux du marché, ils sont affichés, donc pas de surprise. Tout le monde suit un ballet bien rodé : on repère une table en retenant son numéro ; on choisit son poisson ou ses fruits de mer vivants en précisant grillés ou en sauce (piquante, évidemment) au moment de la pesée ; on pointe du doigt un bon jus de fruit frais ; enfin on retourne s'asseoir et on attend en regardant ses voisins manger avec les doigts. On s'impatiente un peu mais ça finit toujours par arriver ! Reste plus qu'à s'empiffrer en rigolant avec l'assemblée. Une fois repu, il faut passer à la caisse en donnant le numéro de sa table. Convivial et très sympa.

Où prendre le petit déj ?

🍵 **Instan's Oven** (plan A2, **13**) : Jln Besar, à 25 m gauche du Classic Hotel. Tlj sauf lun 9h-18h. Pour prendre le petit déj ou faire une pause goûter : cookies, cheesecake, pudding, etc. Pas de terrasse cependant.

À voir. À faire

🍴 **Central Market** (plan A1-2) : Jln Tun Ismail, dans un édifice hideux. Sympa et populaire. Les étages sont occupés par des magasins de style occidental, tandis que le rez-de-chaussée fleure bon la marée et les tripes de poulet.

🍴 **Sultan Ahmad Shah Satu Mosque** (plan A2) : au centre-ville. Son dôme bleu en cloche rappelle celui de la mosquée de Gour-Emir à Samarkand (Ouzbékistan), en beaucoup moins réussi, bien entendu (souvent imité, jamais égalé). Cette mosquée récente possède une architecture plutôt intéressante, en tout cas très imposante avec ses 4 minarets élancés flanqués de dômes secondaires. En revanche, l'immense intérieur manque cruellement d'inspiration. Des centaines de ventilos accrochés aux colonnes.

🍴 **Pahang Art Museum** (plan A2) : à un jet de pierre de la mosquée. Mar-dim 9h-17h (fermé ven 12h15-14h45). GRATUIT. Maison blanche au toit de tuiles qui expose les œuvres des artistes locaux.

➤ **Se balader le long du fleuve,** histoire de rentabiliser les quais récents dont s'est dotée la ville. On peut voir toussoter les vieux rafiots de pêche.

DANS LES ENVIRONS DE KUANTAN

LA PLAGE DE TELUK CHAMPEDAK (hors plan par B2)

🏖 À environ 15 km de Kuantan. Comme il y a peu d'animation à Kuantan, les jeunes de la ville emmènent leurs petites amies ici le soir et se baladent dans le coin au clair de lune. Il faut dire que la plage, bordée par une promenade aménagée, est bien jolie. Passé les fast-foods et le grand hôtel, on tombe sur quelques bâtiments coloniaux abritant échoppes et petits restos populaires. Tout de suite, l'atmosphère est plus agréable. Le week-end, on y vient en famille. Au bout de la plage (côté gauche lorsqu'on regarde la mer), le ponton qui longe le littoral conduit à une petite crique bien abritée du vent, mais attention, en chemin, beaucoup de macaques qui n'ont qu'une idée en tête : vous piquer vos victuailles (éventuellement vos lunettes, votre portable ou votre appareil photo) ! Prudence, donc...

➤ **Pour y aller de Kuantan :** bus n° 200 de Hentian Bandar, ttes les 20-30 mn, 6h10-23h.

LA CÔTE EST DE LA MALAISIE

LES GROTTES DE PANCHING (GUA CHARAS)

🍴 *À 25 km à l'ouest de Kuantan. Depuis Hentian Bandar, bus n° 500 direction Kampung Panching ou Sungai Lembing (départ ttes les 30-40 mn, 6h-19h20 ; compter 40 mn). Dans le village de Panching, demandez au chauffeur de vous arrêter à la jonction pour les Charas Caves, à côté de la police (suivre le panneau « Gua Charas »), puis marchez env 3 km ou faites du stop. En véhicule depuis Kuantan, suivre la Jln Bukit Ubi, toujours tt droit, puis les panneaux « Sungai Lembing ». Parking payant. Grottes ouv tlj 9h-17h. Entrée : 2 Rm, autant pour le parking si vous êtes en voiture. Prévoir bien 45 mn pour monter et redescendre.* On voit de loin se profiler cet étrange et abrupt rocher, émergeant des plantations d'hévéas et de palmiers à huile, qui abrite de curieuses grottes. Ce sont les plus connues du pays après les Batu Caves de Kuala Lumpur. Il s'agit en fait d'un sanctuaire bouddhique. Pente méchamment raide (prévoyez des poumons de rechange !). Une fois en haut, s'enfoncer tout à fait au fond de l'immense caverne (apporter une lampe-torche). Attention aux glissades. Quelques bouddhas, dont un couché de 9 m de long. Si la statue se révèle plutôt vilaine (construite dans les années 1960), le cadre est tout à fait impressionnant. Ambiance draculesque, remplie du sinistre concert de piaillements des chauves-souris. Une 2e grotte, plus haut, offre un beau point de vue. Également un petit temple hindou dédié à Shiva.

SUNGAI LEMBING

🍴🍴 Ancien petit village minier à 40 km de Kuantan, après les grottes de Panching. Voilà une belle escapade depuis Kuantan. Le village de Sungai Lembing, constitué de maisons en bois et colorées, se laisse découvrir avec plaisir et en toute quiétude. Mais c'est surtout son musée qui retient l'attention.

➤ *Pour y aller :* depuis Hentian Bandar, bus n° 500, départs ttes les 30-40 mn 6h-19h20. Aucune difficulté pour s'y rendre en voiture (voir plus haut les grottes de Panching).

– *Le musée des Anciennes Mines d'étain (Lembing Muzium) :* en haut d'une butte, à 1 km env à la fin du village. ☎ 541-23-78. Tlj 9h-17h (fermé ven 12h15-14h45). *Entrée :* 5 Rm. Joli petit musée qui évoque la naissance, la grandeur et la décadence de ce village qui a compté jusqu'à 10 000 habitants (3 fois plus qu'aujourd'hui). À l'aube du XXe s, une société anglaise commença à exploiter ces mines d'étain, les plus grandes du monde ! Sungai Lembing était alors prospère, avec même une boutique de produits britanniques détaxés, chose rare à l'époque. Mais, suite à la chute des cours en 1985, elle dut mettre la clé sous la porte, et le village perdit sa raison d'être. Présentation élégante et bien faite des atmosphères, techniques et outils de la mine. Les 322 km de tunnels, qui parfois atteignent une profondeur de 700 m, sont en trop mauvais état pour être ouverts aux visiteurs. Consolez-vous avec cette amusante coupe de fourmilière où ses ouvriers torses nus creusent le roc. À l'extérieur, excavateurs et pilons. Ne manquez pas le film qui explique très bien certains aspects socio-économiques de l'activité au fil du temps.

– À 500 m de là, en poursuivant le chemin tout droit après le musée, on tombe sur l'ancienne usine réhabilitée. En continuant 500 m de plus, on arrive à un village retiré et accessible par un pont suspendu.

🏠 🍴 Au centre de Lembing, quantité de *petits restos* malais et chinois. Une occasion de côtoyer les habitants, absolument charmants. Également plusieurs *guesthouses* pour ceux qui auraient raté le dernier bus. L'occasion de visiter le coin à vélo ou à moto (location possible).

SUNGAI PANDAN WATERFALL

🍴 *En venant de Kuantan, prendre à gauche env 4 km avt le village de Panching, c'est 12 km plus loin (fléché). Pas de bus, y aller en taxi (📱 016-922-47-77). Tte l'année, tlj sauf ven 9h-17h (18h sam-dim). Entrée : 5 Rm.* Sorte « d'aquaparc » naturel où les Malaisiens se rendent en famille. Quelques aires de pique-nique, une petite restauration et une grande cascade, où viennent se rafraîchir les gens de Kuantan. Sur place, quelques sentiers où l'on peut partir à la découverte des oiseaux et des papillons.

PEKAN

À 45 km au sud de Kuantan, Pekan est une petite ville discrète qui semble vouloir se faire oublier du reste du monde. Le calme et la proximité de la mer de Chine plurent tant aux sultans de Pahang qu'ils en firent leur capitale jusqu'en 1889. Pékan mérite surtout une halte pour son musée *Sultan Abu Bakar.* Côté papilles, on y trouve un mets très apprécié, la *murtabak royale,* sorte de plat épicé d'origine indienne, mi-omelette, mi-quiche, qui se vend à la part et dont certaines variantes ne sont disponibles que pendant le ramadan.

Arriver – Quitter

En bus

➤ *De/vers Kuantan :* de *Hentian Bandar,* bus n° 400, ttes les 20-30 mn, 6h-19h, puis ttes les 30-50 mn jusqu'à 23h.
➤ *De/vers le lac Chini :* 2 bus/j., 1 le mat et 1 l'ap-m, avec *Mara Liner* (☎ 017-9573-582). Prendre de préférence celui du matin.
➤ *De/vers Mersing, Johor Bahru :* 4 bus/j. 9h45-19h15, plus 2 bus de nuit avec la compagnie *Maju.*
➤ *De/vers Dungun, Kuala Terengganu :* 2 bus l'ap-m avec la compagnie *Maju* et 1 bus *Utama* le mat qui file jusqu'à Rantau Pajang via Kota Bharu.
➤ *De/vers Kuala Lumpur, Shah Alam, Klang :* 1 bus le mat, 1 le soir avec *Utama.*

En taxi

🚕 *Taxis :* le comptoir se trouve juste à côté de la gare routière. ☎ 422-22-11. Compter environ 80-100 Rm pour le lac Chini.

Info utile

■ Plusieurs *banques* pour le change et disposant de distributeurs automatiques acceptant les cartes *Visa* et *MasterCard,* devant le resto *Farouk Majou.*

Où dormir ? Où manger ?

🏠 *Chief's Resthouse :* Jln Istana Permai. ☎ 422-69-41. Bon marché. Ne sert ni repas ni petit déj. On le dit tout de go : une excellente adresse. Il s'agit d'une grande maison en bois de style colonial datant de 1929, dégageant un charme indéniable. À l'intérieur, vaste salle avec des portraits du sultan de Pahang sur les murs. C'est délicieusement rétro, mélange d'atmosphère coloniale et de déco des années 1970. Chambres toutes climatisées, calmes, très hautes de plafond, avec un beau parquet ciré. Sanitaires pour les plus onéreuses. Les moins chères, sur l'arrière, ont une salle de bains commune nickel, mais elles sont plutôt tristounes.
|●| *Restoran Farouk Maju :* Jln Teng Quee (angle Jln Engku Muda Mansor). En plein centre, face à la banque Rakyat. Ouv 24h/24. Un grand resto indo-malais largement ouvert sur la rue. Joli buffet. On pointe du doigt ce que l'on voit dans la vitrine, et une fois servi, on va s'assoir à une petite table en alu. Beaucoup de locaux.

À voir

🏚🏃 *Muzium Sultan Abu Bakar* (musée Sultan Abu Bakar) : Jln Sultan Ahmad. Au bord du fleuve. ☎ 422-13-71. En principe, tlj sauf lun 9h30-17h (fermé ven 12h15-14h45). Entrée : 15 Rm. Dans une grande et superbe bâtisse coloniale édifiée par les Britanniques. Intéressant musée pour en savoir un peu plus sur le Pahang et sa culture. Au total, 4 galeries, lesquelles évoquent aussi bien les us et coutumes des natifs du coin, les Orang Asli (leur art de la chasse, notamment) que la pompe des sultans locaux : bijoux, armes, parures et instruments de musique, lesquels sont présentés avec des peintures et calligraphies modernes ; l'effet est original et réussi. Dans le jardin, mis à part quelques reliques militaires (un hélico et un char d'assaut), de photogéniques sculptures animalières en bois flotté importées d'Indonésie.

🏃 Dans la même rue que le musée, le long du fleuve, 2 *mosquées,* assez ouvragées, celle d'Abdallah d'abord, puis l'élégante mosquée d'Ahmad Shah, avec son bulbe d'oignon en guise de dôme.

🏃 *Galeri Pengankutan Air* (Musée maritime) : en traversant la route, face à l'entrée principale du musée Sultan Abu Bakar (mêmes horaires). GRATUIT. Embarcations traditionnelles exposées en plein air. Certains spécimens sont remarquables : Perahu Pinas (avec sa modeste cabine), Perahu Jalur, canoës monoplaces, quelques éléments reconstitués d'un navire du IIIe s de notre ère, etc. ; 2 canoës assez uniques, creusés dans un tronc de meranti, recouvert d'argile pour l'imperméabilité. Et puis d'étonnantes barques de rivière, utilisées par les Orang Asli, qui étaient capables de défier les rapides. On peut voir 2 artisans à l'ouvrage.

LE LAC CHINI (TASIK CHINI)

Malgré la déforestation à outrance qui gagne la région et les multinationales imposant la monoculture du palmier à huile, voici un site encore assez sauvage, au bord du fleuve Pahang, à une soixantaine de kilomètres au sud-ouest de Kuantan. Un endroit de légendes, habité par la communauté native des Orang Asli, aujourd'hui totalement assimilée.
Le lac est une destination très prisée par les groupes de jeunes Malaisiens. La plupart des touristes n'y viennent qu'à la journée pour une petite balade en bateau ou une partie de pêche.

COUSIN D'ÉCOSSE

Dans le lac vivait, dit-on, le Nâga, monstre de ce loch Ness malais qu'est le Tasik Chini. Les légendes se contredisent : selon certaines, le monstre était un serpent mesurant plus de 1 km de long (sic !), tué à coups de canon par les Anglais à l'époque coloniale. Selon d'autres, on trouve encore dans le lac des poissons mangeurs d'hommes ! Mais bien sûr, comme en Écosse, les scientifiques n'ont jamais rien trouvé.

La meilleure période pour admirer cette imbrication de lacs (une douzaine au total), tous entourés de collines recouvertes d'une végétation quasi impénétrable, s'étend de juin à septembre, quand les eaux sont recouvertes de lotus en fleur !

Arriver – Quitter

En bus

Essayer d'arriver au lac Chini de jour, car le village, qui comporte 4 quartiers, est très étendu, mal indiqué, et il est difficile de se repérer. Les bus s'arrêtent à la gare routière *Mara Liner* (☎ 456-61-91) de Chini 2 (le principal hameau). Pour rejoindre Kampung Gumum, situé à env 8 km de là et dans lequel se trouve le *guesthouse* que l'on vous indique, prendre un taxi (il y en a toujours pendant la journée). Compter env 20 Rm de jour, 30 Rm de nuit. Si vous arrivez tard, *Kak Tam Homestays,* une *guesthouse* située à 200 m de la gare routière, vous dépannera (prendre la direction du relais téléphonique), mais attention, c'est cher, et si vous vous retrouvez là, c'est que vous n'êtes pas en position de force pour négocier...

➤ *De/vers Kuala Lumpur :* 3 bus/j. avec *Mara Liner* le mat et l'ap-m. Changement possible à Muazam Shah. Durée : env 6h.

➤ *De/vers Kuantan :* 4 départs/j. Durée : env 2h.

➤ *De/vers Pekan :* 1 bus/j. Trajet : env 1h30.

En voiture

➤ *Par la rive droite du fleuve.* Pas de difficulté. De Pekan, prendre la route n° 82 qui remonte le fleuve Pahang en longeant la rive droite jusqu'à l'intersection avec la n° 12, puis continuer tout droit jusqu'à *Salong* (prochain hameau), puis à gauche, enfin à droite (c'est fléché *Tasik Chini*). Un peu avant le lac, prendre à droite, puis à gauche pour rejoindre Kampung Gumum, suivre les panneaux « Sekolah Kebangsaan Tasik Chini ».

Où dormir ? Où manger ?

Un *resort* au bord du lac proprement dit, et une seule structure d'accueil à Kampung Gumum. Les routards, habitués à un confort sommaire, ne s'en plaindront pas.

De bon marché à chic (jusqu'à 300 Rm / 66,50 €)

🛏 |●| *Rajan Jones House :* dans le Kampung Gumum, 300 m avt le lac, sur la gauche (à 8 km de Chini 2). 🖥 017-913-50-89. ● *jones_rajan@hotmail. com* ● *Bon marché, même en incluant la ½ pens. Essayer impérativement d'arriver avt le soir, pour profiter du dîner ; si besoin, Nee peut vous appeler un taxi.* L'hébergement est on ne peut plus rudimentaire. On dort dans une grande cabane traditionnelle divisée en une dizaine de chambres, sur un matelas mince posé au sol, avec natte et moustiquaire. Les sanitaires sont communs. Tout près de là, une cuisine-salle à manger où l'on vous sera servi par Nee, maîtresse de maison. Hyper copieux. Nee et Ruth, son fils, organisent des randos dans la jungle, sur résa (voir plus loin « À faire »).

🏕 🛏 |●| *Lac Chini Resort :* en bordure du lac (à 8 km de Chini 2). ☎ 468-80-88 ou 468-68-00. ● *lakechiniresort. com* ● *Ouv tte l'année. Bon marché pour le camping et les dortoirs, et chic pour les chambres. CB acceptées.* Ce *resort* dont l'entretien laisse parfois à désirer offre des chambres *standard* en bois ou *deluxe,* plus confort, avec clim et eau chaude. La différence de prix se justifie en partie par la vue. Pour 3 fois rien, on peut aussi camper le long du lac, ou pour une somme modique s'endormir sous les néons dans l'un des dortoirs ventilés que compte l'hôtel. Côté nourriture, rien de bien original.

LA CÔTE EST DE LA MALAISIE

À faire

➤ *Treks dans la jungle :* se renseigner en écrivant à l'avance à la Rajan Jones House. *Compter env 70 Rm/pers, déjeuner compris : départ vers 10h30-11h, retour en fin d'ap-m, après 3 bonnes heures de marche. Pas de difficulté particulière, on peut même le faire avec des enfants.* Bien entendu, prévoir de bonnes chaussures, une gourde, de quoi se protéger contre les moustiques et les sangsues (pulvériser de l'insecticide pour insectes rampants sur vos chaussettes). On emprunte tantôt un petit sentier balisé, tantôt on est obligé de frayer un chemin à la machette. Le seul petit problème, c'est que les jeunes accompagnateurs ne parlent presque pas l'anglais.

➤ **Balades en barque à moteur :** *on peut s'adresser au Lac Chini Resort. Compter env 130 Rm pour 2h sur la base de 4 pers par embarcation ; 20 Rm/pers supplémentaire. Se grouper est donc avantageux.* Le lac Chini est en fait une sorte d'étoile formée par la réunion d'une douzaine de lacs tournant autour de 2 îles principales, *Pulau Bangau* et *Pulau Balai*. En saison sèche, ces lacs s'isolent les uns des autres. En période de mousson, les pluies font gonfler les eaux, c'est la meilleure période pour la pêche.

LE PARC D'ENDAU ROMPIN

Endau Rompin est le 2e parc de Malaisie péninsulaire. Sa forêt vierge qui couvre près de 870 km^2 de part et d'autre des fleuves *Endau* et *Rompin,* à cheval sur les États de Johor et de Pahang, est l'une des plus anciennes du monde. Les plus impressionnantes cascades du pays déversent leurs eaux tumultueuses sur des roches volcaniques vieilles de plus de 240 millions d'années. Une expédition scientifique menée en 1985-1986 y a découvert des espèces rares de faune et de flore. Papillons de toutes les tailles et de toutes les couleurs, éléphants, rhinocéros, sangliers, tapirs, varans, calaos, faisans, singes, lémuriens, serpents, sangsues... et tigres évoluent en toute liberté au milieu d'arbres vampirisés par les lianes, de forêts de bambous géants, de palmiers, de jardins de fougères suspendus, d'orchidées...

Infos pratiques

– Pour toute info, adressez-vous au **Rompin Forestry Department** (☎ (09) 414-52-04) ou au bureau d'entrée de Kampung Peta (☎ (07) 922-28-12) ou encore à celui de Selai (☎ (07) 922-28-75). ● *johorparks.com.my* ●

– Inutile d'y aller pendant la **mousson** *(nov-début mars)* : le fleuve est en crue et jungle difficilement praticable, d'ailleurs la plupart des hébergements sont fermés pendant cette période.

– Un **permis** est nécessaire. On se le procure dans l'une des 2 entrées du parc situées dans l'État de Johor. Compter 55 Rm/pers pour un forfait comprenant l'entrée proprement dite, les différentes taxes et assurances ainsi que le permis de randonner. Ajouter les frais de transports et de séjour suivants : transport en 4x4 entre l'entrée du parc et le camp de base A/R 270 Rm/véhicule, max 5 adultes (dans le cas de Selai, on peut aussi se rendre au camp de base à vélo). Les

services d'un guide (obligatoire) de 1 à 10 pers : forfait de 170 Rm pour 1 j. et 2 nuits, 230 Rm pour 3 j. et 2 nuits, sinon compter 70 Rm/j. Côté hébergement, compter, par nuitée : 10 Rm en camping, 30 Rm en dortoir de 40 lits, 80 Rm pour 2 en jungle hut *(sans clim)*, 120 Rm pour 2 la nuitée en chalet standard climatisé, 200 Rm en chalet familial pour 4.

– On peut se rendre dans le parc en individuel, en s'adressant directement au bureau du parc, s'acquitter des différentes taxes, payer son acheminement jusqu'au camp de base ou y aller par ses propres moyens quand c'est possible, régler son hébergement et ses repas ou louer du matériel de camping, mais vous ne vous aventurerez jamais seul dans la jungle car **les services d'un guide sont obligatoires.**

Sinon, faire appel à une agence comme à Mersing par exemple (voir la rubrique « Adresses et infos utiles » à Mersing), qui effectuera toutes les démarches, vous fournira un guide et assurera votre pension complète pendant votre séjour. Ça revient globalement beaucoup plus cher, évidemment, mais c'est préférable si vous disposez de peu de temps. Pour vous donner une idée, il faut tabler sur 750-800 Rm par personne sur la base de 2 personnes minimum (un peu moins si on est 4) pour une excursion de 2 nuits et 3 jours. C'est le temps minimal pour bien profiter du parc. Ces agences proposent également des stages de survie pour celles et ceux qui souhaiteraient ingurgiter des limaces et des racines.

– Il y a 3 entrées dans le parc. Une dans l'État de Pahang, mais les 2 principales se trouvent dans l'État de Johor : *Kampung Peta* à l'est, c'est la plus fréquentée du fait de sa proximité avec Singapour ; l'autre à *Selai* au sud-ouest (à environ 26 km de *Bekok*), plus sauvage et ouverte depuis 2003 seulement.

➤ *Kampung Peta :* pour ceux qui n'auraient pas fait appel à une agence, il faut d'abord, arriver à Keluang, soit en train, soit en bus. Sur place, en profiter pour faire ses courses. Ensuite, prendre un bus local ou un taxi en direction de Mersing et s'arrêter à Kampung Kahang Baharu. De là, le mieux est de convenir d'un transfert avec le parc jusqu'à Kampung Peta car c'est loin (compter 2h de 4x4). L'entrée du parc se trouve à 7 km de Kahang, c'est là qu'on s'enregistre (sur place, quelques chalets, un dortoir et un réfectoire pour faire sa tambouille).

L'autre solution consiste à louer un bateau depuis le port d'Endau situé à 37 km au nord de Mersing, jusqu'au Kampung Peta. C'est là que l'on s'enregistre.

Ensuite on cherche une embarcation pour se rendre au campement de *Kuala Jasin* (environ 45 mn).

De là, différents treks sont possibles. Tout d'abord, en 30 mn, on atteint *Kuala Marong* (camping possible) ; puis, de là, compter un bon quart d'heure pour atteindre la cascade de *Guling Upeh* (baignade possible... avec les sangsues), poursuivre vers la piscine naturelle de *Tasik Air Biru* (re-baignade). De là, un sentier conduit à *Batu Hampar* (camping possible). C'est à partir d'ici que les choses sérieuses commencent. Pour monter sur la *colline de Semanggong* et atteindre la cascade de *Buya Sangkut*, il faut bien compter 3h, car la pente avoisine parfois les 100 % ! Bon courage !

➤ *Selai :* l'entrée est plus confidentielle. On y accède à partir de Bekok, desservi par le train ; les formalités se font là-bas *(bureau du parc ouv tlj 8h-13h, 14h-17h (15h30 jeu) ; résa possible des transports et des hébergements par e-mail :* ● *erselaijnpc@ yahoo.com ●).* Contrairement à Peta, où le camp de base est à 60 km de l'entrée du parc et où l'acheminement se fait moitié en 4x4, moitié en bateau, ici, le camp de base n'étant qu'à 23 km, les plus sportifs peuvent s'y rendre à vélo (sinon en 4x4, compter environ 1h).

🏠 Sur place, on loge dans les chalets en bois du *Lubuk Tapah Base Camp,* le camp de base de l'expédition scientifique de 2002 désormais ouvert au public. Très bien faits et confortables, pour 2 ou 4, ils sont climatisés ou non, assez grands et très bien équipés. La cuisine est excellente, ne pas hésiter y à réserver ses repas et ses pique-niques.

➤ Du camp, partent les différents sentiers pour explorer la jungle, notamment vers les 3 cascades du coin : *Takah Pandan, Takah Beringin* et *Takah Tinggi* où l'on peut se baigner sans problème. Au camp de base, un petit arboretum. On y organise aussi de courts treks de nuit (pas cher du tout, à réserver auprès du parc). Une expérience à ne pas manquer pour écouter les bruits de la forêt et voir les organismes fluorescents.

Les choses à ne pas oublier

Un répulsif antimoustiques efficace (DEET au moins égal à 50 % ou celui de la marque *Johnson*, vendu partout en Malaisie), des chaussettes antisangsues (ou des chaussettes normales imprégnées d'insecticide pour insectes rampants), une lampe de poche, un couteau, un sac de couchage (ou un sac à viande), des chaussures de marche, des antihistaminiques (en cas de démangeaison), un poncho imperméable. Dernière chose, vous évoluerez dans un environnement sauvage, ne prenez jamais de risques inutiles.

BEKOK

Porte d'entrée ouest du parc d'Endau Rompin, Bekok est un village sans histoire et plutôt sympa, avec des petits rades hors d'âge où de vieux Chinois jouent au mah-jong en sirotant leur thé ou leur bière. Ce sont les descendants des milliers d'ouvriers hakka qui émigrèrent ici au début du XXe s pour travailler dans les plantations d'hévéas, les plus grandes du monde à l'époque. Une communauté qui donna bien du fil à retordre à l'administration britannique d'ailleurs, puisqu'au cours de la période qui précéda l'indépendance, Bekok fut le siège d'un mouvement communiste très actif. Aujourd'hui, c'est une halte salvatrice avant ou après une rando dans le parc d'Endau Rompin. En juillet s'y déroule un festival du durian.

Arriver – Quitter

En train

Bekok est desservi par le chemin de fer qui descend à Singapour. Une gare facilement accessible aussi bien de Kuala Lumpur que de Wakaf Bharu via Kuala Lipis ou Jerantut (Taman Negara Pahang). De la côte est, prendre un bus *Cepat Ekspres* • *cepatexpress.com. my* • jusqu'à Keluang, puis poursuivre en train.

➤ *De/vers Kuala Lumpur :* de la capitale, un train direct tôt le matin, sinon changer à Gemas. Trajet 4h-4h30. Dans l'autre sens, départ de Bekok le soir. Plus de possibilités par Gemas (4 navettes/j. entre Bekok et Gemas).

➤ *De/vers Johor Bahru :* 3-4 liaisons/j. 8h45-23h40 depuis Johor Bahru ; 5h27-17h06 dans l'autre sens. Durée : env 3h.

➤ *De/vers Wakaf Bharu via Gua Musang, Kuala Lipis et Jerantut :* 1 train le soir, arrivée le lendemain mat.

Où dormir ? Où manger ?

🛏 *Rumah Tumpangan Homestay :* 4, 5 et 6 *Jln Station, juste en face de la gare.* ▤ *019-969-18-38 ou 016-921-83-81* • *hostel_bekok@hotmail.com* • *Prix moyens (+ 10 Rm pour arrivée tardive). Pas de petit déj. Chez un artiste qui crée des objets de déco, une série de petites chambres proprettes avec ou sans clim. Bon accueil.*

🛏 *Bekok Bicycle Homestay :* C26 *Jln Tengku Mahkota.* ☎ *(07) 922-10-29.* ▤ *011-106-69-909 ou 901* • *villagefunbekok@gmail.com* • *De la gare, descendre Jln Gunung, puis à gauche sur Jlm MCA, puis à droite* sur Jln Tengku Mahkota, c'est une grande maison blanche avec un portail en fer forgé. Double 100 Rm, pas de petit déj. Aménagée par un passionné de vélo, une maison d'hôtes nickel propose 5 très belles chambres tout confort (clim, salle de bains avec eau chaude et bonne literie). Aux petits oignons pour ses hôtes, le proprio loue une vingtaine de vélos et propose tout un tas d'activités et de circuits pour écumer les environs en 2 ou 3 jours. Billard pour les journées pluvieuses.

🍴 Plusieurs petits restos dans le

centre, tels **Kedai Makan Zizah** *(tlj 6h30-21h),* sur Jln Gunung, qui sert | une cuisine locale très simple et bon marché.

MERSING

IND. TÉL. : 07

● Plan *p. 287*

Petite ville de pêcheurs et de commerçants majoritairement cantonais. C'est ici que se trouve l'un des 2 ports d'embarquement pour l'île de Tioman pour ceux qui arrivent de Singapour ou Malacca (l'autre se trouve à Tanjung Gemok, à 40 km au nord, plus pratique quand on vient de Kuala Lumpur ou Kuantan et bateaux plus fréquents). On peut aussi y organiser la visite du parc d'Endau Rompin par l'intermédiaire d'une agence.

Arriver – Quitter

En bus

Gare routière *(Bus Stand ; plan A1) :* de l'embarcadère *(jeti* ou *jetty)* à la gare routière, compter env 10 Rm en taxi ou 15 mn à pied. Certains bus (à destination de Johor Bahru et Singapour notamment) font une halte au niveau du *Plaza D'Jeti,* à env 100 m de l'embarcadère. Dernière précision : sur l'île de Tioman, certaines *guesthouses* et agences peuvent réserver les billets de bus, moyennant une petite commission.

➢ **De/vers Johor Bahru et Singapour :** 7 bus/j. 8h-17h30 avec *Causeway Link Express* ou *Transnasional.* Trajet : 2h30.

➢ **De/vers Kota Bharu :** 3 bus/j. avec *Transnasional* et *Cepat Ekspres,* 1 le mat, 2 le soir.

➢ **De/vers Kuantan, Kuala Terengganu :** 7-8 bus/j., 11h30-23h30 avec *Maju* et *Transnasional,* la moitié poursuivent jusqu'à Kuala Terengganu. Pour Cherating, changer à Kuantan.

➢ **De/vers Kuala Lumpur :** une dizaine de liaisons/j. 9h-22h. Trajet : 6h.

➢ **De/vers Ipoh, Butterworth (île de Penang) :** départ en fin d'ap-m avec *Cepat Ekspres.*

➢ **De/vers Malacca (via Keluang pour le parc d'Endau-Rompin) :** 3 bus/j., à 7h15, 13h15 et 17h30, avec *S&S Internasional Express.*

➢ **De/vers Endau (Tanjung Gemok) :** 8 bus locaux/j., 8h-18h.

En bateau vers l'île de Tioman

Voir les infos dans la rubrique « Arriver – Quitter » de l'île de Tioman.

Adresses et infos utiles

Infos touristiques

🛈 **Tourist Information Center** *(plan B1) :* Jln Abu Bakar. ☎ 799-52-12. ● *johortourism.com.my* ● *Lun-jeu 8h-13h, 14h-16h30 ; ven 8h-12h, 14h45-16h30 ; sam mat seulement. Fermé dim et 1er et 3e sam du mois.* C'est l'office de tourisme officiel. Pas très au courant de ce qui se passe.

Argent, change

■ **Banques :** *grosso modo, ouv lun-ven 9h-16h30 (fermé ven 12h30-14h30).* Elles ont un distributeur automatique *Visa* et *MasterCard* et font le change. Entre autres, la **Maybank** *(plan B2, 3),* Jalan Ismail. La **BSN** et l'**Agrobank** sont côte à côte *(plan A2, 4)* et proposent le service *Western Union.*

■ *Money changers* (plan A1, **5**) : Jln Abu Bakar. Fermé dim. Plusieurs dans cette rue, souvent à l'intérieur des magasins tenus par les Chinois, notamment les bijouteries.

Agences de voyages

Il en existe plusieurs, notamment au *Plaza D'Jeti* (plan B1, **6**), un bâtiment situé près de l'embarcadère, derrière la station de taxis. Elles proposent toutes les mêmes services : excursions, billets de bateau, résas d'hôtels pour les îles, etc. Pour l'île de Tioman, les billets sont tous au même prix.

■ *Pure Value Vacation* (plan B1, **9**) : nº 33 Plaza D'Jeti, Jln Abu Bakar.

▯ 019-753-42-50. Facebook : Pure Value Vacation. Tte l'année, lun-sam 9h-18h (quelquefois dim). Organise des virées dans le parc d'Endau Rompin.

Divers

■ *Police* (plan B2, **7**) : Jln Sultanah. ☎ 799-22-22.
🚕 *Station de taxis* : à 100 m de l'embarcadère. ☎ 799-13-93.
▯ *Parkings* (plan B1) : juste à côté de l'embarcadère, plusieurs parkings payants (compter 15-18 Rm/j.) et surveillés pour laisser votre véhicule pendant votre séjour sur l'île de Tioman.
■ *Consigne* (tlj 6h30-19h) payante au *Plaza D'Jeti* (plan B1, **6**), pratique pour aller faire un tour en attendant le bateau.

Où dormir ?

Peu d'hébergements d'un bon rapport qualité-prix.

Bon marché (moins de 50 Rm / 11 €)

🛏 *Hoi Seng Hotel* (plan B2, **10**) : 53 A, Jln Ismail. ☎ 799-51-18. Entrée discrète à droite d'une boutique. Réception au 1er étage. Double avec sdb. Pas de petit déj. L'une des adresses les moins chères du centre-ville. Une poignée de chambres très simples mais très propres. Matelas mousse et un genre de serviette-éponge en guise de drap. Accueil gentil de Mister Ho.

Prix moyens (100-180 Rm / 22-40 €)

🛏 *Embassy Hotel* (plan A2, **12**) : 2, Jln Ismail. ☎ 799-35-45. ● embassyho

telmersing.com ● Fourchette basse. Pas de petit déj. Dans le style « on fait des miracles avec de la peinture », cet établissement, parfaitement impersonnel, propose des chambres d'un confort tout à fait acceptable. Toutes avec clim, fumeurs ou non, *deluxe* ou pas, elles sont d'un rapport qualité-prix imbattable (surtout pour les quadruples standard). Bar au rez-de-chaussée ouvert jusqu'à 1h, qui sert de la bière.
🛏 *Sweet Hotel* (plan A2, **13**) : 5A, Jln Jemaluang. ☎ 799-22-28. ● swee thotelmersing.com ● Dans la partie moyenne de la fourchette. Pas de petit déj. Un hôtel central d'une petite quinzaine de chambres doubles ou quadruples, à la déco kitschoune en diable mais où l'on se pose en confiance. Ici, le confort est au rendez-vous (clim, salle de bains) et c'est propre. Évitez d'avoir une chambre qui donne sur la route principale, assez passante (c'est la route de Johor Bahru).

Où manger ? Où boire un verre ?

Bon marché (moins de 20 Rm / 4,50 €)

|●| Plusieurs petits *restos* (tlj 6h-20h – jusqu'au départ du dernier bateau en saison ; fermé le soir dès sept) dans le complexe *Plaza D'Jeti* (plan B1, **20**). Cuisine locale sans éclat mais efficace, c'est l'un des meilleurs plans pour manger à Mersing (ne pas oublier de demander le prix avant de commander).

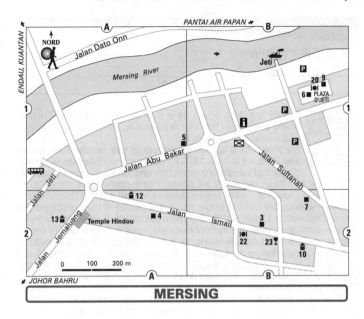

MERSING

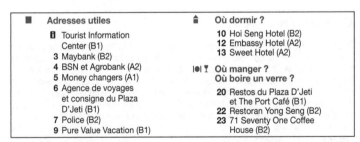

LA CÔTE EST DE LA MALAISIE

- **Adresses utiles**
    - **8** Tourist Information Center (B1)
    - **3** Maybank (B2)
    - **4** BSN et Agrobank (A2)
    - **5** Money changers (A1)
    - **6** Agence de voyages et consigne du Plaza D'Jeti (B1)
    - **7** Police (B2)
    - **9** Pure Value Vacation (B1)

- **Où dormir ?**
    - **10** Hoi Seng Hotel (B2)
    - **12** Embassy Hotel (A2)
    - **13** Sweet Hotel (A2)

- **Où manger ? Où boire un verre ?**
    - **20** Restos du Plaza D'Jeti et The Port Café (B1)
    - **22** Restoran Yong Seng (B2)
    - **23** 71 Seventy One Coffee House (B2)

Testez les surprenantes pâtisseries : certaines, gélatineuses, font penser à de la confiture de méduse (vous n'avez jamais goûté ?). S'installer dans ceux où l'on voit le plus de Malais, c'est toujours bon signe. ***The Port Café*** *(tlj 10h-1h)*, un resto à tendance occidentale pas si mal et tout compte fait relativement bon marché, inratable avec son grand toit rouge et sa grande salle ouverte et bien ventilée.

❙●❙ ***Restoran Yong Seng*** *(plan B2, 23) : Jln Ismail. Bon marché. Ouv sur* la rue tlj 7h-22h *(mais ferme parfois le soir hors saison).* Très prisé des locaux. Pas mal de *seafood* cuisinés à la chinoise. Pas mal aussi, le *Mersing Lucky Restaurant*, dans la rue en face, près du *Mersing Hotel*.

❦ ***71 Seventy One Coffee House*** *(plan B2, 23) : 345 J, Jln Ismail. Bon marché. Tlj 10h-22h.* Pour une pâtisserie, un snack ou un vrai *espresso*, dans une atmosphère climatisée où, pour une fois, le wifi fonctionne vraiment.

L'ÎLE DE TIOMAN

IND. TÉL. : 09

Carte *p. 291*

 Des 64 îles volcaniques de la côte est de la Malaisie, Tioman, située à 40 km au large de la péninsule, est la plus grande et la plus fascinante de toutes.

Élu plus belle plage du monde par le très sérieux *Time Magazine* dans les années 1970, ce petit bijou serti de plages paradisiaques et portant en cabochon une jungle intacte sur plus de 12 000 ha a tout pour séduire. Il est entouré de massifs coralliens de toute beauté, et ses eaux de cristal, poissonneuses à l'envi, attirent les plongeurs de tous horizons. Car outre le farniente, on vient aussi ici pour profiter d'une nature d'exception. L'intérieur de l'île recèle pas moins de 45 sortes de mammifères, dont une grande partie sont protégés, comme le loris lent, la civette palmiste ou le chevrotain cerf-souris, un animal déjà présent il y a 34 millions d'années. Les oiseaux ne sont pas en reste, avec plus de 138 espèces. Quant aux reptiles, n'en parlons pas, il suffit de faire quelques pas en dehors des villages pour tomber nez à nez avec des varans de plus de 1,50 m de long !

Côté logement, Tioman demeure encore une destination démocratique où richards et routards se côtoient sans soucis. Du petit dortoir ventilé en balcon sur la plage aux chambres climatisées des *resorts* exotiques avec golf, spa et tout le tralala, chacun trouvera à se loger. À condition de s'y prendre à l'avance, évidemment, surtout en pleine saison...

UN PEU D'HISTOIRE

Pourvue d'importantes réserves en bois de *chengal* (utilisé pour la construction navale), ainsi que de sources d'eau potable, l'île constituait une escale importante entre l'Inde et la Chine, sur la route des épices et des bois précieux, des les premiers siècles de notre ère. Le santal, l'aloès ou le camphre, ou des denrées à plus grande valeur marchande comme l'ébène, l'ivoire ou l'or, constituaient les principales marchandises. Commerce qui tombera dès la prise de Malacca par les Portugais en 1511, avant de redevenir une étape incontournable pour le ravitaillement. Au début du XIXe s, c'est avec la piraterie que Tioman aura à en découdre (d'ailleurs, au nord de l'île, une grotte s'appelle *Jack Sparrow Cave,* ça fait loin de la Caraïbe, mais bon...). Pas moins de 70 habitants de l'île sont fait prisonniers et expédiés vers les marchés aux esclaves. Conséquence : ceux qui ont échappé à la rafle partent chercher du travail sur le continent... Tioman reste inhabitée une bonne quinzaine d'années.

Les eaux de nouveau fréquentables, une partie de la population s'y réinstalle, mais en 1926, une épidémie de paludisme finit par envoyer tout le monde manger des pissenlits par la racine, et la jungle reprend ses droits... Il faut attendre la Seconde Guerre mondiale pour que l'île retrouve un peu d'activité, quand l'armée impériale japonaise décide d'y installer une base avancée afin de surveiller Singapour, alors aux mains des Anglais. Enfin, Tioman endossera définitivement son statut d'île aux plages de rêve à l'occasion du tournage de la comédie musicale *South Pacific,* adaptation du roman de James A. Michener *Tales of the South Pacific,* sortie en 1958.

La légende d'un roi français à Tioman

Nous sommes au XIXe s et Marie-Charles David de Mayrena a la folie des grandeurs. Après s'être proclamé Marie Ier, roi des Sedang, et avoir bourlingué dans toute la Cochinchine, escroquant au passage quelques-uns de ses compatriotes, puis manqué de déclarer la guerre à la France (notons qu'il était quand même chevalier de la Légion d'honneur, faut oser !), notre aventurier se croyant poursuivi par les autorités françaises échoue sur l'île de Tioman, à Juara précisément. Il y plante une palmeraie, y importe chiens et vaches et, comme il se considérait roi de l'île, il vend une partie de la population locale comme esclaves aux Portugais, lesquels s'empressent de les expédier à Madagascar. Marie-Charles David de Mayrena n'aura pas le loisir de vivre très long-

UN ROI COMPLÈTEMENT TIMBRÉ

Il n'a pas fallu longtemps à Marie Ier, roi des Sedang, pour arborer blason, battre monnaie et surtout émettre des timbres-poste. Doté d'un ego hors norme, notre hurluberlu n'avait pas fini d'imprimer ses premières planches que déjà les philatélistes du monde entier se les arrachaient. Aujourd'hui, les timbres du royaume de Sedang sont rarissimes car ils n'ont jamais servi à rien. La France n'ayant jamais reconnu ce royaume, les lettres furent systématiquement taxées par les postes coloniales françaises.

temps à Tioman : piqué par un serpent, il meurt l'année même de sa venue.

L'île aujourd'hui

Les promoteurs semblent avoir pris le relais des négociants au long cours dans cette île superbe. Sur le plan économique, Tioman bénéficie d'un statut spécial *duty free* dont on ne sait pas trop si c'est une chance ou une malédiction. Contrairement à ses sœurs du Nord (Perhentian et Redang), passablement amochées par une fréquentation touristique en pleine expansion, Tioman semble tirer son épingle du jeu. L'île est encore belle, l'eau claire, la forêt (presque) vierge. Pourvu que ça dure !

Quand y aller ?

Comme pour toutes les îles de la côte est, la meilleure saison court de mars à octobre, en évitant si possible le pic de juillet et août, d'abord parce qu'il y a beaucoup de monde, ensuite parce que le vent du sud apporte quelques pluies qui amenuisent la visibilité dans l'eau (pour les plongeurs) et perturbent un peu la baignade en certains endroits. Alors si vous projetez d'y étendre votre serviette, d'avril à juin vous y serez (un peu) plus peinard...

Arriver – Quitter

En bateau depuis Mersing

⚓ **Embarcadère** (*jeti* ou *jetty*) : *il se trouve près du complexe* Plaza D'Jeti, *à 800 m du centre-ville de Mersing.*
➤ Les liaisons sont assurées par la compagnie *Bluewater Express* (☎ 799-48-11 ou 799-85-18 ● blue water_express@yahoo.com ●). Vente des billets à l'hôtel du même nom (Jln Abu Bakr, près de la rivière) ou aux *kaunters* nos 8-10, avec présentation de son passeport obligatoire. Compter autour de 35 Rm/pers pour 1 trajet. La plupart des établissements de l'île disposent d'un guichet près de l'embarcadère. Tous vendent les billets de bateau (mêmes tarifs), mais ils essaieront aussi de vous vendre des nuits d'hôtel. Idem pour les agences installées dans le *Plaza D'Jeti*. Si vous avez déjà une résa, adressez-vous au guichet de votre hébergement. Durée du trajet : 1h30 à 2h15 entre le 1er point et le dernier arrêt. – Avant d'embarquer, il faut payer une

écotaxe de 30 Rm, réduc, destinée à la préservation du parc marin de Tioman. Daté, ce coupon est valable 3 jours consécutifs, il donne droit à la pratique du *snorkelling* (plongée avec palmes, masque et tuba) et bien sûr à la plongée avec bouteille ; il peut y avoir des contrôles une fois sur place, mais c'est rare, c'est pourquoi cette taxe est exigée à l'embarquement (les gens restant généralement 3 jours sur place). – Pour les sites de plongée des îles proches de Mersing (cas de Besar, Aur, Libu, Tinggi et Permangal), qui font partie du parc national du Johor, les plongeurs avec bouteille devront s'acquitter d'une taxe de 200 Rm, valable 7 jours.

Les traversées entre le continent et Tioman dépendent de la marée. Les horaires sont fixés chaque mois.

– *Aller :* 3 liaisons/j. en juil-août. 1er bateau aux alentours de 6h-6h30 et dernier vers 17h30-18h. Une seule liaison dès septembre et certains jours en fonction de la marée ou de la météo défavorable (mousson).

– *Retour :* les horaires de retour varient en fonction de leur point de départ ; la plage de Salang ouvre le bal, puis c'est au tour d'ABC, de Tekek (embarcadère principal), et de Paya puis de Genting. Bien vous faire préciser, la veille, l'heure de passage par votre établissement et attendre au ponton. Attention, il peut y avoir du *surbooking* au retour, si vous embarquez à Tekek, pensez à arriver bien en avance de manière à vous inscrire rapidement sur la liste des passagers.

Quelques conseils

– À Mersing, arrivez assez tôt pour acheter vos billets et être présent sur le quai avant l'heure d'embarquement de manière à récupérer à temps votre carte d'embarquement en échange de votre ticket. En effet, il y a pas mal de *surbooking.* Ce n'est donc pas parce que vous avez votre billet que vous aurez une place ; en revanche, une fois que vous avez obtenu votre carte d'embarquement et que vous vous êtes enregistré sur la liste des passagers, vous êtes sûr de partir.

– Inutile d'acheter votre billet retour à l'avance, même « open », ça laisse le loisir de choisir sa compagnie et ses horaires. De plus, en raison de la météo, certaines traversées peuvent être annulées vers Mersing et non vers Tanjung Gemok (ou inversement). Pour ces mêmes raisons, *ne jamais prévoir de vol international dans les jours qui suivent* une traversée prévue (valable pour toutes les îles, surtout en période de mousson) ; l'impossibilité de rejoindre le continent peut durer plusieurs jours !

– Les bateaux desservent les plages principales de la côte ouest mais pas celle de la côte est (Juara). En principe, ils commencent par Genting, puis remontent vers Paya, Tekek, Air Batang (ABC), puis Salang. Donc, si vous ne vous manifestez pas au moment de l'embarquement en indiquant sur quelle plage vous voulez débarquer, vous risquez de vous retrouver à Salang, comptez alors 30 à 45 mn de plus. Au retour, les bateaux font le chemin inverse en commençant par Salang.

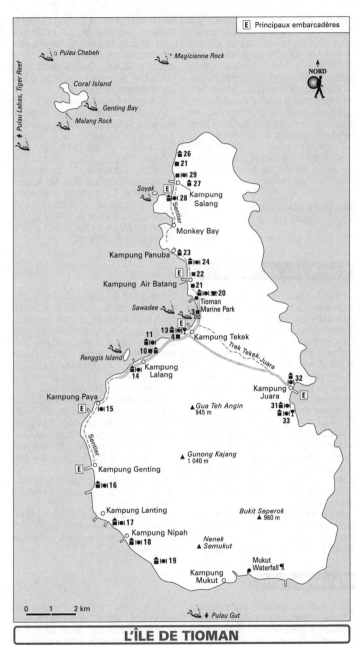

E Principaux embarcadères

NORD

Pulau Chebeh

Magicienne Rock

Coral Island

Genting Bay

Malang Rock

Pulau Labas, Tiger Reef

26
21
29
27
Soyak E 28
Kampung Salang

Sentier

Monkey Bay

Kampung Panuba 23
24
E 22
Kampung Air Batang 21
20
Tioman Marine Park
Sawadee 3
13 E
11 4
Kampung Tekek
10
Renggis Island Trek Tekek-Juara
14 Kampung Lalang
32
Kampung Juara
Kampung Paya E
E 15 Gua Teh Angin
945 m 31
33

Sentier

Gunong Kajang
1 040 m

E Kampung Genting

16

Kampung Lanting Bukit Seperok
17 960 m

Kampung Nipah
18 Nenek
Semukut
19 Mukut
Waterfall
Kampung
Mukut

0 1 2 km

Pulau Gut

L'ÎLE DE TIOMAN

– Pour le retour, on achète son billet soit auprès d'une agence, soit directement sur le ponton, avant le départ. L'heure de passage sur votre plage est fonction de l'état de la mer, du remplissage du bateau et de plein d'autres critères pas toujours compréhensibles. Là encore, on n'est jamais à l'abri d'un *surbooking*. Quelques cruches sont restées en carafe et ont dû repayer leur billet plein pot (humour, quand tu nous tiens !).

– À noter qu'il est inutile d'acheter de l'eau avant votre départ pour Tioman. On en trouve sur l'île sans problème, mais c'est pas donné.

En bateau depuis Tanjung Gemok

Port situé à 40 km environ au nord-est de Mersing (près de Padang Endau) et desservi (entre autres) par la compagnie de bus *Maju*. Gros avantages : les départs ne dépendent pas de la marée et ils sont plus fréquents. D'ici partent les ferries des compagnies *Bistari Gemilang Shipping* (☎ (09) 413-13-62). Mars-oct seulement, 1 départ tlj à 11h du mat ; 2 liaisons/j. en période de vac scol. *Dragon Star Shipping* (● dragonstarshipping.com.my ●). Également *Bluewater Express* (voir plus haut « depuis Mersing ») avec 1 liaison/j. et *Cataferry* (1-2 départs/j.) qui possède un catamaran rapide et stable (● cataferry.com ●). Ces bateaux desservent les mêmes plages et dans le même ordre qu'au départ de Mersing. Sur place, quelques restos ouverts 24h/24 et une poignée d'hôtels.

Comment se déplacer ?

➤ *Par la route :* il n'y a que quelques kilomètres de route revêtue au niveau du village de Tekek, entre le *Berjaya Tioman Malaysia Resort* et le Marine Park, soit environ 6 km.

– Une piste revêtue, uniquement accessible en 4x4 (ça monte raide, on peut toutefois s'y rendre en scooter), traverse l'île, de Kampung Lalang à Kampung Juara.

– On peut facilement louer des vélos à Tekek et auprès des *guesthouses* de Kampung Air Batang (ABC Beach).

– En revanche, pour aller à Kampung Juara, laisser tomber le vélo, à moins d'avoir des mollets dignes du vainqueur du Tour de France, mais ça peut faire l'objet d'un trek (voir « Balades à pied », plus loin).

➤ *Par les sentiers pédestres :* se reporter à la rubrique « Balades à pied », plus loin.

➤ *En bateau :* pas de liaison régulière entre les différentes plages. Il faut prendre un bateau-taxi. En principe, les tarifs sont indiqués près des embarcadères. Les *guesthouses* peuvent également vous en réserver un. Pas spécialement bon marché. Voici quelques idées de prix (toujours sur la base de 2 personnes, ce qui veut dire que si vous êtes seul, il faut payer pour 2 !) :

– depuis Tekek, compter env 30 Rm/pers pour Kampung Air Batang (ABC Beach) ; env 40 Rm pour Kampung Salang ; 55 Rm pour Kampung Genting ; 90 Rm pour Nipah ; 120 Rm pour Minang Cove et 150 Rm pour Mukut ou Juara ;

– depuis Kampung Salang, compter env 90 Rm/pers pour Kampung Genting ;

– depuis Kampung Air Batang (ABC Beach), compter env 30 Rm/pers pour Kampung Salang ou *Berjaya Tioman Malaysia Resort*.

Hébergement

Comme dans toutes les îles, l'atmosphère est très différente d'une plage à l'autre, d'où l'importance de bien choisir son site en fonction de ce que l'on recherche.

– Les prix indiqués correspondent à ceux de la haute saison (de mi-mars à mi-octobre) ; en basse saison, les réductions tournent autour de 15-30 % et peuvent atteindre 50 %. La plupart des hébergements sont fermés de novembre à fin janvier.

– Chaque hébergement possède en

général un resto et propose de la plongée ou du *snorkelling* et vend des billets de bateau.
– Attention, durant les week-ends et les vacances scolaires malaisiennes et singapouriennes, tout risque d'être complet très rapidement et les prix grimpent prodigieusement.

Les plages de Tioman

Le sable n'y est pas aussi beau que sur les îles Perhentian ou Redang, et la plage souvent réduite à peau de chagrin. Certaines sont suraménagées, d'autres quasi désertes. En revanche, l'eau est d'une limpidité incroyable, et même à quelques mètres du bord, avec masque et tuba, on peut admirer de superbes poissons et coraux, souvent des petits requins parfaitement inoffensifs, des tortues, raies pastenagues à pois bleus cachées sous les rochers (attention aux murènes !). Notez la poésie des noms des villages : *Kampung Tekek,* c'est le village « du lézard », *Juara,* celui « du poisson-chat », *Lalang,* celui « de l'éléphant ».

Les mouches de sable de Tioman

Pas de problème particulier sur le plan sanitaire, mais il faut malgré tout souligner la présence importune des mouches de sable (*sand flies* en anglais), qui sont de sales petites bestioles. Tout le monde se fait piquer et il y en a sur toutes les plages. Certains réagissent mal à ces piqûres, d'autres ne s'aperçoivent même pas qu'ils sont piqués. Ça démange, mais c'est sans danger, sauf si vous vous grattez et que ça s'infecte. Utilisez un apaisant pour limiter les risques (demander conseil à votre médecin ou pharmacien avant le départ). Elles sont plutôt actives en fin d'après-midi. Si vous êtes sensible, un conseil : sur la plage, essayez d'être légèrement surélevé ! Prendre des cours de lévitation ou, plus simple et moins cher, avoir une chaise longue ou un hamac. Emporter un antihistaminique peut aussi rendre service en cas de démangeaisons. Heureusement, les vilains insectes ne sont pas toujours au rendez-vous, ça dépend de la lune, du taux d'humidité, etc.

Où plonger ?

À Tioman, les fonds sous-marins sont extrêmement variés. Coraux exceptionnels et poissons incroyables : balistes, poissons-perroquets, napoléons, raies à pois bleus, pastenagues, poissons-cochers, requins de récif, en saison des raies-mantas... Nombreux secs (pinacles rocheux) autour des îlots et plein de sortes de coraux. Les 7 îlots autour de Tioman offrent d'excellents sites de plongée. Une trentaine de sites sont exploités, tous dans la zone des 10 milles marins autour de l'île principale. La plongée se pratique de février à octobre ; le reste de l'année, les centres sont fermés en raison de la mousson. Un conseil : plongez 2 fois dans la même journée. Comptez 180-220 Rm pour 2 plongées, matériel compris. Nous donnons, plage par plage, les clubs dans lesquels nous avons le plus confiance. Cela ne vous empêche pas d'aller vérifier par vous-même, les choses changent très vite dans ce domaine. Enfin, ceux qui ne souhaitent pas plonger avec bouteille d'oxygène peuvent louer partout masque et tuba et pratiquer le *snorkelling.* Certains endroits de la côte sont absolument magnifiques, notamment les abords de l'îlot situé à 200 m au large du *Berjaya Tioman Malaysia Resort* !
Voici les principaux sites de plongée qui nous ont bien plu.

➤ ***Pulau Chebeh*** *(- 28 m max) :* îlot au nord-ouest de Tioman. Il est constitué d'un chaos de roches tantôt formant un mur, tantôt ouvrant sur des passages et des grottes. Jardin géant de canyons de gorgones éblouissantes, coraux mous, fouets de mer. Faune semi-pélagique. Nombreuses variétés de thons, nudibranches, raies-mantas (en saison), raies pastenagues géantes et tortues. Un de nos sites favoris. Attention, il peut y avoir du courant en surface.

➤ *Magicienne Rock (- 22 m max)* : au nord-ouest de l'île, à mi-chemin entre Tioman et ses îlots. Magie d'un très pur jardin de coraux durs et mous, autour de 3 pinacles entre 5 et 15 m. Une faune peu habituée à voir du monde et donc qui reste curieuse de voir des hommes qui font des bulles. Parmi elle, grosses tortues vertes, mérous imposants, bancs de poissons-cochers, quelques requins de récif, des sérioles couronnées, vie riche et abondante...

➤ *Pulau Labas (- 22 m max)* : un îlot avec lequel on joue, surnommé « le gruyère ». On passe dessous à de multiples endroits (une douzaine de passes) dans un agglomérat de rochers assez surréalistes. On voit toujours de la lumière, ce qui est assez impressionnant. Magique. Très belle plongée, encore une de nos préférées.

➤ *Tiger Reef (- 22 m max)* : *plutôt pour les confirmés, en raison des puissants courants.* Il s'agit d'un sec en forme d'arc de triomphe naturel couvert de gorgones roses et bleues. Attention aux balistes titans, car ils gardent le site jalousement. Rencontre également avec des bébés barracudas, poissons-cochers, poissons-coffres...

➤ *Pulau Gut (- 19 m max)* : île au sud de Tioman. C'est autour d'une sorte d'île aux pirates qu'on plonge. Un minitombant, une vie exubérante, mais uniquement des poissons de petite taille. C'est bien simple, on trouve de tout. C'est beau et ça suffit.

➤ *Sawadee (- 30 m max)* : la plus belle des épaves pour la plongée. Il s'agit d'un bateau thaï de 22 m de long sur 7 m de large, coulé en 1985 par la tempête et sur lequel d'importantes concrétions se sont développées. Il offre un abri artificiel parfait aux bébés poissons de toute nature. Ainsi découvre-t-on des petits barracudas, des petites sardines, mais aussi de gros poissons-pierres et d'impressionnantes raies de temps en temps. Vraiment beaucoup de poissons ici.

➤ *Soyak wreck (- 26 m max)* : Pulau Soyah est l'îlot situé juste en face de la *jetty* de Salang (on peut y aller à la nage car c'est un site prisé pour le *snorkelling*). Un peu à l'écart, on trouve l'épave d'un bateau de pêche couverte de coraux mous et, quand il y a du courant, de barracudas et de carangues.

➤ *Genting Bay (- 24 m max)* : canyon de gorgones au sud-est de Pulau Tulai (Coral Island). Grande diversité de coraux assez exceptionnels autour desquels gravitent des poissons-perroquets.

➤ *Malang Rock (- 15 m max)* : site de plongée au sud de Pulau Tulai (Coral Island). Une plongée peu profonde et facile qui permet d'observer toutes les variétés de coraux sur le même site. Tous les échantillons de coraux sont là, quasiment sur présentoir et en tête de gondole. On y croise aussi des tortues Un site également très fréquenté par les amateurs de *snorkelling*.

➤ *Renggis Island (- 12 m max)* : îlot en face du *Berjaya Tioman Malaysia Resort*. Certainement la plongée la plus connue de Tioman, du fait de sa proximité avec la côte et de sa vie marine diversifiée. Pas la plus belle du secteur mais constitue, pour les confirmés, une excellente plongée de nuit. Également un beau site pour le *snorkelling*.

Où faire du snorkelling ?

La plupart des *guesthouses* proposent des sorties *snorkelling*. En général, on réserve la veille et il y a 2 départs par jour : vers 9h30 (retour à 13h30) et 14h30 (retour à 17h30). On enchaîne plusieurs sites : Coral Island, pause du midi à Salang, puis Malang Rock, Monkey Bay, Shark Point, Marine Park (plage sans charme où certains touristes viennent nourrir les poissons) et Renggis Island. Compter env 100 Rm sur la base de 4 personnes minimum par bateau, masques et tubas fournis (mais pas souvent les palmes). Si vous manquez de temps, le meilleur plan est de passer par le centre d'activités nautiques du *Berjaya Tioman Malaysia Resort*. Tous les après-midi entre 14h et 16h, départ à la demande vers l'île de Renggis, juste en face (on peut presque y aller à la nage). Un petit bateau vous dépose à proximité de l'île (il y a une plate-forme flottante), et quand vous en avez assez, vous faites des signes au capitaine pour qu'il vienne vous rechercher. À une cinquantaine de mètres au sud de l'île, vous y observerez des requins pointe noire, tandis que les récifs de coraux qui l'entourent sont magnifiques. Beaucoup de poissons. Compter 60 Rm par personne, transfert en bateau et matériel fourni (avec palmes cette fois, et souvent en meilleur état qu'ailleurs).

Mais tous les sites recèlent une faune spécifique : ici des balistes titans, là une murène, une tortue, une raie à pois bleus ou des poissons-flûtes..., avec un peu de temps, on peut varier les plaisirs.

Balades à pied

L'île offre plusieurs possibilités de petits treks qui ne présentent pas de difficultés majeures.

Quelques conseils

– Prévoir suffisamment d'eau ; porter de bonnes chaussures fermées et, de préférence, des pantalons longs ou des guêtres pour éviter d'avoir les mollets éraflés (ce ne serait pas très glamour sur la plage...) ; un bâton est utile pour faire du bruit et faire fuir les éventuels animaux indésirables. Éviter de poser les mains sur les troncs (il peut y avoir des plantes ou des insectes qui piquent...) ; enfin, *c'est toujours mieux de ne pas partir seul.*
– Toutes ces randos peuvent être entreprises sans guide. Mais attention, mesdemoiselles ! Il est déconseillé de partir seules en brousse, comme il est préférable de prendre un guide ayant « pignon sur rue », c'est-à-dire un professionnel attaché à un hôtel ou à un club de plongée. Bref, un pro, et non pas le premier gugusse croisé sur la plage qui, lui, n'aura qu'une idée en tête... Il y a déjà eu des épisodes du genre qui se sont mal finis.
– Si vous possédez un smartphone ou une tablette, tâchez au préalable de télécharger la carte de l'île, vous pourrez utiliser le GPS de l'appareil pour vous positionner.

➤ *La traversée de l'île, de Tekek à Juara :* 7 km praticables pour des marcheurs de niveau moyen ; compter 2-3h pour l'aller. Ceux qui souhaitent découvrir une nature vierge seront certainement déçus car le chemin suit un gros câble électrique, une canalisation d'adduction d'eau, et la dernière partie est revêtue (en même temps, on ne peut pas se perdre !). Néanmoins, le trek reste intéressant en raison des différents types de paysages que l'on traverse : jungle épaisse au début, clairsemée en altitude, arbres gigantesques dont certaines espèces sont attestées au crétacé moyen (il y a 120 millions d'années, notamment les *Diptérocarpacées*). On peut voir des macaques à longue queue, des lézards, des écureuils volants, des varans, le tout évoluant dans un univers de bambous géants, de bananiers et de lianes amoureusement entortillées autour des câbles électriques...
Pour débuter la balade, au nord de Tekek, après le pont, prendre la première à droite. Au bout de la route, bifurquer de nouveau à droite sur un tout petit sentier, juste avant la station d'épuration. Montée assez raide pour la première partie du trajet (nombreuses marches en béton). Ensuite, on suit, sur 3 km environ, la route qui mène à Juara. Du village, il est possible de trouver des voitures pour environ 140 Rm à 2 pour rentrer à Tekek.

➤ *Balade vers le sud, de Tekek à Genting :* pour l'ensemble du parcours, compter env 3h de marche. Pour débuter la balade, traverser le *Berjaya Tioman Malaysia Resort (carte, 14)* en empruntant le sentier qui longe le golf ; poursuivre le chemin jusqu'à la dernière plage. Puis, un autre sentier pénètre dans la jungle ; pas de difficulté, il suffit de suivre la ligne électrique. Après 20 mn environ, on arrive à un gros rocher. Là, prendre à gauche. Suit alors un passage pentu un peu délicat parmi quelques rochers, mais la plage de Paya est toute proche. Possibilité de manger au restaurant *Paya Tioman* (voir à Kampung Paya plus loin).

Pour aller jusqu'à Genting, emprunter le sentier qui grimpe dans la jungle, à l'extrémité sud de la plage de Paya, après le ponton. À Kampung Genting, on peut poursuivre vers Mukut, mais attention, ce dernier tronçon est souvent difficile à trouver, surtout en début de saison. Autrement, la plage de Genting est bien sympa pour se baigner. Et pourquoi ne pas faire du *snorkelling* ? La plupart des établissements proposent une virée de 3h environ. Mais dans ce cas, il faut les prévenir la veille (voir les coordonnées de l'adresse que l'on indique à Kampung Genting, plus loin). Il est ensuite facile de regagner Tekek (ou une autre plage) en bateau-taxi.

➤ **Balade vers le nord, de Tekek à Salang :** *en tout, compter 3-4h de marche. Prévoir de bonnes chaussures.* On passe successivement par Kampung Air Batang (ABC Beach), Kampung Panuba et Monkey Bay. Chemin plus difficile au-delà de Monkey Bay, mais tout à fait faisable (toujours suivre la ligne électrique). Pour les détails, se reporter aux parties consacrées à chacune des plages, plus loin. Là aussi tout dépend de la saison, car en période de mousson, la nature reprend ses droits, ce qui fait qu'en début de saison la végétation est très présente et masque en partie le sentier.

SUR LA CÔTE OUEST

KAMPUNG TEKEK

On aime bien Tekek, un vrai village, avec son école, sa mosquée, sa mairie, et, le soir, les familles qui s'entassent sur leur scooter pour déguster ce plaisir qui consiste à pétarader sur les 6 km de chaussée revêtue qui séparent l'entrée du *Berjaya Tioman Malaysia Resort* de Marine Park. Bref, une vie qui rappelle qu'on est bien en Malaisie, ce qui manque un peu sur les autres plages. Il n'est pas rare de croiser de gros varans (ce sont des cousins de ceux de Komodo, mais ils sont plus commodes) dans la rivière qui glisse le long des maisons... et des routards aussi puisqu'il y a quelques bungalows au sud du village. L'endroit est de moins en moins prisé par les touristes, malgré une plage plutôt pas mal.

Adresses et infos utiles

Prévoyez de changer votre argent avant d'arriver sur l'île, car les taux pratiqués ici sont très désavantageux.

■ **Banque BSN** *(carte, 3) :* à côté de la poste. Lun-jeu 9h-16h45 ; ven 9h-13h, 14h30-16h45. Distributeur acceptant carte *Visa* et *MasterCard*. Possibilité également de retirer de l'argent au guichet avec une carte de paiement. Service *Western Union*.

■ **Location de vélos et de motos :** *Cheers Souvenirs (carte, 4), dans un minimarket qui fait aussi bureau de tabac.* ☎ 019-976-92-85. Tlj 9h-22h. Env 5 Rm/h le vélo ; 15 Rm/h la moto. Matériel pas toujours en état.

🚤 **Bateaux-taxis** *(carte, 3) :* s'adresser aux « capitaines » qui papotent sous la petite pergola située à gauche de la passerelle quand on débarque à Tekek.

Où dormir ? Où manger ? Où boire un verre ?

De bon marché à chic (jusqu'à 300 Rm / 66,50 €)

🏠 |●| ♈ **Tioman Cabana** *(carte, 13) : sur la plage, à côté du* Coral Reef Holiday's. ☎ *013-717-66-77 (Sham)* ● *tiomancabana@gmail.com* ● *Prix moyens.* Dans une maison entièrement en bois pratiquement les pieds dans l'eau, des dortoirs de 4 lits avec ou sans clim et 2 chambres doubles ventilées. Sanitaires communs. C'est rustique, mais l'ambiance est plutôt cool même si les prix nous ont paru un peu surévalués. Côté papilles, une petite cuisine sans prétention, servie chaque soir accompagnée d'un live local (de 22h à minuit) par les gars du coin. L'endroit accueille les surfeurs en période de mousson (location de *boards* et de kayaks). Tenu par Sham, sympa comme tout et très impliqué dans la protection des coraux.

≜ I●I *Babura Resort & Restaurant* *(carte, 11) : au sud de Tekek.* ☎ *419-11-39.* ▤ *017-718-46-63 (Mike).* ● *babura-seaview.com ● Ratisse large au niveau des prix, certains frôlent le top de la catégorie Chic, petit déj compris. CB acceptée (3 % en sus).* Les chambres les plus onéreuses, dans un bâtiment en dur, offrent le meilleur confort (vue sur la mer, clim et eau chaude, frigo et cafetière) mais ne cassent pas des briques. Les moins chères occupent un long bâtiment style motel américain, elles sont propres et peut-être un peu plus agréables, quoique... *Babura* possède également un resto dont les prix sont tout à fait raisonnables, qui change souvent de proprio mais dont

l'emplacement en balcon sur la mer est idéal pour un dîner en amoureux.

≜ *Swiss Cottage (carte, 10) : à l'extrême sud de Tekek.* ☎ *419-16-42.* ● *swiss-cottage-tioman.com ● Du top de la fourchette Prix moyens à chic selon confort, petit déj compris.* Sous les cocotiers et les filaos, une quinzaine de bungalows en bois parmi les plus esthétiques de Tekek. Une petite dizaine d'entre eux possèdent la clim, les autres sont rafraîchis par la brise marine. Ventilo, moustiquaire et vue sur mer pour certains. On a bien aimé la cabane perchée dans un arbre, idéale pour se plonger dans un bouquin. Agréable coin détente où l'on sert le petit déj et où, quand le cagnard assomme, on peut siroter une petite bière. L'endroit dégage une bonne atmosphère. Accueil prévenant de Stella ou de sa belle-mère. Club de plongée et stages d'apnée. Un peu surfacturé quand même.

Clubs de plongée

■ *Tioman Dive Centre (carte, 10) : hébergé par le* Swiss Cottage. ☎ *419-12-28.* ● *tioman-dive-centre.com ●* Centre de plongée tenu par 2 Anglaises. Sérieux.

■ *Freedive Tioman (carte, 10) : hébergé par le* Swiss Cottage. ▤ *017-588-52-88 ou 011-235-80-667.* ● *info@* *freedivetioman.com ●* Géré par Katrin et Stella, un centre agréé *Apnea Total* (● *apneatotal.com ●*) qui propose de la plongée libre (en apnée) pour vous faire tutoyer les vertiges de la grande bleue. Basé sur la respiration et le yoga, un grand rendez-vous avec vous-même. Un peu chérot cependant.

À voir

⚜ *Marine Park (Selemat Datang Ke Pusat Informasi) : tt au nord de Tekek ; à 1,5 km env de l'embarcadère principal (on peut facilement y aller à vélo). En face de l'ultime jetty de la baie. En principe, tlj 8h-13h, 14h-17h (fermé ven 12h15-14h45). GRATUIT.* Expo sur les fonds marins et quelques explications sur la vie aquatique autour de Tioman. Rien de bien sensationnel, les gens du coin viennent surtout y profiter de la clim.

VERS LE SUD DE TIOMAN

KAMPUNG LALANG

≜ I●I Le *kampung Lalang* est plus connu aujourd'hui sous le nom de *Berjaya Tioman Malaysia Resort (carte, 14),* du nom de l'hôtel qui occupe tout seul cette grande plage de plus de 3 km. ☎ *419-10-00.* ● *berjaya*

hotel.com ● Transferts assurés depuis l'embarcadère. À pied, compter 30 mn pour rejoindre Tekek ; sinon, prendre un taxi. Ouv mars-oct. Chalets 550-830 Rm selon taille et situation, super petit déj-buffet inclus ; suites bien plus chères. *CB acceptées.* L'ensemble est plutôt réussi. Des bungalows, répartis sur un immense terrain en partie occupé par un golf. Le confort est au rendez-vous, quand bien même certains, de catégorie standard, mériteraient un petit coup de neuf. 2 piscines, 2 restos, un beau golf, terrains de tennis, location d'engins de plage et club de plongée, ceux qui veulent passer des vacances sans se casser la tête trouveront ici chaussure à leur pied. Pas vraiment routard, mais tellement reposant et l'un des meilleurs buffets « à volonté » de la côte est de la Malaisie... I●I *Delima Tomyan & Seafood*

Restaurant *(carte, 14) : devant l'entrée du* Berjaya Tioman Malaysia Resort. ☎ *013-980-63-99. Tlj 7h-1h du mat (la cuisine ferme à 22h). Bon marché.* Si vous pouvez vous passer d'une bière, c'est ici qu'il faut vous attabler. Dans ce resto malais, les plats locaux sont bien cuisinés : salades, ragoûts, poissons et fruits de mer au barbecue pratiquement tous les soirs. C'est bon. Pas directement sur la plage contrairement à son concurrent d'en face, qui lui, sert de l'alcool mais dont les plats ne nous pas emballés.

KAMPUNG PAYA

Sur une belle plage coupée en 2 par un grand ponton, une poignée d'hôtels plutôt chic, d'un rapport qualité-prix discutable, surtout fréquentés par des Singapouriens. L'endroit vaut bien une balade, mais guère plus. On y accède à pied à partir de Lalang ou de Genting (se reporter à la rubrique « Balades à pied » plus haut), sinon en bateau-taxi. Quelques restos et épiceries, un club de plongée.

Où manger ?

I●I *Paya Tioman (carte, 15) : petit resto situé entre le* Paya Beach Resort *et le ponton, à 150 m env en retrait de la plage, dans une clairière (emprunter le petit* boardwalk *qui enjambe les marigots).* Au menu, plats malais et chinois, ainsi qu'un accueil bien aimable. Prix très doux et excellent poulet au curry, entre autres.

KAMPUNG GENTING

Infrastructure hôtelière assez développée. On y trouve toute la gamme des prix et des services, des supérettes et clubs de plongée. Pas très sauvage. La partie de la plage au sud de la *jetty* est belle et longue, ombragée de filaos et de palmiers à huile. À l'extrême nord, un village de pêcheurs avec des baraques en bois, des hamacs et balançoires pendus aux arbres et de vieux rafiots amarrés au-delà du récif. Belle portion de plage bordée de cocotiers penchés comme autant de tours de Pise. Genting possède des hébergements de toutes catégories. La « station » est surtout fréquentée par les Chinois et les Singapouriens.

Où dormir ? Où manger ?

🏠 I●I *Idaman Beach Holiday (carte, 16) : à l'extrémité sud de la plage (partir vers la droite, une fois débarqué).* ☎ *(07) 799-18-03 (à Mering) ou 419-70-48.* ● *idaman_holiday@ hotmail.com* ● *Prix chic ; pas de petit déj.* Une petite quarantaine de chambres climatisées. Quelques-unes dans un bâtiment en dur et le reste sous forme de bungalows groupés 2 par 2. Ambiance laque glycéro, lino et ventilo, sanitaires corrects, sans plus, et pas d'eau chaude. Un peu cher tout de même, négocier ou opter pour un package complet. Gestion familiale.

KAMPUNG LANTING

Entre Genting et Nipah, l'accès se fait par la mer. Si vous choisissez ce coin, demandez au capitaine qu'il y fasse halte avant d'accoster à Genting, car l'arrêt n'est pas systématique.

Où dormir ? Où manger ?

🏠 ●|● *Japamala Resort* (carte, 17) : ☎ (03) 9212-03-72 ; résas à Kuala Lumpur : lun-ven 8h-17h ; sam 9h-18h. ☎ 419-77-77. ● japamala resorts.com ● *Accessible seulement en bateau, ouv tte l'année. Compter 750-1 000 Rm pour un chalet ; 1 550-2 700 Rm pour une villa les pieds dans l'eau selon situation et saison ; réduc en période de mousson.* Au milieu d'une végétation foisonnante qui part à l'assaut de la colline, un ensemble de chalets et maisonnettes en bois sur pilotis parfaitement intégrés à leur environnement. Ici, c'est la vie au grand air mais version luxe, dans un esprit ethno-chic où bois sombres et textiles aux couleurs vives font écho au vert émeraude de la jungle ambiante. Chez *Japamala* (partie I ou partie II, avec, en ce qui nous concerne, une petite préférence pour les chalets les plus anciennement construits), tout est superbe et l'on est chouchouté pendant tout le séjour. Piscine, spa, massages, tout y est fait, vous l'aurez compris, pour se payer une bonne tranche de vie facile. Un bar au bout d'un long ponton surplombe la mer, un moment de pur bonheur au coucher du soleil. Côté plaisirs, 2 restos, un italien et un thaï vraiment excellent. Un vrai petit coin de paradis. Idéal pour un voyage de noces, par exemple.

KAMPUNG NIPAH & MINANG COVE

On ne le nie pas, la plage de Nipah est une de nos préférées à Tioman. Le chaos d'arènes granitiques qui la ferment vers le sud a beaucoup d'allure, la mangrove et la petite rivière à l'arrière donnent du charme à l'ensemble. La tranquillité est totale et l'absence de ponton la rend difficile d'accès (on est obligé de « beacher »). Ajoutez à cela l'absence de téléphone et de connexion internet, et vous avez la plage idéale pour une robinsonnade. Pour vous y rendre, descendre du ferry ou du *speed boat* à Genting et prendre un *sea-taxi*. Aucune trace de béton pour le moment. Tant mieux ! Minang Cove, elle, est carrément paradisiaque. Une seule structure lovée au pied de 2 pains de sucre appelés Gunung Nenek Semukut, face à une plage grande comme un mouchoir de poche mais absolument adorable. Entre ces 2 plages, une tentative de destruction du paysage avec un alignement de chalets dans le pur style bungalows de chantier accolé à une autre structure *(Bagus Place Retreat),* plus *eco-friendly* mais d'un mauvais rapport qualité-prix.

Où dormir ? Où manger ?

Chic
(180-300 Rm / 40-66,50 €)

🏠 ●|● *Nipahnema* (carte, 18) : 🖥 010-781-10-36. ● nipahnema.com ● *Bas de la fourchette Chic ; repas env 15 Rm.* Une demi-douzaine de chalets ultra-basiques (ventilo, moustiquaire, eau froide) mais fort bien tenus car la patronne veille au grain. C'est le petit monde d'Hafiz et de sa femme Jana, jeune femme fondue d'écologie, descendue tout droit de son Allemagne natale. Situé un peu en retrait de la plage, un petit resto-bar qui compte peut-être parmi les plus beaux endroits du monde pour boire une bière bien fraîche. On l'aura compris, ici règne une ambiance baba-cool façon where over le reste de l'île. Pourvu que ça dure !

🏠 ●|● *Nipah Chalet* (carte, 18) : 🖥 012-957-60-01. *Bas de la fourchette chic ; repas 15 Rm.* Une poignée de petits

LA CÔTE EST DE LA MALAISIE

chalets tout ce qu'il y a de plus simple (ventilo et eau froide), posés sur le sable dont le tarif est un peu plus élevé que chez son voisin *Nipahnema*. Un lieu comme on les aime, même si c'est quand même assez destroy par endroits. Sinon, une petite paillotte de bric et de broc, les pieds dans l'eau, où l'on peut casser la croûte. Quelques hamacs sous les arbres. Que demande le peuple ?

Très chic
(plus de 300 Rm / 66,50 €)

🏠 |●| *Minang Cove Resort* (carte, **19**) : entre Nipah et Mukut. ☎ (07) 799-73-72 (à Mersing).

● *minangcove.com.my* ● ½ *pens seulement : 250-400 Rm/pers selon confort*. Un lieu vraiment extraordinaire. Plage minuscule, végétation très présente. Ambiance sereine, sauvage et très léchée à la fois. Gérées par Tony, sujet britannique et instructeur PADI à ses heures, une vingtaine de chambres et 2 villas décorées avec beaucoup de goût, lumineuses et bien pensées. C'est confortable et tout est conçu pour qu'on y reste : spa, massage et une succulente cuisine de la mer. Le coin se prête à merveille à la découverte des fonds sous-marins. Le paradis existe, nous l'avons trouvé pour vous.

KAMPUNG MUKUT

Le plus gros village du sud de Tioman, avec ses maisons en bois brinquebalantes et ses quelques bateaux de pêche au mouillage. Mukut n'est pas vraiment un lieu où les touristes résident car les endroits pour dormir ne sont pas très engageants. À voir juste pour l'atmosphère. Pendant longtemps, Mukut fut, avec Nipah, la plage où les marins venaient se ravitailler. En effet, elle offre l'avantage d'être moins escarpée que les autres. De plus, un promontoire qui surplombe la petite crique domine le sud de l'île et fournit là un poste d'observation idéal. Enfin, plusieurs sources et cascades permettaient de faire provision d'eau douce.

À voir dans les environs proches

🎋 *Mukut Waterfall (cascade de Mukut) : le départ de ce trek est situé sur une petite plage à env 15 mn de marche à l'est du village, par un chemin côtier (demander). Puis un sentier bien balisé grimpe vers la cascade. Aucune difficulté. Compter 15 mn de marche. La plupart des guesthouses de l'île proposent l'excursion. Min 5-6 pers par bateau, 2 départs/j., à 9h30 et 14h30, retour 3h plus tard.* Ces vasques naturelles sont très agréables et s'étagent sur plusieurs niveaux. Peu profond et normalement sans danger. Il est possible de s'y baigner à condition d'y aller en début de saison sèche, mais prudence tout de même. Au fond du bassin central, on nous a affirmé qu'il y avait des écrevisses ! Nous, on n'a rien vu. Attention à vos petits petons.

VERS LE NORD DE TIOMAN

KAMPUNG AIR BATANG (ABC BEACH)

Cette plage, qui s'étend sur environ 1 km, reliée désormais au Marine Park par un petit sentier bétonné, est surtout connue sous le nom d'ABC. C'est le point de chute favori des petits budgets et des *backpackers*. Autant vous prévenir tout de suite, la plage proprement dite est réduite à une fine bande de sable au sud ; quant aux 2 tiers nord, ce sont essentiellement des cailloux, et l'accès à la mer n'est pas confortable. L'arrière-plage voit une succession de bungalows reliés les uns aux autres par un sentier bétonné. L'ambiance y est bien cool, la vie coule à une cadence toute tropicale, et il y a juste ce qu'il faut de restos et de modestes bars pour s'amuser sans faire trop de bruit ; néanmoins, on y est un peu les uns sur les autres au plus fort de la saison.

Où dormir ? Où manger ?

Gros avantage d'ABC, le logement est meilleur marché que dans le reste de l'île, même si les dortoirs ont tendance à disparaître au profit de bungalows avec air conditionné. Chaque adresse ou presque possède son resto.

Bon marché (jusqu'à 100 Rm / 22 €)

🛏 *Mokhtar's Place* (carte, 20) : à côté de Nazri's Place One, env 15-20 mn de marche depuis Marine Park. 📱 019-704-82-99. • mokhtarplace@gmail.com • Petit déj optionnel, servi à partir de 8h30. Tenus par la souriante Liza, de petits bungalows doubles ou triples, sans prétention, avec salle de bains (eau froide) et ventilo, très calmes et posés au bord d'une pelouse, avec vue partielle sur la mer. Les 2 familiales possèdent même la clim. L'ensemble est bien entretenu. Un bon rapport qualité-prix et un accueil charmant.

🛏 *My Friend's Place* (carte, 20) : dans la partie sud de la plage, à côté de Mokhtar's Place. 📱 019-789-48-13. Une petite dizaine de bungalows ultra-basiques en bois, doubles ou triples mais avec l'essentiel (terrasse, ventilo, sanitaires et douche froide). La pelouse donne une impression d'espace. Également une petite épicerie. Une adresse qui fait l'unanimité auprès des routards du monde entier mais qui accuse un peu le poids des ans.

🍴🍹 *Rinda Café* (carte, 20) : face à la mer, vers le milieu de la baie. Très bon marché. Dès potron-minet, les femmes de ce tout petit resto s'activent à pétrir les *rotis canaï*. Idéales avec du miel pour un petit déj accompagné d'un café ou d'un thé. Mais faites comme les touristes malais : essayez-les à l'oignon, à la sardine, à la banane ! Bel endroit pour commencer sa journée.

De prix moyens à chic (100-300 Rm / 22-66,50 €)

🛏 *Bamboo Hill* (carte, 23) : le dernier au nord de la plage. 📞 419-13-39. 📱 019-952-43-92 (Ben) • bamboohillchalets.com • Résa vivement conseillée (6 bungalows seulement). Chic ; même prix pour 2 ou 4. Pas de petit déj. Jolis bungalows en bois accrochés à la falaise et littéralement mangés par le vert. Ils sont tous dotés d'une terrasse surplombant la mer pour admirer le coucher de soleil. Les familiales possèdent une cuisinette. Le tout rafraîchi par la brise de mer et un brasseur d'air pour découper vos rêves de clim en rondelles. Pas d'eau chaude. Une adresse au calme géré par Ben, dont la maman est anglaise.

🛏🍴 *Nazri's Place Two* (carte, 24) : vers le nord de la plage. 📞 419-13-75. 📱 019-767-74-96 (Rosi). Resto ouv le soir seulement. Bas de fourchette Prix moyens pour les basiques, chic pour les doubles avec clim. Vraiment bien entretenus, ces logements occupent un joli jardin descendant en pente douce vers la mer. Les prix font le grand écart selon la taille et le confort ; bien choisir son nid. Resto engageant agréablement surélevé pour profiter de la vue, plébiscité par ceux qui résident dans le coin. Une belle adresse.

🛏🍴 *Nazri's Place One* (carte, 20) : à l'extrémité sud de la plage. 📞 419-13-29. 📱 017-490-13-84 (Koni). Très bon marché en dortoir (4 lits seulement), Chic pour le reste des logements, petit déj compris. Devant la plus belle partie de la plage, les chambres les plus chères satisferont les personnes privilégiant le confort à l'ambiance (télé, frigo, clim, salle de bains avec eau chaude, et même un peu de pression dans la douche, c'est tout dire...). Au total, une quarantaine de chambres réparties sur 2 niveaux dans 2 bâtiments entourant un large espace vert. Les petits budgets trouveront quand même à se loger (mais sans petit déj), puisque cette adresse dispose d'un dortoir de 4 lits avec sanitaires à partager. Mais cher pour ce que c'est et dommage que l'accueil de Koni soit à ce point blasé. En revanche, bon resto (sur pilotis) et excellent spot de *snorkelling* juste devant.

LA CÔTE EST DE LA MALAISIE

Clubs de plongée

■ **B & J Diving Centre** *(carte, 22)* : ☎ 419-12-18. ● *divetioman.com* ● *Env 240 Rm/pers la formule à la journée.* Club sérieux labellisé PADI 5 étoiles qui propose une formule intéressante : 2 sorties plongée, un peu de *snorkelling,* le repas et les boissons. Petite piscine d'entraînement. Possède un autre bureau à Salang.

■ **Diveasia Tioman Island** *(carte, 21)* : ☎ 419-16-54 ou 419-50-17. ● *diveasia. com.my* ● Sérieux et compétent, ce *PADI Center* possède un autre bureau à Salang. Instructeurs français en saison.

KAMPUNG PANUBA

Jolie petite plage de 100 m de long environ et lovée au sein d'une crique bordée de rochers. On l'atteint en bateau-taxi ou en 15 mn de marche depuis Air Batang à travers la jungle (sentier bien tracé et sans difficulté). Sur place, un *resort* qui sombre dans les profondeurs en raison d'une gestion calamiteuse. On évitera d'y résider. De Kampung Panuba, en poursuivant le sentier qui longe la côte vers le nord, on accède à de petites plages sauvages (donc pas très entretenues) où il n'y a pas grand-monde puis à Monkey Bay (voir ci-dessous). Nombreux sites de *snorkelling* tout le long du parcours.

MONKEY BAY

Elle est en fait constituée de 2 criques. Depuis Kampung Panuba, on accède à la première plage en 45-50 mn de marche à travers la jungle (pas de difficulté majeure mais, bien entendu, prévoir des chaussures fermées). Si vous voulez juste paresser sur du sable blanc, profiter du calme et vous enivrer d'un parfum de paradis, inutile d'aller plus loin.

Pour atteindre la 2de crique (c'est elle qui est connue sous le nom de Monkey Bay), il faut poursuivre pendant 20-30 mn vers le nord. Le sentier débute à l'extrémité nord de la première plage. Cette 2de crique est propice au *snorkelling* : les coraux sont vivants, les poissons très divers et l'eau est peu profonde. Un véritable délice ! De Monkey Bay, on peut rejoindre Kampung Salang en 1h30 environ de marche, toujours dans la jungle. Cette partie est moins fréquentée (suivre le câble électrique). Attention aux singes chapardeurs, ne vous promenez jamais avec de la nourriture en évidence, ni même un simple emballage dans lequel de la nourriture a été stockée car les macaques ont l'odorat fin !

KAMPUNG SALANG

Située au nord de l'île, à environ 3h de marche de Kampung Air Batang (ABC Beach), Salang est une petite station balnéaire dont la plage est grande et agréable mais difficilement « baignable » à marée basse en raison de la présence de rochers. Le village en lui-même est assez fouillis. On y trouve néanmoins quelques adresses pour séjourner, mais c'est nettement moins typique que sur les plages isolées du sud de l'île.

Où dormir ? Où manger ?

De prix moyens à chic (100-300 Rm / 22-66,50 €)

🛏 **Ella's Place** *(carte, 26)* : à 10 mn à pied du débarcadère, au nord de la plage ; traverser le complexe du *Salang Beach Resort* pour y accéder. ☎ 419-50-04. *Ouv tte l'année. Entre* *bon marché et prix moyens pour les chambres ventilées, chic pour celles avec clim.* On a un petit faible pour cette adresse légèrement excentrée et donc au calme. Face à un bout de plage et entourée d'un jardinet presque coquet, bungalows (pour 2 à 3 personnes) avec terrasse, ventilo ou clim, douche froide pour tout le monde. Quelques hamacs pour se balancer entre 2 cocotiers au-dessus du sable. Une sympathique affaire familiale qui propose aussi des sorties *snorkelling* vers *Coral Island*.

🛏 *Puteri Salang Inn* (carte, 27) : *à 300 m env en retrait de la plage, de la jetty, prendre à droite jusqu'au centre de plongée Azmi, puis à gauche le petit sentier bétonné.* ☎ (07) 799-13-99 (à Mersing). 📱 013-746-01-15. *Bon marché pour les chambres ventilées, prix moyens pour celles avec clim. Pas de petit déj mais café et thé à dispo.* Les chalets en bois font presque la ronde autour d'une belle pelouse. L'endroit est en retrait de la kermesse du front de plage, et ce n'est pas plus mal pour faire une petite sieste. La plupart sont prévus pour 3 et possèdent la clim (3 seulement avec ventilo, donc moins chers). Douche à température ambiante. L'ensemble est propre, bien tenu, et les prix sont franchement raisonnables. Une adresse sans prétention qu'on aime bien. Accueil gentil.

🛏 |●| *Salang Sayang Resort* (ou *Zaid's Place ; carte, 28) : à l'extrême* sud de la plage. ☎ 419-50-20. 📱 013-740-03-18 (Chilly) ● salangsayang@ hotmail.com. ● *Ouv tte l'année. Prix moyens pour les chambres ventilées, chic pour celles climatisées. Attention, les prix augmentent nettement le w-e.* Resort situé devant la plus belle plage de la baie. Les bungalows les moins chers donnent à l'arrière sur un jardin, les plus cossus sont perchés sur les hauteurs, juste au début du sentier menant à Monkey Bay (belle vue). Les autres font la nique aux crabes le long de la plage. Tout ça serait parfait si l'entretien général n'accusait pas le poids des ans (voir plusieurs chambres avant de se décider). Mais dans l'ensemble, le rapport qualité-prix est convenable. L'adresse possède aussi un resto face à la mer.

|●| *Salang Dreams* (carte, 29) : *juste à gauche de la* jetty. ☎ 419-50-40. *Prix moyens.* Resto-bar où il fait bon traîner, boire un coup, grignoter une omelette, un pancake ou un sandwich. Bien pour les petits creux et pour les petits déj. Terrasse.

Clubs de plongée

■ *Diveasia Tioman Island* (carte, 21) : *à côté d'*Ella's Place. ☎ 419-50-17. C'est l'annexe du club qui se trouve sur ABC Beach.

■ *B & J Diving Centre* (carte, 29) : ☎ 419-55-55. C'est l'annexe du club qui se trouve sur ABC Beach. On y trouve des instructeurs français de mai à septembre.

SUR LA CÔTE EST

KAMPUNG JUARA

Très joli coin, isolé et intime. Un peu moins de monde que sur les autres plages, même si désormais une route praticable en 4x4 et en scooter relie le village de Juara à celui de Tekek. Les bateaux de ligne n'y accostent pas. Il faut donc descendre à Tekek, puis reprendre un 4x4 (compter environ 15 mn et 140 Rm pour 2 personnes l'aller simple). En prévenant à l'avance, l'établissement dans lequel vous souhaitez loger viendra vous chercher au port de Tekek. Pas grand-chose à faire ici en dehors du farniente, de la baignade et du surf en période de mousson (les plus belles vagues de Tioman).

Le *Juara Turtle Project* (☎ 419-3244 ; 📱 017-438-30-38 ; ● juaraturtleproject. com ●) est situé sur la 2e plage (prendre le petit sentier bétonné qui part sur la gauche en sortant de la *jetty*). Les responsables de l'écloserie sensibilisent sur la nécessité de protéger les tortues marines *(tlj 10h-17h, visites 2 fois/j., le mat et l'ap-m ; durée 45 mn ; tarif 10 Rm/pers).*

LA CÔTE EST DE LA MALAISIE

Où dormir ? Où manger ? Où boire un verre ?

Une dizaine d'hébergements pas chers mais souvent assez mal entretenus.

🏠 |●| 🍸 *Bushman Tioman (carte, 33) : au sud de la plage, après les* Rainbow Chalets *(y aller en longeant la mer, c'est plus rapide).* ☎ 419-31-09. ▤ 013-781-00-05. ● matbushman@hotmail.com ● *Cuisine fermée 15h-19h. De bon marché à prix moyens.* Ermitage un peu bohémo-rasta, dégageant une bonne atmosphère. Mat, le proprio, propose des cabanons climatisés, possédant une bonne literie. Tout est nickel. Au resto, quelques plats locaux, à faire passer avec une bonne bière fraîche détaxée, donc bon marché. La vie cool, quoi !

🏠 |●| *Rainbow Chalets (carte, 31) : au sud de la plage (à droite de la jetée en regardant la mer).* ☎ 419-31-40. ▤ 012-989-85-72. ● rainbow.chalets@ymail. com ● *De bon marché à prix moyens. Pas de petit déj.* Ces chalets mignonnets, plantés dans le sable, ont une allure « cabane de pêcheur » qui n'est pas pour nous déplaire. Conçus pour 2, voire 3 personnes, ils possèdent tous une salle de bains. Pratiquement tout le monde se douche à l'eau chaude et s'endort au ronronnement du climatiseur. Les budgets serrés choisiront le seul qui ne soit pas pourvu de la clim, et pour eux, ça sera eau froide et ventilo. Un bon plan routard, d'autant plus qu'il est ouvert en période de mousson et que l'accueil de Fiza, qui tient la boutique familiale, est très gentil, quand bien même on ne lui voit que les yeux.

🏠 |●| *Juara Beach Resort (carte, 32) : au nord de la plage, à gauche de la jetée en regardant la mer.* ▤ 019-710-69-91. ● juarabeachresort@ yahoo.com ● *De prix moyens à chic.* Petits « chalets suisses » en bois rouge, plantés 2 par 2 en vis-à-vis tout autour d'un petit gazon. Grands ou petits, ils offrent un confort très au-dessus de la moyenne. Planchers bois, édredons colorés, clim, TV, salle de bains avec eau chaude... Ceux qui veulent une vue, choisiront l'une des chambres dans le bâtiment en dur situé près du resto. La maison propose même des forfaits à bon prix. Quant au resto, paraît qu'on y mange bien.

DEPUIS L'ÎLE DE TIOMAN

Excursions en bateau

➤ *Excursions vers Pulau Tulai (Coral Island) : la plus prisée des excursions. Ttes les* guesthouses *la proposent. Selon le point de départ, compter env 90 Rm/ pers. Min 4 pers par bateau. En général, l'équipement de* snorkelling *est fourni. Apporter son pique-nique.* Sable aussi blanc qu'aux Seychelles et très propre, eaux d'une limpidité incroyable. *Snorkelling* extra et plongée avec bouteille de qualité (voir les textes sur nos sites de plongée). Essayer d'y aller avant tout le monde, quitte à affréter son propre bateau pour une heure ou 2, car en saison, ça embouteille fort au-dessus des coraux dès 9h30 !

➤ *Le tour de l'île : là aussi, tt le monde vend cette balade. Compter 150 Rm/ pers. Min 6-8 pers par bateau. Éviter les embarcations surchargées.* Plusieurs arrêts pour se baigner et faire du *snorkelling*. Mais la balade tourne rapidement au tape-cul, car la côte orientale de Tioman est souvent balayée par un puissant thermique. De plus, c'est entre Nipah et Mukut que l'île est la plus jolie vue de la mer, tant et si bien qu'en faire le tour n'apporte pas grand-chose de plus, finalement.

➤ *Pêche en mer : s'adresser aux gars qui chassent le touriste devant l'entrée du* Berjaya Tioman Malaysia Resort, *à* Kampung Lalang. *Compter bien 900 Rm pour un bateau à la journée selon capacité (4-10 pers), carburant compris, mais on vous conseille de négocier et ferme.* Ici, on taquine le mérou loutre *(crapou)* ou la cohana delagoa *(kerisi),* un poisson que l'on attrape aussi vers Djibouti.

LES AUTRES ÎLES : PULAU RAWA, PULAU BESAR ET PULAU SIBU

IND. TÉL. : 07

De mars à octobre, ces îles au sud-est de la péninsule sont desservies depuis Mersing (en dehors de cette période, votre hébergeur, s'il est ouvert, affrétera un bateau). On peut aussi visiter celles situées le plus près de la côte sous forme d'une excursion à la journée à partir de la *jetty* de Mersing. De nombreuses agences de Mersing la proposent, leurs bureaux se trouvent à l'embarcadère (Mersing Harbour Center). On effectue 3 arrêts sur des îles différentes pour explorer les fonds sous-marins, se promener, prendre son temps... Le prix inclut en général le prêt de palmes, masque et tuba, un guide parlant l'anglais et le déjeuner (pique-nique sur une des îles)
Les plongeurs devront s'acquitter d'une écotaxe de 200 Rm valable 7 jours. Plus une taxe de 25 Rm à régler pour la préservation du parc marin.
– Si vous êtes motorisé, le stationnement sécurisé à Mersing vous coûtera 15 Rm/j.

PULAU RAWA

Minuscule bout d'île idyllique à une quinzaine de kilomètres au large de Mersing. Cette île privée appartient à un membre de la famille royale. Elle est très appréciée par les expats de Singapour. On ne peut donc s'y rendre qu'avec une réservation. On y pratique la planche à voile, le kayak, la plongée en bouteilles (PADI) et le *snorkelling* sur le récif de corail et bien sûr, le *farniente* sur la plage de sable blanc.
➤ **Pour y aller :** depuis Mersing, bateaux du *Rawa Island Resort,* prix de la traversée incluse dans celui de la réservation. Trajet : env 20 mn en *speed boat.*

Où dormir ? Où manger ?

🏠 |●| *Rawa Island Resort :* s'adresser au Rawa Island Office à *Mersing,* sur la gauche de l'embarcadère (résa indispensable). ☎ (07) 799-12-04. ● *rawaislandresort.com* ● *Fermé fin nov-janv. Selon confort et emplacement, doubles 2 300-3 000 Rm en pens complète (obligatoire). Les tarifs chutent dès la 2e nuitée mais sont majorés en saison haute (juin-août). CB acceptées.* Une série de bungalows de grand confort, en bois, avec salle de bains privée, planchers de bois précieux, mobilier élégant disséminés dans un cadre paradisiaque. Spa luxueux. Il est strictement interdit de pique-niquer sur l'île... Vous êtes donc obligé de manger au resto, qui est au diapason du prix des chambres. Bar où déguster le cocktail local : le *rawa special.*

PULAU BESAR

Cette île à 13 km est la plus proche des côtes. Un délicieux havre de paix : 4 km de plage de sable blond et seulement quelques *resorts,* tous à proximité de la jetée. On peut y admirer les seuls coraux phosphorescents (*blue sands*) de l'archipel. En plus de la plongée, on y pratique le vélo, le kayak de mer et le trek dans la jungle vers les mangroves.... On peut aussi visiter le petit village malais. À l'instar de Koh Lanta en Thaïlande, Pulau Besar a été le théâtre de jeux TV de survie (genre Robinson Crusoé en maillot de bain).
➤ **Pour y aller :** 1 bateau/j. depuis Mersing. Compter 100 Rm/pers l'A/R. Trajet : env 20-30 mn. Sinon affréter un bateau pour Besar coûte env 450-500 Rm (capacité 10 pers).

LA CÔTE EST DE LA MALAISIE

Où dormir ? Où manger ?

Aseania Resort : ☎ 799-41-52. ● aseaniapulaubesar.com ● *Dispose d'un bureau à l'embarcadère de Mersing. Bungalows indépendants, avec AC et eau chaude, 550-600 Rm/pers selon confort et vue, petit déj et traversée compris. Lunch et dîner-buffet. Sur Internet, nombreuses promos de dernière minute, parfois jusqu'à 50 % du prix affiché (résa en ligne possible sur leur site).* Bungalows en bois répartis dans un grand jardin, confort sommaire mais suffisant. Vue sur le large pour les plus chères. Quelques coupures de courant (annoncées) dans la journée.

Piscine pour ceux qui se lasseraient de la mer. Très bon entretien et personnel indien adorable.

D'Coconut Resort : ☎ *(03) 4252-66-86 (résas à Kuala Lumpur). ● dcoconut.com ● Dispose d'un kiosque à Mersing. Bungalows 270-340 Rm pour 2 selon confort ; petit déj compris.* Établissement disposant d'une piscine au milieu du domaine, mais un peu moins intimiste que le premier en ce qui concerne la répartition des chambres de la *longhouse*. Quelques problèmes d'entretien, aussi.

PULAU SIBU

Petite île paradisiaque encore à l'état presque vierge, en forme d'os, avec 6 km de large sur 1 km de long à une quarantaine de kilomètres au sud de Mersing. Sable doré à perte de vue. Au large, vous apercevrez peut-être les *kelongs*, des sortes de plates-formes sur lesquelles les pêcheurs déchargent les crevettes et cuisent les anchois. Toutes les activités balnéaires citées plus haut sont également organisées à Pulau Sibu, mais en plus, on y pratique la voile, le *kitesurf* et la pêche. Observation (de loin) de la ponte des tortues sur la plage en juillet.

➤ **Pour y aller :** les bateaux pour Pulau Sibu partent du petit port de Tanjung Leman, situé à 45 km au sud de Mersing. Pas de ligne régulière, se renseigner auprès des établissements de l'île qui assureront le transfert aller (30 mn de traversée). Compter env 70 Rm/pers pour le retour. Pour se rendre à Tanjung Leman depuis Mersing, prendre un bus pour Johor Bahru et descendre à Tengaru. Ensuite, poursuivre en taxi. Mais si on ne veut pas s'embêter, prendre un taxi à Mersing.

Où dormir ? Où manger ?

Hébergements chers. Certains ne fonctionnent qu'en pension complète. Une jungle sépare les 2 hôtels, une belle balade d'une vingtaine de minutes.

Sea Gypsy Village : *dans le nord de l'île.* ☎ *(07) 222-86-42 pour les résas (lun-ven 9h30-17h). ● siburesort.com ● Compter env 270 Rm/pers en pens complète sur la base d'une double dans un chalet standard avec sdb.* Bungalows spacieux et très propres dans la végétation avec une vaste plage. Accueil gentil et attentionné. Resto correct, bar. Piscine, base de plongée et massages.

Rimba Resort : *à l'extrême nord de l'île.* ☎ *012-710-68-55. ● resortmalaysia.com ● Ouv du Nouvel An chinois à fin nov. 280 Rm/pers en pens complète sur la base d'une double dans un chalet standard. Kampung* typique dans la jungle ; une vingtaine de *cottages* sur pilotis, spa et bar sympa. *English breakfast* et cuisine maison délicieux. Le tout à l'abri des palmiers, avec vue imprenable sur le lagon... L'accueil y est particulièrement agréable. Mais attention, la plage n'est pas accessible, il faut aller sur la plage du *Sea Gypsy Village* pour se baigner.

JOHOR BAHRU   800 000 hab.   IND. TÉL. : 07

Qui se souvient encore que Johor Bahru abritait jadis le foyer de la culture malaise classique ? Aujourd'hui, la capitale de l'État de Johor, ville-frontière aux portes de Singapour, est une grosse agglomération moderne et sans charme, une sorte de banlieue de Singapour en somme. Pour la plupart des voyageurs, la ville n'est qu'un simple carrefour routier, une étape où l'on ne s'attarde guère. Il faut dire que le centre est peu attrayant, même si, à l'ouest, dominant le bras de mer, s'étendent des quartiers plus aérés et verdoyants, avec quelques bâtiments, qui rapellent l'époque coloniale.

> ### *LIBERICA*, LE CAFÉ DE L'OPIUM
>
> *Peu le savent, mais la Malaisie produit une variété de café unique, le liberica, surnommé « elephant beans » à cause de la grosseur de ses grains. Cultivé dans l'État de Johor, il ne représente que 0,01 % de la production mondiale. Mais le plus surprenant, c'est qu'il est torréfié avec les ingrédients suivants : beurre ou margarine, sucre, sésame, maïs doux ou blé, et même parfois du sel ! Pourquoi ? Pour permettre à ceux qui avaient perdu le goût à cause de l'opium d'avoir encore quelques sensations gustatives.*

En semaine, ce sont des dizaines de milliers de Malaisiens qui franchissent la frontière pour aller travailler dans la prospère cité-État. Le week-end, c'est l'inverse : les Singapouriens déferlent alors sur les centres commerciaux locaux (embouteillages garantis). Si vous êtes avec des enfants, on y trouve aussi 2 parcs d'attractions : Legoland et le parc de Hello Kitty !

Arriver – Quitter

En bus

La gare routière est celle de *Larkin,* à 5 km au nord, pour le centre de Singapour et toutes les liaisons nationales. 2e option pour ceux qui vont à Singapour ou en reviennent : prendre le bus (ou en descendre) à la douane malaisienne, située au centre-ville. De nombreuses agences de Singapour proposent des bus directs pour les villes de Malaisie ce qui n'exclut pas les formalités de passage à la frontière, évidemment. Plus cher, mais plus pratique que de transiter par l'une des gares routières de Johor Bahru.

▭ *Larkin Bus Terminal :* Jln Garuda, à 5 km au nord-ouest du centre. ☎ 223-50-17. De nombreux bus locaux indiquant Larkin s'y rendent depuis City Square, au centre-ville.

Sur place : petit kiosque d'informations, bureaux des compagnies de bus, change, distributeur et petite restauration. Les bus longue distance se trouvent au fond du terminal. Ttes les infos sur ● *expressbusmalaysia.com* ●
➤ *De/vers Singapour :* bus env ttes les 15 mn à 1h, 24h/24. Le bus nº 170 (plaque rouge), part même ttes les 10-20 mn 5h20 (5h30 w-e)-0h30 pour Queen Street, à côté de Bugis MRT à Singapour. Autre option avec *Causeway Link* ● *causewaylink.com.my* ●, ttes les 15-30 mn 4h30-23h. Durée : env 1h.
Attention, au passage de la frontière, prenez bien vos bagages avec vous : les bus n'attendent pas et on prend le prochain qui passe... C'est prévu comme ça. N'oubliez pas avec quelle compagnie vous voyagez, ce n'est pas toujours inscrit sur le ticket !

> ➤ *De/vers Mersing :* 4 bus/j. avec *Causeway Link* (☎ 360-22-44 ; ● *causewaylink.com.my* ●), et 2 bus (mat, ap-m) avec *SnS International* ● *ssinternational.com.my* ●. Durée : 2h30.

> ➤ *De/vers Malacca :* 6 bus /j., 10h30-20h30 avec *Causeway Link ;* bus ttes les 2h env, tlj 8h-20h, avec *Jebat Ekspress, Mayang Sari Express* ● *mayangsariexpress.com.my* ● ou encore 7 bus/j. avec *Delima Express* et ttes les 30 mn (7h30-21h) avec *KKKL* ● *kkkl.com.my* ●. Durée : 2h30.

> ➤ *De/vers Kuala Lumpur :* départs 24h/24, en moyenne ttes les heures, avec quasiment ttes les compagnies présentes au terminal... Durée : env 4h.

> ➤ *De/vers Butterworth (Penang) :* 4 bus/j. dont 3 en soirée avec *Super Nice Grassland*, 2 bus/j., mat et soir, avec *KKKL, Star Qistna, Shamisha Express* et 1 seul bus en soirée avec *Konsortium, Cepat Express* et *Sri Maju.*

En taxi collectif

On en trouve sur le côté du *Larkin Bus Terminal.* Les taxis locaux sont rouges, les *long distance* sont bleus. Tarifs affichés mais parfois pas très à jour (valables pour 3 personnes et négociables).

En train

🚆 *J.B. Sentral :* la gare, située au centre-ville, entre *Jln Tun Abdul Razak* et *Jln Jim Quee, est reliée d'un côté au centre commercial* City Square *et de l'autre à la douane malaisienne.* ☎ 223-47-27 ou 1-300-88-5862. ● *ktmb.com.my* ●

> ➤ *De/vers Singapour :* env 10-12 trains/j. pour Woodlands. Trajet : 5 mn. Pas cher et permet d'éviter les embouteillages du Causeway le week-end, mais il faut ensuite prendre le bus puis le métro pour rejoindre le centre de Singapour...

> ➤ *De/vers Kuala Lumpur et la côte ouest :* en principe, 3 trains/j., avec changement à Gemas. Trajet : env 6h30.

> ➤ *Pour Jerantut et Kuala Lipis :* 1 départ/j. Trajet : env 10h. Les bus sont nettement plus rapides....

En ferry pour l'Indonésie

> ➤ Environ 5-6 liaisons/j. *pour Tanjung Pinang* et une dizaine pour *Batam,* sur l'archipel de Riau au sud de Singapour, face à Sumatra. Compter environ 2h de trajet. De là, il faut reprendre un ferry. C'est long, compliqué, mais c'est toujours moins cher que l'avion. Embarquement au *Johor Bahru International Ferry Terminal (JBIFT),* au sud-est de la ville au bout de la Jalan Ibrahim Sultan. Infos auprès de la compagnie *Tenggara Senandung Sdn Bhd* (☎ 221-16-77).

En avion

✈ *Aéroport Sultan Ismail (Senai Airport) :* il est situé à 30 km au nord-ouest de Johor Bahru, ☎ 599-45-00. ● *senaiairport.com* ● Sur place : banque, distributeurs et bureau de change, consigne en libre service (casiers) et comptoirs de compagnies de location de voitures *(Hertz, Orix, Delta...).* Pour rejoindre Johor Bahru, bus *Causeway Link* (● *causewaylink.com.my* ●) n° 333, trajet en 45 mn ttes les 1-2h env 6h10-23h45 pour la gare routière de *Larkin.* Compter 8 Rm. Changement pour poursuivre vers Singapour. En taxi (comptoir à la sortie de l'aéroport pour acheter son coupon), compter 40-50 Rm.

> ➤ *Pour Kuala Lumpur :* 3 vols/j. avec *Malaysia Airlines* pour le KLIA, 9 vols/j. pour l'aéroport de Subang avec *Firefly* et 2 vols/j. avec *Air Asia* (mat ou soir très tard) vers le *LCCT.*

> ➤ *Pour Penang :* 4 vols directs/j. avec *Air Asia,* mat et soir.

> ➤ Liaisons internationales avec *Bangkok, Hô Chi Minh Vile, Surabaya, Guangzhou* et *Kuching.*

En voiture de location

Attention aux panneaux peu clairs. Demandez votre direction avant de sortir de la ville, car on se trompe facilement de sortie. Si vous avez décidé de faire une petite virée à Singapour, sachez que, en principe, c'est interdit avec une voiture de location prise en Malaisie !

LA CÔTE EST DE LA MALAISIE

Adresses et infos utiles

Infos touristiques

🅸 *Tourism Malaysia :* dans le JOTIC (Johore Tourist Information Centre) au niveau 3, Jln Ayer Molek. ☎ 222-35-90. ● tourismmalaysia.com.my ● Lun-jeu 8h-13h, 14h-17h ; ven 8h-12h15, 14h45-17h. Pas mal d'informations sur l'État de Johor, mais pas de plan un peu détaillé de la ville... *Autres bureaux juste après la douane en arrivant de Singapour (tlj 9h-18h) et à la gare ferroviaire (mêmes horaires, mais pas très efficace).*
🅸 *Johor Bahru Visitor Centre :* suite 5-4, dans le JOTIC au niveau 3. ☎ 223-49-35 ou 224-99-60. ● tourismjohor.

com ● *Tlj sauf dim 8h-16h30 (12h30 sam).* Infos sur la ville.

Argent, change

◼ Quelques *money changers* sur Jalan Meldrum, là où se trouvent les hôtels, mais le taux n'est pas extraordinaire. Mieux vaut changer à la gare ferroviaire, où l'on arrive en sortant de la douane (comparez, certains sont meilleurs).
◼ *Maybank :* au pied du City Square Complex, face au Citrus Hotel. Change et distributeur automatique.

Où dormir ?

Johor Bahru n'est pas une ville où l'on séjourne. N'y dormir que si vous n'avez pas d'autre solution, d'autant que l'hôtellerie est de qualité moyenne. De nombreux hôtels se trouvent sur *Jalan Meldrum*, en plein centre, dans le seul coin à taille humaine, à 2-3 pas de la gare routière *Kotaraya II* et de la gare ferroviaire.

Prix moyens
(100-180 Rm / 22-40 €)

🛏 *Hotel Ciq :* 54, Jln Lumba Kuda. ☎ 222-22-21. ● ciqhotel.com.my ● À 10 mn à pied de la douane, mais un peu difficile d'y accéder à pied en raison

de la voie de chemin de fer vers Singapour. Planqué dans un coin tranquille, derrière la gare, cet hôtel à la façade bigarrée dispose d'une poignée de petites chambres colorées, avec salle de bains, et équipement complet. Certaines n'ont pas de fenêtre, demandez donc à voir avant. La seule difficulté sera d'arriver jusque-là, alors prenez plutôt un taxi ! Nombreux restos en face.

🛏 *Hotel Hanya Satu :* 29, Jln Meldrum. ☎ 228-81-11. Très central, à 2 pas de la gare, cet hôtel dispose de chambres très propres avec salle de bains, AC et TV. En demander une avec fenêtre. Eau chaude et froide disponible à chaque étage. Bon accueil.

Où manger ?

De bon marché
à prix moyens
(20-50 Rm / 4,50-11 €)

🍴 ↑ *Madina Corner :* 12 Jln Meldrum, à l'angle de Jln Siaw Nam, face au New Boutique Hotel. *Ouv 24h/24.* La grande salle couverte de céramiques blanches est fréquentée par toutes les communautés dans une ambiance conviviale. On choisit son plat parmi ceux qui sont proposés au comptoir.

Cuisine malaise traditionnelle (épicée donc, à part l'excellent poulet grillé). Spécialité de *fish head curry.*
🍴 Dans la même rue, quelques autres restos populaires avec de grandes salles ouvertes sur l'extérieur, qui servent des *noodles* aux crevettes, du *chicken* ou du *duck rice* bon marché.
🍴 *Let's Eat Old Street :* 56 Jln Tan Hiok Nee. *Tlj 9h-19h.* ☎ 220-05-30. Au cœur d'une rue dévolue au commerce chinois avec quelques anciennes *shop-houses.* Belle maison de coin avec

balcon. Décor plaisant et chaleureux, avec une touche de passé colonial : sol carrelé, papier peint imitant le bambou tressé, étagères pleines de vases de porcelaine, antique coffre-fort, radio d'avant-guerre... Petite carte mêlant les soupes, les *noodles,* les plats malais et végétariens avec des baguettes de pain et des toasts garnis. Essayez le jus de lychee glacé. Copieux et frais. 3 autres adresses en ville.

I●I *Seafood Stalls :* *sur Jln Abu Bakar, qui longe la côte, entre la mosquée Sultan Abu Bakar et l'hôpital, sur l'avenue mais c'est un peu loin à pied.* Quelques restos spécialisés dans les poissons et fruits de mer.

I●I *Anjung Warisan :* *Jln Petri, JKR 296. Au nord-ouest du centre, dans un quartier verdoyant un peu excentré (Bukit Kesanangan), à rejoindre en taxi.* ☎ 222-10-99. *Tlj sauf sam 18h-1h.* Resto composé d'un ensemble de terrasses et plates-formes en bois reliées par des passerelles et accrochées aux troncs et aux branches des arbres. On mange dans les feuillages, assis au sol et on se prend pour un écureuil malaisien... à condition d'avoir réservé, sinon, retour à terre ! Les enfants vont adorer le lieu. Savoureuse cuisine locale. Joueurs d'*angklung* (une sorte de hochet en bambou) à partir de 21h.

À voir. À faire

🗡 *Downtown (centre-ville) :* un ensemble de bric et de broc assez chaotique, séparé en 2 parties de part et d'autre de la ligne de chemin de fer. Difficile de trouver un charme à cette ville, mais elle a gardé néanmoins un peu de cette humanité brouillonne qui manque désormais à sa trop nette voisine du sud. Les centres commerciaux et les nouveaux buildings enserrent une poignée de temples anciens, sikh ici, hindou là, comme en plein centre, le *Arulmigu Rajamariammam Devasthnam Temple* (*1 A, Jln Ungku Puan*). Ce dernier, construit en 1911 dans le style dravidien du sud de l'Inde, est planté comme une pièce montée garnie d'une multitude de statues colorées. Il s'ouvre sur une porte massive d'où grimpe un escalier vers le cœur du temple sous le *gopuram* ! Selon une croyance locale, chaque clochette appellerait un esprit différent. À l'ouverture et à la fermeture des portes, les esprits seraient donc conviés ou congédiés. *Dress code* rigoureux, mais photos autorisées.

🗡🗡 *Arulmigu Sri Rajakaliamman Glass Temple :* *entre Jln Tun Abdul Razak et la voie de chemin de fer. Pas facile à trouver : prendre Lebuhraya/Tebrau Highway vers l'est près de la tour du* Tropical Inn, *puis descendre les escaliers à gauche, 200 m plus loin (on peut aussi passer sous l'échangeur !). Tlj 6h-12h, 18h-22h. Entrée : 10 Rm ; photos : 3 Rm.* Vous ne nous croiriez pas si on vous disait qu'il s'agit d'un des plus vieux temples hindous de la région (1922)... Entièrement couvert de 300 000 pièces de verre coloré, ce petit temple scintille de toutes parts, extérieur comme intérieur mais où les néons n'avantagent pas l'éclairage.

🗡 *Sultan Ibrahim Bangunan :* *Jln Ayer Molek, juste à côté du* JOTIC. *Repérer la haute tour qui domine la ville.* ☎ 223-73-44. *Lun-ven 8h-16h30. Courtes visites sur demande auprès du personnel.* Secrétariat d'État à l'époque coloniale, ce bâtiment à l'allure martiale (1940), dressé sur une colline, fut utilisé comme poste de commandement par les Japonais pour préparer l'invasion de Singapour durant la Seconde Guerre mondiale.

🗡🗡 *Istana Besar et Istana Gardens :* *le palais du sultan se dresse, tout blanc, à l'ouest du centre, au milieu de 53 ha de jardins.* ☎ 223-05-55. *Tlj sauf ven 8h-17h (vente des billets jusqu'à 16h). Musée : 15 Rm ; réduc. Jardins gratuits.* Les travaux de construction furent achevés en 1866, juste avant la première visite du sultan Abu Bakar en Europe. Il expose une collection d'antiquités asiatiques, ainsi qu'un riche mobilier de style victorien commandé en Angleterre par Sa Majesté, que l'on découvre en arpentant un superbe parquet lustré. Également des bibelots plus anecdotiques et une salle des trophées avec des pièces insolites, comme cette patte d'éléphant transformée en porte-parapluie... Aujourd'hui, le palais sert simplement de décor aux réunions officielles et aux cérémonies d'État. Les habitants de Johor Bahru viennent faire leur jogging dans les jardins, le matin, parmi les orchidées et les jardins japonais.

🍴 ⚜ *Jaro Handicraft Factory* : *Jln Sungai Cat.* ☎ 224-56-32. *Près du* Hyatt Regency Hotel. *Lun-sam 8h30-17h (13h sam).* Cette fabrique d'artisanat emploie des personnes handicapées. Vous pouvez parfois assister à l'assemblage de meubles selon des techniques ancestrales. On peut y acheter de la vannerie, des vases, des plats, quelques vêtements, des trousses de toilette, des sacs, ou encore des cahiers reliés à la main, très bien faits.

🍴 *La mosquée du sultan Abu Bakar* : *Jln Abu Bakar, face au détroit.* Construite dans un style victorien de 1892 à 1900 elle est perchée au sommet d'une colline dominant le détroit. Elle peut accueillir jusqu'à 2 000 fidèles. Les non-musulmans peuvent en principe y accéder à condition d'être habillé d'un sarong et de se couvrir les épaules. Bien aussi pour profiter de la vue.

🍴 *Bukit Serene* : *Jln Skudai, en allant vers le nord-ouest.* Facilement repérable grâce à sa tour haute de 32 m. Construit en 1938, il abrite la résidence de l'actuel sultan de Johor, donc pas de visite autorisée (on l'admire de l'extérieur !).

🍴🍴 *Danga Bay* : *Batu 4 ½, Jln Skudai.* ☎ 235-23-33. ● *dangabay.com* ● *Taxi : env 5 Rm.* Où peut-on vivre, travailler, manger, se détendre, s'amuser ? À Danga Bay ! Une ville dans la ville, en somme. À 8 km à l'ouest du centre, de gigantesques aménagements du front de mer ont complètement transformé cet espace qui fait face au détroit de Johore. D'ici à 2035 devrait surgir ici l'*Iskandar Integrated Waterfront City,* avec marina, terminal pour bateaux de croisière, hôtels et gratte-ciel... Promenade pédestre sur 2 km. En attendant, familles en goguette, jeunesse dorée, touristes et jeunes cadres de passage se retrouvent attablés aux bars à jus de fruits, devant une pizza ou un plat chinois. Bureaux, incroyables villas, parc de jeux, musiques qui se succèdent au fil de vos pas, embarcadère, centre commercial... Dans la gamme chic et cher, on trouve de tout et pour tous les goûts.

MALAISIE : HOMMES, CULTURE, ENVIRONNEMENT

BOISSONS

– **Eau :** l'eau du robinet est potable dans la majorité des grandes villes, sinon, on trouve partout de l'eau en bouteille pour pas cher.

– **Eau chaude, eau froide :** ne soyez pas surpris de voir arriver un verre d'eau chaude sur la table du resto si vous n'avez pas précisé que vous vouliez de l'eau froide *(air sejuk)*, c'est une habitude assez répandue dans le pays !

– Délicieux **jus de fruits frais** partout dans le pays : sur les marchés, dans les *foodstalls,* dans les quartiers animés. En général, les Malaisiens boivent leur jus d'orange assez sucré. Les puristes le demanderont sans sucre (se dit *ta gula* en malaisien) ou avec moins de sucre *(kurang manis,* soit moins sucré). Goûter, entre autres, le *guava juice* (jus de goyave), le jus d'ananas, etc. Laissez-vous aussi tenter par l'eau de coco *(air kelapa).* On voit, au bord des routes ou sur les marchés, des broyeurs de canne à sucre. Essayez, c'est très énergisant ! Enfin, même si le lait n'est pas du jus et que le soja n'est pas un fruit, on peut aussi goûter au lait de soja *(soya milk),* nourrissant...

– **Le thé** est très consommé en Malaisie, notamment grâce aux plantations dans les Cameron Highlands, héritage de la colonisation britannique. Il est souvent servi sucré avec du lait concentré, à la mode indienne. Pour un thé nature sans sucre, dites : *teh-o kosong,* ou simplement *teh-o* si vous l'aimez sucré... *Teh tarik* signifie littéralement « thé étiré », soit le fait de faire passer le thé, le sucre et le lait chaud d'un récipient à un autre pour l'aérer. Enfin, il n'y a pas plus rafraîchissant qu'un *ais limau teh* (ou *ice lemon tea*), le thé glacé au citron, ou encore l'*ais teh,* le thé au lait servi avec de la glace pilée, un vrai bonheur après une balade torride !

– **Le café :** rarement génial au petit déj-buffet des hôtels, mais on trouve désormais aussi du café à la machine, comme chez nous, dans un nombre croissant (ah ! ah !) de cafés-bars-restos à l'occidentale (dans les grandes villes ou les spots touristiques).

KOPI CONFORME

D'un bout à l'autre de la Malaisie, les kopitiams servent un bon café local. Le mot même est un vrai produit du métissage, rassemblant le kopi (café) malais et le tiam (boutique) hokkien (une minorité du sud de la Chine).

– **La bière :** les plus répandues sont la *Tiger* (née à Singapour en 1932), l'*Angkor* (d'origine cambodgienne) ou encore la *Carlsberg* (brassée dans le pays sous licence). Elles sont servies en petite ou grande bouteille (de 640 ml). Pas trop difficile à trouver dans les restaurants, même si peu d'établissements bon marché en proposent. N'en attendez pas non plus dans les restos indiens ou musulmans. Dans les restos un peu chics, on trouve aussi du *vin,* assez cher cependant.

– Dans les principaux Chinatowns du pays, on peut goûter les différentes **infusions d'herbes chinoises,** qui ne sont donc pas à base de thé, même si on les appelle souvent *chinese herbal tea*. On leur prête souvent des vertus médicinales.

– Outre les différents thés, quelques **boissons locales particulières** offrent des goûts et des mélanges assez surprenants. Essayez le *barley,* souvent phonétiquement simplifié en *bali water,* boisson chinoise blanchâtre à base d'orge, quasiment notre sirop d'orgeat. Plus typique encore, le *kat chai suen mui,* de couleur verte ou jaune, à base de citronnade ou de citrons verts pressés (c'est meilleur), boisson dans laquelle on laisse mariner... une prune amère séchée, qui a parfois même un petit goût salé. Spécial !

– Bien sûr, les **sodas** sont omniprésents...

ALCOOL : TOLÉRANCE ZÉRO

La justice malaisienne condamne à 6 coups de fouet et à 1 an de prison tout musulman surpris à boire de l'alcool. Ici, on ne rigole pas ! Cette punition ne s'applique pas aux non-Malaisiens.

CUISINE

C'est la bonne nouvelle, on y mange aussi bien malais que chinois ou indien, voire thaïlandais, japonais et indonésien. Au quotidien, on retrouve cependant bien souvent les mêmes aliments de base : riz *(nasi)* et nouilles *(mee)* sont présents dans chaque plat ; poulet, bœuf ou mouton sont les principales viandes (*mutton* désigne souvent la chèvre) ; le poisson, les crustacés (crevettes) ou les fruits de mer sont abondants sur les côtes.

Les épices (cannelle, gingembre, clou de girofle, muscade, poivre, etc.), qui ont fait la gloire de la région, relèvent le goût de toute préparation, souvent additionnées de lait de coco. Les plats très pimentés sont fréquemment accompagnés de concombres pour en atténuer le feu. À noter : *goreng* signifie « frit ». Le *nasi goreng,* par exemple, correspond au riz frit !

Avant de vous mettre à table, sachez que, si les Chinois mangent avec des baguettes, les Malais et les Indiens mangent plutôt avec leur main droite, sans couverts. Certains utilisent la fourchette et la cuillère au restaurant. Si vous êtes invité, un repas malais traditionnel commence toujours par une pincée de sel offerte par le plus jeune des enfants, que l'on place sur le bout de la langue afin de se rafraîchir la bouche. Et lors d'un mariage musulman, à la place des dragées, on offre aux invités un œuf dans un coquetier décoré, symbole de fertilité.

Les *foodstalls* et les *hawkers*

Ce sont des gargotes et stands de rue (*stalls*), souvent regroupés à un endroit donné. Ils font surtout dans la cuisine malaise et chinoise, préparée devant le chaland, qui prend place aux quelques tables posées sur le trottoir. Particularité : c'est souvent délicieux et généralement (très) bon marché. Ce n'est pas pour rien d'ailleurs qu'ils connaissent un tel succès ! L'hygiène et la fraîcheur des produits sont également au rendez-vous. Bref, aucune raison de se priver de cette expérience, d'autant que c'est ici aussi que vous saisirez le mieux l'âme du pays...

Cuisine malaise

Très souvent épicée, la cuisine malaise fait largement appel au *sambal,* une pâte de piment, crevette et citron vert. Elle a en commun un certain nombre de plats avec la cuisine indonésienne.

– **Satay :** brochettes de viande (bœuf ou poulet) marinées dans une délicieuse préparation à base d'épices et de cacahuètes avant d'être grillées au barbecue. Un régal. En quelque sorte, le plat national malais, disponible à un prix dérisoire sur tous les marchés (heureusement, car on en mange une dizaine sans difficulté !). On trouve aussi des *satay* de poisson, de chèvre ou même de tofu.

– **Nasi goreng :** riz frit accompagné de viande et de légumes.

– **Mee goreng :** même plat à base de nouilles.

– **Ayam goreng :** poulet frit.

– **Rendang :** bœuf aux épices mijoté longtemps, ce qui le rend particulièrement tendre. Un vrai délice quand il est bien préparé !

– **Nasi lemak :** riz cuit dans du lait de coco, relevé de gingembre, anis étoilé et cannelle, servi pour le petit déj dans une feuille de bananier, avec une sauce pimentée, des concombres, des anchois secs et des cacahuètes grillées. Un œuf est souvent ajouté sur le dessus. Les affamés lui adjoignent viande *(rendang)* ou fruits de mer.

LA MER EST HALAL, MAIS PAS SI SIMPLE

Les Malais, de religion musulmane, raffolent du poisson et des fruits de mer. Ça tombe bien, car le prophète a dit, en parlant de la mer : « Son eau est pure et ses cadavres sont licites ». Ses ressources sont donc halal. En pratique, cela dit, les Malais consomment rarement des coquillages, car mangeant avec trois doigts de la main droite, comme le veut la tradition, il leur est difficile d'ouvrir lesdites bestioles, par exemple...

– **Nasi padang :** un plat populaire d'origine indonésienne. Encore du riz vapeur, servi au choix avec viande ou poisson, frits, grillés ou en sauce (curry) et accompagnés de légumes marinés. Très copieux.

– **Soupes :** *sup kambing* à base d'agneau, *sup ayam* à base de poulet et *sup ekor* à base de queue de bœuf. Apport de la Thaïlande voisine, la soupe *tom yam* (à la citronnelle et avec plein de bonnes choses dedans comme des feuilles de kaffir, du galanga et du piment) est vraiment excellente... mais appelez tout de suite les pompiers, c'est sévère !

Cuisine indienne

Pourtant bien moins nombreux que les Chinois, les Indiens de Malaisie (certains sont musulmans, ou *mamak*, mais la plupart sont hindous) ont réussi à imposer leurs restaurants dans toutes les villes du pays et sont la plupart du temps ouverts 24h/24. Ils sont souvent appelés *banana leaf*, car on y mange sur des feuilles de bananier, avec les doigts. D'une manière générale, évitez de vous servir de la main gauche, considérée comme impure puisqu'elle sert à la toilette intime... Si vous supportez les plats (très) épicés, les gargotes indiennes ont l'avantage de proposer une cuisine souvent excellente, à la fois copieuse et très bon marché. Et si vous avez le palais délicat, vous pourrez vous rabattre sur les différents pains *(naan, chapati)* et crêpes *(dhosai, roti)* sans accompagnement ou encore sur la *raïta* (le yaourt au concombre), faite spécialement pour éteindre l'incendie du piment.

Quelques plats indiens courants en Malaisie

– **Murtabak :** un plat plus spécifiquement *mamak*, sorte de grosse galette à la viande (mouton), aux œufs et aux oignons, particulièrement épicée, avec coriandre, gingembre, piment, ail... Bon et copieux.

– **Roti canai** (prononcer « tchanaile ») **:** crêpe frite dégustée avec tout ce qu'on veut ou tout simplement du sucre ou du miel, la plupart du temps pour le petit déj. Très populaire. Variante : le *roti telor*, fourré aux œufs, ou l'incontournable *roti pisang*, pour les palais européens.

– **Tandoori :** incontournable, il s'agit de viande marinée dans du yaourt épicé (généralement du poulet, qui prend une teinte rouge) et cuite dans un *tandoor*, un four en terre cuite à demi enfoui dans le sol.

– **Nasi biryani** (ou *briyani*) **:** riz au safran (souvent remplacé par du curcuma), généralement servi avec un curry de poulet ou de mouton marinés dans une pâte d'épices.

– *Nasi kandar :* un plat de... riz, plus spécifiquement attaché à Penang, accompagné d'un éventail de currys d'origine indienne. Délicieux et bon marché mais, une fois encore, très relevé.

Cuisine chinoise

Les restos chinois sont à ce point omniprésents en Malaisie (surtout sur la côte ouest) qu'on a parfois l'impression d'être en... Chine. Dans les vrais « restos », on mange à de grandes tablées familiales, autour de tables rondes et de plateaux tournants pour que chacun puisse goûter à tous les plats. On trouve des spécialités de (presque) toutes les régions chinoises : cuisines cantonaise, hainanaise, hakka, hokkien, teochew ou de Shanghai. Dans les *foodstalls* populaires, on mange généralement des soupes et toutes sortes de nouilles agrémentées de légumes et de viande. Bonne nouvelle pour les allergiques au piment : peu d'épices ici !

Certaines spécialités

– *Wan tan mee :* plat d'origine cantonaise mêlant nouilles, soja, légumes, viande de porc fumée tranchée et crevettes.
– *Char kway teow* (prononcer « koué tio ») *:* nouilles de riz plates, frites avec des fruits de mer (coquillages ou crevettes), des œufs, des pousses de soja et une sorte de ciboulette chinoise. Plat d'origine teochow (sud de la Chine).
– *Bak kuh teh :* littéralement « viande-os-thé ». Bouillon composé d'herbes et d'épices, le plus souvent avec ail, clous de girofle, cannelle, anis étoilé, graines de fenouil, etc. Dedans surnagent quelques côtes de porc, à déguster avec la main ! Le thé était autrefois servi à côté, bien sûr.
– *Popiah :* sorte de rouleau de printemps sucré-salé rempli de bonnes choses. Servi souvent frit, mais plus léger à la vapeur.
– *Dim sum :* ce mot désigne un ensemble de petites bouchées traditionnellement servies pour le petit déjeuner *(yum cha),* la plupart cuites à la vapeur. Il peut s'agir aussi de petits pâtés à la viande ou aux fruits de mer, de bouchées farcies, de sortes de raviolis, mais également de quelques petits plats frits. Le tout est présenté dans une jolie petite boîte ronde et servi sur un chariot roulant. Les *dim sum* se dégustent avec différentes sauces, comme la *Hoisin.*
– *Steamboat :* copieuse fondue chinoise (sur charbon de bois) à partager, à base de nouilles, légumes, fruits de mer et/ou poulet. On en trouve particulièrement dans les restos des Cameron Highlands.
– *Chicken rice :* comme son nom l'indique, du poulet, rôti ou cuit à la vapeur, simplement servi avec du riz. Très simple mais bon et pas cher. Plat hainanais. Parfois préparé avec du canard *(duck).*

Cuisine peranakan

Fort ancienne, la communauté peranakan (ou « ceux qui sont nés ici ») est issue du mariage entre femmes malaises et immigrés de divers horizons. Le plus souvent, ce fut avec des Chinois, formant alors la communauté spécifiquement appelée *baba nyonya* (ou *peranakan cina*). Le métissage de ces 2 cultures s'est imposé dans l'architecture et le mobilier, comme au niveau culinaire. Si vous allez à Penang et surtout à Malacca (mais on trouve aussi des restos spécialisés à Kuala Lumpur), ne manquez pas d'y goûter. Sachez que, là encore, les plats sont bien relevés.
– Plat emblématique de la culture peranakan, le *nyonya laksa* est une soupe de nouilles de riz très épaisse, cuite dans une sauce à base de lait de coco, pâte de crevettes, ail, oignon, gingembre frais, piment, feuilles de citronnelle, plus des racines et des herbes comme le *galangal.* Ajoutez des morceaux de *nyonya cake,* un peu de concombre éminé, des boutons de rose de porcelaine, des crevettes,

des coques ou des morceaux de poulet, un œuf dur, et vous avez l'un des plats les plus divins qu'on ait mangés en Malaisie... bien qu'assez relevé ! À Penang, il existe une variante, *Penang laksa,* plus proche d'une soupe de poisson et plus amer, à cause du tamarin ajouté dans sa composition.

– ***Quelques autres spécialités :*** l'*otak-otak* est une mousse de poisson mixé avec œufs, curry, citronnelle et autres épices, cuite dans une feuille de bananier. L'*inche kabin* est composé de morceaux de poulet marinés au lait de coco et aux épices, frits par 2 fois et accompagnés d'une sauce excellente. Le *curry kapitan* est un poulet au curry mais cuit dans du lait de coco. L'*ayam buah keluak* est un ragoût de poulet ou de porc, servi avec de grosses noix noires. Le *kerabu mango* est une salade de mangue verte relevée à la coriandre servie avec poulet ou poisson frit. Enfin, le *lorbak* est du porc roulé dans une feuille de soja frit, une sorte de nem, quoi ! Voir aussi l'introduction de la rubrique « Où manger ? » à Malacca.

Les desserts

Les desserts, plutôt accessoires pour les Malaisiens, présentent des mélanges de goûts souvent déroutants pour les Occidentaux, rappelant en cela certaines boissons locales. D'ailleurs, les desserts sont considérés comme des boissons... mais avec des « choses » dedans !

– ***Ais kacang ou ais batu campur (« ABC ») :*** de la glace pilée, de la *jelly* (gelée sucrée), des fruits, du sirop, un peu de maïs doux... et une bonne poignée de haricots, le tout arrosé de lait concentré !

– ***Cendol :*** glace pilée, sucre de palme, lait de coco et vermicelles étranges et fluorescents, élaborés à base de farine de riz et colorés en vert. Pas le meilleur, mais le plus étrange visuellement, sûrement. Certains *cendol* sont parfumés au durian.

– ***Bubur cha cha :*** sorte de porridge à base de patates douces, taro, perles de tapioca et lait de coco avec, pour les puristes, du sucre de palme. Très doux, très onctueux. Se mange tiède.

– ***Rojak :*** « salade » de mangue, pomme verte, ananas, goyave, *jambu air* (lire plus bas), concombre, miel et... petits morceaux de calamar frit, sur lesquels on verse un coulis épais à base de crevettes séchées et piment ! À se demander pourquoi on le met dans la liste des desserts !

Les fruits

La gamme des altitudes, ajoutée à un climat tropical idéal, permet de cultiver tous les fruits – même la fraise, coqueluche des Cameron Highlands. Outre les classiques ananas, papayes, noix de coco, bananes, mangues ou pastèques, vous trouverez quelques fruits plus rares sous d'autres latitudes.

– ***Durian :*** 2 saisons, juillet et décembre. Les Malaisiens en sont fous. Fruit des amours coupables entre un hérisson, un ananas et une noix de coco (pour l'aspect extérieur), le durian, une fois coupé à la machette, répand une odeur, hum... franchement nauséabonde et tenace. À tel point qu'il est interdit dans les hôtels, ainsi que dans les transports en commun ! Sa pulpe crémeuse, quand elle est bien mûre, provoque une véritable passion chez les habitués qui lui trouvent un avant-goût très doux et un arrière-goût délicieusement piquant.

– ***Mangoustan (manggis) :*** mêmes saisons que le durian. Sorte de balle de golf violacée, au cœur blanc formant des quartiers ; aigre-doux. Bourré d'antioxydants et excellent digestif !

– ***Ramboutan (rambutan) :*** ressemble à un oursin rougeaud, mais ne pique pas autant. Un peu le cousin malaisien du litchi chinois, mais avec un noyau proportionnellement plus gros et qui se détache mal. La version sans « cheveux » s'appelle *pulasan* ou *rambut*.

– **Carambole (blimbing manis) :** ou encore *starfruit* en anglais, un nom logique puisque, une fois débité, il donne plein de petites étoiles. Acidulé.

– **Jacque (nangka) :** c'est le fruit énorme, vert et jaune, du jacquier. Le plus gros fruit du monde, tout simplement. Son goût est particulier, mais il ne faut pas mourir idiot !

– **Duku (ou langsat) :** petit fruit rond de 5 cm de diamètre, à coque fine et à pulpe rosée, juteuse et rafraîchissante. Vous en trouverez parfois sur les marchés.

– **Jambu air ou pomme d'eau** *(pomme d'amour)* **:** rose et conique. Peu de goût mais assez rafraîchissant et riche en vitamine C !

– **Salak :** de la taille d'une petite poire, sa peau tirant sur le lie-de-vin est écaillée comme une peau de serpent, d'où son surnom de « fruit-serpent ». Pulpe très savoureuse et sucrée. Appréciée comme un mets très délicat.

– **Sapotille (ciku) :** délicieux fruit sucré dont l'extérieur ressemble un peu à un kiwi sans les poils et l'intérieur à une poire bien mûre et juteuse avec un noyau de forme oblongue.

– **Rambai :** se vend sous forme de grappes blanches en mars uniquement. Un agréable petit goût de muscat.

– **Kundang :** fruit jaune orangé qui a l'apparence de la nèfle, à la peau dure avec un noyau assez gros et filandreux. Acidulé, son goût rappelle celui de la groseille à maquereaux.

– Et puis la banane *(pisang)*, la mangue, la noix de coco *(kelapa)*, la pomme *(jambu mawar,* soit la « pomme rose », ou *jambu merah* à Malacca), l'œil-de-chat *(mata kuching)*, etc.

CURIEUX, NON ?

– Les Malaisiens mangent de l'œuf... couvé ! Cet embryon d'oiseau (souvent de cane) vieux d'une petite vingtaine de jours, se consomme en sauce ou à la coque. On dit que les vrais amateurs préfèrent les déguster dans le noir, afin de se concentrer sur les saveurs et non sur son apparence.

– Laisser de la petite monnaie sur la table en guise de pourboire est signe de mauvaise éducation. Mieux vaut ne rien laisser du tout.

– Quand vous vous asseyez dans le fauteuil d'un barbier, ce dernier vous pose une question : « Junior ou senior ? » Pas pour bénéficier d'une quelconque réduc, mais plutôt pour savoir si vous voulez être pris en main par un coiffeur débutant ou expérimenté.

– Du fait de son odeur pestilentielle, le durian est interdit dans les transports en commun, ainsi que dans les hôtels. D'ailleurs, pour éviter quelques désagréments, il est parfois vendu avec son kit de « survie », à savoir une serviette et une paire de gant en latex.

– Les ascenseurs des immeubles majoritairement habités par des Chinois ne possèdent pas de chiffre 4 ; il est systématiquement remplacé par un autre numéro, comme le 3B par exemple. En effet, le 4 est censé porter malheur car il se dit « si » en pinyin et, de ce fait, se trouve être un homonyme du mot « mort ». Au contraire, le chiffre 8, qui se dit « ba », porte bonheur. Vous n'avez qu'à regarder les numéros de téléphone des Chinois et compter le nombre de 8 !

– Il existe des compétitions de *teh tarik,* littéralement de « thé étiré ». Il s'agit de faire passer le thé, le sucre et le lait chaud d'un récipient à un autre pour l'aérer, en créant ainsi une mousse. Tout un art... assez spectaculaire.

– En malaisien, pas de conjugaison, pas d'article, pas de pluriel : ce sont les élèves qui sont contents !

– Dans les États islamiques du Kelantan et du Terengganu, la vente d'alcool est interdite... officiellement. Dans les îles Perhentian (dans l'État de Terengganu), certains hôtels ont trouvé une solution officieuse : la bière ne figure jamais à la carte, on ne vous la propose que de vive voix !

DROITS DE L'HOMME

Un ex-Premier ministre, Najib Razak, inculpé pour corruption, un autre ancien chef de gouvernement, le très autoritaire Mahathir Mohamad, 92 ans, revenu au pouvoir par la voie des urnes, et l'éternel opposant, Anwar Ibrahim, tout juste libéré de prison, qui devrait succéder pacifiquement à son ex-mentor et ennemi juré Mahathir : tel était le paysage de la politique malaisienne en 2018.

Najib Razak, qui avait porté un temps les espoirs d'une libérali-

« LIBERTÉ » SE DIT *MERDEKA* EN MALAISIEN

Le responsable de l'éducation (!) d'un État malais a admis avoir envoyé 66 jeunes homosexuels, quelques jours, dans un camp de redressement afin qu'ils comprennent, enfin, comment les hommes doivent se conduire. L'homosexualité est encore un délit en Malaisie. À quand les bûchers ?

sation du pays, a pour le moins déçu. Il a utilisé toutes les armes à sa disposition, des lois relatives à la « sédition » ou à la « prévention du terrorisme », aux mesures sur le respect des principes islamiques, pour faire taire les critiques et empêcher – en vain – la justice de s'intéresser de trop près à ses affaires de détournement.

L'opposant Anwar Ibrahim avait quant à lui finalement vu sa peine de 5 ans de prison pour « sodomie » confirmée en appel, mais il a été gracié par le roi Muhamad Faris Petra en mai 2018, après 3 ans passés derrière les barreaux.

Quant à l'ancien Premier ministre Mahathir, qui avait dirigé le pays d'une main de fer entre 1983 et 2001, il a remporté de façon éclatante les dernières élections. Sachant ses jours comptés, le plus vieux chef d'État au monde a indiqué ne pas vouloir rester au pouvoir plus de 1 an ou 2. Il s'est également engagé à réviser une loi très controversée et liberticide sur les « *fake news* ». Après cette période, promis juré, il laissera les rênes du pouvoir à Anwar Ibrahim.

Les 2 hommes tenteront de faire de la Malaisie actuelle un modèle démocratique. La liberté de la presse y est toujours extrêmement fragile et de nombreux journaux ont été fermés sous Razak. Les militants pour les droits homosexuels et transgenres (LGBT) doivent en outre faire face à une législation draconienne, l'homosexualité étant officiellement interdite, et punie par des peines de prison, des châtiments corporels ou des amendes. La menace terroriste (réelle), est également utilisée comme prétexte à de nombreuses arrestations arbitraires, et des membres de l'opposition ou militants associatifs trop critiques en ont fait les frais.

Les députés ont récemment encore renforcé les prérogatives du gouvernement, désormais habilité à créer des « zones de sécurité » où les pouvoirs des forces de l'ordre seraient accrus. A contrario, les autorités ont joué à un jeu assez dangereux, en renforçant les attributions des tribunaux islamiques *(Syariah courts)*. Au sein de ces organes, se propage pourtant, selon certains observateurs, un discours ultra-fondamentaliste.

La Malaisie ne fait par ailleurs aucune différence entre réfugiés et migrants illégaux. Les abus des forces de l'ordre à leur égard sont nombreux, et le trafic humain y est prospère.

Enfin, les autorités malaisiennes ont toujours la main aussi lourde en ce qui concerne le trafic de stupéfiants, passible de la peine de mort.

Pour plus d'informations, contacter :

■ **Fédération internationale des Droits de l'homme (FIDH) :** ● fidh.org ● | ■ **Amnesty International** (section française) **:** ● amnesty.fr ●

N'oublions pas qu'en France aussi les organisations de défense des Droits de l'homme continuent de se battre contre les discriminations, le racisme, et en faveur de l'intégration des plus démunis.

ÉCONOMIE

La Malaisie est aujourd'hui un pays classé dans les NPI (nouveaux pays industrialisés). Son développement lui a permis d'atteindre un des revenus moyens par habitant les plus élevés d'Asie du Sud-Est (PIB nominal d'environ 10 000 $/hab mais de près de 30 000 $/hab en parité de pouvoir d'achat, davantage que la Grèce ou la Russie par exemple). Tous les Malaisiens, cependant, ne profitent pas de cette richesse. Les clivages sociaux accentuent aussi les tensions qui opposent les Malais (musulmans), détenteurs du pouvoir politique (bénéficiant du statut privilégié de *Bumiputra,* « Fils du sol »), aux Chinois, qui tiennent les commandes économiques.

Un développement sans précédent

Particulièrement bien dotée en ressources naturelles, et pour cette raison convoitée par les Britanniques qui en firent rapidement une colonie d'exploitation très rentable, la Malaisie a longtemps caracolé en tête des marchés mondiaux pour le *caoutchouc* et l'*étain,* qui ont fait sa fortune et celle de nombreuses familles, chinoises notamment. Le pays a connu une croissance impressionnante dans la décennie qui a précédé la crise asiatique de 1997 : + 7 % en moyenne ! Décrochant le titre convoité de « 5e dragon d'Asie », derrière la Corée du Sud, Taiwan, Singapour et Hong Kong, la Malaisie s'est mise à attirer de plus en plus de capitaux étrangers. C'est à cette période que le Dr Mahathir a lancé au pays le défi de la *Wawasan dua pulu dua pulu* (« Vision 2020 »), visant à faire entrer le pays dans le peloton de tête des premières puissances industrielles aux alentours de 2020... Formidable pari sur l'avenir pour les uns, mégalomanie pour les autres. Revenu au pouvoir en 2018, on verra s'il se donne les moyens de ses ambitions.

De la crise aux mégaprojets

Comme tous les pays du Sud-Est asiatique, la Malaisie a subi de plein fouet la crise de 1997 qui a sévi dans cette partie du monde. Certes, la rente pétrolière, en augmentation pendant ces années-là, lui a sans doute permis de se passer de la potion amère du FMI, mais il a fallu près de 10 ans pour que le pays renoue avec la croissance. Lorsque, enfin, celle-ci a décollé, le gouvernement a entrepris de restructurer le système bancaire et repris les grands projets de « Vision 2020 ». Malgré une conjoncture internationale difficile, les chantiers se sont multipliés. Aéroports, ponts, routes, autoroutes, complexes hôteliers se sont mis à pousser comme des champignons. C'est à cette époque aussi qu'a vu le jour le mégaprojet du *Multimedia Super Corridor,* une zone de 15 km de large et de 50 km de long étendue entre Kuala Lumpur et l'aéroport international KLIA. Elle englobe Putrajaya (se reporter à la rubrique « Dans les environs de Kuala Lumpur »), nouvelle capitale administrative entièrement informatisée et officiellement censée introduire le concept de... « gouvernement électronique » (sic !). Une 2e cité du futur, Cyberjaya, à la pointe de la technologie mondiale du multimédia, occupe une partie de ce *Super Corridor.* Surgies de nulle part, ces villes impressionnantes par leur démesure ont pour but premier de drainer les capitaux étrangers.

En avant toute !

L'économie malaisienne se caractérise par un interventionnisme très important de l'État, qui crée un grand nombre d'entreprises parapubliques dans un environnement toutefois très libéral. Si bien que le pays a attiré de nombreux investisseurs étrangers, qui ont joué un rôle majeur dans la transformation du pays. *Les exportations,* moteur du dynamisme malaisien, *sont tirées aujourd'hui par le matériel électrique et l'électronique* (36 % du total des exportations en 2017), *les produits pétroliers et gaziers,* ou encore *l'huile de palme* (par ailleurs responsable en grande partie de la déforestation). Le **tourisme** occupe aussi une place prépondérante. Inspiré peut-être par les monarchies du Golfe, le gouvernement malaisien oriente de plus en plus ses investissements vers des domaines de pointe (biotechnologies par exemple) et la construction d'autres infrastructures colossales.

Malgré une contraction en 2009, conséquence de la crise économique mondiale, la croissance est repartie à la hausse

LES PÉNURIES ATTISENT L'INVENTIVITÉ

Pendant la dernière guerre, les Japonais envahirent la Malaisie et récupérèrent la quasi-totalité de la production d'hévéas, provoquant une raréfaction du caoutchouc dans le monde. Mais les Russes découvrirent que le pissenlit contenait également du latex et ils cultivèrent cette plante industriellement. Cette production perdure aujourd'hui.

depuis 2012 (5-6 % en 2017-2018), et le niveau de vie des Malaisiens est désormais parmi les plus élevés d'Asie du Sud-Est. La balance commerciale est largement excédentaire, mais la dépendance des finances publiques aux exportations reste (trop) importante, surtout vis-à-vis de la Chine dont l'économie connaît un ralentissement qui affecte directement la Malaisie. L'accent mis sur la demande intérieure a néanmoins permis de limiter les dégâts, alors même qu'une TVA de 6 % était introduite en 2015. À moyen terme, les autorités tablent sur une hausse de leurs exportations grâce notamment au partenariat transpacifique (TPPA) signé en 2016 et abandonné en 2017 suite au retrait des États-Unis, mais qui tente de se reconstituer depuis.

Sur le plan social, un problème subsiste : malgré une politique de discrimination positive et les efforts à long terme du gouvernement pour améliorer la situation économique des Malais, la population d'origine chinoise continue d'affirmer sa traditionnelle domination. La perspective affichée (doper le revenu par habitant en passant à une économie de la connaissance, tournée vers l'innovation et les produits à forte valeur ajoutée) est supposée s'adresser à tous les Malaisiens, et donc acheter la paix sociale... Mais la croissance ne profite pas à tout le monde, les inégalités persistent et se creusent.

ENVIRONNEMENT

Le développement économique effréné de la Malaisie ne s'est guère embarrassé de données écologiques. Les grands projets redessinent le territoire sans vergogne, les mines polluent les cours d'eau, et l'industrialisation est, comme partout, synonyme de pollution et d'émissions accrues de gaz à effet de serre – en particulier dans les États de Selangor, de Perak ou de Johor. La population elle-même manque d'éducation sur le sujet et ne se préoccupe guère des déchets qui s'entassent peu à peu dans les lieux les plus visités.

Le problème majeur reste néanmoins celui de la déforestation. Dans tout le pays, les zones qui n'avaient pas encore été coupées pour laisser place aux plantations de caoutchouc sont en train de l'être pour développer d'immenses exploitations industrielles d'**huile de palme.** Aujourd'hui la plus consommée dans le monde, elle offre un rendement exceptionnel (4 t par hectare cultivé contre 0,5 pour le colza et le soja). La Malaisie, premier pays exportateur et 2e pays producteur derrière l'Indonésie, produit à elle seule 30 % de l'huile de palme mondiale. Sur le papier, la forêt couvre encore 59,5 % du territoire national. Dans les années 1950, 73 % du pays étaient encore couverts de forêt, et pas n'importe quelle forêt puisque la jungle de Malaisie est l'une des plus anciennes forêts primaires de notre planète. Un véritable joyau de biodiversité.

Reste que les vastes étendues couvertes de palmiers à huile et d'hévéas sont incluses dans ces chiffres, ce qui en fausse la valeur : 56,6 % des forêts malaisiennes sont utilisées pour la production et il ne reste en fait aujourd'hui de forêt que les parcs nationaux (*Taman Negara* en malais). Du vert, oui, mais plus aucune biodiversité dans ces zones traitées chimiquement (les engrais représentent 60 % du coût de production de l'huile de palme)... Les forêts primaires, elles, ne couvrent plus que 11,6 % du pays. On se focalise toujours sur l'Amazonie, mais la forêt primaire de Bornéo est bien plus ancienne : on estime qu'elle est âgée de 135 millions d'années contre 45 pour l'Amazonie !

Les forêts basses sont les plus attaquées. Outre l'extension des plantations, elles subissent l'extension des zones urbaines, le défrichage et le commerce des bois précieux (en particulier à Bornéo). Dans la péninsule malaise, seul demeure vraiment le poumon vert du Taman Negara Pahang et des réserves adjacentes. Reste que, même là, rien n'est garanti. Les aborigènes Orang Asli sont régulièrement expropriés pour cause d'intérêts supérieurs.

La collusion entre personnalités politiques et entreprises impliquées dans des déboisements illégaux a été maintes fois démontrée par les ONG. Raison pour laquelle, peut-être, le gouvernement malaisien finance un organisme de propagande destiné à contrer leurs arguments et promouvoir l'huile de palme... Mais les campagnes menées, dans les pays occidentaux, contre la fameuse huile de palme (son impact sur la santé a été dénoncé, en raison des acides gras saturés que nos organismes n'apprécient guère) peuvent faire bouger les choses : sous la pression, les producteurs se tournent petit à petit vers une norme (RSPO) correspondant à une huile de palme certifiée, autrement dit « vertueuse ». Encore faut-il que les déclarations d'intention des industriels sur la sauvegarde de la forêt et, plus largement, de la biodiversité, se concrétisent et incitent les entreprises malaises à se tourner vers

LE POISON VERT ?

L'huile de palme provoque des dégâts écologiques considérables en Asie. Son fort rendement et donc son faible coût incitent à une déforestation massive. Les feux dégagent d'énormes quantités de gaz à effet de serre. Le sol est ensuite irrémédiablement stérile, tandis que l'habitat des orang-outans se réduit comme peau de chagrin. Les industries agro-alimentaire et pétrolière (agro-carburants) entre autres, lui trouvent, quant à elles, de nombreuses vertus... économiques. Toutefois la mise à l'index systématique de l'huile de palme est aujourd'hui nuancée par des organisations comme WWF, pour qui le combat doit plutôt se situer au niveau d'une production « acceptable » (sur des sols déjà dégradés par exemple, sans recourir à la déforestation, et en favorisant par ailleurs la biodiversité...). Car les huiles de colza ou de soja, au plus faible rendement, sont bien plus gourmandes en surfaces agricoles. Au pays de l'or vert, rien n'est tout noir ou tout blanc.

une production plus responsable. Après tout, l'Union européenne demeure toujours l'un des principaux importateurs.

Dernier constat peu encourageant : *le bétonnage des côtes,* tiré par le développement du tourisme, va croissant. Avec l'explosion du tourisme local se posent des problèmes d'eaux usées rejetées en mer et d'accumulation des déchets. Dans les stations balnéaires et les îles paradisiaques de la côte est, par exemple, la surfréquentation des sites coralliens par les plongeurs et amateurs de *snorkelling,* toujours plus nombreux, endommage de manière irréversible les coraux. Et plus de coraux, signifie plus de poissons, alors la mer se vide de ses beautés naturelles, saison après saison. Des lois sont édictées pourtant, mais tout reste sur le papier puisque rien n'est véritablement mis en œuvre pour qu'elles soient appliquées... (voir la rubrique « Beauté... et fragilité des Perhentian » dans la partie « Kuala Besut et les îles Perhentian »).

Ceux qui voudraient aider les populations autochtones victimes de la déforestation peuvent contacter nos amis de :

■ **Survival – Pour les peuples indigè-** | 75013 Paris. ☎ 01-42-41-47-62. ● sur
nes : 18, rue Ernest-et-Henri-Rousselle, | vivalfrance.org ● Ⓜ Tolbiac.

GÉOGRAPHIE

La Malaisie est un pays bicéphale, écartelé entre la péninsule malaise, rattachée
au continent asiatique, et 2 États orientaux, Sabah et Sarawak, au nord de l'île de
Bornéo – avec, entre les 2, quelques îlots disséminés en mer de Chine méridionale.
La péninsule, qui représente à peine 40 % du territoire, s'étire sur 740 km de long
et est soulignée, dans toute sa moitié nord, par l'épine dorsale de la chaîne des
Titiwangsa, dont les principaux sommets dépassent « seulement » les 2 000 m. Le
point culminant de la péninsule, le mont Tahan (2 187 m), est situé au cœur du parc
national de Taman Negara – un but de trek ardu mais recherché.
La côte ouest de la péninsule, la plus industrialisée, est entrecoupée de mangroves. À l'intérieur des terres, c'est la forêt tropicale (grignotée par les plantations d'hévéas...) qui domine. Sur la plaine côtière orientale, du nord au sud,
de petits deltas marécageux alternent avec des plages de sable. Le sud de cette
même plaine est un peu plus plat et on y rencontre quelques forêts inondables.
C'est à Bornéo, au Sabah, que se dresse le point culminant du pays : le mont
Kinabalu (4 095 m).

HISTOIRE

Les historiens estiment que la péninsule malaise fut d'abord peuplée par les
Semangs (ou Negritos) arrivés entre 60 000 et 40 000 av. J.-C. Les côtes malaises constituant un excellent carrefour maritime entre la Chine et l'Inde, grâce
notamment aux vents des moussons, le commerce permit aux premiers Malais
de troquer leurs arbres aux essences rares contre du fer ou du coton indien. Vers
le Ier s, l'influence de l'Inde devient prépondérante. S'ensuit une longue période
pendant laquelle d'importants royaumes – comme celui de *Langkasuka,* constitué
au IIe s de notre ère, ou celui de *Sri Vijaya,* qui domina entre le VIIe et le XIIIe s une
partie de la Thaïlande et de l'Indonésie, le Cham, le Cambodge et le nord-ouest de
Bornéo – vont se succéder.
Les armées de l'empire d'Inde du Sud, conduites par Virirajendra Ier, déferlent sur
le sol malais au XIe s. La domination des princes hindous-malais ne sera remise en
question qu'au début du XVe s, quand arrive l'islam. C'est d'ailleurs sur la côte est
de Sumatra que seraient nés les premiers sultans malais. Même si on sait que le
malais est né à Sumatra, c'est l'indonésien qui a adopté la langue malaise et non
l'inverse.

La gourmandise des Européens

Évidemment, la route des Épices, qui reliait les Moluques à la vieille Europe, ne
pouvait laisser les Occidentaux indifférents bien longtemps. Plaque tournante du
commerce depuis la fin du XVe s, Malacca intéresse tout d'abord les Portugais,
qui s'en emparent en 1511. Les fils du sultan de Malacca chassé par les Portugais
créent les sultanats de Johor et d'Aceh, qui rivalisent en puissance avec Malacca.
Ils essaient de reprendre Malacca, dont les sujets qui refusent de se convertir au
catholicisme sont envoyés *manu militari* comme esclaves dans les autres colonies portugaises de Macao ou de Goa. En 1641, ce sont les Hollandais, alliés à
Johor, qui prennent le contrôle de Malacca : la Compagnie néerlandaise des Indes
orientales entre alors en scène. Contrairement aux catholiques, les protestants

n'essaieront pas de convertir les âmes. Business avant tout. Mais les États malais, désormais sous influence, ne retrouveront pas avant longtemps le plein contrôle de la péninsule.

L'arrivée des buveurs de thé

Désormais enrichis par le commerce du thé chinois, les Anglais cherchent un port en Asie du Sud-Est pour implanter la Compagnie des Indes orientales et servir de relais à leur flotte. En 1786, le sultan de Kedah, alors en bisbille avec le Siam, leur accorde l'île de Penang en échange de leur protection. Les Anglais ne tiendront jamais leur parole, mais les sultans finiront par s'en accommoder. À peine arrivés, les Britanniques, avec à leur tête le très roublard Francis Light, déboisent l'île et y établissent un port pour concurrencer les Hollandais. Voir aussi « Un peu d'histoire » à Penang pour plus de détails.

De la couronne anglaise à l'invention de la boîte de conserve !

En 1795, l'onde de choc provoquée par la Révolution française renverse le gouvernement hollandais. Le traité de La Haye rétrograde les Provinces-Unies au rang de simple satellite, mettant du même coup les possessions coloniales hollandaises sous tutelle française. Aussi, afin d'éviter que Malacca ne tombe aux mains des Français, les Hollandais cèdent-ils la ville aux Anglais. Ces derniers s'installeront dès le début du XIXe s à Singapour, histoire d'asseoir leur autorité dans la région. Anglais et Hollandais signent un traité en 1824 et se répartissent leurs possessions : les Hollandais renoncent à la Malaisie, c'est-à-dire à Malacca, Penang et Singapour, désormais britanniques, et se gardent les Indes orientales néerlandaises (future Indonésie). Idéalement placée, Singapour, rattachée à Penang et à Malacca dès 1826 pour former les *Straits Settlements* (autrement dit les Établissements des Détroits), qui gagneront le statut de colonie en 1867, aura tôt fait de s'enrichir. Ainsi les Britanniques régneront-ils sur le commerce de la péninsule durant tout le XIXe s. Dès la fin du XIXe s, le boom de l'étain, dont l'exploitation est réglementée par le traité de Pangkor, dope l'activité économique. Dans le même temps, la boîte de conserve apparaît en Amérique et en Europe. Grâce à cette invention, un marché phénoménal s'ouvre alors sur tout le territoire. Révolutionnaire dans un pays producteur de denrées alimentaires, sa venue est à l'origine de nombreuses usines, qui attirent une importante main-d'œuvre, notamment en provenance de Chine. Cet afflux de Chinois dans les mines d'étain va modifier en profondeur le paysage socioculturel et économique du pays... Les Indiens, eux, sont emmenés dans le pays pour construire le chemin de fer et travailler comme ouvriers agricoles dans les plantations.

La naissance d'une fédération

L'affluence d'une main-d'œuvre chinoise constituée en sociétés secrètes et la corruption de certains sultans manipulés par les « résidents » (conseillers britanniques omnipotents) provoquent de nombreux troubles à la fin du XIXe s. L'Empire britannique a en effet manœuvré pour contrôler en sous-main certains États malais (Selangor, Perak, Negeri Sembilan et Pahang) qui se regroupent à partir de 1895 sous l'appellation d'« États malais fédérés », un protectorat britannique, nominalement indépendant. Les 4 autres États malais (Terengganu, Kelantan, Kedah et Perlis), qui dépendaient jusqu'alors du royaume de Siam (Thaïlande actuelle), voient d'un mauvais œil cette mainmise britannique qui ne dit pas son nom. Mais petit à petit, tous accepteront un résident britannique, et deviennent même, à partir de 1909 (traité de Bangkok), protectorats britanniques à leur tour. Le sultan de Johor est le dernier à accepter un résident britannique, en 1914 : enfin... on ne lui laisse pas le choix ! On comprend le mécontentement d'une population malaise (et non malaisienne, nuance) tenue à l'écart de la gouverne de son propre pays. En 1919, avec ces nouveaux protectorats, les comptoirs du Détroit et une fédération à sa botte, la couronne britannique domine désormais tout le pays, alors connu sous le nom de Malaya (le nom de Malaysia n'apparaîtra officiellement qu'en 1963). Elle peut à loisir profiter d'une nouvelle richesse : le latex, tiré de l'hévéa. Il n'y avait pas un seul de ces « arbres pleureurs » en Malaisie avant l'arrivée des Anglais. Mais une poignée de graines apportées à titre expérimental va transformer la donne. Les planteurs s'enrichissent rapidement, et ce nouvel « or blanc » va permettre à l'Angleterre coloniale de dominer le marché du caoutchouc dans les années 1930.

LE PLUS GRAND VOL BOTANIQUE DE L'HISTOIRE

Au cours d'un voyage au Brésil, en 1876, Henry Wickham, un aventurier britannique, vola des graines d'Hevea brasiliensis (alors que le Brésil interdisait l'exportation de ces graines) et les rapporta à Londres. De là, elles furent envoyées dans la péninsule malaise. La transplantation fut un succès. En 1877, les premiers hévéas sont plantés à Kuala Kangsar. Aujourd'hui, la Malaisie est devenue le troisième producteur mondial de caoutchouc.

Vers l'indépendance

Après la cruelle parenthèse japonaise (occupation de Singapour, de Bornéo et de la péninsule malaise pendant la Seconde Guerre mondiale), les Malais se battent pour reprendre le contrôle de leur pays. Revenus après avoir abandonné le pays à l'envahisseur nippon (non sans de violents combats), les Britanniques fondent l'Union de Malaisie en 1946, composée de 9 États ainsi que de Malacca et de Penang. Les Malais s'y opposent car le pouvoir des sultans s'en trouve réduit et la nationalité est trop largement accordée aux immigrants chinois et indiens. L'union est dissoute ; 2 ans plus tard, la Fédération de Malaisie est créée. Elle est composée des 9 sultanats de la péninsule, ainsi que des établissements de Malacca et de Penang. Le statut des sultans est restauré.

De 1948 à 1960, face à l'insurrection communiste, les Britanniques déclarent l'*Emergency* (l'état d'urgence). En 1957, ils accordent l'indépendance à la Fédération de Malaisie. En 1960, l'état d'urgence est levé suite à la défaite des communistes, mais ces derniers ne déposeront les armes qu'en 1989 et le parti communiste sera dissous. En 1963, la nouvelle Fédération de Malaisie compte désormais le Sabah, le Sarawak et Singapour. Celle-ci restera peu de temps, puisqu'elle se déclare république indépendante en 1965. La même année, la Fédération dans sa composition actuelle est proclamée.

Sultans et organisation politique

La Malaisie est une fédération divisée en 14 États, dont 9 sultanats ou royaumes, 4 États sans sultans ayant à leur tête un gouverneur nommé pour 5 ans par le gouvernement, et enfin un État fédéral composé de Kuala Lumpur, la capitale législative, Putrajaya, la capitale administrative, et Labuan, un petit archipel au large de Bornéo. Le pays est membre du Commonwealth. À sa tête, un roi, le sultan des sultans, désigné tous les 5 ans à bulletins secrets par ses pairs des 9 États monarchiques. Cela dit, quand bien même ils promulguent les lois et possèdent le pouvoir de déclarer l'état d'urgence, leur rôle est avant tout honorifique. On les dit oisifs et souvent en vacances... Certains pensent que c'est mieux comme ça. Pourtant, tout le monde s'accorde pour dire qu'ils donnent une identité au pays, un peu de poids historique à la jeune Fédération.

Mais le véritable pouvoir est aux mains du Premier ministre, élu par le Parlement. De nombreux partis politiques s'affrontent à chaque élection, les principaux étant regroupés en 2 pôles. Le Barisan National (soit le Front national), large coalition au pouvoir depuis l'Indépendance, est composé de 13 partis représentant les différentes ethnies du pays : entre autres, l'UMNO (Organisation nationale des Malais unis, acquise au Premier ministre), le MCA (Association des Chinois de Malaisie) et le MIC (Congrès des Indiens). Cette coalition remportait à chaque élection générale les 2 tiers des sièges au Parlement, mais elle a dernièrement vu son électorat s'effriter depuis 2013. L'opposition, désormais appelée *Pakatan Harapan,* Union de l'espoir, depuis que le parti islamiste qui représentait la 3e composante de cette coalition a fait sécession. Reste donc le DAP (Parti d'Action démocratique), qui recueille les votes de nombreux Chinois, le PKR (Parti de la justice populaire), dirigé par Anwar Ibrahim, principal opposant au régime (voir « Personnages » plus loin) et « Bersatu » (« unité ») fondé par Mohamad Mahathir en 2016 après qu'il a démissionné de l'UMNO. Souvent décrite comme une « démocratie égarée », ou un régime à l'autoritarisme soft, la Malaisie est à la croisée des chemins : la société civile veut désormais avoir son mot à dire et ne se contente plus d'une gouvernance vieillissante, qui ne correspond plus vraiment aux aspirations des Malais.

Une répartition ethnique des rôles

En 1969, le pays connaît une grave crise se traduisant par d'importants affrontements ethniques. En effet, l'économie ne reflétait pas le pouvoir démographique des 2 principaux groupes ethniques. Ainsi, les 53 % de Malais qui composaient la population ne détenaient que 2 % du capital des sociétés, tandis que les 35 % de Chinois en contrôlaient 27 % (les Indiens 1 %, les étrangers 63 % et l'État 7 %). La Nouvelle Politique Économique (NEP), un plan ambitieux de discrimination positive a donc été mis en place en 1971 qui, sur une période de 20 ans, devait réduire l'important déséquilibre économique en faveur des *Bumiputra,* ou « Fils du sol » (les Malais et les peuples autochtones). Elle a, depuis, été reconduite sous différentes appellations. Par ailleurs, le gouvernement a créé des postes en pagaille dans l'administration, réservée aux Malais, se plaçant ainsi au premier rang mondial du nombre de fonctionnaires. Pour autant, le problème est-il définitivement résolu ? La répartition des richesses reste inégale et, au cours de votre voyage, il est probable que vous ressentiez ces différences.

Après la question des réfugiés vietnamiens et cambodgiens et les explosions sporadiques des maquis communistes (qui ont finalement cessé), l'État doit faire face à une forte immigration indonésienne. Un afflux de migrants maîtrisé selon des méthodes plus ou moins violentes. Enfin, le pays connaît une nette montée du fondamentalisme musulman qui, dans certaines villes d'États islamiques, tente d'imposer le « Hudud » (volet de la charia ayant trait aux crimes, au blasphème, à l'adultère, à l'homosexualité et au comportement vestimentaire), comme c'est le cas dans le Kelantan.

Paix sociale et corruption

La relative prospérité de la Malaisie sur le plan économique et son taux de croissance important ont fait taire bien des ressentiments. Les investissements étant créateurs d'emplois, les tensions intercommunautaires se sont apaisées, chacun ne pensant plus qu'à s'enrichir. Cependant, la Malaisie n'est pas à l'abri d'une récession qui pourrait avoir pour conséquence de réactiver les vieux antagonismes.

Les politiques de l'UMNO, le parti malais majoritaire, ont encouragé les inégalités sociales. Et ce n'est pas le scandale révélé en 2015, dans lequel est impliqué **Najib Razak,** alors Premier ministre, qui risque d'inverser la courbe. L'homme fort du pays aurait en effet perçu près de 650 millions d'euros de la part d'un fond souverain qu'il avait lui-même crée en 2009. Dans ce pays où l'autorité du chef est peu contestée, des voix se sont néanmoins faites entendre : en septembre 2015, plusieurs dizaines de milliers de manifestants descendaient dans la rue, même les sultans de Malaisie, traditionnellement en retrait de la vie politique, sont montés au créneau pour réclamer des comptes.

Face à ces accusations, Najib Razak a fait le ménage parmi les plus contestataires et adopté des lois de plus en plus liberticides. Logiquement, en janvier 2016, le (nouveau) ministre de la Justice a déclaré l'affaire classée, sous le motif que la somme correspondait à un don de la monarchie saoudienne pour assurer la victoire électorale de l'UMNO face à la montée d'un parti islamiste proche des Frères musulmans. Version mise en cause par l'opposition malaisienne, des journalistes et enquêteurs étrangers.

D'ailleurs, l'histoire ne s'arrête pas là et les enquêtes internationales se poursuivent. La Suisse ouvre le bal en révélant, début 2016, que 4 milliards de dollars auraient été détournés de fonds publics malaisiens et qu'une partie de ce cette somme se serait retrouvée sur les comptes du Premier ministre. Le Luxembourg, les États-Unis, Singapour disposent aujourd'hui de preuves de plus en plus accablantes dans ce qui fait désormais figure de scandale aux ramifications planétaires. À Kuala Lempur, des perquisitions ont permis de saisir près de 12 000 bijoux et des centaines de sacs à main de grandes marques pour une valeur totale estimée entre 194 et 234 millions d'euros.

Très fragilisé, Najib Razak s'était pourtant assuré de remporter les élections législatives de 2018 : redécoupage de la carte électorale, élections un mercredi pour rendre plus difficile les déplacements aux bureaux de vote... Et puis, sa coalition n'est-elle pas au pouvoir depuis l'indépendance (61 ans de règne) ? Mais c'était compter sans un fringuant nonagénaire, ex-Premier ministre autoritaire et figure paternaliste de la Malaisie : *Mohamad Mahathir.* Désormais à la tête de l'opposition, il s'est posé en candidat virulent contre les exactions de son ancien protégé. À la surprise générale, le 9 mai 2018, il gagnait la majorité des sièges au parlement. Et annonçait, dans la foulée, que son ennemi, Anwar Ibrahim, en prison depuis 2015, serait gracié par le roi. L'ancien opposant fut en effet libéré quelques jours plus tard. Il devrait succéder à Mahathir d'ici à 2020 suite à un accord passé entre les 2 hommes. Mais comme le rappelle Bruno Philip dans *Le Monde* daté du 17 mai 2018, « ce n'est pas parce que le fleuve est tranquille qu'il n'y a pas de crocodiles » (proverbe malais) !

À priori, le pire n'est plus à craindre du côté de Najib Razak, finalement inculpé en juillet 2018 pour abus de confiance et détournement de fonds. Il risque 15 à 20 ans de prison pour chacun des délits.

MÉDIAS

Votre TV en français : TV5MONDE, la première chaîne culturelle francophone mondiale

Avec ses 11 chaînes et ses 14 langues de sous-titrage, TV5MONDE s'adresse à 360 millions de foyers dans plus de 190 pays du monde par câble, satellite et sur IPTV. Vous y retrouverez de l'information, du cinéma, du divertissement, du sport, du documentaire...

Grâce aux services pratiques de son site voyage ● *voyage.tv5monde.com* ●, vous pouvez préparer votre séjour et, une fois sur place, rester connecté, avec les applications et le site ● *tv5monde.com* ● Demandez à votre hôtel le canal de diffusion de TV5MONDE et contactez ● *tv5monde.com/contact* ● pour toutes remarques.

Radio

La bande FM ressemble à une tour de Babel, on s'en doute. On peut capter les informations en langue anglaise. RFI est disponible en ondes courtes et sur Internet dans tout le pays (● *en.rfi.fr/how-to-listen* ●).

Télévision

Il existe une douzaine de chaînes nationales malaisiennes, dont 5 chaînes payantes, et 2 chaînes publiques du radiodiffuseur RTM (Radio Televisyen Malaysia), TV1 et TV2. Elles s'inspirent beaucoup des chaînes américaines. Les chaînes câblées sont disponibles dans les grands hôtels seulement (films en anglais sur Vision Four). En principe, RTV2 programme des infos en anglais tous les jours entre 12h30 et 13h et à 20h30.

Journaux

Le principal quotidien du pays est *The Star*, devant le *New Straits Times,* en langue anglaise (● *nst.com.my* ●). *The Sun* (gratuit) est le plus largement distribué. Tous ces journaux sont plutôt « bien pensants ». Ils permettent néanmoins d'avoir des nouvelles du monde et de comprendre un peu mieux la politique du pays (si on lit l'anglais, *of course*). Car, comme à Singapour, les liens entre les partis au pouvoir et les médias sont des plus serrés. Le plus important groupe de presse, Media Prima (3 quotidiens, 4 radios et 4 chaînes de télévision), est détenu par une entreprise affiliée au parti UMNO.

Si vous souhaitez des informations plus critiques et plus indépendantes, allez sur le site ● *malaysiakini.com* ● C'est le seul organe de presse indépendant de Malaisie en anglais, consultable sur le Web uniquement !

Presque tous les kiosques vendent les éditions asiatiques (mais en anglais) des grands hebdos *Time* et *Newsweek.* Pas mal pour cerner les problèmes économiques, sociaux et politiques de l'Asie du Sud-Est. Quant aux journaux de langue française, on les trouve dans les alliances françaises (Penang, Kuala Lumpur) et sur le Net.

Liberté des médias

La Malaisie occupe la *145ᵉ place* sur 180 pays du Classement mondial de la liberté de la presse 2018 établi par Reporters sans frontières. Si l'ancien Premier ministre Najib Razak a mené une guerre personnelle contre les médias jugés « trop indépendants » et a renforcé l'autocensure dans les rédactions, un espoir pour une presse plus libre et la fin de la répression a vu le jour avec la victoire historique, en mai 2018, de la coalition d'opposition Pakatan Harapan, qui a fait de la liberté de la presse l'une de ses promesses de campagne. Mené par Mahathir Mohamad, qui avait déjà été Premier ministre sous la bannière de l'UMNO entre 1981 et 2003, le gouvernement a débloqué certains sites comme le *Sarawak Report,* qui avaient été censurés après avoir couvert le scandale national de corruption connu sous le nom d'« affaire 1MDB », impliquant directement des officiels et l'ancien Premier ministre en personne. Les journalistes attendent désormais que le nouveau gouvernement tienne ses promesses en abrogeant une série de lois draconiennes, comme la « Loi relative à la sédition », instrumentalisées par le précédent pouvoir afin de museler toute voix critique à son encontre.

■ *Reporters sans frontières :* ● *rsf.org* ●

PERSONNAGES

– *Dato'Ambiga Sreenevasan :* cette avocate est une grande défenseuse des droits humains, et à ce titre elle a reçu le *US International Women of Courage Award* en 2009. Elle commence sa carrière en défendant une jeune femme musulmane empêchée de se convertir au christianisme, puis, une fois présidente du barreau malaisien, elle organise en 2007 la Marche pour la justice. Elle défend le droit des femmes et la liberté de religion, ce qui lui a valu des menaces de mort et le risque d'une arrestation. Bien que ses détracteurs lui reprochent de financer ses activités avec des fonds américains, elle préside Hakam (société nationale des droits de l'homme). Elle s'occupe également des Orang Asli, les peuples indigènes.

– **Mahathir ibn Mohamad :** Malais, petit-fils d'un immigré indien du Kerala, il est né en 1925 à Alor Setar, capitale de l'État de Kedah. Après des études à Singapour, il exerce comme médecin sur l'île de Langkawi, dont il fera plus tard une zone franche. Premier ministre de 1981 à 2003, ce bon « Docteur M. » modernise le pays : le taux de croissance est élevé, le chômage très faible, et il dirige la Malaisie d'une main de fer, prônant les « valeurs islamiques », tout en militant pour une puissante union asiatique. C'est aussi lui qui persécutera son vice-Premier ministre, Anwar Ibrahim (voir ci-après), ayant eu le tort de s'opposer à lui... Chef de file des conservateurs de l'UMNO, le pimpant nonagénaire est redevenu Premier ministre lors des élections de mai 2018.

– **Anwar Ibrahim :** le chef de l'opposition, né en 1947. Ex-vice-Premier ministre, Anwar Ibrahim a été arrêté pour « corruption » et... « sodomie » (l'islam, religion d'État, condamne les relations homosexuelles). Condamné à 6 ans de prison et d'inéligibilité pour s'être opposé au Premier ministre après la crise économique de 1997, Anwar Ibrahim regagne son siège au Parlement en 2008, mais il est à nouveau accusé de sodomie. En 2009, la Haute Cour le juge non coupable. Le Procureur général fait appel et la Cour d'appel le condamne en 2014 à 5 ans de prison, verdict confirmé par la Cour fédérale en 2015. Mais il retrouve grâce auprès de Mahathir, qui, au lendemain de son élection en mai 2018, annonce sa libération anticipée. Il voit en lui un potentiel successeur. À suivre...

– **Tsai Ming Liang :** cinéaste. Né en 1957 à Kuching, dans une famille chinoise, il passe les 20 premières années de sa vie dans un petit village, part à Taiwan faire des études de cinéma et devient scénariste et réalisateur. Basé à Taipeh, il garde des liens avec sa Malaisie natale. Dans sa filmo, signalons *Vive l'amour* (Lion d'or à Venise), *La Rivière* (Ours d'argent à Berlin), *Et là-bas, quelle heure est-il ?* et *The Hole* (primés à Cannes), ou

DU VÉLOSOLEX AU CORAN

Une histoire en or digne de Gala ! La belle princesse malaisienne Zatashah, francophone et fille du sultan de Selangor, a épousé le charmant Aubry Mennesson. Petit-fils de l'inventeur du Vélosolex, ce Français est donc devenu le gendre de l'un des hommes les plus puissants de Malaisie. Par amour, il s'est converti à l'islam et apprend le malais. Un conte de fées moderne !

encore *I don't want to sleep alone,* qui se déroule dans son pays natal. Avec son ami Leonard Tee, producteur malaisien, il réalise *Visage* en 2009, tourné à Paris (notamment au Louvre). Pour ce film-hommage à la Nouvelle Vague française, il a fait jouer Laetitia Casta, Fanny Ardant et Jean-Pierre Léaud. Depuis, il a sorti *Les Chiens errants,* en 2013 (Grand Prix du jury à Venise).

– **Michelle Yeoh :** née à Ipoh en 1962, elle est d'abord l'heureuse gagnante de l'élection Miss Malaisie en 1983, puis fait une apparition dans la pub et dans quelques films cantonais, et aussi dans des films de plusieurs ténors du cinéma asiatique. Elle sera révélée sur nos écrans par son rôle de *James Bond girl* dans *Demain ne meurt jamais* (1997), *Tigre et Dragon* (2000), les *Mémoires d'une geisha* (2005), mais le rôle de sa vie lui sera confié par Luc Besson dans son film *The Lady* (2011), qui retrace le parcours de l'opposante birmane Aung San Suu Kyi.

– **Nicol David :** née à Penang en 1983, l'ancienne meilleure joueuse de squash de la planète occupe aujourd'hui la 3e place du classement mondial !

– **Lee Chong Wei :** né à Bukit Mertajam en 1982, il a été 4 fois vice-champion du monde de badminton, 3 fois vice-champion olympique en 2008, 2012 et 2016. C'est l'un des plus grands joueurs de la discipline.

PLONGÉE SOUS-MARINE

Jetez-vous à l'eau !

Pourquoi ne pas profiter de cette région où la mer est souvent calme, chaude, accueillante, et les fonds riches, pour vous initier à la plongée sous-marine ? Faites le saut : plongez ! La plongée est enfin considérée plus comme un loisir grand public qu'un sport, et c'est une activité fantastique. Entrez dans un autre élément où vous pouvez virevolter au milieu des poissons, les animaux les plus chatoyants de notre planète ! Des règles de sécurité, que l'on vous expliquera au fur et à mesure, sont bien sûr à respecter, comme pour tout sport ou loisir. Ne vous privez pas de tutoyer, en le respectant, le monde sous-marin... et n'oubliez pas que la chasse sous-marine est formellement interdite.

Si, c'est facile !

Pour réussir vos premières bulles, pas besoin d'être sportif ni bon nageur. Il suffit d'avoir plus de 8 ans et d'être en bonne santé. Pour un baptême, un certificat médical vous sera peut-être demandé, et c'est dans votre intérêt. Il est en tout cas de rigueur pour les mineurs et les plus de 60 ans, et pour toute personne désirant passer un niveau de plongée. Certains moniteurs l'exigent systématiquement ; d'autres se contenteront de vous faire signer une décharge médicale.

Les enfants peuvent être initiés dès l'âge de 8 ans, à condition d'avoir un encadrement qualifié dans un environnement adapté (eau chaude, sans courant, matériel adapté). Non, la plongée ne fait pas mal aux oreilles : il suffit de souffler en se bouchant le nez. Non, il ne faut pas forcer pour inspirer dans cet étrange « détendeur » qu'on met dans la bouche, au contraire.

Et le fait d'avoir une expiration active est décontractant, puisque c'est la base de toute relaxation ; être dans l'eau modifie l'état de conscience, car les paramètres du temps et de l'espace sont changés : on se sent, à juste titre, ailleurs. En vacances, c'est le moment ou jamais de vous jeter à l'eau. Et n'hésitez pas à goûter aux plongées de nuit, qui révèlent un monde et des sensations différents. Nous vous indiquons dans le texte des adresses de clubs de plongée.

Attention, vous devez respecter un intervalle de 12h avant de monter en altitude et de 24h avant de prendre l'avion, afin de ne pas modifier le déroulement de la désaturation et d'éviter ainsi les accidents de décompression.

Les clubs de plongée

En principe, tous les clubs sont affiliés, selon leur zone d'influence, à un ou plusieurs organismes internationaux. Les 2 plus importants sont la CMAS, Confédération mondiale des activités subaquatiques (d'origine française), et PADI, *Professional Association of Diving Instructors* (d'origine américaine).

La pédagogie PADI est performante (cours sur vidéo), mais la pratique en plongée reste plus limitée. Elle n'intègre pas les paliers. Du coup, pas de plongée en dessous de 40 m et des temps de plongée assez courts pour être conformes à leurs courbes de sécurité.

Dans les régions « influencées », dont la Malaisie, la majorité des clubs plongent à l'américaine, tendant à une certaine standardisation : la durée et la profondeur des plongées sont très calibrées.

Si le club ne reconnaît pas votre brevet, il vous demandera une plongée-test pour vérifier votre niveau. En cas de demande d'un certificat médical, le club pourra vous conseiller un médecin dans le coin. Tous les clubs délivrent un « carnet de plongée » qui, d'une part, retracera votre expérience et, d'autre part, réveillera vos bons souvenirs. Gardez-le et pensez à toujours emporter ce « passeport » en voyage. Un bon centre de plongée est un centre qui respecte toutes les règles de sécurité sans négliger le plaisir.

Comment choisir un centre de plongée ?

– *Renseignez-vous :* vous payez pour plonger ; en échange, vous devez obtenir les meilleures prestations. À vous de voir si vous préférez un club genre « usine bien huilée » ou une petite structure souple. Le mieux est de traîner au retour des plongées et de demander l'avis des plongeurs.
– *Méfiez-vous* d'un club qui vous embarque sans aucune question préalable sur votre niveau de plongée, vos antécédents et votre situation médicale ; il n'est pas « sympa » mais dangereux.
– *Regardez* si le centre est apparemment bien entretenu (rouille, propreté, etc.), si le matériel de sécurité (oxygène, trousse de secours, radio, etc.) est à bord, si le bateau est équipé d'une protection contre le soleil, si vous n'avez pas trop à transporter l'équipement, s'il n'y a pas trop de plongeurs par palanquée (6 maximum, est-ce un rêve ?), si les numéros d'urgence sont bien affichés dans le centre (c'est obligatoire).
– *Les équipements* sont-ils bien adaptés et en quantité suffisante ? Vous verrez que pour apprécier une plongée, il vaut mieux ne pas être stressé, par exemple par des palmes inadaptées ou un masque qui fuit.
– *Est-ce que le moniteur plonge* ou est-ce un pote à lui ? S'il plonge, quel niveau a-t-il ? On constate parfois que certaines structures ne sont pas sérieuses et que les moniteurs ne plongent pas, déléguant le cours à un plongeur dont on ne sait rien. D'autant que les clubs font signer une décharge avant d'aller plonger.
– *Comment se déroulent les baptêmes ?* Y a-t-il un moniteur par plongeur ou un pour 4 ? Dans le second cas, c'est une initiation.
– *Combien de temps dure une plongée ?*
– Pour les confirmés, *à combien sont gonflées les bouteilles ?* Entre 180 et 220 bars, c'est bon.
– Soyez aussi vigilant quant au *comportement de l'équipe* qui vous encadre. Outre les principes de sécurité, elle doit *respecter l'environnement.* Par exemple si, pendant la plongée, un membre du club chasse devant vous, sachez que cette pratique est formellement interdite. Le moniteur va chasser de petits poissons pour amuser le touriste et afin d'attirer les prédateurs (murènes...) qui viennent ensuite les manger dans sa main. Il n'est pas besoin de tuer la faune sous-marine pour attirer les murènes : les poubelles de n'importe quel restaurant regorgent de restes suffisamment appétissants pour ces poissons. Refusez également les moniteurs qui plongent avec des bâtons en fibre de verre pour titiller les poissons et les faire sortir de leur abri.
– Certains sites de plongée sont dépourvus de mouillages fixes permettant aux bateaux de s'y accrocher, bateaux qui sont alors contraints, pour des raisons de sécurité (courants ou vagues), de jeter l'ancre. Pas de problème à cela dans la mesure où les précautions sont prises pour préserver les fonds coralliens.
– Le monde sous-marin est un monde de silence, rejetez ces pratiques idiotes qui consistent à utiliser à tort et à travers les *shakers* et autres klaxons sous-marins destinés uniquement à avertir d'un danger.

C'est la première fois ?

Alors l'histoire commence par un baptême, une petite demi-heure généralement, pendant laquelle le moniteur s'occupe de tout et vous tient par la main.

Laissez-vous aller au plaisir. Même si vous vous sentez harnaché comme un sapin de Noël déraciné hors saison, sachez que tout cet équipement s'oublie complètement une fois dans l'eau. Vous ne devriez pas descendre au-delà de 6 m. On compte généralement un moniteur pour 4 initiés maximum ; bien souvent, c'est plutôt un pour 2.

Puis l'aventure se poursuit par un apprentissage progressif.

En Malaisie

Les brochures rivalisent de couleurs chatoyantes pour vous vanter la beauté des fonds sous-marins de Malaisie. À l'Ouest (à part Langkawi), rien de nouveau ! Tandis qu'à l'Est, c'est un vrai festival de couleurs ! Notre trio de tête : les îles Perhentian, Redang et, surtout Tioman. Car s'il y a un endroit où ceux qui n'ont jamais osé plonger peuvent le faire sans aucune appréhension, c'est bien dans les eaux des îles orientales. L'eau est chaude, claire (la visibilité varie entre 10 et 15 m, parfois 25 m par temps clair et mer calme), et, surtout, la plupart des sites se situent à moins de 15 m de profondeur.

POPULATION

Malais et Chinois : deux cultures distinctes

La population du pays est d'environ 32 millions d'habitants : 80 % d'entre eux vivent dans la péninsule malaise, les 20 % restants habitant les États de Sarawak et Sabah, sur l'île de Bornéo.

De nombreux groupes ethniques cohabitent en Malaisie : les Malais (50,4 %) et d'autres peuples dits indigènes (11 %) constituent 61,4 % de la population, bien plus nombreux que les Chinois (24 %). Viennent ensuite les Indiens, surtout tamouls, avec 7 % de la population, puis les Népalais, les Philippins, les Bir-

> **MALAIS OU MALAISIEN ?**
>
> *La moitié des habitants du pays sont malais, et tous les habitants sont malaisiens : c'est-à-dire de nationalité malaisienne mais pas forcément d'origine malaise. Donc, « malais » désigne tout ce qui a trait au groupe ethnique, et « malaisien » tout ce qui concerne la nationalité, englobant ainsi tous les groupes ethniques (malais, chinois, indien, etc.). La langue officielle est le bahasa malaysia, appelée aussi... malais. Mais non, pas de malaise !*

mans, les Vietnamiens et d'autres habitants d'origine moyen-orientale et même européenne (en raison de la colonisation).

Des Malais, on pourrait dire que ce sont d'abord des hommes de la campagne, vivant tranquillement dans les *kampung* (villages). Ils sont agriculteurs, pêcheurs et, surtout, de fervents musulmans. Ils s'habillent d'un sarong et se coiffent d'un *songkok* (calotte). Quant aux femmes, elles portent un batik et se voilent les cheveux. Appelés *Bumiputra* (d'après un mot sanskrit signifiant « Fils du sol »), ils détiennent le pouvoir politique et possèdent des droits étendus sur les terres qui leur sont spécifiques. Le pouvoir a favorisé, après les émeutes raciales de 1969, les Malais et les peuples indigènes en mettant en place des mesures de discrimination positive, considérant que la minorité chinoise jouait un rôle économique trop important, au détriment des « vrais » Malais.

Les Chinois vivent principalement dans les villes et dominent une grande partie du commerce malaisien. Bouddhistes, taoïstes ou chrétiens, ils parlent le malais (appris à l'école) tout en perpétuant la langue de leurs ancêtres.

Ces 2 communautés, malgré des siècles de vie commune, se sont regroupées en clans qui s'évitent et se livrent une concurrence féroce. Longtemps écartés du pouvoir économique, les Malais ont imposé leur langue, supprimant un temps tout enseignement de l'anglais dans les écoles publiques, fixant des quotas pour l'entrée dans les universités aux minorités, imposant des restrictions qui leur sont toutes favorables. Néanmoins, l'anglais est toujours enseigné dans les écoles. On note aussi, ces dernières années, une redécouverte des décrets votés en 1986 interdisant aux non-musulmans l'usage écrit de certains termes liés à l'islam – à commencer par le nom d'Allah ou de la Kaabah. La publication dans un magazine anglophone de la photo d'une chanteuse américaine en tournée locale portant un Allah tatoué sur la peau a même récemment fait scandale, faisant monter au créneau les plus hautes autorités de l'État... Certains craignent désormais pour la liberté d'expression.

La communauté peranakan

Le mot malais *peranakan* vient de « *anak* », qui signifie « enfant », c'est celui qui est né ici, d'une parenté mixte. S'il existe d'autres métissages peranakan (énumérés plus loin), la majorité est le fruit des unions entre femmes malaises (voire indonésiennes ou birmanes) et « Chinois du Détroit » (*Straits Chinese* en anglais), ceux arrivés dans la péninsule malaise avant la colonisation britannique. On les désigne par le mot moyen-oriental *baba*, soit « l'homme », et par *nyonya,* qui est un terme malais qui désigne une femme mariée d'origine non malaise. D'où le nom de communauté baba nyonya, terme le plus fréquemment utilisé mais qui ne concerne que les unions sino-malaises et n'est donc pas l'équivalent du terme *peranakan,* voilà qui est dit !

Si l'on en croit la légende, la princesse Hang Li Poh, fille supposée d'un empereur Ming, aurait épousé au XVe s le sultan de Malacca Mansur Shah. Accompagnée de quelque 500 jeunes de sang noble, elle aurait initié des mariages mixtes entre Chinois et Malaises, donnant naissance à la communauté. En vérité, ce sont les marchands, installés dès cette époque, qui prirent femme malaise. Quoi qu'il en soit, il est étonnant de noter à quel point les 2 cultures se sont entremêlées. La cuisine baba nyonya en est la meilleure illustration : très épicée, elle utilise à la fois le lait de coco et la pâte de crevette. Ce particularisme se retrouve aussi dans le style architectural des temples.

D'autres communautés métisses peranakan sont nées dans les anciens ports de Malacca et de Penang. On parle ainsi des Chitty, issus des unions entre Indiens hindous et femmes malaises, des Jawi, descendants des Arabes et des Malaises, et des Kristang (chrétiens), descendants des Portugais et Hollandais mariés localement. Dans chaque cas, il ne s'agit que de quelques milliers de personnes.

Les Orang Asli

Orang signifie « l'homme », *Asli* « origine » (si, du coup, vous vous posez la question, sachez qu'« orang-outan » signifie « homme de la forêt »). Ce sont les premiers habitants de la péninsule malaise, l'équivalent des aborigènes d'Australie. On en compte aujourd'hui moins de 150 000, soit seulement 0,7 % de la population de la péninsule malaise, répartis en 18 tribus. Ils se divisent en 3 groupes ethnolinguistiques : les Semangs (ou Negritos), les Proto-Malais et les Senois. Mais si l'on prend en considération la partie malaise de Bornéo, les Orang Asal (terme englobant les Orang Asli, vous suivez ?) sont bien plus nombreux puisqu'ils constituent 11 % de l'ensemble de la population. Ils font partie des *Bumiputra,* même si beaucoup considèrent qu'ils ne sont en fait que des *Bumiputra* de seconde classe. Leur espérance de vie ne dépasse pas 53 ans, contre 74 ans en moyenne pour les habitants de Malaisie.

– Les Semangs (ou Negritos) : ils vivent surtout dans la jungle des plaines des États du nord de la Malaisie. Liés aux tribus des îles Andamans et aux Mani thaïlandais, ils sont l'un des plus vieux peuples de l'humanité. Leur arrivée dans la péninsule malaise a dû se produire entre 60 000 et 40 000 av. J.-C. : ils ont été les premiers à la peupler. Ils sont très peu nombreux puisqu'ils ne

ROTIN DE MALAISIE

Ne pas confondre avec le bambou, qui est une herbe géante poussant en une seule branche et qui ressemble parfois au rotin. Bambou et rotin sont tous les deux des plantes asiatiques, mais ce dernier, plus épais, provient du rotang, un palmier d'Inde et de Malaisie à tige grêle. Du rotin, on fait des cannes, des sièges, voire des meubles.

constituent que 3 % des Orang Asli. Désormais sédentarisés, ils vivent encore parfois dans des campements rudimentaires. Leur dénuement est quasi total. Activités principales : fabrique d'armes, d'objets et de paniers en fibres végétales (dont le *rotang,* que nous avons traduit par « rotin » !). À l'origine, les Negritos n'avaient aucun sens de la propriété privée individuelle. Il en reste un esprit communautaire très fort. Leurs chefs n'ont pas de pouvoir réel ni d'avantages matériels. L'homme le plus important du groupe est le *medecineman* ou *halaag.*

– Les Proto-Malais (Temuan) : probablement liés aux ancêtres des Malgaches comme des Polynésiens, ils sont installés dans le sud de la péninsule malaise, vers 4 500 ans av. J.-C. Ils se divisent en 7 sous-groupes. Leur organisation sociale diffère des Senois et des Negritos. Comparés aux Senois, les Proto-Malais ont un sens de la propriété plus développé. Dans la plupart de leurs groupes, la cellule familiale possède la ferme et la terre, et non la communauté. Ce sont les plus intégrés des Orang Asli.

– Les Senois : arrivés d'Indonésie entre 2 500 et 1 500 av. J.-C., ils vivent principalement dans la jungle des montagnes du centre de la Malaisie et se divisent en 5 sous-groupes. Ceux appartenant au groupe des *Semai* habitent dans le sud du Perak et aux alentours des Cameron Highlands.

Pour plus de précisions sur les Orang Asli, reportez-vous aux chapitres consacrés aux Cameron Highlands et au Taman Negara.

– Les **Rohingyas** sont des musulmans sunnites qui descendent des négociants arabes établis sur la côte ouest de la Birmanie à partir du VIIIe s. Persécutés dans leur pays depuis 1982, date à laquelle le pouvoir leur a refusé la citoyenneté birmane, les qualifiant de « Bengalis », ils ont commencé à fuir vers les pays voisins, surtout à partir de 2009 et plus encore de 2012. Actuellement, on estime à 100 000 le nombre de réfugiés qui ont atteint la Malaisie. Or, jamais cet État n'a signé la convention des Nations-Unies pour les réfugiés, si bien qu'ils ne peuvent ni se faire soigner, ni aller à l'école, ni travailler.

Illégaux, donc vulnérables, ils représentent une proie facile pour les trafiquants d'êtres humains : les passeurs, les employeurs (qui exploitent une main d'œuvre servile pour un salaire de misère), et même les hommes de l'ethnie « acquéreurs » de très jeunes filles via des intermédiaires qui parviennent à convaincre des parents dans un dénuement total, soit en Birmanie, soit dans les camps. Une fois dans le pays, elles se trouvent complètement isolées, sans éducation, jeunes mères et maltraitées. D'autres sont retenues aux frontières par les trafiquants, vendues aux réseaux de prostitution infantile asiatiques. Lire à ce sujet, l'article de Laurence Defranoux, paru dans *Libération* le 19 juillet 2018.

À noter également que d'après les Nations-Unies, 670 000 Rohingyas (sur le million que compte l'ethnie) avaient rejoint le Bangladesh depuis l'État de l'Arakan en Birmanie entre août 2017 et mai 2018.

RELIGIONS ET CROYANCES

L'islam est religion d'État. Il cohabite avec le bouddhisme et l'hindouisme, les 2 autres principales croyances représentées dans le pays.

Un islam particulier

L'islam est pratiqué par l'ethnie malaise, ainsi que par une faible minorité de Chinois et d'Indiens, de façon plutôt tolérante dans l'ensemble (un bémol toutefois en ce qui concerne les États islamiques du Nord-Est, comme le Kelantan ou le Terengganu, où les principes de la vie musulmane sont appliqués au pied de la lettre). En tout cas, les non-musulmans et à fortiori les touristes sont rarement inquiétés. Mais attention, une Occidentale ne manquera pas de se faire sif-

LE VENDREDI, LE DIMANCHE DES MUSULMANS

En 621, alors que Mahomet était encore à La Mecque, il envoya un de ses fidèles pour enseigner l'islam aux tout nouveaux convertis de Médine. Une fois sur place, notre homme demanda aux responsables locaux l'autorisation de réunir les nouveaux croyants. Permission lui fut accordée, mais à une condition : qu'il respecte le jour consacré par les juifs aux préparatifs du Sabbat, c'est-à-dire le vendredi. Mahomet entérina cette décision et, dès qu'il s'installa à Médine, institua la prière du vendredi. En ce qui concerne les chrétiens, il a fallu attendre Constantin I(er) (272-337) pour que le dimanche soit considéré comme étant le dernier jour de la semaine.

fler ou écopera de quelques réflexions lancées à la cantonade si elle se promène seule et sans foulard dans certains États du Nord-Est ! Il va sans dire qu'on choquera en se montrant seins nus sur la plage ; quant aux bains de mer, en certains endroits (les plages près des villes de la côte est), mieux vaut les prendre tout habillé pour les dames ! Notre rubrique « Savoir-vivre et coutumes » précise plus loin les quelques règles élémentaires à respecter. Les enfants portent certains jours de fête de chatoyants costumes de soie, et les écarts socioprofessionnels ne sont jamais flagrants. Il semblerait néanmoins qu'on assiste à la montée d'un certain fondamentalisme car le salafisme importé d'Arabie Saoudite gagne du terrain, comme en témoignent certaines femmes entièrement voilées, tandis que d'autres portent des gants pour ne pas se souiller au contact des étrangers, en rendant la monnaie par exemple...

Légendes

Autre spécificité de la religion malaise (qui peut expliquer certaines différences avec d'autres formes de l'islam) : la permanence tenace, à l'instar de l'islam pratiqué en Indonésie, de vieilles superstitions héritées de quelques cultes hindouistes et d'anciennes croyances animistes. Ce sont les fameuses légendes propres à certaines régions du pays (les îles Langkawi, par exemple), mais aussi la certitude, chez la plupart des Malais, que l'âme des morts se réincarne toujours en un quelconque démon,

HANTÉ PAR HANTU ?

Un Malais qui serait par mégarde tombé de son bateau, d'un arbre ou même simplement de sa hauteur, ne vous dira jamais que c'est par maladresse... Mais il ira probablement, tout de suite, consulter le chaman pour faire fuir la sorcière qui s'en est pris à lui en le poussant. Survivance des croyances animistes des temps anciens, Hantu, « la sorcière », peut se trouver partout et s'en prendre à n'importe qui. Elle est la malchance, le mauvais œil, la superstition...

spectre ou esprit malveillant ! Comme le notait l'écrivain et planteur Henri Fauconnier, qui étudia longuement la question : « La vie des Malais se passe à essayer de ne pas marcher sur le pied invisible de quelque chatouilleuse divinité. (...) Ce sont des musulmans intransigeants mais peu orthodoxes. »

Indiens et Chinois

La plupart des Indiens de Malaisie sont hindous. Mais une partie d'entre eux sont musulmans. Leurs ancêtres auraient d'ailleurs converti les Malais à l'islam (voir la rubrique « Histoire »).

Les Chinois sont, en majeure partie, bouddhistes, mais plusieurs formes de bouddhisme sont pratiquées, selon les temples fréquentés, les écoles et les moines... On trouve d'ailleurs quelques temples très curieux dans le pays, dans des grottes (Ipoh), peuplés de serpents ou complètement mégalos (Penang).

SAVOIR-VIVRE ET COUTUMES

Les Malais attachent beaucoup d'importance au comportement en société et à la tenue vestimentaire qui, pour eux, marquent le respect envers les autres. Alors considérons leurs exigences morales comme une règle de politesse. La tradition malaise enseigne par ailleurs que l'étranger est un invité et doit être considéré comme tel ; en contrepartie, nous sommes vus (nous, Occidentaux) comme des ambassadeurs : à nous de donner la

> ### SURVEILLEZ VOTRE LANGAGE !
>
> *Dire qu'une femme est moche constitue un délit en Malaisie. Cela s'appelle « la violence émotionnelle » selon le Département pour le développement des femmes, un organisme gouvernemental. Une loi condamne les hommes qui font souffrir les femmes avec des paroles humiliantes de ce style...*

meilleure image possible de notre pays. Évidemment, le degré de considération sera proportionnel à la dose de bonne volonté que le touriste mettra à respecter les coutumes du pays.

Voici quelques règles de base à respecter en Malaisie.

– *On ne serre pas systématiquement la main.* Pour saluer, un hochement de tête et un sourire suffisent, notamment, si vous êtes un homme, quand votre interlocuteur est une femme musulmane ; si elle le désire, elle vous tendra la main la première. Pour saluer une personne âgée, surtout à la campagne, mieux vaut employer une formule malaise plutôt qu'anglaise.

– *Ne jamais montrer du doigt,* particulièrement une personne. Si l'on doit désigner quelque chose malgré tout, pointer alors la main droite, le poing fermé, mais pouce tendu dans la direction voulue.

– *Toujours enlever ses chaussures* avant d'entrer dans une maison ou un lieu de culte (mosquée ou temple). On doit souvent se déchausser dans les bungalows ou les *guesthouses.* Pour perdre moins de temps, imitez les Malais : portez des tongs, mules ou sandales !

– *Ne pas toucher la tête des gens,* y compris celle des enfants.

– *Ne pas manger avec la main gauche,* considérée comme impure (bien sûr, l'utilisation de couverts change les données du problème).

– *Ne pas éternuer ou se moucher à table...* marque d'extrême incorrection ! Se débrouiller pour aller faire ça dans les toilettes ou sortir carrément dehors. En revanche, il est plutôt de bon ton de faire un peu (beaucoup) de bruit en mangeant, et une manifestation digestive sonore en fin de repas sera toujours la bienvenue !

– *Invitation :* quand on est invité chez quelqu'un, ne surtout pas arriver les mains vides. Si l'invitation est spontanée, accepter à la rigueur une boisson, décliner la nourriture (qui serait mangée au détriment des convives prévus). L'insistance de vos hôtes est une obligation dont la contrepartie est un refus tout aussi poli. C'est le cas dans toutes les communautés.

– **Ne jamais se baigner nu(e).** Monokini à bannir pour les filles dans tout le pays et bikini à éviter sur la côte est et partout à distance des zones touristiques. En fait, chère lectrice, pour ne pas être regardée de travers, une seule solution : opter pour un modèle une-pièce pas trop riquiqui.

– **Pudeur dans la tenue vestimentaire.** Le regard de l'autre importe dans la société. Ainsi, les femmes doivent éviter, en dehors des plages, de dévoiler cuisses et épaules. Plus la femme se montre « impudique », moins elle est respectée. Cela vaut aussi pour l'homme, d'ailleurs, qui se verra interdire l'entrée des mosquées s'il est vêtu d'un short ou d'un débardeur.

– **Pas de disputes en public.** Les habitants du pays ne se font jamais de scènes en public et en attendent autant des étrangers. Pour eux, un couple ou des amis en train de se disputer représente un spectacle pitoyable.

– Les **sultans sont très respectés** par la population. Ne pas les critiquer en public et, en règle générale, éviter de juger la politique nationale (surtout si on ne la connaît pas !).

– Enfin, ne jamais avoir l'air de **se moquer de quelqu'un.** Les Malais sont un peuple fier : le moindre manque de respect est souvent considéré comme un affront. On ne vous provoquera pas en duel pour une gaffe, bien sûr, mais un visage peut s'assombrir facilement.

Amok

L'*amok* est un phénomène propre au Sud-Est asiatique. Il s'agit d'une brusque explosion de violence, une fureur guerrière, souvent meurtrière, qui résulte sûrement plus de l'accumulation de révoltes ou de frustrations réelles que du caractère... Cela appartient au domaine de l'irrationnel.

Les cas sont heureusement très rares et son évocation ne vous empêchera pas de trouver chez les Malais une gentillesse naturelle et un sens de l'hospitalité peu communs.

SITES INSCRITS AU PATRIMOINE MONDIAL DE L'UNESCO

Organisation
des Nations Unies
pour l'éducation,
la science et la culture

En coopération avec le

Centre
du patrimoine
mondial

Pour figurer sur la liste du Patrimoine mondial, les sites doivent avoir une valeur universelle exceptionnelle et satisfaire à au moins un des 10 critères de sélection. La protection, la gestion, l'authenticité et l'intégrité des biens sont également des considérations importantes.

Le patrimoine est l'héritage du passé dont nous profitons aujourd'hui et que nous transmettons aux générations à venir. Nos patrimoines culturel et naturel sont 2 sources irremplaçables de vie et d'inspiration. Ces sites appartiennent à tous les peuples du monde, sans tenir compte du territoire sur lequel ils sont situés. Pour plus d'informations : ● *whc.unesco.org* ●

– En Malaisie, sont classés : les villes historiques de **Georgetown** (sur l'île de Penang) et **Malacca** (depuis 2008), le patrimoine archéologique de **la vallée de Lenggong** (2012) où a été découvert la plus longue présence avérée « des premiers hommes sur un même lieu » ; **le parc national de Gunung Mulu** (2000), à Bornéo pour sa biodiversité et ses paysages karstiques, ainsi que **le parc du Kinabalu** (2000), également à Bornéo, qui abrite la plus haute montagne d'Asie du Sud-Est (4 095 m).

SPORTS ET LOISIRS

– Pensez à vérifier si vous êtes bien assuré avant de pratiquer un sport en Malaisie, notamment la plongée sous-marine (lire plus haut la rubrique consacrée à ce sport).

Balades et randonnées

Les parcs nationaux ainsi que certaines îles offrent de beaux parcours de trekking à travers la forêt vierge. Pensez à vous équiper avant le départ, car sur place, il est encore difficile de trouver du matériel. Un petit sac à dos, une bonne paire de chaussures, des chaussettes montantes (si possible anti-sangsues), une lampe de poche, un canif, un poncho imperméable et de quoi purifier l'eau constituent l'équipement de base.

Surf

Cherating bien sûr, mais aussi Tioman (Juara) et dans une moindre mesure Perhentian Kecil. Toutes ces plages bénéficient d'excellentes conditions de surf, y compris pour les débutants, mais attention, en période de mousson seulement, c'est-à-dire entre novembre et février. Le maximum de vague en décembre. On trouve généralement à louer du matériel sur place.

SINGAPOUR UTILE

ABC de Singapour

- ❏ *Superficie :* 719,2 km² (585 km² pour Pulau Ujong, la plus grande des 64 îles).
- ❏ *Capitale :* Singapour.
- ❏ *Régime :* république parlementaire.
- ❏ *Chef de l'État :* madame Halimah Yacob depuis 2017.
- ❏ *Chef du gouvernement :* Lee Hsien Loong depuis 2004.
- ❏ *Population :* 5,6 millions d'habitants ; à 100 % urbanisée.
- ❏ *Densité :* 8 200 hab./km², la plus élevée du monde après Monaco.
- ❏ *Monnaie :* dollar Singapour ($S).
- ❏ *Indice de développement humain :* 5e rang (0,925).
- ❏ *Espérance de vie :* 83 ans.
- ❏ *Langues :* anglais, mandarin, malais, tamoul.

AVANT LE DÉPART

Adresses utiles

En France

🛈 *Office de tourisme de Singapour :* représenté par ● *interfacetourism. com* ● Pas d'accueil public.
– Également un site en anglais et une page *Facebook* : ● *yoursingapore. com* ●
◼ *Ambassade de Singapour :* 16, rue Murillo, 75008 Paris. ☎ 01-56-79-68-00. ● *mfa.gov.sg/paris* ● Ⓜ Courcelles. Lun-ven 9h-13h, 14h-17h.

En Belgique

◼ *Ambassade de Singapour :* av. Franklin-Roosevelt, 85, Bruxelles 1050. ☎ 02-660-29-79. ● *mfa.gov.sg/ brussels/* ● Lun-ven 9h-12h, 14h-16h.

En Suisse

◼ *Mission de Singapour :* av. du Pailly, 10, 1219 Châtelaine, Genève. ☎ 022-795-01-01. ● *mfa.gov. sg/geneva/* ● Lun-ven 8h30-13h, 14h-17h.

Au Canada

◼ *Consulat général de Singapour :* suite 5300, 66 Wellington St. West, Toronto, Ontario, M5K 1 E6. ☎ 416-601-79-79. ● *mfa.gov.sg/toronto/* ● Lun-ven 8h30-13h. Sur rdv seulement.

Formalités

– Les ressortissants français, belges, suisses et canadiens doivent être munis d'un *passeport* valable encore 6 mois à compter de la date d'entrée dans le pays, un *billet aller-retour* ou de continuation, et *suffisamment d'argent*. Pas de visa requis pour un séjour de moins de 30 j. maximum. Au-delà, une autorisation doit être demandée en ligne aux services d'immigration de Singapour ● *ica.gov.sg* ● En cas de séjour dans un pays endémique à la fièvre jaune dans les 6 jours qui précèdent l'arrivée à Singapour, être obligatoirement vacciné.

À la frontière, il faut remplir une fiche d'entrée dans le pays. Ne pas perdre la partie remise par le contrôle aux frontières, elle vous sera demandée à votre départ.

– Les **mineurs** doivent être munis de leur propre pièce d'identité (passeport pour Singapour). Pour l'autorisation de sortie de territoire lorsque les enfants ne sont pas accompagnés par un de leurs parents, chaque pays a mis en place sa propre régulation. Ainsi, pour **les mineurs français, l'autorisation de sortie du territoire** (AST) a été rétablie depuis 2017. Pour voyager à l'étranger, ils doivent être munis d'une pièce d'identité, d'un formulaire signé par l'un des parents titulaire de l'autorité parentale et de la photocopie de la pièce d'identité du parent signataire. Renseignements et formulaire à télécharger sur ● *service-public.fr* ●

– **Douanes :** de préférence, indiquer un hôtel chic sur le formulaire qu'on vous demande de remplir à l'arrivée à Singapour. L'importation de tabac (sous toutes ses formes, même les *kreteks*, cigarettes aux clous de girofle d'Indonésie et de Malaisie) est fortement taxée. Pour les paquets de chewing-gums, lire la rubrique « Dangers et enquiquinements » plus loin. Plus généralement, pour connaître la liste des produits autorisés et/ou taxés, se rendre sur le site de la douane singapourienne : ● *customs.gov.sg* ● (en anglais).

> Pensez à scanner passeport, carte de paiement, vouchers d'hôtel. Ensuite, adressez-les-vous par e-mail, en pièces jointes. En cas de perte ou de vol, rien de plus facile pour les récupérer sur votre smartphone. Les démarches administratives en seront bien plus rapides.

– **Ariane, pour votre sécurité, restez connectés :** Ariane est un service gratuit mis à disposition par le centre de crise et de soutien du ministère français des Affaires étrangères pour vous alerter en cas de risque sécuritaire, lors de vos déplacements à l'étranger. Créez votre compte et inscrivez vos voyages personnels ou professionnels. Les informations renseignées sur Ariane seront utilisées uniquement en cas de crise pendant votre séjour et permettent notamment, de contacter les proches lors des situations d'urgence. Pour en savoir plus : ● *diplomatie.gouv.fr* ●

Assurances voyages

Voir la rubrique « Avant le départ » dans « Malaisie utile » en début de guide.

Vaccinations

Aucun vaccin obligatoire pour les voyageurs en provenance d'Europe (voir aussi la rubrique « Santé » plus loin).

Carte internationale d'étudiant (ISIC) et carte internationale des auberges de jeunesse (FUAJ)

Voir la rubrique « Avant le départ » dans « Malaisie utile » en début de guide.

ARGENT, BANQUES, CHANGE

La vie est bien plus chère à Singapour qu'en Malaisie... Restos, bars et discothèques sont aussi chers qu'en Europe.

– L'unité monétaire est le **dollar Singapour** ($S), divisé en 100 *cents*. Mi-2018, 1 € valait environ 1,60 $S, et 1 $S à peu près 0,60 €. Pas de marché noir de devises, *of course !*

– Vous pouvez choisir de changer vos euros avant votre départ. La bonne astuce est de commander vos devises sans commission en ligne comme le propose *Travelex*. Il vous suffit de commander et payer vos devises sur le site ● *travelex. fr* ● puis de passer les récupérer directement dans l'une des agences *Travelex* présentes dans la plupart des grands aéroports et gares en France.

– Les **money changers** changent la plupart des devises. De plus, ils présentent le double avantage d'être présents un peu partout en ville, et surtout d'être ouverts plus tard le soir.

– De très nombreux **distributeurs automatiques (ATM)** permettent de retirer de l'argent, nuit et jour, avec les principales cartes de paiement internationales. Tout centre commercial qui se respecte possède son (ou ses) distributeur(s) et leur usage est largement répandu. Le taux est généralement plus intéressant que chez les *money changers* mais la commission de votre banque le fera redescendre bien vite.

Cartes de paiement

Avertissement

Si vous comptez effectuer des retraits d'argent aux distributeurs, il est **très vivement conseillé d'avertir votre banque** avant votre départ (pays visités et dates). En effet, **votre carte peut être bloquée dès le premier retrait** pour suspicion de fraude. C'est de plus en plus fréquent. Bonjour les tracasseries administratives pour faire rentrer les choses dans l'ordre, et on se retrouve vite dans l'embarras !

De même, pensez à téléphoner à votre banque pour relever le plafond de retrait aux distributeurs et pour les paiements par carte, quitte à le faire rebaisser à votre retour.

Bon à savoir

Avant de partir, notez donc bien le numéro d'opposition propre à votre banque (il figure souvent au dos des tickets de retrait, sur votre contrat ou à côté des distributeurs de billets), ainsi que le numéro à 16 chiffres de votre carte. Bien entendu, conservez ces informations en lieu sûr et séparément de votre carte.

Par ailleurs, l'assistance médicale se limite aux 90 premiers jours du voyage, et l'assistance véhicule aux cartes haut de gamme (renseignez-vous auprès de votre banque). N'oubliez pas aussi de VÉRIFIER LA DATE D'EXPIRATION DE VOTRE CARTE BANCAIRE avant votre départ !

Petite mesure de précaution

Si vous retirez de l'argent dans un distributeur, utilisez de préférence les distributeurs attenants à une agence bancaire. En cas de pépin avec votre carte (carte avalée, erreurs de numéro...), vous aurez un interlocuteur dans l'agence, pendant les heures ouvrables du moins.

ACHATS

Singapour a la réputation d'un véritable paradis pour les *addicts* du shopping, tout comme Hong Kong, mais avec le sourire en plus... Cela dit, le bénéfice est moins évident qu'avant. Si vous allez en Chine par la suite, gardez vos sous pour l'électronique où tout sera moins cher là-bas. Si vous visez un produit en particulier, il vaut mieux partir avec les références techniques précises et les prix pratiqués chez vous pour pouvoir comparer une fois sur place. Selon le contexte économique (taux de change avec l'euro, en particulier), il est parfois intéressant d'acheter, mais parfois, c'est plutôt désavantageux. Intéressez-vous aux marques locales et asiatiques, souvent moins chères.

Récupérer la TVA

En principe, la **Goods and Service Tax** (GST, la TVA locale) de 7 % est remboursable en partant, à l'aéroport de Changi à partir de plus de 100 $S d'achats réalisés le même jour (taxe comprise). Les commerces qui délivrent des reçus permettant le *Tourist Refund Scheme* (TRS) affichent une vignette *Tax free* à leur vitrine. Pensez-donc à garder vos reçus et présentez-les avant l'enregistrement de vos bagages au *Self Help Kiosk* ou au *Customs Tax Office.* La somme sera remise au choix en liquide ou déposé sur votre compte via votre carte bancaire.

Les centres commerciaux (*malls*)

Ils pullulent, notamment tout le long d'Orchard Road, et dans chaque quartier. Vous pouvez vous balader dans les galeries en sous-sol sans voir le ciel tout en restant dans une atmosphère climatisée ! Pratique quand on sait que des orages éclatent 1 jour sur 2. Les horaires d'ouverture sont en général de 10h à 22h ou 23h. Certains centres sont spécialisés dans un domaine particulier. Toutefois, on conseille de faire d'abord un repérage dans les centres commerciaux de Chinatown, Kampong Glam ou Little India, avant de fréquenter ceux d'Orchard Road, cela vous évitera de retrouver ce que vous avez acheté la veille proposé au prix auquel vous pensiez l'avoir arraché de haute lutte. Cela dit, attention aux différences de qualité (pas mal de produits *cheap* à Chinatown) et à la contrefaçon ! Bref, c'est un vrai sport...
– Bon à savoir : **The Great Singapore Sale** régale les accros au shopping (appelés ici *shopaholics*) chaque année de début juin à mi-août. Plus de 2 mois de soldes gigantesques à travers la ville. Jusqu'à 70 % de réduction.
– **Matériel électronique :** pour tout ce qui est ordinateurs, tablettes numériques, téléphones portables, caméscopes et appareils photo, on vous le répète, sachez exactement ce que vous cherchez (le modèle précis et les options qui vont avec, carte mémoire, etc.) et quelle limite de prix vous vous fixez.
En principe, les boutiques les moins chères sont sur Beach Road et surtout au *mall* de *Sim Lim Square*, l'immeuble un peu décrépit à l'angle de Bencoolen et de Rochor Canal Road. Réductions substantielles possibles. Faites un tour au complexe **Mustafa Center,** au nord de Little India, un grand bazar où l'on trouve de tout mais surtout une multitude de gadgets électroniques. Mais méfiez-vous des offres trop alléchantes. Il existe une liste des commerces à éviter.
Pensez à vérifier si la garantie est internationale, car le plus souvent elle n'est valable que sur Singapour et l'Asie du Sud-Est, et quelle est la marche à suivre pour en bénéficier réellement. Une fois de plus, nous recommandons la plus grande prudence lors des achats à Singapour : vérifiez la compatibilité des systèmes, le type de prise secteur (s'il faut un adaptateur) et le type de clavier (*qwerty* et non *azerty*) ou comment le modifier. Surtout, vérifiez que c'est bien le modèle demandé qui est dans la boîte... Les arnaques existent aussi ici ! Et en cas de problème, adressez-vous au *Singapore Tourism Board* (☎ 1-800-736-2000 – n° gratuit depuis Singapour, lun-ven 9h-18h).
– **Vêtements et chaussures :** les Singapouriens suivent de près la mode occidentale. Toutes les marques de prêt-à-porter (françaises, italiennes, américaines...) sont donc représentées (notamment dans le quartier d'Orchard Road), mais à des prix similaires à ceux pratiqués en Europe. En revanche, les chaussures de sport des grandes marques (*Nike, Reebok, Adidas...*) fabriquées en Asie sont à des prix attractifs.

Les grands couturiers (*Gucci, Prada, Hermès, Vuitton,* etc.) ont leurs boutiques à Singapour, mais les articles y sont souvent plus chers qu'en Europe, même avec la détaxe. C'est nettement le cas dans les galeries de luxe du **Marina Bay Sands.** Chez les tailleurs locaux, on peut se faire confectionner un costume en soie sur mesure en 48h. Une institution : *Justmen's Shop* au *Tanglin Shopping Centre* (sur Orchard Road). Moins chers mais un peu racoleurs : les tailleurs d'*Aerial Plaza* (passage couvert entre Raffles Place et Collyer Quay).

– **Soieries et passementeries, tissus et étoffes :** nombreuses échoppes et beaucoup de choix dans Chinatown, Little India et Kampong Glam.

– **Antiquités et art asiatique :** *Tanglin Mall, au bout d'Orchard Road, dans le centre commercial du n° 19.* Nombreuses boutiques réparties sur les 3 étages. Marchandez ferme, mais de superbes choses à admirer (à voir, à défaut de pouvoir les acquérir). Un véritable musée ! Ou encore au *People's Park*, à Chinatown.

Et selon les quartiers

Sur **Orchard Road,** parcourez les étages de *ION* et *Paragon* pour les marques de luxe et la bijouterie ; *Tangs Plaza, Lucky Plaza, Wisma Atria, Takashimaya* et *313@ Somerset* pour la mode *Scotts Square* pour les chaussures.

– **Kampong Glam :** pour les tapis et la soie de Malaisie, d'Inde et de Thaïlande, les batiks d'Indonésie et les pierres précieuses ou semi-précieuses (se reporter à la rubrique « À voir. À faire » à Singapour).

– **Serangoon Road** *(Little India) :* fines soieries, paniers, épices, parfums et tissus. Bijoutiers qui travaillent l'or à des prix intéressants.

– **Chinatown :** le *Singapore Handicraft Centre* (Chinatown Point) regroupe une dizaine de boutiques d'artisanat chinois. Sinon, plein de vendeurs de petits cadeaux futiles dans la zone de *Temple Street*.

– **Les marchés de nuit** *(pasar malam) :* autrefois, ils encombraient joyeusement les rues par leurs couleurs et leurs bruits, tout cela dans la bonne humeur. Dans Chinatown, le samedi après-midi, animation fébrile. Les Chinois de toute l'île s'y donnent rendez-vous : cerfs-volants, masques... Dans les pharmacies, on trouve un tas de petits animaux écrasés et séchés. Tous possèdent leurs vertus médicinales propres.

– **Holland Village :** non loin d'Orchard Rd. Ⓜ *Buona Vista.* Regorge de boutiques vendant de l'artisanat en provenance d'Indonésie, de Malaisie, de Thaïlande et de Birmanie : tapis, antiquités, batiks et soie, généralement destinées aux expats. Prix fixes et assez chers.

Marchandage

Dans certains quartiers et sur les marchés, le marchandage est de rigueur, voire vivement conseillé. Si un vendeur s'y refuse, n'insistez pas, allez voir plus loin, et décidez-vous après comparaison. Quelques principes : proposez toujours une somme bien inférieure à celle que vous souhaitez vraiment mettre et montez progressivement jusqu'au prix que vous vous êtes fixé. Cela permet au commerçant de rééquilibrer la balance et d'avoir le sentiment qu'il a le dernier mot. Souriez toujours, c'est le moyen de communication international. Attention, les grands magasins, eux, ont des prix fixes. Cela se complique pour les articles d'artisanat et les antiquités, où la présence d'un prix fixe n'interdit pas le marchandage ! Souvent aussi, le prix est indiqué, mais il n'est que recommandé *(recommended price).*

BUDGET

Pour les adresses « Bon marché », les prix sont TTC *(net prices).* En revanche, pour les autres catégories, il faut ajouter près de 17 % de taxes aux prix affichés ou annoncés. Nos fourchettes de prix en tiennent compte.

Hébergement

Les prix des établissements de la catégorie « Chic » varient quelque peu en fonction de la période, et une petite réduction est parfois consentie le week-end. Une précision : éviter de venir à Singapour lors du Grand Prix de Formule 1 (mi-septembre, en principe), de nombreux établissements augmentent leurs prix de 30 % au moins.
– *Bon marché :* de 20 à 40 $S/pers (12 à 25 €) en dortoir et environ 100 $S (60 €) en chambre double dans un *hostel.*
– *Prix moyens :* de 100 à 150 $S (60 à 90 €).
– *Chic :* de 150 à 250 $S (90 à 150 €).
– *Très chic :* plus de 250 $S (150 €).

Restaurants

La nourriture est très abordable dans les *food courts* et autres *hawkers centres,* mais nettement plus chère dans les quartiers à la mode comme Club Street ou Marina Bay. Voici une fourchette de prix correspondant à un plat.
– *Très bon marché :* moins de 5 $S (3 €).
– *Bon marché :* de 5 à 15 $S (3 à 9 €).
– *Prix moyens :* de 15 à 30 $S (9 à 18 €).
– *Chic :* de 30 à 50 $S (18 à 30 €).
– *Très chic :* plus de 50 $S (30 €).

Pourboire

À Singapour, il n'est pas d'usage. Le service de 10 % et la taxe gouvernementale de 7 % sont systématiquement inclus dans l'addition Seule exception : les repas pris dans les *food courts* et les *hawker centers.*

Singapour gratuit

La cité-État est, dans le contexte du sud-est asiatique, une destination chère. Il existe toutefois des sites et attractions où il ne faut rien débourser. Il y a là de quoi meubler plusieurs journées :
– Déambuler dans les *Gardens by the Bay* au milieu des fabuleux *supertrees* et assister au *light-show nocturne* à 19h45 et 20h45.
– Profiter du *Water and Light Show* de 20h et 21h30 (23h ven et sam), un spectacle laser face au *skyline* de la ville sur la terrasse au bas du Marina Bay Sands.
– Assister aux *concerts classiques* gratuits du dimanche après-midi au *Symphony Lake* des *Botanic Gardens.*
– Participer à la *visite guidée* gratuite de *Chinatown* le samedi matin à 9h30 ● wwwalks.com ●
– Se promener dans la quiétude zen des *Chinese and Japanese Gardens* à Jurong.
– Se croire à Bornéo au milieu des singes en liberté dans la jungle tropicale de la *Bukit Timah Nature Reserve* et grimper jusqu'au sommet de l'île à 163 m d'altitude.
– Se plonger dans le décor un poil kitsch de la mythologie chinoise dans les *Tiger Balm Gardens.*
– Se balader à 16 m de haut sur le sentier perché du *Canopy Walk* pour découvrir la faune et la flore de *Southern Ridge.*
– Observer les oiseaux migrateurs ou non de *la réserve de Sungei Buloh Wetland.*
– À Chinatown, s'imprégner des cultures chinoise et indienne en visitant le *Bouddha Tooth Relic Temple* et le *Sri Mariammam Temple.*
– Découvrir les développements de l'urbanisme singapourien passé et futur à la *Singapore City Gallery* à Chinatown.
– Visiter le *fort de Siloso* sur l'île de Sentosa.

CLIMAT

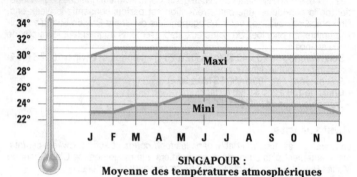

SINGAPOUR :
Moyenne des températures atmosphériques

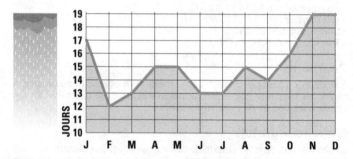

SINGAPOUR :
Nombre de jours de pluie

Situé un degré au nord de l'équateur, Singapour jouit d'un climat chaud et humide avec une moyenne de 20 à 30 °C tout au long de l'année. La saison la plus sèche (ou disons la moins humide) s'étend de mai à septembre. La mousson du nord-est provoque des averses nombreuses entre octobre-novembre et janvier. Les habitants subissent également des « coups de Sumatra », comprenez de violents mais brefs orages. La pluie transforme instantanément les esplanades des centres commerciaux en véritables pataugeoires. Pour plus de détails, reportez-vous à la rubrique « Climat » du chapitre « Malaisie utile ».

DANGERS ET ENQUIQUINEMENTS

Singapour est une des villes les plus sûres du monde. On peut s'y balader à n'importe quelle heure du jour ou de la nuit sans aucun souci, ce qui n'empêche pas de rester vigilant. On nous a dit que lorsqu'un vélo était volé, l'incident faisait la une des journaux... c'est dire !

« Singapour, la ville des amendes »

Si vous voulez rapporter un souvenir rigolo ou ne pas perdre de vue la législation locale, achetez-donc l'un des tee-shirts dans les boutiques pour touristes.

En anglais, cela donne : « *It's a fine city* », *fine* signifiant à la fois « agréable » et « amende » : pas vraiment des synonymes ! Car à Singapour, toute infraction est passible d'une amende corsée.

D'abord, il est **interdit de fumer** dans les lieux climatisés, les bus, les taxis, les restos... Mais il est tout à fait possible de fumer dans la rue... à condition de ne pas envoyer la fumée en direction de votre voisin(e), de respecter une distance de 5 m avec les bâtiments les plus proches et surtout d'écraser votre mégot dans les cendriers placés au-dessus des poubelles ! De fait on ne voit aucun mégot par terre. Bref, si

> ## LA MEILLEURE FAÇON DE MÂCHER...
>
> *... c'est de ne surtout pas le faire ! Depuis 1992, une loi interdit la fabrication, l'importation et la consommation de chewing-gum. Un masticateur pris sur le fait est passible d'une amende et de travaux d'intérêt général. À l'origine de cette loi, un dysfonctionnement du métro qui, un jour, ne put ouvrir ses portes en raison d'un chewing-gum qui bloquait le système d'ouverture. Seule exception tolérée, le chewing-gum à usage thérapeuthique. Mais on vous conseille fortement d'emporter votre ordonnance !*

vous êtes fumeur, on conseille de vous en griller une à côté d'une poubelle-cendrier, comme tout le monde. Si vous l'écrasez dans la rue : 500 $S d'amende. Et inutile de vous consoler en vapotant : la cigarette électronique est, elle aussi, interdite.

Autres exemples : **traverser hors des passages protégés** si vous êtes à moins de 50 m de ceux-ci (100 $S) ; manger et boire dans le métro (500 $S) ; cracher par terre (1 000 $S), bien que ce soit toléré chez les personnes âgées ou malades ; jeter des détritus (500 $S), uriner dans la rue ou oublier de tirer la chasse d'eau des toilettes publiques (1 000 $S), etc. Mâcher du chewing-gum dans les lieux publics peut valoir une amende de 1 000 $S, surtout s'il est jeté sur la chaussée. C'est pourquoi ils sont interdits à la vente ! Attention, l'importation de vos propres gommes à mâcher vous coûtera la même somme... Signalons aussi aux artistes de rue que les graffitis sont considérés comme des actes de vandalisme et réprimés par des coups de bâton ! Autre interdiction : le transport des durians dans le métro. Mais ça, personne ne se plaindra d'être à l'abri de ses effluves de camembert trop fait.

Les policiers sont pratiquement tous en civil. Vous pouvez faire la connaissance de l'un d'entre eux sans le savoir, prendre un café avec lui et, à la première occasion, il vous sortira sa carte.

Bon, malgré tout cela, les gens fument dans les rues (si, si !), certains crachent par terre (certes dans le caniveau), d'autres traversent en dehors des passages piétons... On a même signalé une recrudescence de l'activité des pickpockets. Le tout est de rester attentif au respect de ces règles... De fait, on s'habitue vite à ces espaces publics et ces couloirs de métro où ne traîne aucun détritus, aucun papier gras et où le risque de marcher dans une crotte de chien est inexistant... d'ailleurs y a-t-il des chiens ?

Homosexualité, jeu et prostitution

L'homosexualité masculine est toujours considérée comme illégale et passible d'une peine de prison pouvant aller jusqu'à 2 ans, même si en pratique, elle est tolérée, à condition de jouer la carte de la discrétion. Comme à Hong Kong ou à Bangkok, la prostitution est légale, mais le racolage public et le proxénétisme sont punis par la loi. Subtil, n'est-ce pas ? En général, les étrangers pris dans une histoire de prostitution qui a mal tourné font la une des journaux locaux, pour l'exemple. La prostitution est toutefois bien présente dans certains quartiers ou boîtes de nuit.

Quant au jeu, s'il est autorisé depuis l'ouverture de 2 casinos en 2010, il reste strictement réglementé, notamment pour les Singapouriens, qui doivent s'acquitter d'un droit à l'entrée.

Drogue

On ne le dira jamais assez : à Singapour, **on ne badine pas avec la drogue.** Tolérance zéro ! Les amendes sont sévères, pouvant atteindre 20 000 $S et/ou 10 ans de prison si vous êtes arrêté en possession de drogue. La peine de mort est toujours en vigueur pour les trafiquants. Moralité : n'y touchez pas !

ÉLECTRICITÉ

Les prises sont du modèle UK, avec 3 broches rectangulaires. Un adaptateur est nécessaire. Le courant est du 230 volts.

FÊTES, FESTIVALS ET JOURS FÉRIÉS

À Singapour, pluri-ethnisme et société de consommation effrénée obligent, la fête ne s'arrête jamais ! Les dates des fêtes que nous indiquons peuvent varier d'un ou plusieurs jours, la plupart (d'origine chinoise) dépendant du calendrier lunaire. Si vous préparez votre voyage en fonction d'une fête particulière, vérifiez la date précise auprès de l'office de tourisme ou du site officiel en anglais ● *yoursingapore. com* ● qui annonce et décrit brièvement les manifestations prévues dans l'année. Ce serait étonnant que vous ne trouviez rien à vous mettre sous la dent, lors de votre voyage. Toutes sont l'occasion d'illuminations assez spectaculaires.

Remarque : quand un jour férié tombe un dimanche, le lundi suivant est chômé.

– **Nouvel An :** *1ᵉʳ janv.* Compte à rebours, concerts et feux d'artifice, sur Orchard Road et le long de la Singapore River.

– **Thaipusam :** *en janvier ou février.* Fête religieuse hindoue, avec notamment une extraordinaire procession entre Serangoon Road et Tank Road dans Little India où les fidèles défilent, percés de tiges de métal.

– **Nouvel An chinois :** *2 j. fin janv ou en fév, selon le calendrier lunaire.* Le moment ou jamais de visiter Chinatown enluminée de multiples guirlandes et lampions, bruissant d'activité, surtout en fin d'après-midi. Presque toute la population chinoise de la ville vient ici faire ses emplettes. Des marchés installent leurs étals un peu partout. On y trouve *hong-baos* (petites enveloppes rouges dans lesquelles seront cachées les étrennes), mandariniers porte-bonheur et toutes sortes de décorations (souvent très kitsch, toujours rouge et or) pour la maison. Et on mange dans la rue des *bah quahs* (délicieuses tranches de porc grillé), des *lup cheongs* (bonnes petites saucisses chinoises) ou des gâteaux aux cacahuètes. Au fait, « bonne année » se dit *Kong xi* (prononcez « chi ») *fatt choy.*

– **Chingay Procession :** *mars-avr. Pile 22 j. après le Nouvel An chinois.* Grande parade (multiraciale) : porteurs de drapeaux, danses du lion, etc.

– **Birthday of the Monkey God :** *en janv ou fév au Monkey God Temple sur Seng Poh Road.* Procession de médiums en transe, possédés par l'esprit du « dieu singe » chinois. Impressionnant !

– **Singapore International Jazz Festival :** *3 j. en mars.* De grands noms à l'affiche.

– **World Gourmet Summit :** *mars-avr.* Le rendez-vous international annuel des grands chefs.

– **Mosaïc Music Festival :** *10 j. en mars.* Concerts de *world music.*

– **Good Friday** *(Vendredi saint) :* en mars-avril selon calendrier chrétien.

– **Labour Day** *(fête du Travail) :* 1ᵉʳ mai.

– **Jour du Vesak :** *en mai.* Célébration du Bouddha.

– **Hari-Raya :** c'est l'*Aïd el-Fitr* ou *Aïd es-seghir* (la petite fête). En 2019, la fin du ramadan se déroulera autour du 5 juin, et en 2020 autour du 24 mai. Vers Arab Street et dans le quartier malais de Geylang Serai, illuminations et, autour des mosquées, une pléthore de marchés nocturnes où déguster de nombreuses spécialités malaises.

– *Singapore Dragon Boat Festival :* *fin juin.* Spectaculaires courses de bateaux traditionnels. Autour de l'île de Sentosa ou sur Marina Bay.

– *Singapore Food Festival :* *2 sem en juil.* Pour aller de ripailles en dégustations.

– *Festival of the Hungry Ghosts* (festival des Fantômes affamés) *: fête mobile, juil-août.* Pour honorer les esprits errants. Spectacles superbes d'opéra chinois (*Wayang*) donnés durant tout le festival de la 7e lune.

– *Fête nationale :* *9 août.* Comme partout, défilé et feux d'artifice.

– *Singapore International Festival of Arts :* *août-sept.* De la danse au théâtre en passant par les concerts. Dans les principaux lieux artistiques de la ville.

– *Formula One Night Race :* *mi-sept, en principe.* Grand prix de F1 à la nuit tombée sur le circuit de Marina Bay Street.

– *Thimithi Festival :* *fête mobile, oct-nov.* Les hindous marchent sur des braises devant le temple *Sri Mariamman*, au cœur de Chinatown.

– *Pèlerinage à l'île de Kusu :* *fête mobile, taoïste, oct-nov.*

– *Festival of the Nine Emperor Gods* (festival des Neuf Dieux Empereurs) *: fête mobile, oct-nov.*

– *Deepavali :* *fête mobile, oct-nov.* Célèbre la victoire de la lumière sur l'obscurité. Little India en est tout illuminée (au sens propre du terme).

– *Fête de la mi-automne :* *à la pleine lune durant le 8e mois du calendrier lunaire.* Chinatown se pare de lanternes et de gâteaux de lune.

– *Elephant Parade :* *plusieurs semaines entre mi-novembre et mi-janvier.* Il s'agit de la plus grosse exposition de plein air de modèles d'éléphants à taille humaine ! On en voit partout dans les rues, colorés, peints, décorés par des artistes. Des reproductions en taille réduite vendues dans des boutiques éphémères au profit de la sauvegarde des éléphants d'Asie.

– Une belle période pour voir Singapour est le mois de décembre, pendant lequel les Singapouriens se ruent dans les magasins décorés de manière fastueuse pour **Noël.** Les illuminations sont vraiment superbes (*Christmas Light-Up,* notamment sur *Orchard Road*, qui vibre de cette agitation toute commerciale).

HÉBERGEMENT

À noter que la connexion wifi est largement disponible gratuitement dans tous les *hostels* et hôtels.

Les hôtels

Compte tenu des forts taux de fréquentation des hôtels (clientèle d'affaires oblige) et des différentes manifestations et festivals qui se succèdent en ville, *il est fortement recommandé de réserver sa chambre à l'avance,* ou, pour des offres de dernière minute, de tenter votre chance sur Internet.

D'une manière générale, non seulement les réservations s'effectuent de plus en plus via Internet, mais c'est souvent le moyen d'obtenir une remise, voire une excellente remise. Attention, les prix varient du simple au double, voire au triple, suivant la période de l'année, si vous venez en semaine ou le week-end, et selon le taux d'occupation. Dans la plupart des hôtels, si vous vous pointez à la dernière minute à la réception, vous aurez sans doute droit aux *rack rates,* c'est-à-dire au prix fort, souvent le double ou le triple du prix pratiqué en temps « normal ». Dans certains hôtels, et en période creuse, il est même possible de marchander.

Globalement, il devient difficile de se loger pour un prix modique. Sans l'afficher ouvertement, les autorités n'aiment pas trop les voyageurs qui ne disposent pas d'au minimum une demi-douzaine de cartes de paiement ! La rénovation urbaine fait régulièrement se volatiliser un grand nombre de petits hôtels et de *guesthouses.* Les *crash-pads,* chambres situées à certains étages d'immeubles tenues par des proprios qui veulent remplir leurs chambres sans véritablement chercher à être aimables, ont quasiment disparu, tandis que les hôtels d'un luxe souvent tapageur, autrefois cantonnés au secteur d'Orchard Road, s'installent dans Chinatown ou Little India.

Parallèlement, une nouvelle génération de boutiques-hôtels se développe un peu partout en ville : confidentialité, taille humaine, déco souvent épurée et design, confort moderne, minibar ou kitchenette, salle de fitness, accueil personnalisé, petit déjeuner sous forme de buffet et prix... plutôt chic. Ils ont (presque) tout bon, et compte tenu des promos sur Internet, on finit par s'y retrouver.

Les auberges de jeunesse *(youth hostels)*

On compte quelques AJ officielles sur l'île. Nous en avons sélectionné quelques-unes. Parmi les auberges de jeunesse privées, on voit poindre une nouvelle vague. Les places y sont chères (autrement dit, réserver impérativement son lit bien à l'avance), mais les prix restent relativement abordables si l'on compare leur confort avec les vieilles adresses aux moquettes tachées et aux relents de vieilles chaussettes. Signalons aussi les *poshtels* ou *boutique hostels,* la version carrément chic et donc carrément chère de cette nouvelle génération d'AJ. En général, le petit déj, la connexion wifi et même quelques balades guidées sont inclus dans le tarif. Pas mal de services comme la vente de tickets de transport ou des visites et attractions à prix réduit. Pour disposer de l'AC, dites « *with air con* ». Si l'on vous propose une chambre moins chère « *with fan* », sachez qu'il s'agit de ventilos. Attention, il est très fréquent que des chambres, même de catégorie « Prix moyens », ne disposent pas de fenêtre. De plus, elles ne sont pas forcément moins chères que les autres. Vérifiez avant de prendre la chambre.

Profitez de votre séjour à Singapour pour essayer le concept des AJ *high tech* modernes, venu du Japon équipées non plus de lits métalliques superposés qui grincent, mais de « *pods* », ces lits-capsules avec espace individuel bien clos et toute une série de petits gadgets bien utiles. Le prix est parfois supérieur de 50 % à un lit en AJ classique mais le confort offert en fait un bon compromis entre le *backpacker hostel* et l'hôtel 2-3 étoiles, à condition de ne pas dépasser la taille de 1,80 m !

LIVRES DE ROUTE

– *L'anthropologue mène l'enquête* (2002), de Nigel Barley (Petite Bibliothèque Payot, n° 438). Un livre entre le roman biographique de l'écrivain et la biographie de Stamford Raffles, haute personnalité de la Compagnie anglaise des Indes orientales et fondateur de Singapour. Le roman nous mène de l'Indonésie à la péninsule de la Malaisie, en passant par Bornéo et Singapour. Un long voyage pour découvrir la vie des colonies au XIXe s et pour comprendre les conditions historiques de l'ascension politique de Raffles.

– *Portraits de Singapour* (2014), de Marion Zipfel (Portraits de ville, Hikari Éditions). L'ouvrage présente la ville à travers le regard d'une douzaine d'expatriés francophones et d'un Singapourien d'origine. Chacun raconte son parcours, son arrivée et son adaptation dans la cité-État, avec en prime un petit carnet de leurs adresses préférées. Intéressant pour ceux qui songent à s'installer...

– *Crazy Rich à Singapour,* de Kwan Kevin (Albin Michel, 2015). Quand une Sino-Américaine débarque dans l'aristocratie chinoise de Singapour, cela fait des étincelles. Une comédie saluée par la critique.

– *Les Français à Singapour, de 1819 à nos jours* (2012), de Danièle Weiler et Maxime Pilon (Éditions du Pacifique). Religieux, botanistes, planteurs, commerçants et aventuriers français ont tenté leur chance à Singapour malgré le barrage de la langue et la prédominance de l'anglais. Ce beau livre relate leur rôle dans l'histoire locale, sachant qu'aujourd'hui la communauté française représente environ 10 000 personnes (disponible en location).

– *Singapour* (2009), de Georges Cassel (Éditions du Sonneur). Un texte très court dans le langage fleuri de l'époque, la description d'un Singapour cosmopolite au début du XXe s, toujours d'actualité aujourd'hui même si les conditions de vie ont bien changé. Une ode à la diversité et à la sensualité tropicale que Paul Léautaud goûta en son temps.

POSTE

Pas de problème avec les services postaux de Singapour, ils sont très efficaces et on les trouve un peu partout. Ouvert en général du lundi au vendredi de 8h30 ou 9h30 à 17h ou 18h, le samedi jusqu'à 13h ou 14h. Voir les « Adresses et infos utiles » de Singapour. Pour l'Europe et le Canada, compter environ 0,50 \$S pour une carte postale et 1,10 \$S pour une lettre jusqu'à 20 g. On trouve également des timbres dans les magasins *7/Eleven*.

SANTÉ

Pas de problème particulier à Singapour, où les conditions sanitaires sont très sûres. Le paludisme n'y sévit pas. La transmission de la dengue est sporadique ou inexistante depuis plusieurs années.
Épidémies d'hépatite A et de fièvre typhoïde de plus en plus rares. Eau potable à peu près partout. Si vous emportez votre trousse de médicaments, n'oubliez pas de vous faire délivrer une ordonnance qui les prescrit, traduite en anglais si possible. Cela vous évitera des problèmes !
À ce jour, les vaccinations recommandées en France (tétanos, polio, diphtérie, coqueluche, hépatite B) suffisent si votre voyage vous conduit exclusivement à Singapour. Si ce n'est pas le cas, les vaccins contre l'hépatite A et la fièvre typhoïde sont recommandés. Séjours prolongés (expatriation, par exemple) : vaccin contre l'encéphalite japonaise (à prévoir 2 mois avant le départ). Aucun vaccin obligatoire pour les voyageurs en provenance d'Europe.
C'est à Singapour que les Asiatiques et expats viennent se faire soigner. Un service remarquable, beaucoup d'organisation et, dans les grands hôpitaux, des méthodes de travail impressionnantes.

SITES INTERNET

● *routard.com* ● Le site de voyage n° 1, avec plus de 800 000 membres et plusieurs millions d'internautes chaque mois. Pour s'inspirer et s'organiser, près de 300 guides destinations actualisés, avec les infos pratiques, les incontournables et les dernières actus, ainsi que les reportages terrain et idées week-end de la rédaction. Partagez vos expériences avec la communauté de voyageurs : forums de discussion avec avis et bons plans, carnets de route et photos de voyage. Enfin, vous trouverez tout pour vos vols, hébergements, voitures et activités, sans oublier notre sélection de bons plans, pour réserver votre voyage au meilleur prix.
● *yoursingapore.com* ● Ce site émane directement du ministère du Tourisme de Singapour. Il fournit en anglais des infos pratiques utiles pour planifier son séjour. Il est complet et parfaitement à jour. Un outil indispensable avant et pendant !
● *straitstimes.com.sg* ● Le site en anglais du quotidien le plus populaire de Singapour. Un journal à l'anglaise, avec ses tonnes de suppléments. Côté infos, on retrouve ce qui fait le succès de la version papier : des infos de quartiers, des sujets people et des articles favorables au pouvoir en place.
● *singstat.gov.sg* ● Le site en anglais du département des statistiques de Singapour. Pour connaître les affolantes stats de l'un des États les plus prospères au monde !

● *hungrygowhere.com* ● Site en anglais de critiques indépendantes de bars et restos, par des internautes. Bien utile quand on sait que la ville compte près de 6 000 restos ! Il propose aussi la réservation en ligne.

● *afsingapour.com* ● Le site de l'association des Français de Singapour, accessible sur inscription. Plein d'infos pratiques, utiles notamment pour les longs séjours.

● *paris-singapore.com* ● Comme son nom l'indique, un site par et pour les expats francophones avec également des infos sur les pays d'Asie du sud-est.

● *singaporeexpats.com* ● Un site en anglais consacré aux expats, mais on peut y glaner des infos intéressantes sur des thèmes divers.

TÉLÉPHONE, INTERNET

– **France → Singapour :** composez le 00 + 65 + n° de votre correspondant.
– **Singapour → France :** composez le 001 + 33 + n° de votre correspondant sans le 0 initial.
– **Cabines à carte :** de plus en plus rares... Cela dit, on peut encore trouver des cartes vendues en librairies, dans les bureaux de poste et dans les magasins portant l'autocollant *Phone Cards*. Montants de 5 et 10 $S.

Le téléphone portable en voyage

On peut acheter à Singapour une carte SIM avec un forfait de 30 ou 60 mn qui permet d'obtenir un numéro local. Compter environ 18 $S pour une carte, incluant un petit crédit de communication. Ensuite, possibilité d'acheter des recharges dans les boutiques de téléphonie mobile, supérettes, bureaux de poste et stations-service. 3 compagnies se partagent le marché : *Singtel, Starhub* et *M1*. Une précision : si vous avez acheté votre portable auprès d'un opérateur européen, il faut le faire débloquer pour faire fonctionner cette nouvelle carte SIM, ce qui est possible sans frais après un laps de temps dépendant de votre type de contrat.
– **Un bon plan :** possibilité de louer un smartphone avec Internet, appels locaux et même internationaux, le tout en illimité, pour environ 15 $S par jour. On peut le louer dès l'arrivée à l'aéroport aux guichets *Handy* (☎ 3158-35-57 ; ● *handy. travel* ● ; tlj 7h-23h) dans les halls d'arrivée des terminaux 1 *(counter 1)*, 2 *(counter 11)* et 3 *(counter 19)*. Ou alors au *Singapore Visitors Centre* (voir les « Adresses et infos utiles »). Présenter son passeport.
– Lire aussi la rubrique «Téléphone, Internet» du chapitre « Malaisie utile ».

Attention piratage !

Les wifi publics sont de véritables passoires ! Il est devenu très facile, même pour un débutant, de s'introduire sur un réseau. La seule parade véritablement fiable est de ne fréquenter que des sites « certifiés ». Ils commencent par « https:// » et affichent souvent un petit cadenas à côté de l'adresse. Dans ce cas, vos transmissions sont cryptées et donc sécurisées. Les sites les plus sensibles et populaires, comme les banques, ont tous une connexion certifiée.

Enfin, si vous utilisez un ordinateur en libre-service, évitez, dans la mesure du possible, d'entrer un mot de passe ou toute information sensible ! Une quantité phénoménale de ces postes est infectée par des « enregistreurs de frappes », qui peuvent transmettre vos données à un destinataire mal intentionné. Et si malgré tout, vous utilisez ces postes, pensez à bien vous déconnecter et à ne pas cliquer sur l'option « enregistrer mon mot de passe ».

TRANSPORTS

Les transports en commun sont relativement bon marché. Les tickets s'achètent dans les stations de métro MRT *(Mass Rapid Transit)*. ☎ *1-800-336-89-00 ou 1-800-736-20-00 (tourist line).* ● *smrt.com.sg* ●

Tarifs et cartes (métro et bus)

– Bien entendu, on peut acheter les tickets *à l'unité.* Il s'agit en fait d'une carte magnétique. Le prix varie selon la distance : d'environ 1,10 à 2,20 $S le trajet.

– Si vous comptez prendre les transports plusieurs fois par jour, il convient d'acheter le **Singapore Tourist Pass,** qui permet d'emprunter librement bus et métro de l'agglomération sans restriction de distance. 3 montants différents : environ 10 $S pour le *1 day pass* (valable 1 jour, comme son nom l'indique), 16 $S pour le *2 days pass* et 20 $S pour le *3 days pass.* Le *pass* reste valable jusqu'à minuit. Une caution de 10 $S vous sera demandée ; elle est restituée lorsque vous rendez le *pass* dans un délai de 5 jours après l'achat (sinon, c'est perdu). **Attention,** ce *pass* ne peut être acheté et restituée qu'aux stations MRT dont le nom figure en encadré sur notre plan de métro et seulement à des horaires précis, la plupart du temps en matinée ; pour connaître les heures d'ouverture de ces guichets consulter : ● *thesingaporetouristpass.com.sg/where-to-buy* ●

– Si vous séjournez plus longtemps, vous pouvez vous procurer la *Cepas Card,* plus connue sous le nom d'**EzLink,** d'un montant de 12 $S (soit 5 $S de frais et 7 $S de crédit). En vente dans les stations MRT, gares de bus *Interchange* et magasins *7-Eleven.* Elle se recharge ensuite en fonction des trajets parcourus. Vous pouvez l'utiliser dans les bus et dans le métro (mais pas pour se rendre à l'aéroport). Le prix du voyage est automatiquement débité en fonction de la distance parcourue, c'est pourquoi il est indispensable de la valider à l'entrée et à la sortie du métro ou du bus. Toutes les infos sur ● *ezlink.com.sg* ●

Le métro

La fierté légitime des Singapouriens ! Le métro *(MRT ; Mass Rapid Transit)* est facile d'utilisation, rapide, pas cher et hyper-clean : on pourrait y manger par terre si ce n'était pas interdit. Il existe 4 lignes qui ne cessent de s'étendre, se subdivisent et sont parfois prolongées par un *Light Rail.* Wagons hyper climatisés. Trains en service de 6h à 23h30 environ. Compter 2 à 5 mn d'attente entre chaque rame. Prix en fonction de la distance et billets vendus aux distributeurs uniquement. Plan disponible aux guichets des stations et... dans ce guide. Téléphone et w-c dans chaque station.

Les bus

La ville est bien desservie par les bus, pas chers, nombreux, climatisés et rapides. Services similaires assurés par 2 compagnies *SBS transit* et *SMRT,* de 5h30 à minuit environ. ● *sbstransit.com.sg* ● *smrt.com.sg* ● Temps d'attente allant de 5 à 30 mn selon les lignes et l'heure de la journée. Prix en fonction de la distance, comme dans le métro. Panneaux indiquant la direction des bus aux arrêts, mais plusieurs arrêts peuvent porter le même nom, donc bien suivre le trajet parcouru. Si vous n'avez pas de *pass* ou de carte, faire l'appoint (en pièces) avant de monter, car le chauffeur ne rend pas la monnaie. Pour s'y retrouver sur les dizaines de lignes qui sillonnent Singapour, consultez le site ● *transitlink.com.sg* ● ou achetez le gros guide papier correspondant, lourd et épais mais bien pratique, vendu autour de 3 $S dans les librairies.

– Pour les noctambules, *SMRT* assure des services de nuit, les vendredi, samedi et veilles de jours fériés, le *Night Rider* (NR1 à NR8) relie de 23h30 à 4h30 Orchard Road, River Valley, Clarke Quay, Boat Quay, Marina Bay Sands, Resorts World Sentosa et Vivo City. Les mêmes soirs, le *Nite Owl* (1N à 6N) relie de minuit à 2h Marina Centre, Boat Quay, Clarke Quay, River Valley, Orchard Road et Little India. Prix unique pour tous ces trajets : 4,50 $S.

Les taxis

Voici la ville du monde où le ratio de taxis par rapport au nombre d'habitants est le plus élevé (il y en aurait plus de 25 000). Il existe plusieurs compagnies (se reporter à la rubrique « Adresses et infos utiles. Transports » à Singapour). Dans le centre, inutile de les héler dans la rue, ils ne s'arrêteront probablement pas. Il faut les prendre aux *taxis stands,* des zones spécifiquement aménagées à cet effet, devant les hôtels, ou alors les réserver par téléphone. Ils sont bon marché, sauf aux heures de pointe, et tous équipés de compteur. On peut y monter à 4, ce qui rend le parcours moins onéreux. La prise en charge tourne autour de 3-4 \$S selon la compagnie et le modèle de la voiture. Ensuite s'ajoutent, bien évidemment, le kilométrage, ainsi que différentes taxes liées aux heures de pointe, aux secteurs traversés. Le paiement par carte implique une majoration de 10 %. Les trajets entre l'aéroport et la ville sont majorés de 3 à 5 \$S selon l'heure et le jour de la semaine. De minuit à 6h, majoration également de 50 %. ● *taxisingapore.com* ●

Les trishaws

Les *trishaws* sont désormais une attraction pour touristes avec pas mal d'arnaques à la clef. La seule compagnie autorisée à Singapour s'appelle *Trishaw Uncle.* On la trouve à l'Albert Mall Trishaw Park, sur Queen Street, entre le *Fu Lu Shou Complex* et l'*Albert Centre Market & Food Centre,* en face du *Bugis Village (plan III, F5, 251).*
☎ 6337-71-11. ● *trishawuncle.com.sg* ● Ⓜ Bugis. Tlj 11h-22h. Balades 40-50 mn à Bugis, Chinatown et Little India pour env 40-50 \$S/pers ; réduc enfants.

Les applis de cartes embarquées

– Sans connexion mais à télécharger avant le départ :
Maps.me : itinéraire sur plan (silencieux). Une précieuse aide.
– Avec connexion et à télécharger avant le départ : Google Maps/Waze : indique en temps réel l'intensité du trafic.

Les city tours

Plusieurs compagnies proposent des tours avec système de *hop-on, hop-off* (montée et descente à volonté), combinant astucieusement le simple transport et le tour guidé, à bord de bus généralement à 2 étages. Pratique si l'on veut voir un maximum de choses en peu de temps.

– **Hippo Tours :** ● *ducktours.com.sg* ● Bus tlj à partir de 10h, ttes les 15-20 mn. Compter 27 \$S (33 \$S la nuit) ; réduc enfants. Ticket valable 24h. Ces bus rouges aux allures de tramway sillonnent toute la ville selon 3 circuits thématiques. À bord, commentaires en anglais. Plusieurs points de vente : à côté de l'office de tourisme sur Orchard Road, au *Suntec City Mall* (près du *Raffle*), au *Singapore Flyer* et dans certains hôtels. Carte disponible des circuits et stations.
– **City Tours :** ● *citytours.sg* ● Départs fréquents du *Singapore Flyer.* Compter 44 \$S (2 \$S de moins en ligne), réduc enfants. Ticket valable 9h-17h. À bord des bus orange FunVee Hopper. Passage ttes les 20-30 mn. Circuits relativement similaires au précédent et commentaire au micro.
– **SIA Hop-On :** ● *siahopon.com* ● Bus env ttes les 30 mn, départs de Suntec City, 8h30-18h. Un bon plan à condition d'avoir voyagé et conservé son boarding pass des compagnies Singapore Airlines ou Silk Air. Prix : env 20 \$S ; réduc. Sinon 39 \$S. Achat du billet dans le bus (prévoir l'appoint). Bus à impériale. Audioguide en 12 langues.
La plupart de ces compagnies proposent des billets combinés bus et tour en *bumboat.*

Les bumboats

Bateaux (inspirés des sampans traditionnels) à bord desquels on se balade sur la Singapore River. Départ de Clarke Quay. On visite les quais, le port et ses environs, Sentosa, l'île de Kusu... Voir la rubrique « Croisières sur le fleuve et vers les îles » dans « Singapour, un peu plus loin ».

Singapour, l'automobile et la circulation

Les autorités ont mis en place des règles curieuses mais efficaces pour limiter le nombre de voitures. Les taxes sur les véhicules sont très élevées. Du coup, une voiture coûte 2 ou 3 fois plus cher qu'en Europe ! Bien évidemment, tout le monde ne peut s'offrir ce luxe. Par ailleurs, le gouvernement met en vente (aux enchères) tous les 15 jours un certain nombre de documents qui autorisent la possession d'un véhicule motorisé (l'équivalent d'une carte grise). Pour les petites cylindrées, la mise à prix est de plus de 15 000 € ! Les véhicules sont équipés d'une *Cash Card* à débit automatique pour circuler du lundi au samedi de 7h30 à 18h30 dans le centre-ville, dans une zone délimitée *(Electronic Road Pricing ; ERP)*. Les passagers sont débités sur leur carte dès qu'ils franchissent la zone ERP délimitée par des bornes électroniques. Le prix varie selon l'horaire de passage.

Avenues clean, circulation fluide, feux régulés par ordinateurs, couloirs réservés aux bus, piétons prioritaires, taxis climatisés, quiconque venant d'une autre ville asiatique sera étonné.

La limitation de vitesse est de 50 km/h en ville, 70 km/h sur une 2x2 voies et 90 km/h sur autoroute. Inutile de préciser que les contrôles de vitesse sont fréquents.

Dernières précisions : demandez à votre loueur si le véhicule est doté d'une *Cash Card,* cette carte magnétique indispensable pour le péage automatique au poste-frontière. Elle s'achète et se recharge dans les supermarchés (genre *7/Eleven*) et stations-services. On peut l'acheter au poste-frontière si l'on vient de Malaisie. Pour entrer en Malaisie, il faut acheter une autre carte vendue au poste-frontière, côté malais. Pour sortir de Singapour, le réservoir du véhicule doit être au minimum 3 quarts plein (c'est la loi !), car l'essence est nettement moins chère en Malaisie. Sinon... 500 \$S d'amende, *of course !*

■ *Hertz :* ☎ 0825-861-861 (0,15 €/mn). ● hertz.fr ● *Europcar :* ☎ 0825-358-358 ● (0,15 €/mn). ● europcar.fr ● *Avis :* ☎ 0821-230-760 (0,12 €/mn). ● avis.fr ●

URGENCES

Urgences médicales et policières

■ *Police :* ☎ 999.

■ *Pompiers* (ambulances) : ☎ 995.

✚ *Hôpitaux* (24h/24) :

– *Mount Elisabeth Hospital Orchard* (toutes spécialités – hôpital privé) : 3, Mount Elizabeth Rd. Service ambulancier de l'hôpital : ☎ 6731-22-18. ● mountelisabeth.com.sg ●

– *Gleneagles Hospital* (toutes spécialités – hôpital privé) : 6 A, Napier Rd. ☎ 6473-72-22.

– *K.K. Women's and Children's*

Hospital (spécialisé en pédiatrie et gynécologie ; hôpital parapublic) : 100, Bukit Timah Rd. ☎ 6225-55-54.

✚ *Singapore General Hospital* (plan I, B4) : Outram Rd. ☎ 6222-33-22.

■ *Médecin francophone* (hors plan IV par I11) : Dr Tan Hooi Hwa, The Camden Medical Centre, 1, Orchard Blvd, # 04-01/02. ☎ 6235-81-66. Grand centre hospitalier, on y trouve tous les services de médecine (dentiste, etc.).

Perte/vol de la carte de paiement

En cas de perte, de vol, ou de fraude, quelle que soit la carte que vous possédez, chaque banque gère elle-même le processus d'opposition et le numéro de téléphone correspondant. Par ailleurs, l'assistance médicale se limite aux 90 premiers jours du voyage et l'assistance véhicule aux cartes haut de gamme (renseignez-vous auprès de votre banque).

– *Carte bleue Visa :* numéro d'urgence (Europ Assistance) : ☎ (00-33) 1-41-85-85-85 (24h/24). ● visa.fr ●

– *Carte MasterCard :* numéro d'urgence : ☎ (00-33) 1-45-16-65-65.

● mastercardfrance.com ●

– *Carte American Express :* numéro d'urgence : ☎ (00-33) 1-47-77-72-00. ● americanexpress.com ●

Il existe aussi un serveur interbancaire d'opposition qui, en cas de perte ou de vol, vous met en contact avec le centre d'opposition de votre banque. *En France : 0892-705-705 (service 0,35 €/mn + prix d'un appel) ; depuis l'étranger : + 33-442-605-303.*

Perte/vol du téléphone portable

En cas de perte ou de vol de votre téléphone portable, **suspendre aussitôt sa ligne** permet d'éviter de douloureuses surprises au retour du voyage ! Voici les numéros des 4 opérateurs français, accessibles depuis la France et l'étranger.

– **Free :** *depuis la France :* ☎ *3244 ; depuis l'étranger :* ☎ *+ 33-1-78-56-95-60.*
– **Orange :** *depuis la France :* ☎ *0800-100-740 ; depuis l'étranger :* ☎ *+ 33-969-39-39-00.*

– **SFR :** *depuis la France :* ☎ *1023 ; depuis l'étranger :* ▤ *+ 33-6-1000-1023.*
– **Bouygues Télécom :** *depuis la France comme depuis l'étranger :* ☎ *+ 33-800-29-1000.*

Vous pouvez aussi demander la suspension de votre ligne depuis le site internet de votre opérateur.

Besoin urgent d'argent liquide

Vous pouvez être dépanné en quelques minutes grâce au système **Western Union Money Transfer**. L'argent vous est transféré en moins de 1 heure. La commission, assez élevée, est payée par l'expéditeur. Possibilité d'effectuer un transfert auprès d'un des bureaux *Western Union* ou, plus rapide, en ligne, 24h/24 par carte de paiement (*Visa* ou *MasterCard*).

Même principe avec d'autres organismes de transfert d'argent liquide comme **MoneyGram, PayTop** ou **Azimo.** Transfert en ligne sécurisé, en moins de 1 heure. Dans tous les cas, se munir d'une pièce d'identité. Toutefois, en cas de perte/vol de papiers, certains organismes permettent de convenir d'une question/réponse-type pour pouvoir récupérer votre argent. Chacun de ces organismes possède aussi les applications disponibles sur téléphone portable. Consulter les sites internet pour connaître les pays concernés, les conditions tarifaires (frais, commission) et trouver le correspondant local le plus proche :
● *westernunion.com* ● *moneygram.fr* ● *azimo.com/fr* ●

SINGAPOUR

SINGAPOUR (LA VILLE)

Bienvenue dans le futur ! Si Singapour cultive aussi bien son passé, tout en présentant le visage d'une métropole bien lancée dans le XXIe s à l'instar des grandes villes asiatiques comme Séoul, Tokyo, Taipei, Hong Kong, Tokyo ou Bangkok, elle n'en offre pas moins un visage composite, sorte de Miami à mi-chemin entre Walt Disney et Confucius.

L'État singapourien, dont Singapour est la capitale, se compose en fait de 64 îles, dont la plus grande, Pulau Ujong (585 km²), accueille chaque année 10 millions de touristes, pour beaucoup touristes d'affaires et expats. Si, comme la plupart des visiteurs, vous choisissez d'y séjourner en complément d'une autre destination de la région, vous y passerez sans doute (selon les statistiques officielles) 2 ou 3 nuits. Mais si vous le pouvez, prolongez le séjour d'au moins une ou 2 nuits. L'infrastructure hôtelière s'est modernisée et diversifiée, et, si on en a les moyens, on y dort même dans un confort de haute volée, vertige inclus... Quant à sa réputation gastronomique, elle n'est plus à faire : cette ville est un immense restaurant, les gens n'arrêtent pas de grignoter dans les *hawker centres* et *food courts* qui y pullulent !

En famille ou non, découvrez ce qui reste de ses vieux quartiers, où les rues jugées insalubres ont été rayées de la carte, mais où de larges secteurs de Little India et Kampong Glam ont été joliment réhabilités. Et puis il y a surtout Chinatown, rappelant que la ville et sa prospérité sont largement le fait de la très forte communauté chinoise. À Tanjong Pagar, de nombreuses *shophouses* restaurées ont été transformées en cabinets d'architecture ou encore salons de thé, boutique-hôtels et ateliers d'artistes, attirant une population branchée. Quant au quartier colonial, il est en passe de devenir un véritable « *art district* » : les imposants bâtiments, sièges des autorités administrative et politique du siècle dernier, sont rénovés à grands frais et accueillent désormais de grands musées (National Gallery Singapore, Asian Civilisation Museum, Singapore Art Museum...).

Faisant face à la City, le gigantesque quartier de Marina Bay continue de se développer sur les fameuses « *reclaim lands* » récupérées sur la mer. L'imposant vaisseau du *Marina Bay Sands* et ses impressionnants *Gardens by the Bay* ou encore l'*Art Science Museum* ont littéralement surgi des eaux et modifié le paysage, offrant une nouvelle vision moderne, voire futuriste de la ville.

Enfin, si Singapour est votre unique destination, prenez le temps de vous perdre dans la « ville-jardin » en visitant ses nombreux parcs floraux et animaliers, ainsi que l'île de Sentosa, un grand parc à ciel ouvert doté d'attractions spectaculaires, de jolies plages, d'hôtels hyper luxueux et de *lounges* pris d'assaut le week-end.

Bon, la journée (bien remplie !) se termine ? Pas vraiment ! Il ne vous reste plus qu'à vous livrer aux passe-temps nationaux : *shopping, eating & clubbing* ! Dévalisez les *malls* de luxe d'Orchard Road, savourez quelques gorgées de *Tiger* dans une ambiance festive le long des quais et terminez la nuit dans les innombrables bars, *lounges* et boîtes branchés. Ou sur les *rooftops* des vertigineux buildings, histoire de se déhancher tout en prenant la pleine mesure de la ville.

Arrivée à l'aéroport

✈ *Aéroport international de Changi* (plan d'ensemble) : à 20 km au nord-est de Singapour. Infos sur les vols : ☎ 1-800-542-4422. ● changiairport. com ● Régulièrement plébiscité comme un des meilleurs aéroports au monde pour la qualité de ses services et la fluidité de circulation de ses près de 50 millions de passagers ! Il y a 4 terminaux (en attendant l'achèvement du futuriste T5). La plupart des compagnies atterrissent au terminal T1, mais avec *Singapore Airlines,* arrivée au T2 ou dans le fabuleux T3. Le T4 est affecté aux compagnies *low-cost.* Un *sky train (gratuit)* relie tous les terminaux tous les jours 5h-2h30.

■ *Air France-KLM :* ☎ 671-55-000. *Air Asia :* ☎ 6733-99-33. *Singapore Airlines :* ☎ 6223-88-88. *Garuda Indonesia :* ☎ 6250-56-66. *Malaysia Airlines :* ☎ 6541-68-17. *Lufthansa :* ☎ 6245-56-00. *British Airways et Qantas :* ☎ 6622-17-47.

🛈 *Office de tourisme :* dans le hall d'arrivée des 3 principaux terminaux. Ouv 24h/24. N'hésitez pas à y passer pour prendre un plan de la ville, diverses brochures et pour vous renseigner.
– *Pour réserver un hôtel :* se rendre au guichet « Hotel reservation » situé dans les halls d'arrivée des terminaux 1, 2 et 3 (ouv 24h/24). On se charge gratuitement de vos réservations d'hôtel, et en plus, vous avez droit à une remise (qui varie selon le taux d'occupation de l'hôtel et la saison). Précisez le prix que vous souhaitez mettre et le quartier où vous souhaitez résider, et ils vous font la sélection. 2 petits inconvénients : tous les hôtels ne sont pas répertoriés et pas de réservation en auberge de jeunesse.

■ *Bureaux de change :* dès le hall des bagages et dans chaque terminal. Ouv 24h/24. Toutes devises et chèques de voyage.

■ *Distributeurs automatiques :* dans chacun des terminaux.
■ *Consigne (left bagage) :* dans chaque terminal. Ouv 24h/24.
■ *Location de téléphone portable :* guichets *Handy* dans les halls d'arrivée des terminaux 1 (counter 1), 2 (counter 11) et 3 (counter 19). ☎ 3158-35-57. ● handy.travel ● Tlj 7h-23h. Un très bon plan pour ceux qui ne peuvent s'en passer ou craignent une facture salée. Location d'un smartphone avec Internet, appels locaux et même internationaux, le tout en illimité, pour environ 15 $S par jour. Présenter son passeport.

Pour se rendre dans le centre, plusieurs possibilités

➤ *En métro* (MRT ; plan Le métro de Singapour) : c'est le moyen de transport le moins cher ; billet 1,10-2,20 $S selon la distance. Départ sous le terminal 2-3, métro toutes les 3-4 mn tlj 5h30-23h20 (6h dim). Trajet : env 40 mn vers le centre (changement à prévoir à la station Tanah Merah). Le plus intéressant.
➤ *En bus :* depuis les terminaux 1, 2 et 3, le n° 36 passe successivement par Stamford Road, Somerset Road, Orchard Road et Bras Basah Road. Départ ttes les 15 mn tlj 6h-minuit. Billet : 1,80 $S (préparer sa monnaie). À peine moins cher que le métro mais plus long (env 1h). Sinon, d'une manière générale, tous les bus vont en ville.
➤ *Avec l'Airport Shuttle :* depuis les terminaux 1, 2 et 3, des minibus déposent chaque voyageur directement à son hôtel. Env 9 $S/pers ; réduc enfants. Service 24h/24, départ env ttes les 15 mn (ttes les

30 mn minuit-6h). Mais, attention, ne dessert que les établissements du centre-ville. S'adresser au *ground transport desk*, dans chacun des halls d'arrivée.

➢ *En taxi :* compter env 25-40 $S pour rejoindre le centre (selon la destination). Ils fonctionnent tous avec un compteur ; majoration de 17h à 6h. C'est l'option la plus rentable à 4. Si vous êtes plus nombreux (jusqu'à 7 pers), possibilité de louer un *maxicab* ou « big taxi » pour env 60 $S : s'adresser au *ground transport desk*, dans chacun des halls d'arrivée. Service 24h/24.

– Si vous avez voyagé avec *Singapore Airlines* et réservé votre hôtel via leurs services, vous bénéficiez du service *Singapore Stopover Holiday*, qui dispose d'un guichet aux terminaux 2 et 3. Non seulement le service est gratuit,

mais en plus ils vous déposent devant votre hôtel ! Mais uniquement si vous en avez fait la demande à la réservation de votre billet d'avion.

– *Les passagers en transit* ont la possibilité de prendre une douche (payante), de faire bronzette, de piquer une tête dans la piscine (au terminal 1) et même de louer (sur une base de 3h minimum) une chambre dans 2 hôtels situés dans les terminaux 2 et 3.

🛏 *Ambassador Transit Hotel* (terminal 2) : ☎ 6542-81-22. Compter 120 $S pour une chambre double avec occupation de 6h.

🛏 *Ambassador Transit Hotel* (terminal 3) : ☎ 6507-97-88. ● athmg.com ● Outre les chambres, différents forfaits au choix : env 20 $S pour une douche, près de 90 $S pour un forfait chambre double-piscine-gymnase-sauna.

Adresses et infos utiles

À Singapour, après le numéro et le nom de la rue, on rencontre le signe « # » suivi de chiffres. Exemple : # 36-04 signifie : 36e étage, pièce 04. Attention, le 1er étage *(first storey)* correspond en fait au rez-de-chaussée.

Offices de tourisme *(Tourist Information Centres)*

🛈 *Singapore Visitors Centre* (plan IV, K11) : 216 Orchard Rd, à l'angle de Emerald Rd. ☎ 1-800-736-20-00 (lunven 9h-17h ; gratuit depuis Singapour). ● yoursingapore.com ● Ⓜ Somerset. Tlj 8h30-21h30. 💻 (gratuit 15 mn, 2 postes, mais pas d'imprimante). Une mine d'infos sur tout ce qu'il y a à faire et à voir à Singapour, dispensée par une équipe attentive et serviable. Peu de brochures à dispo. Procurez-vous le trimestriel gratuit *Where*, particulièrement bien fichu et truffé d'infos. Ils peuvent réserver une nuit d'hôtel, pour le jour même seulement. *Bon plan :* si vous êtes en voyage d'affaires ou très accro au portable, possibilité de louer un téléphone portable *Handy* avec Internet, appels locaux et même internationaux illimités pour environ 15 $S par jour.

– *Autre bureau* dans le centre

commercial *Ion Orchard* (niveau 1). Tlj 10h-22h.

– Également un *Visitor Centre* à *Chinatown* plan III, G9) : lire dans « À voir. À faire ».

🛈 *Office de tourisme de Malaisie* (hors plan II par F8, 1) : 80, Robinson Rd. ☎ 6532-63-21. ● tourism.gov.my ●

Poste et portables

✉ *Singapore Post Offices :* la grande poste centrale ne l'étant pas tant que ça, on vous indique, sur nos différents plans par un picto quelques-uns des nombreux bureaux de poste du centre-ville. *En général, les bureaux sont ouv tlj sauf dim 8h30 ou 9h30-17h ou 18h (13h ou 14h sam).* Cela dit, la poste la plus originale est sans doute celle d'Orchard Rd *(plan IV, K11), qui se trouve au 1, Killiney Rd, entre Orchard et Penang Rd.* Le soir, elle se transforme en... bar (voir le *KPO* dans « Où boire un verre ? ») !

◾ *SingTel ComCentre* (plan IV, K11, 3) : 31, Exeter Rd. Ⓜ Somerset. Tlj 10h30-19h30. Une agence où l'on peut acheter une carte SIM locale et des recharges. Bien vérifier la compatibilité avant d'acheter.

SINGAPOUR

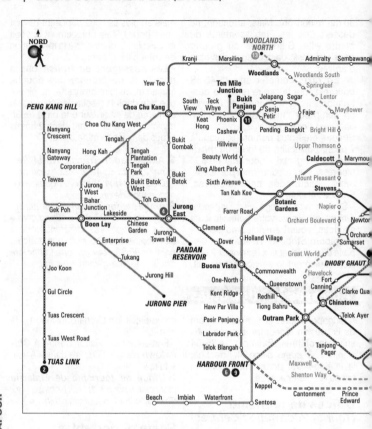

Argent, change

Les banques sont généralement ouvertes du lundi au vendredi de 9h30 à 16h30 ou 17h, et le samedi jusqu'à midi. De nombreux distributeurs acceptent les principales cartes de paiement.

■ *Société Générale :* 8, Marina Blvd, # 07-01. ☎ 6222-71-22.
■ *Transfert urgent d'argent liquide* (plan IV, J11, 5) : au Lucky Plaza, 304, Orchard Rd, on trouve une agence Western Union sur la galerie extérieure, côté Orchard Rd ; ☎ 6336-20-00. Tlj 9h-21h et une agence MoneyGram (# 02-34/36). Ⓜ Orchard. Tlj 9h-20h30. Également un bureau Western Union au 211, New Bridge Rd, à l'angle de Pagoda St (plan III, G9, 5). Ⓜ Chinatown. Tlj 10h30-20h30.
■ *Bureaux de change :* on en trouve assez facilement en ville et dans ts les shopping centers. Un bureau dans le Mustapha Center (plan V, M12, 7), Syed Alwi Rd, à Little India. Ⓜ Farrer Park. Ouv 24h/24.

Représentations diplomatiques et francophonie

■ *Ambassade de France* (plan d'ensemble, 8) : 101-103, Cluny Park Rd, près du croisement de Bukit Timah et de Farrer Rd. Ⓜ Botanic

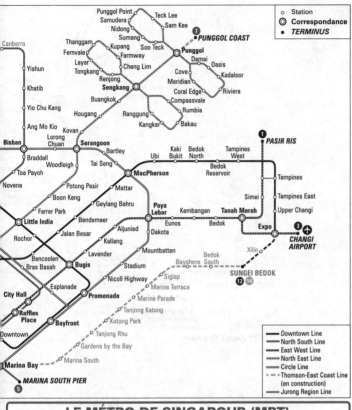

LE MÉTRO DE SINGAPOUR (MRT)

Gardens. ☎ 6880-78-00. ● sg.amba france.org ● Lun-ven 9h-12h.

■ *Alliance française :* 1, Sarkies Rd. ☎ 6737-84-22. ● alliancefrancaise. org.sg ● Tlj sauf dim 8h30-17h30 (20h30 mar). Projections de films en français le mardi soir en principe à 20h. Journaux disponibles. Un festival du film français est aussi organisé début octobre.

■ *Ambassade de Belgique :* AXA Tower, 8, Shenton Way, # 14-01, Temasek Tower. ☎ 6220-76-77. ● singapore/diplomatie.be/ ● Lun-ven 8h30-12h, 13h30-16h.

■ *Ambassade de Suisse :* 1, Swiss Club Link. ☎ 6468-57-88. ● eda. admin.ch/singapore ● Lun-ven 9h-12h.

■ *Ambassade du Canada :* 1, George St, # 11-01. ☎ 6854-59-00. ● canadainternational.gc.ca/singa pour ● Lun-jeu 8h-12h30, 13h-16h30, ven 8h-13h30.

■ *Ambassade de Thaïlande (plan IV, I11, 2) :* 370, Orchard Rd. ☎ 6737-24-75. ● thaiembassy.sg ● Lun-ven 9h15-12h, 14h-16h30.

■ *Ambassade de Malaisie :* 301, Jervois Rd. ☎ 6235-01-11. ● kln.gov.my/ web/sgp_singapore/home ● Lun-ven 8h-17h.

■ *Ambassade d'Indonésie :* 7, Chatsworth Rd. ☎ 6737-80-20. ● indonesia nembassy.sg ● Lun-jeu 9h30-13h, 14h-16h ; ven 9h30-12h30, 14h30-16h.

SINGAPOUR

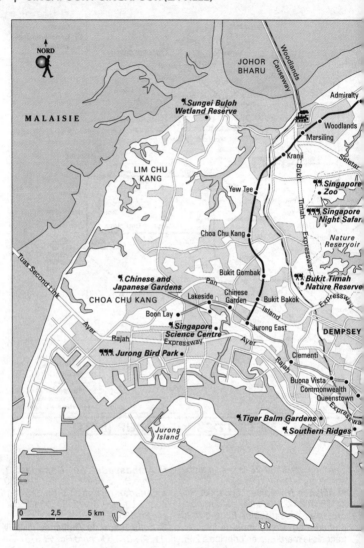

■ Adresse utile	🏠 Où dormir ?
8 Ambassade de France	**68** Betel Box Hostel

Visas

■ **Singapore Immigration and Checkpoint Autority** *(plan V, N12, 9) :*

ICA Building, 10, Kallang Rd. ☎ *6391-61-00.* ● *ica.gov.sg* ● Ⓜ *Lavender. Tlj sauf dim 8h-17h (13h sam).* Pour les prolongations de séjours et visas.

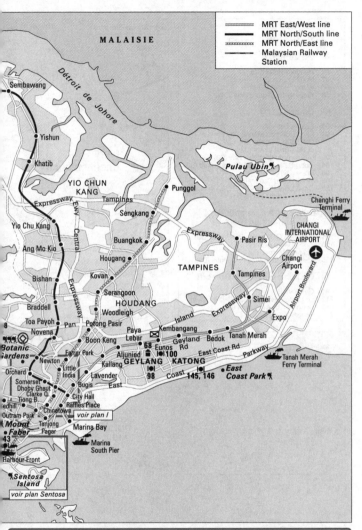

SINGAPOUR – Plan d'ensemble

|◦| **Où manger ?**	**143** Marché Restaurant
98 Katong Laksa	**145** Long Beach Seafood Restaurant
100 Chilli Padi Nonya Café	**146** Jumbo Sea Food

Transports

🚕 **Taxis 24h/24 :** plusieurs compagnies. Les prix sont sensiblement identiques. **Comfort Taxi et City Cab :** ☎ 6552-11-11 ; **Trans Cab :** ☎ 6555-33-33 ; **Premier Taxis :** ☎ 6363-68-88.
🚌🚆 **Gares routière et ferroviaire :**

SINGAPOUR

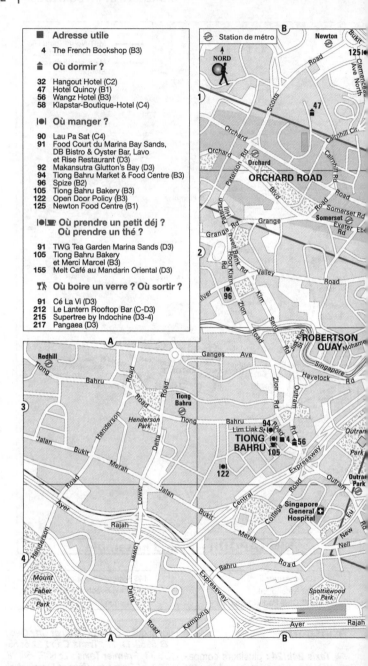

SINGAPOUR

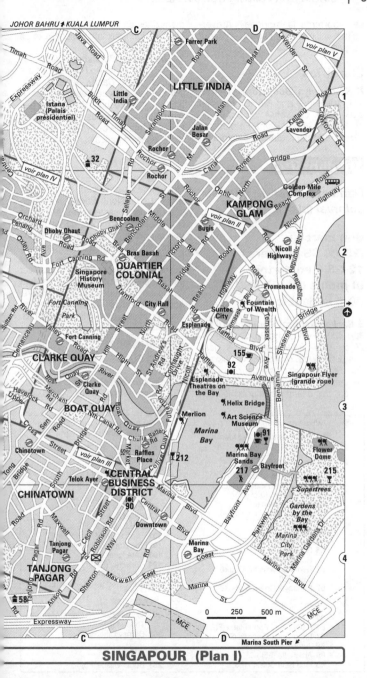

SINGAPOUR (Plan I)

SINGAPOUR

se reporter à la rubrique « Arriver-quitter, liaisons avec l'Asie », en début de guide.

Librairies

■ *Kinokuniya Bookstore* (plan IV, J11, **10**) : Ngee Ann City, Orchard Rd, # 03-06/08. Ⓜ Orchard ou Somerset. Tlj 10h-21h30 (22h sam). En plus des livres japonais, quelques livres et magazines en français, plus un grand choix de journaux internationaux et de cartes routières.

■ *The French Bookshop* (plan I, B3, **4**) : 55, Tiong Bahru Rd. Ⓜ Outram Park ou Tiong Bahru. Jeu-dim 11h-18h (15h dim). Certes, son nom est en anglais... Malgré tout, ce petit local très discret propose le plus grand choix de la ville en matière de livres de poche et d'ouvrages en français.

Où dormir ?

Dans et autour du quartier colonial (plan II)

Bon marché (20-40 $S par pers / 12-25 € en dortoir, et moins de 100 $S / 60 € la double)

🛏 *Backpacker Cozy Corner* (plan II, F5, **30**) : 490, North Bridge Rd. ☎ 6338-88-26 ou 6224-68-59. ● cozycornerguest. com ● Ⓜ Bugis. Un hostel très basique. Dortoirs mixtes ou juste pour les filles, équipés de fan (45 $S) ou de clim ; également des chambres doubles (80 $S).

Uniquement des sdb communes. Bruyant côté North Bridge, mais bien situé, dans le secteur très animé de Bugis Junction (pléthore de petits restos de rues et de bars alentour) et des avantages non négligeables : petit déj, lockers, laverie et eau chaude toute la journée. En revanche, les dortoirs n'ont pas de fenêtre et les lits en fer rendent l'atmosphère un peu datée et militaire. Accueil convenable et ensemble pas trop mal tenu mais avec des hauts et des bas.

Prix moyens (100-150 $S / 60-90 €)

🛏 *Hangout Hotel* (plan I, C1, **32**) : 10A, Upper Wilkie Rd. ☎ 6438-55-88.

■ **Adresses utiles**

🛈 1 Office de tourisme de Malaisie (hors plan par F8)

🛏 **Où dormir ?**

30 Backpacker Cozy Corner (F5)
33 South East Asia Hotel (E5)
35 Bencoolen Hotel (E5)
36 30 Bencoolen (E5-6)
37 Rendez-Vous Hotel (E5-6)
38 Raffles Hotel (F6)
42 Naumi Hotel (F6)
61 Park Regis Hotel (E8)
65 River City Inn et Uptown Hostel (E8)
66 Bed & Dreams Inn Clarke Quay (E8)
67 Parkroyal On Pickering (E8)

|●| **Où manger ?**

80 Albert Centre (E-F5)
81 Raffles City Food Place (F6)
83 Entre Nous Crêperie (F6)
88 Jumbo Seafood (E8)
89 Artichoke (E5)
93 True Blue Cuisine (E6)

|●| 🍵 **Où prendre un thé ? Où manger une bonne pâtisserie ?**

82 Ah Chew Dessert (F5)
150 Tian Fu Tea Room (F8)

🍸 🎵 **Où boire un verre ?**
🎤 **Où écouter de la musique ?**

38 Long Bar (F6)
86 Empress (F7)
183 Post Bar (F7)
184 C.H.I.J.M.E.S. (F6)
191 Timbre@the Arts House (F7)
192 The Crazy Elephant (E7)
193 Café Iguana (E8)
194 Brewerkz (E7-8)
195 1 Altitude (F8)
220 Zouk, Phuture et Attica (E7)

∞ **Spectacles**

301 Victoria Concert Hall et Victoria Theatre (F7)
302 Cathay Cineplex (E5)

🎁 **Achats**

251 Bugis Village (F5)

SINGAPOUR

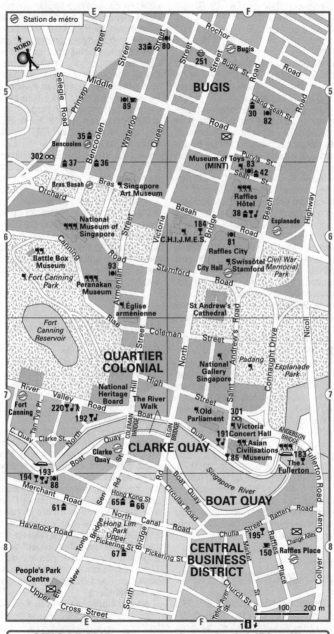

● *hangouthotels.com* ● ⓜ *Dhoby Ghaut ou Little India. Accès par Emily Hill, face au Mount Emily Park ; sinon, par l'escalier situé au 80, Wilkie Rd. Dortoir bon marché si résa via Internet ; remise pour les membres des AJ. Idem pour les doubles (fourchette haute de « Prix moyens ») : réservez via Internet, sinon vous paierez le prix fort ! Petit déj inclus.* Dans un environnement verdoyant et au calme, au bord du mont Emily. L'offre de cet hôtel pimpant va des dortoirs séparés ou mixtes de 5 à 7 lits à la chambre double beaucoup plus confortable avec *queen size bed* ou familiale. Clim partout. Cela dit certaines chambres sont aveugles et les familiales n'ont que des lits individuels. Déco moderne et sobre avec quelques touches de couleurs pastel, photos et peintures dans les couloirs. Depuis la terrasse perchée sur le toit, équipée de lits de repos, la vue sur la ville n'est pas mal du tout ! Salle commune avec coussins pour mater la télé, billard. Laverie. Appels locaux gratuits. En moins de 15 mn à pied, on est au cœur de Little India. Une bonne adresse, vraiment.

🛏 **South East Asia Hotel** *(plan II, E5, 33)* : 190, Waterloo St. ☎ 6338-23-94. ● *seahotel.com.sg* ● ⓜ *Bugis. N'accepte que le cash.* Grande bâtisse des années 1950, un peu triste mais située dans une rue piétonne animée (pour nos lecteurs mystiques, 2 temples, bouddhique et hindou, tout à côté). Chambres propres avec clim, TV et salle de bains, qui jouent dans un registre très classique et un peu vieillot. Si vous le pouvez, préférez les chambres supérieures dans les étages les plus élevés, bien plus claires. Quelques familiales aussi. Service prévenant. Rien de très mémorable, mais fera l'affaire pour 1 nuit ou 2. Bon resto chinois *veggie* attenant.

Chic
(150-250 $S / 90-150 €)

🛏 **Bencoolen Hotel** *(plan II, E5, 35)* : 47, Bencoolen St. ☎ 6336-08-22. ● *hotelbencoolen.com* ● ⓜ *Bras Basah.* Un hôtel classique et fonctionnel, mais à vrai dire une bonne surprise, côté prix dans ce quartier. Un peu plus de 80 chambres de bon confort, de tailles diverses, toutes avec salle de bains et clim, moquette et fenêtres. Chambres communicantes pour les familles. Style contemporain un peu daté mais tenue impeccable et accueil aux petits soins. Petit déj riquiqui, en revanche. Petite piscine-jacuzzi pour faire trempette sur la terrasse du 2e étage.

🛏 **30 Bencoolen** *(plan II, E5-6, 36)* : 30, Bencoolen St. ☎ 6337-28-82. ● *30bencoolen.com.sg* ● ⓜ *Bras Basah. Fourchette hte.* Grand bâtiment qui se donne dès la réception des allures de grand hôtel. Les chambres (dont des familiales) ont été rénovées à la faveur d'un style minimaliste dans les tons marron-gris anthracite-cuivre avec beaucoup de cachet. Certaines disposent d'un balcon avec une belle vue. Équipement complet, salle de fitness. Accueil adorable. Restaurant sur place (buffet) et piscine de poche sur le toit.

Très chic
(plus de 250 $S / 150 €)

🛏 **Rendez-Vous Hotel** *(plan II, E5-6, 37)* : 9, Bras Basah Rd. ☎ 6336-02-20. ● *stayfareast.com/en/hotels/ren dezvous-hotel-singapore* ● ⓜ *Dhoby Ghaut ou Bras Basah. Chambres standard à partir de 160 $S selon période ; deluxe jusqu'à 300 $S ; petit déj-buffet env 25 $S.* Le plus british... après le *Raffles* (ci-après) ! Dans un bâtiment colonial d'angle d'un blanc étincelant, coiffé d'une annexe moderne, un hôtel au charme certain qui convient parfaitement à la clientèle aisée d'affaires et touristique. Déco à la fois élégante et contemporaine, chambres lumineuses superbement équipées, et service à la hauteur des lieux. Plantureux buffet au petit déj et *English afternoon tea* tous les jours. Tarifs élevés mais justifiés. Pour se sustenter, *Food Republic*, sur le coin en face (8h-22h).

🛏 **Naumi Hotel** *(plan II, F6, 42)* : 41, Seah St. ☎ 6403-60-00. ● *naumi hotel.com* ● ⓜ *Esplanade. Doubles env 250-350 $S, petit déj (parfois) inclus.* Derrière cette façade discrète

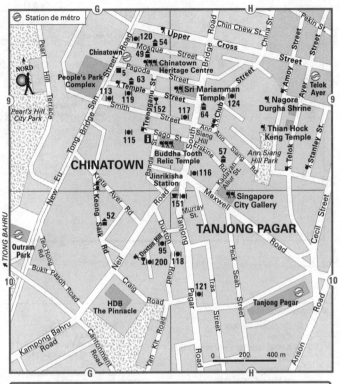

SINGAPOUR – Chinatown (Plan III)

SINGAPOUR

■ **Adresses utiles**

🛈 Chinatown Visitor Centre (G9)
5 Western Union (G9)

🛏 **Où dormir ?**

49 Wink Hostel (G9)
52 Hotel 1929 (G10)
54 The Por-ce-lain Hotel (G9)
57 The Scarlet (H9)
63 Bed & Dreams Inn (G9)
64 Adler Hostel (H9)

|●| **Où manger ?**

95 Latteria Mozzarella Bar (G10)
113 Hawker Chan (G9)
115 Restos du Chinatown
Complex (G9)
116 Maxwell Food Center (H9)

117 Ci Yan Vegetarian Health
Food (H9)
118 Etna (H10)
119 Mei Heong Yuen Dessert (G9)
120 Bee Cheng Hiang (G9)
121 Blue Ginger (H10)
124 L'Angélus (H9)

|●| 🍵 **Où prendre un petit déj**
🍸 **ou un thé ? Où boire un jus**
de fruits ? Où manger
une bonne pâtisserie ?

151 Tea Chapter (H10)
152 Wonderful Durian (G9)

🍸 **Où boire un verre ?**

200 Lucha Loco et Bar Celona
(G10)

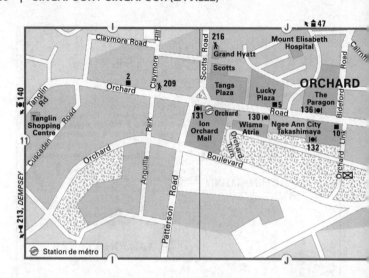

■ **Adresses utiles**

🛈 Singapore Visitors
Centre (K11)
2 Ambassade de Thaïlande (I11)
3 SingTel ComCentre (K11)
5 Western Union
et MoneyGram (J11)
10 Kinokuniya Bookstore (J11)

|●| **Où manger ?**

130 Food Republic (J11)
131 Food Opera (I-J11)
132 Takashimaya Food Village (J11)
133 Restaurants du Cuppage
Plaza (K11)
134 Freshly Baked, by Le Bijoux (K11)
135 Odd One Out (K11)
136 Sushi Tei (J11)

et épurée se cache l'un des hôtels les plus en vogue dans cette catégorie. Il faut dire que ce boutique-hôtel cosy et central a soigné la personnalisation du service et la déco. Chambres de taille inégale, sans vue particulière, au design contemporain chic et dotées de tout le confort. Les chambres sont idéales pour les familles. Bar et superbe piscine à débordement sur le toit. Accueil à la fois décontracté et pro. Une belle réinterprétation des codes de l'hôtellerie de luxe, à échelle humaine ! Resto gastronomique de cuisine indienne.

Spécial folies !

🏨 **Raffles Hotel** (plan II, F6, **38**) **:** 1, Beach Rd. ☎ 6337-18-86. ● raffles. com ● Ⓜ *City Hall. Actuellement en travaux, il devrait réouvrir courant 2019. Prix excessivement élevés ; l'hôtel ne possède que des suites dont les prix s'échelonnent entre 760 et... 3 500 $S la nuit ! À ce prix, le transfert aéroport et la bouteille de champ' sont offerts... Quand il aura réouvert, on conseille quand même d'y aller pour le plaisir des yeux (lire la rubrique « À voir. À faire. Le quartier colonial »). Attention, on n'y entre pas en bermuda.* Des années de restauration promettent de redonner à cet hôtel mythique son faste d'autrefois. Un bâtiment supplémentaire a été construit, identique à celui d'origine, mais pour le reste, tout a été conservé : hauts plafonds, galeries, corridors énormes, vastes escaliers, vérandas donnant sur le jardin et salle à manger

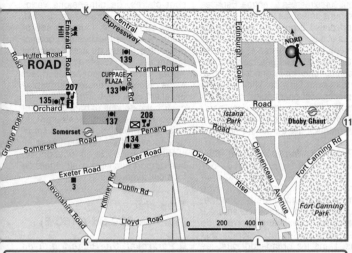

SINGAPOUR – Orchard Road (Plan IV)

137 Dancing Crab (K11)	5 Emerald Hill Cocktail Bar et Ice Cold Beer (K11)
139 Tandoor Restaurant (K11)	208 KPO Café Bar (K11)
140 Jim Thompson on Dempsey Hill (hors plan par I11)	213 PS Café (hors plan par I11)
Où boire un verre ? Où écouter de la musique ?	**Où sortir ?**
207 Que Pasa Bar & Tapas,	209 Orchard Towers (I11)
	216 Brix (J11)

SINGAPOUR

pavée de marbre. Celui qui a la réputation d'être le plus bel hôtel de Singapour allie au charme du passé tout le confort et le plaisir qu'offre une magnifique résidence. Mais le *Raffles Hotel,* c'est avant tout le symbole de l'Angleterre impériale, l'un des derniers vestiges de l'époque coloniale. Les ombres de Kipling et de Malraux (entre autres) rôdent encore derrière ces rampes d'escaliers centenaires, ces balustrades de bois laqué et ces salles gigantesques aérées par de gros ventilos. On n'a pas tué de tigre au *Raffles Hotel* depuis 1902 (sous la table de billard pour être précis), mais lorsque Somerset Maugham écrivait qu'on trouvait là toutes les histoires de l'Orient exotique, il ne faisait qu'énoncer une vérité : le *Raffles* est unique !

Sur Boat Quay et autour (plan II)

De bon marché à prix moyens (20-40 \$S par pers / 12-25 € en dortoir, et moins de 150 \$S / 90 € la double)

🛏 **Bed & Dreams Inn Clarke Quay** (plan II, E8, 66) : 38, Hong Kong St. ☎ 6532-49-90. ● bedsanddreamsinn. com ● Ⓜ Clarke Quay. CB acceptées (+ 4 %). Un *hostel* bien placé pour ceux qui voudraient se rapprocher des lieux de vie nocturne de *Boat Quay* sans être très loin de Chinatown.

Chaussures retirées à l'entrée. Espaces communs agréables et colorés, où l'on prend plaisir à prendre son petit déj (inclus et disponible à toute heure de la journée). Dortoirs mixtes et climatisés de 6 à 10 lits, mais pas bien grands, et les lits superposés grincent un peu. Dortoirs pour filles de 4 lits. Cela dit, les pièces sont plutôt gaies, propres et confortables... Également des chambres privées pour 2 à 4 personnes. On peut même louer au mois. Personnel sympa.

▲ *River City Inn* (plan II, E8, 65) : 33 C, Hong Kong St. ☎ 6532-60-91. ● rivercityinn.com ● Ⓜ Clarke Quay. CB refusées. Malgré une entrée d'immeuble sans charme, voici, au 4e étage, une excellente AJ, colorée et accueillante. Dortoirs de 6 à 14 lits, mixtes ou réservés aux filles. Dans les grands dortoirs, les lits métalliques sont alignés comme à la parade devant une belle rangée de baies vitrées. C'est assez confortable et bien tenu, notamment les sanitaires communs. Casiers et clim. Salon agréable avec TV, bouquins, musique et... lance à incendie, un vrai élément de déco. Personnel aimable et fort serviable.

▲ *Uptown Hostel* (plan II, E8, 65) : 33 B, Hong Kong St. Dans le même immeuble que le River City Inn, mais au 3e étage. ☎ 6532-21-68. ● uptownhostel.com.sg ● Ⓜ Clarke Quay. Solution alternative au River City Inn, un peu rustique mais propre. 18 lits en dortoir mixte climatisé. Douche à partager. Cuisine (petit déj à volonté) laverie et lockers avec cadenas. Bien situé, mais pas idéal pour un long séjour. Accueil aimable.

Chic
(150-250 $S / 90-150 €)

▲ *Park Regis Hotel* (plan II, E8, 61) : 23, Merchant Rd. ☎ 6818-88-88. ● parkregissingapore.com ● Ⓜ Clarke Quay (sortie B). À partir de 175 $S. Promos Internet jusqu'à 60 % selon période. Triples possibles. Petit déj en sus. Emplacement idéal et stratégique pour cet hôtel récent de 7 étages et 200 chambres. Elles

sont claires, de dimensions variables, de confort ultra-contemporain, super-équipées et décorées sobrement, avec des touches de couleurs plaisantes. Coup de cœur pour les chambres du 2e étage appelées « quay rooms » avec accès direct à... la piscine extérieure. Incroyable ! Excellent petit déj-buffet, salle de fitness, bar extérieur au bord de l'eau et personnel prévenant. Restaurant de cuisine cantonaise. Prêt d'un smartphone avec 4G et appels (presque) illimités et patinette en location. Un bon rapport qualité-prix au regard de tous ces avantages.

Très chic
(plus de 250 $S / 150 €)

▲ *Parkroyal On Pickering* (plan II, E8, 67) : 3, Upper Pickering St. ☎ 6809-88-88 ou 1-800-2557-795 (gratuit depuis Singapour). ● park royalhotels.com ● Ⓜ Clarke Quay. Doubles env 250-410 $S selon confort et saison, petit déj-buffet sompteux inclus. Promos sur Internet à certaines périodes. Un hôtel 5 étoiles de 360 chambres à l'architecture vraiment originale : 3 tours sur pilotis de béton, reliées entre elles par des balcons de verdure, le tout surplombant un autre espace vert, le Hong Lim Park. Waouh ! Quelles vertes tiges et quel vertige, à la fois urbain et verdoyant au cœur de la ville, presque New York et l'Amazonie réunis ! Sous les pilotis, la structure semble faite de pièces de béton empilées, façon puzzle, toutes de couleurs différentes, allant du blanc au sable en passant par le gris. Chambres zen au design de bois clair, parquet flottant, mobilier de salle de bains anguleux comme il se doit, robinets de la baignoire comme encastrés dans un coffre-fort, larges baies vitrées donnant sur la végétation... Piscine à débordement au 5e étage avec terrasse ouverte sur la ville et petits salons enfermés dans de vastes cages à oiseaux, d'où l'on détaille bien la structure de l'hôtel. Tout confort, bien sûr. Spa et fitness centre. Une réussite à tout point de vue !

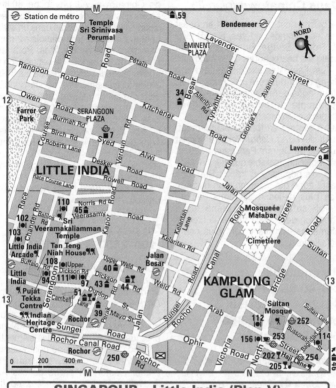

SINGAPOUR – Little India (Plan V)

SINGAPOUR

Dans Chinatown (plan III)

Le quartier est délimité d'est en ouest par les 2 grandes artères, New Bridge et South Bridge Road. Il compte quelques beaux hôtels, bien centraux. À l'est l'agréable excroissance d'*Ann Siang Hill*, du côté de *Telok Ayer*, s'est considérablement développée et compte désormais une poignée d'adresses ravissantes.

Autre secteur en fort développement, celui de *Tiong Bahru Road*, à l'ouest au-delà de Outram Park *(plan I, B3)*, et qui recèle un agréable quartier Art déco à la fois populaire et *trendy*. Bref, une vaste zone qui rassemble un florilège des plus belles réalisations design, à voir autant qu'à expérimenter, à condition de pouvoir casser la tirelire ! Même les dortoirs y sont plus chers qu'ailleurs...

Bon marché (20-40 $S par pers / 12-25 € en dortoir, et moins de 100 $S / 60 € la double)

🏠 **Wink Hostel** (plan III, G9, **49**) : 8A, Mosquee St. ☎ 6222-29-40. ● winkhostel.com ● Ⓜ Chinatown. *Résa indispensable et le plus longtemps possible à l'avance.* Dans une vieille bâtisse au cœur du quartier chinois, des dortoirs mixtes aménagés en lits-capsules individuels *(pods ;* 6 à 10 par dortoir), ce qui offre une impression d'intimité : finis les ronflements du voisin ! Literie tout confort, *lockers* au pied des lits et éclairage automatique de la cabine avec un *pass*. Dans les dortoirs des filles, *vanity* et miroirs ! L'*hostel* est entièrement climatisé et possède d'agréables espaces communs : vaste cuisine équipée, lingerie, bibliothèque. Sanitaires impeccables, laverie. Petit déj sommaire. Accueil vraiment adorable et disponible.

🏠 **Bed & Dreams Inn** (plan III, G9, **63**) : 52, Temple St. ☎ 6438-51-46. ● bedsanddreamsinn.com ● Ⓜ Chinatown. CB acceptées (+ 4 %). On le repère facilement à sa façade graffitée dans l'animée Temple Street, en plein cœur de Chinatown. AJ privée de 80 lits aménagés en dortoirs de 6-10 lits, très clean, et joliment décorés dans un style contemporain et très chinois ; 2 dortoirs sont réservé aux filles. Pour les familles ou les bandes de copains, on y trouve aussi des chambres de 6 à 8 lits à prix intéressant. Pas donné-donné, certes, mais Chinatown est très touristique, et puis ça les vaut. Inclus dans le tarif : le petit déj sans limite d'heure, un casier, douche chaude commune, consigne et évidemment Internet. Accueil vraiment sympa, ce qui est un vrai plus en matière d'AJ. Également une annexe, le *Bed & Dreams Inn Clarke Quay,* dans *Hong Kong Street* (voir plus haut).

De prix moyens à chic (100-250 $S / 60-150 €)

🏠 **Adler Hostel** (plan III, H9, **64**) : 259, South Bridge Rd. ☎ 6226-01-73. ● adlerhostel.com ● Ⓜ Chinatown. *Dortoirs env 40-50 $S/pers, sans breakfast.* Dans une charmante *shophouse* du début du XXe s, d'un blanc presque immaculé, avec des éléments Art déco. Louée dans de nombreuses revues (un peu trop, peut-être ?), l'*Adler Hostel* fait partie de ces AJ nouvelle génération appelées *poshtels* (« AJ chic ») ou même *boutique hostels* ! Et en effet, on dirait un hôtel chic dès le lobby peuplé d'antiquités... C'est aussi un *capsule hotel ;* on dort dans des *pods*... Les jeunes *co-workers* adorent ! Certes, c'est plus cher que dans les AJ conventionnelles, mais l'adresse fait quasi l'unanimité pour son rapport qualité-prix-confort-accueil. Ici, vous aurez droit à un bon matelas avec drap en soie, couette et 2 oreillers, clim et douches communes propres sans oublier le petit déj. On peut même brancher son ordi sans adaptateur. Tout est prévu ou presque. Judicieux conseils et bons plans pour sortir. De plus, il est bien situé, au cœur de Chinatown et à 5 mn du *Maxwell Centre,* où l'on mange bien et pas cher (voir « Où manger ? »).

🏠 **The Por-ce-lain Hotel** (plan III, G9, **54**) : 48, Mosquee St. ☎ 6645-31-31. ● porcelainhotel.com ● Ⓜ Chinatown.

Double env 150 $S, bien moins chère sur Internet, mais faites-vous préciser la taille de la chambre. Pas de petit déj. Une large façade blanche à arcades, des murs noirs dans les parties communes (très sombres car délibérément peu éclairées) et dans les chambres. Décors (tous différents) de rosaces bleues qui reprennent les motifs traditionnels de la porcelaine chinoise. Près de 140 chambres, parfois minuscules (chaque m² est exploité, mais tout de même, ne pas venir avec des malles), et bien équipées. La plupart donnent sur rue, donc parfois bruyantes ; quelques autres côté cour mais sans fenêtre (-50 %). On y signale aussi pas mal d'humidité. Pas le genre d'hôtel où l'on passe 1 semaine, mais convenable pour un court séjour. Accueil adorable. Spa et jardins au 2ᵉ étage.

De chic à très chic (plus de 150 $S / 90 €)

≜ *The Scarlet (plan III, H9, 57)* : 33, Erskine Rd. ☎ 6511-33-33. ● thescarlethotels.com ● Ⓜ Tanjong Pagar ou Chinatown. *Doubles 300-500 $S ; à partir de 150 $S sur Internet.* Un magnifique boutique-hôtel derrière une jolie façade néocoloniale. Plus classique dans le style que les autres, mais pas moins dans la recherche décorative. Du pastel au pourpre, certaines chambres affichent un style élégamment contemporain ou gentiment colonial, d'autres vont chercher dans le baroque Grand Siècle ! Luxueux et cher, mais pas tant que ça, compte tenu des prestations très haut de gamme. Précision : les chambres les moins chères n'ont parfois qu'un petit puits de lumière en guise d'éclairage naturel. Pour finir, bonne cuisine au restaurant sicilien *Aria* sur le toit-terrasse, ou à la *Casa Tartufo*, au rez-de-chaussée où est servi l'excellent petit déj.

≜ *Hotel 1929 (plan III, G10, 52)* : 50, Keong Saik Rd. ☎ 6717-19-29. ● hotel1929.com.sg ● *Dans le paisible quartier de Duxton Hill. Chambres 140-290 $S, petit déj compris (bien moins cher sur Internet).* Une ancienne *shophouse* de 1929 avec des chambres bien équipées, de taille variable, mais les *standard* sont généralement

exiguës. Balcon et terrasse pour certaines. Salles de bains en mosaïque colorée. Préférer dans la mesure du possible celles en angle. Des inconvénients largement compensés par la chaleur de l'accueil et l'ambiance aussi vintage que décontractée.

≜ *Wangz Hotel (plan I, B3, 56)* : 231, Outram Rd. ☎ 6595-13-88. ● wangzhotel.com ● Ⓜ Outram Park. *Du métro, prévoir 5-10 mn de marche. À l'ouest de Chinatown. Doubles env 250-300 $S via Internet.* Impossible de manquer cet édifice futuriste, au carrefour d'Outram et Tiong Bahru Roads. Complètement rond, comme un fût de vin et doublé d'une sorte de couverture métallique qui filtre la lumière, il relève plus de l'architecture de bureau que de l'hôtel de charme. Et pourtant... Dès la réception, le ton (chaleureux) est donné : vaste hall lumineux, où est servi un excellent petit déjeuner-buffet, grands tapis, parquets, élégante déco urbaine colorée *arty-design* avec de beaux meubles. Clientèle jeune et branchée. Les chambres réparties sur 6 étages, bien isolées et très lumineuses car sans vis-à-vis, épousent les contours arrondis du bâtiment, ce qui leur confère ce caractère si singulier. Sont inclus : le petit déj, une partie du minibar (la 1ʳᵉ nuit !), un accès au *fitness centre* et la navette toutes les heures pour aller à *Orchard Road* ou *Sentosa*. Également un *rooftop bar*. Excellent accueil, hyper pro. Bon à savoir, le secteur comprend une librairie et une boulangerie-salon de thé francophones.

≜ *Klapstar Boutique Hotel (plan I, C4, 58)* : 15, Hoe Chiang Rd. ☎ 6521-90-30. ● klapstar.com ● *Au sud de Chinatown. Doubles 350-500 $S selon confort, petit déj-buffet en sus. Petites promos sur Internet.* Un hôtel d'à peine 17 chambres dans un pur esprit contemporain, voire futuriste, et design. Ici, tout est concept ! Chaque chambre est personnalisée et tout a été pensé pour assurer un confort sans faille. Concernant l'aménagement des douches, on a pensé « open ». Elles sont posées dans la chambre, avec une simple paroi transparente en plexiglas. C'est un parti pris... Resto dans la même veine et musique *lounge*. Accueil discret, mais ça aussi, c'est concept !

SINGAPOUR

Dans Little India (plan V)

Bon marché (20-40 $S par pers / 12-25 € en dortoir, et moins de 100 $S / 60 € la double)

🛏 **Bunc@Radius** (plan V, M13, **40**) : 15, Upper Weld Rd. ☎ 6262-28-62. ● bun chostel.com ● Ⓜ Jln Besar, Rochor et Little India. Petit déj inclus. Résa conseillée via leur site. Une AJ 2.0 comme on aimerait en voir plus souvent. Espaces clairs et lumineux avec une déco qui fait plus penser à un boutique-hôtel qu'à un hostel roots. Dortoirs climatisés de 4 à 12 lits (single ou doubles, certains réservés aux filles) avec literie confortable et hygiénique garantie ! Lampes de lecture individuelles, prêt de smartphone. Espaces-repos avec gros poufs colorés, jeux vidéo, ordis, terrasse avec écran grand format, laverie et une cuisine qui donne envie de se prendre pour un chef. Staff à l'écoute. Une excellente adresse malgré quelques petits défauts de conception et de ventilation.

🛏 **The Inn Crowd** (plan V, M13, **39**) : 73, Dunlop St. ☎ 6296-91-69. ● the-inncrowd.com ● Ⓜ Jln Besar, Rochor et Little India. Résa conseillée. Une vraie AJ à l'ancienne, cela signifie à la fois populaire pour les routards, mais aussi un peu juste question entretien et tranquillité. 2 dortoirs et des chambres doubles ou triples avec clim et salle de bains nickel sur le palier pour la plupart. Coin cuisine, casiers, salle de TV/DVD, bouquins et excursions gratuites pour découvrir Singapour (notamment un scooter tour gratuit). Petite terrasse avec parasol au dernier étage, pour faire connaissance. Juste à côté, le Countryside Café, un bar aux allures de western avec bières, verres de vin et jus de fruits à prix doux. Le soir, ambiance parfois survoltée.

🛏 ♪ **Prince of Wales** (plan V, M13, **51**) : 101, Dunlop St. ☎ 6299-01-30. ● pow. com.sg ● Ⓜ Jln Besar, Rochor et Little India. Encore une AJ un peu old fashioned dans ce quartier qui n'en manque pas. L'ambiance est donnée dès l'entrée puisqu'on passe par le pub, souvent animé le soir (donc du bruit à prévoir !). Côté couchage, 3 dortoirs juste corrects de 6 à 8 lits et 2 chambres privées avec salle de bains commune. Laverie. Consigne. Rien d'extraordinaire, c'est même vraiment roots, mais on y vient plutôt pour l'ambiance routarde internationale. Live music à 17h en semaine et 15h vendredi-dimanche. Bière à prix abordable et remise de 20 % sur la nourriture. Bon accueil, ce qui n'est pas le cas partout.

De prix moyens à chic (100-250 $S / 60-150 €)

🛏 **Perak Hotel** (plan V, M13, **39**) : 12, Perak Rd. Ⓜ Jln Besar, Rochor et Little India. ☎ 6299-77-33. ● theperakhotel. com ● Fourchette base, petit déj-buffet inclus. Petit hôtel au charme intimiste au cœur de Little India. Les chambres doubles ou triples, pas très grandes sont parquetées et décorées avec simplicité dans des tons clairs. Quelques petits bémols : salle de bains un peu étriquées, clim un peu bruyante et wifi aléatoire mais accueil plein de gentillesse et de serviabilité. Un bon rapport qualité-prix.

🛏 **Moon Hotel** (plan V, M13, **43**) : 23, Dickson Rd. ☎ 6827-66-66. ● moon. com.sg ● Ⓜ Jln Besar, Rochor et Little India. Petit déj-buffet et minibar compris en cas de résa sur leur site. Doubles à partir de 135 $S. Derrière cette façade ultra-contemporaine mais austère se cache un élégant boutique-hôtel, sobre et teinté de violet. Idéalement placé, il comprend plus de 80 chambres en majorité des standard de très petite taille. Forcément, le moindre espace est exploité, et on n'y fait pas sa gym au saut du lit. À peine plus grandes mais plus chères, les deluxe ont pour seule différence la baignoire à la place de la douche. À vous de voir, mais quitte à faire sauter le budget, autant prendre la somptueuse suite « Moonlight ». Là, au moins, vous épaterez votre moitié ! Pour le reste, excellent confort.

Chic (150-250 $S / 90-150 €)

🛏 🍸 **Wanderlust Hotel** (plan V, M13, **44**) : 2, Dickson Rd. Ⓜ Jln Besar, Rochor et Little India. ☎ 6396-33-22. ● wanderlusthotel.com ● Fourchette hte et au-delà en hte saison ; petit déj-buffet inclus. Promos sur le web. On aime bien la carte de visite en forme de *boarding pass*, comme une intro au voyage qui s'annonce. Dans le lobby, nombreux objets chinés dans une étonnante juxtaposition des genres : vieille chaise de dentiste en guise de fauteuil (peut-être pas idéale pour se détendre...), sièges vintage et lampes de style industriel. Puis, pour chaque étage et chaque chambre, son design et designer, avec surprises décoratives : au 2e, les « Pantone » monochromes (faut aimer), au 3e, le N & B, au 4e les « Mono » plus dans le style origami et, notre coup de cœur, les « Lofts », pas bien grands mais bien pensés. Demander à en voir plusieurs si possible. Au rez-de-chaussée, le bar à vins *Winederlust* est très couru des Singapouriens pour son cellier de 300 bouteilles. Déco de briques et bande-son *rock 'n roll*.

â **Santa Grand Hotel** *(plan V, M13, 45)* **:** 3, Veerasamy Rd. ☎ 6298-29-82. ● santagrandhotels.com ● Ⓜ *Little India*. 10 % de réduc en réservant sur Internet. Hôtel agréable à la déco sobre et contemporaine. 20 chambres confortables (clim, salle de bains, *queen bed* dans les chambres *deluxe*). Dommage cependant que les *standard* ne soient pas un peu plus grandes... Le matin, service de taxi payant pour Orchard et Suntec City (Esplanade).

Autour de Lavender Street

Ce n'est pas le quartier le plus agréable, car cette artère au nord de Little India est très passante. Néanmoins, c'est moins cher que dans les autres quartiers et on s'y rend (presque) directement en métro depuis l'aéroport (changement à Tanah Merah, Ⓜ Lavender). De plus, on n'est pas loin de Little India et relié en métro à Chinatown et Clarke Quay grâce à la station Boon Keng.

De bon marché (20-40 $S par pers / 12-25 € en dortoir, et moins de 100 $S / 60 € la double)

â **Ruck Sack Inn @ Lavender Street** *(plan V, N12, 59)* **:** 280, Lavender St.

☎ 6295-24-95. ● rucksackinn.com ● Ⓜ *Lavender* ou *Boon Keng*. Réduc de 25 % en cas de résa sur leur site. Cette AJ a absorbé son voisin pour former un ensemble de 150 lits répartis en dortoirs mixtes de 8 lits superposés et d'autres avec *pods* individuels, fermés par un rideau. Également quelques chambres coquettes pour 2 à 4 personnes avec douches communes. Salon et cuisine ouverte. C'est propre, coloré, confortable et pas cher. Tous les petits services habituels (laverie, consigne, etc.). Gros point positif : l'accueil est vraiment pro (plein d'infos) et sympa. Terrasse sur le toit.

â **7 Wonders Hostel** *(plan V, N12, 34)* **:** 257, Jln Besar S. ☎ 6291-37-74. ● 7wondershostel.com ● Ⓜ *Farrer Park* ou *Jln Besar* et arrêt de bus à proximité. Fourchette hte. Petit déj continental. Dans une ancienne *shophouse*, un *hostel* récent organisé sur le concept japonais des couchages (tout confort) en capsules *(pods),* 8 par pièce, mixtes ou non. Certaines sont conçues pour accueillir des couples *(queen beds)* et même des familles ou des groupes de 4 à 24 personnes ! Les sanitaires, bien équipés, sont à partager sur un même niveau. Le tout dans des tonalités douces et un style design épuré. Parties communes agréables, patio extérieur et caféteria attenante. C'est un peu plus cher qu'une AJ traditionnelle, mais le niveau de confort le justifie. À essayer à condition de ne pas être claustrophobe.

À Kampong Glam *(plan V)*

Bon marché (20-40 $S par pers / 12-25 € en dortoir, et moins de 100 $S / 60 € la double)

â **The Pod** *(hors plan V, par N13, 46)* **:** 289, Beach Road, 3e étage. ☎ 6298-85-05. ● thepodcapsulehotel.com ● Ⓜ *Bugis* à 300 m et nombreuses lignes de bus sur l'avenue. Fourchette hte, voire plus par personne. Petit déj-buffet varié inclus. Bien située, en lisière du quartier arabe, une AJ « de luxe » avec lits-capsules individuels ou doubles, bien équipés. Clim assez fraîche et isolation à revoir, pensez aux bouchons d'oreille. Vastes casiers sécurisés sous le lit, literie soignée (couette, oreillers moelleux)... et tout l'équipement relié à ce type de couchage. Préférer un lit éloigné de la porte d'entrée. Sanitaires et salles de douche en commun avec articles de toilette, blanchisserie gratuite en libre-service. Espace commun convivial. Propreté nickel et accueil courtois et efficace.

Autre *hostel* du même type dans le quartier de Kampong Glam, **The Cube** : 54-56, Bussorah St. ● cubestay. sg ● *Prix moyens.*

Dans et autour d'Orchard Road *(plan I, plan IV)*

Très chic (plus de 250 $S / 150 €)

⌂ **Hotel Quincy** *(plan I, B1, 47)* : 22, Mont Elisabeth Rd. ☎ 65-6738-5888. ● quincy.com.sg ● Ⓜ *Orchard Road. À env 500 m d'Orchard Rd. Compter env 300-350 $S, petit déj compris.* Une belle affaire, extrêmement bien placée, surtout pour les fondus de shopping. Cette grande tour de 108 chambres dans un quartier aéré abrite en réalité des studios aux grandes baies vitrées avec vue dégagée, et dotés de tout le confort. Chambres pas très grandes mais bien disposées et au décor élégamment contemporain. Belle piscine

24h/24 au 3e étage avec terrasse en teck. Très bonne cuisine italienne au restaurant et accueil réellement formidable.

À Geylang *(plan d'ensemble)*

Bon marché (20-40 $S par pers / 12-25 € en dortoir, et moins de 100 $S / 60 € la double)

⌂ **Betel Box Hostel** *(plan d'ensemble, 68)* : 200, Joo Chiat Rd. ☎ 6247-73-40. ● betelbox.com ● Ⓜ *Paya Lebar ou Eunos. Prix dans la fourchette basse.* Geylang est le village malais de Singapour. Certes, c'est aussi, par endroits, le *red light district* de la ville, mais vous y verrez surtout de nombreuses *shophouses peranakan* (ou baba nyonya) colorées et une ambiance de village. Cette AJ propose 5 dortoirs de 6 à 20 lits, mixtes ou non, avec béton ciré et lits métalliques superposés et chambres doubles. Salle de bains attenante ou à l'extérieur. Casiers individuels et salle de gym. Il sait aussi créer une atmosphère bien routarde autour du bar avec canapés, billard, salon-TV et une petite bibliothèque. Enfin, Tony, le patron, connaît Singapour comme sa poche et guide lui-même ses clients au cours d'un *foodwalk tour* ; compter environ 30 $S (80 $S si vous ne dormez pas sur place). Également un *cycling tour.*

Où manger ?

On ne fait pas 30 m à Singapour sans tomber sur un des 7 000 restaurants ou une des 10 000 échoppes de rue proposant une restauration de toutes les origines. C'est fou ce qu'on peut engloutir à toute heure de la journée et de la nuit. C'est même le passe-temps favori des Singapouriens qui ne mangent guère chez eux.

Les endroits les plus accessibles sont les *hawker centers* et autres *food courts*, où il suffit de se laisser guider par les yeux et les narines. La plupart des stands arborent la photo des

plats principaux. Souvent les boissons s'achètent à un stand différent. Toutes les catégories de la population s'y mélangent joyeusement, principalement entre 11h et 14h30 et entre 18h et 22h30, mais beaucoup servent dès 6h du matin.

Et soyez audacieux : la découverte culinaire est un des attraits majeurs du voyage singapourien. **Munissez-vous de mouchoirs en papier,** les stands fournissent rarement des serviettes et lorsque c'est le cas, elles sont microscopiques. Votre paquet de mouchoirs

SINGAPOUR

sert aussi à réserver votre place pendant que vous faites la queue ; il suffit de le déposer sur une chaise.

Bon à savoir : le *Sunday brunch* est un vrai sport national à Singapour et les adresses rivalisent d'imagination pour attirer le chaland. Profitez-en.

Si vous êtes *un* fan inconditionnel de *dim sum*, vous trouverez facilement en ville une succursale de la chaîne *Din Tai Fung,* d'origine taïwanaise, qui fait (presque) l'unanimité chez les amateurs de bouchées cantonaises à la vapeur (les plus réputées sont les *xiao long bao,* au porc). On en trouve généralement dans les centres commerciaux. Par exemple, ceux d'Orchard Road *(plan IV, J11),* au **Paragon** et au **Wisma Atria** (voir plus loin Food Republic ; *plan IV, J11,* **130**). Ou encore au **Raffles City** *(plan II, F6),* au **Suntec City** *(plan I, D2)* et au Marina Bay Sands *(plan I, D3). Tous sont ouverts tlj 11h-21h30 (10h w-e).*

Dans le quartier colonial
(plan II)

Bon marché
(5-15 $S / 3-9 €)

l●l **Raffles City Food Place** *(plan II, F6, 81) :* 252, North Bridge Rd, # 03-15. *Dans le* Raffles Commercial Centre. *Au 2e étage.* Ⓜ *City Hall. Tlj jusqu'à 21h.* 25 à 30 échoppes de nourriture essentiellement chinoise et japonaise. Avec tous les cols blancs des bureaux des alentours, on y déjeune au coude à coude sur de grandes tablées dans un raffut d'enfer. Un plat copieux coûte souvent moins cher qu'une canette de bière. Cuisine fraîche et parfumée, parfois épicée. Un stand propose notamment des plats de nouilles à la demande. Un autre enfin, au centre, propose de délicieux jus de fruits frais. Là encore, une bonne affaire.

l●l **Albert Centre** *(plan II, E-F5, 80) :* Entre Queen St et Waterloo St. M : Bugis. Tlj 6h-21h30. Un *food court* de quartier, simple et très populaire dans ce quartier chinois animé. On peut se payer pour quelques dollars le *hainanese chicken rice* par exemple, mais aussi la *Heng Fa fish soup,* les *noodles*

soup et autre *Yong Tau Foo soup.* Ou alors un plat indien, indonésien ou malais. Le stand le plus populaire est celui où l'on sert la *pig organ soup* (soupe de tripes). En dessert cherchez celui qui sert les *fried carrot cakes.*

l●l Le long de Liang Seah Street *(plan II, F5),* nombreux petits restos qui font office de cantines populaires le midi. Avec pas mal de steamboat buffets qui proposent la formule « *all you can eat* »...

Prix moyens
(15-30 $S / 9-18 €)

l●l **Entre Nous Crêperie** *(plan II, F6, 83) :* 27, Seah St. ☎ 6333-46-71. Ⓜ *Bugis ou City Hall. Tlj sauf lun ; mar-ven 12h-14h30, 18h-21h ; sam 11h-21h30 ; dim 11h-17h30.* Petit restaurant français tout en longueur sur le côté du *Raffles* qui propose un choix de savoureuses crêpes et galettes différentes notamment à la farine de sarrasin dans le respect de la tradition bretonne. Géraldine et son mari (en cuisine) importent tous leurs produits de Rennes et se font un plaisir de conseiller le client en leur faisant goûter 5 cidres bruts servis en bolées, de l'hydromel de chouchen ou du calva. Bons conseils pour découvrir Singapour en prime.

Chic (30-50 $S / 18-30 €)

l●l 🍷 ♙ **Artichoke** *(plan II, E5, 89) :* Sculpture Sq, 161, Middle Rd. ☎ 6336-69-49. Tlj sauf lun 16h-23h ; brunch le w-e 10h30-14h30. Résa indispensable (après 15h). Ce lieu d'expositions est consacré aux œuvres en 3D (photos et films) : on y trouve une étonnante chapelle repeinte au goût du jour, quelques salles d'expo, un patio fort agréable et un restaurant spécialisé dans la cuisine du Moyen-Orient. Jolie salle avec tomettes au sol, agrémentée de papiers peints imprimés. Les bobos singapouriens de la classe moyenne viennent y partager les *mezze* (voir le tableau noir), mais aussi des plats plus roboratifs à base de thon, de calamars ou d'agneau. Un lieu bien agréable, branché et assez original. Le midi, l'annexe **Overdoughs** sert uniquement des pâtisseries orientales.

IOI *True Blue Cuisine* (plan II, E6, 93) : 49, Armenian St. ☎ 6440-04-49. Tlj 11h-14h30, 18h-21h30. *Attention, aux menus ajouter les taxes de 17 %. CB acceptées. Résa fortement conseillée.* Superbe ancienne shop house avec patio et mobilier chaleureux. L'adresse est chère et éminemment touristique, mais on y vient pour prolonger agréablement la visite du musée Peranakan voisin par une dégustation de la cuisine authentique et dans un cadre qui l'est tout autant : petits box aux panneaux laqués, meubles et objets d'époque. Essayez *l'ayam buah keluak,* un ragoût de poulet épicé accompagné de grosses noix bien noires que l'on racle avec une petite cuillère. Pour les moins audacieux, optez pour le *rendang sapi,* du bœuf sauce coco. Addition salée (n'oubliez pas les taxes) et service parfois inégal (ne pas arriver trop tard), certes, mais le lieu et la cuisine valent bien une ponction du portefeuille.

Sur Boat Quay et Clarke Quay *(plan II)*

Un des rares quartiers de Singapour où l'on peut manger en terrasse, et au bord de l'eau.

Sur Boat Quay (rive sud), les restos jouent à touche-touche sur près de 200 m ! Le choix ne manque pas mais c'est hyper touristique. On ne vous donne pas d'adresse particulière, ça change souvent. Comme partout, il y a du bon et du moins bon, et de toute façon, ce secteur est un peu en perte de vitesse... N'hésitez pas cependant à y aller au feeling, selon vos envies du moment, en bravant le racolage incessant des rabatteurs. On y mange indien, thaï, coréen, indonésien, chinois, espagnol, italien, international, etc. Un vrai tour d'horizon culinaire. Cela dit, faites attention à l'addition, surtout pour les fruits de mer facturés au poids ! Certains vont jusqu'à facturer le chili crab dans les 300 $S...

Sur **Clarke Quay** (rive nord), grand choix d'adresses aussi, plus branchées et chères, et quelques tables qui valent le coup (voir ci-dessous notre sélection) avec terrasses et vues sur les buildings illuminés en toile de fond.

Ça, c'est Singapour ! Le secteur est aussi (surtout ?) connu pour ses bars et ses lieux de sortie branchés (voir plus loin la rubrique « Où boire un verre ? Où écouter de la musique ? »).

Un peu plus loin vers l'ouest, on peut rejoindre **Robertson Quay** (rive nord), moins touristique, à l'ambiance un peu moins Disney, mais c'est aussi cher. Pas mal de petits restos, notamment japonais, en particulier sur l'agréable placette de Robertson Walk.

De chic à très chic (plus de 30 $S / 18 €)

IOI ↑ *Jumbo Seafood* (plan II, E8, 88) : 30, Merchant Rd, Riverside Point. ☎ 6532-34-35. Tlj 12h-15h, 18h-minuit *(dernières commandes 14h15 et 23h15).* À la carte, plats 18-50 $S ; sinon, menus 210-730 $S pour 4-10 pers ! Le mastodonte de la restauration de fruits de mer. On n'en compte pas moins de 5 en ville, dont un à l'aéroport. Le plus couru est celui de l'East Coast Park, mais celui-ci jouit d'une situation diablement agréable en plein air et près de la rivière. Les places au bord de l'eau sont d'ailleurs très prisées (réservez). L'intérieur est banalement moderne. Carte aussi longue que le bottin, déclinant spécialités de poissons et fruits de mer, toujours d'une grande fraîcheur à des prix, bien sûr très divers. Demandez des *mantou,* des petits pains frits pour saucer. Service efficace et, comble de délicatesse, on vous affuble d'un tablier-bavoir pour éviter de vous tacher ! Attention, prix au poids, l'addition grimpe vite.

Dans le Central Business District et à Marina Bay *(plan I)*

Bon marché (5-15 $S / 3-9 €)

IOI *Lau Pa Sat* (Telok Ayer Market ; plan I, C4, 90) : Raffles Quay. Ⓜ Raffles Place. Ouv 11h-22h30. Sachez qu'en 1825, le Telok Ayer Market était un marché mouillé (le sol était arrosé en permanence pour conserver toute la fraîcheur des produits arrivant directement par bateau). Sa belle architecture métallique d'époque victorienne date de 1894. Démontée lors de la construction du métro, elle a été remontée ici à l'identique et transformée en *food centre*. On y trouve des stands de spécialités diverses (toutes les cuisines de l'Asie et même costaricienne...), ainsi que sa clientèle de cols blancs du Central Business District en journée et des fêtards avant leur sortie en boîtes le soir.

🍴 *Food Court du Marina Bay Sands (plan I, D3, 91) :* sous-sol du Marina Bay Sands. Ⓜ Bayfront. Ouv 24h/24. Le meilleur de la cuisine asiatique réparti en une vingtaine de stands dans la galerie inférieure qui borde la baie. Cher, mais la qualité est sans reproche. Essayez, entre autres, le fameux *bah kut teh* (soupe aux travers de porc) de Ng Ah Sio (# B2-50, stall 11). Vous trouverez aussi dans le même édifice une succursale de la chaîne Din Tai Fung, spécialisée dans les dim sum.

🍴 *Makansutra Glutton's Bay (plan I, D3, 92) :* 8, Raffles Ave, Esplanade Mall 01-15. Ⓜ Esplanade. Lun-sam 17h-2h (3h ven-sam), dim 16h-1h. Un grand *food centre* familial et populaire à ciel ouvert, qui prend réellement vie le soir venu. Spécialités locales convenables, à déguster surtout sur les tables au bord de l'eau : vue imprenable sur Marina Bay et le spectacle laser qui se tient tous les soirs sur l'Event Plaza à 20h et 21h30 (plus 23h les vendredi et samedi). Magique !

Très chic
(plus de 50 $S / 31 €)

🍴 *Lavo (plan I, D3, 91) :* 57e étage de la tour 1 du Marina Bay Sands. ☎ 6688-85-91. M : Bayfront. Salades et pizzas 25-35 $S. Pas si cher si on considère la vue exceptionnelle. On peut aussi se contenter d'y prendre un verre au bar.

🍴 *Rise Restaurant (plan I, D3, 91) :* au rdc de la tour 1 du Marina Bay Sands. Ⓜ Bayfront. ☎ 6688-55-25. Tlj 6h30-22h30 : petit déj (45 $S), déj (env 60 $S) et dîner (près de 80 $S). Plus

cher le w-e. Dans le superbe atrium, légèrement en surplomb et devant de vastes baies vitrées, le lieu est sans conteste bien plus agréable en journée que le soir, bien qu'assez bruyant. Mais le buffet vaut vraiment le coup, pour la variété de ses propositions. Cuisine internationale avec une large part consacrée aux produits de la mer, mais aussi de succulents plats de viande comme la joue de bœuf *Wagyu.* Buffet gargantuesque.

🍴 *DB Bistro & Oyster Bar (plan I, D3, 91) :* 2, Bayfront Ave, au sous-sol du Marina Bay Sands. #1-48. Ouv 24h/24. Ⓜ Bayfront. ☎ 6688-85-25. Tlj 12h-23h (22h dim-lun). Un mélange d'élégance de brasserie new-yorkaise et de savoir-faire culinaire à la française. Viande fabuleuse, tendre et goûteuse. Excellents fruits de mer et huîtres de Marennes avec champagne, bien entendu. Service compétent, rapide, discret et souriant. Si vous optez pour un tartare de bœuf, vous aurez droit au cérémonial de préparation très élaboré. Addition en rapport avec l'excellence, c'est-à-dire très, très cher.

Dans Chinatown
et Tanjong Pagar *(plan III)*

Ne manquez pas de faire un tour dans *Smith Street (G-H 9),* surnommée « Food Street », une rue piétonne couverte où s'alignent les échoppes de cuisine (chinoise, bien sûr), avec chacun sa ou ses spécialités. Souvent, les plats sont en photo, il suffit de choisir ce qui vous plaît.
À 2 pas, dans le *food court* de Banda Street, un Autrichien a même installé sa guérite à choucroute et saucisses, *Wuerstelstand,* pour les amateurs ! Très animé les soirs et week-ends, on y étale tables et chaises au beau milieu de la rue. Bonne ambiance garantie.

Très bon marché
(moins de 5 $S / 3 €)

🍴 *Les restos du Chinatown Complex (plan III, G9, 115) :* 335, Smith St, au 2e étage du centre commercial. Ⓜ Chinatown. Tlj 8h-22h. Un vaste *food court* qui a envahi tout l'étage du centre commercial (très joli avec son toit en forme de pagode) avec des dizaines de petits restos. Vous n'avez que l'embarras du choix, et la qualité est au rendez-vous. Fins et fameux « depuis 1958 », les popiah ou rolls de chez Ann Chin (stand 02-112) ! Un *food court* très populaire, aux tables toujours bourdonnantes.

l●l Maxwell Food Center *(plan III, H9, 116)* : *South Bridge Rd, au croisement de Niel Rd et Maxwell Rd. Tlj 8h-22h (pic de fréquentation 12h-14h).* Un des plus authentiques et un des meilleurs *hawkers centres*, à fréquenter au déj en même temps que tous les travailleurs du coin. L'endroit est bien ventilé, pas de rhume à redouter malgré une clim poussée à fond. Stands d'excellente qualité et beaucoup de choix : nouilles sautées chez *Food Stuff*, spécialités du sud de l'Inde chez *Hajmeer Kwaja* ou encore le très couru, *hainanese chicken rice* de chez *Tian Tian* (n° 10) à la réputation qui a dépassé les frontières.

Pour de bons *dim sum*, vapeur ou frits, cherchez le stand n° 92. D'une manière générale, laissez-vous porter par vos envies et repérez les longues queues devant les stands, souvent gage de qualité. Pour finir, jus, smoothies et brochettes de fruits frais (ou assiettes à composer) stand 84. Un code de lettres A, B, C, D, affiché sur chaque enseigne, indique le niveau d'hygiène de l'échoppe. Bon à savoir, les habitués réservent leur place avant d'aller faire la queue, en plaçant un petit paquet de mouchoirs sur le tabouret. Gare à ne pas prendre une place réservée...

Bon marché
(5-15 $S / 3-9 €)

Plein de petits restos sur Smith St. Regardez bien les plats, la cuisine est différente. À vous de faire votre choix. On déjeune ensuite sur des tables en plastique, sur la rue piétonne.

l●l Hawker Chan *(plan III, G9, 113)* : *78, Smith St. Au bout de la rue vers la place arborée. Tlj sauf mer.* Incroyable ! Ce boui-boui a obtenu *un bib gourmand* au Michelin pour son fameux *chicken, soja sauce and rice.* Un plat délicieux dès 5 $S. Qui dit mieux ? On y fait la queue, dès avant l'ouverture. Respect.

l●l Ci Yan Vegetarian Health Food *(plan III, H9, 117)* : *8, Smith St.* ☎ *6225-90-26.* Ⓜ *Chinatown. Tlj 12h-22h.* Cadre tout simple de tables et bancs en bois, qui change de ce qu'on a coutume de voir dans le quartier, et plats déclinés sur ardoise. Spécialités végétariennes et souvent bio, différentes tous les jours : rice porridge, soupes variées, *mixed vegetables vermicelles...* C'est un peu l'aventure, mais finalement, on n'est pas déçu et on sort repu. Quelques jolis desserts et du bon miel en vente sur place. Ici, tout est frais, *yummy* (goûteux) et *healthy* (bon pour la santé).

l●l Mei Heong Yuen Dessert *(plan III, G9, 119)* : *65-67, Temple St.* ☎ *6221-11-56.* Ⓜ *Chinatown. Tlj sauf lun 12h-21h30.* Les desserts étant rares dans les restos chinois, venez finir votre repas dans cette boutique-resto de poche qui régalera les becs sucrés : gâteaux en tout genre (carottes, cacahuètes, amandes...), crèmes, gelées (aux herbes, par exemple). Douceurs et calories servies généreusement !

l●l Bee Cheng Hiang *(plan III, G9, 120)* : *angle Mosque St et 189, New Bridge Rd.* Ⓜ *Chinatown. Tlj 8h-22h30. À emporter seulement.* Sorte d'épicerie chinoise (plusieurs enseignes dans la ville) qui, outre plein de gâteaux et de produits plus ou moins étranges, vend des lamelles de bœuf ou de porc grillées et caramélisées, légèrement épicées, confectionnées sous vos yeux. À tester !

Prix moyens
(15-30 $S / 9-18 €)

l●l Blue Ginger *(plan III, H10, 121)* : *97, Tanjong Pagar Rd.* ☎ *6222-39-28.* Ⓜ *Tanjong Pagar. Ouv midi et soir ; dernières commandes à 14h15 et 21h45.* Installé dans une *shophouse* typique de Tanjong Pagar. Déco sobre et atmosphère posée pour découvrir la cuisine peranakan, typiquement singapourienne. Une cuisine raffinée, plutôt épicée, mais les plats relevés étant signalés par une petite pastille, il y a toujours moyen de s'en sortir à bon compte. Large choix de plats de fruits de mer, qui font toutefois caracoler l'addition dans la catégorie « Chic ».

De chic à très chic (plus de 30 $S / 18 €)

|●| **Etna** (plan III, H10, **118**) : 49-50, Duxton Rd. Ⓜ Tanjong Pagar ou Outram Park. ☎ 6220-55-13. Tlj 12h-14h30, 18h-22h30. Un resto italien au cœur du petit quartier branché de Duxton Hill. Salle élégante avec évocation photographique de la Sicile, tables bien dressées, nappes blanches, assiettes de céramique. Antipasti comme là-bas, bruschetta et foccacia, pâtes et risotto, poissons et viandes cuisinés avec savoir-faire. Pizzas au four à bois et vins importés comme ce nero d'Avola qui fleure bon le soleil de l'île. Service stylé.

|●| ↑ **Latteria Mozzarella Bar** (plan III, G10, **95**) : 40, Duxton Hill. ☎ 6866-19-88. Tlj sauf sam midi 12h-14h30, 18h-22h30. Repas complet env 70 $S. Dans le panorama culinaire de ce quartier branché, une curiosité : une table où la mozzarella, tient le haut du pavé. Carte étonnante déclinant quasi toutes les variantes de ce fromage frais, délicat, parfumé, comme la classique buffala, mais aussi la stracciatella ou encore la sfoglia... À vrai dire, on vient surtout pour un ressourcement à l'européenne, et reprendre un peu de fraîcheur entre 2 immersions asiatiques. Quant au décor : vaste terrasse avec une jolie vue sur une enclave de maisons élégantes joliment restaurées. Sinon, addition un peu salée (mozzarella au même prix que les plats) et service un rien brouillon.

|●| ↑ **L'Angélus** (plan III, H9, **124**) : 85, Club St. ☎ 6225-68-97. Ⓜ Chinatown. Tlj sauf sam midi et dim. Compter env 60-80 $S. Un bout d'Hexagone à Singapour : décor de bistrot parisien, affiches de Dubout, casier à ronds de serviette dont un réservé à Nicolas Sarkozy (pas encore revenu à ce jour !). Tout ou presque vient de France : l'andouillette, le foie gras ou les

escargots... encore faut-il avoir envie d'en consommer par 40 °C ! Mais les expats british adorent retrouver cette french touch. Grands crus du Bordelais au prix du platine en lingot (cela dit, pas si chers que cela quand on examine les millésimes), mais aussi honnête corbières du patron. Terrasse couverte.
– Notez que le patron de L'Angélus, qui s'est installé dans le quartier bien avant qu'il ne devienne à la mode, a fait des émules. Le pâté de maisons abrite en effet **Les Bouchons** (7, Ann Siang Rd), un bistrot spécialisé dans le steak-frites (même les pommes de terre viennent de l'Hexagone !), le bar à vins **Le Carillon de L'Angélus** (24, Ann Siang Rd ; ☎ 6423-03-53), **Le Petit Navire** (18, Ann Siang Rd ; ☎ 622-68-97), un bar à huîtres, poisson et fruits de mer et enfin **Le Barrio Chino** (60, Club St), un bar musical à tapas (pas vraiment français) situé en face de L'Angélus...

À Tiong Bahru (plan I, B3)

Très bon marché (moins de 5 $S / 3 €)

|●| **Tiong Bahru Market & Food Center** (plan I, B3, **94**) : 19, Liam Lak St. Ⓜ Tiong Bahru ou Outram Park (5 mn de marche). Tlj 8h-22h. À l'étage du bâtiment orangé pur Art déco de 1945, un des hawker centres les plus réputés de Singapour. À retenir : les petits pains fourrés à la viande ou aux légumes de Sam Chee Kiong (n° 18) et les soupes de raviolis de Hwa Feng Wanton (n° 24) et surtout les réputés gâteaux de riz vapeur, surmonté de riz émincé de Jian BO Shui Kueh (n° 5).

Prix moyens (15-30 $S / 9-18 €)

|●| **Merci Marcel** (plan I, B3, **105**) : 56, Heng Hoon St. Ⓜ Tiong Bahru ou Outram Park. ☎ 6224-01-13. Tlj sauf lun 8h-23h30 (22h dim). Un resto-boutique bien sympa proposant des plats d'inspiration française avec quelques touches asiatiques et confectionnés avec des produits bio de qualité

importés et sélectionnés en provenance du commerce équitable. Quelques plats picorés sur la carte : savoureuses salades, rillettes de crabe, tarte flambée, ravioles de Royan, ceviche, poulet grillé, assiettes de fromage et crème brûlée. Le ton est donné. Accueil souriant.

Très chic
(plus de 50 \$S / 30 €)

|●| Open Door Policy *(plan I, B3, 122)* : *19, Yong Siak St.* Ⓜ *Tiong Bahru ou Outram Park.* ☎ *6221-93-07. Tlj sauf mar ; service 12h-15h, 18h-23h (minuit le w-e et brunch 11h-16h). Résa préférable le soir. Menus 50-70 \$S. Petite sélection de vins au verre.* L'annexe de Ryan Cliff, talentueux chef du *Tipping Club*, l'adresse chic et branchée de Dempsey Hill. Ça tombe bien ! Pour le tiers du prix de la maison mère, on savoure, sous la houlette du second chef et de ses commis formés à bonne école, une cuisine audacieuse. Entrée où poussent des plantes dans de petits casiers faits de bouteilles de plastique. Salle tout en longueur, murs de briques avec cuisine vitrée et banquettes le long du mur. Carte courte et audacieuse de saison tendance *fusion food*, majorité de plats végétariens et trouvailles moléculaires à tester avec curiosité. On se prend volontiers au jeu de la découverte, jusqu'au délicieux *chocolate and pistachio soufflé*. Le chef s'amuse, et nous aussi. Épatant ! En plus, c'est copieux et le service est sympa. Une superbe adresse.

Dans Little India (plan V)

Plusieurs restos indiens vraiment bien, et même un certain renouveau d'adresses, dans ce quartier qui a encore plus de charme et de vitalité à la tombée de la nuit.

Très bon marché
(moins de 5 \$S / 3 €)

|●| Food court du **Pujat Tekka Center** *(plan V, M13, 94)* : tout autour, dans Buffalo Road et Kerbau Road, nombreuses échoppes proposant

d'excellentes spécialités indiennes. Laissez-vous guider par votre flair... stands de bonne qualité générale, certains disposent d'une poignée de tables.

De bon marché
à prix moyens
(5-30 \$S / 3-18 €)

|●| Ananda Bhavan *(plan V, M13, 108)* : *448, Serangoon Rd.* ☎ *6297-95-22.* Sans doute l'un des meilleurs indiens végétariens et l'un des plus anciens (1924) ! Cuisine de tradition indienne et quelques spécialités chinoises à base de produits frais. Un soin à la préparation que l'on retrouve dans les portions généreuses et savoureuses. Pour les fans, plusieurs adresses en ville, ici en *take away* avec quelques tables et aussi une très belle annexe dans le terminal 2 du *Changi Airport*.

|●| Madras New Woodlands *(plan V, M13, 97)* : *12-14, Upper Dickson Rd.* ☎ *6297-15-94.* Ⓜ *Little India. Tlj 7h30-23h.* Le genre d'adresse qu'on adore pour son accueil. Du matin au soir, les Indiens du quartier prennent place dans cette double salle pour manger un *thali*, cette spécialité végétarienne du sud de l'Inde consistant en un plateau dégustation de soupes et légumes souvent très relevés, mais délicieux. Pour accompagner (ou éteindre le feu), excellents *cheese parotha* et *plain lassi.* Service cool.

|●| Delhi Restaurant *(plan V, M13, 102)* : *64, Race Course Rd.* ☎ *6296-45-85.* Ⓜ *Little India. Tlj 11h30-23h30.* Cadre plus intimiste que ses (nombreux) voisins. Spécialisé dans les recettes du nord de l'Inde. On vous conseille le poisson cuit dans une feuille de bananier, délicieux ! Un resto réputé, à juste titre. Personnel très aimable.

|●| The Banana Leaf Apolo *(plan V, M13, 103)* : *54, Race Course Rd.* ☎ *6293-86-82.* Ⓜ *Little India. Tlj 10h30-22h30.* Resto indien qui ne désemplit pas, dans une grande salle aux allures de cantine, avec des murs recouverts de marbre. Les cuisines du nord et du sud du pays font bon ménage. On vous conseille le *thali*, servi comme là-bas sur une feuille de bananier avec plein de petits plats qu'on mange avec les doigts. On vient aussi pour déguster le fameux *fish head curry*, qui a fait le succès de la maison. Très populaire et fréquenté par les familles indiennes.

De prix moyens à chic (15-50 $S / 9-30 €)

|●| *Kailash Parbat* (plan V, M13, **110**) : 3, Belilios Rd, au rdc de l'Hilton Garden. Ⓜ *Little India ou Farrier Park.* ☎ 6836-55-45. Tlj 11h-22h30. Prix moyens. Dans un cadre contemporain un peu froid, et pas seulement à cause de la clim. Cela dit, cette ambiance « famille et classe moyenne » repose de l'animation tonitruante du quartier ! De plus, l'adresse est excellente et le service plutôt courtois. À la carte, nombreuses spécialités du Penjab. Ne manquez pas le *pani puri,* de subtiles bouchées aux légumes dans lesquelles on injecte délicatement un peu de bouillon froid pimenté et du sirop avant de les avaler, mais tout entières, sous peine de s'en mettre partout. Miam ! Excellent *paneer butter masala* (leur spécialité) pour suivre. Également des plats mandchous mais aussi des *biryanis* et des *chaats* (snacks).

|●| *Lagnaa* (plan V, M13, **111**) : 6, Upper Dickson Rd. ☎ 6296-12-15. Ⓜ *Little India ou Jln Besar.* Tlj 11h30-22h30. Brunch le dim. CB à partir de 30 $S. Une envie de laisser un p'tit graffiti sur les murs ? Allez-y, ici, c'est permis ! Au 1er étage, autre salle un peu dépouillée avec parquet, tables basses et coussins (on enlève ses chaussures de monter). Superbe cuisine du nord et du sud de l'Inde : conviviale *curry fondue* à partager. Service adorable. Très touristique sans doute car prisée des routards du monde entier mais où la qualité est toujours présente.

Dans Kampong Glam (plan V)

Le quartier de North Bridge Road n'est pas très animé le soir (sauf pendant le ramadan), mais les bons restos de Arab Street attirent toujours beaucoup de monde.

Très bon marché (moins de 5 $S / 3 €)

|●| *Zam-Zam Restaurant* (plan V, N13, **112**) : 699, North Bridge Rd. ☎ 6298-70-11. Ⓜ *Bugis.* Tlj 7h30-23h. En face de la Sultan Mosque, une adresse populaire depuis 1908. Cuisine indienne de tradition musulmane. On y resterait des heures à regarder les cuisiniers faire voler les pâtes filo comme des crêpes pour confectionner de copieux *roti.* Fourrés de toutes sortes de garnitures et servis chauds, ils constituent des sandwichs délicieusement roboratifs. À la carte, bons plats pas chers du tout. Endroit également réputé pour son café aux épices et pour sa grande variété de thés. Hyper clean. Bref, un incontournable !

Prix moyens (15-30 $S / 9-18 €)

|●| ↑ *Alaturka* (plan V, N13, **114**) : 15, Bussorrah St. ☎ 6294-03-04. Tlj 12h-23h. Pour peu, on se croirait au pays des loukoums tant le décor est évocateur de l'univers ottoman. Quelques tables (dont certaines en terrasse, très appréciées), dans un cadre à dominante de bleu et une ambiance tamisée. On s'y sent bien, et le service y contribue. Dans l'assiette, les grands classiques des bords de la mer Égée : *pidelers* (sortes de pizza), *boreks,* falafels, kebabs et pain *lavash.* Goûteux et généreux. Pas d'alcool mais un bon choix de jus de fruits.

Autour d'Orchard Road et à Dempsey (plan I et plan IV)

Tous les centres commerciaux du quartier recèlent des restos et *food courts* dans lesquels on se sustente convenablement et à bon compte. Nous en avons sélectionnés quelques-uns parmi les meilleurs. Bon à savoir, les *food courts* et boutiques bon marché

SINGAPOUR

se situent en *basement* (sous-sol), et plus on monte dans les étages, plus les boutiques et restos sont chic et chers... Du côté de Dempsey à l'ouest d'Orchard Road, pas mal de bons restos branchés, assez chers, fréquentés essentiellement par la clientèle d'expats. Gros avantage, la plupart ont des terrasses. Prévoir un taxi pour s'y rendre.

Très bon marché (moins de 5 $S / 3 €)

IOI Newton Food Centre (plan I, B1, **125**) : *au carrefour de Scotts Newton Rd. Du métro Newton, emprunter la passerelle. Tlj 7h-2h.* Caché au milieu des arbres, un *hawker centre* parmi les plus animés de la ville. Cuisines indienne, chinoise et malaise. Les prix y sont plus élevés que dans les autres, mais la qualité reste constante. Fraîcheur garantie des fruits de mer. Plats typiques : le *BBQ stingray* (raie grillée épicée, délicieuse), ainsi que les *wanton noodles* ou le *butter kitchen* de l'*Indian Palace*. Un bon plan pour ce quartier.

De bon marché à prix moyens (5-30 $S / 3-18 €)

IOI Food Opera (plan IV, I-J11, **131**) : *au basement 4 (#3-4) du Ion Orchard Mall, 2, Orchard Turn. Tlj 10h-22h (23h, ven-sam).* Superbe *food court* dans une élégante salle arrondie avec une vieille teuf-teuf à l'entrée et stands d'excellente qualité. Très bonne cuisine indienne notamment et jus de fruits frais.

IOI Takashimaya Food Village (plan IV, J11, **132**) : *#-2 du Takashimaya Center.* Dans cet équivalent singapourien de nos Galeries Lafayette, ambiance grande cantine sans beaucoup de charme, mais très bons stands japonais un peu dispersés et même un traiteur Fauchon ! Toujours plein en tous cas !

IOI Restaurants du Cuppage Plaza (plan IV, K11, **133**) : *5, Koek Rd.* Une quinzaine de restos de part et d'autre d'un atrium couvert, essentiellement

des enseignes de cuisine japonaise. L'occasion de boulotter une assiette de *ramen*, de picorer quelques sushis ou de se risquer au *yakitori* de foie gras, le tout arrosé d'une *Asahi* bien fraîche.

IOI ⚥ Freshly Baked, by Le Bijoux (plan IV, K11, **134**) : *Killeny Rd. ☎ 6335-32-98. Tlj 8h-20h (18h sam et 15h dim).* Les adresses où l'on peut prendre un petit déj européen sont rares dans le quartier. Ce bout de resto tout en longueur avec 2-3 tables sur la rue propose des viennoiseries, des cakes, des pains divers, des sandwichs de pain de mie en épaisses tranches bien garnis. En plus on y sert du vrai café !

IOI Food Republic (plan IV, J11, **130**) : *435, Orchard Rd, au 4e étage du* Wisma Atria Center *(l'une des ailes du Ngee Ann City). Tlj 10h-22h (23h w-e).* Ce qu'on aime dans les Food Republic, c'est l'effort fait sur la déco, ici façon cahutes traditionnelles. Pour le reste, cuisine asiatique convenable et très bons stands de desserts. Ne pas manquer les *cutlet noodles* bien fondantes. Également une succursale de la chaîne de *dim sum* Din Tai Fung.

IOI Spize (plan I, B2, **96**) : *409, River Valley Rd. ☎ 6337-74-93. Tlj 10h-5h du mat (6h ven-sam). De nuit, taxi indispensable.* Pour les noctambules de tout poil, voici le rendez-vous des affamés de la nuit. Une faune parfois un peu interlope, souvent drôle et un peu éméchée, vient se restaurer pour une faim de nuit d'une cuisine thaïe ou indienne de bonne facture dans tous les sens du terme. Épongez votre nuit arrosée avec un *paratha* au curry ou une bonne omelette aux *noodles*, cela ne vous ruinera pas et votre estomac vous dira merci (mais gare aux plats épicés).

IOI ▾ ↑ Odd One Out (plan IV, K11, **135**) : *180, Orchard Rd. ☎ 6738-88-98. Ⓜ Somerset. Tlj 12h-2h (3h ven-sam).* Un pub-resto sur un deck en bois avec un peu de végétation autour. Ventilos pour aérer cette belle terrasse, bien agréable pour regarder l'animation de la rue tout en sirotant une bière fraîche (assez chère tout de même !). Plats à tendance internationale, pas si mal que ça, pizzas notamment. Surtout animé en soirée. En fait, on vient plus pour l'ambiance et le cadre intérieur. Service un peu lent.

SINGAPOUR

De prix moyens à chic (15-50 $S / 9-30 €)

|●| *Dancing Crab* (plan IV, K11, **137**): 181, Orchard Rd. #07-14-15 ☎ 6509-18-78. Ⓜ Somerset. Tlj 11h30-15h, 17h30-22h (dernière commande 30 mn avt). Résa très recommandée. Au 7e étage du centre commercial Orchard Central, une salle bruyante, pour déguster une cuisine d'inspiration cajun. Mais on vient ici pour une formule originale. Votre crabe avec son accompagnement de moules, coques et crevettes en sauce est déversé sur la table à partir d'un sac en plastique qui a servi d'emballage à la cuisson... Il ne vous reste plus qu'à déguster le tout, sans chichis avec les doigts en protégeant votre plastron d'un large bavoir ! Au menu également du poulet panné, du homard, des clams et des légumes tempura. À voir comme le restaurant est plein, on se rend compte que c'est très apprécié par les locaux mais aussi par les quelques touristes qui s'y osent ! Bref, un lieu atypique qui tient à la fois du restaurant et de l'attraction !

|●| *Sushi Tei* (plan IV, J11, **136**): 290, Orchard Rd, dans le centre commercial Paragon Center. ☎ 6376-22-21. Ⓜ Somerset ou Orchard. Tlj 11h30-22h. Installé au 5e et dernier étage du centre commercial, un resto japonais qui sert d'excellents sushis. Les petites assiettes défilent sur un long tapis roulant. Il suffit de se servir. Cadre de bois agréable, assez chic, qui joue dans un registre sobre et contemporain. Nombreuses autres enseignes en ville.

Très chic (plus de 50 $S / 30 €)

|●| *Tandoor Restaurant* (plan IV, K11, **139**): 11, Cavenagh Rd. ☎ 6733-83-33. Ⓜ Somerset. Au sous-sol de l'hôtel Holiday Inn Parkview. Tlj 12h-14h30, 19h-22h30. Résa conseillée. En matière de gastronomie de l'Inde du Nord, ce lieu est la référence à Singapour, comme le prouvent toutes les récompenses affichées à l'entrée. Décor superbe, clim à fond, service stylé. Menu ou grand choix à la carte de plats et currys végétariens. Tout cela se paie, bien entendu.

|●| ↑ *Jim Thompson on Dempsey Hill* (hors plan IV par I11, **140**): 45, Minden Rd, à Dempsey. ☎ 6475-60-88. Tlj 12h-15h, 18h-minuit (23h dim). Buffet dim midi. Dans le quartier des restos chic pour expats, un excellent resto thaï, logé dans une vaste maison de style colonial : en fait, une ancienne caserne ! Grande terrasse en bois entourée de végétation, décoration raffinée et ambiance cosy à l'intérieur, les tables sont bien espacées, jouant sur le blanc et le doré. Délicieuse salade de papaye, entre autres, et tous les classiques thaïlandais (currys, plats végétariens, etc.). Large sélection de vins également mais chers. Danses thaïes. Prix corrects eu égard à la qualité.

Sur Harbour Front *(plan d'ensemble)*

|●| *Marché Restaurant* (plan d'ensemble, **143**): dans le centre commercial Vivo City, # 03-14, 1, Harbour Front Walk. ☎ 6376-82-26. Tlj 11h-23h (10h w-e et j. fériés). Bon marché. Restauration « fraîche, saine et rapide », tel est le concept à mi-chemin entre le self et le food court, qui consiste à faire son choix, comme dans un marché où les produits, tous appétissants, passent des étalages aux différents stands. Salades, soupes de légumes, quiches, plats du jour, crêpes, pâtisseries « à la française »... dans un cadre ventilé. Ça change des nouilles sautées (délicieuses au demeurant), et pour une fois, on n'est pas dans un sous-sol. Portions très généreuses.

À Geylang *(plan d'ensemble)*

Certes, c'est un peu excentré, mais c'est le quartier idéal pour goûter à la cuisine peranakan ou baba nyonya (cuisine sino-malaise). Additions en tout cas bien moins élevées que dans le centre-ville de Singapour...

De bon marché à prix moyens (5-30 $S / 3-18 €)

|●| *Katong Laksa* (plan d'ensemble, **98**): 216, East Coast Rd, à l'angle de Ceylon Rd. ☎ 9732-81-63. Tlj 10h-22h.

SINGAPOUR

Accès en taxi. Une bonne petite cantine pour déguster le fameux *laksa pera-nakan*, la traditionnelle soupe épaisse avec des nouilles plates, des crevettes et du lait de coco. Bon et pas cher.

|●| *Chilli Padi Nonya Café* (plan d'ensemble, **100**) **:** 11, Joo Chiat Pl. Ⓜ *Paya Lebar ou Eunos*. ☎ 6275-10-02. Tlj 11h30-14h30, 17h30-22h. Tout près du *Betel Box Hostel* (voir « Où dormir ? » à Geylang), un restaurant *pera-nakan* dont la réputation a dépassé les frontières du quartier. La salle n'a rien d'exceptionnel, on y vient plutôt pour son ambiance conviviale, ses bonnes spécialités et son buffet au déj. On vous conseille notamment le *frog leg porridge*, l'*assam fish* ou encore le *bua kua lat* (ragoût de poulet aux noix noires).

Sur la côte est
(plan d'ensemble)

À 45 mn de bus environ (bus n° 16 du centre-ville) ou à 15 mn en taxi (plus pratique à plusieurs), on trouve sur Upper East Coast Road, l'*East Coast Seafood Centre,* un complexe de restos de fruits de mer en plein air et en bord de mer. 2 rangées de restos : l'une face à la mer, l'autre en 2e ligne, tous avec une grande terrasse. Autant dire que les tables au bord de l'eau sont prises d'assaut. Ambiance familiale et festive le soir. Produits à la fraîcheur garantie: vous pouvez choisir dans des viviers ce que vous voulez déguster dans votre assiette ! Parmi les incontournables :

De prix moyens à chic (15-50 $S / 9-30 €)

|●| ↑ *Long Beach Seafood Restaurant* (plan d'ensemble, **145**) **:** 1018, East Coast Parkway. ☎ 6445-88-33. Tlj 11h-minuit. Spécialiste du *deep fried fish*, des couteaux farcis (*scottish razors*) mais aussi réputé pour son crabe au poivre. Goûtez aussi aux *live drunken prawns*, crevettes qu'on vous présente vivantes et qu'on enivre sous vos yeux avant de les emporter à la cuisine pour les y préparer... Beaucoup de monde, mais beaucoup de tables aussi. Ça tourne vite.

|●| ↑ *Jumbo Sea Food* (plan d'ensemble, **146**) **:** 1206, East Coast Parkway. ☎ 6442-34-35. Tlj 12h-15h, 18h-minuit. Un mastodonte qu'on ne présente plus, spécialiste du fruit de mer en général. Il y en a même un à l'aéroport de Changi ! Mais c'est celui-ci que l'on préfère. Carte longue comme un annuaire téléphonique, et là aussi fraîcheur indiscutable. Une curiosité : les viviers où flottent les concombres de mer.

Où prendre un petit déj ou un thé ? Où boire un jus de fruits ? Où manger une bonne pâtisserie ?

Dans le quartier colonial
(plan II)

|●| *Ah Chew Dessert* (plan II, F5, **82**) **:** 1, Liang Seah St, # 01-11. ☎ 6339-81-98. Ⓜ Bugis. Lun-jeu 12h30-minuit, ven et dim 12h30-1h, sam 12h30-1h30. Dans cette rue qui regorge de restos, derrière Bugis Junction, une adresse destinée aux becs sucrés car, dans ces petites salles sans grand charme (d'un côté une cantine, de l'autre un salon plus cosy), on ne sert QUE des desserts. Manioc à la noix de coco, gâteaux au thé, glace au durian et la fameuse *paste* aux amandes, agrémentée d'une sauce au choix (sésame...). Les Chinois s'y pressent en nombre. Tout est frais et délicieux !

Autour de Boat Quay

🍵 *Tian Fu Tea Room* (plan II, F8, **150**) **:** au sein du Si Chuan Dou Hua Restaurant, UOB Plaza 1, 80, Raffles Pl. ☎ 6535-60-06. Tlj 11h30-22h30. High Tea : env 45 $S/pers avec douceurs. *Prendre l'escalator puis un ascenseur jusqu'au 38e étage et changer ensuite jusqu'au 60e.* Pour prendre *a tea with a view*. Il est conseillé de réserver en demandant une table bien placée.

Dans un cadre chic, on déguste l'une des 25 variétés de thé proposées, du vert, du rouge, du jaune ou encore du blanc, sous l'œil avisé et pédagogue du maître de thé et sans perdre la ville des yeux. À accompagner de quelques douceurs chinoises traditionnelles (*chinese sweets*). Prix chic, évidemment.

Autour de la marina

☞ ↑ **Melt Café Mandarin Oriental** (*plan I, D3, 155*) : 5, Raffles Ave, Marina Square. ☎ 6338-00-66. Ⓜ Esplanade. Sur résa. Compter 50 $S/pers. L'un des hôtels les plus luxueux de Singapour accueille aussi bien les voyageurs d'affaires que les touristes fortunés (promos intéressantes sur Internet). Pour cette clientèle exigeante, on sert tous les matins (6h30-10h30), en salle ou en terrasse arborée, un petit déj d'anthologie ! Il y a tant de buffets qu'on ne sait où donner de la fourchette : céréales, viennoiseries et pains de toutes sortes, et pancakes, douceurs light, fruits, jus et smoothies, yaourts maison aux fruits, confitures, plats chauds occidentaux et chinois... Réputé et à juste titre. Service grande classe mais atmosphère très décontractée. À s'offrir en fin de matinée pour faire d'une pierre 2 coups !

☞ |●| **TWG Tea Garden Marina Sands** (*plan I, D3, 91*): Marina Bay Sands, 2, Bayfront Ave, B2 89-89A. Ⓜ Marina Bay. Tlj 10h-23h (minuit ven-sam). Cette grande maison de thé propose la plus large variété de thés au monde (rien que ça !), avec plus de 800 domaines de récoltes différents et 800 sortes de thés. Pour accompagner ce doux breuvage, laissez-vous tenter par une pâtisserie ou par l'un de leurs sorbets à base... de thé, bien sûr. Un moment d'élégance (service stylé) pour une pause shopping chic ! Autres enseignes dans le *ION Orchard* et le *Taka-shimaya*, sur Orchard Road.

Dans Chinatown

|●| ☞ **Tea Chapter** (*plan III, H10, 151*) : 9A-11A, Neil Rd, en face du Maxwell Centre. ☎ 6226-11-75. Ⓜ Chinatown. Aux 1er et 2e étages d'une maison en bois. Tlj 11h-23h.

Tarification particulière : compter une charge de 8 $S/pers, plus 5 $S si on choisit un emplacement à table dans les espaces cloisonnés, plus le prix du choix du thé (10-20 $S selon packages). Se déchausser à l'entrée. Adresse pas trop touristique, même si la reine Elizabeth *herself* et le prince Philip sont venus un jour y prendre le thé. Assis par terre ou à une table basse coréenne, prenez le temps de goûter aux différentes sortes de thés et laissez-vous conseiller. Demandez à assister à la cérémonie du thé, ça vaut le coup d'œil. On peut aussi y grignoter des dim sum et des gâteaux au thé. Au final, c'est cher mais raffiné et unique dans le coin. Au rez-de-chaussée, jolie collection d'objets liés à la cérémonie du thé : services en porcelaine, boîtes à thé, pinces... pas donné non plus !

☎ **Wonderful Durian** (*plan III, G9, 152*) : 15, Trengganu St, à l'angle de Temple St. Tlj 19h-23h. Avec un nom pareil, ceux qui détestent ce fruit si particulier, interdit dans nombre d'hôtels et de lieux publics, prendront leurs jambes à leur cou ! Les autres tenteront l'expérience, mais sans doute avec fébrilité... Néanmoins, il faut goûter une fois dans sa vie ce fruit qui a l'odeur d'oignon mais un goût, selon les aficionados, d'une subtilité tout asiatique. On vous le conseille sous la forme de fruit plutôt qu'en milk-shake. Si vous regrettez de nous avoir écouté, vengez-vous sur un des nombreux jus de fruits frais, comme le photogénique *dragon fruit* !

À Tiong Bahru (plan I)

|●| ☞ ↑ **Tiong Bahru Bakery** (*plan I, B3, 105*) : 56, Eng Hoon St. Ⓜ Outram Park ou Tiong Bahru. Tlj 8h-20h. Si vous vous promenez dans le quartier, venez donc ici boire un café et déguster une irrésistible pâtisserie confectionnée maison. Prix un peu élevés, certes, mais super qualité. Ambiance chaleureuse et musicale (parfois un peu forte). Quel contraste avec la vie typiquement chinoise qui règne encore dans ce pâté de maisons, petits autels taoïstes, encens et prière au coin de la rue... Le soir, on peut y revenir pour les bars.

À *Kampong Glam* (plan V)

|●| 🍴 I Am... *(plan V, N13, 156)* : 674, North Bridge Rd, à l'angle de Haji Lane. ☎ 6295-55-09. Tlj 11h30-23h (1h ven-sam, 22h dim). Fermé 1 lun sur 2. Ce resto-café a la bonne idée de disposer ses tables dehors, juste à l'entrée de la jolie Haji Lane, refuge des jeunes créateurs de la ville. On s'attable donc avec plaisir sous les arcades pour avaler un petit déj tardif ou pour un goûter composé d'un bon café et d'un *rainbow cake* de toutes les couleurs. Pour le brunch du week-end, la carte se connecte au poulailler (*eggs benedict*, entre autres). Sinon, bien aussi pour un grignotage salé (*fish & chips*, pasta, pizzas, burgers...). Ambiance cool sur fond de musique lounge et un décor inspiré par Amsterdam.

Où boire un verre ? Où écouter de la musique ?

Dans les bars de Singapour, on boit de la bière, beaucoup de bière. En soirée, elle est d'ailleurs servie en carafe (une *jug* contient 4 *mugs*), voire en « tourelle », une machine à pression posée sur votre table. La plus connue est la Tiger, brassée à Singapour depuis 1931. Les amateurs de brune boiront plutôt la surprenante ABC Stout, encore plus caramélisée que la Guinness.

Mojitos, piña coladas, caïpirinhas complètent allégrement la carte de cocktails des bars chic. Et si vous voulez être terriblement chic, commandez un cognac. Les Chinois en raffolent. À moins que vous en pinciez pour le whisky, les Japonais produisent quelques précieux nectars qui n'ont plus rien à envier aux Écossais.

Les prix des consommations sont élevés. La pinte est à environ 16 $S ! *Happy hours* dans certains bars (les verres sont moins chers, voire à moitié prix) en principe de 17h-18h à 20h-21h.

Pour ce qui est de la vie nocturne, Singapour a, semble-t-il, décidé de s'amuser. Les bars accueillent aujourd'hui des DJs venus des 4 coins de la planète. Les boîtes reçoivent plus volontiers des groupes de rock, funk ou acid jazz. La vie nocturne de Singapour est circonscrite à quelques quartiers. Boat Quay et Clarke Quay ainsi que Tanjong Pagar concentrent un nombre impressionnant de bars, les discothèques s'étalant le long de la Singapore River, jusqu'à Mohammed Sultan Road.

Boat Quay sera plutôt l'endroit pour dîner, tandis que sur Clarke Quay, vous pourrez rester boire un verre, danser, rencontrer Singapouriens et expats jusque tard dans la nuit.

Dans le quartier colonial (plan II)

🍷 🎵 Long Bar *(plan II, F6, 38)* : 1, Beach Rd. Ⓜ City Hall. Au 1er étage du Raffles Hotel. *Actuellement en travaux, il devrait réouvrir courant 2019. Entrée par Bras Basah Rd.* Tlj jusqu'à 1h (2h ven-sam). *Concerts certains soirs.* Décor colonial avec éventails mécaniques qui se balancent en cadence. Derrière le bar, une odalisque plutôt osée pour les canons de la morale singapourienne. On y sert le fameux *Singapore Sling* (voir le *Raffles Hotel* dans « À voir. À faire »). Mais demandez-le *shaken,* sinon il sera servi prémixé (tout fout le camp, mon ami !). À accompagner de quelques tapas, bonnes mais chères. Non, vous ne rêvez pas ! Le sol est jonché d'écorces de cacahuètes... Alors faites comme tout le monde et jetez-les par terre ! Les colons britanniques faisaient ainsi, la tradition a perduré... On peut également jouer au billard au *Bar & Billiard Room.* Dans le lobby de l'hôtel, au *Tiffin Room,* vous pourrez aussi déguster le *tiffin,* l'encas raffiné du colon britannique : thé des Cameron Highlands, sandwichs au cresson nain et beignets au curry. *Enjoy yourself !*

🍷 Post Bar *(plan II, F7, 183)* : Fullerton Square. ☎ 6877-81-35. Ⓜ Raffles Place. Au rdc du Fullerton Hotel. Lun-sam 15h-minuit (1h jeu-sam) ; fermé dim. Cet imposant édifice abritait à l'époque coloniale le quartier général des postes. La boîte aux lettres au

SINGAPOUR

centre rappelle ce passé révolu. Transformé en hôtel en 1997, une habile restauration lui a redonné son lustre d'antan, et le *Post Bar* est une parfaite reconstitution des années 1930. Lignes géométriques que l'on retrouve dans les motifs du carrelage, tables en onyx, miroirs biseautés, lustres et boiseries, nous téléportent dans une autre époque. C'est chic et superbe, comme la clientèle et le prix des cocktails... On y vient donc surtout pour le décor nostalgique.

♀ C.H.I.J.M.E.S. *(plan II, F6, 184)* : Victoria St (à l'angle avec Bras Basah Rd). **Ⓜ** City Hall. Un ancien couvent, des jardins et terrasses, une église où sont organisées des expos, quelques cafés aux noms pas très locaux et des restos pas terribles, hormis le très chic cantonnais *Lei Garden*. Mais très fréquentable pour l'apéro, à la nuit tombée, lorsque le lieu se pare de toutes ses loupiotes lumineuses. L'un des rares endroits dans Singapour où l'on peut prendre un verre en plein air, avec le sentiment d'échapper à l'effervescence de la ville. Calme et reposant.

Sur Boat Quay et Clarke Quay *(plan II)*

À 2 pas de Clarke Quay, une rue entière a été couverte et ventilée. Dedans, les bars les plus sympas, les plus fous, les plus bondés s'alignent pour le plus grand plaisir des fêtards. N'hésitez pas à passer de l'un à l'autre en fonction de vos envies. Ils ferment généralement vers 2-3h. Cela dit, l'ambiance sur Clarke Quay est relativement plus malsaine le soir que dans le reste du secteur.

♀ ⬆ Empress *(plan II, F7, 86)* : 1, Empress Pl, Boat Quay, au pied du musée des Civilisations asiatiques. **☎** 6776-07-77. **Ⓜ** Raffles Place. Un bien bel endroit pour s'imprégner le soir de la magie de Singapour. Terrasse flanquée de palmiers surplombant la rivière. Colonnade élégante, ambiance *lounge* chic, éclairage intimiste, musique jazz live. Cocktails pas donnés, mais spectacle enchanteur avec les gratte-ciel en toile de fond. Bien pour un *drink* en soirée, la cuisine

fusion d'inspiration chinoise est moins convaincante.

♀ ⬆ ♪ Timbre@the Arts House *(plan II, F7, 191)* : 1, Old Parliament Lane, à l'angle de Boat Quay. **☎** 6336-33-86. **Ⓜ** Raffles Place. Tlj 18h-1h (2h ven-sam, minuit dim). Un peu à l'écart de l'animation, une autre terrasse près de la rivière, idéale pour contempler le *skyline* du Business District. Au-delà de l'emplacement, ce qui fait recette, c'est le choix des alcools. Nombreuses vodkas pures ou aromatisées, whiskies. Sans parler des cocktails. Parfois des concerts gratuits à partir de 20h30-21h (sessions indiquées sur place).

♀ ♪ The Crazy Elephant *(plan II, E7, 192)* : 3E, River Valley Rd et 7, Clarke Quay (rive nord). **Ⓜ** Clarke Quay. Tlj 17h-2h (3h ven-dim, 1h lun). Happy hours 17h-21h. Pas de cover charge. Déco roots de vieilles caisses en bois et graffitis aux murs. Bons groupes de blues et de rock'n'roll, le soir à partir de 22h. Bonne ambiance relax, mais le personnel pousse un peu à la conso.

♀ ♪ ⬆ Café Iguana *(plan II, E7-8, 193)* : 30, Merchant Rd. **Ⓜ** Clarke Quay. Au niveau du Riverside Point. Un des bars qui bougent dans le secteur. Atmosphère mexicaine, bruyante et animée sous le regard bienveillant du portrait de Frida Kahlo. Bonne programmation musicale et carte fournie de cocktails sud-américains. Le *must*, la tequila bien sûr, mais aussi la *michelada* bien rafraîchissante.

♀ ⬆ Brewerkz *(plan II, E8, 194)* : 30, Merchant Rd, Riverside Point, **Ⓜ** Clarke Quay. **☎** 6438-74-38. Prix variables selon créneau horaire. Un lieu bien connu des amateurs de bières de microbrasserie, puisque le brassin se fait sur place. Large terrasse, dans un secteur plutôt tranquille de Clarke Quay, très agréable et avec une vue imprenable jusqu'à Boat Quay.

♀ ⟨ 1 Altitude *(plan II, F8, 195)* : au 63e étage du Former OUB Centre, 1, Raffles Pl. **☎** 6438-04-10. ● 1-altitude.com ● Tlj 8h30-2h (3h mer-sam, 1h dim, 2h lun-mar). Entrée : env 30-35 $S selon l'heure, boisson incluse (achat possible en ligne). En principe, âge requis après 22h : filles 18 ans, garçons 21 ans. Pour boire un verre chic sur le toit de la ville, vous aurez à patienter avant de pouvoir accéder aux 2 ascenseurs successifs qui vous propulseront au 63ᵉ étage de la tour. Là-haut, vue époustouflante à 360° sur la cité-État. À 282 m d'altitude, les nuages sont parfois de la *party* et on reçoit les SMS de bienvenue des opérateurs malais ! Boissons pas données, évidemment.

Autour de Marina Bay
(plan I)

ₔ ↗ ⇐ Lantern Rooftop Bar (plan I, C-D3, **212**) : Fullerton Bay Hotel, 80, Collyer Quay. ☎ 6877-89-11. ⓜ *Raffles Place*. À l'entrée de la *Singapore River*, sur *Boat Quay*. Tlj 8h-1h (2h ven-sam) Résa indispensable (demander les places face à la baie). Entrée : 30 \$S. Ce gros cube de verre, posé au pied du gratte-ciel du quartier d'affaires, possède l'une des plus agréables terrasses en plein ciel. Au dernier étage, à côté de la splendide piscine exclusivement réservée aux clients, vaste terrasse aménagée en espaces cosy individuels : banquettes, larges fauteuils, tables basses et dais avec rideaux... De quoi se prendre, la nuit tombée, pour un pacha face à la marina et ses incroyables réalisations architecturales. Excellents cocktails et carte de snacks (excellents aussi). Là, ami lecteur, tu viendras le portefeuille bien garni et sans tes tongs !

ₔ ↗ ⇐ Cé La Vi (plan I, D3, **91**) : au dernier étage du Skypark, Marina Bay Sands, Tower 3, 1, Bayfront Ave. ⓜ *Bayfront* ☎ 6688-76-88. Tlj à midi (11h sam-dim) et jusqu'à 2h dim-mar, 3h jeu, 4h mer et ven-sam. Entrée : env 20 \$S, considéré comme un crédit à la conso, non remboursés si vous ne prenez rien. Surplombant Marina Bay, on retient surtout ce *skybar* pour sa vue époustouflante et sa situation comme à la poupe du Titanic. Venir à la tombée du jour, quand la ville scintille de mille lumières. Inutile de vouloir y manger, c'est la déception assurée avec des tarifs exorbitants. Pour poursuivre la soirée, club *lounge* juste à côté, avec vue sur la piscine à débordement et une carte de cocktails réputés. Le soir, en fin de semaine, commander une boisson au bar relève quasi de la technique putschiste tant il y a de monde !

ₔ ↗ ⇐ Supertree by Indochine (plan I, D3-4, **215**) : 18, Marina Gardens Drive Gardens, 03-01, au sommet de la Flower Tower centrale. Tlj 17h-1h ☎ 6694-8489-88. Entrée : 20 \$S, boisson incluse. L'endroit stratégique par excellence le soir, pour siroter un cocktail agrémentés de quelques tapas asiatiques tout en profitant de la vue féerique sur les arbres-tours et embrasser le panorama vers la *skyline* de la ville au-delà de la baie. En avant plan, la silhouette impressionnante des 3 piliers de l'hôtel *Marina Bay Sands* surmontés de leur non moins incroyable plate-forme. Un incontournable ! Le lieu est aussi un resto assez cher.

Dans Chinatown et Tanjong Pagar (plan III)

Duxton Road (plan III, G-H10) est un peu la rue de la Soif. Les bars (plus ou moins avenants) s'alignent les uns à côté des autres, changeants fréquemment de nom et de proprio. L'ambiance oscille selon l'heure entre le paisible et l'animé, et ceux qui veulent jouer une partie de billard en sirotant une bière trouveront ici le bar de leurs rêves.
Le vendredi soir, Club Street (plan III, H9) est totalement envahie par la foule, il est même difficile de s'y frayer un chemin ! L'atmosphère y est plutôt branchée, et le coin est également apprécié des expats.

ₔ |◎| ↗ Bar Celona (plan III, G10, **200**) : 21, Duxton Hill. ⓜ *Tanjong Pagar* ou *Outram Park*. ☎ 6323-33-53. Tlj sauf dim 17h-minuit. Dans la partie branchée à l'ouest de Chinatown, une rue tranquille, pavée et arborée au pied des immeubles. Bar à tapas tout en longueur. Petite terrasse avec tables hautes et tabourets. *Cava de Granada* et *sangria* au verre ou à la bouteille pour arroser les tapas chauds ou froids à se partager entre copains. Le mardi, soirée huîtres et une bouteille de cava gratuite pour tout groupe de 4 filles au moins.

ₔ |◎| ↗ Lucha Loco (plan III, G10, **200**) : 15, Duxton Hill. ☎ 6226-39-38. Tlj sauf dim et mar 12h-16h, 17h-minuit (18h-1h sam). Dans la petite enclave villageoise de Duxton Hill, à 2 pas du *Bar Celona*, un bistrot mexicain branché qui ne désemplit pas le soir, même en semaine. Terrasse masquée par un rideau de cactus. Sympa pour siroter un *mojito*, une margarita, une tequila, une *Corona* ou un mezcal dans une atmosphère bobo-festive, tout en avalant d'excellents tacos ou un bon *ceviche*. Cela dit, mieux vaut réserver pour manger !

À Little India et Kampong Glam (plan V)

♪ 𝄞 ☂ *Blu Jazz Café (plan V, N13, 205)* : 11, Bali Lane. ☎ 6292-38-00. ● blujazcafe.net ● Ⓜ *Bugis. Tlj sauf dim 12h-minuit (2h ven, 16h-2h sam).* Sur 3 niveaux, une déco colorée, avec un côté psychédélique assumé ! Régulièrement des groupes s'y produisent. La programmation (assez éclectique !) est de qualité. Agréable terrasse végétalisée pour prendre le frais. Fait aussi restaurant.

♪ *Bar Stories (plan V, N13, 202)* : 55-57A, Haji Lane. ☎ 6298-08-38. *Tlj 17h-1h (2h ven-sam).* Dans la ruelle des jeunes créateurs singapouriens, un petit bar confidentiel à cocktails sur 2 niveaux. Meubles de récup'. Les barmen, appelés ici « mixologistes », improvisent des cocktails au gré de vos envies et de leurs humeurs. Résultat des courses : les clients se pâment et passent un moment charmant ! Ah, en revanche, ça se paie un p'tit peu, cette créativité « cocktailistique ».

♪ *Prince of Wales (plan V, M13, 51)* : 101, Dunlop St. ☎ 6299-01-30. Ⓜ *Little India.* Pour les routards *roots* qui ne seront pas abusés par le nom de cette auberge de jeunesse pas du tout chic (voir « Où dormir ? ») ! Son bar s'avère souvent bien animé le soir en fin de semaine. Bière pas chère, qui plus est. Clientèle jeune, internationale et fauchée, *of course !*

Autour d'Orchard Road et à Dempsey (plan IV)

Emerald Hill Road se pare de frangipaniers odorants et abrite quelques unes des plus jolies maisons et *shophouses* du quartier et dont certaines, aménagées en bars accueillent les noctambules en quête d'un lieu tranquille pour siroter un verre.

♪ *Que Pasa Bar & Tapas (plan IV, K11, 207)* : 7, Emerald Hill. ☎ 6235-66-26. Ⓜ *Somerset. Tlj 13h30-2h (3h ven-sam).* Ce bar à tapas-là nous a bien plu. Culs de bouteilles qui s'alignent, boîtes à cigares qui s'empilent (seuls les membres du cercle fermé peuvent y fumer le cigare), une odeur de cave comme dans une belle maison de campagne tout en bois, des piments qui pendent en grappe et une impressionnante carte des vins. Mais on préférera la sangria.

♪ 𝄞 *5 Emerald Hill Cocktail Bar (plan IV, K11, 207)* : voisin du Que Pasa, à l'adresse de son nom ! ☎ 6732-08-18. Ⓜ *Somerset. Tlj 12h-2h (3h ven-sam, 17h dim).* Appelez-le *Number 5*, comme les habitués qui ont une plaque de cuivre gravée à leur nom au bar. Le cadre est superbe : une vénérable maison *peranakan* du début du XXᵉ s. Clientèle variée et ambiance relax. Bonne musique assurée par un DJ. Spécialité de sakés et de martinis.

♪ 𝄞 *Ice Cold Beer (plan IV, K11, 207)* : 9, Emerald Hill Rd. Ⓜ *Somerset. Tlj 17h-2h (15h dim et jusqu'à 3h ven-sam).* Votre salut si vous en avez marre de la Tiger Beer. Au minimum, 30 bières au choix, servies glacées bien sûr, dans des verres givrés pour parfaire le tout. Terrasse souvent pleine dès l'heure de l'apéro. Ambiance plus survoltée lorsqu'il y a du foot. Billard pour les amateurs.

♪ 𝄞 *KPO Café Bar (plan IV, K11, 208)* : 1, Killiney Rd. ☎ 6733-36-48. Ⓜ *Somerset. Tlj sauf dim 15h-1h (2h ven-sam).* Si vous avez des cartes postales à envoyer, venez avant 15h, c'est un bureau de poste. Ensuite, le lieu devient... un bar ! Un concept plutôt original, avec une élégante architecture de métal et de verre, une terrasse et des plantes vertes qui lui donnent un petit air de serre. Quelques belles plantes, en effet, et des 2 sexes. Bon choix de bières, mais un peu plus chères qu'ailleurs, sauf lors des *happy hours*. Un DJ et parfois un *live band* apportent la touche *chill out,* parfaite pour un début de soirée.

♪ *PS Café (hors plan IV par I11, 213)* : 28B, Harding Rd. ☎ 6479-33-43. *Tlj 8h-23h (1h ven-sam).* Plusieurs *PS Café* en ville (sur Orchard Road, dans Club Street), mais celui-ci est sans doute le mieux placé, notamment pour sa vaste terrasse sur gazon, et fauteuils en pleine verdure. Essentiellement fréquenté par les expats. Idéal pour un brunch ou un goûter-break : énormes parts de gâteaux, irrésistible !

Où sortir ?

Gageons que vos nuits singapouriennes seront presque plus belles que vos jours ! Si à la tombée de la nuit la chaleur diminue, l'ambiance bat son plein dans quelques endroits de la ville qui lui donnent un autre visage, une autre atmosphère. Tous les grands hôtels possèdent une discothèque, et sur Clarke Quay, les bars-boîtes s'alignent les uns à côté des autres. N'hésitez pas à bouger, à commencer ici pour mieux finir là-bas. Mais surtout n'oubliez pas : tenue correcte exigée (dress code). Signalons que la vente (et la consommation) d'alcool est interdite aux moins de 18 ans. Dans certains lieux, l'âge minimum requis est de 21 ans pour les filles et de 23 ans pour les garçons (voire 25 !). Prévoyez aussi un bon budget si vous passez d'un lieu à l'autre. L'entrée tourne autour de 25-40 $S en moyenne, boisson incluse en général (mais pas toujours !). Les pov' filles sans le sou choisiront donc de sortir le mercredi, jour des ladies nights gratuites !
Sachez que la grosse soirée à Singapour est le vendredi soir. Il y a donc foule et files absolument partout. Au fait, pas la peine de sortir avant minuit. Pour un before, les lounges musicaux sont dans la rubrique précédente, avec les bars. Voici quelques-unes des adresses emblématiques de la ville.

Discothèques

Sur Clarke Quay (plan I)

♈ ♘ *Zouk (plan II, E7, 220)* : 3C, River Valley Rd. Ⓜ Fort Canning. ☎ 6738-29-88. ● zoukclub.com ● Mar-jeu 18h-4h, ven-sam 21h-4h. Fermé dim-lun. L'entrée (40 $S) donne droit à 2 boissons. Attention, même si c'est une institution, considérée comme une des meilleures du monde dans son genre, prononcez bien le « k » au chauffeur de taxi, sinon vous finirez au... zoo. Les plus célèbres DJs du monde entier s'y sont partagés les platines. Tous styles de musique, du disco à la techno, dans des salles en cascade alternant avec des salons et des bars. Incontournable.
♈ ♘ *Phuture (plan II, E7, 220)* : 3C, River Valley Rd, The Cannery. Mer, ven et sam seulement 22h-5h. Son décor psychédélique ravira les fans de hip-hop et de drum'n'bass. La boîte la plus alternative. Clientèle jeune. L'autre lieu de perdition s'appelle *Attica (plan II, E7, 220)*, 3A, River Valley Rd, à côté du Zouk. Clientèle jeune et délurée derrière la façade de béton.

Et ailleurs...

♘ *Brix (plan IV, J11, 216)* : au sous-sol du Grand Hyatt, 10, Scotts Rd. ☎ 6738-12-34. Ⓜ Orchard. Tlj 21h-3h (4h jeu-sam). Un sous-sol tout en brix... pardon en brique, à la new-yorkaise. On vient volontiers se trémousser au son d'un excellent live band, souvent pêchu et de qualité.
♘ *Pangaea (plan I, D3, 217)* : 10, Bayfront Ave, Crystal Pavillion South, Marina Bay Sands. Ⓜ : Bayfront. Entrée : 40 $S. Prononcer « Panjéa ». Situé sous le grandiose Marina Bay Sands, c'est le temple du m'as-tu-vu, la boîte la plus jet-set et la plus friquée de Singapour, clairement destinée à l'élite internationale. Plafond recouvert de 20 000 ampoules, canapés en croco ou en cuir d'autruche. On y trouve logiquement le cocktail le plus cher d'Asie : dans les 43 000 $S ! Tenue classe et sourire dominateur de rigueur. Si vous avez de l'argent à balancer par les fenêtres, vous êtes au bon endroit.
– Certaines boîtes de nuit sont fréquentées par de nombreuses prostituées. Cela dit, ce sont des institutions de la nuit où vont tous les Singapouriens : l'ambiance y devient assez délirante au cœur de la nuit. Les plus connues sont les *Orchard Towers (plan IV, I11, 209,*

390, Orchard Rd), 4 étages de boîtes avec live music jusqu'à 3h du mat ainsi qu'un food court au sous-sol.

Karaokés

Difficile d'y échapper à Singapour. Les rues sont hérissées d'enseignes « KTV » (pour Karaoke Television). Et il n'y a pas que les bars : restos, centres commerciaux, etc., le karaoké est partout. Mais les lieux branchés changent vite, le mieux est donc de demander à de jeunes Singapouriens quel est le dernier karaoké à la mode si vous voulez pousser la chansonnette.

Spectacles

Se procurer Where, trimestriel gratuit qui répertorie les festivités et offre des tuyaux pour le shopping. Disponible à l'office de tourisme, dans certains hôtels et dans la plupart des centres commerciaux et autres grands magasins d'Orchard Road.

– *Cinémas :* une bonne cinquantaine de cinémas dans l'ensemble très populaires. Films d'arts martiaux chinois, comédies musicales indiennes ou malaises (sous-titrés en anglais), et succès de box-offices hollywoodiens. Films d'art et essai au **Cathay Cineplex** (plan II, E5, **302**) ; au 6, Hand Rd ; ● cathay.com. sg ●, dans le quartier d'Orchard Road, le plus vieux cinéma de la ville, ouvert depuis 1939 et entièrement remis à neuf. ∞ Les amateurs de **musique classique** ne manqueront pas les concerts au **Victoria Concert Hall** (plan II, F7, **301**), sur 9-11, Empress Place ; ☎ 6339-61-20 ; ● vtvcch.com ●. Pour les concerts du Singapore Symphony Orchestra (SSO pour les intimes), programmation à consulter sur ● sso.org.sg ●

∞ **Ballets chinois et opéra :** au **Victoria Theatre** (plan II, F7, **301**), même édifice que le Victoria Concert Hall cité ci-dessus. Rens : ☎ 6337-74-90 (lun-sam 12h-20h, dim 10h-22h) ; ou consultez les quotidiens.

– *Opéra de rue :* il s'agit du wayang, opéra chinois que vous aurez peut-être la chance de voir au détour d'une rue, un samedi soir. Les spectacles se tiennent plutôt entre juillet et septembre, pendant le festival des Fantômes affamés (Hungry Ghosts Festival), entre Serangoon Road et Jalan Besar (et aussi dans Chinatown). Atmosphère animée. En général, le spectacle reste 2 jours au même endroit et débute vers 19h.

Achats

La plupart des achats se font dans les shopping centres. On en trouve aujourd'hui dans tous les quartiers et à toutes les stations de métro ! Sur Orchard Road sont concentrées les grandes enseignes internationales, et l'avenue ne manque pas d'atouts pour séduire les touristes. Il fait bon s'y promener le soir, surtout lorsqu'elle se pare de tous ses feux... ou en période de fêtes. Pour tout ce qui est tissus, objets artisanaux et même bijoux, vous trouverez plutôt votre bonheur dans les quartiers ethniques (voir la rubrique « Achats » dans le chapitre « Singapour utile »).

Dans Chinatown (plan III)

✿ **Pagoda Street, Temple Street et Trengganu Street** (plan III, G9) regorgent de magasins et de stands de rue vendant de petits gadgets un peu clinquants mais pas chers et souvent rigolos : étiquettes de bagages fun, baguettes pour enfants débutants, tee-shirts humoristiques, etc. Le tout... fabriqué en Chine bien sûr ! Citons aussi la boutique The Tintin Shop, au 28, Pagoda Street, pour (s')offrir un produit dérivé du fameux reporter, ou encore Carpenter Inn, au 36, Temple Street, pour acheter de jolies baguettes et surtout de beaux peignes en bois (un peu chers, d'accord).

Dans Little India et Kampong Glam (plan V)

✿ **Mustapha Centre** (plan V, M12, **7**) : 145, Syed Alwi Rd. Ⓜ Farrer Park. Ouv 24h/24. Grand magasin qui occupe à lui tout seul un énorme pâté de maisons. Des rayons entiers consacrés aux montres de grandes marques internationales (prix intéressants), à l'électronique, aux vêtements et produits de beauté. À l'étage, hypermarché alimentaire où l'on trouve... de tout ! Du miel de Nouvelle-Zélande au poivre de Kampot, le choix est vertigineux.

⊛ *Sim Lim Square (plan V, M13, 250)* : *1, Rochor Canal Rd*. ⓜ *Rochor. Tlj 9h30-21h*. Le temple de l'électronique. Beaucoup de choix, on peut y faire de bonnes affaires, mais à condition de s'y connaître, d'avoir déjà mené sa propre enquête et... d'être un as de la négo. Pour les petits creux, très bon *food court* sur place.

⊛ *Little ShopHouse (plan V, N13, 252)* : *43, Bussorah St*. ☎ *6295-23-28*. ⓜ *Bugis. Tlj 9h-18h*. Une petite cabane aux trésors, un poil poussiéreuse, entièrement dédiée à la culture *peranakan*. Bijoux, foulards, articles décoratifs et surtout les fameuses broderies réalisées sur place. Une paire de chaussons brodés nécessite pas moins de 100h

de travail à la main et coûte de 800 à 1 600 $S ! L'adorable propriétaire est toujours flatté de montrer son travail.

⊛ *Digvijay Sequins (plan V, N13, 253)* : *89, Arab St*. ⓜ *Bugis. Lun-sam 9h-18h, dim et j. fériés 13h30-17h*. Broderies, boutons, galons, rubans, franges, passementeries, perles, paillettes, plumes et accessoires en tout genre. Le temple de la mercerie.

⊛ *Bugis Village (plan II, F5, 251)* : *Bugis Village*. ⓜ *Bugis*. Un grand marché couvert dédié à la fripe et aux fringues. C'est le moment de relooker l'ado de la famille pour pas grand-chose. Plusieurs étages et des centaines d'échoppes à touche-touche. Pas mal d'accessoires, chaussures, ceintures, sacs à dos Assez ringard, il faut avouer.

⊛ *Mahaco Impex (plan V, N13, 254)* : *51, Arab St*. ⓜ *Bugis*. ☎ *6396-06-96. Tlj 9h30-19h30*. L'une des meilleures adresses pour acheter des tissus en soie, des châles en pashmina et en cachemire. Excellente qualité et on ne pousse pas à la conso. Accueil familial.

À voir. À faire

Jusque dans les années 1980, les autorités de Singapour n'ont eu de cesse de raser les vieux quartiers les uns après les autres. C'est un certain sens de l'histoire commune, une identité propre à la ville et, surtout, une échelle humaine qui ont disparu. Heureusement, à partir de 1986, le gouvernement a décidé de préserver 6 secteurs, dont une partie de Chinatown, une portion de quai, un coin de Little India et toute une série de buildings anciens et ce revirement a été bénéfique. Ouf ! Parallèlement, d'autres quartiers subissent de sérieux liftings, à commencer par le quartier colonial.

SINGAPOUR, QUARTIER PAR QUARTIER

Le quartier colonial *(plan II)*

Délimité du nord au sud par le quartier de Bugis et la Singapore River. On y trouve un certain nombre de bâtiments d'architecture civile du XIXᵉ s, Ce sont pour la plupart des vestiges symboliques de l'administration coloniale. Aujourd'hui, le superbe **Asian Civilisation Museum** et la **National Gallery Singapore** sont les témoins de la volonté de l'État de donner une plus grande place aux arts et à la culture, et de transformer peu à peu le « civic district » en « art district ».

🎭 *Singapore Art Museum (SAM ; plan II, E6)* : *71, Bras Basah Rd*. ☎ *6332-32-22*. ● *singaporeartmuseum.sg* ● ⓜ *Bras Basah. Tlj 10h-19h (21h ven). Entrée : env 6 $S ; réduc ; gratuit ven 18h-21h*. Installé dans l'ancienne école catholique Saint-Joseph, l'un des plus beaux vestiges du Singapour colonial, fondée au XIXᵉ s par le père français Jean-Marie Beurel. Cette magnifique architecture en demi-cercle abrite un musée dont la vocation est de faire découvrir l'art contemporain en général, et celui du Sud-Est asiatique en particulier, au travers d'expos temporaires renouvelées tous les trimestres. En 2018, le bâtiment principal était en travaux, néanmoins une partie des œuvres étaient exposées dans les annexes SAM et 8Q accessibles à partir de l'entrée du 8 Queen St.

¶¶¶ *National Museum of Singapore* (plan II, E6) : 93, Stamford Rd. ☎ 6332-36-59. ● natio nalmuseum.sg ● Ⓜ Bras Basah. Tlj 10h-19h. Entrée : 15 $S ; réduc étudiants et seniors ; gratuit enfants moins de 6 ans ; Living Galleries gratuites 18h-20h. Explications en anglais.

Au cœur de l'Heritage District, dans un fier bâtiment victorien de 1887, coiffé d'un dôme imposant, voici le seul endroit originellement construit à des fins culturelles puisqu'il abritait autrefois la bibliothèque. Le musée présente de manière pédagogique l'histoire de Singapour à travers différentes galeries thématiques.

Une expo permanente magnifiquement réalisée (niveaux 1

SUR CETTE PIERRE, ON A BÂTI UNE VILLE

La pierre de Singapour fut découverte au XIXe s à l'embouchure de la Singapore River, non loin de l'actuel Fullerton Hotel. C'est la plus vieille inscription retrouvée (datée du XIIe s environ), sans doute du sanskrit de Sumatra. Voici donc tout ce qui reste du gros bloc d'origine... dynamité en 1843 pour bâtir le fort Fullerton ! Le morceau restant fut envoyé au Royal Asiatic Society Museum de Calcutta pour analyse. Raffles himself, très intrigué, aurait fait verser dessus un acide puissant pour tenter de déchiffrer, en vain, l'inscription en écriture cunéiforme... Ouf ! la pierre est aujourd'hui classée Trésor national.

et 2) est consacrée à l'histoire de Singapour. De la naissance de l'île et de l'arrivée des peuples de Chine, puis des navigateurs portugais chassés par les Hollandais, eux-mêmes virés par les Britanniques jusqu'à la proclamation de l'indépendance en 1965, les événements majeurs de l'histoire et les multiples aspects sociétaux sont évoqués de façon intelligente, dans une muséographie claire composées de tableaux successifs. Le tout illustré d'objets, documents, films et photos d'époque avec le parti pris de ne pas s'attacher qu'à l'Histoire, mais aussi de se pencher sur les hommes et les femmes qui l'ont « écrite »... Côté trésors nationaux, on peut y voir des objets emblématiques parmi lesquels un morceau de la pierre fondatrice de la ville (voir encadré), un meuble funéraire et sa couverture brodée, le sceptre d'or donné à la ville à l'occasion de son indépendance, un ancien décor de marionnettes de rue, ou encore des portraits de différents gouverneurs britanniques.

On aborde ensuite l'arrivée de Stamford Raffles sur l'île et le processus de colonisation qui en a résulté, avec les différents courants d'immigration. En 1850, Singapour était le principal port de commerce de l'Asie du Sud-Est. Amusantes conversations des dames anglaises à l'heure du thé pendant que la police politique anglaise *(special branch)* traque les opposants anti-impérialistes. Poignant épisode de la Seconde Guerre mondiale, avec la chute de la « Gibraltar de l'est » et douloureuse occupation japonaise avec le rationnement de la population. Après la guerre, le

ILS SONT ARRIVÉS À VÉLO

Singapour, considéré comme une forteresse imprenable par les Britanniques, tomba en février 1942 en à peine 15 jours. Les forces du Commonwealth alignaient 85 000 combattants, les Japonais à peine 30 000. Toute la défense était concentrée vers le large. Les Japonais, appuyés par un bombardement aérien arrivèrent tranquillement par le nord-ouest avec 200 petits chars de combat et des régiments de cyclistes. Sans aviation suffisante ni blindés, les forces alliées capitulèrent sans conditions. Churchill considéra cette bataille comme la pire humiliation vécue par les armées de sa Majesté.

ressentiment de cette population envers le pouvoir colonial qui avait failli à la protéger fut très profond et déclencha une aspiration à l'indépendance. *En 1949, Singapour fut doté d'une Constitution propre et son Premier ministre Lee Kuan Yew,* tenta de former en 1963, une fédération avec la Malaisie voisine. 2 ans plus tard, les Malaisiens dénoncèrent l'accord pour des raisons ethniques et Singapour se retrouva seul. À relever : le film du discours très « kennedyen » de Lee Kuan Yew, désespéré par l'inévitable partition d'avec le reste de la Malaisie en 1965.

De fait, une visite quasi incontournable pour comprendre les multiples facettes de la société singapourienne.

Ne manquez pas non plus les 4 Living Galleries (2e étage) qui, comme leur nom le suggère, sont vraiment très vivantes. Elles sont axées sur l'art de vivre en général et abordent à tour de rôle des thématiques différentes comme l'occupation japonaise ou la colonisation britannique. Passionnant.

Voir aussi absolument la splendide collection d'aquarelles du début du XIXe s, du commandant *William Farquhar,* illustrant la faune et la flore malaisienne, le tout, agrémenté de chants d'oiseaux.

Plusieurs passages en verre, dont la grande coursive rythmée par le mouvement de balancier de 8 imposants chandeliers suspendus (œuvre de l'artiste singapourienne Suzanne Victor), permettent un éclairage naturel très réussi.

– Cafétéria et boutique sur place *(10h-19h).*

ᘓᘓ ᘓ Peranakan Museum *(plan II, E6) :* 39, Armenian St. ☎ 6332-75-91. ● *pera nakanmuseum.org.sg* ● Ⓜ *City Hall ou Bras Basah* (prévoir 10 mn de marche ensuite). Tlj 10h-19h (21h ven). Entrée : 13 $S ; réduc ; ½ tarif moins après 19h. Dans une authentique demeure de la bourgeoisie *peranakan,* un musée consacré à cette culture très particulière, *fruit des unions entre commerçants étrangers (surtout chinois ou indiens) et femmes malaises.* Tous les thèmes ou presque sont abordés : les origines des familles (galerie 1), le mariage (2 à 5), ses rituels (lit nuptial), ses vêtements de cérémonie, broderies et vaisselles, la langue (le baba malay) et habits traditionnels (6), la religion (7) avec le mélange de bouddhisme et de taoïsme, ainsi que les rituels funéraires, la vie publique (8), et pour terminer, les plaisirs de la table (9).

Entre projections de films, témoignages sonores, photos, superbes objets d'expositions et reconstitutions de scènes de vie, on est totalement immergés dans le quotidien et les coutumes de cette population. Parmi les objets exposés, ne manquez pas cette nappe agrémentée de fleurs et d'oiseaux asiatiques, européens et sud-américains, composée de plus d'un million de perles. Dans la section mariage, jetez un œil à cet ensemble de 3 broches disposées comme des larmes et ornées de diamants, et à ces 4 chaises du XIXe s sculptée comme de la dentelle et dotée d'un dossier en porcelaine finement peinte. Dans la section religion, remarquez ce surprenant autel des années 1920 en teck, orné de motifs taoïstes dorés (dragons et autres figures mythologiques) avec, au centre, une représentation de la très chrétienne Sainte Famille en face de démons grimaçants ! Cette peinture aurait été ajoutée ultérieurement, après la conversion de ses propriétaires au catholicisme.

Dans la section *food & feasting,* plusieurs exemples typiques de *kamcheng,* un récipient en porcelaine chinoise aux couleurs très vives. La dernière section consacrée aux vêtements, avec entre autres le traditionnel *kebaya* brodé, est superbe. Un must !

Scoop : au dernier étage, un tableau dépeint *Lee Kuan Yew, proclamant l'indépendance de Singapour en 1965. Eh oui, l'homme qui dirigea l'île d'une main de fer pendant 31 ans était un Peranakan.* Il en assura aussi la prospérité.

|●| Pour goûter la cuisine *peranakan,* juste à côté du musée, le très élégant restaurant *True Blue Cuisine* (voir « Où manger ? »).

ᘓ Fort Canning Park *(plan II, E6) :* il s'étire entre les stations MRT *Clarke Quay* et *Dhoby Gaut.* Rien ou presque dans ce très banal jardin public ne le laisse deviner, et pourtant voici le centre historique de Singapour. Des fouilles archéologiques attestent que cette colline était déjà le siège du pouvoir malais au XIVe s, ce dernier régnant alors sur Temasek, la « ville de la mer ». Le dernier roi de l'ancienne Singapour s'y fit, paraît-il, enterrer (on peut voir son mausolée construit en... 1990), conférant au lieu un caractère sacré et inviolable.

D'ailleurs, le lieu s'appelle *Bukit Larangan* en malais, soit « la colline interdite ». Ce qui n'empêchera pas sir Stamford Raffles d'y implanter sa première demeure de gouverneur en 1822 ainsi qu'un jardin botanique. En 1859, la résidence est remplacée par un fort portant le nom du premier vice-roi des Indes britanniques, Charles John Canning.

Balade agréable à la rencontre des écureuils farouches, des lézards se prélassant au soleil et des libellules butinant de fleur en fleur.

🏃🏃 ***Battle Box Museum*** *(plan II, E6)* : 2, Cox Terrace. Ⓜ *Dhoby Ghaut.* ● battle box.com.sg ● *Tlj 9h30-17h30. Entrée : 18 \$S ; réduc. Tour guidé de 1h15 organisé 5 fois/j. mar-dim et seulement 3 fois/j. le lun.* Ce musée occupe un vaste complexe souterrain bâti en 1936 qui servit de QG à l'état-major britannique pour organiser la défense de l'île lors de l'invasion japonaise de 1942. Reconstitution de ce moment dramatique à renfort de personnages de cire et d'effets spéciaux, jusqu'à la reddition devant le général, commandant l'armée nippone.

🏃 Dans la partie sud de North Bridge Road, des théâtres, édifices publics, couvents et églises dans de grands jardins arborés. À l'angle de Hill Street et d'Armenian Street, voir la toute blanche ***église arménienne*** *(plan II, E6-7)*, dite « de Saint-Grégoire l'Illuminateur ». Édifiée en 1835 d'après les plans de l'architecte local George Coleman, c'est la plus vieille église de Singapour.

🏃🏃🏃 À l'angle de Beach Road et de Bras Basah Road se dresse le splendide ***Raffles Hotel*** *(plan II, F6, 38 ;* Ⓜ *City Hall ; voir « Où dormir ? » et « Où boire un verre ? Où écouter de la musique ? »). Actuellement en travaux, il devrait rouvrir courant 2019.* L'hôtel le plus illustre de Singapour, sinon l'un des plus connus au monde. Édifié en 1887 par les frères Sarkies, d'origine arménienne. Malgré son agrandissement et sa rénovation au sein du groupe Accor, malgré le nombre de touristes, malgré sa galerie marchande de luxe, malgré son

À LA REINE !

C'est au Long Bar du Raffles Hotel qu'en 1915 fut inventé le Singapore Sling. Comme le faisait Kipling au temps prétendument « béni » des colonies, n'hésitez-pas à y venir pour savourer ce cocktail dont la recette est la suivante : un gros tiers de gin, du sherry-brandy, de la bénédictine et du cointreau, une larme de jus d'ananas et de citron vert. Ça arrache un peu, hein ? Attention, n'oubliez pas de sacrifier à la tradition en jetant les cosses de cacahuètes par terre !

inévitable boutique de souvenirs... le *Raffles* conserve un charme fou ! Malheureusement, le petit musée du dernier étage qui retraçait toute l'histoire du *Raffles* est fermé. Nul ne sait quand on aura la chance de revoir les photos des élégantes de l'époque qui lisaient le guide *Woman in the Tropics,* dansaient dans des robes signées Doris Geddes (elle tenait boutique au *Raffles)* sur des mambos endiablés, tandis que Somerset Maugham signait les slogans publicitaires ornant les pochettes d'allumettes de l'hôtel... Pour vous venger de cet affront, commandez donc un Singapore Sling au *Long Bar,* où ce fameux cocktail a donc été inventé (voir encadré).

🏃 🏃 ***Museum of Toys*** *(MINT ; plan II, F5-6)* : 26, Seah St. ☎ 6339-06-60. ● emint.com ● *Tlj 9h30-18h30. Entrée (très chère) : 15 \$S ; ½ tarif moins de 12 ans et seniors ; forfait famille.* Un collectionneur privé, passionné de jouets, a ouvert ce lieu qui plaira aux nostalgiques. Les 4 (petits) étages ne montrent qu'un dixième à la fois de l'impressionnante quantité (50 000) d'affiches, voiturettes, puzzles, robots, fusées, poupées japonaises, soldats de plomb collectors, entassés dans des vitrines, qui datent des années 1930-1970. Betty Boop, Tintin, Flash Gordon, les superhéros de Marvel... jusqu'à la collection de plaques émaillées du rooftop. Il y en a pour tous les goûts et tous les âges !

I●I ⊛ Au resto **Mr Punch** (tlj 9h30-22h30 – 18h30 dim), en basement, petite carte tout à fait correcte pour croquer un morceau dans un décor de vieilles affiches publicitaires émaillées, ou en terrasse (agréable) sur la rue. Et tout un tas de bricoles pour enfants à la boutique !

🐿 **C.H.I.J.M.E.S.** (plan II, E-F6) : Victoria St (à l'angle avec Bras Basah Rd). Ⓜ City Hall. Ce couvent du XIXe s (Convent of the Holy Infant Jesus, soit C.H.I.J.M-.E.S., à prononcer sans le « J ») fut fondé par Mathilde Raclot, une nonne française, aidée en cela par son compatriote le père Jean-Marie Beurel, afin d'établir une école, un orphelinat et un refuge pour les femmes en difficulté. En 1983, l'histoire s'arrêta et la chapelle fut dé-consacrée

avant d'être déclarée monument national. Le lieu a été transformé en galerie marchande ! La chapelle gothique, qui accueille parfois des expos, est plantée au milieu d'un jardin bordé de bars et de restos qui vous transportent quelque part en Provence. En soirée, l'église se pare de ses guirlandes lumineuses, et c'est assez magique. Voir aussi la rubrique « Où boire un verre ? Où écouter de la musique ? ».

🐿 **Swissôtel Stamford** (plan II, F6) : 2, Stamford Rd. Ⓜ City Hall. Entrée commune avec le centre commercial Raffles City. Tenue correcte exigée (pas de short ou bermuda). Au sein du Raffles City, gratte-ciel conçu par Leoh Ming Pei, l'architecte de la Pyramide du Louvre. Avec ses 73 étages, le Swissôtel Stamford fut un temps l'hôtel le plus haut du monde. Au sommet, on jouit d'une vue imprenable depuis le **City Space** au 70e étage ou du **Bar Rouge** situé à l'étage au-dessus. En

novembre s'y déroule le Swissôtel Vertical Marathon. Rens : ● swissotelvertical marathon.com ●

🐿 Bordant le **Padang** (plan II, F6-7), immense esplanade léguée par les Anglais, où se disputent régulièrement des matchs de cricket et où défilent les parades militaires, on remarque la **Saint Andrew Cathedral,** de style gothique, sur Coleman Street. Elle fut construite en 1856 sur les ruines d'une église précédente. Ses murs intérieurs sont enduits d'un emplâtre composé de shell lime, de coquilles d'œufs, de copeaux de noix de coco, de citron et de sucre. Curieux...

🐿 **National Gallery Singapore** (plan II, F7) : 1, St Andrews Rd. ☎ 6271-00-00. ● nationalgallery.sg ● Dim-jeu 10h-19h ; ven-sam 10h-21h. Entrée : 20 $S ; réduc. Audioguide. Conçu par le Français **Milou,** cet ensemble rénové en 2015 abrite des collections d'art moderne et contemporain de toute l'Asie du Sud-Est, du XIXᵉ s à nos jours. Plus de 8 000 œuvres sont réunies dans l'ancien City Hall relié aux vastes salles de l'ancienne Supreme Court, le dernier bâtiment construit à l'époque coloniale (1932). Architecture pompeuse d'inspiration classique avec colonnes corinthiennes et un dôme qui contient des fresques racontant la rencontre de Raffles avec le sultan de l'époque. Même

UN LIEU CHARGÉ D'HISTOIRE

Le City Hall de style néoclassique fut édifié en 1920. C'est dans ces lieux qu'en septembre 1945, le général japonais Itagaki (pendu en 1948 pour crimes de guerre) déposa son épée en signe de reddition aux pieds de l'amiral Mountbatten. C'est également au City Hall que l'indépendance de Singapour fut proclamée par Lee Kuan Yew, le 9 août 1965.

si les noms des artistes contemporains exposés en permanence aux niveaux 3-5, ne nous sont pas familiers, il est intéressant de constater à quel point la production artistique de cette partie du monde est abondante et vraiment digne d'intérêt.

Impressionnante succession de salles d'apparat au cadre sévère où certaines œuvres ajoutent à la dramaturgie comme l'*Éruption du Merapi* et le *Feu de forêt* (1849) du Philippin *Raden Saleh* avec ses tigres paniqués par le feu qui les menace. On pense à Delacroix...

Plusieurs restos et bars, dont l'excellent italien **Aura** (☎ 6866-19-77) et le très chic **Odette** (☎ 6335-04-98) sont hébergés dans le complexe.

🍴🍴 ***Asian Civilisations Museum*** (ACM ; *plan II, F7*) : *1, Empress Pl.* ☎ 6332-77-98. ● acm.org.sg ● ⓜ *Raffles Place. Tlj 10h-19h (21h ven). Entrée : env 20 $S ; réduc. Audioguide. Attention une rénovation entamée en 2014, ne permet pas l'accès à certaines salles.*

L'un des 4 musées nationaux, situé dans d'anciens bâtiments coloniaux de style néo-palladien construits en 1865. Y sont exposés des objets en provenance de tout le Sud-Est asiatique, de la Chine à l'Inde, jusqu'aux routes islamiques de l'Ouest asiatique. La présentation thématique met en évidence les échanges et influences qui ont ainsi façonné cette société multiculturelle, et elle invite en premier lieu les Singapouriens à s'interroger sur leurs origines. De ce point de vue, et au travers d'un parcours ponctué de cartes géographiques et de bornes interactives qui replacent judicieusement les objets dans leur contexte, de documents sonores et visuels, de fascicules et d'animateurs présents dans les salles, on découvre l'immense richesse de cette société multiethnique. Malgré ses volumes gigantesques, le musée n'est pas très vaste (il se visite en 1h tout au plus), et les 11 galeries se découvrent au fil des pages, tel un livre ouvert. À l'image de la galerie consacrée à l'art islamique où des moucharabiehs compartimentent les espaces et nous font avancer d'une page à l'autre. Des premières technologies de l'âge du bronze aux royaumes de l'Asie du Sud-Est, on aborde de façon presque exhaustive (manquent encore les sciences, sans doute à venir) et on explore les cultures asiatiques dans leur ensemble, celles qui font aujourd'hui la richesse de Singapour. Tiens, saviez-vous que l'utilisation du bleu en porcelaine ne vient pas de Chine mais du cobalt exploité par les Perses ?

🍴 ***The Old Parliament*** (*plan II, F7*) : *Old Parliament Lane. Entre Boat Quay et High St.* Le plus ancien édifice gouvernemental de la ville autrefois résidence privée. Assez massif. Il abrite aujourd'hui **The Arts House** (☎ 6332-69-00 ; ● theartshouse.com.sg ● ; *tlj 10h-22h*), où se déroulent différentes manifestations culturelles.

🍴 ***Victoria Theatre and Concert Hall*** (*plan II, F7*) : *11, Empress Pl.* Le bâtiment est le siège de l'orchestre national construit en l'honneur de la reine Victoria en 1905. Juste devant l'entrée, statue en bronze de Sir Thomas Stamford Raffles.

SINGAPOUR

Le Central Business District et Marina Bay
(Ⓜ Raffles Place ; plan II, F8)

🌂🌂🌂 *River Cruise (plan II, F7) :* tlj 9h-22h. Embarquement possible à partir de 8 jetées dont celle en face du Fullerton Hotel et au Fullerton Marina Bay. Tarif : 25 $S (enfants 15 $S). Cette balade en bateau en bois *(bumboat)* donne un excellent aperçu du centre historique en 40 mn. Commentaires en anglais mais pas indispensables pour en avoir plein les yeux. On remonte la rivière Singapour avant de poursuivre vers la spectaculaire *Marina Bay.*

🌂🌂 *Central Business District,* appelé aussi le Downtown Core : on dit CBD (prononcer « cibidi »). C'est le cœur véritable de la ville. Un côté Wall Street complètement assumé, peu ou pas d'ombre entre ces buildings gigantesques comme ceux des banques UOB et OUB (ou *One Raffles Place),* conçus par le Japonais *Kenzo Tange,* des places écrasées de chaleur et des *executive women* en tailleur et collants ! Le midi, les employés du quartier s'accordent une pause déjeuner mais... debout devant des écrans vidéo qui, dans la plupart des vitrines, les informent de l'évolution des marchés boursiers ! Autour de *Raffles Place,* les tours des banques jouent à qui sera la plus haute, brimées de ne pouvoir dépasser 280 m de hauteur (maximum autorisé à Singapour pour permettre aux avions de survoler la ville sans problème). Plus loin, ce sont les rues gagnées sur la mer, *Shenton Way, Cecil Street* ou *Robinson Road,* et leurs enfilades de rutilants édifices. 2 constructions récentes à remarquer : l'*Oasia Hotel Downtown* tout de rouge vêtu avec sa structure végétalisée et sa découpe avec jardins suspendus, et le *Republic Plaza* et ses doubles ascenseurs extérieurs.

🌂🌂 *Boat Quay et Clarke Quay (plan II, E-F7-8) :* la plupart des vieilles maisons chinoises qui bordent Boat Quay sont d'anciens entrepôts. La rivière a été nettoyée, des rues sont réservées aux piétons, mais les anciennes maisons rénovées accueillent désormais bars et restos. 3 ponts permettent de passer d'une rive à l'autre de la Singapore River : l'*Elgin Bridge* à double voie, le *Cavenagh Bridge,* élégante passerelle suspendue au pied du *Fullerton Hotel* et l'*Anderson Bridge* aux arcatures aériennes.
La rive nord de Clarke Quay qui borde l'*Empress Place Building* et le parlement a été aménagée en agréable promenade ponctuée de sculptures – les *People of the River* – rappelant l'activité ancestrale qui régnait sur les quais. Jolie carte postale le soir venu, avec les buildings du quartier des affaires se reflétant dans les eaux de la Singapore River.

🌂 À l'embouchure de la rivière, face à la mer, un petit détour s'impose pour jeter un œil au **Merlion** cracheur d'eau *(plan I, D3),* mi-lion, mi-poisson, emblème de Singapour, plus séduisant la nuit, lorsqu'il est illuminé.

🌂 *Fountain of Wealth (plan I, D2) :* Temasek Blvd, Suntec City Mall. Suivre Raffles Blvd, puis sur la gauche. Ⓜ Esplanade ou Promenade. Accès à la fontaine par le centre commercial. La grotte de Lourdes version new age ! Vous pourrez voir des businessmen venir toucher l'eau, l'air contemplatif... Il faut dire qu'ils n'ont pas lésiné sur la symbolique (plutôt chargée). Vous êtes prêt ? Cette fontaine s'inspire directement du *mandala,* la représentation hindoue du ciel et de la terre. Elle est aussi la paume d'une main composée des 5 immeubles de 45 étages autour. C'est également la fontaine la plus large au monde : elle couvre une superficie de 1 680 m², et le tout pèse 85 t. L'ensemble, paraît-il, est parfait pour votre *feng shui,* l'harmonie de votre corps avec l'air... Le soir, show laser tonitruant avec jets d'eau de 30 m (dirigés vers le bas) et possibilité de célébrer votre anniversaire avec incrustations de messages dans la fontaine !

🌂 *Esplanade Theatres on the Bay (plan I, D3) :* construit sur l'emplacement de terres asséchées à l'embouchure de la Singapore River. Ce complexe culturel, articulé autour d'un théâtre de 2 000 places et d'une salle de concerts de 1 600 places, est relié en souterrain au réseau du MRT et aux galeries commerciales qui permettent de rejoindre *Orchard Road*. Promenade agréable au bord de la marina, d'où l'on aperçoit le *skyline* du quartier des affaires et la grande roue. Petit amphithéâtre en plein air couvert d'un velum où se produisent des artistes locaux. Programmation internationale de haute volée : ● *esplanade.com* ●

🏃🏃 🚶 *Singapore Flyer (grande roue ; plan I, D3)* : 30, Raffles Ave. ☎ 6333-33-11. ● *singapo reflyer.com* ● Ⓜ *Promenade*. Tlj 8h30-22h30 (tickets dès 8h, dernière entrée à 22h). Durée : env 30 mn. Tarifs : env 33 $S ; enfants 21 $S. Pour admirer Singapour d'en haut, prendre place dans les cabines vitrées de la grande roue panoramique de 150 m de diamètre qui culmine à 165 m ! Vue évidemment saisissante à 360° sur la ville d'un côté, les faubourgs et l'activité portuaire de l'autre. Pas de panique, les cabines sont stables et climatisées. À recommander plutôt en

LE SENS DES AFFAIRES

La grande roue de Singapour, inaugurée en 2008, a fait couler beaucoup d'encre. À ses débuts, elle tournait dans le sens inverse des aiguilles d'une montre. Ce qui n'était pas du tout du goût des adeptes du feng shui ! Selon eux, toutes les bonnes énergies de la ville étaient emportées au large et donc perdues. Du coup, grosse pression auprès des responsables ! Aujourd'hui, elle tourne dans l'autre sens, amenant ainsi avec elle les richesses vers le quartier des affaires et la ville tout entière. Nous voilà rassurés !

fin de journée pour un joli coucher de soleil. Et pour sortir le grand jeu, possibilité de dîner dans la cabine. Bof...

🚶 *The Helix Bridge (plan I, D3)* : le pont piéton relie les berges du Marina Center à la promenade de Marina South, au pied de l'Art Science Museum. Il complète les réalisations de Marina Bay (Gardens by the Bay notamment) et relie désormais ce secteur au quartier des affaires. En forme de double spirale, joliment éclairé la nuit, ce pont offre une vue superbe sur la baie et le Marina Bay Sands.

🏃🏃🏃 *Marina Bay Sands and the Sky Park (plan I, D3)* : 10, Bayfront Ave. Ⓜ *Bayfront*. ● *marinabaysands.com* ●

SINGAPOUR

Le *Marina Bay Sands* est **une des constructions les plus dingues au monde** : un hôtel formé de 3 tours de 55 étages et de plus de 2 500 chambres, une galerie commerciale hyper luxueuse, une soixantaine de restaurants, un *food court,* une salle de spectacle de 2 000 places, un casino de 600 tables de jeux et 1 500 machines à sous. Dans la grande salle, le plafonnier de Swarovski pèse plus de 7 t. Bonjour les lampes à changer. Et, enfin, perché sur le sommet des 3 supports, le *Sky Park,* une sorte de vaisseau qui flotte à 200 m dans les airs. Une carte d'identité qui tient du Guinness Book ! Faut dire que *Sheldon Adelson,* le magnat des casinos de Las Vegas, a mis 5,7 milliards de US$ sur la table.
L'immense hall s'étire sous une voûte qui monte jusqu'au 23e étage ! Une dizaine d'œuvres contemporaines monumentales meublent le lobby, parmi lesquelles Drift, d'Antony Gormley, une structure métallique de 40 m de long et de 15 m de large, suspendue à 23 m de haut, qui représente un homme en mouvement.
Le *Sands Sky Park,* ce long navire d'un peu plus de 1 ha, est si vaste qu'il peut contenir jusqu'à 3 Airbus A 380 ! Le tout fut découpé en 14 morceaux puis hissés chacun en 24h ! Doté d'une piscine (multi)olympique de 150 m de long et à débordement (sur le vide absolu), de jacuzzi, de jardins, de restaurants dont le très chic et cher *Sky on 57* de Guy Savoy, il est réservé aux 2/3 de sa surface à la clientèle de l'hôtel. Alors, à moins d'y passer la nuit, vous pourrez toujours accéder sur le pont par l'ascenseur de la tour 3, de 9h30 à 22h (23h le week-end). Ticket : 25 $S/pers pour la simple vue, mais franchement le spectacle, là-haut est époustouflant et... ébouriffant, il peut y avoir beaucoup de vent ! Sinon, accès en payant (20 $S)

avant de monter, qui donne crédit à une consommation au bar (voir aussi plus haut la rubrique « Où boire un verre ? Où écouter de la musique ? »).

🎥🎥 *Spectacle laser le soir sur la façade du Marina Bay Sands* (Water and Light Show) et sur l'eau. *Tlj à 20h et 21h30, également à 23h ven-sam. À ne pas manquer.*

🎥🎥🎥 👣 *The Gardens by the Bay* (plan I, D4) : 18, Marina Gardens Drive. ● gar densbythebay.org.sg ● Ⓜ Marina Bay, *puis bus n° 400 jusqu'à Marina Barrage. Sinon, accès par une passerelle à l'arrière du Marina Bay Sands, de loin le plus bel accès pour la vue sur les jardins. Entrée au Flower Dome, au Cloud Forest : 28 $S. **Passerelle suspendue** OCBC Skyway, pour aller de tour en tour : 8 $S. Plan des jardins gratuit. Accès aux jardins en plein air : GRATUIT. Évitez d'y aller le w-e.*

Bienvenue dans les jardins botaniques du futur ! Dans la lignée des mega projets urbains, ces jardins ont été développés à l'entrée de la baie, sur les *reclaimed lands* (terres récupérées sur la mer). L'idée étant de promouvoir ce nouveau quartier comme un poumon vert en bordure de la ville et de donner un sens au slogan « *A city within a garden* ». Au total, plus de 50 ha (sur *Marina South*), littéralement volés à la mer, ont été aménagés en différents pôles thématiques.

🎥🎥 On trouve d'abord le complexe des *Conservatories* avec ses 2 dômes monumentaux en verre : le *Flower Dome* d'abord *(ouv 9h-21h),* où sont présentées les végétations des climats méditerranéens et semi-arides d'Afrique et d'Australie. Ce dôme est moins spectaculaire que la *Cloud Forest,* célèbre pour la végétation de montagne tropicale (Malaisie et Amérique du Sud). Baobabs, *grass trees* et, moins exotiques pour nous autres Européens, oliviers, cyprès, malgré la magnifique cascade... La chaleur y est maintenue à 23-25 °C, régulée par un système d'ouverture des panneaux de verre qui les composent. Un système de turbine électrique récupère l'excès de chaleur et la transforme en liquide de refroidissement, complétant ainsi la ventilation des serres 24h/24.

🎥🎥🎥 Sorties de l'imagination d'un scénariste de science-fiction, les *Supertrees* *(ouv 5h-2h du mat ; GRATUIT)* sont d'immenses structures en fer hautes de 25 et 50 m où croît une végétation grimpante de plantes tropicales. Les botanistes ont eu l'idée de monter ces immenses structures métalliques couvertes de vraies plantes, à la façon des murs végétaux. Véritable tour de force pour trouver des plantes adaptées à ce mode de culture vertical, faciles d'entretien, jolies à regarder, légères et adaptables au climat chaud de Singapour... L'arrosage des plantes provient du système de refroidissement des dômes. De fait, les *supertrees* impressionnent et dominent le paysage ! On en compte 18, dont 12 constituent, au centre du parc, une forêt d'aspect futuriste reliée par des passerelles au niveau de la canopée *(accès libre pour le Supertree Grove, prévoir 8 $S pour l'OCBC Skyway, long de 128 m et haut de 22 m).* Vue et effet garantis (attention au vertige). Certains arbres sont équipés de panneaux photovoltaïques permettant leur éclairage de nuit. Magique !

Light show musical féerique et gratuit sur des airs de musiques de film, le soir à 19h45 et 20h45, à ne pas manquer encore une fois !

🎥 Les *jardins à thème,* malais, indien, chinois, colonial... constituent une vitrine de l'horticulture tropicale et une démonstration de la biodiversité de notre planète. Bizarrement, pas très spectaculaire.

🎥🎥 *Sun Pavilion :* une magnifique collection de cactus assez surprenante.
|●| Nombreux restos répartis sur le site, tous budgets confondus.

🎥 👣 *Art Science Museum* (plan I, D3) : 10, Bayfront Ave. Ⓜ Bayfront. *Tlj 10h-19h (dernière admission 18h). Entrée : 17-28 $S selon les expos.* ● marina baysands.com/museum ●

Au pied du MBS, un superbe édifice en forme de fleur de lotus aux pétales géométriques incurvés. Monumental hall et larges galeries d'expos permanentes consacrées aux liens art-science, autrement dit au processus qui donne naissance à l'œuvre, de l'inspiration à la création. Également 2 grandes expos temporaires par an. Ce musée vise plutôt un public très jeune.

– Juste à côté, la *boutique Louis Vuitton* : « l'Island Maison », comme on la surnomme, s'intègre à merveille dans ce secteur entièrement dévolu au luxe. Ce cube de verre futuriste flottant sur l'eau, telle une pierre précieuse (la forme rappelle un quartz, surtout la nuit lorsqu'il est éclairé), est relié au rivage par un pont. Mais, quels que soient votre budget et vos intentions, rien ne vous empêche d'y faire un tour.

Chinatown (Ⓜ Chinatown ; plan III)

Notre quartier préféré avec une coexistence entre l'ancien et le moderne qui fait le régal des photographes. Au-dessus des vieilles maisons aux murs penchés par l'âge et bâties selon de nombreuses croyances et superstitions (voir encadré) se dressent d'arrogants gratte-ciel aux vitres fumées et des centres commerciaux débordant d'articles sophistiqués. Quant à *Club Street,* c'est une véritable enclave festive au cœur du quartier chinois. À ne pas manquer !
Les contours du vieux Chinatown

CHINATOWN MODE D'EMPLOI

Dans les anciennes demeures et les temples, la marche en bois de la porte d'entrée que l'on doit enjamber est là pour empêcher l'accès aux esprits rampants ! Portes et fenêtres sont parfois agrémentées de morceaux de miroir destinés à renvoyer l'image de l'esprit et à le faire fuir. De même, d'autres esprits, qui ne se déplacent qu'en ligne droite, seront arrêtés par un « mur des génies », sorte de paravent placé derrière le portail.

sont très circonscrits, de *Upper Cross Street* à *Kreta Ayer Street* du nord au sud, et entre *New Bridge Road* et *South Bridge Road.* De fait, il s'étend aujourd'hui au-delà de *South Bridge Road,* du côté de *Club Street* et d'*Ann Sian Road,* 2 enclaves qui ont conservé leur aspect « village », et du côté de *Maxwell Road* jusqu'à *Tanjong Pagar* au sud-est.

ℹ *Chinatown Visitor Centre* (plan III, G9) : 2, Banda St. Ⓜ Chinatown. ☎ 6534-89-42. ● chinatown. sg ● Tlj 9h-21h. Infos sur le quartier, évidemment, plus plan et brochures. Petite boutique sympa avec un bon choix d'ouvrages en anglais sur le vieux Chinatown.

🏃🏃 Voici une balade à pied qui vous permettra de découvrir et d'apprécier ce quartier restauré et assez propret aujourd'hui.
Commencez par *Mosque Street (plan III, G-H9),* où les maisons de thé étaient autrefois (comme les pubs anglais) interdites aux femmes. En face de la mosquée, pour les curieux et les adeptes de la médecine chinoise, une succursale moderne de la pharmacie *Beijing Tong Ren Tang.* Dans *Pagoda Street,* parallèle à la première, des échoppes en tout genre : librairies, vendeurs de porcelaine, toute une série de tailleurs et, au n° 28, *The Tintin Shop,* une boutique de produits dérivés du célèbre reporter. Tout ce coin est idéal pour faire quelques emplettes de gadgets en tout genre.

🏃🏃🏃 *Chinatown Heritage Centre* (plan III, G9) : 48, Pagoda St. ☎ 6221-95-56 ou 6338-68-77. ● chinatownheritagecentre.com.sg ● Tlj 9h-20h. Entrée : 15 $S ; réduc. Visites guidées en anglais à 11h30, 13h30 et 16h30. Audioguide en français, gratuit (avec un délicieux accent chinois). Dans une reconstitution réaliste remarquable, ce *musée passionnant,* sur 3 niveaux, est consacré à l'histoire de l'immigration chinoise. Il se visite avec émotion : les différents aspects de la dure réalité quotidienne des Chinois (coolies ou marchands) sont illustrés par des tableaux vivants agrémentés de documents sonores inédits. On suit l'immigré par le récit de son arrivée à bord de jonques à Singapour au milieu des baluchons et on découvre ses conditions sordides d'hébergement dans une pièce unique où pouvait s'entasser une famille entière (mobilier pauvre, cuisine crasseuse, infestée par les rats et sanitaires infects). On passe par la fumerie d'opium, les lieux de prostitution et les tripots où l'on joue au mahjong et aux dés. À partir du plan de Chinatown, on se retrouve dans les locaux des associations d'entraide souvent des groupes maffieux (les terribles triades), où l'on embrigade les arrivants selon l'appartenance à la province d'origine. Évocation des métiers : le coolie, le tailleur, le marchand de remèdes ; reconstitution des fêtes du Nouvel An, scènes de théâtre et de cabaret, étals de marché, plats traditionnels... jusqu'aux affres de l'occupation japonaise en 1942. On mesure plus aisément le chemin parcouru par la population chinoise en 2 ou 3 générations.

🍴 On poursuit par *Temple Street* parallèle à la précédente. Le carrefour entre Temple Street et Pagoda Street était autrefois connu comme un lieu de fumeries d'opium, de jeu et de prostitution. Les pharmacies chinoises ont pris le relais et sont encore présentes. Arrêtez-vous donc au n° 36, à la boutique *Carpenter Inn,* qui, comme son nom ne l'indique pas, ne vend que des baguettes et surtout de beaux peignes. Tous en bois, de différentes qualités, de différentes teintes, il y en a pour tous les goûts. Plutôt cher, mais du beau travail. Plus loin, *Smith Street,* très animée avec ses restos sous verrière qui s'installent dès la tombée de la nuit et où les odeurs de nouilles sautées rivalisent avec celles des *dim sum.*

🍴🍴 *Sri Mariamman Temple* (plan III, H9) : 244, South Bridge Rd. Tlj 5h30-12h, 18h-21h. Droit pour appareil photo. Se déchausser avant d'entrer. Le plus vieux et le plus important temple hindou de Singapour (fondé en 1827, en partie reconstruit dans les années 1960), est classé Monument historique. Il fut créé par un fonctionnaire hindou de l'*East India Company,* qui

> ## UN TEMPLE INDO... CHINOIS
>
> Le temple Sri Mariamman possède un élément assez surprenant : deux fenêtres rondes de style chinois situées de part et d'autre de l'entrée, que l'on ne retrouve dans aucun autre temple hindou à Singapour. Elles permettaient aux Chinois d'effectuer leurs prières... tout en restant à l'extérieur du temple.

fit ensuite fortune (dans la construction et le textile), devenant l'un des chefs de la communauté indienne. Dédié à la déesse *Mariamman,* réputée pour guérir les grandes épidémies, le temple fut bâti par des immigrants venus d'Inde du Sud. Murs, portes et toits sont décorés de figures polychromes. Très beau *gopuram* (ou pylône au-dessus de l'entrée principale) dont les sculptures représentent des divinités hindoues. Des vaches gardent l'enceinte du temple, restaurées par des sculpteurs venus du sud de l'Inde. Ne pas manquer les peintures du plafond. Ce temple est le théâtre de la cérémonie annuelle de la marche sur les braises (Theemithi) en octobre-novembre.

🍴 Dans *Trengganu Street,* qui coupe Mosque Street, Pagoda Street, on peut assister à la danse du lion tous les samedis à 18h45.

🍴🍴🍴 *Buddha Tooth Relic Temple* (plan III, G-H9) : 288, South Bridge Rd. ● btrts. org.sg ● ♿ (ascenseur). En face du Visitor Centre, difficile à louper ! Ce temple récent (2007) a été édifié selon le style de la dynastie Tang. Il comprend un musée dédié à la culture bouddhique. Au rez-de-chaussée, c'est le temple lui-même. Notez le clinquant de la décoration, mais également la ferveur générale, et aussi les bols à offrandes remplis de petites pièces de monnaie que l'on dépose avec déférence. Le musée se trouve au niveau 3 *(tlj 9h-19h ; entrée libre, mais se couvrir les jambes et les épaules ; tissus à disposition).* Nombreuses statues provenant de différents pays d'Asie représentant le *bodhisattva Maitreya,* qui n'est autre que le futur Bouddha. Dans la dernière salle, drôle de « chambre des reliques », nombreux coffres censés contenir des reliques du Bouddha (notamment des *brain relics,* soit des particules du cerveau !).

Au niveau 4, la chambre du Bouddha, dans laquelle se déroulent les célébrations *(tlj 9h-18h)*. Les estrades sont réservées à la méditation. Au fond, dans une grande pièce en verre (on ne peut y entrer), le petit stupa en or contient un coffre qui lui-même renferme une dent du Bouddha. Selon la légende, celle-ci aurait été retrouvée après l'effondrement d'un stupa birman en 1980. La relique est entourée de 35 bouddhas en or et par *Maitreya* lui-même, gardé par 4 lions. Ne pas hésiter à grimper sur le toit du temple (niveau 5), pour admirer l'immense moulin à prières entouré de milliers de bouddhas miniatures et d'un jardin dans lequel s'épanouissent de magnifiques orchidées.

🌂🌂 On emprunte ensuite **Club Street,** l'une des plus vieilles rues de la ville. De nombreuses guildes de marchands chinois et autres clubs s'y étaient installés. Ce n'est donc pas la multitude de bars et restos branchés du secteur qui explique son nom ! Ses anciennes demeures ont été restaurées et repeintes et, ici, on est loin de l'agitation du centre de Chinatown... sauf le vendredi soir, quand les Singapouriens y viennent en masse. On retrouve cet esprit « village », un rien bobo, dans l'adorable *Ann Sian Road,* au bout de *Club Street.* Voir nos bonnes adresses, par là, pour un goûter gourmand (« Où prendre un petit déj ou un thé ? Où boire un jus de fruits ? Où manger une bonne pâtisserie ? »).

🌂 Un peu plus loin, **Telok Ayer Street,** tristement réputée dans les années 1850-1870, pour la traite des esclaves. Le bas de *Telok Ayer Street* abritait les derniers métiers traditionnels de Chinatown : saponaires, fabricants de charbon de bois ou d'objets mortuaires en papier destinés à être brûlés lors de la crémation du défunt. La rénovation les en a chassés. On voit toutefois la reconstitution du *Ying Fo Fui Kun,* bâtiment qui abritait une ancienne association d'entraide de Chinois immigrés du XIXe s. Intéressant. Au nº 140, remarquer le **Nagore Durgha Shrine** *(plan III, H9),* construit en 1828. Architecture pour le moins curieuse réunissant des colonnes, une façade musulmane ainsi que 2 tourelles. Le tout ressemble à un gâteau. Bizarre, bizarre...
Plus bas, dans la même rue, le **Thian Hock Keng Temple** *(plan III, H9),* temple taoïste érigé par les premiers immigrants en hommage à la déesse de la Mer, qui leur avait permis d'atteindre Singapour sains et saufs. Avec ses portes peintes, ses dragons sur le faîte du toit, ses poutres somptueusement décorées, ses bâtons d'encens fumants, sa fontaine aux vœux, le « temple du Bonheur céleste » dégage une atmosphère étrange. C'est le plus ancien temple chinois de Singapour (1840). Fin avril-début mai, grande fête pour honorer *Ma Chu Poh,* la déesse de la Mer.

🌂 On termine ce tour par **Stanley Street** et **Amoy Street** *(plan III, H9),* en passe de devenir le Chinatown yuppie : agences de pub et bureaux d'avocats investissent en nombre les élégantes *shophouses* (maisons de commerce traditionnelles) joliment rénovées. Dans *Stanley Street,* ici plus qu'ailleurs peut-être, les contrastes entre les anciennes demeures et les bâtiments modernes s'expriment avec une puissance toute particulière.

🌂🌂 Au sud du quartier, avant de reprendre *South Bridge Road,* faites un crochet par **Keong Saik Road** *(plan III, G10),* une rue incurvée qui offre l'une des perspectives les plus étonnantes de Singapour. Un bonheur pour les photographes ! Bordée de *shophouses* chinoises typiques, basses, soigneusement restaurées et repeintes de tons pastel, certes, mais toujours occupées par des commerces, elle est dominée au sud par l'une des plus incroyables réalisations de ces dernières années, le *Pinnacle (1, Cantonnment Rd),* un énorme HDB (logements sociaux) constitué de 3 immeubles reliés par des passerelles suspendues. Ça plaît ou pas, mais le contraste est saisissant.

🌂 **Duxton Hill** *(plan III, G10) :* en remontant *Neil Road* par la gauche, puis en tournant tout de suite à droite dans *Duxton Road,* on arrive dans ce secteur qui a vu éclore ces dernières années bars, restos et hôtels design comme des champignons ! Rien de sensationnel, si ce n'est ce côté village avec cette adorable ruelle pavée, arborée et fleurie, bordée de petites maisons blanches repeintes, aux volets de bois et décors de linteaux en stuc. Un miracle de quiétude aux pieds d'un mastodonte !

🎥🎥 **Singapore City Gallery** *(plan III, H9-10) : Urban Redevelopment Authority Centre, 45, Maxwell Rd.* ☎ *6321-83-21.* ● *ura.gov.sg* ● Ⓜ *Tanjong Pagar ou Chinatown. Tlj sauf dim et j. fériés 8h30-17h. GRATUIT.* Pour les passionnés d'architecture, une très intéressante exposition de maquettes de la ville couvrant les transformations de Singapour au cours du dernier demi-siècle avec les projets urbanistiques du futur. La preuve que le développement n'est pas le fruit d'une politique anarchique et que chaque projet est bien pensé. Également un *light and sound show* autour de la maquette du centre-ville. Et puis un diaporama sonore et visuel de 7 mn, où l'on est entouré par des vues de la ville de l'aube au coucher du soleil.

Tanjong Pagar (Ⓜ *Tanjong Pagar ; plan III, H10*)

Autrefois terrain de plantation de la muscade, c'est la première zone classée de Singapour (le fait que ce soit l'ancienne circonscription de l'ex-Premier ministre *Lee Kuan Yew* y est peut-être pour quelque chose...). Près de 200 *shophouses* rénovées de façon superbe et peintes de jolies couleurs pastel accueillent aujourd'hui bars et restos. La rue est également célèbre pour ses nombreux magasins de robes de mariée. Cela dit, le quartier est peu vivant, excepté le soir. Au carrefour entre *Neil Road* et *Tanjong Pagar Road* se trouve *Jinrikisha Station (plan III, H9)*, une ancienne gare qui servait autrefois de dépôt aux pousse-pousse.

Tiong Bahru (*plan I, B3*)

🎥🎥 Ce quartier très agréable à l'ouest de Chinatown (Ⓜ *Tiong Barhu ou Outram Park ; 5 mn de marche*) constitue une délicieuse surprise. Il héberge à la fois des populations locales et pas mal d'expatriés en associant traditions et branchitude. Son statut de zone protégée permet d'en préserver tout le charme et surtout l'héritage de *l'architecture Art déco* des années 1930, fait de bâtiments de 5 étages maximum qui furent occupés après 1945 par des militaires.

On peut y flâner entre les étals de fruits tropicaux du *Tiong Bahru Market* et se sustenter au *Hawker Centre* du 1er étage (voir « Où manger ? ») parmi les senteurs de nouilles et de café chaud, acheter des livres pour enfants, chiner dans les brocantes et trouver des souvenirs et des vêtements de créateurs locaux. Poursuivre ensuite la journée par un massage, un café ou un verre de vin, ou encore un pain au chocolat de l'une des nombreuses boulangeries du coin.

Little India (*plan V ;* Ⓜ *Little India*)

Quand sir Thomas Raffles arriva à Singapour, en 1819, il était accompagné de 120 Indiens qui habitèrent principalement dans le quartier près de *Chulia Street* à Chinatown, que Raffles leur avait initialement attribué. Originaires principalement de Calcutta et de Madras, les immigrants indiens affluèrent ensuite dans ce qui devint, au début

PÉTAIN ROAD

Le maréchal Pétain a droit à sa rue, près de Jalan Besar Stadium. Un hommage en l'honneur de ses victoires lors de la guerre de 14-18. En revanche, on a oublié son attitude lors du régime de Vichy, et donc le maréchal a toujours pignon sur rue.

du XXe s, une région couverte de fruits et légumes. Ce quartier, des 2 côtés de *Serangoon Road,* prit le nom de *Little India.* Un quartier qui baigne dans le parfum des guirlandes de jasmin, de l'encens, des épices, au rythme des chansons d'amour tamoules. Toutes les couleurs et les saveurs de l'Inde au cœur de Singapour. C'est un quartier vraiment dépaysant où l'on croise des habitants dans leurs saris colorés qui font leurs courses dans des boutiques vieilles de plusieurs décennies. On passe devant les échoppes des barbiers traditionnels d'où sortent des volutes de musique bollywoodienne. Dans le centre commercial **Mustapha,** ouvert 24h/24, qui s'étend sur 4 niveaux, on peut trouver des DVD, de la nourriture ou des gadgets dernier cri et même des colliers de diamants !

➤ Nous vous proposons une courte balade à la découverte des meilleurs endroits de Little India.

🎥 Commençons par **Little India Arcade** *(plan V, M13).* Jadis réservé aux crémations, ce groupe d'échoppes, réhabilité en 1982, est devenu, depuis, un grouillant petit paradis du shopping. Faites un tour chez **Handlooms,** un marchand de saris agréé par le gouvernement indien. En entrant côté *Serangoon Road,* on arrive à un vendeur de confiseries indiennes *(Indian candies).* Sous l'arcade, des échoppes médicinales ayurvédiques avec les savants qui proposent potions et remèdes, des vendeurs de bétel, de tissus, de sculptures, d'argenterie, et un petit centre culturel indien...
– Quittez ensuite *Little India Arcade* par *Campbell Lane,* tournez à droite. On croise, surtout le matin, des marchands de fleurs très colorées, symbole de prospérité. Les colliers sont composés de roses rouges, d'œillets jaunes et de jasmin blanc. Les mardi et vendredi, les divinités hindoues sont honorées avec des colliers de jasmin. Mais, aux grandes dates religieuses, des guirlandes plus élaborées sont placées au cou des divinités. Face à vous, le *Johti Store,* qui ne désemplit pas. Il propose fruits et fleurs en offrandes. Vous y trouverez aussi bien des épices, des bâtons d'encens, des ustensiles de cuisine, que des saris de toutes sortes (au 1er étage).
– Sortez par Dunlop Street et tournez à droite, puis longez la rue où vous trouverez aussi bien du riz et du sucre que du khôl, du henné ou des huiles parfumées.

🎥🎥 **Indian Heritage Centre** *(plan V, M13)* **:** *5, Campbell Ln, au coin de Kapor Rd. Tlj sauf lun 10h-19h (20h ven-sam, 16h dim).* ☎ *6291-16-01.* ● *indianheritage.org. sg* ● *Entrée 6 $S ; réduc.* Le bâtiment inauguré en 2015 a pour mission de retracer, au travers de multiples objets, costumes, archives, écrans multimédia, films et vitrines thématiques, **l'histoire de l'immigration de la communauté indienne** à Singapour depuis les premiers contacts commerciaux entre les différentes régions du sud-est asiatique.
Commencer par le 4e étage. On y apprend que les premiers Indiens installés à Singapour furent les soldats des régiments d'infanterie du Bengale qui accompagnaient Raffles. Suivirent les travailleurs embauchés pour la construction des routes et les infrastructures de la colonie britannique qui précédèrent l'arrivée de commerçants, financiers et artisans (tailleurs, bijoutiers, tisserands). Quelques objets remarquables : la porte en bois sculpté du Chettinad, la façade de mosquée pakistanaise en mosaïque bleue ou le petit studio du photographe. On termine par les portraits de membres éminents de la communauté (médecins, magistrats, avocats, politiques) qui ont contribué à la croissance et à l'épanouissement de la cité-État.
– Revenez sur *Serangoon Road* par la *Upper Dickson Road.*

🎥 Faites un tour au **Pujat Tekka Centre** *(plan V, M13),* un grand marché couvert sur 3 niveaux : stands vestimentaires à l'étage et alimentaires au rez-de-chaussée. Excellentes sélections d'épices, fruits et légumes, et quelques stands particulièrement réputés pour la qualité de leur choix.

🍴🍴 Au *37, Kerbau Street,* ne manquez surtout pas la **Tan Teng Niah House** *(plan IV, M13),* véritable « arc-en-ciel » architectural.

– En sortant du temple, tournez à droite et continuez sur Serangoon Road. Les bijoutiers sont très respectés, car ils reproduisent des images des dieux. Entrez dans une boutique et demandez à voir une bague appelée *navarethinam* (voir encadré). Aujourd'hui encore, la plupart des bijoutiers sont des Indiens qui réalisent des bijoux à partir d'anciens modèles.

LE SOLEIL A RENDEZ-VOUS AVEC LA LUNE

Portée habituellement par les Indiens, la bague navarethinam est incrustée de neuf pierres différentes (chacune représentant neuf planètes visibles, dont le Soleil et la Lune). Elle est censée neutraliser les interférences des planètes entre elles.

🍴 Un peu plus haut, possibilité de visiter le **Sri Veermakaliamman Temple** *(plan V, M13) : 141, Serangoon Rd. Tlj 5h30-12h30, 16h-21h. Donation suggérée.* ● *sriveermakaliamman.com* ● Construit en 1881 par des apprentis bengalis et dédié à la déesse Kali « la Courageuse »... mais souvent instigatrice de violence. Les mardi et jeudi, les rues sont remplies de croyants qui prient, font des dons ou des vœux.

Le quartier de Kampong Glam
(Ⓜ *Bugis ; plan V, N13)*

Ici, c'est tout un quartier en bordure d'**Arab Street** qui a subitement disparu, soit plusieurs rues autrefois peuplées de petits commerces et de temples discrets. À la place, une vaste esplanade à l'herbe rase. Du quartier subsistent donc seulement quelques rues, serrées autour de la mosquée du Sultan, qui regroupent plusieurs ethnies d'origine moyen-orientale. On y voit pourtant des restos indiens, des pharmacies chinoises aux mystérieuses plantes et préparations, des bijouteries qui proposent de belles pierres semi-précieuses à des prix corrects, des tailleurs qui vous confectionnent une chemise encore moins chère que dans le centre. Haji Lane, la plus petite rue de la ville, abrite nombre de jeunes créateurs tendance. L'ambiance est tout de même nettement moins fébrile qu'à Chinatown. Un minuscule quartier, à peine une ébauche de village...

🍴 Commencez la balade par *Arab Street.* Vous y trouverez de très beaux tissus (sarongs, soie, coton), des tapis et quelques rares et superbes batiks parfois signés de grands maîtres à des prix encore abordables. À 2 pas, sa parallèle, *Bussorah Street,* désormais piétonne et plantée de palmiers, fait un peu décor de cinéma et offre une belle perspective sur la mosquée du Sultan. Sur *North Bridge Road,* les boutiques des joailliers jouxtent celles des parfumeurs musulmans où l'on peut élaborer son propre parfum avec des essences naturelles (sans alcool, islam oblige).

🍴 **Sultan Mosque** *(plan V, N13) : North Bridge Rd. Ouv à la visite tlj sauf ven mat 9h-12h, 14h (14h30 ven)-16h. Donation suggérée.* La plus grande mosquée de Singapour reconnaissable à son dôme doré majestueux flanqué de 4 minarets. Elle date de 1824 et est classée monument national depuis 1975. Sa salle de prières peut rassembler le vendredi jusqu'à 5 000 croyants. À l'intérieur, les murs sont recouverts de carrés de mosaïque verte et de calligraphies du Coran.

🍴 **Haji Lane** *(plan V, N13) :* celle qui était autrefois glauque se transforme peu à peu en une rue trendy et pittoresque. C'est la seule rue de Singapour où les graffitis sont tolérés ! Ailleurs, c'est un délit passible d'amende et de coups de bâton... Pas mal de jeunes créateurs y ont pignon sur rue.

Bugis *(plan II, F5)*

Entre le quartier colonial et Kampong Glam, l'ancien quartier canaille de la ville a subi un sérieux lifting. De gros efforts furent entrepris pour essayer de recréer l'ambiance des « bons vieux jours » de cette rue détruite en 1985, lors de la construction du métro, et rouverte en 1991. Résultat : les travestis qui avaient fait la « réputation » de l'endroit ont bien évidemment disparu ; restent quelques bars et restos et un centre commercial (encore un !), **Bugis Village,** reconstitution d'une rue à l'ancienne mais « sous verre » (voir la rubrique « Achats »). Le quartier a perdu de son charme mais a gagné en respectabilité et en touristes !

Orchard Road *(Ⓜ Somerset et Orchard ; plan IV)*

Très longue avenue, symbole, avec le quartier des affaires, de l'image qu'entend donner le Singapour d'aujourd'hui. Bordée de parcs et de jardins agréables, de grands hôtels et de *shopping centres* les plus luxueux où toutes les marques prestigieuses sont réunies. Relayée ensuite vers l'ouest par **Tanglin Road.**
Là encore, on construit de manière frénétique, tout en conservant les arbres et les jardins. *Tanglin* vient de la transformation du chinois *Tung Leong,* qui signifie « les sommets des collines de l'Est ». Quelques (sages) délires architecturaux à signaler quand même : le *Tanglin Palace,* en style Tudor ; sur *Orchard Road,* la tour de la *Tang's Plaza,* 33 étages et un toit inspiré de ceux des pagodes, avec chevrons rouges et tuiles de porcelaine d'un vert vif ; en face, le *ION Orchard,* monstre d'acier et de verre surmonté d'une haute tour de verre ; ou encore le *Wheelock Place,* à l'intersection avec *Scotts Road,* en forme (au choix) de crayon ou de fusée intersidérale.
– Bon plan pour parcourir l'avenue sans effort : prendre le bus n° 174 près de la porte *Tanglin* des jardins botaniques (devant l'hôpital), en direction de *New Bridge Road,* vous pourrez remonter tout *Orchard Road* dans un bus climatisé.

🍴🍴 **Emerald Hill Road** *(plan IV, K11) : petite rue perpendiculaire à Orchard Rd.*
Ⓜ *Somerset.* Quartier rebaptisé H_2O pour ses fontaines. Regroupe surtout un bel ensemble architectural de maisons peranakan construites de 1900 à 1930 et miraculeusement préservées. Souvent converties au christianisme, les Peranakan ont quitté la Malaisie musulmane pour le Singapour colonial, où ils constituaient une bourgeoisie riche et puissante. Style architectural très éclectique, sino-malais au départ donc, mais qui emprunte pour l'aspect ornemental des façades à l'influence coloniale (colonnes ioniques et corinthiennes, festons...) et des façades colorées dans des teintes pastel. Ces maisons sont aujourd'hui très prisées des expatriés : à 2 pas de l'incessante circulation d'*Orchard Road,* le quartier est un véritable havre de paix.

Geylang et Katong *(plan d'ensemble)*

Ⓜ *Kallang ou Aljunied.* À l'est de la ville, 2 des quartiers les plus typiques de Singapour habités à l'origine par les Malais et les Peranakan. En 2 bonnes heures, on y découvrira une animation intense, quantité de temples chinois, de *shophouses* bigarrées, de boutiques d'artisans malais, de *hawkers centres,* de restaurants populaires et d'étalages de marchands de fruits. *Geylang Road* (longue de 5 km) et *Sims Avenue* sont traversées perpendiculairement de rues numérotées appelées *Lorong* (numéros pairs à droite, impairs à gauche).

🍴 Commencez la balade en rejoignant la station de métro de *Kallang (plan I).* Prenez ensuite à gauche *Geylang Road.* 300 m plus loin, tournez à gauche dans Lorong 9, bordé de temples bouddhistes. À droite ensuite, *Sims Avenue,* avec ses échoppes de marchands de fruits et légumes. Bifurquez dans *Lorong 17,* agréablement environné d'arbres qui ne masquent pourtant pas les hauts hôtels illuminés de néons criards !

Dans *Lorong 19,* une curieuse maison chinoise rococo estampillée 1929. Notez les policiers indiens sculptés en façade ! De l'autre côté, franchissez la passe-relle piétonne qui surplombe Geylang Road, à hauteur de *Lorong 18.* Ici débute le quartier chaud *(Red Light District)* et ses prostituées venues de toute l'Asie. De petits hôtels bon marché proposent des tarifs de « transit » à l'heure, destinés, bien sûr, à accueillir leurs ébats, mais aussi aux jeunes couples locaux à la recherche d'un peu d'intimité qui doivent souvent attendre longtemps pour disposer d'un logement à eux.

🏃 Poursuivez *Geylang Road* vers l'est, jusqu'à *Lorong 29.* À gauche, entre 2 immeubles, un magnifique temple chinois au portail ouvragé et au toit en pagode. Quelques étonnantes maisons chinoises encore dans *Lorong 30 A* et un autre temple un peu plus loin, dans *Lorong 33,* bien pourvu en restos d'extérieur. Le chemin vers le *Geylang Serai Market,* 500 m plus loin, passe par le centre commercial de *City Plaza.*

🏃 Les courageux peuvent poursuivre en direction de la côte vers le quartier de **Katong** : la longue *Joo Chiat Road* à l'entrée de laquelle le **Joo Chiat Complex** propose un assortiment particulièrement large de textiles de toutes sortes. La rue se déroule en une longue ligne droite jalonnée de superbes *shophouses* de style peranakan (voir la belle enfilade aux tons pastel dans *Koon Seng Road*). Les petits restos alternent avec les bars karaoké et les boutiques d'artisanat qui ont toutes leur petit autel d'offrandes à l'entrée. Tout au bout, prendre à droite *East Coast Road* pour voir un peu plus loin un superbe temple hindou. Fin de la promenade, on ne se trouve pas loin du bord de mer et de l'*East Coast Park.*

🏃 🚶 **East Coast Park** *(plan d'ensemble) :* *une des destinations de w-e des Singapouriens. Pour y aller : prendre le bus n° 36 sur Orchard Rd, descendre à Amber Rd.* Complexe balnéaire qui regroupe, sur plusieurs kilomètres de litto-ral, plages de sable (en partie importé d'Indonésie !), loisirs nautiques et restos de *seafood* (voir la rubrique « Où manger ? »). Location de vélos (8 km de pistes cyclables), de planches à voile, et le *Playground at Big Splash (902, East Coast Parkway ;* ☎ *6440-97-03 ;* ● *bigsplash.com.sg* ● *; lun-ven 12h-17h45, sam-dim 9h-17h45)* un complexe de restos, bars et diverses distractions (vélos à louer, minigolf, *kangoo shoes...*).

À voir, un peu plus loin

🏃 **Mount Faber** *(plan d'ensemble) :* *pour y aller, on peut grimper à pied (la côte est plutôt raide !) ou prendre le téléphérique au Harbour Front (tlj 8h30-21h) qui relie le mont à l'île de Sentosa (voir plus loin « Les îles voisines »). Pour se rendre au Harbour Front :* Ⓜ *Harbour Front ou bus direct n° 143 sur Orchard Rd et des-cendre au terminus.* ● *parks.gov.sg* ● Du haut de cette grosse colline perchée à 105 m d'altitude face à l'île de Sentosa, on embrasse toute la ville, le port et les îles. On voit même les HLM construites au milieu des arbres à l'écart de la ville, dans lesquelles ont été relégués les résidents de Singapour après la destruction de leur ancien habitat.

🏃 **The Southern Ridges** *(plan d'ensemble) :* *à l'ouest du Mount Faber.* ● *parks. gov.sg* ● *Pour y aller : le plus simple est de se faire déposer en taxi aux parkings C ou D du mount Faber.* Cette zone de préservation forme une longue bande de verdure qui s'étire sur 47 ha. Sur 10 km au total, plusieurs sentiers, offrant tous de belles vues, ont été aménagés dans ce grand parc paisible. Parmi les plus intéressants :

– *Canopy Walk* (0,3 km), une passerelle de près de 300 m perchée à 16 m de haut qui constitue une fabuleuse plateforme pour la découverte de la végétation et de la faune de la canopée ;
– *Henderson Waves* (0,3 km), le pont piéton en forme de vagues qui enjambe Henderson Road à 36 m de haut et relie les 2 collines. En arrivant du parking C, superbe vue sur ce long serpent ondulé en bois particulièrement photogénique ! Très emprunté par les joggeurs et les ornithologues ;
– *Faber Walk* (1 km), un long sentier sur une passerelle en métal. Elle est fermée les jours de pluie car elle devient glissante. Halte au *Faber Bistro (tlj 9h-1h)* pour un repas entre « Bon marché » et « Prix moyens ».

SINGAPOUR, UN PEU PLUS LOIN

Les parcs d'attractions

🎭🎭🎭 ⛹ *Universal Studios :* voir chapitre sur l'île de Sentosa.

🎭 ⛹ *Singapore Science Centre (plan d'ensemble) :* 15, Science Centre Rd. ☎ 6425-25-00. ● science.edu.sg ● Près de Jurong Town Hall Rd. Pour y aller, prendre le métro jusqu'à la station Jurong East Station puis 10 mn de marche, ou bus n°s 66 ou 335 de Jurong East Station. Tlj 10h-18h (dernière entrée à 17h15). Entrée : 12 $S ; Omni Theatre 14 $S ; réduc enfants. Surtout destiné au jeune public (anglais indispensable), il ressemble un peu au parc de la Villette à Paris, avec plusieurs salles bien organisées regroupant près de 500 pièces concernant les sciences physiques et naturelles. Département de mathématiques, des sciences de l'information, simulateur de vol dans la section aviation, *Imax Movie*, planétarium semblable à la Géode. Réserver sa place en arrivant, car beaucoup de monde. À proscrire le week-end.

🎭 ⛹ *Tiger Balm Gardens (Haw Par Villa ; plan d'ensemble) :* 262, Pasir Panjang Rd. ☎ 6872-27-80. Pour y aller, bus n° 10 de Shenton Way ou n° 143 d'Orchard Rd ; autre possibilité : prendre le métro jusqu'à la station Buona Vista puis le bus n° 200. Tlj 9h-19h. GRATUIT. Ne pas y aller le w-e (files d'attente interminables). Les fameux jardins du Baume du Tigre ont été créés dans les années 1930 par l'inventeur du célèbre Baume du Tigre. Ils illustrent la mythologie chinoise (ses contes, ses paradis et ses enfers). Les créateurs ont fait don au gouvernement du parc qui attire un million de visiteurs par an, dont beaucoup de Japonais. Les Occidentaux trouveront cela kitsch : des centaines de statues polychromes en stuc ou une promenade en barque dans le ventre d'un immense dragon. Ces attractions amuseront ceux qui ont gardé leur âme d'enfant.

Les parcs naturels et animaliers

🎭🎭 ⛹ *Singapore Zoo (plan d'ensemble) :* 80, Mandai Lake Rd. ☎ 6269-34-11. ● zoo.com.sg ● Dans un très beau jardin situé au centre nord de l'île. Pour y aller, bus n° 171 d'Orchard Rd (ou Scotts Rd) jusqu'à Mandai Rd, puis de l'autre côté de la rue, bus n° 927 ; ou bien prendre le métro jusqu'à la station Ang Mo Kio puis bus n° 138. D'une manière ou d'une autre, compter 1h15 de transport. En taxi,

SINGAPOUR

env 25 $S depuis la marina et 45 mn de trajet. Tlj 8h30-18h. Entrée : 35 $S ; réduc moins de 12 ans. Billets combinés avec le Singapore Night Safari ou le Jurong Bird Park et même pour les 3. Réduc sur les achats via le site internet.

Vraiment un très beau zoo en bordure d'un lac artificiel. Pas de grilles, peu de cages. Les animaux sont retenus par des obstacles naturels : rochers, rivière et autres. Beaux spécimens de lions, rhinocéros, tigres de Sumatra, varans de Komodo et même des ours polaires. Vous remarquerez que chaque animal est sponsorisé par une marque. Eh oui, à Singapour on adore la pub, et tout se sponsorise. Bien entendu, les tigres sont parrainés par... la fameuse bière Tiger ! Différents spectacles d'animaux 10h30-17h. Possibilité aussi de prendre un petit déj *(wild breakfeast)* avec d'autres bestioles sympathiques comme le gibbon, le python ou le binturong *(tlj 9h-10h30)*. Oui ! Vous ne rêvez pas... L'une des attractions principales de ce zoo avec le show des otaries et celui des éléphants. Site internet bien conçu avec suggestions d'itinéraires.

🦅🦅 🚶 ***Singapore Night Safari*** *(plan d'ensemble)* : *parc zoologique nocturne, à côté du précédent.* ● *nightsafari.com.sg* ● ☎ *6269-34-11. Pour y aller, se reporter au Singapore Zoological Garden. Sinon, bus spécial pour le retour 21h30-23h30 : départ ttes les 15-30 mn pour Marina Square via Orchard Rd ; prix : env 6 $S. Compter 30 mn en taxi depuis le centre. Tlj 19h30-minuit. Entrée : 47 $S ; réduc. Possibilité de tickets combinés avec le zoo ou le Jurong Bird Park.*

Parc de 40 ha où sont rassemblés plus d'un millier d'animaux. À 19h30, 20h30 et 21h30 (show supplémentaire à 22h30 les vendredi et samedi), n'oubliez pas d'assister au show de présentation (pas mal fait) de quelques spécimens du parc dans le petit amphithéâtre (faites gaffe à ce qui se passe entre vos jambes !). La visite s'effectue ensuite en petit train ou à pied (pas pour la totalité du parc) sur des sentiers bitumés. Certains animaux sont en totale liberté dans la partie où circule le train. Pour les animaux en cage, les enclos de couleurs sombres se confondent dans la pénombre. Ne soyez pas trop surpris de vous retrouver nez à nez avec une panthère tapie dans l'obscurité !

Attraction très prisée par les Singapouriens, toujours beaucoup de monde, mais à la fin de la soirée on se retrouve presque seul. Self-service convenable avant d'attaquer les pistes.

🦅🦅 🚶 ***Jurong Bird Park*** *(plan d'ensemble)* : *Jln Ahmad Ibrahim, Jurong Hill.* ☎ *6265-00-22.* ● *birdpark.com.sg* ● *Pour y aller, prendre le métro jusqu'à la station Boon Lay, puis bus n° 194. Compter env 15 mn. Tlj 8h30-18h. Entrée : 29 $S ; réduc. Possibilité de billets combinés avec le zoo et le Night Safari. Shows d'oiseaux tlj 10h-16h (annulés en cas de pluie).* C'est le plus vaste parc d'oiseaux du monde. Une gigantesque volière, sur 20 000 m², avec la plus grande chute d'eau artificielle jamais réalisée. Plus de 8 000 oiseaux, de superbes volières et environ 600 espèces du monde entier. La présentation des oiseaux de nuit est remarquable. Également un aquarium géant dans lequel évoluent des pingouins tout de suite à droite en entrant. Évitez de prendre le petit train (de surcroît payant : 5$S) qui vous fait faire la visite à 20 km/h.

🦅 ***Chinese and Japanese Gardens*** *(plan d'ensemble)* : *Yuan Ching Rd, Jurong.* ☎ *6261-36-32. Pour y aller,* Ⓜ *Chinese Garden, puis marcher un peu. Tlj 6h-23h ; 9h-18h pour le Bonsai Garden et le Garden of Abundance. GRATUIT, sauf pour le Bonsai Garden (pas cher).* Grand parc au cadre très agréable : pièce d'eau, location d'embarcations à pédales... Le dimanche, les mariés en costume posent pour les photos souvenir. Belles pagodes dans le jardin chinois qui contraste avec la sérénité zen des jardins de pierres japonais. Impressionnante collection de bonsaïs.

◎ 🦅🦅 🚶 ***Botanic Gardens*** *(plan d'ensemble)* : *à l'angle de Cluny Rd et Holland Rd.* ☎ *6471-71-38.* ● *sbg.org.sg* ● Ⓜ *Botanic Gardens ou bus n°s 105, 106 ou 174 d'Orchard Blvd, ou n° 106 de Bencoolen St. Descendre après le Gleneagles Hospital. Tlj 5h-minuit. GRATUIT.*

De tous les parcs de Singapour, c'est celui situé le plus près du centre-ville, à quelques encablures d'Orchard Road. Si vous n'avez guère de temps à consacrer aux parcs, rendez visite au moins à celui-ci. Vous comprendrez pourquoi on surnomme Singapour « The Garden City ». Plantes tropicales du monde entier ; étang sur lequel évoluent gracieusement quelques cygnes. *National Orchids Garden* (ouv 8h30-19h, dernière entrée à 18h ; entrée 5 $S, réduc, gratuit moins de 12 ans) abritant plus de 2 000 espèces différentes, dont la fameuse orchidée tigre ou la mystérieuse orchidée noire de Sumatra. Ne manquez pas les orchidées « VIP » dédiées à des personnalités internationales. On y retrouve dès le petit matin de nombreux Singapouriens qui y font leur jogging.

C'est très agréable de se détendre, après une journée de shopping, dans une atmosphère baignée de parfums d'hibiscus, de frangipaniers et de bougainvillées ! Et si une petite faim ou une grosse soif vous prend subitement, un *hawker* (on y trouve des jus de fruits frais parmi les meilleurs de la ville) se trouve caché dans la verdure, à côté de l'entrée. Sinon, il y a l'excellent restaurant *Halia*.

🦎🦎 *Bukit Timah Nature Reserve (plan d'ensemble) :* 177, Hindhede Dr. Pour y aller, bus nº 171 de Stamford Rd ou bien encore de la station de métro Newton ; s'arrêter après le Beauty World Plaza. La réserve est sur la droite (marcher un peu). Tlj 7h-19h. GRATUIT. Singapour est la seule ville du monde (avec Rio de Janeiro) à avoir conservé plusieurs hectares de forêt tropicale à quelques kilomètres du centre. Pour ceux qui ne vont pas à Bornéo mais qui veulent néanmoins se plonger dans la verdure des forêts tropicales et avoir une (petite) idée de ce qu'est la jungle. Des sentiers bien balisés (on reste quand même à Singapour) permettent de s'y balader. Plan à l'entrée. Les singes sont en totale liberté. Bukit Timah est le point culminant de Singapour : 163 m (!).

🦎 *Sungei Buloh Wetland Reserve (plan d'ensemble) :* 301, Neo Tiew Crescent. ☎ 6794-14-01. ● sbwr.org.sg ● Pour y aller, bus nº 925 de la station de métro Kranji ; le bus s'arrête à l'entrée du parc le dim et en période de vac, sinon petite trotte de 15 mn depuis le parking de Kranji Reservoir. Tlj 7h30 (7h dim)-19h. GRATUIT. 87 ha de mangrove s'étendent à l'extrême nord-ouest de l'île. C'est le moment de se munir de jumelles pour observer les oiseaux migrateurs qui viennent de Malaisie et qui, en route vers le sud, y font escale entre septembre et avril. Les espèces non migratrices y abondent également : échassiers, pluviers, bécasseaux... Chemins de promenade sur passerelles de bois, pas besoin de se chausser de bottes ! Huttes d'observation et audiovisuel au centre d'accueil.

Croisières sur le fleuve et vers les îles

Plusieurs compagnies proposent des croisières allant de la simple balade en *bumboat* le long de la Singapore River à la croisière en mer avec repas. Ces balades n'ont rien de très palpitant, mais ça peut plaire aux enfants...

■ *Singapore River Cruises and Leisure :* ☎ 6336-61-11. ● rivercruise. com.sg ● Plusieurs embarcadères le long de la Singapour River dont un au Parliament House Landing Steps, près de la statue de Raffles (plan II, F7, *302*). Ⓜ City Hall. Achat des tickets et départ ttes les 15 mn env 9h-22h30. Durée : 40 mn. Prix : 25 $S ; réduc enfants. Balade le long de la Singapore River à bord d'un *bumboat*.

■ *Singapore Duck Tours :* ☎ 6738-33-38. ● ducktours.com.sg ● Départ ttes les heures 10h-18h du Suntec City Mall (plan I, D2). Durée : 1h. Prix : 43 $S ; réduc. Cher pour ce que c'est : à savoir une balade dans un ancien véhicule militaire amphibie, d'abord sur l'eau, le long de la Singapore River, puis un petit trajet sur la terre ferme dans le quartier colonial. Les mômes seront ravis !

LES ÎLES VOISINES

L'ÎLE DE SENTOSA (plan Sentosa p. 415)

Autrefois appelée « île de la mort, par derrière », elle servit de repaire aux pirates, abrita un foyer d'épidémies de malaria et une base militaire britannique. Cette île de 3,5 km², en face du port de Singapour, est à présent paisible. Elle a été en grande partie aménagée en parc d'attractions à l'américaine. Vaste complexe à ciel ouvert, elle se compose aujourd'hui de 60 % de végétation et de 40 % d'infrastructures ! 5 millions de touristes la visitent chaque année.

Une douzaine de somptueux *resorts* de luxe et de *lounges* on ne peut plus branchés, parmi lesquels le sublime **Capella,** un ancien bâtiment militaire réinterprété par l'architecte anglais **Norman Foster.** Également un casino, une plage de 2 km de long, des musées et quantité d'attractions familiales, d'immenses *shopping centres* comme l'étonnant **VivoCity.**

Des animations et festivals y sont organisés toute l'année, avec de grands moyens (superbe festival des fleurs en janvier), et drainent d'importantes foules, Singapouriens et touristes venus de toute l'Asie. Et malheureusement, ça tourne vite au racket commercial. C'est aussi le coin assez branché, le plus fun et le plus chic pour tous les apprentis jet-setters du week-end. Plutôt ironique, quand on sait que Sentosa signi-

COKTAILS VOYOUS

Dans une ville qui a donné son nom au Singapore Sling, un cocktail à base de gin, l'Escobar, un bar branché en référence au défunt baron de la drogue colombien, propose des mélanges de circonstance : le Trump est un cocktail bleu à base de bourbon tandis que le Kim est rouge et contient du soju, un alcool coréen.

fie « tranquillité » en malais... Elle restera dans l'histoire récente pour avoir abrité le 12 juin 2018, la rencontre entre Donald Trump et le Nord-Coréen Kim Jong-Un. Une exception toutefois : la plage de Tanjung Pandang, bien agréable pour une pause baignade.

Arriver – Quitter

Se rendre à Harbour Front. Ⓜ *Harbour Front.* De là, plusieurs possibilités.

➢ **Avec le Sentosa Express :** un monorail qui part du *VivoCity Centre* (centre commercial collé au Harbour Front), lobby L, au 3e étage. Prix : 4 $S/pers. Départs fréquents (ttes les 5-10 mn env tlj 7h-minuit).

➢ **En téléphérique (cable car) :** ☎ 6377-96-26. Se prend à la *tower II* du Harbour Front. Départs tlj 8h45-22h. Prix A/R : env 26 $S ; réduc. On peut

aussi prendre la *Jewel Box* du haut du mont Faber *(plan I).*

➢ **En taxi :** compter le prix de la course à laquelle s'ajoute le droit de passage du taxi (entre 2 et 6 $S suivant l'heure et le jour).

➢ **À pied :** les plus courageux traverseront le pont à pied (500 m) par le *Sentosa Boardwalk* et paieront 1 $S pour le franchir ! Accessible 24h/24. Départ depuis le *VivoCity Center.*

Circuler dans l'île

➢ **Le Sentosa Express** dessert les stations *Waterfront, Imbiah* et *Beach*

Stations, les 3 pôles d'attraction de l'île.

ÎLE DE SENTOSA

➤ *Le bus :* 3 lignes tournent en boucle 7h-22h30 (minuit le w-e, 22h pour la ligne rouge) et desservent les différents pôles d'attraction. Elles convergent vers Beach Station.

Infos utiles

– Au droit d'entrée élevé s'ajoutent de nombreuses attractions payantes (et ça finit par faire cher, surtout en famille !) : *env 8-28 $S/pers selon activité ; réduc enfants. Différents passes sont proposés. Pour tt rens : Sentosa Leisure Group,* ☎ *1-800-736-86-72.*

➤ *Le Beach TraM* dessert le littoral de part et d'autre de Beach Station : ligne orange vers Palawa et Tanjong Beach, ligne rose du côté de Siloso. Fonctionne tlj 9h-23h (minuit le w-e).

● *sentosa.com.sg* ● *site très complet avec pas mal de promos à saisir.*
– Sur l'île, 4 points information et billetterie, dont un à l'entrée du parc et un autre à l'arrêt Beach Station du tram. Nombreux fascicules avec horaires et descriptifs, et plan de l'île à dispo.

Où manger ?

Pour les petites fringales à minibudget, pas mal d'échoppes et cafés, parmi lesquels le *Food Republic* du *VivoCity Shopping Mall* et le tout récent *hawker*.

I●I *Malaysian Food Street :* au rdc du Resorts World Sentosa. Lun-mar et jeu 11h-22h ; ven-dim 9h-23h ; fermé mer. Un authentique *hawker* dans un décor de vieille ville où l'on déguste les

spécialités phares du pays : les délicieuses versions malaisiennes du *wanton mee* ou du *hokkien mee*, le *kampung nasi lemak*. Plats assez relevés dans l'ensemble. Fameux desserts « maison » dont le délicieux et rafraîchissant *Penang cendol*. Comme dans tous les *hawkers*, une fois qu'on a fait son choix, on prend son plateau et on s'installe autour des grandes tables d'hôtes.

SINGAPOUR

|●| ❢ Tanjong Beach Club : 120, Tanjong Beach Walk. ☎ 6270-13-55. Lun 12h-22h ; mar-ven 11h-22h ; dim 9h-22h. Plats env 20-55 $S ; boissons 15-25 $S. En face de 2 petites îles accessibles, une piscine en bord de plage, avec ses palmiers, sa musique lounge et sa clientèle branchée, où se retrouvent les expats surtout lors du brunch du dimanche. Chic, cher et snob, on se croirait quelque part entre Miami et Saint-Tropez ! Et puis, 4 fois par an, la maison organise une full moon party, très courue elle aussi.

Où manger une glace ?

❢ Only You : dans le forum du Resorts World Sentosa. Le royaume des desserts locaux et des glaces coiffées de toppings en tout genre.

À voir. À faire

Sur l'île, plein de trucs à faire et de quoi s'occuper facilement une journée et même plus. Petits conseils d'amis : éviter le week-end et si pas le choix, venir tôt le matin. En début d'après-midi, ça vire au cauchemar ! À éviter par ailleurs en période du Nouvel An chinois (janvier-février), en juin et en novembre-décembre.

Les musées

❦ Fort Siloso : à la pointe ouest. Tlj 10h-18h. GRATUIT. L'un des 4 forts de l'île, construit au XIXe s et le seul préservé. Il ne joua aucun rôle lors de l'attaque japonaise de 1942, l'armée impériale ayant investi l'île par le nord. Évocation historique bien faite, avec la scène de la reddition des Japonais en 1945.

❦ 🏃 Images of Singapore : tlj 11h-18h (19h30 le w-e) ; ticket combiné avec celui de Madame Tussaud : 42 $S (32 $S, en ligne) ; réduc. Un musée interactif dans l'ancien hôpital militaire. Il restitue l'histoire de Singapour grâce à des comédiens et des effets spéciaux.

❦ 🏃 Maritime Experiential Museum : tlj 10h-19h. Entrée : 16 $S ; réduc. Superbe architecture en forme de coque de bateau renversée. Pour revivre tout au long de 15 galeries thématiques et interactives, l'aventure des mers sur la route maritime de la soie et échapper aux pirates malgré un typhon et l'incendie de votre navire, inspiré de l'épave du Joyaux de Mascate, découvert en 1998. Magnifique aquarium.

❦❦ 🏃 S.E.A. : tlj 10h-19h. Entrée : 32 $S ; réduc. ● rwsentosa.com ● Spectaculaire aquarium (le plus grand du monde, paraît-il) avec 800 espèces présentes, recréant 49 habitats maritimes différents de l'Asie du Sud-Est, à l'Afrique en passant par l'Australie. Un tunnel sous l'eau et une vitre d'observation de 36 m de long sur plus de 8 m de haut permettent de se croire sans peine au fond de l'océan en face à face avec les requins et les raies mantas. Une vraie symphonie aquatique multicolore.

Les divertissements

❦ 🏃 Butterfly Park & Insect Kingdom : entrée : 34 $S pour 1 adulte + 1 enfant (moins cher en ligne). Insectarium et parc aux papillons dans un environnement de forêt tropicale.

❦ 🏃 Wave House : ● wavehousesentosa.com ● Tlj 10h30-22h30. Résa indispensable le w-e. L'occasion de profiter d'une plage artificielle avec bars et de 2 piscines à vagues pour surfeurs débutants ou confirmés.

👣👣👣 🚶 *Universal Studios :* ● rwsentosa.com ● *dim-jeu 9h-18h, ven-sam 10h-20h ; à partir de 76 $S/pers, promos fréquentes sur le site internet. En supplément, pass express à 50 $S pour éviter de faire la queue. Prévoyez des tongs pour les attractions aquatiques.*

Articulé autour d'un lac central, le parc est composé de 7 zones distinctes et propose 25 attractions dont 19 exclusives. On y retrouve les attractions phares de la firme hollywoodienne, y compris les plus récentes, centrées autour des films maison et les plus palpitantes, sensations fortes garanties. Comme toujours, dès l'ouverture allez directement vers les attractions les plus éloignées. Vu la météo souvent arrosée, plusieurs zones sont couvertes.

– *Lost World :* ouv à 11h. Jurassic Park Rapids Adventure est l'attraction-phare : on navigue à bord d'un grand radeau parmi les dinosaures et autres monstres préhistoriques. Une sono de 10 000 watts délivre les rugissements d'un *T-Rex* de 45 t qui fonce vers vous, mâchoires ouvertes. Le final garantit un grand frisson... Protégez vos appareils photos et caméscopes (cirés en vente à l'entrée de l'attraction), ça mouille beaucoup !

– *A Live Sea War Spectacular* est une attraction inspirée par le film *Waterworld*. Le spectacle inclut des cascades sur l'eau, sur terre et dans les airs, accompagnées d'effets spéciaux pyrotechniques et aquatiques, et au final, le crash explosif d'un hydravion.

– *Ancien Egypt :* casier gratuit obligatoire. Vous montez à bord de *Revenge of the Mummy,* un *roller coaster* avec pour décor le tombeau de la momie et la chambre du trésor. Un parcours intense, en partie dans l'obscurité, nourri d'effets spéciaux saisissants, où se mêlent les essaims de scarabées, le feu, le vide et les apparitions horribles des momies. Sensations fortes garanties et coup de théâtre final.

– *Science Fiction City :* traversée par 2 doubles montagnes russes qui s'affrontent en duel, cette zone représente une cité futuriste, avec entre autres, **Transformers The Ride 3D :** adaptée du film du même nom, c'est une des attractions phares du parc. Harnaché dans une nacelle, on ressent la formidable illusion de participer au combat déchaîné entre les *Autoboats* et les *Decepticons.* Vraiment grisant !

– *New York :* une reconstitution de la *Grosse Pomme* avec ses rues et ses immeubles typiques. Shows musicaux.

– *Hollywood :* c'est la zone la plus proche de l'entrée. Arpentez Hollywood Boulevard à bord d'un bus qui fait le tour des studios, en croisant au passage, Marilyn Monroe et les adorables Minions. Et assistez à un show comme à Broadway.

– *Madagascar :* promenade aquatique dans un long tunnel, au milieu d'une faune africaine de fantaisie. Les enfants vont adorer.

– *Far Far Away :* en vedette, *Shrek 4D,* un film d'animation inspiré du chef-d'œuvre de *Dreamworks.* On assiste au retour du riquiqui *Lord Farquaad,* ou du moins de son diabolique fantôme, qui kidnappe la belle Fiona. S'ensuit une course-poursuite délirante. Pourquoi 4D ? Parce que toutes les scènes sont enrichies de surprises et d'effets spéciaux remarquables.

– Et également sur l'île, un **merlion** géant en béton, un terrain de golf de 18 trous, une piste de patin à roulettes, des canoës, des vélos, des segways en location, etc.

LES AUTRES ÎLES

🍖 *Pulau Ubin (plan d'ensemble) :* située entre Singapour et la Malaisie. Prendre le métro jusqu'à la station Tanah Merah, puis le bus n° 2 pour Changi Village jusqu'au terminus. Poursuivre à pied jusqu'au Changi Point Ferry Terminal. De là, un bumboat (5h30-21h) vous conduit en 10 mn jusqu'à Pulau Ubin dès que vous êtes 12 à bord, du mat au soir, pour 5 $S A/R. Kiosque d'information à l'arrivée. Vous débarquerez sur une île qui ressemble à ce que devait être Singapour il y a 50 ans. Possibilité de louer des VTT pour faire le tour de l'île à la végétation luxuriante (une carte est fournie) : au passage, des carrières, des étangs vert émeraude, des chemins bordés de cocotiers, un temple bouddhique caché dans la jungle. Faune intéressante avec de nombreuses espèces d'oiseaux, des macaques, des lézards et un joli serpent jaune citron *(Oriental Whip Snake)* tout à fait inoffensif. Mais la vocation de l'île pourrait bien changer (à suivre).

🎏 *Saint John's Islands et Kusu :* au sud de l'île de Sentosa. Départ des bateaux de Marina South Pier (plan II, D4), au 31, Marina Coastal Dr : 10h et 14h lun-ven ; 9h, 12h et 15h sam ; ttes les 2h 9h-17h dim et j. fériés. Les bateaux desservent successivement Saint John's Island et Kusu Island. Compter 30 mn pour atteindre Kusu ; 30 mn supplémentaires pour Saint John's Island. Prix : env 18 $S ; réduc enfants. Le dim seulement (car ce jour-là, il y a davantage de liaisons), vous pouvez vous arrêter à Kusu et reprendre le prochain bateau pour Saint John's Island. Ne pas oublier d'emporter boissons et provisions, il n'y a aucun magasin dans ce coin. 2 petites îles tranquilles avec plages de sable paradisiaques (surtout *Lazarus Beach*), récifs de corail et sentiers de balade, tout cela loin de la rumeur de la ville. Joli temple sur Kusu (dont le nom signifie « tortue ») et qui se voit envahie lors d'un pèlerinage en octobre.

SINGAPOUR : HOMMES, CULTURE, ENVIRONNEMENT

ARCHITECTURE

À l'image de sa population, l'architecture de Singapour est diverse. Si dans des quartiers tels que Chinatown, Little India ou Colonial District subsiste encore un style architectural propre au groupe ethnique qui les habite, la cité-État surprend d'abord par sa fusion des genres et son brassage des influences.

Pourtant, dans les années 1970, le Premier ministre de l'époque, **Lee Kuan Yew,** s'efforce de gommer les particularismes des différents quartiers pour adopter une architecture plus moderne et, surtout, plus haute, afin, entre autres, de palier à la faible superficie de l'île. Après une première phase de reconstruction complète de Chinatown et de Little India, jugés insalubres et incompatibles avec la volonté de modernisation de Singapour, le gouvernement opte finalement pour une politique de rénovation, particulièrement des **shophouses.** Ces petits immeubles, traditionnellement composés d'un rez-de-chaussée abritant un commerce et d'un ou 2 étages hébergeant la famille, ont longtemps fait le charme de l'île. Désormais, à **Chinatown,** anciennes habitations rénovées jouxtent de vertigineux et récents buildings. Singapour, entre tradition et modernité...

Colonial District, autre quartier typique, frappe par son architecture victorienne, vestige de la colonisation britannique. Quant au quartier des affaires, il incarne de manière évidente la démesure propre à Singapour : des gratte-ciel de verre et d'acier tous plus hauts les uns que les autres, conçus par des architectes de renommée internationale. Et ce n'est pas fini, car les projets vont bon train. Ces futures constructions sont l'occasion d'une véritable surenchère en matière d'innovation : des bâtiments toujours plus grandioses et futuristes. Dans le genre avant-gardiste, comment ne pas mentionner l'époustouflant complexe de **Marina Bay Sands,** conçu par Moshe Safdie : 3 luxueuses tours de 55 étages sur lesquelles a été posé un... navire toit-terrasse avec piscine à débordement ! Ou encore le gratte-ciel **Oasia Downtown,** dans Central Business District, avec ses 33 espèces d'arbres et ses 21 espèces de plantes grimpantes. Il a multiplié par 11 la biodiversité du quartier des affaires.

Mais, bien que Singapour soit urbaine par excellence, l'île, surnommée the **Garden City** et en passe de devenir a city within a Garden, ne manque ni de parcs ni de végétation. La ville est verte et abondamment fleurie, et son architecture le devient tout autant. Volonté affirmée de l'État, les greenroofs, intéressants d'un point de vue esthétique comme écologique, y sont de plus en plus courants. Toujours surprenant de voir un building gris d'acier au sommet couvert par des toitures végétalisées...

Les **HDB**

Les années 1970 et l'indépendance de Singapour marquent également le début d'une nouvelle politique de logement de Lee Kuan Yew. Ce dernier souhaite non seulement que chaque citoyen singapourien soit propriétaire d'une habitation salubre et c'est le cas pour 90 % d'entre eux, mais aussi que ces habitations soient des lieux d'intégration des différentes populations de l'île. Sont alors construits de nombreux logements sociaux à quotas, les immeubles **HDB** (Housing Development Board). Chaque immeuble doit être habité par des Chinois, des Malais et des Indiens. Du point de vue sociologique comme esthétique, le contraste avec nos HLM est évident ! La démesure n'est en effet pas réservée aux buildings de la City et un réel effort est fait pour faire de ces tours des bâtiments à l'esthétique soignée. De plus, les HDB abritent généralement un Community Centre proposant toutes sortes d'animations et de services à destination des familles.

BOISSONS

Pour vous rafraîchir, évitez donc les sodas... Désaltérez-vous plutôt dans un food court en vous faisant préparer un jus de pêche, d'orange, de melon, de banane... ou le tout, mélangé. Pas cher, et comme c'est bon ! Parfait, car l'alcool n'est pas donné. Dans les restos et les bars à karaoké, vous verrez les Singapouriens aisés commander d'onéreuses bouteilles de cognac VSOP et les siffler allègrement avec des glaçons comme de la limonade. Le whisky est déprécié depuis que les Chinois se sont aperçus que c'était la boisson des prolos anglais. En revanche, les amateurs de bière seront comblés par la variété locale, la Tiger Beer et la ABC, une bière brune, proche de la Guinness.

> ### « TIME FOR A TIGER »
>
> *Cet ancien slogan publicitaire de la fameuse bière singapourienne servit de titre à une nouvelle d'Anthony Burgess. L'écrivain britannique, alors peu connu, demanda au brasseur de lui offrir une horloge ornée du slogan-titre. Il essuya un refus. 15 ans plus tard, une fois Burgess célèbre grâce à Orange mécanique, la firme se rendit compte de son erreur et lui offrit de consommer gratuitement toutes les bières qu'il voulait pendant ses séjours à Singapour. Burgess répondit : « Trop tard. Je suis devenu un adepte total du gin. »*

CINÉMA

Il faut que vous y alliez ! Le spectacle est autant sur l'écran que dans la salle... Ici, pas mal de films indiens, américains et, surtout, hongkongais et thaïs. Peu de films à proprement parler made in Singapore. Mais, aussi inattendu soit-il, le développement de l'industrie cinématographique singapourienne est indéniable. Notamment grâce à l'acteur et réalisateur **Jack Neo** qui, s'inspirant des blockbusters américains, est parvenu à populariser un cinéma local abordant des thèmes spécifiques à la ville-État, tels que le matérialisme dans Money no Enough (1998) ou l'élitisme de son système éducatif dans I not Stupid (2002).

On commence même à voir des films singapouriens sélectionnés dans des festivals de cinéma internationaux. Le premier étant Barbie Digs Joe (1990), un court-métrage d'**Eric Khoo,** réalisateur, scénariste et producteur né en 1965 à Singapour. Ont suivi 3 longs-métrages du même réalisateur (sortis en France) : Be With me, présenté à Cannes en 2005 dans le cadre de la Quinzaine des réalisateurs, My Magic, en compétition officielle en 2008, tous 2 non primés mais très remarqués, et Tatsumi (2011), un bel hommage à l'auteur de mangas japonais. En revanche, Ilo, Ilo d'**Anthony Chen** a reçu la Caméra d'or à Cannes en 2013 : une grande première.

CUISINE

Si, sur le plan économique, les Chinois tiennent le haut du pavé, question cuisine, toutes les nationalités contribuent à faire de Singapour un haut lieu de la gastronomique : cuisines malaise, indienne, indonésienne, chinoise, vietnamienne, thaïe, peranakan, française, italienne, anglaise, mexicaine... Un véritable tour du monde culinaire.

Quelques spécialités phares

Une cuisine internationale, donc, mais quelques spécialités essaient pourtant, même si elles n'ont pas été créées à Singapour, de s'arroger le titre de « plat national ».
– *Chicken rice :* spécialité de l'île de Hainan, au sud de la Chine. Ce sont des lamelles de poulet cuites à la vapeur accompagnées de riz cuit dans le jus, servies avec des sauces aux piments, au gingembre et au soja.
– *Fish head curry :* un plat originaire du sud de l'Inde, de prime abord peu engageant. Imaginez une tête de poisson (en règle générale du rouget, plus rarement du mérou ou de la lotte) qui baigne dans une sauce au curry très épicée. Finalement, ça se laisse manger et, bien préparée, la chair du poisson s'avère très délicate. Les amateurs comparent même la dégustation des yeux à celle du foie gras !
– *Chili crab et black pepper crab :* du crabe cuit dans une sauce épicée ou au poivre que l'on mange avec les doigts. Mais au préalable, on a pris soin de casser les pattes avec un genre de casse-noix. Attention, certains restos les vendent à prix d'or !
– *Carrot cake (chai tow kueh) :* rien à voir avec ce gâteau à la mode que l'on déguste en Occident. Cette recette *teochew* consiste à frire des cubes de farine de riz et de radis blanc dans une omelette, avec quelques jeunes oignons. Dans sa version *dark,* on ajoute de la mélasse ou une sauce noire sucrée.
– Et aussi le *char kway teow,* le *bak kuh teh,* la *cuisine peranakan,* etc. Pour un panorama bien plus complet, plongez-vous donc dans la rubrique « Cuisine » de la partie Malaisie plus haut !

Où manger ?

Tout aussi traditionnel, pour nourrir son petit monde, Singapour possède de nombreux complexes de restauration que le gouvernement n'a heureusement pas détruits mais modernisés.
– Les *hawkers centres* (ou *food courts*) regroupent les étals des anciens marchands ambulants chinois, les *hawkers,* que les services d'hygiène du gouvernement ont peu à peu contraint à la sédentarisation. Qu'ils soient en plein air ou dans les centres commerciaux climatisés pour les plus modernes, l'ambiance est indescriptible. Les Chinois viennent y manger leur soupe aux vermicelles ou les *dim sum* du petit déj et s'y retrouvent en masse au déjeuner. Et, si personne ne se regarde vraiment, il semble que tout le monde communique.
On y trouve quantité de plats, des fruits de mer au poulet, le tout très bon marché. On commande des *seafood* à un stand, des *noodles* ou des *fried shrimps* à un autre, un jus de durian ou une *Tiger Beer* à un troisième. On choisit librement une table quelconque et... on est fort surpris d'être servi aussi vite ! En général, on paie au moment de la commande. Vous remarquerez que chaque stand a une vaisselle différente (ou au moins marquée), de façon à ce que les *hawkers* puissent la récupérer facilement parmi les dizaines de tables.
– Les *food courts* sont des *hawkers centres* améliorés et ressemblent davantage à des cafétérias ou à un rassemblement de self-services (par exemple, à Lau Pa Sat ou sur Orchard Road). C'est souvent le meilleur moyen de se sustenter pour pas cher, surtout dans les quartiers plus chic.
– Les *night hawkers* sont des dizaines de petites échoppes de nourriture pas chère qui se mettent en place par quartiers, par spécialités, dès la tombée de la nuit (*Glouton Bay* à Esplanade, *Lau Pa Sat* à Raffles Quay). On y mange vite, on y boit de la bière, on s'y retrouve entre amis, dans le respect des traditions singapouriennes.
– En dehors de ces « marchés », ce ne sont pas les restos qui manquent : la ville en compte près de 7 000, de la gamme moyenne à la plus chic avec quelques-uns étoilés !

Et l'hygiène dans tout ça ?

Si vous éprouvez encore certaines réticences à manger dans les *hawkers* ou les *food courts,* sachez que la *NEA* (l'Agence nationale de l'environnement de Singapour) a mis en place un système d'évaluation et de classification des stands.

Les établissements se voient attribuer une note, allant de A à D (A étant la meilleure) selon des critères d'hygiène bien définis (propreté et entretien des locaux, fraîcheur des produits, etc.) et de qualité de la cuisine. L'affichage sur leur façade de la note obtenue étant obligatoire, cela peut s'avérer utile lors du choix de votre stand. Évidemment, les A sont davantage mis en avant que les D !

Les classements sont revus régulièrement et un établissement peut être dégradé. Pire, sa licence peut être suspendue, voire révoquée en cas de non respect des normes de santé publique.

Quelques fruits à goûter

– Goûtez le **durian,** fruit presque aussi gros qu'un ballon de foot, garni de piquants et facilement reconnaissable à son odeur ! Du coup, il est interdit dans certains lieux publics (hôtels, métro, bus, etc.). La chair n'a vraiment pas le goût de son odeur, il est donc très prisé des locaux. Plus rarement des Occidentaux... Extrêmement nourrissant, il est aussi très vitaminé. C'est d'ailleurs un fruit assez cher, à la consistance douce et un peu crémeuse. Fruit d'été.

– Le **ramboutan** est rouge et rond avec l'aspect d'un marron, et son goût rappelle les litchis.

– Le **chiku** a la forme d'un œuf. On lui enlève la peau (un peu comme un kiwi, sans les poils) pour déguster sa chair, au goût très sucré, légèrement musqué.

– Et puis le **duku** et le **mango,** qui viennent de Malaisie, de Thaïlande, d'Inde ou des Philippines.

– Le **mangoustan,** de la taille d'une petite orange, au goût de framboise, est le meilleur des fruits tropicaux. En juillet-août surtout, mais on en trouve d'importation en hiver.

– Le **fruit du dragon** (dragon fruit), à l'extérieur rose-violet avec un intérieur blanc et des graines noires, est également un excellent fruit, un peu acidulé.

– La **carambole** (starfruit) sert à faire un jus très rafraîchissant, tout au long de l'année. Sans oublier les kiwis, ananas, bananes, pommes, poires, fraises...

On trouve tous ces fruits dans les échoppes des *hawkers* et *food courts,* présentés coupés ou en brochettes, mixés en jus ou *smoothies,* avec le plus souvent des indications sur leurs propriétés nutritionnelles. L'occasion de faire une belle cure de vitamines.

CURIEUX, NON ?

– Face à l'augmentation du nombre de divorces et à la baisse de la natalité, les stages sur la « reproduction » et la « 2e chance » se multiplient. On ne compte plus le nombre de livres consacrés au couple, au plaisir et à la sexualité. Lee Kuan Yew proposait, quant à lui, un remède tout personnel : le recours à la polygamie.

– Les portes du *Grand Hyatt,* l'un des plus grands hôtels de Scotts Road, sont disposées en biais. Il ne s'agit pas d'une simple originalité architecturale : comme d'autres, l'établissement se conforme aux principes du *feng shui,* espérant attirer la chance en harmonisant les courants d'énergie qui nous entourent.

– L'eau constitue un véritable enjeu à Singapour, qui doit en partie l'importer de Malaisie.

LE SOUFFLE DU DRAGON

En Asie, la construction des immeubles modernes répond aux règles du feng shui. Chaque mur est orienté en fonction de la direction de la pluie, de l'air et du vent afin de s'assurer du souffle des dieux. Mais les trous ? Ce sont les experts qui décident de leur emplacement, pour que les dragons de la montagne puissent venir se désaltérer dans la mer sans se heurter aux constructions humaines. Des trous qui valent des sommes considérables !

Pour diminuer cette dépendance, l'État non seulement traite les eaux usées, mais les met en bouteille. La marque *NEWater* est vendue et consommée désormais partout en ville. Bel exemple de recyclage !

– Au premier abord (même au second), le langage parlé dans la rue peut surprendre. Le « singlais » mêle les 4 langues officielles, à savoir du vocabulaire anglais, agrémenté ici et là d'expressions indiennes et malaises, structuré par la grammaire et la syntaxe du mandarin. Bon courage !

– Par souci de propreté, jeter par terre son chewing-gum est interdit. Une interdiction parmi d'autres qui vaut à la ville d'être surnommée la « *fine city* », « *fine* » signifiant en anglais à la fois « agréable » et « amende ». Pas vraiment des synonymes !

– À ajouter à la longue liste des interdictions : le saut à l'élastique est proscrit !

– Singapour est l'un des plus petits États au monde, mais la ville compte encore gagner 100 km^2 de terre sur la mer d'ici à 2030.

DROITS DE L'HOMME

De paradis, Singapour n'en a que le statut fiscal, car pour le reste, le régime autoritaire élaboré patiemment par Lee Kuan Yew, au pouvoir de 1959 à 1990 et décédé en mars 2015, a tout d'un roman orwellien. Un système devenu même un modèle pour bon nombre de dirigeants asiatiques ou du Golfe, qui aimeraient accéder à un tel degré de sophistication dans le contrôle des citoyens et la répression des rares contestataires.

Les libertés d'expression, de réunion et d'association sont très encadrées (médias contrôlés, censure, permis d'autorisation d'association et de manifestation). Les médias peuvent être à tout moment interdits, et l'espoir des quelques Singapouriens souhaitant s'accorder un minimum de libertés grâce au Web a été douché depuis longtemps. La diffamation est régulièrement utilisée pour infliger des amendes lourdes aux organes de presse ou aux blogueurs trop critiques. Les militants pour la cause homosexuelle sont particulièrement dans le viseur des autorités (rappelons que l'homosexualité est toujours officiellement interdite à Singapour).

Sous le gouvernement de *Goh Chok Tong* puis celui de *Lee Hsien Loong* (qui dure depuis 2004), la censure s'est (oh, à peine) assouplie. Les groupes de rock sont briefés avant chaque concert, leurs chansons sélectionnées et les films sont tronçonnés avant la projection. Les œuvres à caractère pornographique sont interdites alors que, par ailleurs, la prostitution est légale.

Ainsi, côté mœurs, si vous allez au cinéma, vous verrez peut-être la mention « R(A) » sur les affiches. Il s'agit d'un film qui comporte quelques scènes légères (d'où le R pour *restricted* ; le film est interdit aux moins de 21 ans), mais qui mérite, vu sa valeur artistique (le A), d'être diffusé. Il subsiste donc quelques passages torrides, le gérant du cinéma et la presse ne manquent pas d'en faire la pub, et le film reste à l'affiche, du coup, pendant 6 mois...

Lee Hsien Loong, le fils de *Lee Kuan Yew* et actuel Premier ministre de la cité-État, se garde bien d'ailleurs de revenir sur ces instruments liberticides. La société singapourienne, dominée par le Parti d'action populaire, ultra-majoritaire, semble sclérosée, sous surveillance constante d'un Big Brother informatique et policier impossible à remettre en cause. Un amendement à la loi relative à l'ordre public renforce encore depuis 2018 le pouvoir des autorités en matière de restriction ou d'interdiction des manifestations. Désormais, les organisateurs d'un événement public doivent prévenir près d'un mois à l'avance, et donner une estimation de l'affluence, sans pour autant que l'autorisation ne leur soit accordée.

Dans un rapport très sévère publié en décembre 2017, *Human Rights Watch* précise que « les personnes qui se montrent critiques à l'égard du gouvernement ou de la justice, ou qui parlent de manière critique de la religion ou des questions de race, se trouvent souvent confrontées à des enquêtes criminelles ou des poursuites civiles, s'accompagnant souvent de demandes de dommages-intérêts exorbitants ». La création artistique est également soumise à la censure et des œuvres peuvent être interdites lorsque le gouvernement les juge « obscènes » ou « répréhensibles », tout en conservant une définition très floue de ces termes.

Seul îlot de « liberté », le *Speakers' Corner,* ouvert en 2000 dans le Hong Lim Park, sur le modèle londonien. Les citoyens peuvent s'y rassembler, manifester et s'exprimer « librement » à condition de n'être ni insultants ni offensants à l'égard du pouvoir, et après s'être dûment enregistrés sur un site d'État. Et tout cela, bien entendu, sous surveillance-caméra permanente.

La loi sur la sécurité intérieure est également à l'origine de dérives (détention sans limite de durée ni inculpation officielle, etc.). La **peine de mort** est toujours de mise à Singapour, une sanction quasi systématique en cas de meurtre ou de trafic de drogue. Amnesty International dénonce en outre l'usage de la bastonnade, régulièrement administrée dans les cas de violation de la loi sur les migrations. Les travailleurs étrangers, souvent d'origine indienne ou chinoise, sont soumis à toutes sortes de discriminations et travaillent dans des conditions éprouvantes. Néanmoins, un progrès social inhabituel à Singapour a permis à quelque 200 000 domestiques, essentiellement des femmes d'origine étrangère, de bénéficier d'un jour de congé par semaine.

Pour plus d'informations, contacter :

■ **Fédération internationale des Droits de l'homme (FIDH) :** ● fidh.org ●

■ **Amnesty International** (section française) **:** ● amnesty.fr ●

ÉCONOMIE

Croissance, rentabilité et enrichissement personnel régissent l'économie singapourienne et le mode de vie de ses habitants. On travaille beaucoup, on investit, on achète, tout cela sans relâche de peur de connaître de nouveau la pénurie. Une attitude symbolisée par le *kiasu,* un trait de caractère qui consiste à être roublard et à rouler tout le monde, de peur... d'être roulé soi-même !

Quelques chiffres pour illustrer clairement le succès économique de ce Dragon asiatique (comme la Corée du Sud, Hong Kong et Taïwan) : Singapour est la 1re place financière d'Asie et la 4e mondiale ; elle est 1re dans le classement *Doing Business* de la Banque mondiale pour la facilité à y faire des affaires ; c'est le 2e port mondial derrière Shanghai ; elle se situe au 3e rang en terme de PIB/habitant après le Qatar et le Luxembourg (!) et elle est devant tout le monde en nombre de millionnaires rapporté au nombre d'habitants !

Dans les années 1960, Singapour a tiré son épingle du jeu en écoutant, entre autres, les conseils d'un économiste hollandais, **Albert Winsemius.** La ville devient d'abord une base industrielle (pétrochimie), manufacturière et de services qui, par le biais d'exonérations fiscales, a le pouvoir d'attirer les investisseurs étrangers. Après le premier choc pétrolier en 1973, l'activité économique de l'île s'est diversifiée, s'orientant vers l'électronique. Le transport maritime et aérien puis le secteur bancaire sont venus compléter la liste de ses points forts et assurer sa prospérité.

Depuis le début des années 1990, Singapour a décidé de délocaliser ses industries les plus rudimentaires en Birmanie, en Chine ou au Vietnam, pour ne garder que les services (63 % de ses richesses) et la haute technologie (produits pharmaceutiques, électronique). Sans oublier de gros efforts budgétaires dans le domaine de la recherche, en créant des campus délocalisés à partir d'universités renommées (françaises, entre autres). Singapour mise donc sur la matière grise ! L'économie est foncièrement dirigée par le gouvernement : 60 % du PIB est engendré par 50 entreprises publiques. Toutefois, la crise économique mondiale de 2009 a ralenti la croissance du PIB d'abord temporairement, puis de nouveau dès 2011. Le taux de croissance s'est situé à environ 2,5 % en 2018.

L'avenir ? L'art, la culture et le jeu !

Il est visible (presque à l'œil nu) que l'accent est mis, entre autres, sur le tourisme. Le gouvernement a entrepris des travaux d'infrastructures monumentaux, comme la construction du gros « hanneton », l'*Esplanade on the Bay,* espace dédié à la musique et à l'art. Singapour se donne pour vocation de devenir le pôle artistique du monde asiatique. Et elle fait tout pour s'en donner les moyens. Les quartiers typiques de la ville sont rénovés et non pas détruits. La ville cherche à garder son image de ville multiculturelle, son fonds de commerce essentiel, tout en perpétuant la tradition. Les postes économiques tels que la finance, les nouvelles technologies, le commerce, l'industrie pharmaceutique, la chimie ou l'e-business font toujours sa force, mais elle cherche désormais à se construire une identité en se libéralisant (modestement) et en s'ouvrant (énormément) sur l'extérieur et sur de nouvelles sources de revenus. Le gouvernement a en effet levé l'interdiction des casinos en 2010 en ouvrant 2 établissements, faisant de Singapour le centre de loisirs d'Asie du Sud-Est qui attire les touristes japonais, coréens, taiwanais et chinois. L'affaire s'est d'ailleurs très rapidement révélée lucrative, puisqu'avec 6 milliards de dollars de recettes les casinos singapouriens seraient en passe de rattraper Las Vegas !

ENVIRONNEMENT

Voilà un domaine dont le gouvernement peut se vanter, et à juste titre. Mais à quel prix ! La propreté est de rigueur sur toute l'île-État. Des poubelles aux 4 coins des rues, l'interdiction formelle de manger, de boire et bien évidemment de fumer dans le métro, la fierté du pays. Vous comprendrez dès votre arrivée à l'aéroport : c'est nickel. On vous défie de trouver un papier gras ou un mégot de cigarette par terre sur Orchard Road (on fume devant les cendriers-poubelles). L'écologie est une préoccupation du gouvernement, mais aussi des habitants de Singapour. Les mesures contre la pollution se multiplient, notamment avec un contrôle très rigoureux des gaz d'échappement, mais aussi de l'eau et du bruit. Une réelle politique de transports « verts » est mise en place, avec le développement du MRT (le métro de Singapour). Autre problème crucial : l'eau. Singapour dépend encore trop de l'eau potable en provenance de Malaisie. Si bien que le gouvernement a beaucoup misé sur un projet : le *NEWater,* qui recycle les eaux usées de la ville. Oubliées les réticences du début ! L'eau *NEWater,* vendue en bouteilles, se boit... et se voit tout particulièrement sur les tables des politiciens lors des grands événements nationaux. Récompensé en 2007 par le *Stockholm Water Industry Award,* ce projet fait avancer Singapour sur la voie de l'autonomie. Poursuivant le même objectif, une nouvelle station de désalinisation est entrée en service en 2013, triplant la capacité de dessalement de l'île, dont seulement 10 % des besoins en eau sont actuellement pourvus de cette manière. Les autorités estiment que *NEWater,* plus la désalinisation, pourraient répondre à 80 % de la demande d'ici à 2060 (sachant qu'elle aura quasi doublé par rapport à la consommation actuelle).

En 2017, l'annonce a été faite par le ministre en charge : pour la 1re fois depuis plusieurs décennies, l'agriculture va bénéficier de 60 ha de terres réservées à la culture de haute technologie. Une nécessité pour lutter contre les perturbations dans la chaîne d'approvisionnement au sein d'un pays obligé d'importer 90 % de sa nourriture.

Faune et flore

Pour la faune, il faut aller dans les réserves ou encore sur les petites îles au nord pour découvrir des caméléons, des lézards volants et même des macaques à longue queue. À *Sungei Buloh Wetland Reserve,* parc marécageux, sur 87 ha de mangrove, c'est un festival ornithologique avec plus de 180 espèces d'oiseaux qui se retrouvent là de septembre à mars pendant leur migration. Pêle-mêle : hérons, martins-pêcheurs, serpents d'eau et varans.

La flore se résume désormais à quelques espaces qui survivent à l'invasion de l'urbanisme. Une des dernières enclaves est la *Bukit Timah Nature Reserve (plan I)*, qui couvre 164 ha de végétation primaire. On y trouve aussi plusieurs variétés de bois tropicaux. Autrement, sur la côte, au nord de l'île, mais aussi à Pulau Ubin et Pulau Tekong, on retrouve quelques forêts de mangrove. Mais l'essentiel de la végétation est cultivé pour les parcs et jardins de la ville. N'hésitez pas à vous y promener, ce sont souvent de véritables petits bijoux d'ornementation.

GÉOGRAPHIE

Singapour est une île de 719 km² environ et qui compte un peu moins de 200 km de côtes. Elle ne cesse de s'agrandir en gagnant des terres sur la mer. L'île principale mesure environ 40 km d'est en ouest et 18 km du nord au sud. Mais Singapour, c'est aussi un chapelet d'une soixantaine d'îles, qui sont petit à petit annexées : certaines sont destinées à l'industrie, d'autres aux animations touristiques ou encore aux réserves naturelles. L'île principale est composée au centre de roches volcaniques (vers *Bukit Timah* et *Bukit Mandai*). À l'est, c'est plutôt plat, avec un sol de gravier et de sable. À l'ouest, en revanche, c'est assez vallonné.

HISTOIRE

L'île, nommée au XIVe s *Temasek*, « ville de la Mer », fut rebaptisée *Singa Pura* ou « ville du Lion » par **Sang Nila Utama,** un prince de Sumatra, dont la mauvaise vue lui fit apercevoir un lion (*singa,* en sanskrit) sur l'île. Aucun lion n'y résida jamais, mais le nom est resté. Sang Nila Utama considéra cela comme un bon signe et décida d'ériger une nouvelle ville à cet endroit, qu'il dénomma *Singapura*. Singapour resta possession du sultanat de Sumatra jusqu'en 1819.

Comptoir britannique

Le 28 janvier de cette année 1819, *sir Thomas Stamford Raffles* pénètre dans l'étroit chenal de la Singapore River, situé à l'extrême pointe de la Malaisie, au carrefour de plusieurs mers. Cet agent de la Compagnie britannique des Indes orientales comprend immédiatement l'essor potentiel de ce petit bout de jungle. Objectif : développer une nouvelle base commerciale pour contrecarrer le monopole des comptoirs portugais et hollandais de Java, Sumatra, Bornéo. Il signe, pour cela, avec le sultan de Johor, un ***accord donnant aux Britanniques le droit d'établir un comptoir*** sur l'île et de le déclarer port franc. L'accord comprenait la célèbre phrase : « Notre objectif n'est pas territorial mais commercial : un grand empire commercial à partir duquel nous pourrons étendre notre influence politique si les circonstances le nécessitent. » En route pour la Chine, les vaisseaux chargés de denrées, de tissus et d'épices devaient bientôt faire halte à Singapour plutôt qu'à Penang ou Malacca.

De 150 pêcheurs, l'île passa en 1824 à 10 000 habitants, pour la plupart commerçants. La destinée de la ville était tracée. Raffles officialisait à cette date la ***souveraineté britannique*** et pouvait, après avoir rasé la forêt, développer les bases économiques de ce nouveau carrefour mondial.

En déclarant Singapour « un port franc où régnera la liberté, sans taxe, sans restriction », Raffles traçait une ***voie royale aux commerçants de l'Asie du Sud-Est.*** L'ouverture du canal de Suez en 1869 devait appuyer cette hégémonie. Les Chinois du Kuang Tong et du Fujian vinrent en masse sur l'île au trésor et contribuèrent à créer le ***miracle économique.*** Sûrs d'eux, travailleurs acharnés, ils devaient rapidement faire pâlir de jalousie les Malais.

Indépendance et stabilité

Le Singapour multiracial passa rapidement sous domination démographique et économique chinoise. Après l'occupation japonaise (de 1942 à 1945), qui laissa de très mauvais souvenirs, la ville redevint une colonie de la Couronne, avant de mettre en place un gouvernement d'autonomie en 1959, qui aboutit à l'**indépendance en 1965.**

En 2004, Lee Hsien Loong, fils de **Lee Kuan Yew, le Premier ministre « fondateur » de l'État de Singapour,** prend la suite de son père, édulcore un peu la politique de papa, et remporte allègrement toutes les élections depuis cette date, dont les dernières en 2015 avec plus de 70 % des voix. Pour certains, le résultat, qui intervient quelques mois après le décès de Lee Kuan Yew, sonne comme la reconnaissance d'un héritage.

En 2018, Singapour a occupé la scène internationale en accueillant le 12 juin un sommet historique entre Donald Trump et Kim Jong-un. Il devait sceller un accord sur la dénucléarisation de la part de la Corée du nord en échange de la levée des sanctions côté américain. Un accord toutefois bien fragile.

LANGUES

4 langues officielles à Singapour : le malais, le tamoul, l'anglais et le mandarin, auxquelles il faut ajouter une vingtaine d'autres langues et dialectes.

Afin de maintenir un lien avec la culture et la puissance économique chinoises, le gouvernement semble favoriser le mandarin. On voit en effet fleurir dans la ville d'immenses calicots : « Parlez moins les dialectes et davantage le mandarin. » De plus en plus de mariages ont lieu entre des Singapouriens d'origine chinoise mais de provinces et donc de dialectes différents. Ils communiquent alors en mandarin. Au cœur de Chinatown, les vieux ne parlent que les dialectes chinois non mandarins (*hokkien, hakka, teochew*, etc.).

L'anglais est la langue de l'administration. Elle est imposée aux élèves dans les écoles mais, suivant la politique de bilinguisme du gouvernement, les écoliers doivent désormais apprendre une seconde langue parmi les 3 autres langues officielles, le plus souvent celle de leurs origines (qu'ils parlent en famille).

Quant au malais, il est perçu comme la langue nationale. L'hymne de Singapour, *Majulah Singapura,* est d'ailleurs chanté en malais.

Le Singapourien de la rue s'exprime souvent dans une langue hybride : le singlais (ou *singlish,* contraction de Singapour et de *English,* vous l'auriez deviné !). Une langue utilisant le vocabulaire anglais et de nombreuses expressions empruntées aux autres langues parlées sur l'île, mais à la grammaire, la conjugaison et la syntaxe mandarines. Tout cela donne une langue au premier abord très surprenante, voire incompréhensible pour une personne ne parlant que l'anglais « traditionnel ». Maintenant, rien ne vous empêche d'acheter un de ces petits dictionnaires en vente dans les librairies locales. *OK lah* (d'accord) ?

MÉDIAS

Votre TV en français : TV5MONDE, la première chaîne culturelle francophone mondiale

Avec ses 11 chaînes et ses 14 langues de sous-titrage, TV5MONDE s'adresse à 360 millions de foyers dans plus de 190 pays du monde par câble, satellite et sur IPTV. Vous y retrouverez de l'information, du cinéma, du divertissement, du sport, du documentaire...

Grâce aux services pratiques de son site voyage ● *voyage.tv5monde.com* ●, vous pouvez préparer votre séjour et, une fois sur place, rester connecté, avec les applications et le site ● *tv5monde.com* ● Demandez à votre hôtel le canal de diffusion de TV5MONDE et contactez ● *tv5monde.com/contact* ● pour toutes remarques.

Presse

Les kiosques de Singapour sont bien approvisionnés en journaux étrangers. Le principal groupe de médias, Singapore Press Holdings (SPH), proche du gouvernement, détient une quinzaine de journaux et de magazines, publiés dans les 4 langues du pays. Le quotidien anglophone *Straits Times* est celui qui rencontre le plus de succès. Connu pour sa couverture régionale, il donne également pas mal d'infos dans ses suppléments sur les activités culturelles (concerts, ciné, expos, etc.).

Télévision

Toutes les grandes chaînes internationales sont reçues. Pour les chaînes françaises, c'est TV5 qui est diffusée.

Liberté de la presse

Singapour occupe le 151e rang sur 180 dans le Classement mondial de la liberté de la presse établi par Reporters sans frontières en 2018. Des blogs et des sites d'information indépendants ont émergé pour pallier l'autocensure qui caractérise la presse traditionnelle, alignée sur les positions du gouvernement. Mais un système de licence strict, applicable aux blogs individuels enregistrant plus de 50 000 visites, ainsi que des lois répressives, permettent à l'Autorité de développement des médias de censurer les contenus journalistiques.

Ainsi, en mars 2016, la plateforme d'informations *The Online Citizen* a fait l'objet de plusieurs procédures visant à la dissuader de maintenir son ton critique vis-à-vis des autorités. Quelques mois plus tôt, l'organe de régulation, à la solde du gouvernement, avait ordonné la fermeture du site d'information *The Real Singapore*. 2 de ses contributeurs ont été accusés de « sédition », un crime passible de 21 ans d'emprisonnement.

Les poursuites pour diffamation sont monnaie courante, y compris de la part du Premier ministre *Lee Hsien Long*. Le blogueur *Roy Ngerng* a dû fuir la cité-État fin 2016, suite à des poursuites liées à la publication d'un article sur des malversations en lien avec le fonds de pension central du pays. En 2018, la blogueuse *Han Hui Hui* a fait l'objet de harcèlement en ligne et d'intimidations physiques pour son ton critique à l'égard des autorités. Aujourd'hui, les velléités du pouvoir de légiférer contre les « fausses informations » font craindre un peu plus pour la liberté d'informer.

■ *Reporters sans frontières :* ☎ 01-44-83-84-84. ● *rsf.org* ●

PERSONNAGES

– *Lee Kuan Yew :* né en 1923 et d'origine chinoise, Premier ministre de 1959 à 1990, *Ministre senior* de 1990 à 2004 puis *Minister mentor* (conseiller des ministres) de 1994 à 2011. C'est lui qui a mis son île sur les rails de la compétitivité (mais à quel prix ?) et qui lui a donné son indépendance en 1965. Un vrai père de la nation. Même en dehors du gouvernement, il est resté très influent et écouté, entre autres par son fils, Lee Hsien Loong, le Premier ministre actuel, et ce jusqu'à sa mort en 2015.

– *Lee Hsien Loong :* fils de Lee Kuan Yew, né en 1952, diplômé de Cambridge et de Harvard, il fait une carrière militaire jusqu'au grade de général et entre en

politique dans les années 1980. Vice-premier ministre sous le gouvernement de Goh Chok Tong, il succède à son père en 2004 et dirige le pays depuis cette date.
– *Sir Thomas Stamford Raffles :* né en 1781 à la Jamaïque. Agent de la Compagnie des Indes orientales, il s'installe sur l'île de Singapour en 1819. Il organise la nouvelle base du commerce anglais pour contrer les Portugais et les Hollandais dans la région. C'est le début d'une grande histoire avant tout commerciale. Il a fait de Singapour un port franc inévitable sur le chemin de la Chine, et lui a donné son ampleur. Passionné par Napoléon, il fit escale à Sainte-Hélène : il fut stupéfait par l'arrogance, le dédain et le manque de courtoisie de l'empereur déchu.

POPULATION

Attention, sujet délicat : la société singapourienne se veut pluriethnique et respectueuse de ses différentes composantes. Le credo officiel est donc la tolérance vis-à-vis des minorités, et les autorités répriment sévèrement toute discrimination basée sur l'origine ethnique ou religieuse, et c'est tant mieux. Si les Singapouriens peuvent paraître communautaristes (ils se sentent de culture chinoise avant d'être singapouriens, par exemple), ils sont très tolérants vis-à-vis des autres cultures. Ce melting-pot remarquable est d'ailleurs un des attraits les plus intéressants de Singapour.
– *Les Malais :* habitants originels de l'île auxquels se sont joints des Malais de la péninsule, ils ne représentent plus aujourd'hui que 13 % de la population de Singapour et sont majoritairement musulmans. Groupe ethnique le plus désavantagé, les Malais sont très peu présents dans les sphères politique et judiciaire et se voient interdire l'exercice de certaines professions, principalement dans l'armée (marine, aviation, etc.).
– *Les Chinois :* leur présence dans le coin (surtout en Malaisie) est attestée depuis le XIVe s. Mais c'est quand Singapour devient l'un des Établissements anglais des Détroits *(settlements)* en 1826 qu'affluent en masse des Chinois des provinces du Sud *(Hokkiens, Teochews,* Cantonais et *Hakkas).* Les triades, ces fameuses sociétés chinoises (philanthropiques avant de devenir, pour certaines, mafieuses), ont joué jusqu'à la fin du XIXe s un grand rôle, facilitant l'installation et l'intégration des immigrés chinois, ce qui explique que cette communauté soit désormais majoritaire à Singapour (74 % de la population). Sous des apparences de modernité, le Chinois de Singapour garde de ses origines un penchant pour les superstitions et les croyances qui échappent largement à l'Occidental, et son matérialisme de nouveau riche s'accompagne encore parfois d'une rugosité dans les rapports humains.
– *Les Indiens :* ils représentent 9 % de la population. Les premiers sont arrivés entre 1825 et 1873 comme forçats. Ils ne ratent jamais une de leurs fêtes religieuses et s'invitent à tous les mariages. Puis sont venus les Tamouls (principale ethnie indienne de Singapour) pour travailler comme dockers sur le port ou comme ouvriers à la construction du chemin de fer. Ce sont eux, avec les Tamouls du Sri Lanka, qui sont chargés des boulots les moins valorisants : voirie, entretien, terrassements, etc. Mais cela tend à évoluer (très légèrement) avec, depuis les années 1990, l'arrivée d'une minorité d'Indiens ingénieurs et autres travailleurs hautement qualifiés.
– *Les Gurkas :* cette communauté d'origine népalaise est célèbre pour sa combativité et son sens de l'ordre. Les Gurkhas avaient démontré leur courage en luttant vaillamment contre les Anglais en 1816. Voilà pourquoi, depuis 200 ans, ils appartiennent à l'élite de l'armée britannique. Aujourd'hui 2 000 d'entre eux font partie des meilleurs éléments de la police de Singapour.
– *Les minorités :* les *Eurasiens,* d'ascendance britannique, hollandaise ou portugaise, sont faiblement représentés ; les *Arabes,* venus du Yémen ; les *Bugis,* marins pêcheurs (pour ne pas dire pirates) venus des Célèbes, ont laissé leur nom à une des rues les plus célèbres de la ville (Bugis Street).

Le pluriethnisme de Singapour est pour beaucoup dans le charme de la ville. Mais, abstraction faite des quartiers ethniques (dont **Little India** serait le meilleur exemple), la ville offre souvent le visage d'une capitale occidentale. Et « l'américanisation » de la jeunesse inquiète le gouvernement. D'où la multiplication, par exemple, des musées thématiques (comme celui consacré aux civilisations asiatiques, à l'héritage chinois, indien ou malais) pour inciter les jeunes Singapouriens à renouer avec leurs racines.

RELIGIONS ET CROYANCES

À Singapour, la liberté de culte, érigée en droit fondamental, est vraiment respectée (c'est toujours ça). Cohabitent indifféremment clochers gothiques, *gopurams* polychromes et minarets dorés. Même si la société est laïque (l'enseignement religieux est banni des écoles publiques), même si, là encore, certaines valeurs occidentales ont fortement pénétré les mentalités, la pratique religieuse reste stable. Depuis quelques années, on assiste même à un regain de la religiosité chez les jeunes Singapouriens. Les Malais sont en majorité musulmans (voir le chapitre « Religions et croyances » dans la partie Malaisie), les Indiens communément hindous, parfois bouddhistes, musulmans ou sikhs.

La communauté chinoise (même si certains se convertissent au christianisme) se partage en principe entre bouddhisme et taoïsme. De fait, les Chinois mélangent allègrement ces 2 religions à un fond ancien d'animisme. Tout un monde invisible où se croisent Bouddha, Kuan Yin (déesse de la Miséricorde), une multitude de dieux lares (domestiques) et des énergies vitales dont le pragmatisme économique s'accommode plutôt bien. Ainsi, l'attention particulière accordée au *feng shui* (littéralement le « vent-eau »). Pour saisir la chance *(joss)*, il faut savoir exactement comment se placer face à ces courants invisibles qui sillonnent la surface du globe.

SAVOIR-VIVRE ET COUTUMES

N'oubliez pas de n'utiliser que la main droite pour manger au sein de la communauté malaise... la main gauche étant réservée à la toilette intime. De même, un présent ne se donne qu'avec la main droite et si votre interlocuteur se touche légèrement le poignet droit avec la main gauche, cela signifie qu'il vous marque un grand respect. Quant aux cartes de visite *(business cards)*, très répandues dans les relations d'affaires, elles se remettent et se reçoivent avec les 2 mains, pouces tendus, face à l'interlocuteur, avec une légère inclination du buste. Pas question de les enfourner négligemment dans une poche, il faut la regarder attentivement avec un air très intéressé avant de la ranger.

SITE INSCRIT AU PATRIMOINE MONDIAL DE L'UNESCO

En coopération avec le

Organisation
des Nations Unies
pour l'éducation,
la science et la culture
·
Centre
du patrimoine
mondial

Pour figurer sur la liste du Patrimoine mondial, les sites doivent avoir une valeur universelle exceptionnelle et satisfaire à au moins un des 10 critères de sélection. La protection, la gestion, l'authenticité et l'intégrité des biens sont également des considérations importantes.

Le patrimoine est l'héritage du passé dont nous profitons aujourd'hui et que nous transmettons aux générations à venir. Nos patrimoines culturel et naturel sont 2 sources irremplaçables de vie et d'inspiration. Ces sites appartiennent à tous les peuples du monde, sans tenir compte du territoire sur lequel ils sont situés. Pour plus d'informations : ● *whc.unesco.org* ●

– À Singapour, pour l'instant seul le ***Jardin botanique*** est classé depuis 2015.

SOCIÉTÉ

Le meilleur des mondes ?

L'organisation sociale et politique de la cité-État suscite l'étonnement, l'admiration ou le rejet. Sorte d'autoritarisme éclairé, ou de « dictature soft », « orwelienne » pour certains, elle se fonde sur un multiculturalisme affirmé, à la fois dirigiste mais soucieuse du bien-être commun que procure une économie en croissance constante. On peut vraiment parler de miracle lorsqu'à l'indépendance, en 1965, on ne donnait pas cher des chances de survie de ce nouvel État, ruiné par l'occupation japonaise, dépourvu de ressources naturelles et dépendant de ses voisins pour son approvisionnement.

Depuis, à l'abri du parapluie sécuritaire américain, misant tout sur son activité portuaire et sa position privilégiée au carrefour des échanges commerciaux, Singapour est devenu, à la force du poignet, un État parmi les plus prospères de la planète. Cette *success story* s'est construite, il est vrai, au prix d'un paternalisme dirigiste, aux main d'un parti unique, le ***People's Action Party*** (83 sièges sur 89 aux dernières élections) reléguant toute opposition, le *Workers' Party* de centre-gauche, notamment, à la portion congrue. Cette large victoire a conféré au Premier ministre une forte légitimité dans un environnement que les Singapouriens considèrent comme menaçant (terrorisme, immigration), même si les querelles au sein même de la famille du Premier ministre Lee égratignent sérieusement sa réputation.

Il faut dire, qu'en dépit de cette chape apparente qui laisse peu de place à la contestation, les autorités ont depuis le début porté une attention particulière à la cohésion sociale d'une société, multiculturelle et multiconfessionnelle. Elles s'appuient entre autres, sur un système éducatif performant où le ***respect de l'autorité*** et la ***recherche de l'excellence*** sont constamment mis en exergue.

Une nouvelle loi modifiant le mode d'élection du Président prévoit de privilégier les candidats provenant de minorités ethniques afin qu'elles soient davantage représentées. C'est le cas depuis les dernières élections de 2017 où une femme d'origine malaise a accédé à la charge (honorifique) suprême. Le ***système judiciaire*** bénéficie d'une ***indépendance totale,*** il faut le noter.

Malgré une politique nataliste, lancée au début des années 1980 et destinée à endiguer le vieillissement de la population, le taux de natalité reste un des plus faibles du monde (1,25 enfant/femme en 2014). Notamment en cause : l'importance accordée au travail. Singapour a organisé l'immigration d'une main d'œuvre hautement qualifiée et procède chaque année à de ***nombreuses naturalisations*** (env 50 000/an). Depuis 2010, le nombre de travailleurs immigrés sur l'île a été restreint. Comme un peu partout, cette question de l'immigration et de l'intégration des étrangers est intensément débattue, particulièrement depuis la publication en 2013 d'un *Livre Blanc* préconisant un appel massif à l'immigration d'ici 2030. Signes d'une certaine anxiété sociale, des manifestations (fait quasi inédit) rassemblant plusieurs milliers de personnes ont eu lieu, avec des émeutes qui ont secoué *Little India*. Du coup, le sentiment anti-étranger est monté d'un cran et les autorités ont durci les conditions d'entrée pour les expatriés.

Pour lutter contre les inégalités, Singapour a mis en place un mécanisme d'épargne destiné à financer la santé, le logement et l'éducation à partir d'un système fondé sur la ***responsabilité individuelle.*** Depuis 2015, les 30 % de Singapouriens les plus pauvres, âgés de plus de 65 ans, reçoivent une allocation chaque trimestre et depuis 2016, chaque Singapourien âgé de plus de 25 ans reçoit un chèque-étude pour s'inscrire à une formation. Une franchise est appliquée pour éviter la surconsommation des services de santé.

les ROUTARDS sur l'ÉTRANGER 2019-2020

(dates de parution sur • *routard.com* •)

Découpage de l'ESPAGNE par le ROUTARD

Découpage de l'ITALIE par le ROUTARD

Autres pays européens

- Allemagne
- Angleterre, Pays de Galles
- Autriche
- Belgique
- Bulgarie
- Crète

- Croatie
- Danemark, Suède
- Écosse
- Finlande
- Grèce continentale
- Hongrie
- Îles grecques et Athènes
- Irlande
- Islande
- Madère

- Malte
- Norvège
- Pays baltes : Tallinn, Riga, Vilnius
- Pologne
- Portugal
- République tchèque, Slovaquie
- Roumanie
- Suisse

Villes européennes

- Amsterdam et ses environs
- Berlin

- Bruxelles
- Budapest
- Copenhague
- Dublin
- Lisbonne
- Londres
- Moscou

- Naples
- Porto
- Prague
- Saint-Pétersbourg
- Stockholm
- Vienne

les ROUTARDS sur l'ÉTRANGER 2019-2020

(dates de parution sur • routard.com •)

Découpage des ÉTATS-UNIS par le ROUTARD

Autres pays d'Amérique

- Argentine
- Brésil
- Canada Ouest
- Chili et île de Pâques
- Colombie
- Costa Rica
- Équateur et les îles Galápagos
- Guatemala, Belize
- Mexique
- Montréal
- Pérou, Bolivie
- Québec et Ontario

Asie et Océanie

- Australie côte est + Red Centre
- Bali, Lombok
- Bangkok
- Birmanie (Myanmar)
- Cambodge, Laos
- Chine
- Hong-Kong, Macao, Canton
- Inde du Nord
- Inde du Sud
- Israël et Palestine
- Istanbul
- Jordanie
- Malaisie, Singapour
- Népal
- Shanghai
- Sri Lanka (Ceylan)
- Thaïlande
- Tokyo, Kyoto et environs
- Turquie
- Vietnam

Afrique

- Afrique du Sud
- Égypte
- Kenya, Tanzanie et Zanzibar
- Maroc
- Marrakech
- Sénégal
- Tunisie

Îles Caraïbes et océan Indien

- Cuba
- Guadeloupe, Saint-Martin, Saint-Barth
- Île Maurice, Rodrigues
- Madagascar
- Martinique
- République dominicaine (Saint-Domingue)
- Réunion

Guides de conversation

- Allemand
- Anglais
- Arabe du Maghreb
- Arabe du Proche-Orient
- Chinois
- Croate
- Espagnol
- Grec
- Italien
- Japonais
- Portugais
- Russe
- G'palémo (conversation par l'image)

Livres-photos Livres-cadeaux

- L'éphéméride du Routard (septembre 2018)
- Voyages
- Voyages : Italie (octobre 2018)
- Road Trips (40 itinéraires sur les plus belles routes du monde ; octobre 2018)
- Nos 120 coins secrets en Europe
- Les 50 voyages à faire dans sa vie
- 1 200 coups de cœur dans le monde
- 1 200 coups de cœur en France
- Nos 52 week-ends dans les plus belles villes d'Europe
- Nos 52 week-ends coups de cœur en France (octobre 2018)
- Cahier de vacances du Routard (nouveauté)

les ROUTARDS sur la FRANCE 2019-2020

(dates de parution sur • routard.com •)

Découpage de la FRANCE par le ROUTARD

Bretagne Nord | Titre du guide « Routard »

Autres guides sur la France

- Hébergements insolites en France
- Canal des 2 mers à vélo
- La Loire à Vélo
- Paris Île-de-France à vélo
- La Vélodyssée (Roscoff-Hendaye)
- Nos meilleurs campings en France
- Nos meilleures chambres d'hôtes en France
- Nos meilleurs restos en France
- Les visites d'entreprises en France

Autres guides sur Paris

- Paris
- Paris balades
- Paris exotique
- Restos et bistrots de Paris
- Le Routard des amoureux à Paris
- Week-ends autour de Paris

Routard Assurance

**adaptée à tous vos voyages,
seul, à deux ou en famille,
de quelques jours à une année entière !**

* Un réseau médical international.
* À vos côtés 24h/24.
* Dès 29 € / mois.
* Reconnue pour tous les visas.

RÉSUMÉ DES GARANTIES*	MONTANT
FRAIS MÉDICAUX (pharmacie, médecin, hôpital)	*100 000 € U.E. 300 000 € Monde*
RAPATRIEMENT MÉDICAL	*Frais illimités*
VISITE D'UN PARENT en cas d'hospitalisation de l'assuré de plus de 5 jours	*2 000 €*
RETOUR ANTICIPÉ en cas de décès accidentel ou risque de décès d'un parent proche	*Billet de retour*
ASSURANCE RESPONSABILITÉ CIVILE VIE PRIVÉE	*750 000 € U.E. 450 000 € Monde*
ASSURANCE BAGAGES en cas de vol ou de perte par le transporteur	*2 000 €*
AVANCE D'ARGENT en cas de vol de vos moyens de paiement	*1 000 €*
CAUTION PENALE	*7 500 €*

* Les garanties indiquées sont valables à la date d'édition du Routard. Par conséquent, nous vous invitons à prendre connaissance préalablement de l'intégralité des Conditions générales à jour sur www.avi-international.com.

Souscrivez dès à présent sur
www.avi-international.com
ou par téléphone au **01 44 63 51 00**

AVI International (Groupe SPB) - S.A.S. de courtage d'assurances au capital de 100 000 euros - Siège social : 40-44, rue Washington (entrée principale au 42-44), 75008 Paris - RCS Paris 323 234 575 - N° ORIAS 07 000 002 (www.orias.fr). Les Assurances Routard Courte Durée et Longue Durée ont été souscrites auprès d'un assureur dont vous trouverez les coordonnées complètes sur le site www.avi-international.com.

Nous tenons à remercier tout particulièrement Loup-Maëlle Besançon, Thierry Bessou, Gérard Bouchu, François Chauvin, Grégory Dalex, Fabrice Doumergue, Cédric Fischer, Carole Fouque, Guillaume Garnier, Nicolas George, Michelle Georget, David Giason, Claude Hervé-Bazin, Emmanuel Juste, Dimitri Lefèvre, Fabrice de Lestang, Romain Meynier, Éric Milet, Pierre Mitrano, Jean-Sébastien Petitdemange et Thomas Rivallain pour leur collaboration régulière.

Jean-Jacques Bordier-Chêne
Laura Charlier
Agnès Debiage
Coralie Delvigne
Jérôme Denoix
Tovi et Ahmet Diler
Clélie Dudon
Sophie Duval
Alain Fisch
Bérénice Glanger
Adrien et Clément Gloaguen
Bernard Hilaire et Pepy Frenchy Kupang

Sébastien Jauffret
Alexia Kaffès
Jacques Lemoine
Caroline Ollion
Martine Partrat
Odile Paugam et Didier Jehanno
Céline Ruaux
Prakit Saiporn
Jean-Luc et Antigone Schilling
Jean Tiffon
Caroline Vallano

Direction: Nathalie Bloch-Pujo
Direction éditoriale: Hélène Firquet
Édition: Matthieu Devaux, Olga Krokhina, Gia-Quy Tran, Julie Dupré, Emmanuelle Michon, Pauline Janssens, Amélie Ramond, Margaux Lefebvre, Laura Belli-Riz, Amélie Gattepaille, Aurore Grandière, Lisa Pujol, Camille Lenglet, Esther Batilde et Elvire Tandjaoui
Ont également collaboré: Muriel Lucas, Christine de Geyer, Aurélie Gaillot
Cartographie: Frédéric Clémençon et Aurélie Huot
Contrôle de gestion: Jérôme Boulingre et Adeline Cazabat Barrere
Secrétariat: Catherine Maîtrepierre
Fabrication: Nathalie Lautout et Audrey Detournay
Relations presse: COM'PROD, Fred Papet. ☎ 01-70-69-04-69.
● info@comprod.fr ●, Martine Levens (Belgique) et Maureen Browne (Suisse)
Direction marketing: Adrien de Bizemont, Clémence de Boisfleury et Charlotte Brou
Informatique éditoriale: Lionel Barth
Couverture: Clément Gloaguen et Seenk
Maquette intérieure: le-bureau-des-affaires-graphiques.com, Thibault Reumaux et npeg.fr
Direction partenariats: Jérôme Denoix
Contact Partenariats et régie publicitaire: Florence Brunel-Jars
● fbrunel@hachette-livre.fr ●

INDEX GÉNÉRAL

Attention : Bornéo n'est pas traité dans ce guide.

LISTE DES CARTES ET PLANS

IMPORTANT : DERNIÈRE MINUTE

Sauf rare exception, le *Routard* bénéficie d'une parution annuelle à date fixe. Entre deux dates, des événements fortuits (formalités, taux de change, catastrophes naturelles, conditions d'accès aux sites, fermetures inopinées, etc.) peuvent intervenir et modifier vos projets de voyage. Pour éviter les déconvenues, nous vous recommandons de consulter la rubrique « Guide » par pays de notre site ● *routard.com* ● et plus particulièrement les dernières *Actus voyageurs.*

Remarque importante aux hôteliers et restaurateurs

Les enquêteurs du Routard travaillent dans le plus strict anonymat. Aucune réduction, aucun avantage quelconque, aucune rétribution n'est jamais demandé en contre-partie. Face aux aigrefins, la loi autorise les hôteliers et restaurateurs à porter plainte.

Avis aux lecteurs

Le Routard, ce n'est pas comme le bon vin, il vieillit mal. On ne veut pas pousser à la consommation, mais évitez de partir avec une édition ancienne. Les modifications sont souvent importantes.

Les réductions accordées à nos lecteurs ne sont jamais demandées par nos rédac-teurs afin de préserver leur indépendance. Les hôteliers et restaurateurs sont sollicités par une société de mailing, totalement indépendante de la rédaction, qui reste donc libre de ses choix. De même pour les autocollants et plaques émaillées.

Avec routard.com, choisissez, organisez, réservez et partagez vos voyages !

✓ Rejoignez la plus grande communauté francophone de voyageurs : **plusieurs millions d'internautes.**

✓ Échangez avec les routarnautes : forums, photos, avis d'hôtels.

✓ Retrouvez aussi toutes les informations actualisées pour choisir et préparer vos voyages : plus de 300 guides destinations, une centaine de dossiers pratiques et un magazine en ligne pour découvrir tous les secrets de votre destination.

✓ Enfin, comparez les offres pour organiser et réserver votre voyage au meilleur prix.

Les **Routards** *parlent aux* **Routards**

Faites-nous part de vos expériences, de vos découvertes, de vos tuyaux et de vos coups de cœur. Aidez-nous à remettre l'ouvrage à jour. Indiquez-nous les rensei-gnements périmés. Faites profiter les autres de vos adresses nouvelles, combines géniales... On adresse un exemplaire gratuit de la prochaine édition à ceux qui nous envoient les meilleurs courriers, pour la qualité et la pertinence des informations. Quelques conseils cependant :
– Envoyez-nous votre courrier le plus tôt possible afin que l'on puisse insérer vos tuyaux sur la prochaine édition.
– N'oubliez pas de préciser l'ouvrage que vous désirez recevoir, ainsi que votre adresse postale.
– Vérifiez que vos remarques concernent l'édition en cours et notez les pages du guide concernées par vos observations.
– Quand vous indiquez des hôtels ou des restaurants, pensez à signaler leur adresse précise et, pour les grandes villes, les moyens de transport pour y aller. Si vous le pouvez, joignez la carte de visite de l'hôtel ou du resto décrit.
En tout état de cause, merci pour vos nombreux mails.

122, rue du Moulin-des-Prés, 75013 Paris

● guide@routard.com ● routard.com ●

Routard Assurance *2019*

Enrichie année après année par les retours des lecteurs, *Routard Assurance* est devenue une assurance voyage incontournable. Tout est compris : frais médicaux, assistance rapatriement, bagages, responsabilité civile... Vous avez besoin d'un médecin, d'un conseil médical ou d'une prise en charge dans un hôpital ? Ap-pelez simplement le plateau *AVI Assistance* disponible 24h/24, leur réseau est l'un des plus complets actuellement. Vous avez eu des frais de santé en voyage ? Envoyez les factures à votre retour, *AVI* vous rembourse sous une semaine. Avant votre départ, n'hésitez pas à les appeler pour des conseils personnalisés. Et téléchargez l'appli mobile pour garder le contact avec l'assistance 24h/24 et disposer de l'un des meilleurs réseaux médicaux à travers le monde. *40, rue Washington, 75008 Paris.* ☎ 01-44-63-51-00. ● avi-international.com ● Ⓜ George-V.

Édité par Hachette Livre (58, rue Jean-Bleuzen, CS 70007, 92178 Vanves Cedex, France)
Photocomposé par Jouve (rue de Monbary, 45140 Ormes, France)
Imprimé par Lego SPA Plant Lavis (via Galileo Galilei, 11, 38015 Lavis, Italie)
Achevé d'imprimer le 3 décembre 2018
Collection n° 13 - Édition n° 01
26/4602/5
I.S.B.N. 978-2-01-626752-3
Dépôt légal : décembre 2018

PAPIER À BASE DE
FIBRES CERTIFIÉES